*BOUQUINS*

*COLLECTION DIRIGÉE PAR*

*GUY SCHOELLER*

DANIEL BOORSTIN

# LES DÉCOUVREURS

*TRADUIT DE L'AMÉRICAIN*
*PAR JACQUES BACALU, JÉRÔME BODIN*
*ET BÉATRICE VIERNE*

ROBERT LAFFONT

*Première édition 1986*
*Première réimpression 1988*
*Deuxième réimpression 1989*

Chacune des œuvres publiées dans « Bouquins »
est reproduite dans son intégralité

Titre original : *The Discoverers*



*ISBN : 2-221-05587-X*
(Édition originale : *ISBN : 0-394-40229-4*
*Random House, New York)*

Né en Géorgie (États-Unis), Daniel J. Boorstin a reçu une formation de juriste avant de devenir historien. Il a enseigné dans les universités de Harvard, Chicago, Rome, Kyoto, Cambridge et à la Sorbonne. Il dirige aujourd'hui la bibliothèque du Congrès à Washington. Ses ouvrages ont reçu de nombreuses distinctions, dont le prix Pulitzer.

*A Ruth*

« Et nous prendrons sur nous d'expliquer le mystère des choses. Comme si nous étions des espions de Dieu. »

SHAKESPEARE, *Le Roi Lear,* V, 3.

« Ce même roi Salomon, bien qu'il excellât par la splendeur de ses trésors et de ses constructions, de ses flottes, de sa domesticité et de son entourage, de son renom, et autres choses semblables, ne prétend cependant à aucune de ces gloires, mais seulement à celle d'avoir recherché la vérité ; car ainsi dit-il expressément : ''La gloire de Dieu est de cacher une chose, mais la gloire du roi est de la trouver'' ; comme si, à la manière d'un innocent jeu d'enfants, Sa Majesté Divine prenait plaisir à cacher ses œuvres, afin que celles-ci puissent être découvertes ; et comme si les rois ne pouvaient obtenir plus grand honneur que d'être en ce jeu, les compagnons de Dieu. »

FRANCIS BACON,
*L'Avancement de la science* (1605).

## AVERTISSEMENT

Mon héros est l'homme qui découvre. Car le monde tel que nous le percevons aujourd'hui en Occident — le Temps dans sa perspective, les terres et les océans, les corps célestes et notre propre corps, la flore et la faune, l'histoire et la vie des sociétés humaines, passées et présentes —, ce monde-là, il a fallu, pour nous en ouvrir les portes, d'innombrables Christophe Colomb. Ceux-ci, lorsqu'ils se perdent dans la nuit des temps, sont bien sûr anonymes. Mais d'autres, plus près de nous, surgissent dans la lumière de l'Histoire, galerie de personnages aussi divers que l'est la nature humaine. Les découvertes, alors, deviennent épisodes de biographies, imprévisibles comme les nouveaux mondes que ces découvreurs nous ont révélés.

Nous verrons aussi les obstacles à la découverte que dressent le savoir illusion, les fausses certitudes. Comment espérer comprendre, en effet, ce qu'il a fallu à ces pionniers de courage, de témérité, d'héroïsme, d'imagination, sans les replacer dans leur époque, avec ses idées reçues et ses mythes ? Pour se lancer dans leur entreprise, ils durent se battre contre les « faits » admis de tous, contre les dogmes des lettrés. Ces illusions, nous avons tenté de les restituer : celles concernant la terre, les continents et les mers avant Colomb et Balboa, Magellan et le capitaine Cook ; celles sur le ciel avant Copernic, Galilée, Kepler ; sur le corps humain avant Paracelse, Vésale et Harvey ; sur la flore et la faune avant Ray et Linné, Darwin et Pasteur ; sur le passé avant Pétrarque et Winckelmann, Thomsen et Schliemann ; sur la richesse avant Adam Smith et Keynes ; sur le monde physique et l'atome avant Newton, Dalton, Faraday, Maxwell et Einstein.

Nous posons également quelques questions peu fréquemment soulevées. Pourquoi les Chinois n'ont-ils pas « découvert » l'Europe ou l'Amérique ?

Pourquoi les Arabes n'ont-ils pas effectué la circumnavigation de l'Afrique et du globe ? Pourquoi a-t-il fallu si longtemps aux hommes pour découvrir que la Terre tourne autour du Soleil ? Pourquoi un jour ont-ils eu l'idée de classer plantes et animaux par « espèces » ? Pourquoi a-t-on attendu si longtemps pour découvrir la préhistoire et le progrès de la civilisation ?

Nous ne retraçons l'histoire que de quelques inventions majeures qui furent essentielles à la découverte : horloge, boussole, télescope et microscope, imprimerie et caractères mobiles. Nous laisserons de côté l'histoire politique, celle des guerres, celle des empires qui se font et se défont. Nous n'aborderons pas non plus l'histoire culturelle, celle de l'homme qui crée : architecture, peinture, sculpture, musique, littérature — et cela malgré toutes les joies que l'art nous apporte. Notre propos concerne avant tout le besoin chez l'homme de *savoir,* savoir ce qui se trouve derrière l'horizon.

Nous suivrons dans l'ensemble la chronologie. Mais dans le détail la progression depuis l'Antiquité jusqu'à nos jours se fera par chevauchements successifs, chacune des quinze sections de l'ouvrage venant recouper partiellement celle qui la précède. Nous traiterons d'abord du Temps, la plus fuyante, la plus mystérieuse des dimensions premières de l'expérience vécue. Nous verrons ensuite comment le monde occidental a élargi sa vision de la terre et des océans. Puis nous nous intéresserons à la Nature — aux objets physiques existant dans le ciel et sur terre, à la flore et à la faune, au corps humain et à son fonctionnement. Et enfin à la Société, avec la constatation que le passé de l'humanité n'était pas tel qu'on l'avait imaginé, pour terminer sur l'autodécouverte par l'homme de ses capacités de découvreur et sur la plongée dans les continents obscurs de l'atome.

C'est là une histoire sans fin. Car le monde entier est encore une Amérique. Et les mots *terra incognita* — territoire inconnu — sont bien les plus prometteurs que l'on ait jamais écrits sur les cartes de la connaissance humaine.

# Livre I

# LE TEMPS

*Le Temps, voilà le grand innovateur.*

FRANCIS BACON,
« Des innovations ».(1625).

La première des grandes découvertes a été celle du Temps, cadre de toute expérience vécue. Ce n'est qu'en distinguant mois, semaines et ans, jours et heures, minutes et secondes, que l'homme s'est affranchi de la répétition monotone des cycles naturels. Le glissement de l'ombre, l'écoulement du sable, de l'eau, du Temps lui-même, devenus tic-tac d'horloge, allaient permettre de mesurer les déplacements de l'homme sur sa planète. Les découvertes du Temps et de l'Espace se rejoignirent jusqu'à ne plus constituer qu'une seule dimension. D'une communauté de temps devaient naître les premières communautés de savoir : moyens de partager la découverte, d'avoir prise commune aux frontières de l'inconnu.

# PREMIÈRE PARTIE

## *L'empire céleste*

*Dieu n'a point créé les planètes et les étoiles afin qu'elles dominent l'homme, mais afin que, à l'instar des autres créatures, elles lui obéissent et le servent.*

PARACELSE, *De la nature des choses* (v. 1541).

## 1

## *La tentation lunaire*

Du nord du Groenland au sud de la Patagonie, partout l'homme salue la nouvelle lune, occasion de prières et de réjouissances. Les Eskimos, alors, font ripaille, leurs sorciers entrent en transe, ils éteignent les lampes et échangent leurs femmes. « Nouvelle lune, salut à toi ! » psalmodient les Bochimans. Et le clair de lune incite à la danse. Mais la Lune a d'autres vertus. Selon Tacite, les communautés germaniques d'il y a deux mille ans tenaient leurs réunions à la nouvelle ou à la pleine lune, « périodes les plus propices aux affaires ».

Un peu partout, la Lune connote le mystère, le romanesque, le bizarre : le capricieux est déclaré « lunatique », le rêveur « dans la lune » (en anglais *moonstruck*), et c'est au clair de lune que les amoureux se donnent rendez-vous. Plus profond encore est le lien primordial entre la Lune et la notion de mesure. Le mot anglais *moon* et ceux de la même famille dans les autres langues viennent de la racine *me,* qui signifie mesure (dans *metron* en grec, par exemple, ou dans *meter* et *measure* en anglais), et nous rappelle que l'astre nocturne a été le premier garde-temps universel.

En dépit, ou à cause même, de cette commodité, la Lune ne fut qu'un piège pour une humanité naïve. Car si les phases de l'astre mort constituaient des cycles universels, elles ne menaient en fait nulle part. Ce dont chasseurs et fermiers avaient le plus besoin, c'était d'un calendrier des saisons, d'un moyen de prévoir pluie ou neige, chaleur ou froid. Combien de temps jusqu'aux semailles, jusqu'aux premiers gels, jusqu'aux pluies ?

A ces questions, la Lune ne fournissait guère de réponse. Certes, le cycle lunaire correspondait étrangement au cycle menstruel des femmes, car le mois lunaire, temps nécessaire à la Lune pour revenir à une même position dans le ciel, était égal à un peu moins de vingt-huit jours, et il fallait une dizaine de ces mois lunaires pour qu'une femme mît au monde un enfant. Mais l'année solaire, seule mesure réelle du retour des saisons, est de trois cent soixante-cinq jours un quart. Le cycle lunaire est dû à la simultanéité du mouvement de la Lune autour de la Terre avec celui de la Terre autour du Soleil. Or, l'orbite de la Lune est elliptique et diffère d'environ cinq degrés de celle de la Terre autour du Soleil. C'est ce qui fait que les éclipses de soleil ne se produisent pas chaque mois.

La troublante inadéquation des cycles lunaire et solaire devait stimuler la réflexion. S'il avait été possible de calculer l'année, le retour des saisons, en multipliant simplement des cycles lunaires, les choses, sans doute, eussent été plus simples pour l'homme. Mais eût-il été motivé alors pour l'étude du ciel et celle des mathématiques ?

C'est le mouvement de la Terre autour du Soleil, nous le savons, qui fait les saisons. Chaque cycle annuel complet marque le retour de notre planète à une même position sur son orbite. Pour s'y retrouver, il fallait à l'homme un calendrier. Mais par où commencer ?

L'obstination des Babyloniens à utiliser le calendrier lunaire devait avoir d'importantes conséquences. Cherchant à mesurer le cycle des saisons en multiples de celui de la Lune, ils finirent par découvrir — sans doute vers 432 avant notre ère — le cycle dit de Méton (du nom de l'astronome grec) : en utilisant un cycle de dix-neuf années et en donnant à sept d'entre elles treize mois, et aux douze autres douze mois seulement, ils pouvaient continuer à prendre comme base de leur calendrier les phases visibles de la Lune. L'« intercalation » de mois supplémentaires résolvait le problème d'une année « flottante » dont les saisons passaient successivement d'un mois lunaire à l'autre sans que l'on puisse très bien s'y retrouver. Mais le calendrier de Méton était trop compliqué pour un usage courant.

Complexité illustrée par Hérodote dans un passage célèbre. Quel est le plus heureux des mortels ? demande le riche et coléreux Crésus au sage Solon. Et celui-ci, pour faire comprendre à son interlocuteur le caractère profondément imprévisible de la fortune, de calculer, selon le calendrier grec alors en usage, le nombre de jours que totalise une vie humaine de soixante-dix ans : « Ces soixante-dix ans se montent, sans compter les mois intercalaires, à 25 200 jours. Ajoutons tous les deux ans un mois intercalaire, de sorte que les saisons adviennent bien en temps voulu, et nous aurons, outre nos soixante-dix ans, trente-cinq de ces mois supplémentaires, ce qui fait 1 050 jours de plus. Les soixante-dix ans considérés représenteront donc au total 26 250 jours, tous sans exception riches d'événements différents. Voilà pourquoi l'homme est entièrement le produit du hasard. Quant à toi, Crésus, je vois que tu es extraordinairement riche, et seigneur de bien des nations. Mais pour ce qui concerne ta question, je n'ai point de réponse à fournir, jusqu'au jour où j'entendrai dire que ta vie s'est achevée dans le bonheur. »

Les Égyptiens évitèrent l'impasse des explications lunaires. Ils furent, à notre connaissance, les premiers à découvrir la longueur de l'année solaire et à la définir de manière utile. Comme pour bien d'autres découvertes humaines fondamentales, nous connaissons le résultat, mais nous ignorons encore pourquoi, comment et même quand elle s'est produite. Première énigme : pourquoi les Égyptiens ? Ils ne disposaient d'aucun instrument astronomique qui ne fût déjà familier au monde antique. Ils ne possédaient aucun génie mathématique particulier. Comparée à celle des Grecs et des autres peuples méditerranéens, leur astronomie restait primitive et dominée par la religion. Mais vers 2500 avant J.-C., semble-t-il, ils savaient prévoir le moment où le soleil levant ou couchant illuminerait la pointe de tel ou tel obélisque, ce qui leur permettrait de donner à leurs cérémonies un éclat tout particulier.

Le système babylonien fondé sur l'intercalation était peu commode. Ailleurs, la coutume locale l'emporte. En Grèce, par exemple, pays que morcellent montagnes et baies, chaque État-cité établit son propre calendrier, plaçant arbitrairement son mois intercalaire pour marquer une fête locale ou répondre à des besoins politiques. Le résultat fut tout le contraire de ce que l'on attend d'un calendrier : une structuration du temps qui rapproche les hommes, qui facilite la mise en œuvre de projets communs tels que semailles ou livraison de marchandises.

Les Égyptiens, qui, en mathématiques, pourtant, étaient loin de valoir les Grecs, résolurent le problème. Ils inventèrent un calendrier qui répondait aux nécessités quotidiennes sur l'ensemble de leur territoire. Dès 3200 avant l'ère chrétienne, toute la vallée du Nil constituait avec le delta un seul royaume, qui dura trois mille ans, jusqu'au siècle de Cléopâtre. Cette unité politique fut du reste facilitée par la nature. A l'instar des corps célestes, le Nil possède son rythme naturel, bien que moins régulier. Fleuve le plus long d'Afrique, il couvre près de 6 500 km, drainant les pluies et eaux de fonte des hauts plateaux éthiopiens et de tout le nord-est du continent jusqu'à la Méditerranée. « Empire du Nil », appelait-on avec juste raison le royaume de Pharaon. L'Égypte entière n'était-elle pas d'ailleurs pour les Anciens « le don du Nil » (Hérodote) ? Du reste, la recherche des sources du fleuve devait prendre des allures mystiques de quête du Graal, stimulant jusqu'au XIXe siècle l'ardeur des plus téméraires explorateurs.

Le Nil rendit possibles les cultures, les échanges, l'architecture de l'Égypte. Grande voie commerciale, il permit aussi la construction de gigantesques temples et pyramides. Grâce à lui, les trois mille tonnes de granit nécessaires à un obélisque pouvaient être extraites à Assouan, puis transportées jusqu'à Thèbes, trois cent vingt kilomètres en aval. Il nourrissait les cités qui se pressaient sur ses rives. Rien d'étonnant si les Égyptiens l'appelaient « la mer », et les auteurs bibliques, « le fleuve ».

Toute la vie égyptienne bat alors au rythme du grand fleuve. La montée annuelle de ses eaux détermine un calendrier agricole aux trois saisons : inondation, culture, récolte. De fin juin à fin octobre, la crue dépose un riche limon, que l'on ensemence et que l'on cultive de fin octobre à fin février, pour récolter fin juin. Une année « fluviale », en somme, que marque une montée des eaux régulière et vitale comme le lever du Soleil. Le premier calendrier égyptien, naturellement, sera un « nilomètre » : simple échelle verticale sur laquelle était gravé chaque année le niveau de la crue. Quelques années seulement d'observation montrèrent que l'année fluviale ne suivait pas les phases de la Lune. Mais très vite, les Égyptiens s'aperçurent que douze mois de trente jours chacun fournissaient un bon calendrier des saisons si l'on y ajoutait encore cinq jours pour faire un total de 365. Ce fut l'année « civile » ou « année du Nil », qui entra en usage dès 4241 avant J.-C.

Évitant les facilités trompeuses du cycle lunaire, les Égyptiens avaient trouvé, pour marquer leur année, un autre signe : Sirius, l'étoile la plus brillante. Une fois par an, elle se levait le matin dans le même axe que le Soleil. Ce lever « héliaque » de Sirius, qui se produisait chaque année au milieu de la saison des crues, devint le point de départ de l'année égyptienne. Il donnait lieu à des festivités, les cinq jours « épagomènes » (supplémentaires), au cours desquelles étaient célébrés successivement les anniversaires d'Osiris, de son fils Horus, de son ennemi mortel Seth, de sa sœur et épouse Isis, et de Nephtys, l'épouse de Seth.

L'année solaire n'étant pas exactement de 365 jours, l'année égyptienne établie sur cette base allait devenir, avec les siècles, une année « flottante », dont chacun des mois parcourait peu à peu l'éventail des saisons. L'erreur était si faible qu'il fallait beaucoup plus qu'une vie d'homme pour qu'elle en vînt à gêner la vie quotidienne : chaque mois faisait le tour des saisons en 1 460 ans. Finalement, le calendrier égyptien était tellement perfectionné pour son temps que Jules César en fit son calendrier julien. Il devait survivre au Moyen Age, et était encore utilisé par Copernic dans ses tables astronomiques au XVI^e^ siècle.

Mais les Égyptiens eurent beau s'être affranchis de son influence dans l'établissement de leur calendrier usuel, la Lune n'en conserva pas moins sa fascination primordiale. Bien des peuples, dont les Égyptiens eux-mêmes, inscrivirent leurs fêtes religieuses dans le cycle lunaire. Aujourd'hui encore, les sociétés dominées par la religion sont ainsi régies. Pour elles, les inconvénients du calendrier lunaire deviennent purs gages de foi.

Le judaïsme, par exemple, a conservé le calendrier lunaire, et chaque mois de l'année juive commence encore à la nouvelle lune. Afin d'accorder son calendrier lunaire à l'année solaire, le judaïsme a ajouté à chaque année bissextile un mois supplémentaire, complication qui fait du calendrier hébraïque un sujet d'études rabbiniques. L'année juive comporte douze mois de vingt-neuf ou trente jours chacun, soit 354 jours au total. Pour rattraper l'année solaire, on rajoute — comme chez les Babyloniens — un mois supplémentaire les troisième, sixième, huitième, onzième, quatorzième, dix-septième et dernière année de chaque période de dix-neuf ans. D'autres ajustements sont également nécessaires pour que les fêtes tombent au bon moment — par exemple, pour que la Pâque, qui est la fête de printemps, arrive après l'équinoxe vernal. Dans la Bible, d'ailleurs, la plupart des mois ont une appellation babylonienne, et non hébraïque.

Le christianisme, dont la plupart des fêtes sont empruntées au judaïsme, a conservé les mêmes liens avec le calendrier lunaire. Les fêtes mobiles de l'Église s'expliquent par le souci, dans un calendrier solaire, de suivre le cycle lunaire. Elles nous rappellent le charme primordial de la principale source de clarté du ciel nocturne. La plus importante de ces fêtes lunaires chrétiennes est évidemment celle de Pâques, qui commémore la résurrection du Christ. « Le jour de Pâques, prescrit le rituel anglican, est toujours fixé au premier dimanche qui suit la pleine lune survenant le vingt et unième jour de mars, ou tout de suite après ; et si la pleine lune tombe un dimanche, Pâques a lieu le dimanche suivant. » Au moins une douzaine d'autres fêtes chrétiennes sont fixées par référence à Pâques et à sa date lunaire, ce qui fait que cette dernière régit quelque dix-sept semaines du calendirer ecclésiastique. Rien d'étonnant donc si la fixation de la date de Pâques — autrement dit du calendrier tout entier — devint un enjeu d'importance et un symbole. Le Nouveau Testament affirmant que Jésus fut crucifié le jour de la Pâque, il ne pouvait pas ne pas y avoir de lien entre l'anniversaire de la Résurrection et le calendrier hébraïque. Résultat : la date des Pâques chrétiennes devait rester tributaire des calculs lunaires fort compliqués par lequels le Sanhédrin — le conseil supérieur des Hébreux — fixait la date de la Pâque juive.

Nombre de premiers chrétiens — suivant en cela leur interprétation littérale de la Bible — fixèrent la mort de Jésus à un vendredi, et sa résurrection, au dimanche suivant. Mais si l'on suivait le calendrier lunaire hébraïque, Pâques risquait de ne pas toujours tomber un dimanche. La querelle aboutit à l'un des premiers schismes entre l'Église de Rome et l'Église orthodoxe d'Orient. Les chrétiens d'Orient, fidèles au calendrier lunaire, continuèrent de célébrer Pâques le quatorzième jour du mois lunaire, sans tenir compte du jour de la semaine. La question fut débattue au premier concile de l'Église chrétienne, réuni à Nicée en 325. La date choisie le fut de manière à rester fidèle au calendrier lunaire traditionnel, tout en s'assurant que Pâques tomberait toujours un dimanche.

Mais le problème n'était que partiellement résolu. Restait, pour organiser la vie de la communauté, à prédire les phases de la Lune et à les situer sur le calendrier solaire : tâche délicate que le concile de Nicée avait laissée à l'évêque d'Alexandrie. Un désaccord sur la façon de s'y prendre devait provoquer une nouvelle scission dans l'Église, dont le résultat fut que chaque obédience continua de fêter Pâques un dimanche différent.

La réforme de Grégoire XIII était plus que nécessaire. Le calendrier emprunté par Jules César aux Égyptiens, et qui, depuis lors, régissait la société occidentale, manquait de précision. L'année solaire — le temps nécessaire à la Terre pour décrire une orbite complète autour du Soleil — est égale à 365 jours, 5 heures, 48 minutes et 46 secondes, soit quelque 11 minutes et 14 secondes de moins que les 365 jours 1/4 de l'année égyptienne. En conséquence, les dates du calendrier perdirent peu à peu leur signification initiale. La date essentielle, l'équinoxe de printemps, d'après laquelle était déterminée la fête de Pâques, avait été fixée par le premier concile de Nicée au 21 mars. Mais les imprécisions accumulées par le calendrier julien firent que, en 1582, l'équinoxe de printemps se produisit en fait le 11 mars.

Grégoire XIII, bien que tristement célèbre pour son attitude envers les protestants lors du massacre de la Saint-Barthélemy, était par ailleurs un réformateur énergique. Il résolut d'amender le calendrier. Constatant que la discussion sur le sujet traînait déjà depuis plus d'un siècle, il décréta en 1582 que le 4 octobre serait suivi cette année-là du 15. Ce qui voulait dire que l'année suivante, l'équinoxe de printemps tomberait, comme le voulait le calendrier solaire, le 21 mars. Ainsi revenait-on à la situation de l'an 325. Les années bissextiles du calendrier julien furent réajustées. Pour éviter un nouveau décalage de onze minutes par an, le calendrier grégorien omit le jour intercalaire pour les années se terminant par cent, sauf en cas de divisibilité par 400. Ainsi naquit notre calendrier moderne.

Pour la seule raison que la réforme venait de Rome, l'Angleterre, protestante, et ses colonies d'Amérique refusèrent d'y adhérer. Elles ne se laissèrent convaincre qu'en 1752. L'ancien calendrier faisait débuter l'année le 25 mars, et le nouveau, le 1er janvier. Une fois ajoutés les onze jours nécessaires, l'anniversaire de George Washington qui, en 1751, dans le calendrier ancienne mode, était tombé le 11 février, se trouva fixé en 1752, nouvelle manière, au 22 du même mois.

La décision prise par Grégoire en 1582 de retrancher dix jours du calendrier avait provoqué un beau tollé. Les serviteurs réclamèrent leur mois de gages tout entier ; les maîtres refusèrent. Les gens, d'une manière générale, acceptèrent mal de voir leur vie raccourcie par simple décret papal. Mais lorsque l'Angleterre et ses colonies d'Amérique adopteront finalement la réforme, Benjamin Franklin, avec son ingéniosité habituelle, trouvera dans l'opération un motif de reconnaissance pour ses compatriotes :

Ne marque ni étonnement, ni mépris, ami lecteur, de voir ainsi retrancher les jours, ni regret non plus pour la perte d'un temps aussi long, mais console-toi plutôt à cette idée que tes dépenses apparaîtront moindres, et ton esprit plus à l'aise. Et quel plaisir aussi pour qui aime son oreiller que de s'étendre paisiblement le deux du mois pour se réveiller seulement au matin du quatorze.

Le monde ne devait jamais entièrement accepter la réforme de Grégoire. L'Église orthodoxe d'Orient, soucieuse d'éviter toute sujétion à Rome, calcule toujours la date de Pâques selon le calendrier julien. Ainsi le monde chrétien, qui se veut unifié autour du Rédempteur, n'a-t-il même pas été capable de se mettre d'accord sur la date à laquelle célébrer la résurrection de son Sauveur.

Reste que, pour la vie quotidienne, l'ensemble du monde chrétien fonctionne selon un calendrier solaire qui convient aussi bien au paysan qu'au marchand. L'Islam, par contre, qui exige l'obéissance à la parole du Prophète et aux préceptes du Coran, continue de vivre selon le calendrier lunaire.

Sur tout drapeau de pays musulman figure le croissant. Quelles que soient les incertitudes quant aux origines du symbole, il paraît parfaitement approprié. Quel emblème conviendrait mieux, en effet, à des peuples qui, pour des raisons religieuses, placent toutes leurs activités sous le signe de la Lune ? Un symbole d'autant plus éloquent, du reste, qu'il constitue une exception notoire à l'interdit islamique visant toute représentation d'objet. Dès le XIIIe siècle — si ce n'est avant —, le croissant devenait le symbole militaire et religieux de l'Empire ottoman. Et l'on a des raisons de penser que son adoption comme emblème de l'Islam est due au rôle essentiel que joue dans cette religion la nouvelle lune : elle marque le début et la fin du ramadan et ponctue régulièrement tout le calendrier.

Les nouvelles lunes, dit le Coran, « sont les temps établis pour l'utilité des hommes et pour marquer le pèlerinage de La Mecque ». Le monde musulman met une conscience scrupuleuse à tenter de vivre à l'heure lunaire. Tout comme César fit adopter par le monde de son époque les commodités de l'année solaire — les mois servant de repère pour les saisons —, le Prophète, en son temps, fait adopter la soumission au cycle lunaire, permettant aux fidèles de connaître les dates destinées de Dieu pour accomplir leurs devoirs religieux fondamentaux : pèlerinage à La Mecque et jeûne du ramadan. L'année musulmane comprend douze mois lunaires de vingt-neuf et trente jours alternativement. Pour retomber sur ses pieds en fin d'année, on fit varier la longueur du douzième mois. Un cycle de trente années fut adopté, dont dix-neuf ayant un dernier mois de 29 jours et les autres de 30 jours.

Le calendrier musulman ne comprenant que 354 ou 355 jours, les mois y sont indépendants des saisons. Le neuvième mois, qui est celui du ramadan, et le douzième — durant la première moitié duquel doit se faire le pèlerinage à La Mecque — peuvent aussi bien tomber en été qu'en hiver, l'un comme l'autre avançant chaque année de dix ou onze jours. Désagréments quotidiens qui sont autant de rappels de la nécessaire soumission de tout bon musulman à la volonté d'Allah. Le calendrier, pour les autres simple agencement des activités de ce monde, devient pour lui acte de foi.

Cette absolue soumission du monde islamique au cycle lunaire a parfois des conséquences curieuses. Tout faire dépendre des phases de la Lune telles qu'elles apparaissent — et non d'un quelconque calcul par l'homme —, c'est évidemment devoir attendre, pour qu'une fête ait lieu, que la Lune soit effectivement visible à l'œil nu. C'est ce qu'admettent la plupart des musulmans, se fondant pour cela sur une parole attribuée au Prophète : « Ne jeûnez point avant d'avoir vu la nouvelle lune, et ne cessez le jeûne qu'en la voyant à nouveau. Mais lorsqu'elle est dissimulée à vos yeux [par un nuage ou par de la brume], donnez-lui sa pleine mesure. » Si donc, dans tel village, nuées ou brouillard cachent la nouvelle lune, on y observera le début et la fin du ramadan à des dates différentes de celles observées ailleurs.

L'une des questions les plus débattues en Islam est de savoir s'il est permis de déterminer la date d'une fête par le calcul et non par l'observation. Les ismaïliens, favorables à un tel recours, durent se séparer des autres musulmans. La stricte soumission au calendrier lunaire devint un critère de fidélité à l'islam traditionnel et le « recours au calcul » — c'est-à-dire aux possibilités mathématiques qu'offre l'année solaire —, un signe de révolte contre la tradition. Ainsi, lorsque, en 1926, Mustapha Kemal proclame la fin du sultanat en Turquie et « modernise » son pays en adoptant une nouvelle législation rendant le mariage civil obligatoire et abolissant le port du fez pour les hommes et celui du voile pour les femmes, il abandonne également le calendrier lunaire de l'Islam pour la calendrier solaire de l'Occident.

Simple système de comptabilité chronologique pour la plupart des Occidentaux, le calendrier n'en est pas moins l'une des institutions humaines les plus rigides. Rigidité due à la fois à la puissante aura mystique qui, pour l'homme, émane du Soleil et de la Lune, et aux contraintes des saisons. Les révolutionnaires ont souvent tenté de refondre le calendrier, sans grand succès toutefois. Ainsi, à la Révolution française, la Convention créa une commission de réforme, comprenant des mathématiciens, un éducateur, un poète et le grand astronome Laplace. Elle élabora un calendrier décimal d'une touchante logique ; la semaine était remplacée par la décade, dont les dix jours portaient des noms latins ; trois décades faisaient un mois ; la journée était divisée en dix heures, l'heure en cent minutes et la minute en cent secondes. Mais les douze mois du calendrier républicain ne totalisant que 360 jours, restaient cinq ou six jours ; ils reçurent des noms édifiants : les Vertus, le Génie, le Travail, l'Opinion, les Récompenses et, pour les années bissextiles, la Sans-culottide, consacrée au repos et aux sports. Ce calendrier, destiné à libérer la société de la tutelle de l'Église, ne subsistera guère plus d'une douzaine d'années. Lorsque Napoléon arrive au pouvoir, il rétablit le calendrier grégorien, avec ses fêtes religieuses traditionnelles, ce qui lui vaudra la bénédiction du pape.

En Chine, la révolution de 1911 a introduit le calendrier occidental à côté du calendrier chinois traditionnel.

En 1929, le gouvernement soviétique, désireux de liquider toute trace d'influence chrétienne, remplaçait le calendrier grégorien par un calendrier révolutionnaire. La semaine était de cinq jours, quatre consacrés au travail, le cinquième libre, et chaque mois comportait six semaines. Les jours supplémentaires nécessaires pour parvenir en fin d'année au chiffre de 365 ou 366 furent décrétés jours fériés. Les mois conservaient leurs noms grégoriens, les jours de la semaine étaient simplement numérotés. En 1940, l'URSS était revenue au bon vieux calendrier grégorien.

## 2

## *La semaine : premier pas vers la science*

Tant que l'homme modela sa vie sur les cycles naturels (ronde des saisons, phases de la Lune), il resta prisonnier de la nature. Pour pouvoir se libérer et donner libre cours à sa créativité, il lui fallait trouver des moyens de mesurer le Temps. Ces moyens allaient être prodigieusement variés.

Première sans doute de ces unités de temps artificielles : la semaine, ou quelque chose du genre. Le mot anglais *week* semble provenir d'un vieux mot du haut allemand signifiant « changer » ou « tourner » (tout comme l'anglais *vicar* ou l'allemand *Wechsel*[1]). Mais la semaine n'est pas une invention de l'Occident, et elle n'a pas toujours, ni partout, été de sept jours.

L'homme a trouvé au cours de son histoire au moins quinze façons différentes de regrouper les jours, par « paquets » de cinq à dix. On retrouve partout sur la planète, plus encore que tel ou tel groupement de jours, le besoin et le désir de les regrouper d'une manière ou d'une autre. Besoin irrésistible chez l'homme de jouer avec le temps, d'en extraire davantage que ce qu'y a mis la nature.

---

[1] Quant au français « semaine », il dérive, on le sait, du latin *septimana*, qui vient de *septem*, sept. (*N.d.T.*).

La semaine occidentale de sept jours, l'une de nos institutions les plus arbitraires, est née d'un besoin général et non d'une quelconque décision politique. Comment tout cela s'est-il passé ? Et d'abord pourquoi *sept* jours ?

Les Grecs, semble-t-il, avaient une « semaine » de huit jours. Les paysans, après sept jours de travail aux champs, se rendaient à la ville pour le jour du marché (la nondine). C'était un jour de repos et de réjouissances, où l'on procédait aux annonces publiques et où l'on recevait ses amis.

Quand et pourquoi les Romains adoptèrent-ils l'unité de temps de huit jours, et pourquoi passèrent-ils par la suite à la semaine proprement dite ? On l'ignore. Presque partout, le chiffre 7 a exercé une sorte de fascination. Les Japonais dénombraient sept dieux du bonheur, Rome fut construite sur sept collines, il existait pour les Anciens sept merveilles au monde, et pour le Moyen Age chrétien sept péchés capitaux. Le passage de l'unité de huit jours à celle de sept ne fut pas, semble-t-il, le résultat d'une mesure officielle. Toujours est-il qu'au début du IIIe siècle de notre ère, les Romains utilisaient la semaine proprement dite.

Sans doute y avait-il alors dans l'air des idées nouvelles. Celle du jour de repos, par exemple, qui semble avoir été introduite à Rome par les Juifs. « Souviens-toi du jour du repos pour le consacrer, proclame le deuxième commandement. Tu travailleras six jours et tu feras tout ton ouvrage ; mais le septième jour est le jour du repos de l'Éternel, ton Dieu : tu ne feras aucun ouvrage, ni toi, ni ton fils, ni ta fille, ni ton serviteur, ni ta servante, ni ton bétail, ni l'étranger qui est en tes portes. Car en six jours, l'Éternel a fait les cieux, la terre et la mer, et tout ce qui y est contenu, puis il s'est reposé le septième jour : c'est pourquoi l'Éternel a béni le jour du repos et il le consacre » (Exode, 20, 8-11). Ainsi, chaque semaine, les créatures de Dieu célébraient leur Créateur. Mais pour les Juifs, cette commémoration est aussi celle de la libération : « Tu te souviendras que tu as été esclave au pays d'Égypte et que l'Éternel, ton Dieu, t'en a fait sortir à main forte et à bras étendu ; c'est pourquoi l'Éternel, ton Dieu, t'a ordonné d'observer le jour du repos » (Deutéronome, 5, 15). Le *Shabbat*, rappel sans cesse réitéré des grands actes fondateurs.

Il y eut aussi d'autres facteurs, moins théologiques. Le besoin humain de délassement, par exemple. L'idée d'un septième jour consacré au repos, le mot *shabbat* lui-même (du babylonien *sabattu*) paraissent venir de l'époque où le peuple juif était en captivité à Babylone. Les Babyloniens observaient les septième, quatorzième, dix-neuvième, vingt et unième et vingt-huitième jours du mois — où certaines activités étaient interdites à leur roi.

Autre indice : le samedi, dont Juifs, Romains et d'autres après eux firent leur jour de repos. Chez les Romains, le jour de Saturne était un jour de mauvais augure, où toute activité humaine était vouée à l'échec, où il ne fallait ni livrer bataille ni partir en voyage ; la prudence commandait qu'on s'abstînt. Selon Tacite, si le jour de repos était dédié à cette planète, c'était parce que « des sept astres qui régissent les choses humaines, c'est Saturne qui possède la sphère la plus élevée et le plus grand pouvoir ».

Au IIIe siècle de notre ère, la semaine était de règle à travers tout l'Empire romain. Chacun des sept jours était dédié à l'une des planètes. Parmi les sept planètes, selon l'astronomie du temps, figuraient le Soleil et la Lune, mais pas la Terre. Elles gouvernaient les jours de la semaine dans l'ordre suivant : le Soleil, la Lune, Mars, Mercure, Jupiter, Vénus et Saturne. Cet ordre n'était pas celui de leurs distances alors supposées par rapport à la Terre, qui est l'ordre « normal », utilisé plus tard par Dante, par exemple, et répété par des générations d'écoliers jusqu'à l'époque de Copernic.

L'ordre choisi par les Romains — et qui, pour nous encore, est celui des jours de la semaine — était celui, pour eux, de l'influence des planètes sur la première heure de chaque jour. Pour déterminer cette influence des planètes, les astrologues prenaient en compte leur distance supposée à la Terre. Chacune d'elles, croyaient-ils, gouvernait une certaine heure, puis, l'heure d'après, cédait la place à celle qui, dans l'ordre, était la plus rapprochée de la Terre. Et ainsi de suite pour les sept planètes. Une fois les sept heures écoulées, tout recommençait, dans le même ordre. La planète régissant la journée était donc celle qui se trouvait gouverner la première heure ; elle donnait son nom à la journée tout entière. De là le déroulement de la semaine qui est encore le nôtre aujourd'hui.

Notre semaine, on l'oublie facilement, est d'origine astrologique, liée à une vision du ciel qui était celle des Romains il y a deux mille ans. Aujourd'hui encore, dans les langues européennes, les jours de la semaine portent les noms de ces planètes.

Ceci est particulièrement vrai dans les langues autres que l'anglais. Témoin ces quelques exemples (nous indiquons entre parenthèses la planète dominante) :

| | *Anglais* | *Français* | *Italien* | *Espagnol* |
|---|---|---|---|---|
| (Soleil) | Sunday | dimanche | domenica | domingo |
| (Lune) | Monday | lundi | lunedi | lunes |
| (Mars) | Tuesday | mardi | martedi | martes |
| (Mercure) | Wednesday | mercredi | mercoledi | miércoles |
| (Jupiter) | Thursday | jeudi | giovedi | jueves |
| (Vénus) | Friday | vendredi | venerdi | viernes |
| (Saturne) | Saturday | samedi | sabato | sabado |

Certains groupes humains, désireux de briser les vieux fétichismes, ont remplacé les noms de planètes par une simple numérotation. Ainsi chez les quakers la semaine va-t-elle du premier au septième jour ; les assemblées ont lieu, non le dimanche, mais le premier jour. En Israël, également, les jours de la semaine sont désignés par des nombres.

Illustration étonnante de cette fascination des planètes : l'adoption par les chrétiens du dimanche, au lieu du samedi, comme jour de repos. Lorsque le christianisme s'implanta dans l'Empire romain, les Pères de l'Église s'inquiétèrent de voir survivre le paganisme dans les noms des jours de la semaine. L'Église d'Orient combattit avec succès cette influence : en grec moderne comme en russe, les noms des jours n'ont plus rien à voir avec les planètes. Mais l'Église d'Occident devait mettre à profit les croyances et les préjugés des Romains. Voici comment Justin, l'un des Pères de l'Église, explique à l'empereur Antonin le Pieux et à ses fils le choix par les chrétiens du jour où ils lisent l'Évangile et célèbrent l'eucharistie : « C'est le jour dit jour du Soleil que s'assemblent tous ceux qui demeurent à la ville ou à la campagne [...] et nous nous rassemblons le jour du Soleil pour la raison que c'est le premier jour que Dieu créa les ténèbres et la matière, et que notre Sauveur Jésus-Christ ressuscita d'entre les morts. Car la veille du jour de Saturne, ils le crucifièrent, et le lendemain de ce jour, qui est le jour du Soleil, il apparut à ses apôtres et il prêcha. »

Le jour de Saturne, jour traditionnel de malchance où les Juifs jugeaient bon de ne pas travailler, demeura le pivot de la semaine. Mais il y eut d'autres influences. Les adeptes des mystères mithriaques, adorateurs du dieu-soleil Mithra, l'une des principales religions concurrentes du christianisme dans l'Empire romain, avaient eux aussi une semaine de sept jours ; ils vouaient évidemment un culte particulier à ce que tout le monde alors appelait le jour du Soleil.

Les chrétiens, donc, fixèrent le jour du Seigneur de sorte que chaque semaine fasse revivre le drame du Christ. Chacun d'entre eux, en communiant, devenait en quelque sorte l'un des apôtres participant à la Cène. Le drame mystique allait se rejouer au travers de la messe. L'eucharistie, comme les autres sacrements, devint la réitération d'un événement symbolique fondamental. Quelle chance que le jour du Soleil fût déjà un jour de joie et de renouveau ! « Si nous révérons le jour du Seigneur, explique au V^e siècle Maxime de Turin, un autre Père de l'Église, c'est parce que, ce jour-là, le Sauveur du monde, comme le Soleil levant dissipant les ténèbres de l'enfer, fit éclater la lumière de la Résurrection. De là vient que ce jour est appelé par les hommes jour du Soleil, car le Christ, Soleil de droiture, l'illumine tout entier. » Le jour du Soleil comme préfiguration de l'éblouissante lumière du Sauveur : les Pères de l'Église firent de cette coïncidence une preuve de plus que le monde attendait depuis longtemps le Rédempteur.

L'adoption de la semaine fut une nouvelle étape dans l'appréhension du monde, dans l'élan vers la science. La semaine était création de l'homme, et non plus soumission aux forces naturelles, car les influences des planètes sont invisibles. En cherchant à découvrir des lois astrales, en imaginant que le monde pouvait être gouverné à distance par des forces récurrentes et mesurables seulement dans leurs effets, l'humanité ébauchait de nouveaux modes de pensée, entamait sa marche vers la lumière, loin des éternels recommencements. Paradoxalement, les planètes, forces obscures, allaient faire basculer l'homme dans la clarté de l'histoire.

La semaine selon les planètes ouvrait la voie à l'astrologie. Et l'astrologie débouchait sur de nouveaux modes de prédiction. Les premières formes de divination montrent en quoi l'astrologie fut un pas en avant vers la science. Les rituels antiques contenaient toute une « science » de la prédiction, par examen de telle ou telle partie d'un animal sacrifié (l'ostéomancie, par exemple, pour les os). Au milieu du XIXe siècle, sir Richard Burton observe dans la vallée de l'Indus une technique de divination fort complexe utilisant un paleron de mouton. Le devin divisait l'os en douze régions ou « maisons », répondant chacune à une question différentes sur l'avenir. Si, dans la première « maison », l'os était clair et lisse, c'était signe que le consultant était un homme de bien. Quant à la seconde « maison », qui concernait les troupeaux, l'os y apparaissait-il propre et net, cela signifiait que les bêtes prospéreraient ; y observait-on des stries rouges et blanches, alors des voleurs étaient à craindre. Et ainsi de suite. L'hépatoscopie, prédiction de l'avenir par inspection du foie de l'animal, était l'une des techniques divinatoires les plus répandues chez les Assyro-Babyloniens. Elle semble avoir été pratiquée en Chine à l'âge du bronze. Les Romains, et bien d'autres, la reprirent. Le foie intéressait les mages par sa taille, sa forme et la quantité de sang qu'il contient. On a retrouvé à Plaisance, en Italie, un foie de mouton en bronze couvert d'inscriptions expliquant comment lire l'avenir d'après l'état de chacune de ses parties. A vrai dire, il n'est pas d'activité humaine, depuis la façon de faire les nœuds jusqu'aux rêves, qui n'ait été interprétée comme un augure, tant est puissant chez l'homme le désir de connaître l'avenir.

Par rapport à ces divers types de prédiction, l'astrologie, incontestablement, marque un progrès : elle affirme l'influence d'une force agissant à distance : et cette influence des corps célestes sur les événements terrestres, elle la décrit comme étant l'expression de forces périodiques et *invisibles*, du type de celles qui, par la suite, régiront le monde scientifique.

Que l'homme primitif ait été frappé de crainte par le ciel et fasciné par les étoiles n'est pas pour nous surprendre. Les premières lumières nocturnes qui inspirèrent les prêtres de Babylonie enflammèrent également l'imagination populaire. L'immuabilité des rythmes de vie sur terre fit des feux d'artifice célestes un mélodrame. Le va-et-vient des étoiles, leur ascension et leur fuite, leurs déplacements dans le ciel devinrent conflits et aventures des dieux.

Si le lever et le coucher du Soleil changeaient tout sur terre, pourquoi pas aussi les mouvements des autres corps célestes ? Les Babyloniens font du firmament le théâtre d'une flamboyante mythologie. Comme le reste de la nature, le ciel est pour eux le lieu d'un drame vivant. Comme les entrailles des victimes sacrificielles, les cieux sont divisés en zones, puis peuplés de figures fantastiques. L'étoile du berger, plus tard appelée Vénus — l'astre le plus brillant après le Soleil et la Lune —, devient un lion radieux parcourant la voûte céleste d'est en ouest. Le dieu El, jaloux d'un astre aussi lumineux, met le lion à mort à chaque aube nouvelle. Image que l'on retrouve dans la vision biblique d'un Lucifer abattu pour son orgueil : « Te voilà tombé du ciel, Astre brillant, fils de l'aurore ! [...] Tu disais en ton cœur : Je monterai au ciel, J'élèverai mon trône au-dessus des étoiles de Dieu [...], Je monterai sur le sommet des nues, Je serai semblable au Très-Haut » (Isaïe, 14, 12-14). Dans l'esprit des sociétés païennes, les divinités, dans le ciel, se font la guerre et l'amour, forment des alliances, fomentent des complots. Comment ces événements cosmiques n'affecteraient-ils pas la vie des hommes ? Tout paysan savait que les nuages dans le ciel, la chaleur du Soleil, le don céleste de la pluie décidaient des récoltes, et par conséquent gouvernaient son existence. Naturellement, les événements célestes plus complexes nécessitaient l'interprétation des prêtres.

La fascination du ciel produisit tout un savoir. Les pouvoirs du Soleil et de la pluie, la correspondance entre événements du ciel et événements sur terre incitèrent à rechercher d'autres correspondances. Les Babyloniens furent parmi les premiers à élaborer pour ces correspondances universelles une grille mythologique. Grecs, Juifs, Romains, etc., allaient, au cours des siècles suivants, perpétuer ces représentations hautes en couleur.

La théorie des correspondances devint l'astrologie, qui chercha de nouveaux liens entre espace et temps, entre les mouvements des corps célestes et l'expérience humaine. De la volonté de l'homme de croire l'improbable, de dépasser les limites du sens commun, allait dépendre l'essor de la science. Avec l'astrologie, pour la première fois, l'homme élabora un système expliquant comment des forces invisibles, agissant du fin fond des cieux, façonnent la vie quotidienne. Le ciel fut donc le laboratoire de la première en date des sciences, tout comme le seront beaucoup plus tard, pour les toutes dernières d'entre elles, l'intérieur du corps humain, le domaine intime de la conscience, les continents obscurs de l'atome. Dans sa lutte pour briser le carcan de l'éternelle répétition, l'homme va chercher à utiliser sa connaissance croissante des phénomènes vécus.

La Babylonie connut la prophétie sous toutes ses formes. Elle prédisait les événements majeurs — batailles, sécheresses, catastrophes naturelles, moissons — affectant la communauté. Pendant des siècles, cette astrologie fut savoir collectif, et non doctrine. Ce furent les Grecs qui en firent une science. L'astrologie individuelle, ou généthliaque, celle qui prédit la destinée des personnes d'après la position des corps célestes à leur naissance, fut plus lente à se développer. Elle dressait pour chacun une « nativité ».

Les Grecs, eux aussi, étaient partagés entre le désir des bonnes nouvelles et la crainte des mauvaises. Leurs astrologues découpèrent le ciel selon les signes du zodiaque, attribuant à chaque partie du corps une dépendance stellaire donnée. Vinrent ensuite des détracteurs qui s'en prirent à la théorie des forces astrales, avec des arguments déjà modernes. Les noms donnés aux étoiles, raisonnaient ces antiastrologues, l'avaient été par hasard. Pourquoi appeler telle planète Mars, et telle autre Saturne ou Vénus ? Pourquoi les astrologues cantonnaient-ils leurs horoscopes aux humains ? Tous les animaux n'étaient-ils pas censés être soumis aux mêmes règles astrales ? Et comment les astrologues pouvaient-ils expliquer les différences de destinée entre jumeaux ? Les épicuriens, dont la philosophie reposait sur la croyance en la liberté individuelle, stigmatisèrent dans l'astrologie une volonté de faire croire aux hommes qu'ils n'étaient que les esclaves des étoiles.

A Rome, l'astrologie exerce une influence rarement égalée par la suite. Les astrologues — nommés *Chaldei* par référence aux origines chaldéennes ou babyloniennes de leur art, ou encore *mathematici* parce qu'ils se livrent à des calculs astronomiques — constituent une profession reconnue, dont la réputation varie avec les époques. Sous la République, ils devinrent si puissants et si impopulaires que, en 139 av. J.-C., ils furent expulsés de l'Italie tout entière. Sous l'Empire également, leurs dangereuses prophéties ayant valu à certains d'entre eux d'être jugés pour trahison, la profession fut proscrite à plusieurs reprises. Mais tel empereur prêt à exiler les uns pour avoir prédit le malheur faisait appel à d'autres pour guider sa maison impériale. Certaines zones leur étaient interdites. Et à la fin de l'Empire, même lorsque les astrologues furent tolérés et encouragés, il leur était interdit de prophétiser sur la vie de l'empereur.

Les empereurs chrétiens furent impuissants à décourager l'astrologie. « Nombreux sont ceux, rapporte l'historien Ammianus Marcellinus à la fin du IVe siècle, après l'adoption officielle du christianisme par Constantin, qui n'osent ni se baigner, ni dîner, ni se montrer en public s'ils n'ont dûment observé, selon les règles de l'astrologie, la position de Mercure et l'apparence de la Lune. Il est remarquable que cette vaine crédulité se rencontre souvent chez les sceptiques et les incroyants qui, de manière impie, mettent en doute ou nient l'existence de tout pouvoir céleste. » A cette époque, du reste, les pouvoirs des sept planètes sont attestés par l'adoption de la semaine de sept jours subordonnés chacun à l'une d'entre elles. Au cirque, les puissances astrales étaient partout présentes : sur chacune des douze stalles d'où les chars s'élançaient, figurait l'un des douze signes du zodiaque ; et chacune des sept pistes du champ de courses était censée représenter le parcours céleste de l'une des sept planètes.

## 3

## *Dieu et les astrologues*

L'astrologie à elle seule comblait des besoins qui plus tard devaient se partager entre science et religion. Est-ce à dire que l'astrologie à Rome n'était, comme l'affirment généralement les historiens, que fatalisme, superstition, triomphe de l'irrationnel ? Nul doute que la crainte des étoiles — ces « dieux visibles » — inspira à tout un chacun celle des astrologues. « Celui à qui les dieux eux-mêmes révèlent l'avenir, déclare Arellius Fuscus au siècle d'Auguste, et qui impose sa volonté aux rois comme aux peuples, ne peut avoir été engendré par le même ventre que celui qui nous a faits, nous, pauvres ignorants. Il appartient, lui, à une race surhumaine. Étant dans les secrets des dieux, il est lui-même divin [...]. Élevons notre esprit par la science qui révèle l'avenir et, avant l'heure de notre mort, goûtons aux plaisirs des heureux. »

En fait, religion et science sont ici inséparables. Les meilleurs savants admettent alors l'influence des étoiles sur les choses d'ici-bas. Leur seul désaccord : la manière dont ce pouvoir s'exerce. Pline, dans son *Histoire naturelle* — la grande encyclopédie du temps —, diffuse les rudiments de l'astrologie en soulignant partout l'influence des étoiles. Quant à Sénèque, tout ce qu'il reproche aux astrologues, c'est leur timidité : « Eh quoi ? vous figurez-vous que ces milliers d'étoiles brillent en vain ? Qu'est-ce donc qui induit les astrologues en erreur si ce n'est le fait qu'ils ne nous associent qu'à quelques étoiles, quand toutes celles qui sont au-dessus de nos têtes ont une part dans notre destin ? [...] Même les astres qui sont immobiles, ou qui, du fait de leur vitesse, progressent du même pas que le reste de l'univers et semblent ne pas bouger, ne sont pas sans empire sur nous. »

Le plus grand savant de l'Antiquité romaine, Ptolémée, s'avéra être en astrologie aussi l'autorité la plus durable. Il est l'auteur du traité qui, mille ans durant, devait donner à cette science substance et respectabilité. Mais sa réputation s'est ressentie à l'excès d'avoir défendu deux théories erronées, toutes deux courantes en son temps, toutes deux développées et perpétuées dans ses écrits. La première, sa théorie géocentriste de l'univers, est pour nous l'exemple type de l'erreur de calcul astronomique ; la seconde, selon laquelle les terres constituaient la majeure partie de la surface du globe, le type même de l'erreur géographique. Deux erreurs fort répandues qui devaient éclipser d'extraordinaires réussites : car jamais, depuis Ptolémée, nul n'a mieux synthétisé les connaissances scientifiques de son temps.

Et pourtant, la vie de cet esprit encyclopédique demeure un mystère. Né dans une famille d'origine grecque, semble-t-il, il vécut en Égypte (90-168) sous les règnes d'Hadrien et Marc Aurèle. Alexandrie était encore à l'époque, malgré l'incendie par César de sa célèbre bibliothèque en 48 av. J.-C., un grand centre culturel.

Ptolémée devait marquer, tout au long du Moyen Age, la vision, populaire et savante, de l'univers. Le monde de la *Divine Comédie* sort tout droit de son *Almageste*. A bien des égards, Ptolémée parle en prophète. Car il élargit l'usage des mathématiques dans les sciences. Tout en tirant le meilleur des travaux qui l'ont précédé, il souligne la nécessité d'une observation répétée, de plus en plus précise. C'est un précurseur de l'esprit scientifique, un pionnier souvent méconnu de la méthode expérimentale. En trigonométrie, par exemple, sa table s'est avérée précise à cinq décimales près. En géométrie sphérique, il propose une solution élégante au problème du cadran solaire, point d'une extrême importance à une époque qui ignore encore l'horloge mécanique. En fait, il n'est pas de branche des sciences physiques qu'il n'ait étudiée et réorganisée. Qu'il s'agisse de géographie, d'astronomie, d'optique, d'harmonique, toujours il dégage un système. Le plus connu sera son traité d'astronomie, l'*Almageste*. Pionnière également sa *Géographie* qui, visant à représenter tout l'univers connu, répertorie systématiquement les lieux selon leur latitude et leur longitude. Ici aussi, il propose une méthode meilleure pour la mise à plat des surfaces sphériques. Compte tenu du peu d'informations précises dont il disposait, les cartes qu'il établit du « monde connu » — l'Emprie romain — constituent un véritable exploit. En tout, il déploie les qualités fondamentales du scientifique : savoir théoriser les faits connus et confronter les théories existantes aux faits nouveaux.

Les Arabes, conscients de l'importance majeure de Ptolémée, le firent connaître en Occident. Son traité d'astronomie porte encore aujourd'hui un nom arabe — *Almageste*, de *al majisti*, « la grande encyclopédie » — et sa *Géographie* fut traduite en arabe au début du IXe siècle. Son ouvrage sur l'astrologie, la *Tétrabible*, qu'il considérait comme le pendant de l'*Almageste*, a été lui aussi introduit en Occident grâce à une traduction arabe.

« Mortel que je suis, écrit Ptolémée, je sais que je suis né pour un jour, mais lorsque j'observe les rangs serrés des étoiles dans leur course circulaire, mes pieds ne touchent plus terre ; je m'élève jusqu'à Zeus lui-même pour me régaler d'ambroisie, nourriture des dieux. » A ceux qui ne demandaient qu'à fuir les cycles terrestres, il fournit le refuge des mystères célestes. Sa *Tétrabible* devint le principal manuel d'astrologie, l'un de nos meilleurs guides de la science médiévale. Son *Almageste* prédisait les déplacements des corps célestes, et son astrologie leur influence sur terre. Les cycles solaire et lunaire n'affectent-ils pas à l'évidence les choses d'ici-bas ? demande-t-il. Alors, pourquoi pas aussi les astres de moindre envergure ? Si un marin illettré peut prévoir le temps en observant le ciel, pourquoi un savant astrologue ne serait-il pas capable de prévoir de même les événements humains ? Ptolémée voit dans l'influence astrale une force parmi bien d'autres, purement physique. L'astrologie, reconnaît-il, n'est évidemment pas plus infaillible qu'une autre science ; mais il n'y a aucune raison pour que l'observation scrupuleuse des correspondances entre événements terrestres et célestes n'autorise pas certaines prédictions utiles, sinon mathématiquement certaines.

C'est dans cet esprit pratique que Ptolémée pose les fondements de la plus durable des sciences occultes. Des quatre livres de la *Tétrabible*, les deux premiers, consacrés à la « géographie astrologique » et à la prévision du temps, traitent de l'influence des corps célestes sur les phénomènes physiques, et les deux autres de leur influence sur l'homme. Ptolémée expose la science des horoscopes, la prédiction des destinées humaines d'après la position des étoiles à la naissance. Mais quelle qu'ait été son importance mille ans durant, l'ouvrage avait un défaut : il ignorait la « cathartique », cette technique consistant à prédire l'avenir d'après la position des astres au moment où l'on s'interrogeait.

L'incursion de Ptolémée dans le monde occulte de l'astrologie eut une postérité plus durable encore que ses œuvres scientifiques proprement dites. Le *De revolutionibus* de Copernic (1543), qui déplaçait le centre du système solaire, révèle dans sa forme et une bonne partie de son contenu l'influence marquante de l'*Almageste*. Ce n'est qu'un demi-siècle plus tard, lorsque l'*Astronomiae instauratae mechanica* de Tycho Brahe (1598) remplaça la nomenclature stellaire de Ptolémée par une autre, fondée exclusivement sur de nouvelles observations, que les données utilisées par le savant d'Alexandrie ainsi que sa théorie tombèrent en désuétude. Dans un autre domaine, ses spéculations sur la *terra incognita* et les autres parties du monde éloignées de l'Europe étaient déjà probablement dépassées lorsque sa *Géographie*, traduite du grec en latin, parvint en Europe occidentale en 1406. Ce qui n'empêcha pas l'ouvrage d'être longtemps considéré en Occident comme le meilleur guide du « monde connu ». Les cartes publiées aux XV^e^ et XVI^e^ siècles, y compris la carte d'Europe de Mercator (1554), dérivaient communément de Ptolémée, dont la technique de projection continua d'inspirer toute la cartographie du XVI^e^ siècle. Pendant ce temps, la *Tétrabible* restait l'ouvrage astrologique fondamental. Elle devait même connaître deux rééditions pendant la Seconde Guerre mondiale, l'une en Angleterre, l'autre en Allemagne.

En ces temps où l'homme était cantonné à la Terre, l'astrologie fut l'expression d'une mutation fondamentale des sentiments humains.

Tout un univers sépare l'ivresse dionysiaque décrite par Euripide dans ses *Bacchantes* et la nouvelle extase mystique inspirée par les étoiles. Désormais, comme l'écrit l'historien des religions Franz Cumont, « c'est de pure lumière que la raison nourrit sa soif de vérité, et "la platonique ivresse" qui la hausse jusqu'aux étoiles n'éveille plus en elle d'autre ardeur qu'un élan passionné vers la connaissance divine. La source du mysticisme se trouve transférée de la Terre vers le ciel ».

Les premiers chantres du christianisme acceptèrent mal les prétentions des astrologues païens. Les Pères de l'Église, qui affirmaient pouvoir prédire à chacun son sort dans l'autre monde, dénièrent le pouvoir de prophétie à ceux qui prétendaient connaître la destinée de tout homme sur terre. Si l'on devait croire les horoscopes, que restait-il alors du libre arbitre, de la liberté de choisir le bien plutôt que le mal, de renoncer à Mammon ou à César en faveur de Jésus-Christ ?

Le combat de qui voulait devenir chrétien — substituer aux superstitions païennes l'empire du libre arbitre — était d'abord un combat contre l'astrologie. Ainsi pour saint Augustin, qui écrit dans ses *Confessions* : « Je ne cessais de consulter ces imposteurs que l'on nomme astrologues. Car, me semblait-il, ils ne célébraient aucun sacrifice et n'adressaient de prières à nul esprit pour leurs divinations [...]. Ils disent : "C'est du ciel que te vient la cause inévitable du péché" ou encore "C'est Vénus l'auteur de cette action, ou Saturne, ou Mars", cela, évidemment, pour décharger l'homme de toute faute, l'homme qui n'est que chair, sang et orgueilleuse pourriture, et en charger le Créateur et Ordonnateur du ciel et des astres. »

Augustin lutta pour rejeter « les fausses prédictions et les égarements impies des astrologues ». Deux de ses connaissances lui rappelèrent « qu'il n'était point d'art qui permît de connaître les choses à venir, que les conjectures des hommes ont souvent l'appui du hasard, qu'à force de parler on dit sans s'en douter bien des choses qui arrivent, qu'il suffit de ne point se taire pour tomber juste ». Mais Augustin était pris de doute. C'est alors, explique-t-il, que Dieu lui envoya « un ami, qui aimait à consulter les astrologues. Sans doute, il connaissait mal leur science, mais [...] il était curieux de les consulter, bien qu'il fût au courant de certaine aventure qu'il avait entendu raconter à son père, disait-il, et qui était propre à ruiner l'opinion qu'il se faisait de cet art ; mais il n'y prenait pas garde ».

Cet ami providentiel, Firminus, raconte alors au jeune Augustin une histoire qui va le faire renoncer définitivement au paganisme. Son père, rapporte-t-il, avait coutume de noter la position des « constellations » et « s'informait même avec diligence et précision des portées de ses chiennes ». Un jour, il apprend qu'une servante de l'un de ses amis doit accoucher à peu près au même moment que sa propre épouse. « Elles accouchèrent toutes deux au même moment, de sorte qu'ils [les deux amis] durent tirer le même horoscope jusque dans les détails, l'un pour son fils, l'autre pour son petit esclave. Dès que les deux femmes eurent été prises des douleurs de l'enfantement, ils s'informèrent mutuellement de ce qui se passait dans leurs maisons, et ils tinrent prêts des valets pour les envoyer l'un chez l'autre porter la nouvelle de la naissance aussitôt qu'elle se serait produite : ils y réussirent facilement, étant maîtres chez eux. Firminus racontait que les messagers des deux hommes se rencontrèrent si exactement à égale distance des deux maisons qu'il fut de part et d'autre impossible d'observer la plus petite différence dans la position des astres, ainsi que dans les autres fractions du temps. Et pourtant Firminus, grâce à sa qualité de fils de grande famille, courait les routes brillantes du siècle, voyait s'accroître ses richesses, s'élevait aux plus hautes charges ; tandis que l'esclave, sous un joug sans relâche, servait toujours ses maîtres, au témoignage même de celui qui le connaissait bien. » La divergence de destin des jumeaux parut à Augustin un argument décisif contre l'astrologie.

Saint Augustin s'en prend longuement aussi aux astrologues dans son grand ouvrage théorique, *La Cité de Dieu*. L'Empire romain ainsi que tous les autres royaumes, argumente-t-il, ont leur destinée façonnée non pas par les astres, mais par la volonté divine. Son meilleur argument biblique : l'exemple de Jacob et Ésaü, « deux jumeaux nés si près l'un de l'autre que le second tenait le premier par le talon ; et cependant, dans leurs vies, leurs manières et leurs actes, éclatent de telles disparités que cette différence même en fit des ennemis l'un pour l'autre ». Et de citer d'autres cas encore.

L'astrologie restera la bête noire des Pères de l'Église. La croyance en un destin fixé par les astres avait même dissuadé les Romains, tel l'empereur Tibère, de rendre hommage à leurs dieux. Mais Tertullien (v. 160-v. 230) mettait en garde ses concitoyens contre l'astrologie, responsable, dit-il, de ce que « les hommes, présumant que leur sort relève de l'arbitrage immuable des étoiles, n'estiment plus nécessaire de se mettre en quête de Dieu ».

Les théologiens chrétiens du Moyen Age surent mettre à profit des croyances populaires. Albert le Grand et saint Thomas d'Aquin attribuent tous deux aux astres une grande influence, mais ajoutent que la liberté de l'homme est précisément dans sa capacité à résister à cette influence. Même si les astrologues ont souvent dit vrai, écrit saint Thomas, ce fut généralement à propos d'événements intéressant un grand nombre d'hommes. Or, en pareil cas, les passions de la multitude l'emportent sur la sagesse du petit nombre : et le libre arbitre du chrétien ne peut s'exercer.

Autre exemple de cette récupération : les astres, soulignaient nos théologiens, avaient annoncé que Jésus naîtrait d'une vierge. Certes, le

Christ n'était pas lui-même soumis à l'influence des astres, mais ceux-ci avaient bel et bien signalé sa venue : comment interpréter autrement l'étoile de Bethléem ? Et les mages qui avaient eu la sagesse de suivre cette étoile n'étaient-ils pas de vrais astrologues ?

# DEUXIÈME PARTIE

## *Du temps solaire au temps de l'horloge*

*Les dieux confondent l'homme qui le premier trouva*
*Le moyen de distinguer les heures ! Puissent-ils le confondre aussi,*
*Le misérable qui en ce lieu mit un cadran solaire,*
*Afin de découper et hacher mes journées.*

PLAUTE (v. 200 av. J.-C.).

### 4

### *Mesurer les heures de la nuit*

Tant que l'homme vécut uniquement d'agriculture et d'élevage, il n'eut guère besoin de petites unités de temps. Pour savoir s'il allait faire soleil ou froid, pleuvoir ou neiger, les saisons suffisaient. A quoi bon heures et minutes ? La journée, seul moment où l'homme pouvait travailler, était la seule unité de temps qui comptait. Mesurer le temps utile, c'était mesurer les heures de soleil.

Il n'est pas d'expérience humaine plus dévastatrice que la perte de la conscience du jour et de la nuit. Nous avons tendance, au siècle de la lumière artificielle, à oublier ce qu'est réellement la nuit. La vie dans une cité moderne supprime la frontière entre lumière et obscurité. Mais durant presque toute l'histoire humaine, la nuit fut synonyme de ténèbres et d'inconnu. « N'accueille jamais un inconnu dans la nuit, conseille le Talmud (v. 200 av. l'ère chrétienne), car c'est peut-être un démon. » « Il faut que je fasse, tandis qu'il est jour, les œuvres de celui qui m'a envoyé, dit Jésus. La nuit vient, où personne ne peut travailler. Pendant que je suis dans le monde, je suis la lumière du monde » (Jean, 9, 4-5). Peu de sujets, du reste, ont autant inspiré la littérature. C'est au plus profond de la nuit que Shakespeare, parmi d'autres dramaturges, situe les crimes de ses personnages.

Ô nuit ennemie de la douceur, image de l'Enfer,
Sombre registre et notaire de la honte,
Théâtre noir des tragédies et meurtres infâmes,
Vaste chaos dissimulant les péchés, nourrice du crime.

L'homme n'a pas attendu la lumière artificielle pour chercher à réduire les ténèbres. Tout a commencé du jour où, jouant avec le temps, il se mit à le diviser en segments plus courts.

Les Anciens avaient mesuré l'année et le mois, et défini le modèle de la semaine, mais les unités de temps plus courtes devaient très longtemps encore rester imprécises et n'occuper dans l'expérience humaine qu'une place restreinte. L'heure d'horloge telle que nous la connaissons est une invention moderne, et plus récentes encore sont la minute et la seconde. Le premier découpage du temps, lorsque la journée de travail était la journée solaire, consista à mesurer la course du Soleil dans le ciel. Dans ce but furent élaborés les premiers cadrans solaires, ces « mensurateurs d'ombres ». Tel fut, du reste, le sens premier du mot anglais *dial*, cadran, qui depuis a pris tant d'autres significations (du latin *dies*, jour ; en latin médiéval, *dialis*). L'homme primitif avait remarqué que l'ombre du gnomon (du grec « connaître ») diminuait à mesure que le Soleil s'élevait dans le ciel et s'allongeait de nouveau lorsque l'astre déclinait. Les Égyptiens connaissaient l'instrument et l'un d'entre eux, datant de Thutmose III (v. 1500 av. J.-C.), est parvenu jusqu'à nous. Il consiste en une barre horizontale graduée d'une trentaine de centimètres, terminée par une petite structure en T qui projetait son ombre sur la barre. Le matin, l'instrument était placé le T tourné vers l'est ; à midi, on le tournait vers l'ouest. Lorsque, dans la Bible, le prophète Isaïe promet de guérir le roi Ézéchias en faisant revenir le temps en arrière, il explique que, pour cela, il fera reculer l'ombre du Soleil.

Pendant des siècles, celle-ci restera la mesure universelle du temps. Mesure commode s'il en fut, n'importe qui, n'importe où, étant capable de confectionner un cadran solaire simple. Mais la devise optimiste « je ne compte que les heures de soleil » inscrite aujourd'hui encore au fronton des cadrans montre bien les limites de l'instrument : pas de soleil, pas d'ombre ; pas d'ombre, pas de mesure. Le cadran solaire n'était utile que dans les régions très ensoleillées, et seulement lorsque le Soleil brillait.

Mais même lorsque le Soleil resplendissait, le déplacement de son ombre était si lent qu'il n'eût guère permis de marquer les minutes, et encore moins les secondes. De plus, un cadran local convenait mal à la mesure d'un temps universel, telle notre heure de soixante minutes. Car partout, on le sait, sauf à l'équateur, la longueur de la journée varie d'un jour à l'autre et en fonction des saisons. Utiliser l'ombre du Soleil en un point donné pour déterminer l'heure par rapport à l'heure GMT exige donc la connaissance tout à la fois de l'astronomie, de la géographie, des mathématiques et de la mécanique. Il a fallu attendre le XVIe siècle environ pour que les cadrans solaires soient étalonnés aux vraies heures. Lorsque cette « science » se fut développée, la mode fut au cadran solaire de poche. Mais à l'époque existaient l'horloge et la montre, combien plus commodes et plus utiles.

Les premiers cadrans solaires avaient d'autres limites. L'instrument horizontal de Thutmose III était incapable de marquer les première et dernière heures de chaque jour car l'ombre du T, alors démesurément longue, ne s'inscrivait pas sur l'échelle graduée. Un nouveau type de cadran allait faciliter la division des heures du jour en parties égales : une demi-sphère tournée vers le haut, l'aiguille dirigée vers le centre. La trajectoire de l'ombre était donc la réplique exacte de la course du Soleil dans l'hémisphère céleste. L'arc de cercle ainsi tracé était divisé en douze parties égales. Après dessin des trajectoires pour différentes dates, les douze divisions « horaires » pour chaque date étaient jointes par des courbes indiquant le douzième de la journée.

Les Grecs, experts en géométrie, perfectionnèrent considérablement l'horloge à ombre. Un charmant exemple nous en a été conservé à la tour des Vents, à Athènes. Sur cet édifice octogonal, chacune des huit directions est représentée par ses vents, et chaque face porte un cadran solaire ; ce qui permettait aux Athéniens de lire l'heure sur trois faces au moins en même temps.

A Rome, le dispositif était si répandu que l'architecte Vitruve, au premier siècle avant notre ère, en comptait treize types différents. Mais les nombreux cadrans solaires monumentaux que les Romains saisirent à l'étranger pour décorer leurs villas étaient pratiquement inutilisables comme marque-temps sous leur latitude. S'il faut en croire Plaute (mort en 184 av. l'ère chrétienne), le cadran solaire servait chez les Romains à fixer les heures de repas :

> Les dieux confondent l'homme qui, le premier, trouva
> Le moyen de distinguer les heures ! Puissent-ils le confondre aussi,
> Le misérable qui en ce lieu mit un cadran solaire,
> Afin de découper et hacher mes journées.
> Lorsque j'étais enfant, mon cadran était mon ventre,
> Combien plus sûr et plus précis que tous ceux d'aujourd'hui.
> Il me signifiait l'heure de passer à table,
> Quand toutefois j'avais à manger.
> Mais aujourd'hui, même lorsque j'ai de quoi,
> Je n'ai le droit de m'y mettre que si le Soleil est de cet avis,
> Et la plupart des gens, ratatinés de faim,
> Se traînent dans les rues !

Même par la suite, avec un cadran solaire divisant la journée en segments égaux, il n'était guère possible de tenir compte des saisons. L'été, les journées étaient longues, et les heures aussi. Les soldats romains, sous Valentinien I^er^ (364-375), devaient progresser « au rythme de vingt milles en cinq heures d'été ». La notion d'heure — un douzième de la journée — variait considérablement d'un jour et d'un endroit à l'autre. Le cadran solaire, en fait, était un marque-temps fort extensible.

Comment l'humanité s'est-elle affranchie du Soleil ? Comment avons-nous conquis la nuit et fait d'elle une part du monde intelligible ? Pour que nous puissions découper le temps en unités universellement valables, la condition première était que nous échappions à l'emprise du Soleil. Alors seulement, les règles de l'action humaine auraient-elles valeur universelle et permanente. Temps, « image mouvante de l'éternité », dit Platon. Rien d'étonnant donc si, un peu partout sur la planète, l'idée d'en mesurer le cours a tant tourmenté l'homme.

Tout ce qui coule, consume ou est consumé, a été essayé ici ou là par l'homme pour mesurer le Temps. Effort sans cesse réitéré pour se libérer de l'empire exercé par le Soleil, appréhender plus solidement le Temps, le mettre au service de l'homme. Quête de la mesure universelle et simple chaque jour nécessaire, mesure de la vie même, et qui soit autre chose que les données fuyantes d'une ombre souvent aléatoire. Il fallait à l'homme trouver mieux que le gnomon.

C'est l'eau — le merveilleux élément liquide, bonheur de notre planète — qui, dans cette entreprise pour mesurer les heures obscures, va donner à l'homme ses premiers succès. Parce que l'on pouvait l'enfermer dans le moindre récipient, l'eau était plus maniable que l'ombre solaire. Utiliser l'eau comme marque-temps, c'était un petit pas de plus vers l'appropriation par l'homme de la planète. Cette eau captive, il pouvait la faire couler à la vitesse de son choix, de jour comme de nuit. Il pouvait en mesurer l'écoulement en unités invariables, identiques en tous lieux et en toutes saisons. Mais il fallut longtemps pour perfectionner le système. Et lorsque, enfin, l'horloge à eau fut pratiquement devenue un instrument de précision, elle commençait déjà à être supplantée par un moyen beaucoup plus pratique et plus précis.

Reste que, presque tout au long de l'histoire, c'est l'eau qui, en l'absence de soleil, a fourni la mesure du temps. Et jusqu'au perfectionnement de l'horloge à pendule vers 1700, l'horloge à eau a sans doute été le compteur de temps le plus précis. Tous ces siècles durant, la clepsydre gouverna la vie de chaque jour — ou plutôt de chaque nuit.

Très vite, l'homme découvre qu'il peut mesurer l'écoulement du temps par la quantité d'eau tombant goutte à goutte d'un récipient. Moins de cinq siècles après leurs premiers cadrans solaires, les Égyptiens utilisaient des horloges à eau. Dans un pays aussi ensoleillé que le leur, le cadran solaire donnait toute satisfaction le jour, mais pour compter les heures nocturnes, il fallait une clepsydre. Thot, dieu de la nuit, mais aussi du savoir, de l'écriture et de toutes les mesures, présidait à l'existence des deux types d'instrument, dont l'un se vidait et l'autre se remplissait. Le premier était un récipient en albâtre gradué à l'intérieur et percé près du fond. Pour mesurer le temps écoulé, on observait la baisse du niveau d'eau. Le second type, plus tardif, était un peu plus compliqué : comme il mesurait le temps par élévation du niveau, il lui fallait un approvisionnement constant en liquide. Mais, malgré leur simplicité, ces appareils n'étaient pas sans poser de problèmes. Sous les climats froids, les variations de viscosité de l'eau étaient source d'ennuis ; et sous tous les climats, il fallait, pour que la vitesse de l'horloge soit constante, que l'orifice d'écoulement ne se bouche pas, ni ne s'agrandisse à l'usage. Les modèles à vidage posaient un autre problème : la vitesse d'écoulement était fonction de la pression de l'eau, laquelle, précisément, variait avec la quantité de liquide restant dans le récipient. C'est pourquoi les Égyptiens eurent l'idée d'évaser les parois du récipient de façon que, malgré la diminution de la quantité d'eau, la pression, concentrée sur une plus petite surface, demeure constante.

Fabriquer une clepsydre était assez simple si le but était seulement, comme avec le sablier moderne, de mesurer de brèves durées. Mais sa fabrication, dès lors qu'il s'agissait de diviser les heures du jour ou de la nuit en segments égaux, posait de délicats problèmes d'étalonnage. La nuit, en Égypte, était évidemment plus longue en hiver qu'en été. La clepsydre de Thèbes exigeait, selon les normes égyptiennes, quatorze doigts d'eau pour faire une nuit d'hiver, et douze seulement pour une nuit d'été. Ces « heures » de longueur variable — subdivisions égales de la durée totale du jour ou de la nuit — n'étaient pas réellement des heures chronométriques. On finit par les appeler « heures temporaires », du fait de leur valeur changeante. Il eût été beaucoup plus simple de faire mesurer par la clepsydre une unité de temps invariable. Mais il fallut des siècles pour que le temps abstrait pût être évalué par une machine mesurant autre chose qu'un segment de jour ou de nuit.

Les Grecs, qui avaient perfectionné le cadran solaire pour pouvoir mesurer les heures de la journée, utilisaient couramment aussi l'horloge à eau. Ce sont eux qui ont donné à l'instrument le nom pittoresque de *Klepsydra*, ou « voleur d'eau ». Ils s'en servaient pour limiter la durée des plaidoiries devant les tribunaux athéniens. Les modèles qui ont survécu se vident en six minutes. Démosthène, dans ses procès, demande souvent, pour ne pas être pris de court, que « l'eau soit arrêtée ». A la tour des Vents étaient adjointe une citerne servant de réservoir à une horloge. Quant au physicien grec Ctesibios d'Alexandrie (IIIe siècle avant J.-C.), inventeur, entre autres, d'un orgue hydraulique et d'un fusil à vent, il conçut la clepsydre à flotteur.

Malgré leurs talents de constructeurs, les Romains, pour mesurer le temps, n'utiliseront jamais d'autre moyen mécanique, outre le cadran solaire, que l'horloge à eau. Latinisant la *Klepsydra* en *clepsydra* ou *horlogium ex aqua*, ils la perfectionnent et en font un instrument d'usage courant. Ils fabriquent des cadrans solaires de poche. Dans le même temps, ils expriment leur goût du grandiose en érigeant sur le Champ de Mars le grand obélisque de Montecitorio, qui servait de gnomon à un cadran solaire géant dont l'ombre se mesurait sur des lignes de bronze dans le dallage de marbre.

Les Romains firent preuve de la même souplesse avec leurs horloges à eau. A l'instar des autres peuples à l'esprit pratique et commerçant, ils étaient sensibles à la valeur du temps. Mais c'est petit à petit seulement, et encore de façon grossière, qu'ils réussiront à fractionner la journée. Ils ne pourront jamais mettre au point une horloge mécanique morcelant les heures. Même à la fin du IVe siècle avant notre ère, ils ne connaissaient que deux subdivisions de la journée : *ante meridiem* (avant midi) et *post meridiem* (après midi). Un fonctionnaire était chargé de guetter le moment où le Soleil atteignait le Zénith et de proclamer la nouvelle sur le forum, les avocats étant tenus de se présenter au tribunal avant midi. Par la suite, les Romains affinèrent les divisions. D'abord en subdivisant chaque demi-journée en deux parties : *mane,* puis *ante meridiem* le matin, *de meridie*, puis *suprema* l'après-midi. Puis en calculant les heures temporaires d'après un cadran solaire rapporté de Catane, en Sicile. Mais celui-ci, conçu pour une latitude différente, n'était guère précis. Finalement, en 164 av. J.-C., le censeur Q. Marcius Philippus se rendit populaire en érigeant un cadran solaire convenablement orienté pour Rome. Une horloge à eau fut également installée pour dire l'heure les jours de brouillard et la nuit.

Les Romains se servaient de leurs cadrans solaires pour étalonner et régler leurs horloges à eau, devenues marque-temps courants dans la Rome impériale. Elles continuaient à n'indiquer que l'heure temporaire, avec valeur unique pour toutes les journées d'un même mois malgré les variations d'un jour à l'autre. Personne à Rome ne pouvant par conséquent connaître l'heure exacte, la promptitude était une qualité peu pratiquée et peu célébrée. Il était aussi difficile à Rome, fait observer Sénèque, de mettre d'accord les horloges que les philosophes.

Les « heures » de la vie quotidienne — l'heure « temporaire » étant égale au douzième de la durée du jour ou de la nuit — étaient incroyablement extensibles. Au solstice d'hiver, même par beau temps, la journée ne durait guère, selon notre canon actuel, que 8 heures et 54 minutes, la nuit, en revanche, occupant 15 heures et 6 minutes. Au solstice d'été, la situation était exactement inverse. Mais pour les Romains, le jour comme la nuit duraient invariablement douze heures tout au long de l'année. Ce qui fait qu'à Rome, au solstice d'hiver, la première heure de la journée (*hora prima*) ne durait — toujours selon nos critères — que de 7 h 33 jusqu'à 8 h 17, tandis que la douzième (*hora duodecima*) commençait à 15 h 42 pour s'achever à 16 h 27. Quel imbroglio pour les fabricants d'horloges ! L'étonnant n'est pas qu'ils n'aient jamais produit un compteur de temps plus précis, mais que, les conditions étant ce qu'elles étaient, ils aient réussi à mettre au point un système qui répondait plus ou moins aux besoins.

Par des systèmes d'étalonnage complexes, ils obtenaient de leurs clepsydres qu'elles indiquent les variations de la durée des heures d'un mois à l'autre. Quant à marquer les différences d'un *jour* à l'autre, c'était beaucoup trop compliqué. Ce qui veut dire qu'il n'existait pas de méthode reconnue pour subdiviser les heures.

Lorsque les besoins exigeaient des unités de compte plus courtes, une simple horloge à eau faisait l'affaire, avec toute la précision du sablier moderne. Dans un tribunal romain, par exemple, où les avocats des deux parties devaient disposer d'un temps de parole égal. Comme à Athènes, on se servait d'un vase à fond percé, qui mettait une vingtaine de minutes à se vider. Il arrivait qu'un avocat demandât au juge, pour terminer sa plaidoirie, « six clepsydres » supplémentaires, soit environ deux de nos heures. Un jour, un défenseur particulièrement inspiré se vit ainsi accorder seize vases, soit cinq heures supplémentaires ! Tout en considérant, comme nous, que le temps c'est de l'argent, les Romains l'identifient souvent à l'eau. En latin, « donner de l'eau », *aquam dare*, signifie donner du temps à un avocat ; « perdre de l'eau », *aquam perdere*, perdre du temps. Un orateur au Sénat parlait-il trop longtemps ou plus souvent qu'à son tour, ses collègues, aussitôt, réclamaient qu'on lui retire son eau. Parfois, ils demandaient au contraire un supplément d'eau.

Les avocats n'étaient pas moins bavards à l'époque qu'aujourd'hui. L'un d'eux, particulièrement verbeux, a inspiré au poète latin Martial (v. 40-v. 102) l'épigramme suivante :

> Tu as réclamé à cor et à cri sept clepsydres, Cecilianus, et le juge, à contrecœur, te les a accordées. Mais tu parles beaucoup et longtemps, et, la tête rejetée en arrière, tu siffles des flacons entiers d'eau tiède. Afin que tu puisses une fois pour toutes étancher ton art oratoire et ta soif, nous te conjurons, Cecilianus, de boire désormais directement à l'horloge !

Chaque vase d'eau avalé par ce raseur, c'était pour le malheureux juge vingt minutes d'ennui en moins.

La clepsydre fut un aiguillon à l'ingéniosité romaine. Pour éviter que l'orifice ne s'use ou vienne à se boucher, on prit l'habitude de façonner le trou dans de la pierre précieuse, tout comme, plus tard, les horloges utiliseront des « rubis ». Certaines des horloges à eau romaines décrites par Vitruve étaient munies d'un flotteur perfectionné qui annonçait l'« heure » en projetant en l'air des galets — parfois des œufs — ou en actionnant un sifflet. La clepsydre — comme le piano dans les familles bourgeoises européennes au XIXᵉ siècle — devint signe de réussite sociale. « N'a-t-il pas une horloge dans sa salle à manger ? demandent, sous le règne de Néron, les admirateurs du parvenu Trimalchio. Et un joueur de trompette en livrée pour lui rappeler constamment ce qu'il a déjà perdu de sa vie ? »

Aux siècles suivants, l'homme, partout, trouvera moyen d'utiliser l'eau pour fractionner la durée. Les Saxons, au IXᵉ siècle, emploient un vase caractéristique par sa robuste élégance : percé au fond d'un petit orifice, il flotte sur l'eau, s'enfonçant à mesure qu'il se remplit, en un temps toujours égal. Les Chinois, qui, depuis la plus haute antiquité, ont leurs propres horloges à eau, reviennent d'Occident émerveillés par certaines horloges à sonnerie au mécanisme fort complexe. En particulier, l'horloge géante qui orne la porte de la grande mosquée de Damas. A chaque heure du jour ou de la nuit, deux faucons de bronze crachent chacun un boulet de cuivre resplendissant dans une coupe d'airain, laquelle est percée pour permettre audit boulet de revenir à sa place initiale. Au-dessus des faucons, se trouve une rangée de portes ouvertes, dont chacune correspond à une « heure » de la journée et est surmontée d'une lampe. A chaque heure du jour, lorsque tombent les poids, une cloche retentit, et la porte correspondant à l'heure accomplie se ferme. A la tombée de la nuit, les portes s'ouvrent toutes automatiquement. A mesure que tombent les poids marquant les « heures » de la nuit, les lampes se mettent à rougeoyer l'une après l'autre, et ce jusqu'à l'aube, où elles sont toutes allumées. Le jour venant, les lampes s'éteignaient et les portes des heures du jour reprenaient leur ronde. Onze employés permanents étaient nécessaires pour assurer le bon fonctionnement de la machine.

Ce fut pourtant le sable, et non l'eau, qui devait fournir aux poètes modernes leur image préférée du temps qui passe. En Angleterre, on plaçait souvent un sablier dans les cercueils pour signifier qu'une vie s'était écoulée. « Le sable du temps s'abîme, dit un cantique, voici poindre l'aube du ciel. »

Mais le sablier n'apparaît dans notre histoire que tardivement. Le sable, bien sûr, est moins fluide que l'eau, et par conséquent moins approprié à l'étalonnage complexe que nécessitait dans les premiers temps la variabilité des « heures ». Impossible d'y mettre un flotteur. Mais le sable continue à couler là où l'eau gèle. Un sablier commode et précis, toutefois, exigeait le perfectionnement de l'art du verrier.

L'horloge de sable apparaît en Europe au VIIIᵉ siècle, la légende en attribuant l'invention à un moine de Chartres. Les progrès de la verrerie permettront par la suite d'obtenir un récipient bien hermétique, dont le fonctionnement ne sera plus ralenti par l'humidité. Grâce à des procédés complexes, le sable pourra être séché avant d'être introduit dans le verre. Certain traité médiéval recommande, à la place du sable, l'emploi d'une fine poussière de marbre noir, bouillie neuf mois dans du vin. A chaque bouillon, on devait écumer, et pour finir on faisait sécher la poudre au soleil !

Le sablier convenait mal à la mesure du temps toute une journée durant. Ou bien ses dimensions le rendaient fort peu pratique — tel celui commandé par Charlemagne et dont la taille était telle qu'on ne devait le retourner que toutes les douze heures — ou bien, s'il était de petite taille, il fallait constamment le retourner, au moment précis où tombait le dernier grain. Certains étaient munis d'un petit cadran et d'une aiguille que l'on faisait avancer à chaque retournement. Mais le sablier était plus approprié que la clepsydre à la mesure des courtes durées. Christophe Colomb, sur ses navires, se servait d'un sablier d'une demi-heure pour connaître les heures canoniales. Au XVIe siècle, le sablier avait déjà sa place dans la cuisine. Il servait aussi au prêtre — et à ses ouailles ! — à limiter la durée des sermons. Une loi anglaise de 1483 stipulait, semble-t-il, que l'horloge de sable devait être placée *au-dessus* de la chaire, faute de quoi les fidèles ne pouvaient voir le « verre à sermon » (*sermon-glass*). A la Chambre des communes, on utilisait une horloge de sable de deux minutes pour réglementer la durée des appels au vote. De même, les maçons et autres artisans comptabilisaient leurs heures de travail à l'aide d'un sablier. Les enseignants apportaient le leur en classe pour minuter leur cours ou le travail de leurs élèves. Un professeur d'Oxford à l'époque élisabéthaine déclara un jour à ses étudiants que « s'ils ne réussissaient pas mieux leurs exercices, il apporterait avec lui une horloge de sable de deux heures de durée ».

Le sablier servit encore, après le XVIe siècle, à déterminer la vitesse des navires à l'aide du loch. On faisait des nœuds toutes les sept brasses sur une cordelette enroulée sur un touret et fixée à un flotteur. Un marin jetait le loch à la mer, laissant se dérouler la ligne, et comptait le nombre de nœuds filés pendant que se vidait un sablier de trente secondes. Une succession, pendant ce laps de temps, de cinq nœuds, par exemple, signifiait une vitesse de cinq milles marins à l'heure. Tout au long du XIXe siècle, les voiliers continueront à jeter le loch toutes les heures.

Un sablier qu'il fallait constamment retourner n'était guère commode pour mesurer les heures de la nuit. De temps en temps, afin de résoudre ce problème, on essayait d'associer marque-temps et système d'éclairage. Pendant des siècles, on s'évertua à vouloir utiliser le feu qui illuminait la nuit pour en comptabiliser les heures. Les dispositifs étaient ingénieux, mais fort peu pratiques. Ils étaient coûteux, parfois dangereux, et ne parvinrent jamais à abolir la frontière entre jour et nuit. Tant que la notion d'heure était extensible, l'horloge à feu, comme le sablier, pouvait mesurer un court laps de temps, mais pas une nuit entière.

L'une des plus célèbres horloges à chandelles fut celle construite, dit-on, pour permettre au très pieux roi des Saxons Alfred le Grand (849-899) de respecter un vœu qu'il avait fait lorsqu'il était en exil ; consacrer chaque jour le tiers de son temps à Dieu s'il retrouvait son trône. Selon la légende, il ordonna à son retour la construction d'une horloge à chandelles. A partir de 110 grammes de cire, furent confectionnées six chandelles de douze pouces (30 cm) et d'épaisseur uniforme, portant chacune douze divisions d'un pouce. Elles étaient allumées l'une après l'autre et il leur fallait, disait-on, vingt-quatre heures pour se consumer toutes. Des panneaux de cornes fixés sur des cadres en bois les protégeaient des courants d'air. Pour tenir sa promesse, il suffisait au roi de consacrer à ses devoirs pieux la durée de deux chandelles.

D'autres souverains assez fortunés pour mesurer le temps au moyen de chandelles ou d'huile de lampe — Alphonse X de Castille dit le Sage (v. 1276), le roi de France Charles V (1337-1380), Philippe Ier d'Espagne (1478-1506) — tâtèrent de la lampe-horologe. La recherche d'un modèle portatif conduisit le Milanais Gerolamo Cardano (inventeur du cardan, 1501-1576) à mettre au point un dispositif faisant appel au principe du vide pour obtenir par aspiration une alimentation constante en huile. La lampe de Cardano fut couramment utilisée jusqu'à la fin du XVIIIe siècle.

La généralisation de l'horloge mécanique ne devait pas empêcher les inventeurs de continuer à expérimenter toutes sortes de moyens pour mesurer tout à la fois la nuit et le temps : certains en utilisant la flamme d'une lampe à huile pour actionner le mécanisme d'une horloge, d'autres la consommation d'huile observée à travers un récipient gradué, d'autres encore l'ombre déclinante d'une chandelle sur une échelle graduée marquant les heures nocturnes.

En Chine, au Japon, en Corée, l'utilisation du feu comme compte-temps prit une tout autre forme. L'habitude de brûler de l'encens inspira toute une série de systèmes aussi esthétiques qu'ingénieux. Par exemple, une traînée d'encens se consumait dans un récipient, l'endroit atteint par le feu indiquant la durée écoulée. L'un des dispositifs les plus complexes — le « seau à encens aux cent gradations » — fut inventé en Chine en 1073, à la suite d'une sécheresse qui, ayant tari les puits, avait rendu inopérantes les habituelles horloges à eau. L'horloge aromatique chinoise devait à son tour inspirer de nouvelles méthodes d'utilisation de l'horloge à feu pour la mesure des heures temporaires. A cette recherche est dû le délicat raffinement des modèles chinois.

On n'en finirait pas de détailler l'ingéniosité mise en œuvre pour compter les heures nocturnes avant l'invention et la généralisation de l'éclairage électrique. Après l'avènement de l'horloge mécanique, le carillon devint le meilleur moyen de vaincre l'obscurité. Un astucieux inventeur français, M. de Villayer, eut même l'idée, à la fin du XVIIe siècle, d'utiliser le sens du goût : son horloge était ainsi conçue que lorsqu'il tendait la main, la nuit, en direction de la petite aiguille, son doigt se trouvait guidé vers un petit logement contenant une épice différente pour chaque heure. Ainsi, même dans les ténèbres, il pouvait toujours... goûter l'heure.

## 5

## *L'avènement des heures égales*

Tant que l'homme accepta que son temps fût soumis aux cycles changeants des jours, il resta esclave du Soleil. Pour devenir maître de son temps, abolir la frontière entre jour et nuit, fractionner sa vie en segments nets et précis, il lui fallait trouver le moyen de mesurer de courts laps de temps : heures égales, mais aussi minutes, secondes, et même fragments de seconde. Et, pour cela, fabriquer une machine. Il est étonnant que les machines à mesurer le temps soient si tardives : ce n'est qu'au XIVᵉ siècle que les Européens ont conçu le marque-temps mécanique. Jusqu'alors, on l'a vu, la mesure du temps était affaire de cadran solaire, d'horloge à eau, de sablier, d'horloge à chandelles et autres horloges à parfums. Si, pour la mesure de l'année, un bond en avant avait été réalisé il y a cinq mille ans, et si le groupement des jours en semaines était depuis longtemps acquis, pour les subdivisions de la journée, en revanche, il en alla tout autrement. C'est de l'époque moderne seulement que date le découpage de notre vie en heures, puis en minutes.

Les premiers pas vers la mesure mécanique du temps, les premiers balbutiements de l'horloge moderne, ce n'est ni à des paysans ou bergers, ni à des marchands ou artisans, qu'on les doit, mais à des croyants soucieux d'accomplir régulièrement leurs devoirs religieux. Les moines, en effet, avaient besoin de connaître les heures de prières. En Europe, les premières horloges mécaniques ont été conçues, non pour *montrer* l'heure, mais pour la *sonner*. Les premières vraies horloges furent des réveille-matin, les premiers mécanismes d'horlogerie des machines à poids frappant une cloche. Il en existait de deux types. Le plus ancien, sans doute, fut l'horloge de chambre — l'*horologia excitatoria*, horloge réveille-matin — destinée à la cellule du *custos horologii*, le gardien de l'horloge. Elle faisait tinter une petite cloche signalant à l'abbé l'heure de la prière. Pour prévenir la communauté, il allait alors frapper la grosse cloche, généralement située en haut d'une tour. Vers la même époque, on commença à construire des horloges beaucoup plus grandes, que l'on plaçait dans les tours, où elles mettaient automatiquement en branle la grosse cloche.

Ces horloges monastiques annonçaient les heures canoniales, c'est-à-dire celles prévues pour les dévotions par les canons de l'Église. Le nombre de ces heures, évidemment, variait avec ces canons, avec les coutumes locales, avec les règles propres à chaque ordre. Au VIᵉ siècle, avant saint Benoît, leur nombre est fixé à sept. A chacune correspond une prière :

matines ou laudes, entre minuit et le lever du jour ; prime, au lever du Soleil ; tierce, au milieu de la matinée ; sexte, à midi ; none, au milieu de l'après-midi ; vêpres, au coucher du Soleil ; et complies, à la tombée de la nuit. Le nombre des tintements de cloche va décroissant de quatre à un le matin, pour croître de nouveau l'après-midi. L'heure réelle — selon nos critères modernes — de chaque prière dépendait de la latitude et de la saison. Malgré la complexité du problème, les horloges monastiques étaient réglées en fonction des saisons.

Les tentatives de « sonorisation » des marque-temps primitifs n'avaient pas été convaincantes. Un inventeur parisien eut l'idée d'équiper son cadran solaire d'un verre ardent qui, à midi juste, concentrait les rayons sur la lumière d'un petit canon, et saluait ainsi automatiquement le Soleil au zénith. C'est cette élégante horloge à canon, installée par le duc d'Orléans dans les jardins du Palais-Royal en 1786, qui aurait tiré, dit-on, le premier coup de feu de la Révolution française. Bien des siècles auparavant, certaines clepsydres ponctuaient déjà les heures par des jets de cailloux en l'air ou des sifflets. Des dispositifs analogues furent probablement expérimentés dans les monastères.

Mais le progrès technique exigeait un nouveau type de marque-temps, mécanique celui-là, qui fût une véritable horloge. Sur les origines monastiques du compte-temps moderne, le mot anglais *clock* ne laisse guère de doute. Le moyen anglais *clock* vient du mot moyen allemand pour « cloche », et est apparenté à l'équivalent allemand, *Glocke*. Au sens strict — dans les langues saxonnes en tout cas — il n'était d'horloge à l'origine que frappant l'heure. Ce n'est que plus tard que les mots de la famille de *clock* en sont venus à désigner tout marque-temps.

Les premières horloges mécaniques apparaissent à une époque où les activités humaines sont encore circonscrites par la journée solaire, où la lumière artificielle n'a pas encore rogné la frontière entre jour et nuit. Les horloges sonnantes du Moyen Age restaient silencieuses la nuit : les quatre coups annonçant les complies étaient les derniers jusqu'aux matines du lendemain. Mais l'introduction de l'horloge mécanique eut pour conséquence à long terme la globalisation des heures du jour et de la nuit en une seule journée de vingt-quatre heures égales. L'horloge monastique, conçue pour donner à entendre l'heure, ouvrait ainsi la voie à une nouvelle vision du temps.

Cadran solaire, horloge à eau et sablier avaient principalement pour but de donner à voir le temps qui passe, par le glissement progressif d'une ombre sur un cadran, l'épanchement d'une eau hors d'un vase, l'écoulement d'un sable dans un verre. L'horloge mécanique, elle, du fait de son origine monastique, appelait un frappement de marteau sur une cloche. Les nécessités de la mesure mécanique du temps, la logique même de la machine imposèrent une nouvelle perception. Le temps n'était plus synonyme de cycles solaires variant au gré des saisons ou autres, il était désormais rythmé par le bruit d'une machine. Élaborer un système qui sonnât les heures canoniales exigeait des innovations techniques, qui allaient servir de fondement à l'horlogerie pendant des siècles.

Le bras qui frappait la cloche était mû par des poids. Toute la nouveauté était dans le dispositif qui les retenait et, à intervalles réguliers, interrompait leur chute libre. Jusque-là, les marque-temps n'avaient fait que mettre en œuvre un mouvement régulier : déplacement d'ombre pour le cadran solaire, écoulement d'eau ou de sable, respectivement, pour la clepsydre et le sablier. L'horloge mécanique, elle, faisait appel à un dispositif relativement simple, mais révolutionnaire, et que l'histoire a trop peu célébré : l'échappement, ainsi appelé parce qu'il contrôle la façon dont « s'échappe » la force motrice vers l'horloge.

Avec l'extrême simplicité des plus grandes découvertes, l'échappement n'était rien d'autre qu'un système interrompant régulièrement la chute d'un poids, et, ainsi, contenant, puis libérant tour à tour la force exercée par ce poids sur le mécanisme de l'horloge. Cette invention capitale devait ouvrir la voie à toute l'horlogerie moderne. Désormais, la courte chute d'un poids va suffire à faire fonctionner une horloge des heures durant.

La toute première forme en fut l'échappement à verge. Quelque obscur génie mécanique eut l'idée de relier le poids par des roues dentées croisées à un axe vertical supportant une barre horizontale ou verge. Des poids régularisaient le mouvement. L'horloge avançait plus ou moins vite selon l'éloignement des poids. Le va-et-vient de la barre — actionnée par les gros poids — engageait, puis libérait les dents sur le mécanisme. Ces mouvements saccadés serviront à mesurer les minutes, et plus tard les secondes. Lorsque l'horloge fut devenue un objet de la vie courante, l'homme ne perçut que le temps comme un flux, mais comme une succession de moments. Fini l'empire du Soleil et de ses cycles souples sur la vie quotidienne. La mécanique abolissait l'écoulement. Le tic-tac de l'échappement allait devenir la voix du Temps.

La machine ainsi créée n'avait rien à voir avec le Soleil ou les mouvements des planètes. Ses propres lois sécrétaient à l'infini des unités égales. La « précision » d'une horloge, c'est-à-dire l'égalité des unités de temps par elle mesurées, allait dépendre de la précision et de la régularité de son échappement.

Les heures canoniales, qui divisaient la journée en unités souples séparant deux offices, ont été marquées par les horloges jusqu'au XIVe siècle environ. C'est vers 1330 que l'heure devient la vingt-quatrième partie du jour, lequel inclut désormais la nuit. Il couvre l'intervalle allant de midi à midi, ce que l'astronome moderne appelle « le temps solaire moyen ». Pour la première fois dans l'histoire, l'heure prenait une signification précise, universelle.

Peu de révolutions dans l'expérience humaine ont été aussi marquantes que ce passage de l'heure saisonnière ou « temporaire » à l'heure égale. Déclaration d'indépendance de l'homme à l'égard du Soleil, preuve nouvelle de sa maîtrise de lui-même et de son environnement. Plus tard seulement, on devait comprende que, pour accomplir cet exploit, l'homme s'était mis sous la coupe d'une machine aux exigences tyranniques.

Les premières horloges n'avaient ni cadran ni aiguilles. Elles n'en avaient nul besoin, leur seule raison d'être étant de sonner l'heure. Une population illettrée, qui aurait eu du mal à lire un cadran, ne pouvait se méprendre sur de simples sons de cloche. De plus, la machine se prêtait idéalement à la sonnerie des heures. Le temps solaire se traduisait en temps d'horloge.

Dans l'Europe du XIVe siècle, de grandes horloges installées dans les clochers des églises et les beffrois sonnent les heures égales, marque d'une perception nouvelle du temps. Les tours d'église, érigées pour saluer Dieu et souligner les aspirations de l'homme vers le ciel, deviennent des tours-horloges. La *torre* se fait campanile. Celui de l'église de la Bienheureuse-Vierge-Marie à Milan faisait en 1335 l'admiration du chroniqueur Galvano delle Fiamma : « Un très grand grand marteau [...] vient frapper une cloche à chacune des vingt-quatre heures de la journée et de la nuit. A la première heure de la nuit, il frappe un coup, à la seconde, deux coups, à la troisième, trois, et à la quatrième, quatre. Ainsi distingue-t-il une heure de l'autre, chose au plus haut point nécessaire aux gens de toute condition. » Les nouvelles horloges vont très vite se répandre à travers l'Europe. Servant toute une cité, offrant à chacun ce qu'il n'aurait pu s'offrir lui-même, elles sont un véritable service public.

Le temps mécanique fut vraiment entré dans les mœurs lorsque, pour se situer dans le jour ou dans la nuit, on se mit à dire : il est telle heure à l'horloge, *o'clock* en anglais. Lorsqu'un personnage de Shakespeare mentionne l'heure, il se rappelle les derniers coups sonnés. L'amante fidèle, explique Imogen dans *Cymbeline*, pleure son bien-aimé « d'heure sonnée à heure sonnée ». Mais si le petit peuple connaissait maintenant l'« heure », il allait s'écouler plusieurs siècles encore avant qu'il n'adopte la « minute ». Le cadran resta chose rare jusqu'à la fin du XIVe siècle, l'horloge n'ayant toujours pour fonction que de sonner les heures. Les campaniles n'en possèdent pas, mais il se peut qu'il y en ait eu un à la cathédrale Saint-Paul à Londres (1344). Les premiers cadrans ne ressemblaient pas aux nôtres. Certains n'indiquaient les heures que de I à VI, avec des aiguilles qui en faisaient quatre fois le tour en vingt-quatre heures. D'autres, tel le célèbre ouvrage de Giovanni di Dondi (1318-1389), figuraient les vingt-quatre heures.

Il n'était pas trop difficile, lorsqu'une horloge sonnait les heures, de lui faire également frapper les quarts d'heure. Pour cela, un cadran marqué de 1 à 4 fut parfois ajouté. Plus tard apparurent les repères 15, 30, 45 et 60 pour indiquer les minutes. Il n'existait toujours pas de grande aiguille.

En 1500, l'horloge de la cathédrale de Wells, en Angleterre, frappait les quarts d'heure, mais ne marquait pas les minutes ; pour cela, il fallait encore avoir recours au sablier. L'aiguille des minutes ne fit son apparition qu'après l'avènement du pendule. Celui-ci permit également de faire apparaître les secondes : vers 1670, il n'était pas rare qu'une horloge fût munie d'une aiguille des secondes, dont le mouvement était commandé par un pendule d'un mètre environ et d'exactement une seconde de période.

Plus qu'aucune autre invention jusque-là, l'horloge mécanique devait contribuer à rapprocher la nuit du jour. Pour avoir l'heure exacte le matin à l'aube, il fallait que la machine ait fonctionné toute la nuit.

Quand commence la journée ? Cette question a suscité presque autant de réponses que celle de savoir combien une « semaine » devait compter de jours. « Il y eut un soir et il y eut un matin : ce fut le premier jour », dit la Genèse. Le tout premier « jour » fut donc en fait une nuit. Manière d'exprimer le mystère de la Création, le miracle accompli par Dieu dans les ténèbres ? Les Babyloniens et les premiers Hindous calculaient le jour à partir du lever du Soleil. Les Athéniens, à l'instar des Hébreux, faisaient débuter leur journée au coucher du Soleil (pratique qui subsista jusqu'au XIXe siècle). Quant aux musulmans orthodoxes, ils continuent, conformément au Coran, à faire commencer le jour au coucher du Soleil, où ils règlent leurs montres et horloges sur le chiffre 12.

La journée comme unité de vingt-quatre heures est, nous l'avons vu, chose toute récente. Ce n'est qu'avec l'invention et la diffusion de l'horloge mécanique que cette notion s'est répandue. Les anciens Saxons divisaient la journée en périodes ou *tides* (*morningtide, noontide, eveningtide).* Ainsi sont marqués parfois les tout premiers cadrans solaires anglais.

Mais l'avènement de l'horloge mécanique ne fit pas totalement disparaître l'influence du Soleil sur la mesure des heures. Témoin le système américain divisant le jour en deux fois douze heures : lorsque furent mesurées et subdivisées les heures de la journée par opposition à celles de la nuit, chacune des deux parties fut numérotée séparément. Et le découpage resta, même après l'introduction de l'horloge mécanique et son exigence d'une mesure continue. De même, les premières horloges de vingt-quatre heures, tout en substituant aux heures canoniales ou temporaires des heures mécaniques égales, restèrent étrangement liées au cycle solaire : leur vingt-quatrième heure s'achevait au coucher du Soleil.

Comment en est-on venu au jour, à l'heure, à la minute, à la seconde, que nous connaissons aujourd'hui ? Le mot anglais *day*, « jour » (aucune parenté avec le latin *dies*), vient d'un ancien mot saxon signifiant à la fois « brûler » et « saison chaude ». Quant au mot *hour*, il dérive de mots latin et grec voulant dire « saison » ou « moment de la journée ». Bien avant d'avoir le sens moderne de vingt-quatrième partie du jour solaire moyen, il désignait la douzième partie de la journée solaire ou de la nuit — l'heure temporaire ou saisonnière — dont la durée variait avec la saison et la latitude.

Pourquoi vingt-quatre ? Les historiens, ici, ne nous aident guère. Les Égyptiens divisaient bien le jour en vingt-quatre « heures », mais temporaires naturellement. S'ils choisirent ce chiffre, c'est apparemment parce qu'ils utilisaient le système sexagésimal, développé par les Babyloniens. Ce qui ne fait que reculer le mystère, car on ne sait pas très bien pourquoi ces derniers ont adopté un tel système. L'usage qu'ils faisaient du nombre soixante semble n'avoir rien eu à voir avec l'astronomie ou le mouvement des corps célestes. Les Égyptiens, on l'a vu, avaient une année de 365 jours : douze mois de trente jours, plus cinq jours supplémentaires. Ils divisaient églement le cercle en 360 degrés, peut-être par analogie avec la course annuelle du Soleil. Le nombre 60, égal au sixième de 360, et donc subdivision naturelle dans leur numération sexagésimale, devint une subdivision commode du cercle, et aussi de chaque « degré » ou heure. Peut-être les Babyloniens de Chaldée parvinrent-ils au nombre 60 en multipliant 5, nombre des planètes (Mercure, Vénus, Mars, Jupiter, Saturne) par 12, nombre des mois et multiple de 6.

De cette analogie courante chez les Anciens entre course du Soleil et cercle, il nous reste au moins aujourd'hui une survivance : le petit cercle par lequel nous symbolisons le degré, et qui, sans doute, à l'origine, était un hiéroglyphe représentant le Soleil. Ainsi peut-on supposer que 360° — le cercle complet — représentaient le cycle entier des 360 jours. Le degré comme subdivision du cercle fut appliqué pour la première fois par les astronomes babyloniens et égyptiens au zodiaque, pour désigner la distance parcourue chaque jour par le Soleil (de la même façon qu'un *signe* décrivait pour eux l'espace sidéral traversé en un mois).

Notre minute, du latin médiéval *pars minuta prima* (première minute ou petite partie), désignait à l'origine la soixantième partie de l'unité dans le système babylonien des fractions sexagésimales. Et la seconde, du latin *partes minutae secundae*, était une subdivision supplémentaire sur la base du nombre 60. L'arithmétique des Babyloniens étant basée sur cette unité, elle leur servait de décimale et leur était plus commode dans les calculs scientifiques que n'auraient été les autres « fractions vulgaires » (*minutae*). Ptolémée applique la numération sexagésimale à la subdivision du cercle, ainsi qu'à la division du jour. Ce n'est que bien plus tard — au XIII^e^ siècle peut-être, avec l'avènement de l'horloge mécanique — que la minute est devenue une division de l'heure. La terminologie, ici encore, est révélatrice des besoins et capacités de l'horlogerie. « Seconde » fut à l'origine l'abréviation de « seconde minute », terme désignant le résultat de la seconde opération dans la subdivision sexagésimale. Longtemps utilisée par les subdivisions du cercle, la nouvelle unité ne fut appliquée à la mesure du temps que lorsque l'horlogerie se fut perfectionnée, à la fin du XVIe siècle.

Survivance encore du temps où tout était régi par le Soleil, par l'opposition jour-nuit : en Europe de l'Ouest, on continua à numéroter les heures à partir de midi, lorsque le Soleil est au méridien, ou de minuit, à mi-chemin entre midi et le midi suivant. Dans presque toute l'Europe, ainsi qu'en Amérique, la journée commence encore à minuit.

L'archéologie de notre vie quotidienne conduit au monde entier. Les 365 jours de notre année attestent notre dette envers les prêtres de l'Égypte ancienne, et les noms de nos mois et de nos jours nous rattachent aux Hébreux, ainsi qu'aux astrologues grecs et romains. Lorsque nous énonçons l'une de nos vingt-quatre heures, lorsque nous disons les minutes, nous vivons, comme le rappelle un historien, « les résultats d'une modification hellénistique apportée à une pratique égyptienne, combinée à des procédés numériques babyloniens ».

Dans la cité médiévale, la diffusion de l'information est assurée par les cloches. La voix humaine ne pouvant porter très loin, ce sont elles qui annoncent les heures, donnent l'alarme en cas d'incendie, préviennent de l'arrivée de l'ennemi, appellent les citoyens aux armes, convoquent les gens au travail, les envoient au lit, sonnent le deuil à la mort du roi, donnent le signal des réjouissances populaires à la naissance d'un prince ou lors d'un couronnement, célèbrent l'élection d'un pape ou une victoire militaire. « Ils peuvent bien faire sonner les cloches, note sir Robert Walpole en 1739, à l'annonce de la déclaration de guerre contre l'Espagne, avant longtemps, ils s'en repentiront. » Et les Américains conservent pieusement, de cet âge des cloches, la fameuse Liberty Bell, qui annonça l'indépendance à Philadelphie.

Les cloches étaient censées posséder certains pouvoirs. On les sonnait pour écarter une épidémie ou une tempête. Et les habitants de Lyon adressent en 1481 une pétition à leurs édiles, déclarant qu'ils « ont grand besoin d'une horloge dont les coups puissent être entendus par tous les citoyens dans tous les quartiers de la ville. Si l'on fabriquait ladite cloche, davantage de marchands viendraient aux foires, les citoyens seraient heureux, auraient une vie plus ordonnée, et la ville gagnerait en décoration ».

Les cloches faisaient l'orgueil d'une communauté. De leur portée, de leur sonorité, dépendait le renom d'une église, d'une abbaye, d'une ville entière. « Je pleure les morts, j'écarte l'éclair, je proclame le jour du repos, je stimule les paresseux, je dissipe les vents, j'apaise les cruels », dit une inscription sur une vieille cloche. Quant à Paul Revere, le célèbre messager de la révolution américaine, c'est comme fondeur de cloches qu'il avait établi sa réputation et sa fortune. L'art de la fonderie de cloches et la recherche sur les systèmes de sonnerie devaient faire considérablement progresser l'horlogerie.

L'analphabétisme ambiant contribue à expliquer pourquoi le cadran fut si long à apparaître sur les horloges publiques. Même les quelques chiffres nécessaires à la lecture de l'heure n'étaient pas à la portée de tous. Mais les mêmes facteurs qui ont retardé l'apparition du cadran devaient stimuler chez les horlogers ingéniosité et fantaisie. Certes, les grandes horloges publiques du Moyen Age n'améliorent guère la précision des mécanismes, qui, avant l'introduction du pendule, prenaient jusqu'à une heure de retard ou d'avance par jour. Il était techniquement difficile d'améliorer l'échappement, enfoui dans le mécanisme. Mais rien n'empêchait de multiplier les roues afin de donner davantage à voir.

Ornements superflus, pensons-nous des calendriers et autres indications astronomiques, fournis par les grandes machines horlogèrent d'autrefois. Mais tel ne fut pas le cas pendant au moins deux siècles après l'apparition en Europe des grandes horloges d'édifice. La magnifique horloge construite vers 1350 pour la cathédrale de Strasbourg était à la fois calendrier et répertoire astrologique, jouet éducatif et spectacle renouvelé à chaque heure. Outre un calendrier et un astrolabe dont les aiguilles indiquaient les mouvements du Soleil, de la Lune et des planètes, elle possédait un étage supérieur où les Rois mages venaient l'un après l'autre se prosterner devant une statue de la Vierge, tandis que résonnait le carillon. Ce défilé achevé, un énorme coq en fer forgé, paré d'une crête en cuivre et juché sur un piédestal doré, ouvrait le bec, sortait la langue et poussait des cocoricos en battant des ailes. A sa reconstruction, en 1574, l'horloge de Strasbourg possédait un calendrier des fêtes mobiles, un planétarium de Copernic représentant les révolutions des planètes, les phases de la Lune, les éclipses, les heures apparentes et sidérales, la précession des équinoxes, et les équations permettant d'obtenir l'heure locale à partir des indicateurs solaire et lunaire. Un cadran spécial indiquait les fêtes des saints. Les quarts d'heure étaient frappés par des personnages symbolisant les quatre âges de l'homme : enfance, adolescence, maturité, vieillesse. Chaque jour à midi, les douze apôtres défilaient devant le Christ pour recevoir sa bénédiction. Les jours de la semaine étaient figurés par des chars environnés de nuages, et conduits chacun par la divinité correspondante. Les bourgeois de Strasbourg tenaient leur horloge pour l'une des sept merveilles d'Allemagne. A la fin du XIXᵉ siècle, les horlogers allemands immigrés en Pennsylvanie fabriqueront des modèles américanisés de ces « horloges apostoliques » : à la traditionnelle procession des Rois mages et des apôtres, ils ajouteront, dans un bel élan patriotique, un défilé des présidents des États-Unis.

Les spectacles les plus populaires du Moyen Age ne se jouaient ni sur une scène de théâtre, ni même dans les foires ou les cours d'église. Ils se diffusaient du haut des beffrois. Les grandes horloges donnaient leur spectacle toutes les heures, et cela chaque jour, dimanches et jours fériés compris. Celle de la cathédrale de Wells, construite en 1392 et enrichie aux siècles suivants, donnait une représentation pleine d'attraits. Des cadrans indiquaient l'heure, l'âge et les phases de la Lune. Face à celle-ci, se tenait un Phébus, symbole du Soleil. Un autre cadran était muni d'une grande et d'une petite aiguille concentriques, la seconde ornée d'un Soleil faisant le tour complet en vingt-quatre heures. Au-dessus, dans une niche, deux groupes de deux chevaliers en armure venaient à la rencontre l'un de l'autre : au moment où la cloche sonnait l'heure, l'un d'eux était désarçonné, puis, une fois hors de vue, se remettait en selle. Un personnage en uniforme, Jack Blandifet, sonnait chaque heure de son marteau, mais frappait les quarts d'heure de ses talons sur deux cloches plus petites.

Les horlogers donnaient dans le spectaculaire. Au battant caché dans la cloche, ils préféraient, pour sonner heures et quarts, des automates bien visibles. Le personnage frappant la cloche prit le nom de jaquemart — le Jacques qui use du marteau — que l'anglais devait abréger en *jack* (le mot désignera par la suite dans cette langue toutes sortes d'outils). Deux de ces personnages de bronze, datant de 1499, fonctionnent encore aujourd'hui place Saint-Marc, à Venise. Finalement, chacun y trouvait son compte. Comme le fait observer un chroniqueur de Parme en 1431, au peuple, l'horloge de ville ne disait que les heures, tandis qu'aux initiés, elle indiquait les phases de la Lune ainsi que toutes sortes de subtilités astronomiques.

Le cadran d'horloge, auxiliaire du lettré et premier dispositif mécanique pour donner à voir plutôt qu'à entendre, aurait été inventé en 1344 par l'Italien Jacopo di Dondi. L'exploit lui valut le surnon *del Orologio* (« celui qui dit l'heure »), lequel devint son nom de famille. « Passant, dit son épitaphe, toi qui, à distance, reçois du haut d'une tour le moyen de savoir les heures, reconnais mon invention. » Son fils, Giovanni, devait achever en 1364, à Padoue, la construction d'une des mécaniques les plus complexes jamais conçues, combinant horloge et planétarium. L'ouvrage lui-même a disparu, mais les descriptions et dessins laissés par le constructeur ont permis la reconstitution de ce célèbre « astrarium », visible aujourd'hui à la Smithsonian Institution, à Washington. Haute de 1,50 mètre environ, l'élégante machine heptagonale en cuivre était actionnée par des poids. Elle était très en avance sur son temps, puisqu'elle tenait compte du caractère légèrement elliptique de l'orbite lunaire. Ses nombreux cadrans lui permettaient d'indiquer une foule de renseignements : heure et minute moyennes, heures du coucher et du lever du Soleil, conversion de l'heure moyenne en heure sidérale, heures temporaires, quantième du mois et mois de l'année, fêtes religieuses fixes, durée quotidienne du jour, lettre dominicale de l'année, cycles solaire et lunaire, mouvement annuel du Soleil et de la Lune dans le plan de l'écliptique, mouvements annuels des cinq planètes. À quoi Dondi avait ajouté un système pour prévoir les éclipses, un calendrier des fêtes mobiles, et un calendrier pascal perpétuel. On venait de partout admirer l'horloge et voir celui qui avait consacré à cette tâche seize ans de sa vie.

En ce temps-là, la frontière entre données du ciel et besoins de la vie quotidienne était nettement moins tranchée qu'aujourd'hui. La nuit était plus menaçante, plus noire, et les remèdes mécaniques modernes à l'obscurité, à la chaleur et au froid restaient à inventer. Pour les habitants des bords de mer et de rivière, les heures des marées étaient d'une importance cruciale. Sur tous et sur tout régnait l'influence des astres. Ainsi, l'horloge de Strasbourg utilisait les données du ciel pour prêter aux citoyens une assistance médicale. On y voyait une figure d'homme entourée des signes du zodiaque. Des lignes reliaient chacun des signes aux parties du corps gouvernées par lui et qui ne devaient être soignée que lorsque dominait ce signe-là. L'horloge renseignait aussi sur les variations de dominance des signes, aidant ainsi médecins et malades à choisir pour un traitement le moment réputé le plus favorable. De même, un visiteur de Mantoue en 1473 fut-il très impressionné de constater que l'horloge de ville fournissait des indications astrologiques quant à « la période la plus propice pour pratiquer une phlébotomie ou une opération chirurgicale, confectionner une robe, cultiver la terre, entreprendre un voyage, ainsi que pour quantité d'autres choses fort utiles en ce monde ».

## 6

## *Vers l'horloge portative*

Un jour de l'année 1583, un jeune homme de dix-neuf ans nommé Galileo Galilei assistait à la prière au baptistère de la cathédrale de Pise lorsque, dit la tradition, son attention fut soudain attirée par le balancement de la lampe au-dessus de l'autel. Quelle que fût l'ampleur de l'oscillation, il semblait que la lampe mettait toujours le même temps pour effectuer un déplacement complet. Bien sûr, Galilée n'avait pas de montre, mais il mesura la durée des balancements d'après son pouls. C'est pour résoudre ce mystère, devait-il expliquer, qu'il renonça aux études de médecine que son père lui avait fait entreprendre et se lança dans les mathématiques et la physique. Il avait dévouvert ce jour-là dans le baptistère ce que les physiciens appelleront l'isochronisme du pendule : le fait que la durée de son oscillation est fonction, non pas de l'amplitude de celle-ci, mais de la longueur même du pendule.

Cette découverte toute simple symbolisait l'âge nouveau. A l'université de Pise, où Galilée était étudiant, les cours d'astronomie et de physique se réduisaient à des conférences sur les écrits d'Aristote. Mais *lui* avait une toute autre façon d'apprendre, par l'observation, qui annonçait la science de l'avenir. Sa découverte, qu'il n'exploita jamais entièrement lui-même, ouvrait une ère nouvelle en horlogerie. Moins d'une trentaine d'années après sa mort, l'erreur moyenne des meilleurs marque-temps se trouvait ramenée de quinze minutes à deux secondes seulement par jour.

La parfaite concordance de milliers d'horloges entre elles fit du Temps une mesure transcendant l'Espace. Les citoyens de Pise pouvaient maintenant savoir l'heure qu'il était à Florernce ou à Rome. Une fois synchronisées, ces machines le restaient. L'horloge n'était plus un simple auxiliaire local mesurant le travail de l'artisan, fixant l'heure de l'office ou la réunion du conseil municipal, elle était désormais mesure universelle. De même que l'heure égale avait normalisé, pour chaque cité, les unités de compte du jour et de la nuit, été comme hiver, de même l'horloge de précision « normalisait » maintenant les unités de temps sur toute la Terre.

Prodige rendu possible par certaines particularités de notre planète. La rotation de la Terre fait que chacun de ses points connaît une journée de vingt-quatre heures, mais décalée par rapport aux autres. Lorsqu'il est midi à Istanbul, il n'est encore que dix heures à Londres. En une heure, la Terre tourne de 15°. Londres est donc à 30°, soit deux heures, à l'ouest d'Istanbul, ce qui fait que la longitude est à la fois mesure de l'Espace et du Temps. Le voyageur qui arrive à Istanbul avec un bon marque-temps réglé sur Londres pourra donc, en comparant son heure avec celle de la grande cité turque, savoir exactement quelle distance il a parcourue vers l'est.

Sur terre, certains repères — montagnes, cours d'eau, constructions, routes, agglomérations — permettent de se situer. En mer, la chose est singulièrement plus difficile. Les points de repère y sont rares et le plus souvent visibles seulement de qui connaît les lieux. L'uniformité de la mer devait tout naturellement amener les marins à chercher leur route en s'aidant du ciel, du Soleil, de la Lune, des étoiles, des constellations : repères célestes, faute de repères marins. Rien d'étonnant donc si l'astronomie devint l'auxiliaire du marin, si le siècle de Colomb ouvrit la voie à celui de Copernic. Armé du tout nouveau télescope, mû par la vision galiléenne de l'univers, l'homme va découvrir les mers, dresser la carte des océans, délimiter des continents nouveaux.

Quiconque partait explorer l'océan avait absolument besoin de connaître le ciel. Il lui fallait déterminer latitude et longitude. Mais la seconde mesure fut toujours beaucoup plus difficile que la première, ce qui explique pourquoi le Nouveau Monde est resté si longtemps inconnu, pourquoi il a fallu à Christophe Colomb bien du courage pour se lancer, et pourquoi l'« Est » et l'« Ouest » furent si longtemps deux mondes distincts. Pour calculer sa longitude, le navigateur devait mesurer, par exemple, les écarts de position du Soleil à midi entre différents lieux.

Définir la latitude est autrement plus aisé : l'essentiel est de connaître la hauteur du Soleil sur l'horizon. A l'équateur, en toutes saisons, le Soleil, à midi, est au zénith (hauteur : 90°), tandis qu'au pôle Nord, il est totalement invisible en hiver et toujours visible en été. Partout ailleurs, pour savoir la distance par rapport à l'équateur, il faut mesurer la hauteur du Soleil à midi, puis la rapporter aux tables astronomiques ou éphémérides. Pour cela, un instrument de visée élémentaire suffit. (Les Grecs, eux, n'avaient pas besoin d'instrument : ils relevaient simplement la hauteur des étoiles circumpolaires.) Les éphémérides proposées par les manuels nautiques du Moyen Age étaient déjà d'une précision telle qu'il suffisait de déterminer correctement la hauteur du Soleil pour calculer la latitude à moins d'un demi-degré près.

Pour déterminer la latitude, les marins du Moyen Age se servaient de l'arbalète ou bâton de Jacob. Pour obtenir une hauteur, il suffisait de pointer l'une des branches de l'instrument vers l'horizon et l'autre vers le Soleil ou l'étoile considérée. Le principe de l'arbalète (*dioptra* chez les Grecs, *kamal* chez les Arabes) était appliqué en Europe occidentale dès 1342. L'Anglais John Davis devait mettre au point en 1595 un outil plus commode, le *backstaff* ou quadrant anglais, qui permettait à l'observateur de tourner le dos au Soleil.

Les navigateurs partis explorer les océans s'aperçurent à quel point leur connaissance de la planète était limitée. Il devenait urgent de pouvoir déterminer la longitude. Répondant à une offre des États généraux des Provinces-Unies, Galilée, en 1610, propose une méthode d'évaluation en mer reposant sur l'observation des quatre satellites de Jupiter qu'il vient de découvrir. Mais le procédé exigeait l'utilisation prolongée d'un long télescope, ce qui, sur le pont d'un bateau en pleine mer, n'était guère praticable. Il eut alors l'idée de monter le télescope sur une sorte de casque que l'observateur porterait assis sur une chaise fixée à un cardan, tel celui servant à maintenir horizontal le compas de route. Cette technique s'avéra praticable sur la terre ferme, mais inutilisable en mer. Il proposa alors la mise au point d'un compte-temps marin. Le pendule, à cet égard, lui paraissait riche de possibilités. Lui-même, pour explorer cette voie, devra attendre ses dix années de retraite forcée, mais la cécité, finalement, l'empêchera d'aboutir.

Les Hollandais, qui entre-temps avaient établi des comptoirs sur les côtes de l'Asie, ressentirent plus que jamais la nécessité de mieux déterminer la longitude, de mettre au point un marque-temps qui fonctionnât en mer. A cette tâche devait s'atteler le jeune Huygens (1629-1695). Depuis sa première horloge à balancier, conçue alors qu'il n'avait encore que vingt-sept ans, il ne cessera d'y travailler. Mais il ne réussit jamais tout à fait, car le pendule ne pouvait fonctionner régulièrement sur un navire ballotté par les flots.

Aussi longtemps qu'il ne disposa pas d'un compteur de temps fiable, le marin, pour faire le point, fut obligé d'être un peu mathématicien. Pour déterminer la longitude en mer, l'usage était d'observer la Lune, ce qui exigeait des instruments perfectionnés et des calculs complexes. Une erreur de 5 minutes sur la position de la Lune, et c'était 2 degrés et demi d'erreur quant à la longitude, ce qui pouvait représenter une déviation de l'ordre de 150 milles — plus qu'il n'en faut pour provoquer un naufrage. Une erreur de calcul fatale pouvait avoir pour origine un mauvais instrument, une insuffisance des éphémérides, ou simplement le balancement du navire par la houle.

Ce qui faisait de la longitude un problème à la fois éducatif et technologique. Non sans optimisme, les grandes puissances maritimes organisèrent pour leurs marins des cours de mathématiques. Lorsque le roi Charles II d'Angleterre institua un tel cours pour quarante élèves d'une célèbre institution charitable londonienne, les maîtres eurent bien du mal à contenter à la fois les marins et les mathématiciens. Les responsables de l'école, observant que Drake, Hawkins et bien d'autres grands navigateurs n'avaient pas eu besoin de mathématiques pour réussir, demandèrent si vraiment cette discipline était indispensable aux futurs marins. Pour défendre les mathématiques, Newton fera valoir que la vieille méthode empirique ne suffisait plus. « Les enfants doués pour les mathématiques, fine fleur de cette institution, sont capables de bien meilleures études ; pour peu qu'on leur donne une bonne instruction et qu'on les confie à des maîtres habiles, ils pourront par la suite doter la nation d'une race plus émérite de marins, de bâtisseurs de navires, d'architectes, d'ingénieurs et de mathématiciens de tout poil, sur terre comme sur mer, que n'en possède présentement la France. » Samuel Pepys, alors secrétaire à l'Amirauté, avait créé pour le grade de lieutenant de vaisseau un examen comportant une épreuve de navigation, et, suivant les recommandations de Newton, des instructeurs furent chargés de former les équipages à la science mathématique.

Il n'empêche, le calcul de la longitude d'après la position de la Lune était d'une désespérante complication. Pour que des équipages à demi illettrés puissent s'y retrouver, il fallait une nouvelle méthode et, si possible, une machine. En 1604, Philippe III d'Espagne offre 10 000 ducats à qui trouvera une solution, et Louis XIV, un peu plus tard, 100 000 florins. Puis c'est l'appel des états généraux de Hollande auquel Galilée répond.

En Angleterre, s'il y eut urgence à résoudre le problème, ce fut moins pour répondre aux besoins des marins sur les mers lointaines que pour éviter la répétition d'un récent désastre. En 1707, toute une flotte anglaise avait sombré sur les rochers des îles Scilly, à moins de quarante milles des côtes. Avec les équipages avait disparu l'amiral Shovell, modèle d'héroïsme en mer. A l'époque la plus glorieuse de la Royal Navy, la perte accidentelle, et non au combat, de tant de marins si près de leur port d'attache était une grave humiliation. La conscience nationale fut frappée. Deux éminents mathématiciens déclarèrent publiquement que la catastrophe aurait pu être évitée si seulement les marins n'avaient pas été aussi ignorants de la longitude. Il fallait donc trouver un moyen « facile à comprendre et à utiliser pour des marins ordinaires, sans qu'il soit nécessaire de procéder à des calculs astronomiques complexes ».

Sous le choc des événements, le Parlement adopte en 1714 une loi offrant récompense à quiconque découvrira un moyen pour déterminer la longitude en mer. Un bureau spécial, composé de marins et de savants, est constitué pour subventionner les recherches les plus prometteuses et verser 20 000 livres à qui réussira. C'était évidemment la porte ouverte à tous les projets farfelus. Témoins le pensionnaire de la maison de fous qui, sur l'une des toiles du *Rake's Progress* de Hogarth, datée de 1736, s'évertue à résoudre le problème. L'une des propositions soumises visait à utiliser toutes les épaves dont la position était connue pour émettre des signaux. Une autre à publier une table mondiale des marées et à utiliser un baromètre portatif permettant au marin de faire le point en observant le flux et le reflux. Une autre encore à se servir des phares pour projeter sur les nuages les signaux horaires nécessaires. Beaucoup prétendirent détenir un moyen, mais ne pas pouvoir le révéler de peur qu'un autre n'obtînt la récompense. Pour être retenue, la méthode proposée devait faire ses preuves durant un voyage aller retour aux Indes occidentales, avec une marge d'erreur inférieure à 30', soit deux minutes de temps.

La récompense, c'était évident, ne pouvait aller à une horloge à poids et à balancier. En mer, tangage et roulis excluaient l'un et l'autre.

L'idée, un jour, vint à quelqu'un que l'horloge pouvait être actionnée par la détente d'un ressort. Une telle horloge fut construite vers 1410, semble-t-il, par l'architecte italien Brunelleschi. Moins d'un siècle plus tard, un serrurier allemand fabriquait de petites horloges mues par ressort. Mais cette technique avait ses problèmes. Alors que le poids exerçait la même force tout au long de sa course, le ressort, en se détendant, perdait de la sienne. Une ingénieuse solution à ce problème fut la « fusée », bobine conique conçue de telle manière que, à mesure que le ressort se détendait, déroulant le cordon de raccordement, elle exerçait sur la machine, de par sa force même, une force croissante. Le procédé était emprunté aux ingénieurs de l'armée, qui avaient inventé un tourillon conique pour faciliter le bandage de la corde sur les grosses arbalètes. Et avant que les horlogers ne le désignent du nom de fusée, les militaires, forts de leur expérience en la matière, l'avaient surnommé « la vierge », parce que, disaient-ils, sa résistance était la plus faible lorsque l'arc était au repos et la plus forte lorsqu'il était bien bandé.

Au début, ces horloges portatives eurent des formes aussi pleines de fantaisie que l'avaient été les spectacles des premières horloges publiques : crânes, livres de prières, crucifix, chiens, lions, pigeons. Certaines même offraient un calendrier astronomique montrant les mouvements du Soleil, de la Lune, des étoiles.

Mais ces premières horloges à ressort n'étaient guère plus précises que les modèles à poids. Au début, le cadran était horizontal et il n'y avait qu'une aiguille, celle des heures. Jusqu'au début du XVIIe siècle, le mécanisme n'était pas enfermé, ni protégé de la poussière et de l'humidité. Lorsque le mécanisme fut disposé verticalement, on enferma l'horloge dans un boîtier en cuivre. Mais aussi longtemps qu'elle fut tributaire de l'échappement à verge, son imprécision demeura proverbiale. Un jour que Richelieu faisait admirer sa collection d'horloges, son hôte, d'un geste malheureux, en fit tomber deux à terre. Le cardinal, alors, d'observer, imperturbable : « C'est la première fois qu'elles vont ensemble. »

Une horloge portative plus précise exigeait un meilleur régulateur. Ni le bon vieil échappement à verge ni le balancier de Galilée ne pouvaient faire l'affaire. Un ingénieux fabricant d'ancres devenu horloger, William Clement, mit au point un échappement à « ancre » inspiré des pattes d'une ancre renversée. Il utilisait le balancier pour provoquer le va-et-vient de l'ancre, qui libérait une par une les dents d'une roue de rencontre. Il construisit une horloge de ce type pour le King's College de Cambridge en 1671. Alors que quarante degrés d'oscillation étaient nécessaires avec un échappement à verge, pour le modèle à ancre, trois ou quatre degrés suffisaient. Sur ce petit arc de cercle, les mouvements du balancier coïncidaient exactement avec un arc de cycloïde parfaitement isochrone. Reste que l'invention de Clement était impuissante à résoudre le problème du marin.

Une horloge qui allât en mer ne devait être tributaire de la pesanteur ni pour sa force motrice, ni pour son régulateur. Puisqu'un ressort pouvait mouvoir l'horloge, pourquoi ne pas également utiliser ce système, plutôt qu'un balancier, pour réguler le mécanisme ? Telle fut l'idée toute simple de Robert Hooke.

Robert Hooke (1635-1703) n'a pas dix ans lorsqu'il voit démonter une horloge et s'en fabrique une en bois. Au Christ Church College d'Oxford, où il est le plus âgé de tous les étudiants, il fait partie d'un groupe de discussion scientifique comprenant notamment l'économiste William Petty, l'architecte Christopher Wren et le physicien Robert Boyle. C'est lui qui va construire les machines permettant de tester les théories de ses camarades. Lorsque est fondée la Royal Society, en 1662, c'est Hooke, âgé de vingt-sept ans seulement, qui est choisi pour le tout nouveau poste de chargé d'expériences (*curator of experiments*). « La vérité, déclare-t-il dans sa *Micrographia*, est que les sciences de la Nature sont depuis trop longtemps réduites à n'être plus qu'œuvre d'entendement et d'imagination ; il est grand temps qu'elles retournent à la simple et solide observation des choses palpables et évidentes. » Paroles de 1665 qui sonnent l'avènement d'un âge nouveau.

En 1658, alors qu'il n'avait encore que vingt-trois ans, Hooke avait imaginé un régulateur « faisant appel à des ressorts plutôt qu'à la pesanteur afin d'obtenir la vibration du corps quelle que soit sa position ». Un ressort adjoint à une roue de rencontre, se disait-il, ferait osciller cette dernière de part et d'autre de son centre de gravité, fournissant ainsi le mouvement périodique nécessaire à l'arrêt et au lancement du mécanisme, et par conséquent à la mesure des unités de temps. Cette idée de génie devait rendre possible l'horloge marine.

Le procédé eût-il été breveté, Hooke aurait sans doute fait fortune. D'autres hommes de science, tels Robert Boyle et William Brouncker, premier président de la Royal Society, tous deux fortunés, voulurent soutenir le projet. Mais devant leur refus de satisfaire à toutes ses exigences, Hooke battit en retraite. Lorsque, en 1674, son rival Huygens fabriquera la première montre à ressort, il sera scandalisé, et accusera le savant hollandais de lui avoir volé son invention. Pour clamer ses droits, Hooke offre l'année suivante au roi une montre de sa fabrication, sur laquelle il affirme avoir été l'inventeur du système en 1658. Il deviendra au moins l'auteur incontesté de la loi qui porte son nom, *ut tensio sic vis* : un ressort offre une résistance proportionnelle à son extension. Mais on devait lui disputer la paternité de presque toutes ses inventions. Reste que la combinaison du ressort comme force motrice et du ressort de balancier comme régulateur allait enfin permettre la réalisation de l'horloge marine.

Grâce aux concours ouverts par les gouvernements et au renforcement de la législation sur les brevets, l'invention commençait à être payante. L'un des exemples les plus notoires de l'utilisation des fonds publics pour l'avancement de la science fut, nous l'avons vu, la récompense offerte en 1714 par le Parlement britannique à qui trouverait un moyen pratique de déterminer la longitude en mer. L'heureux gagnant en fut John Harrison (1693-1776), fils d'un charpentier du Yorkshire. Il prit la balle au bond et, grâce à un travail acharné et à un prêt sans intérêt du célèbre horloger londonien George Graham, il finit par aboutir. En 1761, son modèle n° 4 parut bien au point. Au bout d'un voyage de neuf semaines à la Jamaïque, l'horloge n'accusait que cinq secondes de retard, soit 1,25 minute de longitude, ce qui était bien en deçà des trente minutes maximales autorisées par le Bureau.

Tant que le prix des horloges marines resta élevé, les marins continuèrent à se diriger par observation de la Lune. Mais un jour devait venir où il serait plus facile de produire des horloges bon marché que des marins formés aux mathématiques. Ces derniers, du reste, ne seront pas les seuls à pouvoir désormais aisément savoir l'heure : le chronomètre de Harrison n'était en fait qu'une grosse montre. Le mécanisme à ressort, en affranchissant le marque-temps de la pesanteur, rendait celui-ci portable, sur la terre ferme comme en mer. Avec l'horloge portable, et bientôt portative (on la mettra dans sa poche ou à son poignet), allait naître un nouveau rapport de l'homme au Temps, dont toute sa vie allait se ressentir.

# TROISIÈME PARTIE

## *L'horloge missionnaire*

*L'étonnant n'est pas que les sages chinois n'aient point suivi cette route, c'est qu'il y ait eu quelqu'un pour faire ces découvertes.*

ALBERT EINSTEIN (1953).

## 7

## *Les clés du Céleste Empire*

Grâce à la technique, l'homme pouvait donc désormais se situer à peu près partout sur la planète et retrouver sans trop de difficulté les lieux qu'il aurait découverts. Mais ce qui était possible techniquement ne l'était pas toujours socialement. Traditions, coutumes, institutions, langues, mille habitudes de pensée et de comportement faisaient obstacle au changement. L'histoire de l'horloge qui fut celle de l'Occident n'eut pas d'équivalent en Orient.

Un jour de 1577, au collège des jésuites de Rome, un prêtre de vingt-cinq ans nommé Matteo Ricci faisait la connaissance d'un missionnaire de retour des Indes. De cette rencontre naquit la décision du jeune homme de partir en mission à l'autre bout du monde « afin d'y semer la bonne parole et d'engranger d'icelle dans les greniers de l'Église la riche moisson ». Le jeune Ricci avait déjà fait preuve de cette indépendanche d'esprit qui devait faire de lui l'un des grands missionnaires de l'histoire. Son père l'avait envoyé à Rome à l'âge de dix-sept ans pour faire son droit. Mais craignant que le jeune homme ne fût tenté par le sacerdoce, il lui avait expressément donné l'ordre d'éviter tout sujet religieux. Cela n'empêcha pas Matteo d'entrer avant l'âge de vingt ans à la Compagnie de Jésus. Après quoi il écrivit à son père pour solliciter son approbation. Le géniteur outragé prit en toute hâte le chemin de Rome dans l'espoir d'arracher son fils au noviciat. Mais, tombé malade en route, il acquit la conviction que c'était là un signe de Dieu lui enjoignant de laisser le jeune novice suivre sa vocation. Matteo quitte ensuite Rome pour Gênes, d'où il s'embarque pour le Portugal afin d'obtenir un passage sur l'un des navires marchands assurant la liaison annuelle avec les Indes. Arrivé en septembre 1578 dans l'enclave portugaise de Goa, il y passe quatre ans à étudier et à enseigner la théologie. Puis ses supérieurs le nomment à la mission de Macao. Là, il entreprend l'étude du chinois. Située dans la baie face à la grande cité commerçante de Canton, Macao paraissait alors pour les missionnaires une base idéale.

Ricci reste sept ans à Chao-ching, près de Canton, en compagnie d'un autre prêtre nommé Michele Ruggieri. Ils édifient une mission et, malgré la méfiance de la population et parfois quelques jets de pierres, ils finiront par se faire accepter comme hommes de savoir. Sur le mur du salon, Ricci avait placé sa carte du monde. Voici ce que lui-même en dit :

> De toutes les grandes nations, ce sont les Chinois qui ont le moins pratiqué le commerce ; on pourrait même dire qu'ils n'ont eu quasiment aucun contact avec les autres peuples ; ce qui les rend totalement ignorants du reste du monde. Certes, ils avaient des cartes assez semblables à celle-ci, et qui étaient censées représenter le monde entier, mais l'univers, pour eux, se limitait à leurs quinze provinces, et dans la mer qu'ils mettaient autour, ils avaient placé quelques îles auxquelles ils donnaient les noms de différents royaumes dont ils avaient ouï dire. Toutes ces îles mises ensemble n'atteindraient pas la taille de la plus petite des provinces chinoises. Avec un savoir si limité, on comprend qu'ils aient prétendu que leur royaume était tout ce qui existe au monde, et qu'ils le nomment Thien-hia, ce qui veut dire : toutes choses sous le ciel. Lorsqu'ils apprirent que la Chine n'était qu'une partie du vaste Orient, ils considérèrent la chose, contraire à toutes leurs idées, comme tout à fait impossible, et ils demandèrent à lire des écrits sur ce sujet afin de mieux se faire une opinion [...].
>
> Nous devons faire état ici d'une autre découverte, laquelle contribua à nous assurer les bonnes grâces des Chinois. Pour eux, le ciel est rond, mais la Terre est plate et carrée, et ils sont tout à fait persuadés que leur empire se trouve au beau milieu de celle-ci. Ils n'apprécient guère que nos géographies repoussent leur Chine dans un coin de l'Orient. Ils ne pourraient comprendre les démonstrations prouvant que la Terre est un globe fait de terre et d'eau, et qu'un globe de cette nature n'a ni commencement ni fin. C'est pourquoi le géographe dut modifier son dessin ; en omettant le premier méridien des îles Fortunées, il créa une bordure de chaque côté de la carte, de sorte que le royaume de Chine parut se trouver en plein milieu. Cette représentation convenait mieux à leurs idées, et leur procura grande joie et satisfaction. Assurément, en ce temps-là et dans ces circonstances particulières, nul n'eût pu faire découverte de nature à mieux disposer ce peuple pour recevoir la foi [...].
>
> Parce qu'ils ignorent les dimensions de la Terre et ont d'eux-mêmes une trop haute opinion, les Chinois considèrent que, de toutes les nations, seule la Chine mérite l'admiration. Ils tiennent tous les autres peuples, non seulement pour

barbares, mais pour des animaux dépourvus de raison. A leurs yeux, il n'est point d'autre lieu sur terre qui puisse se prévaloir d'un roi, d'une dynastie ou d'une culture. Plus cette ignorance les gonfle d'orgueil, plus ils se sentent humiliés lorsque la vérité leur est révélée.

Le savoir et le tact dont Ricci faisait preuve n'apaisaient pas toujours les habitants. Une nuit, ils lapidèrent la mission, reprochèrent au prêtre d'avoir facilité le sac de la ville par les Portugais et de refuser de leur dévoiler les secrets de l'alchimie, puis détruisirent sa maison. Le père Ricci partit pour Pékin.

Par tradition, les empereurs de Chine se cachaient au regard de leurs sujets. En ces années de décadence de la dynastie Ming, l'empereur Wan-li, personnage à l'humeur morbide, vivant reclus dans la Cité interdite avec ses épouses et ses concubines, entouré d'une foule d'eunuques. Même ses ministres le voyaient rarement et communiquaient avec lui par l'intermédiaire des eunuques.

Comme ils approchaient de Pékin, Ricci et ses compagnons furent arrêtés et leurs biens saisis. Le juge leur enjoignit formellement « de réduire en poussière, et si possible d'anéantir, toutes les représentations qu'ils avaient en leur possession de l'homme qui avait été cloué sur la croix ». Les fonctionnaires chinois étaient horrifiés à la vue du petit personnage crucifié, qu'ils prenaient pour un instrument de magie noire. Six mois durant, les pères jésuites emprisonnés, n'apercevant aucune issue, « tournèrent leurs pensées vers Dieu et se préparèrent résolument à affronter dans la joie toute difficulté, fût-ce la mort elle-même, pour la cause qui était la leur ».

Depuis vingt ans, le père Ricci cherchait à parvenir jusqu'à l'empereur, qui seul pouvait ouvrir la Chine à l'Évangile. La crainte maintenant lui vint que sa mission ne se terminât au fond d'une prison de Pékin. C'est alors qu'il reçut une invitation de l'empereur à faire route vers le palais, en n'oubliant surtout pas les « présents qu'il avait apportés d'Europe ». Que s'était-il passé ? Ricci nous l'explique : « Un jour, le roi, se remémorant brusquement certaine supplique à lui adressée, s'enquit : "Mais où donc est cette horloge qui sonne toute seule ; celle que les étrangers devaient me remettre, comme ils l'annoncent dans leur requête ?" »

C'est ainsi que Ricci fut libéré. Ses présents furent apportés au palais, et des coups de canon tirés pour annoncer que l'empereur avait reçu tribut. Les cadeaux furent d'abord présentés au Bureau des rituels, lequel émit l'avis suivant :

> Les pays de l'Océan occidental n'ont jamais entretenu aucune relation avec nous, et n'admettent pas nos lois. Les effigies et peintures du Seigneur du Ciel et d'une certaine vierge que Li Ma-tou [Ricci] offre pour tribut n'ont qu'une piètre valeur. Il offre une bourse qui contient, assure-t-il, des ossements

> d'immortels, comme si ces deniers, lorsqu'ils vont au ciel, n'emportaient pas leurs os avec eux. Dans une circonstance analogue, Han Yu [un savant anti-bouddhiste, consulté pour savoir s'il convenait ou non d'accepter en offrande un doigt du Bouddha] jugea qu'il ne fallait point introduire au palais de telles nouveautés de peur qu'elles ne portassent malheur. C'est pourquoi nous sommes d'avis que les présents offerts par Li Ma-tou ne doivent pas être acceptés, et qu'il ne doit pas être autorisé à rester dans la capitale. Qu'il soit renvoyé dans son pays.

Mais, passant outre ces conseils, l'empereur devait accepter les présents et faire venir Ricci dans la Cité interdite.

Parmi les cadeaux se trouvaient deux élégants marque-temps à la toute dernière mode italienne, une grande horloge à poids, et une plus petite, à ressort. Toutes deux avaient été déposées au palais quelques jours avant l'arrivée de Ricci, et lorsque celui-ci fut mandé par l'empereur, la seconde fonctionnait encore. L'autre s'était arrêtée parce que ses poids étaient parvenus au bout de leur course. Finies les sonneries qui avaient tant ravi le souverain. Alors, tel un enfant devant son jouet brisé, il donna à Ricci, par l'intermédiaire du chef des eunuques, trois jours pour remettre l'horloge en marche.

Heureusement, notre jésuite, à Rome, pour se préparer à sa lointaine mission, avait pris soin de s'instruire dans l'art de l'horloger. Il était prêt maintenant à faire un cours.

> A force de travail, les quatre mathématiciens affectés au fonctionnement des horloges acquirent assez de connaissances pour pouvoir les régler, et, afin de parer à toute éventualité, ils notèrent par écrit tous les détails concernant les leçons reçues et le mécanisme des horloges. Commettre une erreur en présence du roi équivaut en effet pour l'eunuque à risquer sa vie. Le souverain, dit-on, est envers eux d'une telle sévérité que, même pour une faute vénielle, les infortunés sont quelquefois battus à mort. Leur premier souci fut de s'enquérir des appellations, en chinois, de chacune des roues, ressorts et accessoires ; appellation que Ricci leur indiqua dans les caractères de leur langue, car si une pièce venait à manquer, le nom de celle-ci risquait fort d'être oublié [...]. Les trois jours prévus pour les leçons ne s'étaient pas écoulés que déjà le roi demanda à voir les horloges. Elles lui furent apportées sur ses ordres, et il en fut à ce point enchanté qu'il donna de l'avancement aux eunuques et augmenta leurs appointements. Ceux-ci rapportèrent la nouvelle aux pères jésuites avec d'autant plus de joie que, à compter de ce jour, deux d'entre eux furent autorisés à entrer en présence du roi afin de remonter la plus petite des deux horloges, qu'il gardait toujours sous ses yeux, car il aimait à la regarder et à l'écouter sonner l'heure. Ces deux privilégiés devinrent des personnages fort importants au palais royal.

L'empereur fit ériger pour la plus grande horloge une tour de bois dans une cour intérieure, où seuls avaient accès Sa Majesté et quelques dignitaires.

Et puis il eut envie de voir les étrangers qui avaient apporté ces merveilleuses machines dont les cloches sonnaient toutes seules. Mais comment faire entorse à son habitude de ne jamais paraître en compagnie de personne d'autre que ses parents proches, ses épouses, ses concubines et ses eunuques ? Et il n'était pas question pour lui de faire passer des étrangers avant ses propres fonctionnaires. Aussi, plutôt que de faire venir les pères jésuites en sa présence, il envoya deux de ses meilleurs artistes les peindre en pied. La mission d'un jésuite en Chine prend parfois des tours inattendus.

Pourquoi l'horloge de l'empereur avait-elle « frappé de stupeur tous les Chinois » ? Tout simplement, nous dit Ricci, parce que c'était « une mécanique comme on n'en avait jamais ni vu, ni entendu, ni même imaginé, dans toute l'histoire de Chine ». En cela, pourtant, il se trompait. Les jésuites l'ignoraient, mais l'horloge mécanique avait déjà en Chine une longue et remarquable histoire. Cinq siècles avant l'arrivée des représentants de la Compagnie de Jésus, une poignée de courtisans chinois avaient été éblouis par une horloge astronomique spectaculaire. Mais lorsque débarquèrent les pères jésuites, cette « horloge céleste » n'était plus qu'une légende connue seulement de quelques spécialistes.

La construction de l'« horloge céleste » de Su Sung est une épopée en soi. En 1077, l'empereur de Chine du Nord envoie un de ses lettrés, nommé Su Sung, présenter ses félicitations pour son anniversaire au souverain « barbare » d'un empire du Nord. Cette année-là, l'anniversaire coïncide avec le solstice d'hiver. Lorsque l'émissaire arrive, il découvre avec stupeur qu'il est venu un jour trop tôt. Le calendrier barbare était plus précis, semblait-il, que celui des Chinois. Ne pouvant admettre pareille infériorité, Su Sung sollicite et obtient de ses hôtes l'autorisation de s'acquitter quand même de sa mision ce jour-là.

En Chine, la publication d'un calendrier — comme en Europe le privilège pour chaque roi de frapper monnaie à sa propre effigie — marquait l'avènement d'une nouvelle dynastie. Contrefaire le calendrier officiel ou en utiliser un autre était un crime de lèse-majesté. Un calendrier inexact pouvait également conduire le paysan au désastre. L'astronomie et les mathématiques étaient réservées à quelques personnes sûres, de peur que les autres en combinant ces sciences avec l'astrologie, n'eussent l'idée de calculer les dates favorables à un renversement de régime. L'empereur se devait, pour complaire au ciel, d'ordonnancer les événements terrestres.

Lorsque le souverain, au retour de son émissaire, lui demanda lequel des deux calendriers, le sien ou celui des barbares, était le plus juste, « Su Sung lui avoua la vérité, relate la chronique chinoise, ce qui fit que les fonctionnaires du Bureau d'astronomie furent tous punis et mis à l'amende ». Puis Su Sung reçut l'ordre de réaliser une horloge astronomique qui fût la plus utile et la plus belle de toutes celles jamais vues.

Son objectif n'était pas de construire un marque-temps à usage public, mais un calendrier mécanique, une « horloge céleste » destinée au seul Fils du Ciel :

> L'avis de votre serviteur est que, durant les dynasties écoulées, bien des modèles d'instrument astronomique ont vu le jour, qui tous différaient dans le détail. Seul n'a jamais varié le principe consistant à utiliser, pour les actionner, l'énergie hydraulique. Le ciel se déplace sans cesse, mais l'eau coule [et tombe] de semblable façon. Si donc l'on fait en sorte que l'eau se déverse avec une régularité parfaite, alors la comparaison des deux mouvements rotatifs [ceux du ciel et de la machine] ne révélera plus aucune discordance ni contradiction ; car à l'incessant répond le continuel.

Des travaux de Su Sung naîtra un « projet de sphère armillaire et de globe céleste mécanisés » si précis dans le détail qu'on a pu en reconstituer le schéma, et même en réaliser des maquettes qui fonctionnent.

La tour abritant l'horloge, haute de près de dix mètres, était une structure de cinq étages en forme de pagode. Au dernier étage, desservi par un escalier extérieur, se trouvait une énorme sphère armillaire de bronze actionnée mécaniquement et à l'intérieur de laquelle tournait un globe céleste. A l'extérieur de chacun des cinq étages, un défilé de personnages portant cloches et gongs sonnait les heures. Dans la tour, sur une hauteur de trois étages, était logé un gigantesque mécanisme, actionné par de l'eau qui, tour à tour, remplissait et vidait les godets d'une roue.

Tous les quarts d'heure, l'édifice tout entier résonnait du tintement des cloches et des gongs, du bruit de l'eau, du craquement des roues géantes et du mouvement des personnages. Dans tout cela, bien sûr, un rôle fondamental revenait à l'échappement. Pour assurer le mouvement saccadé propre au compte-temps mécanique, Su Sung avait conçu un ingénieux système utilisant les propriétés fluides de l'eau — tout comme Hooke et Huygens, plus tard, recourront à l'élasticité du métal.

Les rares privilégiés admis à contempler la machine céleste découvraient un extraordinaire spectacle, que Su Sung lui-même décrit en ces termes :

> Il y a en tout quatre-vingt-seize jaquemarts, disposés de manière à correspondre aux « quarts » qui sonnent [...].
> Le coucher du Soleil est signalé par l'apparition d'un personnage vêtu de rouge, puis, au bout de deux « quarts » et demi, un autre apparaît, en vert, qui annonce l'obscurité. Les heures de la nuit comportent chacune cinq subdivisions. Au début de l'heure, pour marquer la première de ces subdivisions, apparaît un mannequin habillé de rouge, tandis que pour les quatre autres, les personnages sont tous en vert. Il y a ainsi vingt-cinq figures pour les cinq heures de la nuit. Lorsque arrive l'heure qui précède l'aube, avec ses dix « quarts », c'est un jaquemart en vert qui apparaît. Puis l'aube, avec ses deux « quarts » et demi,

est signalée par une autre figurine en vert, et le lever du Soleil par un mannequin en rouge. Tous ces personnages apparaissent par la porte centrale.

L'horloge avait été mise en service en 1090. Lorsque, quatre ans plus tard, un nouvel empereur monta sur le trône, ses favoris, selon l'usage, déclarèrent le calendrier précédent défectueux. N'étant plus sous protection impériale, l'ouvrage céleste de Su Sung deviendra la proie des vandales et s'effacera de la mémoire des lettrés. Aussi, lorsque Ricci arrivera à Pékin, les savants de la cour seront-ils émerveillés par ce qu'ils penseront être une invention européenne.

Ricci et ses successeurs allaient user de leurs connaissances en astronomie et dans les sciences du calendrier pour asseoir leur influence auprès du gouvernement chinois. A son arrivée, Ricci avait noté que le calendrier lunaire chinois était erroné, comme il l'était depuis des siècles. Les astronomes de Sa Majesté s'étaient maintes fois trompés dans la prévision des éclipses du Soleil, ce qui, bien entendu, faisait douter des capacités de l'empereur à suivre les volontés du ciel.

L'occasion rêvée pour nos jésuites se présenta le 21 juin 1629. Ce matin-là, une éclipse était prévue. D'après les savants impériaux, elle devait se produire à 10 h 30 et durer deux heures. Les jésuites, eux, annoncèrent qu'elle ne surviendrait pas avant 11 h 30 et ne durerait que deux minutes. Vient le jour crucial ; arrivent 10 h 30 : rien, le Soleil continue de briller. Les astronomes de Sa Majesté se sont donc trompés, mais les jésuites vont-ils, pour autant, avoir raison ? Tout le monde est aux aguets. Et voilà que, à 11 h 30 précises, débute l'éclipse. Elle durera deux petites minutes, comme l'avaient prévu les jésuites. La confiance de l'empereur leur était désormais acquise, et les portes de l'Orient que Ricci avait entrebâillées étaient maintenant grandes ouvertes à la science occidentale. Le Bureau impérial des rituels pria le souverain de faire procéder à une révision du calendrier et, le 1er septembre, l'empereur ordonnait aux jésuites de se mettre au travail. Ils en profitèrent pour traduire, avec l'aide de collaborateurs locaux, divers ouvrages occidentaux de mathématiques, d'optique, d'hydraulique et de musique, et entreprirent de fabriquer des télescopes pour les Chinois. Ainsi, dans le même temps où, à Rome, Galilée était traîné en justice par le pape pour hérésie, les jésuites, à l'autre bout de la planète, prêchaient les théories mêmes de l'hérétique.

L'habileté et le tact des missionnaires astronomes de la Compagnie de Jésus devaient faire d'eux des familiers des Fils du Ciel. Ils acquirent un pouvoir que nul étranger ne devait plus jamais détenir jusqu'à l'arrivée, au XIXe siècle, des conseillers européens. C'est grâce à leur connaissance du calendrier que les jésuites purent avoir accès à la cour impériale. Et cependant, ce ne fut pas le calendrier, mais l'horloge — même si elle devait rester longtemps encore en Chine un simple jouet — qui ouvrit une nouvelle voie commerciale entre l'Occident et l'Orient.

Au cours du XVIIIe siècle, horloges, montres et jouets mécaniques deviennent une monnaie d'échange fort appréciée dans les relations entre les Européens et la cour de Chine. Le jeune empereur Kang-hsi, protecteur du père Ferdinand Verbiest, est enchanté par les cadeaux du père jésuite Gabriel de Magalhaen : un soldat automate brandissant une épée d'une main et tenant un bouclier de l'autre, et une pendule qui joue un air après chaque heure frappée. Le missionnaire français Jean Mathieu de Ventavon fabrique à l'intention de l'empereur un automate légendaire, capable d'écrire dans les langues mandchoue, mongole et tibétaine. Vers 1760, le père jésuite responsable de la collection de l'empereur pouvait dire du palais impérial qu'il était « rempli d'horloges, pendules, montres, carillons, montres à répétition, orgues, sphères et horloges astronomiques de toutes sortes — en tout plus de quatre mille pièces signées des meilleurs maîtres de Paris et de Londres ».

Les empereurs de Chine voulurent produire eux-mêmes tous ces jouets ; ils créèrent usines et ateliers. Au milieu du XVIIIe siècle, l'horlogerie impériale employait cent ouvriers. Mais leur production ne valait pas celle des Européens. Parce qu'ils étaient incapables de fabriquer des ressorts de haute qualité, les Chinois en restèrent à l'âge de l'horloge à poids. Le premier manuel d'horlogerie en langue chinoise ne devait paraître qu'en 1809 ; le pays comptait alors suffisamment d'horloges et pendules usagées pour occuper des centaines d'artisans à les réparer. Dès que les Européens eurent pris conscience de l'engouement des Chinois pour l'horlogerie, ils entreprirent de répondre à la demande. Des jouets mécaniques de toutes formes et accomplissant toutes sortes de prouesses furent déversés sur la Chine. « J'ai été nommé horloger par l'empereur, se plaint le père de Ventavon en 1769, mais je devrais plutôt dire que je fais ici office de mécanicien ; car le vœu de l'empereur est que je fabrique, non point de vraies horloges, mais d'étranges machines et automates. »

« Il convient principalement d'exporter en Chine le genre de jouets qu'utilisent en Europe pour se distraire les jeunes garçons. Ces objets éveillent ici un intérêt bien plus grand que n'importe quel instrument scientifique ou objet d'art », conseille à la fin du XVIIIe siècle le représentant à Pékin de la Compagnie hollandaise des Indes orientales.

Cette situation devait susciter l'ingéniosité — et la rouerie — des marchands européens, et augurer des relations à venir entre l'Occident et la Chine. Le Britannique John Barrow, fondateur de la Royal Geographical Society et l'un des grands explorateurs de son temps, nous aide à comprendre, dans ses *Voyages en Chine* (1804), pourquoi les Occidentaux seront tenus, dans ce pays, en si piètre estime.

Les montres clinquantes et de médiocre qualité fabriquées tout exprès pour le marché chinois, et jadis très demandées, ne le sont plus guère aujourd'hui. Un gentleman au service de l'honorable Compagnie des Indes orientales se mit un jour en tête l'idée que les pendules à coucou feraient un bon article à vendre en Chine. En conséquence, il en réunit un large assortiment, à dépasser toutes ses espérances. Mais ces engins de bois, étant fabriqués pour être seulement vendus et non utilisés, devinrent tous muets longtemps avant que notre gentleman se présentât avec une seconde cargaison. Non seulement ses pendules étaient invendables, mais voilà que les premiers acquéreurs menaçaient de lui rendre les leurs ; ce qui eût sans doute été fait, si une idée ne lui était venue, qui non seulement apaisa ses anciens clients, mais lui procura également des acheteurs pour sa seconde cargaison : il les persuada, sur la foi d'autorités incontestables, que le coucou était une espèce d'oiseau des plus bizarres, qui ne chantait qu'en certaines périodes de l'année, et leur donna l'assurance que, lorsque la saison viendrait, tous les coucous qu'ils avaient acquis feraient de nouveau « entendre leur gorge mélodieuse ». Après pareille histoire, ce ne serait que justice d'admettre que parfois les Chinois trompent l'acheteur européen en lui remettant un jambon de bois au lieu d'un véritable.

Le Chinois qui pouvait satisfaire son goût pour ces « curieuses babioles » ne se contentait pas d'une seule. S'il possédait une pendule, il était sans doute collectionneur ; et il est peu probable qu'il s'en servît pour savoir l'heure. En cette époque où horloges publiques et montres étaient si rares, la possession d'un marque-temps était de peu d'utilité dans la vie quotidienne. Un horloger jésuite en poste à Pékin rapporte que les Chinois de la bonne société portaient généralement plusieurs montres à la fois, qu'ils passaient leur temps à régler les unes sur les autres. Il est question, à l'époque de Barrow, d'un petit-fils de l'empereur qui possédait au moins douze montres. Et au milieu du XIX<sup>e</sup> siècle, un médecin anglais voyageant dans le Céleste Empire notera la rareté des pendules, sauf dans les bureaux, où il s'en trouve souvent alignées jusqu'à une demi-douzaine, pour la plupart hors d'usage.

## 8

## *Horloge, mère des machines*

C'est précisément parce que l'horloge ne fut pas d'emblée un outil destiné à un seul usage qu'elle devint la mère de toutes les machines. Elle décloisonnait les divers champs de la connaissance, les divers types de savoir-faire. Les horlogers ont été les premiers à appliquer sciemment les théories de la mécanique et de la physique à la fabrication de machines. Le progrès est venu de la collaboration des hommes de science — Galilée, Huygens, Hooke, etc. — avec les artisans et « mécaniciens ».

L'horloge étant le premier appareil de mesure moderne, les horlogers ont été les premiers fabricants d'instruments scientifiques. Sans s'en douter, ils fondèrent la technologie des machines-outils. Cela est particulièrement vrai dans deux domaines : la roue dentée et la vis. L'introduction du balancier par Galilée, puis Huygens, allait permettre de décupler l'exactitude des horloges, mais il fallait pour cela des roues dentées façonnées avec précision. Les horlogers mirent au point les techniques permettant de diviser la circonférence d'une plaque de métal en unités égales et de découper efficacement les roues dentées. L'horloge exigeait également des vis de précision, lesquelles nécessitèrent une amélioration du tour.

La roue dentée était, naturellement, le centre nerveux de l'horloge mécanique. La taille manuelle des dents ne permettait ni espacement précis ni découpage net. La première machine à découper les rouages dont on ait conservé la trace fut l'œuvre de l'Italien Juanelo Torriano, appelé par Charles Quint en 1540 pour construire une grande horloge astronomique. Il mit vingt ans à mettre au point un projet comportant mille huit cents rouages, et trois ans et demi à le réaliser. « Ainsi, rapporte un de ses amis, fut-il obligé chaque jour, sans compter les jours fériés, de fabriquer au moins trois roues qui étaient différentes par la taille, le nombre et la forme des dents, ainsi que par la façon dont elles sont placées et engagées. Mais bien que cette rapidité tienne déjà du prodige, plus étonnant encore est ce tour très ingénieux qu'il a inventé [...] afin de découper les roues selon les dimensions et le degré d'uniformité des dents. [...] Aucune des roues ne fut faite deux fois, car elles sortaient toutes parfaites au premier essai. » Le « tour » conçu par Torriano fut repris, de son vivant même, par d'autres horlogers. Il servit même de modèle, semble-t-il, aux « machines à découper les roues » utilisées par les horlogers français et anglais du XVII^e^ siècle, lorsque l'industrie se développa. Sans cette machine, il eût été impossible de produire des marque-temps en quantité suffisante pour le marché. Et la machine à découper permettra la réalisation d'innombrables autres machines et instruments.

La vis, elle aussi, était essentielle au monde des machines. Son prototype, comme celui de la roue dentée, remonte au moins à l'époque d'Archimède. C'est peut-être le mécanicien grec Héron qui, au Ier siècle de notre ère, a conçu le premier tour à fileter. Mais faire des vis longues restait compliqué. Jusqu'à l'apparition, au XIXe siècle, des modèles pointus, il fallait préparer le trou à l'avance pour toute la longueur de la vis.

Au Moyen Age, la vis métallique était rare. Pendant des siècles, la vis fut réservée au pressoir et à l'irrigation, avant d'être employée en imprimerie, et dans la frappe des monnaies. Les fûts de pressoir à filetage de bois exigeaient des manœuvres laborieuses : marquer d'abord les rainures diagonales, puis découper le bois à la main. Le plus ancien système mécanique connu pour le filetage des vis fut l'œuvre des horlogers. Vers

1480, un Allemand avait mis au point un modèle de tour remarquable, actionné par manivelle et muni de ce que l'on appellera plus tard un chariot composé.

Les premiers tours tout en métal ont été fabriqués par les horlogers pour les horlogers. Ceux produits par la suite, fondamentaux pour l'industrie de la machine-outil, ne sont que des versions améliorées du premier modèle des horlogers. Les pionniers de l'horlogerie aux XVIIe et XVIIIe siècles sont aussi les pionniers de la fabrication des tours.

Pour améliorer l'horloge, il fallait améliorer le tour. L'horloge à ressort, par exemple, utilisait, pour compenser les variations de force du ressort, un cône cannelé spécial nommé « fusée ». Mais le pas de vis de cette fusée était bien difficile à faire à la main. En 1741, les horlogers français avaient inventé une « machine à fusée » qui permit d'accroître la production. Mais cette machine, non automatique, exigeait encore une certaine habileté manuelle : il fallait orienter le couteau pendant la découpe. En 1763, le célèbre horloger suisse Ferdinand Berthoud créait une machine à fusée entièrement automatique. L'étape suivante devait être franchie par Jesse Ramsden (1735-1800), mécanicien anglais connu pour son goût de la précision. Il s'inspira de la technique des premiers horlogers pour élaborer un tour permettant d'obtenir la vis mère nécessaire à sa « machine à diviser » ; ce qui devait ensuite permettre la fabrication d'un grand nombre d'autres instruments scientifiques : sextant, théodolite, micromètre, balance, baromètre, microscope, télescope.

La grande horloge de Salisbury (1380), qui est la plus ancienne d'Angleterre fonctionnant encore, et peut-être même la plus vieille horloge mécanique au monde, a été construite sans aucun filetage : son cadre métallique est maintenu par des rivets et des coins. Sa construction est en grande partie l'œuvre d'un forgeron qui, pour faire les trous nécessaires aux axes, rivets et chevilles, a très vraisemblablement percé le métal à chaud.

Mais la diffusion de l'horloge passait nécessairement par une réduction de sa taille. Pour que, d'objet réservé aux monastères, hôtels de ville et palais, elle devienne bien d'équipement courant, il fallait en adapter les dimensions à celles du petit atelier d'artisan, et de la maison la plus modeste. Et, pour cela, la miniaturiser, ce qui fit naître toute une technologie nouvelle.

Une petite horloge, de toute évidence, ne pouvait être fabriquée ou montée par un forgeron. Le petit format appelait la vis, laquelle ensuite allait permettre la construction d'une foule d'autres machines. Bien sûr, l'horloge miniaturisée intéressait un plus large marché et, à son tour, la demande ainsi créée allait pousser à produire des modèles à la portée du plus grand nombre.

Au XVIIe siècle, les horlogers ont acquis une forte avance technologique sur toutes les autres corporations, et ont même commencé à appliquer les principes de la division des tâches. En 1763, Berthoud relève seize spécialités dans la fabrication des horloges, et vingt et une pour celle des montres : faiseur de mouvements, finisseur, foreur, faiseur de ressorts, graveur d'aiguilles, confectionneur de balanciers, graveur de cadrans, polisseur de cuivre, émailleur de cadrans, argenteur de cadrans, graveurs de boîtiers, doreur de bronze, peintre, fondeur de rouages, faiseur et polisseur de timbres, pour ne citer que celles-là.

> On se forme en général des idées bien peu exactes de l'espèce de talent qui constitue un véritable mécanicien ; ce n'est point un géomètre qui, approfondissant la théorie du mouvement et l'ordre des phénomènes, crée des principes nouveaux de mécanique ou découvre dans la nature des lois inconnues. [...] Dans la plupart des autres parties des sciences, on trouve des principes constants ; une foule de méthodes offrent au génie une source inépuisable de moyens. Si un savant se propose une question nouvelle, il l'attaque avec les forces réunies de tous ceux qui l'ont précédé. [...] Aucun livre élémentaire ne contient les principes de la science [nouvelle] ; aucun ne peut même en apprendre l'histoire ; les ateliers des arts, les recueils des machines montrent ce qui a été fait ; mais pour en tirer des résultats, il faut soi-même les former ; pour entendre une machine, il faut la deviner : telle est la cause qui rend le talent pour la mécanique si rare, et surtout si prompt à s'égarer, voilà pourquoi il ne se présente presque jamais sans montrer à la fois la hardiesse et les écarts, qui, dans l'enfance des sciences, caractérisent le génie.

L'horloge va contribuer à briser les barrières religieuses, linguistiques, politiques. Avant même les grandes migrations coloniales et les établissements du Nouveau Monde, les groupements d'artisans qualifiés vont exercer une influence sans commune mesure avec leur nombre. Avant l'ère des transports, avant l'essor de la production en série, ce sont souvent les artisans eux-mêmes, plutôt que leurs produits, qui voyagent. Lorsque l'horloge est encore une énorme machine installée au sommet d'un beffroi, l'horloger, bien évidemment, doit se faire voyageur. Ainsi de l'artisan de Bâle venu construire l'horloge de la cathédrale de Strasbourg dans les années 1350, et qui ensuite va réaliser la première horloge publique de Lucerne. Témoin également cet horloger allemand qui a construit la première horloge du palais du Louvre. Ou encore cet horloger parisien appelé en 1374 à travailler pour le pape à Avignon. A cette règle de la construction sur place, on connaît toutefois quelques exceptions notoires : la première horloge mécanique publique de Gênes fut construite à Milan en 1353, et l'élégante horloge qui, aujourd'hui encore, orne la place Saint-Marc, à Venise, y a été apportée de Reggio. La miniaturisation de l'horloge et son corollaire, la fragilisation, n'ont fait que renforcer la nécessité pour le constructeur de s'installer au moins provisoirement près de son client.

Il a fallu des siècles pour que le nombre des horlogers dans une ville donnée permette à ceux-ci de constituer une corporation afin de préserver leur monopole. Les premiers horlogers étaient des forgerons, des serruriers, des fondeurs de canons. Une corporation des horlogers se crée à Paris en 1544, une autre à Genève en 1601. A Londres, il faut attendre l'année 1630 pour que soit autorisée une telle corporation, à la suite de plaintes faisant état de « la nuisance extrême subie par les citoyens horlogers à cause de l'intrusion de fabricants d'horloges étrangers ». Aux XVIe et XVIIe siècles, le marché local des métropoles européennes faisait vivre de petits groupes d'horlogers bien décidés à défendre leur monopole contre toute ingérence étrangère.

Certains allèrent vers les marchés qui s'offraient à eux. D'autres y furent jetés par les bouleversements politiques et religieux ou les épidémies. Au XVe siècle, l'Italie était le grand pôle d'attraction : on se pressait à Florence pour servir Laurent le Magnifique, comme on se pressait pour d'autres à Milan, Gênes, Rome ou Naples. Au XVIe siècle, les artisans qualifiés victimes des persécutions religieuses en Allemagne allèrent enrichir les cités d'autres pays. En France, nombre d'horlogers convertis au protestantisme ont alors maille à partir avec le pouvoir, catholique.

Il n'existe en Europe aucun grand centre horloger avant la fin du XVe siècle. Augsbourg et Nuremberg seront florissants un certain temps grâce à une longue tradition du travail du métal. C'est à Peter Henlein, horloger à Augsbourg, qu'est attribuée l'invention de la montre de poche. Mais le chaos de la guerre de Trente Ans (1618-1648) disperse les artisans des deux grandes cités allemandes à travers toute l'Europe. Et au XVIIIe siècle, c'est à Genève et à Londres que se font les meilleurs et les plus beaux marque-temps. L'avenir de la machine s'édifie alors dans ces deux îles : la Suisse, isolée du monde par ses montagnes, et la très réellement insulaire Angleterre. Deux forums privilégiés où les artisans de toute l'Europe peuvent se rencontrer, s'associer, échanger les connaissances. Londres et Genève profiteront de l'intolérance des autres.

La Réforme, qui divise la chrétienté, ouvre une nouvelle ère de troubles, de persécutions... et de mobilité. En 1517, Luther affiche ses « 95 thèses » sur la porte de l'église de Tous-les-Saints à Wittenberg, donnant le coup d'envoi de la Réforme en Allemagne. Moins de deux ans après, Zwingli prêche la Réforme à Zurich. Et dix ans plus tard à peine, Calvin à son tour prêche la Réforme en France ; banni de Paris, il se réfugie à Bâle, où il publie *l'Institution de la religion chrétienne* (1536), premier catéchisme protestant. Dans les années qui suivent, des milliers de personnes rejoindront Calvin à Genève, faisant de cette ville un véritable centre de réfugiés.

Tout comme, quatre siècles plus tard, les persécutions nazies et fascistes devaient faire des États-Unis l'un des grands centres de la physique atomique, de même Genève, au XVIe siècle, fit son miel de la science et de la technologie du temps, devenant rapidement l'un des centres mondiaux de l'horlogerie. Dans les deux cas, une poignée de réfugiés hautement spécialisés a suffi à faire la différence. En 1515, Genève ne possédait encore aucun horloger capable de réparer l'horloge de la cathédrale Saint-Pierre. Peu après 1550, l'aggravation des persécutions contre les protestants en France et ailleurs fit affluer les horlogers dans la grande cité suisse, non seulement de France, mais également des Pays-Bas, d'Allemagne et d'Italie. A la fin du XVIe siècle, Genève comptait quelque vingt-cinq maîtres horlogers, entourés de nombreux compagnons et apprentis. Avant la fin du XVIIe siècle, plus d'une centaine de maîtres et quelque trois cents ouvriers y produisaient cinq mille horloges chaque année.

Autre terre protestante de refuge : l'Angleterre. L'essor de l'horlogerie anglaise fut en quelque sorte une conséquence des persécutions menées de l'autre côté de la Manche. A l'avènement de l'horloge mécanique, l'Angleterre n'était guère un pays d'avant-garde. Elle présentait un vide technologique, que les étrangers les plus entreprenants s'empressèrent de combler. Henri VIII devait faire appel, pour réparer ses horloges, à des Français. De même la reine Élisabeth. On ne connaît aucun cas de montre fabriquée en Angleterre avant 1580, et celles produites au cours des deux décennies suivantes n'étaient que de pâles imitations des modèles français ou allemands. Mais bientôt, les horlogers anglais vont se plaindre amèrement de « l'invasion du royaume par les étrangers » et demanderont la création d'une corporation, ce qui leur sera accordé par charte royale en 1631.

Parmi les étrangers gênants, un certain Lewis Cuper, dont la famille a émigré d'Allemagne, à Blois d'abord, puis à Londres vers 1620. Au début du XVIIe siècle, l'Angleterre vit toujours du talent des autres. La famille londonienne des Fromanteel — bien connue aujourd'hui des collectionneurs — est originaire des Pays-Bas. Ils sont les premiers à fabriquer en Angleterre des horloges à balancier, art que John Fromanteel était allé apprendre en Hollande auprès de Huygens et Coster. Mais avant la fin du siècle, l'Anglais Robert Hooke introduit en horlogerie des innovations majeures, et au début du XVIIIe siècle, Londres est devenue l'égale de Genève.

L'horlogerie anglaise atteste les avantages de la spécialisation et de la division des tâches. Le quartier londonien de Clerkenwell abrite alors divers groupes de compagnons : faiseurs d'échappements, guillocheurs, découpeurs de fusées, faiseurs de ressorts, finisseurs, etc. La corporation des horlogers signale au ministère du Commerce en 1786 qu'elle exporte environ 80 000 horloges et montres chaque année vers les pays suivants : Hollande, Flandres, Allemagne, Suède, Danemark, Norvège, Russie, Espagne, Portugal, Italie, Turquie, Indes orientales et occidentales, Chine, etc.

En France, entre la proclamation de l'édit de Nantes (1598) et sa révocation (1685), l'horlogerie, semble-t-il, a progressé. Mais les corporations françaises restent fermées aux nouveaux talents, bloquent l'innovation et imposent d'innombrables petits monopoles. Si en Angleterre les fabricants d'instruments scientifiques nouveaux pouvaient — selon qu'ils étaient d'abord mécaniciens ou opticiens — s'affilier soit à la corporation des horlogers, soit à celle des lunetiers, certains poursuivaient leurs activités sans être membres ni de l'une ni de l'autre, et beaucoup faisaient partie de la corporation des épiciers. En France, par contre, l'appartenance aux corporations était très stricte. La première fois que la fabrication d'instruments mathématiques figure parmi les monopoles, en 1565, elle est attribuée aux couteliers : il est stipulé par Charles IX que, à l'exception des membres de cette corporation, « nul n'est autorisé à fabriquer ciseaux, grands ou petits [...], ni instruments de chirurgie en métal, ni étuis de fauconnerie ou autres étuis pourvus d'instruments pour l'astrologie ou la géométrie ». Comme, d'autre part, les instruments scientifiques devaient être faits en laiton et que la fonderie du cuivre nécessaire à l'obtention de ce métal revenait exclusivement aux fondeurs, on disputa longuement pour savoir à qui devait échoir ce monopole. A la fin du XVIIe siècle, lorsque débute en France la fabrication commerciale des baromètres et thermomètres, elle tombe sous le monopole des émailleurs, uniquement parce que l'échelle graduée se trouve inscrite sur une plaque de métal émaillé. Au XVIIIe siècle, époque de grande innovation dans toute l'Europe, les corporations en France font payer à leurs membres des cotisations exorbitantes, et limitent le nombre des ateliers et des apprentis, tout en étant elles-mêmes pressurées par l'État. Les mécaniciens français, dans le même temps, sont victimes de l'ostracisme des hommes de science, qui, ne voyant en eux que de vulgaires ouvriers ou commerçants, les tiennent à l'écart des sociétés savantes.

De temps à autre, le gouvernement français tente de redresser la situation. Le duc d'Orléans, par exemple, engage à son service le célèbre horloger anglais Henry Sully (1680-1728). Mais tous les efforts de ce dernier — y compris l'invitation en France d'une soixantaine de bons artisans anglais — seront impuissants à ébranler le profond conservatisme de la société française. Ses ateliers de Versailles et Saint-Germain seront rapidement abandonnés.

En Angleterre, à la même époque, la conjoncture était nettement plus favorable aux horlogers : emprise moindre des corporations, demande croissante d'une classe moyenne prospère. La concurrence se fait plus vive et le marché s'élargit. Rien d'étonnant alors si, lorsqu'il s'est agi de répondre aux besoins grandissants des navigateurs (horloge marine, instruments scientifiques de toutes sortes), les horlogers anglais, cette fois, ont été des pionniers.

Les philosophes ont toujours été à la recherche de nouvelles clés de l'univers : nouvelles images, nouvelles métaphores, nouvelles analogies.

Les théologiens, malgré leur mépris pour ceux qui se représentaient le Créateur de toutes choses à l'image de sa créature, n'ont jamais cessé, pour mieux approcher Dieu, de scruter les œuvres créées par l'homme. Or voilà que ce dernier s'était fait horloger, fabricant de machines qui fonctionnaient d'elles-mêmes. Une fois en mouvement, l'horloge mécanique paraissait dotée d'une vie propre. D'où cette idée que l'univers lui-même n'était peut-être qu'une vaste horloge construite et mise en marche par le Créateur en personne. Hypothèse intéressante, inconcevable avant l'avènement de l'horloge mécanique, jalon essentiel sur la voie conduisant à la physique moderne.

Selon la vieille thèse aristotélicienne sur le mouvement des corps, rien ne bouge dans l'univers à moins d'être soumis à quelque force extérieure. Mais l'époque où apparaissent dans les beffrois les premières horloges mécaniques est aussi celle où se développe l'intérêt pour les régularités prévisibles, vers une nouvelle théorie du mouvement. Si un objet restait en mouvement, c'était, disait-on, à cause des forces originellement imprimées en lui (*vis impresa*). L'élégante horloge astronomique de Dondi récemment achevée étonnait le monde des savants. C'est Nicolas Oresme qui, à la fin du XIVᵉ siècle, invente la puissante métaphore du monde-horloge créé par un Dieu horloger. « Et si quelque homme devait fabriquer une horloge mécanique, demande-t-il, ne ferait-il point en sorte que toutes les roues se meuvent aussi harmonieusement que possible ? »

Cette métaphore va guider et inspirer les hommes de science, tel le grand Kepler. « Mon objectif, déclare-t-il en 1605, est de montrer que la machine céleste est assimilable, non pas à un organisme divin, mais à un mécanisme d'horlogerie. » Descartes lui-même, le philosophe mathématicien, fait de l'horloge sa machine modèle. Le dualisme cartésien du corps et de l'esprit s'est exprimé par une célèbre métaphore horlogère. Supposons deux horloges marquant l'heure avec une parfaite précision, nous dit le disciple flamand de Descartes, Geulincx. Lorsque l'une indique l'heure, c'est toujours l'autre qui sonne. Si l'on ignore tout de leur fabrication et de leur fonctionnement, on peut facilement s'imaginer que c'est le mouvement de l'une qui fait sonner l'autre. C'est ainsi, poursuit le philosophe, que fonctionnent notre corps et notre esprit. L'Horloger divin a créé les deux indépendamment l'un de l'autre, puis les a remontés et mis en marche de manière qu'ils fonctionnent en parfaite harmonie. Lorsque je décide de lever le bras, je peux croire que mon esprit agit sur mon corps. Mais en fait, ils se meuvent indépendamment l'un de l'autre, chacun remplissant sa fonction dans l'harmonieux mécanisme voulu par Dieu.

L'horloge, mère des machines, concilie en l'homme l'effort pour maîtriser l'univers et la révérence face au Créateur. Au XVIIᵉ siècle, le puritain Robert Boyle, fondateur de la Royal Society, voit dans l'univers

« une grande horlogerie ». Une vision qui est aussi celle de son collègue catholique sir Kenelm Digby. Mais, bientôt, la vision newtonienne de l'univers substituera à l'image du Dieu horloger celle d'un Dieu ingénieur et mathématicien. Ainsi les lois nouvelles régissant la plus petite des montres portatives régissaient également les mouvements de la Terre, du Soleil, de toutes les planètes.

L'horloge cessera d'être la métaphore première de l'univers, mais sans perdre pour autant son rôle dominant, au contraire. C'est elle qui va permettre aux Européens d'être « à l'heure ». A la fin du XVII^e^ siècle, lorsqu'elle commence à se répandre parmi les classes aisées, le mot « ponctuel », qui jusque-là désignait une personne soucieuse des bienséances, prend son sens moderne de « respectueux de l'heure convenue ». A la fin du XVIII^e^ siècle apparaît en anglais, dans ce sens, le substantif *punctuality*. « Madame, dit un personnage de la célèbre pièce de Sheridan, *L'École de la médisance* (1777), la ponctualité est une manière de constance, une habitude fort peu à la mode parmi les dames. » Ainsi l'horloge avait-elle engendré sa propre moralité. La ponctualité, fille de l'horloge, ne figure pas, il est vrai, parmi les douze vertus que Benjamin Franklin se fixe pour objectif de cultiver. Mais en 1760, Laurence Sterne, au tout début de son célèbre roman *Vie et Opinions de Tristram Shandy*, fait intervenir le Temps d'une manière à la fois cocasse et singulièrement moderne. Au moment crucial où le héros du livre va être conçu, la bonne Mrs Shandy, soudain, a un scrupule : « De grâce, mon ami, dit ma mère (à mon père), n'avez-vous point oublié de remonter l'horloge ? » « Grands dieux, s'écria mon père, a-t-on jamais vu femme, depuis que le monde est monde, interrompre un homme par une aussi sotte question ? »

## 9

## *Pourquoi l'Occident ?*

L'horloge devient très tôt en Europe instrument d'utilité publique. Les églises attendent des fidèles qu'ils se rassemblent à heures fixes pour la prière, les villes regroupent des citoyens pour des activités commerciales et des distractions communes. Du haut du clocher et du beffroi, l'horloge s'impose à tous, riches ou pauvres, éveillant même l'intérêt de ceux qui n'ont aucune raison personnelle de prêter attention aux heures. Puis, d'instrument public, elle devient peu à peu l'un des objets personnels les plus répandus. Un instrument d'abord conçu comme privatif n'eût peut-être jamais été diffusé à l'échelle de la collectivité. La première publicité pour l'horloge a été l'horloge elle-même, qui, petit à petit, se propageait à travers l'Europe.

Une ville qui se respecte se doit alors d'avoir son horloge publique, pour appeler les habitants à se défendre, à célébrer, à pleurer les défunts. Horloge d'autant plus belle que la communauté qui se l'offre se veut plus digne de ce nom. Sa cloche retentit pour tous, sans distinction. L'homme qui entend résonner les cloches du village ou de la cité, dit John Donne, se souvient qu'il appartient à l'humanité.

Nombre de communautés eurent une horloge avant d'avoir égouts ou adduction d'eau. Inévitablement, le jour vint où chaque citoyen voulut avoir son marque-temps à lui, d'abord pour sa maison, puis pour sa personne.

Dans le même temps, l'horloge se sécularisait (ce qui est encore une façon de dire qu'elle se répandait). Les premières horloges européennes, on l'a vu, servaient à appeler les moines à la prière, mais en montant au clocher de l'église, puis au beffroi de la cité, l'horloge entra dans le monde séculier. Un public élargi eut bientôt besoin d'elle pour rythmer sa vie quotidienne. Avec l'avènement en Europe de l'heure artificielle, mécanique, la mesure du Temps quittait la pénombre de l'univers-calendrier et de l'astrologie pour le plein jour du quotidien. Lorsque la vapeur, l'électricité, l'éclairage artificiel permettront aux usines de fonctionner vingt-quatre heures sur vingt-quatre, lorque la nuit sera rendue semblable au jour, l'heure artificielle — celle marquée par l'horloge — deviendra la norme. L'histoire de l'essor de l'horlogerie en Europe est donc celle de l'élargissement des modes de diffusion.

En Chine, la situation était totalement différente. Là, tout conspira pour empêcher la diffusion. Les premières grandes horloges mécaniques, on l'a vu, étaient destinées à marquer, non pas les heures, mais le calendrier. Et la science du calendrier — de sa confection comme de sa signification — était tenue secrète par la volonté du pouvoir. Chaque dynastie avait son calendrier propre pour la symboliser, la servir, la protéger. Entre la première unification de l'Empire, au IIIe siècle avant notre ère, et la fin de la dynastie Ching, ou mandchoue, en 1911, furent publiés une centaine de calendriers différents, revêtus chacun du nom d'une dynastie ou d'un empereur : non point mises à jour successives nécessitées par les progrès de l'astronomie ou des technologies de l'observation, mais — on l'a dit — volonté de sceller d'une estampille céleste l'autorité de chaque nouvel empereur. La fabrication d'un calendrier privé était assimilée à une contrefaçon, une atteinte à la sécurité de l'empereur, un crime de lèse-majesté. Les empereurs Ming, afin d'éviter toute innovation, rapporte au début du XVIIe siècle le père jésuite Nicolas Trigault, traducteur de Ricci, font interdiction à quiconque d'apprendre l'astrologie, « à l'exception de ceux qui, par privilège héréditaire, sont pour cela désignés ».

Si l'on veut comprendre pourquoi l'ancêtre des machines fut si peu productif en Chine, il faut se rappeler ce qu'était la vie dans ce pays.

L'une des premières réalisations chinoises, et aussi l'une des plus remarquables, fut l'organisation d'un gouvernement centralisé. En 221 avant l'ère chrétienne, le « César chinois », King Cheng, qui était monté sur le trône à l'âge de treize ans, avait réussi en l'espace de ving-cinq ans à regrouper une demi-douzaine de provinces en un unique et vaste empire dirigé par toute une hiérarchie de bureaucrates. Il normalisa la législation et la langue écrite, uniformisa les poids et mesures, et fixa même la longueur des essieux pour que les chariots puissent suivre toujours les mêmes traces.

Les empereurs, on l'a vu, réglementaient le calendrier, la religion d'État collait étroitement à la ronde des saisons, et l'astronomie devint « la science secrète des rois-prêtres ». L'agriculture chinoise était tributaire de l'irrigation, et pour que celle-ci donne tous ses effets, il fallait connaître à l'avance les rythmes des moussons et de la fonte des neiges.

Depuis les temps les plus reculés, le temple cosmologique, siège rituel du souverain chinois, ne pouvait se concevoir sans son observatoire astronomique. Le renforcement progressif du gouvernement central fit que les astronomes chinois, à l'inverse de leurs homologues grecs ou médiévaux, passèrent peu à peu sous la tutelle de l'État. En conséquence de quoi, bien sûr, l'astronomie chinoise devint de plus en plus bureaucratique et ésotérique. La technologie de l'horloge fut en Chine celle des indicateurs astrologiques. Les calendriers y furent aussi sévèrement contrôlés que le fut en Occident l'équipement nécessaire pour battre monnaie ou fabriquer de la poudre à canon.

Les rites en usage à l'époque du César chinois exigeaient de l'empereur qu'il déterminât les quatre points cardinaux par observation de l'étoile Polaire et du Soleil. L'astronome impérial — l'un des plus hauts personnages de l'État, et dont la charge était héréditaire — devait rester posté la nuit dans la tour de l'observatoire. Son travail ? « Il s'occupe des douze années [les révolutions sidérales de Jupiter], des douze mois, des douze heures [doubles], des dix jours et de la position des vingt-huit étoiles. Il les distingue et les ordonne de manière à pouvoir dresser un état général du ciel. Il observe le Soleil aux solstices d'hiver et d'été, et la Lune aux équinoxes de printemps et d'automne, afin de déterminer la succession des saisons. »

Un autre haut personnage aux fonctions héréditaires, l'astrologue impérial, interprétait les messages du ciel à l'usage des hommes.

> Il s'occupe des étoiles qui sont dans le ciel, notant les modifications et les mouvements des planètes, du Soleil et de la Lune, afin de déterminer les mouvements du monde terrestre, ceci dans le but de distinguer la bonne de la mauvaise fortune. Il divise les territoires des neuf régions de l'Empire selon leur dépendance par rapport à tel ou tel corps céleste. Chaque fief, chaque principauté sont associés à un certain astre, d'où l'on peut déterminer s'ils connaîtront prospérité ou malheur. Il établit, selon les douze années [du cycle

de Jupiter], les pronostics du favorable et du défavorable pour le monde d'ici-bas. D'après les couleurs des cinq classes de nuages, il détermine s'il se produira inondation ou sécheresse, abondance ou famine. D'après les douze vents, il tire des conclusions quant à l'harmonie du ciel et de la Terre, et prend note des bons ou mauvais signes qui résultent de l'accord ou du désaccord de ceux-ci.

Soit dit en passant, c'est à ces astrologues chinois que l'on doit le relevé systématique des phénomènes célestes le plus remarquable avant l'avènement de l'astronomie moderne. La plus ancienne éclipse jamais enregistrée par l'homme est sans doute celle signalée par les Chinois en 1361 av. J.-C. D'autres recueils d'archives chinoises couvrent de longues périodes pour lesquelles nous ne disposons d'aucune autre source précise. Les radio-astronomes utilisent aujourd'hui encore ces documents pour l'étude des novae et supernovae.

Si ces archives ont survécu, la littérature astronomique, elle, a pour l'essentiel disparu. Une science d'État ne pouvait laisser beaucoup de traces. Par contre, les premiers ouvrages de mathématiques dont se servirent marchands, directeurs de travaux publics et chefs d'armée sont souvent parvenus jusqu'à nous. A maintes reprises, des décrets impériaux imposèrent le secret d'État sur la science du calendrier, l'astronomie, l'astrologie. En 840, par exemple, l'apparition de plusieurs comètes ayant récemment troublé la quiétude de l'Empire, l'empereur ordonna le secret aux fonctionnaires de l'observatoire. « Toute communication entre les employés du service d'astronomie ou leurs subordonnés et les fonctionnaires des autres départements ministériels ou les gens du peuple sera considérée comme une violation des règlements de sécurité. Il est donc formellement interdit dorénavant aux employés dudit service de fréquenter des fonctionnaires ou des personnes du peuple. Le Bureau des censeurs est chargé d'y veiller. » L'obsession de la sécurité qui a tant empoisonné l'atmosphère des centres de recherche atomique de Los Alamos et de Harwell pendant la Seconde Guerre mondiale avait donc eu des précédents en Chine.

La fameuse « horloge céleste » de Su Sung n'eût jamais vu le jour si son constructeur n'avait été un haut personnage du régime, autorisé à sonder les astres pour le bénéfice de l'empereur. Cela explique également pourquoi, en l'espace de quelques années seulement, la merveille ainsi élaborée n'était plus qu'une obscure légende. Su Sung eût-il construit son horloge pour un hôtel de ville européen et non pour le jardin privé d'un empereur de Chine, il aurait été acclamé comme un bienfaiteur public ; son œuvre fût devenue symbole de fierté civique, objet d'une large émulation.

Une autre raison, d'ordre tout à fait intime celle-là, explique que l'empereur ait eu besoin d'un bon calendrier. Chaque nuit, dans sa chambre à coucher, il lui fallait à tout moment connaître mouvements et positions des constellations. Dans son pays, en effet, l'âge des individus et leur destinée astrologique étaient calculés non pas à compter de la naissance, mais de la conception.

A l'époque où Su Sung construit son horloge monumentale, l'empereur a dans son entourage un grand nombre d'épouses et de concubines de rangs divers. En tout, cent vingt et une femmes (le tiers de trois cent soixante-cinq) : une impératrice, trois impératrices « consortes », neuf épouses, vingt-sept concubines et quatre-vingt-une sous-concubines. Le « tableau de service » prévu par le rituel des Chou est le suivant :

> Les femmes de rang le plus bas viennent en premier, celles de rang supérieur en dernier. Les sous-concubines, au nombre de quatre-vingt-une, partagent le couche impériale neuf nuits durant par groupes de neuf. Les concubines, au nombre de vingt-sept, ont droit à trois nuits par groupes de neuf. Les neuf épouses et les trois consortes se voient octroyer une nuit par groupe, et l'impératrice, seule, a droit à une nuit. Le quinzième jour de chaque mois, la séquence est complète, après quoi elle se répète dans l'ordre inverse.

Par ce système, les femmes de rang élevé couchaient avec l'empereur les nuits les plus proches de la pleine lune, lorsque le principe femme ou *Yin* était à son apogée et pouvait donc le mieux se marier au principe viril ou *Yang* qui était censé habiter le Fils du Ciel. Un tel code de procédure, pensait-on, était de nature à doter les enfants conçus alors d'un maximum de qualités. Quant aux femmes de rang inférieur, leur principale fonction était de nourrir de leur *Yin* le *Yang* de leur souverain.

Un corps de dames secrétaires tenait le registre des unions de l'empereur en trempant leur pinceau dans un vermillon bien entendu impérial. Que les événements de la chambre à coucher du souverain se déroulassent dans l'ordre prévu était considéré comme essentiel au maintien et à la prospérité de l'Empire. Aux heures de confusion du IXe siècle, des auteurs devaient regretter que l'empereur ne reçoive plus, comme autrefois, « neuf compagnes ordinaires chaque nuit et l'impératrice deux nuits durant au moment de la pleine lune. [...] Aujourd'hui, hélas, soupirent-ils, les trois mille femmes du palais rivalisent entre elles, semant le désordre ».

Besoin évident, donc, d'un cadran astronomique précis pour assurer sur le trône la meilleure succession possible. D'autant que les familles régnantes chinoises n'observaient pas la règle de primogéniture. Théoriquement, seul un fils de l'impératrice pouvait devenir empereur, ce qui laissait généralement au souverain le choix entre un certain nombre d'héritiers. La prudence exigeait donc qu'il fût particulièrement attentif aux signes des astres chaque fois qu'un prince était conçu. Noter tout cela était la tâche des secrétaires armées de leur petit pinceau. Les données nécessaires à tout cette comptabilité ainsi qu'aux pronostics qui l'accompagnaient étaient fournies par l'horloge céleste de Su Sung, d'où son extrême importance politique. Reste que ces subtilités de cour étaient bien loin des préoccupations du paysan. Le peuple n'était pas censé aborder aux rivages secrets de l'astrologie d'État, ni profiter des informations fournies par les instruments calendaires.

En Occident, en revanche, la diffusion de l'horloge répondait aux besoins de la collectivité. Le progrès décisif, on l'a vu, fut le remplacement des poids par le ressort. Fixée par les premiers, l'horloge fut rendue mobile par le second. La pendule marine apparue au XVIII^e siècle fut pour les Européens une machine à explorer : source d'élan nouveau pour quantité de professions — cartographes, voyageurs, marchands, botanistes, navigateurs. Moyen notamment pour les marins d'aller plus loin, de mieux s'orienter, de retrouver leur route. Porte ouverte, enfin, à plus long terme, à la montre pour tous (l'horloge de Su Sung, mue par un échappement à eau, était inamovible).

Le fait que l'horloge ait été en Chine un phénomène sans lendemain n'a rien d'« oriental » ou d'« asiatique ». Il suffit, pour s'en convaincre, de prendre le cas du Japon. Tandis que les Chinois, profondément méfiants envers le monde extérieur, demeuraient farouchement isolationnistes, les Japonais, eux, conjuguaient la volonté de préserver leurs institutions et leur culture avec une remarquable capacité à imiter et à assimiler tout ce qui venait de l'étranger. Dès avant la fin du XVII^e siècle, ils produisaient des copies d'horloges européennes. Au siècle suivant, ils mirent sur pied une véritable industrie horlogère, fabriquant des horloges à plaque des « heures » mobile et aiguilles fixes. Ils mirent au point une horloge à double échappement, munie d'un balancier pour les heures du jour et d'un second pour les heures de nuit (les « heures » de jour et celles de nuit étant inégales).

Jusqu'en 1873, les Japonais conservèrent la journée « naturelle », divisée en six heures égales du lever au coucher du Soleil. L'heure variait encore chez eux d'un jour à l'autre, mais ils réussirent à fabriquer une horloge qui marquait avec précision ces heures inégales tout au long de l'année. Les cloisons de papier des maisons japonaises étant trop fragiles pour supporter le poids d'une lourde pendule murale de type européen, ils conçurent une « pendule-pilier » suspendue à une poutre de la pièce et marquant les heures sur une échelle verticale. Des repères coulissants permettaient de marquer les variations de la durée de l'heure d'un jour à l'autre. Le fait pour les Japonais d'avoir conservé un système depuis longtemps abandonné en Europe devait s'avérer être un stimulant à leur ingéniosité.

La difficulté à travailler le métal a retardé la fabrication au Japon des premières horloges à ressort jusqu'aux années 1830. Bientôt, les Japonais fabriquèrent d'élégantes montres destinées à l'étui traditionnel pour boîte à pilules ou *inro*, que l'on portait attaché à un cordon autour du cou ou passé dans la ceinture (le costume japonais traditionnel ne comporte pas de poche). Les Japonais, s'asseyant habituellement par terre, ne devaient pas produire de grandes horloges de parquet.

L'exiguïté du territoire nippon, avec ses centres urbains florissants et ses marchands actifs, devait favoriser la propagation des arts mécaniques et entretenir un perpétuel mouvement des hommes et des choses. Les nombreux ports et des routes très empruntées permirent la circulation de toutes sortes de marchandises. L'horlogerie se développa plus tôt au Japon qu'en Chine. Seigneurs locaux, daïmios et shogouns commandèrent des horloges pour leurs châteaux. Mais ce n'est qu'au XIXe siècle que vinrent le goût du public pour les pendules et la possibilité pour tous d'en acquérir.

à pilules ou *inrō*, que l'on portait attaché à un cordon autour du cou ou passé dans la ceinture (le costume japonais traditionnel ne comporte pas de poche). Les Japonais, s'asseyant habituellement par terre, ne devaient pas produire de grandes horloges de parquet.

L'exiguïté du territoire nippon, avec ses centres urbains florissants et ses marchands actifs, devait favoriser la propagation des arts mécaniques et entretenir un perpétuel mouvement des hommes et des choses. De nombreux ports et des routes très empruntées permirent la circulation de toutes sortes de marchandises. L'horlogerie se développa plus tôt au Japon qu'en Chine. Seigneurs locaux, daimios et shoguns commandèrent des horloges pour leurs châteaux. Mais ce n'est qu'au XIXe siècle que vinrent le goût du public pour les pendules et la possibilité pour tous d'en acquérir.

## Livre II

# LA TERRE ET LES MERS

*Il n'est de mer qui soit innavigable, de terre qui soit inhabitable.*

ROBERT THORNE, marchand et géographe (1527).

Pour découvrir la planète, l'homme va devoir s'affranchir des vieilles espérances et des vieilles frayeurs, et pousser les portes de l'expérience. Le monde grandeur nature, celui des continents et océans, ne lui apparaîtra que lentement. L'Occident, dans ce domaine, occupe une position privilégiée. Presque tout au long de l'histoire, l'Occident sera le découvreur, l'Orient le découvert. Les premières tentatives d'exploration seront l'œuvre de voyageurs terrestres isolés. Mais pour que soient entrevues les dimensions réelles de la planète, il va falloir que s'organise le voyage d'exploration. Notamment sur la mer, route des grandes surprises.

# QUATRIÈME PARTIE

## *Une géographie de l'imaginaire*

*Dieu fasse que votre horizon s'élargisse chaque jour davantage ! Ceux qui s'attachent à des systèmes sont ceux qui, incapables d'embrasser la vérité tout entière, tentent de l'attraper par la queue. Un système, c'est un peu la queue de la vérité, mais la vérité est comme le lézard : elle vous laisse sa queue entre les doigts, et file, sachant parfaitement qu'il lui en poussera une nouvelle en un rien de temps.*

TOURGUENIEV, dans une lettre à Tolstoï (1856).

# 10

## *La montagne sacrée*

La montagne a conquis l'homme bien avant que celui-ci ne songe à la conquérir. Citadelle des puissances supérieures, elle est restée longtemps, selon la formule d'Edward Whymper, vainqueur du Matterhorn, « un affront à la conquête de la nature par l'homme ». Chaque haut sommet fut idôlatré par le peuple qui vivait dans son ombre. Inspirées par le spectacle écrasant de l'Himalaya, les populations du nord de l'Inde imaginèrent au septentrion une montagne encore plus élevée, qu'ils appelèrent le mont Mérou. Hindous, puis bouddhistes, firent de ce sommet des sommets, haut de 135 000 km, la demeure de leurs dieux. Centre de l'univers, axe vertical d'un cosmos ovoïde, le mont Mérou était entouré de sept cercles de montagnes, autour desquels tournaient le Soleil, la Lune et les planètes. Entre le septième anneau et un huitième, se trouvaient la Terre et ses continents.

Sur le mont Mérou, disent les textes sacrés hindous, « il coule des fleuves d'eau douce et l'on voit de belles maisons d'or, qui sont le séjour des divinités, les Deva, de leurs musiciens, les Gandharva, et de leurs danseuses, les Apsaras ». Le bouddhisme, par la suite, affirmera que « le Mérou se dresse entre quatre mondes situés au quatre directions cardinales ; il est carré à sa base et rond à son sommet. Il a une longueur de 80 000 yojana, dont la moitié s'élève dans le ciel tandis que l'autre s'enfonce dans la terre. Le côté le plus proche de notre monde est constitué de saphirs, et c'est pourquoi le ciel nous apparaît bleu ; les autres côtés sont en rubis et en pierres précieuses jaunes et blanches. Ainsi le Mérou est-il le centre de la Terre ». Dans cette géographie sacrée, le divin Himalaya — chaîne de 2 500 km de long et 250 km de large — était la seule partie visible des Hauts Lieux. Ses sommets dépassant 8 000 m — dont l'Everest — devaient continuer à défier l'homme après l'avènement de l'alpinisme. Ils inspirèrent aussi la gratitude, car c'était là-haut parmi eux — dans ce que, fort prosaïquement, les géographes appelleront la « ligne de partage des eaux » — que se dissimulaient les sources secrètes de l'Indus, fontaine de vie, ainsi que du Gange sacré et du Brahmapoutre.

Les Japonais eurent le Fuji-Yama, divinité qui dominait le paysage et que leurs artistes ne cessèrent de célébrer. Dans ses *Trente-Six Vues du Fuji,* Hokusaï, le grand maître de l'estampe, représente les hauteurs sacrées sous tous les angles.

En Occident, les Grecs eurent l'Olympe et son jaillissement de 3 000 m au-dessus de la mer Égée. Souvent masqué par les nuages, son sommet protégeait la vie privée des dieux. Ce n'est qu'entre deux nuages que les mortels pouvaient entrevoir l'amphithéâtre rocheux où les divinités tenaient conseil. « Jamais il n'est balayé par les vents ni touché par la neige, écrit Homère ; un air des plus purs l'entoure, une blanche clarté l'enveloppe, et les dieux y goûtent un bonheur qui dure aussi longtemps que leur vie éternelle. » L'Olympe, pour les Grecs, était la plus haute montagne sur terre. A l'origine, lorsque Cronos eut achevé la création du monde, ses fils tirèrent au sort le partage de l'empire. A Zeus échurent les hauteurs éthérées, à Poséidon la mer, à Hadès les entrailles ténébreuses de la Terre. Hadès demeura seul dans les profondeurs et Zeus autorisa les autres dieux à partager sa demeure sur l'Olympe.

C'est sur les hauteurs du mont Sinaï que le Dieu du peuple juif remet à Moïse les tables de la Loi.

> Le troisième jour au matin, il y eut des tonnerres, des éclairs et une épaisse nuée sur la montagne. Le son de la trompe retentit fortement ; et tout le peuple qui était dans le camp fut saisi d'épouvante. Moïse fit sortir le peuple du camp, à la rencontre de Dieu ; et ils se placèrent au bas de la montagne. La montagne de Sinaï était tout en fumée, parce que l'Éternel y était descendu au milieu du feu ; cette fumée s'élevait comme la fumée d'une fournaise, et toute la montagne tremblait avec violence. Le son de la trompe retentissait de plus en plus fortement. Moïse parlait et Dieu lui répondait à haute voix. Ainsi l'Éternel descendit sur la montagne de Sinaï. L'Éternel appela Moïse sur le sommet de la montagne. Et Moïse monta (Exode, 19, 16-20).

Là où n'existait pas de montagne, l'homme en édifia. Le plus ancien exemple connu est celui des tours à étages ou ziggourats de Mésopotamie, qui remontent au XXIIe siècle avant l'ère chrétienne. « Ziggurat » signifie à la fois « sommet d'une montagne » et « pyramide édifiée par l'homme ». La grande ziggourat de Babylone (90 m au carré et 90 m de haut) devint la tour de Babel. Si, de loin, elle donnait l'impression d'une pyramide à degrés, la ziggourat, telle que la décrit Hérodote vers 460 av. J.-C., était en fait une superposition de tours dont chacune était légèrement plus petite que celle sur laquelle elle reposait. « Dans la tour du haut se trouve un grand temple, et dans ce temple un grand lit richement garni, et à côté une table d'or. On n'y voit point d'idole. Personne n'y passe la nuit si ce n'est une femme de ce pays, distinguée entre toutes par le dieu lui-même ; c'est ce que m'ont dit les Chaldéens, qui sont les prêtres de cette divinité. »

Selon un texte égyptien du IVe siècle, les ziggourats, qui alors tombaient en ruine, « avaient été construites par des géants désireux de grimper jusqu'au ciel. Pour ce geste impie, certains furent frappés par la foudre. D'autres, de par la volonté divine, ne se reconnurent plus les uns les autres. Quant à ceux qui restaient, ils tombèrent la tête la première dans l'île de Crète, où Dieu, dans sa colère, les précipita ». Et dans les textes sacrés babyloniens, une ziggourat est « le lien entre ciel et terre ».

La tour de Babel allait symboliser le désir de l'homme d'atteindre le ciel, d'empiéter sur le territoire des dieux. Certains ont voulu y voir le modèle de l'échelle de Jacob, petit-fils de Mésopotamien. « Il eut un songe. Et voici, une échelle était appuyée sur la terre, et son sommet touchait au ciel. Et voici, les anges de Dieu montaient et descendaient par cette échelle[1]. » D'un bout à l'autre de la plaine de Mésopotamie se fit sentir le besoin d'un haut lieu artificiel qui permît aux hommes de parvenir jusqu'aux dieux, et aux dieux de descendre jusqu'aux hommes. Chaque cité importante fut dominée par au moins une grande ziggourat. Les vestiges de trente-trois de ces constructions sont parvenus jusqu'au XXe siècle. Peut-être la ziggourat était-elle un tumulus funéraire devant permettre au dieu-roi Mardouk de ressusciter. Ou simplement un escalier lui permettant de descendre jusqu'à la cité des hommes et à ces derniers d'accéder jusqu'à lui pour présenter leurs suppliques.

Dans la vallée du Nil, en basse Égypte, sont encore visibles quelques-unes des montagnes artificielles les plus durables. La colline primordiale, lieu de création de la vie, était pour les Égyptiens particulièrement riche de significations. Chaque année, lorsque se faisait la décrue du fleuve, apparaissait une nouvelle couche de limon fertile, et ainsi, chaque année, les Égyptiens revivaient l'histoire de la Création.

Les premières pyramides d'Égypte ont été, comme les ziggourats de Mésopotamie, des constructions à degrés. La grande pyramide de Djoser (premier pharaon de la IIIe dynastie, v. 2980 av. J.-C.), édifiée à Sakkarah, en comportait six. « Un escalier est prévu pour lui [le roi] afin qu'il puisse monter au ciel. » Dans le mot égyptien pour « grimper » figure le symbole d'une pyramide à degrés. Par la suite, on remplaça les degrés par

1. Rapprochement étayé par la récente traduction d'André Chouraqui, lequel remplace ici « échelle » par « escalier ». *(N.d.T.)*

une rampe, symbole sacré du dieu-soleil. Le dieu-roi Pépi, expliquaient les Égyptiens, « a déposé là ces rayons pour lui servir d'escalier. [...] Pour lui s'élèvent des marches jusqu'au ciel ».

Au Tibet, les lamas offraient chaque jour au Bouddha leur représentation de la Terre : un petit monticule de riz était leur mont Mérou. Et le Bouddha, pour symboliser l'universalité de son enseignement, voulut que ses cendres soient déposées dans un tumulus au croisement de quatre routes.

Durant le long règne de l'hindouisme, d'innombrables répliques du mont Mérou, les stoupas, avaient symbolisé l'axe vertical de l'univers ovoïde. Lorsque l'empereur Asoka — qui régna de v. 273 à 232 av. J.-C. — fit du bouddhisme la religion officielle de son vaste empire, il se contenta de transformer le stoupa hindou en stoupa bouddhique. Deux de ces stoupas subsistent encore : ceux de Sanchi, en Inde, et de Bouddha, à Katmandou.

Tout comme la ziggourat mésopotamienne, le stoupa bouddhique est une réplique du cosmos. Sur une base carrée ou circulaire s'élève un dôme hémisphérique plein, reproduction du dôme céleste. La montagne du monde perce le dôme céleste, prenant au sommet la forme d'une petite loggia. Au centre du dôme se dresse un mât, axe du monde, dont la base plonge dans les profondeurs aqueuses.

La plus impressionnante et la plus élaborée de ces montagnes artificielles du bouddhisme est sans aucun doute le grand stoupa de Borobudur, à Java (VIIIe siècle env.). Au-dessus de cinq terrasses rectangulaires entourées d'un mur s'élèvent trois plates-formes circulaires supportant soixante-douze petits stoupas en forme de cloche, abritant chacun une statue du Bouddha, le tout surmonté d'un grand stoupa. Comment, devant de tels monuments, ne pas partager le sentiment du poète cingalais : « Le Bouddha est incompréhensible, incompréhensible est la nature du Bouddha, et incompréhensible la récompense de qui a foi dans l'incompréhensible » ?

Lorsque l'hindouisme retrouva sa place en Inde, nombre de grands sanctuaires furent peints en blanc, comme pour mieux marquer cette identification avec les sommets enneigés de l'Himalaya sacré. Le temple hindou, comme la ziggourat mésopotamienne, la pyramide égyptienne et les autres répliques de la montagne primordiale, n'est pas — à la différence de la cathédrale — un abri permettant aux fidèles de se rassembler. La montagne artificielle, à l'instar de la montagne naturelle, est objet de culte, culminance sacrée que les croyants peuvent gravir. Le bâtisseur, capable d'imiter les dieux, prend rang de magicien.

Pour reproduire la montagne primordiale, les dynasties hindoues rivaliseront d'habileté. Elle prendra la forme d'un dôme, d'une flèche, d'une tour hexa- ou octogonale. Partout, sur chaque surface, dans chaque niche de ces monuments de pierre, jaillissent des figures de plantes, de singes et d'éléphants, d'hommes et de femmes dans toutes les postures possibles et imaginables. Le plus grandiose d'entre eux, le temple d'Ellora, dans le centre de l'Inde, est une véritable montagne taillée dans la montagne. En creusant dans le roc, les constructeurs ont dégagé un énorme bloc de pierre de 83 m de longueur, 46 m de largeur et 30 m de hauteur, dans lequel ils ont ensuite sculpté — en partant du sommet pour ne pas avoir à employer d'échafaudage — une réplique du mont Kailasa (le « paradis de Siva ») dans l'Himalaya : un travail de deux siècles. Jamais, du reste, architectes et sculpteurs hindous ne devaient cesser de reconstruire le mont Mérou, s'acharnant à tailler dans la pierre des représentations érotiques de l'union de l'homme avec ses dieux. Quant au *sikhara* qui surmonte le stoupa hindou, il désigne à la fois la flèche et le pic montagneux.

Mais peut-être l'édifice religieux le plus gigantesque au monde est-il le temple funéraire d'Angkor Vat, construit par le roi khmer Suryavarman II (1113-1150). Ici, le stoupa, d'une infinie richesse, est une vaste pyramide à degrés en filigrane, véritable montagne sculptée.

A l'autre bout du monde, s'élevaient, symboles toujours de la primordiale crainte des montagnes, des pyramides plus élémentaires, plus dépouillées. Au Mexique, les Toltèques édifiaient à Teotihuacán leur pyramide du Soleil, haute comme les deux tiers de la tour de Babel. Et dans la péninsule du Yucatán, les Mayas érigeaient leurs temples-pyramides à Uxmal et Chichén Itzá.

## 11

## *La carte du Ciel et de l'Enfer*

Le principal obstacle à la découverte de la forme de la Terre, des continents, des océans, n'a pas été l'ignorance, mais l'illusion de savoir. L'imaginaire donne des choses une explication sans nuances, alimentant directement frayeurs et espérances, tandis que la connaissance progresse par à-coups et confrontation des témoignages. Les villageois, qui craignaient pour eux-mêmes de gravir les montagnes, situaient leurs disparus dans les hauteurs impénétrables du Ciel.

Primordial était le témoignage des sens. Que tout ne disparaisse que pour ensuite revenir au monde, n'était-ce pas ce que démontraient les corps célestes ? Le Soleil mourait chaque jour pour renaître chaque matin, et la Lune renaissait chaque mois. Mais était-ce bien le même astre d'une fois sur l'autre ? Et ces étoiles qui se rallumaient à chaque coucher du Soleil, étaient-elles les mêmes que celles qui s'éteignaient à chaque lever du jour ? Peut-être chacun d'entre nous pouvait-il, comme elle, s'éteindre et, cependant, renaître. Tel fut le raisonnement de l'homme. Il n'est pas étonnant que les corps célestes, et spécialement la Lune, aient été si largement associés à la résurrection des morts. Mais ces notions venues de la Grèce et de la Rome antiques n'étaient pas limitées, nous allons le rappeler, à la Méditerranée et à l'Europe.

Dans l'antiquité grecque, Hécate, déesse de la Lune, est la reine des régions infernales, la grande ordonnatrice des spectres. Dans la tradition astrologique orientale, les rayons froids et humides de l'astre nocturne sont censés corrompre la chair du défunt et donc aider à en déloger l'âme, qui, ainsi libérée de sa prison terrestre, peut monter au Ciel. Les Syriens anciens, pour accélérer le processus, procédaient à des sacrifices sur les tombes les nuits où la Lune brillait le plus fort. L'Église chrétienne d'Orient saura exploiter ces croyances pour fixer les dates de ses rituels funèbres.

« Tous ceux qui quittent la Terre, dit un Upanishad, vont rejoindre la Lune, laquelle se gonfle de leur souffle durant la première moitié du mois. » Quant aux manichéens, en accordant dans leur doctrine un rôle important à la Lune, ils réalisèrent une sorte de compromis entre zoroastrisme et christianisme qui attira nombre de premiers chrétiens, dont saint Augustin. La Lune prend la forme d'un croissant, expliquaient-ils, lorsqu'elle se gonfle de toutes les âmes lumineuses qu'elle fait monter de la Terre. Et elle décroît une fois qu'elle a transféré ces âmes vers le Soleil. Chaque mois, la nef lunaire qui vogue dans le ciel se charge d'une nouvelle cargaison d'âmes, qu'elle remet régulièrement à ce vaisseau plus vaste encore qu'est le Soleil. Ailleurs, le croissant de lune, emblème d'immortalité, décore les monuments funéraires : ainsi à Babylone, dans les pays celtes, et dans toute l'Afrique. Dans la Rome républicaine, les chaussures des sénateurs étaient ornées de croissants d'ivoire, symbole de pureté puisque les âmes nobles, après la mort, étaient censées être transportées au Ciel, pour y déambuler sur la Lune.

Ce n'était pas simple métaphore que cet envol des âmes vers la Lune. Selon les stoïciens, l'astre est entouré d'une zone aux propriétés physiques particulières. L'âme, souffle ardent, s'élève tout naturellement dans les airs en direction des feux du Ciel. Au voisinage de la Lune, elle parvient au « vestibule » d'éther, substance si semblable à sa propre essence qu'elle reste là à flotter en équilibre. Chaque âme est un globe de feu doué d'intelligence, et l'ensemble des âmes un chœur perpétuel autour de la Lune. Les champs Élysées, dans cette vision, contrairement à celle des pythagoriciens, ne se situaient par sur la Lune, mais dans l'éther entourant celle-ci, et que pouvaient seules pénétrer les âmes les plus pures.

Dans l'astronomie populaire, la plus basse des sept sphères planétaires est la Lune, dont l'éther se trouve le plus près de l'atmosphère impure de la Terre. Pythagoriciens et stoïciens tenaient que l'âme revient vers la Terre après avoir traversé le cercle de la Lune. D'où l'emploi du qualificatif « sublunaire » pour désigner toute chose bassement terrestre ou éphémère.

Peut-être, dit le folklore européen, avons-nous chacun notre étoile — brillante ou terne selon le rang et la destinée — qui s'allume à notre naissance et s'éteint à notre mort. Aperçoit-on une étoile filante, c'est signe que quelqu'un est mort. « N'y avait-il pas que deux étoiles du temps d'Adam et Ève, demande l'évêque Eusèbe d'Alexandrie au Ve siècle, et huit seulement après le Déluge, lorsque seuls Noé et sept autres personnes furent sauvés dans l'Arche ? » Chacun était censé naître sous une heureuse ou fâcheuse étoile. Le mot latin *astrosus* (« né sous une mauvaise étoile ») signifiait « qui n'a pas de chance », et aujourd'hui encore, nous remercions notre « bonne étoile ».

Si, comme beaucoup le croyaient, l'âme qui s'envole devient oiseau fuyant cette terre, n'est-il pas logique de penser qu'elle va naturellement se poser sur quelque corps céleste ? Dans ce cas, la multitude des étoiles pouvait s'expliquer par d'innombrables générations de disparus. Et la Voie lactée, où d'aucuns voyaient la route des trépassés, était un de ces rassemblements d'âmes envolées. Ovide raconte que Vénus vint au Sénat recueillir l'âme de César assassiné pour l'emmener au Ciel, et que celle-ci, s'embrasant, s'envola au-delà de la Lune, pour se transformer en comète. Les familles se consolaient à l'idée que leurs chers disparus étaient des étoiles qui illuminaient le ciel. L'empereur Hadrien, pleurant son favori Antinoüs, affirmait que celui-ci s'était mué en astre. Et selon Cicéron, « le Ciel presque entier est rempli d'hommes ».

Des milliers d'années avant la découverte de la gravitation universelle, c'était le Soleil, « cœur du monde, source des âmes nouveau-nées », qui gouvernait tous les corps célestes. Selon les pythagoriciens (IIe siècle av. J.-C.), il était Apollon Musagète, chef de chœur des Muses, dont la musique fait l'harmonie des sphères.

Ceux-là mêmes qui avaient du mal à s'entendre sur les régions lointaines de la planète tombaient à peu près d'accord sur la géographie de l'au-delà. Ne pas connaître la forme de la surface terrestre n'empêchait pas de décrire avec force détails le séjour des morts. Parce qu'on les enterrait, il était logique de supposer qu'ils habitaient les régions souterraines. La topographie était appelée à la rescousse. Ainsi, nous dit la tradition, les Romains, en fondant leur ville, suivirent une ancienne coutume étrusque : ils creusèrent un grand trou au centre de la cité afin de permettre à leurs ancêtres qui séjournaient au royaume des ombres de communiquer plus facilement avec le monde des vivants. Dans ce trou étaient jetés des présents — les premiers fruits de la récolte, ainsi qu'une motte de terre provenant du même lieu que les fondateurs de la cité — afin de faciliter la vie des disparus et d'assurer la continuité des générations. Au fond avait été aménagée une salle au toit incurvé à l'image de la voûte céleste, d'où le nom de monde, *mundus,* donné à ces lieux. Le clé de voûte (*lapis manalis,* « pierre des mânes ») était levée trois fois l'an, les jours où les morts pouvaient librement revenir sur terre.

Au début, la vie dans le royaume d'en bas n'était que le prolongement de la vie sur terre. Ce qui explique pourquoi, chez tant de peuples, le guerrier est enterré avec son char, ses chevaux, ses armes et ses épouses, l'artisan avec tous ses outils, la ménagère avec son matériel à tisser et ses ustensiles de cuisine. Afin que se poursuive sous terre la vie terrestre.

En Grèce naquit une secte inspirée du personnage d'Orphée, l'aède mythique qui, pour avoir tenté de sauver des Enfers Eurycide, son épouse bien-aimée, connaissait tous les traquenards du voyage dans les deux sens. Vers le VIe siècle avant J.-C., les adeptes grecs de l'orphisme et les Étrusques qui les suivirent avaient élaboré toute une mythologie du jugement dernier. Une séduisante eschatologie, que leurs vases à figurines noires dépeignent avec élégance.

D'un peuple ancien à l'autre, la description des Enfers, malgré quelques variantes quant aux personnages, reste à peu près la même, comme s'il s'agissait d'un paysage tout proche. Le plan général vient des Grecs : un royaume souterrain délimité par le Styx et l'Achéron, et gouverné par Pluton et Proserpine. On y trouve les juges Minos, Eaque et Rhadamante, les Érinyes (Furies chez les Romains), chargées de châtier les crimes, et une prison aux murs infranchissables, le Tartare. Nul pont n'enjambant le Styx, les défunts doivent être acheminés en barque par le vieux Charon ; lequel, pour prix de son service, perçoit une « obole », pièce de monnaie placée par la famille entre les dents du défunt. Une fois la rivière franchie, chacun se rend devant le tribunal. Le jugement des morts étaient évidemment familier aux Égyptiens et se trouve souvent représenté sur les tombeaux de la vallée des Rois. Dans la mythologie grecque, les juges, qui tranchent sans appel, et à qui l'on ne peut rien cacher, séparent les bons des méchants. Les premiers prennent la route de droite vers les délices des champs Élysées, les seconds partent à gauche, franchissent un fleuve de feu, puis sont livrés aux supplices du Tartare. Ici toutefois se posa un épineux problème de physique : si, comme l'enseignaient les stoïciens, chaque âme était réellement un souffle brûlant qui aspirait vers le haut, comment pouvait-elle descendre jusque dans la terre ? Une solution fut trouvée : les champs Élysées furent transportés au Ciel, l'empire d'en bas étant réservé aux méchants.

Autre problème : la Terre était-elle de taille à abriter un Tartare assez grand pour contenir tous ceux qui, depuis l'aube des temps, avaient mérité ses châtiments ? Peut-être les régions infernales, après tout, ne se situaient-elles pas sous terre, mais dans la moitié inférieure du globe terrestre, c'est-à-dire dans l'hémisphère sud. Virgile, lorsqu'il décrit la descente d'Énée au royaume d'Hadès, suit la géographie traditionnelle du monde d'en bas. Mais des esprits éclairés comme Cicéron, Sénèque ou Plutarque ne croient sans doute plus à la carte des Enfers. Comment se fait-il, demande Pline l'Ancien, que les mineurs, en creusant leurs puits et leurs galeries, n'aient jamais rencontré les régions infernales ?

Il semble bien que la topographie traditionnelle du monde inférieur ait été, en Grèce et à Rome, largement admise par le peuple, ou du moins qu'elle n'ait pas été ouvertement contestée. « Point ne me rendrai avec tristesse vers les flots du Tartare, peut-on lire sur la tombe d'un jeune Romain du siècle d'Auguste — ayant, dit-il, gagné les hauteurs éthérées —, point ne traverserai sous forme d'ombre les eaux de l'Achéron, ni ne ferai de mon aviron avancer la sombre barque ; point ne craindrai Charon et sa face terrifiante, et point ne serai jugé par le vieux Minos ; je n'errerai point au séjour ténébreux, ni ne serai prisonnier sur la rive des eaux fatales. » Une carte du royaume des ombres avec ses personnages mythiques apparaît souvent aussi sur les sarcophages.

Platonisme et christianisme, bien qu'en contradiction sur d'innombrables points, devaient chacun à sa façon reprendre les cartes traditionnelles du Ciel et de l'Enfer. Lorsque, au IIIe siècle de notre ère, les néo-platoniciens voulurent sacraliser l'enseignement du maître, ils mirent en valeur sa description de la vie des âmes dans les entrailles de la terre. Selon Porphyre (v. 232-v. 304), adversaire acharné du christianisme, l'âme, bien qu'aspirant par nature à s'élever vers le Ciel, devient humide et lourde à mesure qu'elle descend dans l'atmosphère terrestre. Durant sa vie sur terre, peu à peu alourdie par la glaise d'une vie sensuelle, elle se fait plus dense, jusqu'à se trouver naturellement entraînée vers les profondeurs. « Il est vrai, argumente Proclus, dernier des grands néo-platoniciens grecs et adversaire encore tenace du christianisme, que l'âme, de par sa nature, aspire à s'élever vers un lieu qui constitue son séjour normal, mais les passions, en l'envahissant, pèsent sur elle, et les instincts sauvages qui se développent en elle l'attirent vers le lieu qui est le leur, à savoir la Terre. » Qui, dès lors, ne comprendrait que les âmes des méchants restent prisonnières du monde d'en bas ? L'Enfer était donc plus qu'une métaphore : un vaste réseau souterrain comprenant fleuves et îles, geôles et salles de torture, irrigué par les effluves de la terre et jamais atteint par les rayons du Soleil.

Au cours du millénaire suivant, le christianisme donnera un nouvel élan à l'ancienne topographie. Peu de visions s'imposent avec autant de force que celle de sainte Hildegarde (1099-1179), cloîtrée à l'âge de huit ans dans un couvent après avoir reçu les derniers sacrements pour bien signifier qu'elle était morte au monde. Elle a laissé des vies de saints, des ouvrages d'histoire naturelle, de médecine, et des écrits mystiques. Voici comment elle décrit les supplices infligés au pécheurs impénitents :

> Je vis un puits profond et large, rempli de poix et de soufre bouillonnants, et tout autour étaient des guêpes et des scorpions, qui effrayaient, sans toutefois

> les blesser, les âmes de ceux qui étaient dans le puits ; lesquelles étaient les âmes de ceux qui avaient tués afin de ne point l'être eux-mêmes.
> Auprès d'un étang d'eau claire, je perçus un grand feu. Là, des âmes étaient brûlées, d'autres enlacées par des serpents, d'autres encore inhalaient, puis exhalaient le feu comme elles eussent fait avec de l'air, tandis que des esprits malins leur lançaient des pierres enflammées. Et toutes voyaient dans l'eau le reflet de leur châtiment, et en étaient d'autant plus affligées. C'étaient les âmes de ceux qui avaient éteint en eux toute substance humaine, ou bien avaient tué leur enfant.
> Et je vis un grand marécage, au-dessus duquel était suspendu un nuage de fumée noire, qui en sortait. Et dans ce marécage grouillait une masse de vers. C'étaient les âmes de ceux qui, sur terre, s'étaient délectés à de fols divertissements.

Vision de l'Enfer et ses horreurs tellement plus prégnante que l'habituelle peinture des fades douceurs du Ciel. Et celle d'Hildegarde n'est pas la seule.

Mais le plus éloquent de tous les géographes chrétiens du Ciel et de l'Enfer fut bien sûr Dante (1265-1321). Son voyage dans l'au-delà est un pèlerinage, un retour à des lieux familiers. Sa *Divine Comédie* eut d'autant plus de retentissement que, à la différence de presque toute la grande littérature du temps, elle était écrite, non pas en latin, ni dans une autre langue savante, mais en italien, langue « modeste et humble parce qu'elle est la langue vulgaire, celle dans laquelle devisent les femmes ». Ayant perdu à l'âge de vingt-cinq ans sa chère Béatrice, Dante décide de se consacrer à la rédaction d'un grand poème ayant pour sujet cet au-delà où s'en était allée la bien-aimée.

Vaste épopée de plus de 14 000 vers, retraçant le voyage de l'auteur à travers le règne des morts, la *Commedia* nous emmène successivement en Enfer, au Purgatoire, puis au Paradis. Intégrant dans son récit les connaissances du Moyen Age, Dante dresse le panorama de l'après-vie. C'est Virgile, dont Dante accepte le schéma du royaume d'en bas, qui le guide à travers l'Enfer. Béatrice, elle, le mène au Paradis, ne cédant la place à saint Bernard qu'à l'approche de la présence divine. Dante, dans sa topographie de l'infra-terrestre, suit fidèlement la tradition. Virgile lui fait traverser les neuf gouffres ou cercles de l'Enfer, lui montrant chaque fois les châtiments subis par une nouvelle catégorie de damnés, pour finalement atteindre Satan lui-même. Puis, grimpant dans un tunnel pour parvenir au pied du mont Purgatoire, ils gravissent sept niveaux successifs, un pour chaque péché capital. Lorsque, enfin, ils arrivent au Paradis, ils constatent que celui-ci compte neuf cieux, le dixième étant celui où trône Dieu avec ses anges.

## 12

### *Le goût de la symétrie*

Plus séduisante que la connaissance elle-même est l'impression de connaître. Comment s'étonner que l'imagination humaine ait prêté à la Terre les formes symétriques les plus simples ?

L'une des formes les plus fréquemment attribuées à la Terre a été l'ovale. Les Égyptiens se la représentaient comme étant de forme ovoïdale, gardée la nuit par la Lune, « grand oiseau blanc [...] comme une oie qui couve son œuf ». Aux Iᵉ et IIᵉ siècles, les gnostiques voyaient aussi le Ciel et la Terre sous l'aspect d'un grand œuf-monde au milieu de l'univers ; l'œuf était enlacé par un serpent géant qui le gardait, le réchauffait, le couvait et parfois s'en nourrissait. Pour Bède le Vénérable (VIIᵉ siècle), « la Terre est un élément placé au milieu du monde, comme le jaune au milieu de l'œuf. Autour d'elle se trouve l'eau, comme le blanc entoure le jaune ; au-dehors se trouve l'air, comme la membrane pour l'œuf. Et autour du tout se trouve le feu, qui l'englobe comme la coquille ».

Mille ans plus tard, l'Anglais Thomas Burnet (v. 1635-1715) amalgame la théorie platonicienne, le savoir scientifique et sa propre expérience de voyageur alpin pour créer sa *Théorie sacrée de la Terre* (1684). Mais, commence-t-il par admettre, « cette idée d'un œuf-monde, ou que le monde est oviforme, est celle de tous les Anciens, Latins, Grecs, Perses, Égyptiens et autres ». La « théorie sacrée » de Burnet envisage quatre phases dans l'histoire de la Terre : Création, Déluge, Conflagration, Consommation. Au stade actuel, entre Déluge et Conflagration, le Soleil, explique-t-il, a desséché la planète, et des modifications internes préparent la Terre à s'embraser. Après la Conflagration vient le millenium, qui renouvelle Ciel et Terre. Après quoi, lorsque la Terre aura été changée en astre resplendissant, s'accompliront toutes les prophéties des Écritures.

Aucune carte ne nous est parvenue des Grecs, mais leur littérature révèle une recherche de symétrie. Ils débattirent très longtemps de la forme de la Terre avant de conclure à sa sphéricité. Hérodote raille l'idée d'Homère selon laquelle la Terre serait un disque entouré par le fleuve Océan. Pour lui, la Terre ne peut être entourée que par un immense désert. La notion d'« équateur » — division de la Terre en deux parties égales — apparut avant même que se répande celle de sphéricité. Selon Hérodote, Nil et Danube sont disposés symétriquement de part et d'autre d'une ligne médiane. Pour Eschyle et d'autres écrivains grecs, le monde connu avait la forme d'un parallélogramme. Cet « équateur » qui, sur les cartes d'Ionie, suivait l'axe longitudinal de la Méditerranée, semblait expliquer bien des choses : c'était l'Asie Mineure, disposée le long de cet axe et par conséquent à mi-chemin entre les points extrêmes des levers et couchers du Soleil, qui, naturellement, jouissait du climat idéal.

Très répandue également était l'idée d'une Terre carrée. Les populations anciennes du Pérou imaginaient le monde comme une boîte, avec un toit en forme d'arête où vivait la divinité. Pour les Aztèques, l'univers se compose de cinq carrés : un au milieu et un sur chaque côté. Les quatre côtés latéraux contiennent les quatre points cardinaux par rapport au Lieu central, séjour du dieu du feu Xiuhteculi, père et mère de tous les dieux, lesquels sont domiciliés dans le nombril de la Terre. D'autres peuples se sont représenté le monde sous la forme d'une roue, voire d'un tétraèdre.

Partout, mythes et métaphores ont contribué à faire paraître l'univers intelligible, beau, rationnel. Des personnages merveilleusement divers ont tenu le rôle essentiel de support du monde. L'Atlas des Grecs, qui porte la Terre sur ses épaules, est bien connu des Européens. Au Mexique, il existait au moins quatre divinités portant le Ciel, dont la plus importante était Quetzalcoatl. Une antique sculpture hindoue montre une Terre hémisphérique soutenue par quatre éléphants debout sur la carapace d'une tortue géante, qui flotte sur les eaux du monde.

L'une des plus séduisantes et des plus universellement répandues de ces protocartes de l'univers a été celle de l'arbre-monde. Si un arbuste, dit le poète védique, est capable, en grandissant, de soulever une roche, alors un arbre suffisamment grand doit pouvoir porter le ciel. Ainsi naquit l'idée d'un arbre de vie ou de la connaissance, tel celui du jardin d'Éden, et nombre de peuples eurent leur arbre sacré. Les Edda islandaises chantent le frêne Yggdrasil en ces termes :

> Séjour principal et très sacré des dieux [...]. Là, les dieux, chaque jour, tiennent conseil. C'est le plus grand et le meilleur de tous les arbres. Ses branches s'étendent sur le monde et dépassent le ciel. Trois racines largement distinctes sustentent l'arbre ; l'une est du côté d'Asa [...] ; sous la seconde, qui s'étend jusqu'aux géants des Frimas, se trouve le puits de Mimir, qui abrite science et sagesse. La troisième racine du frêne est au Ciel, et au-dessous d'elle se trouve la fontaine très sacrée d'Urd. C'est ici que les dieux tiennent tribunal.

Mais dès le V$^{e}$ siècle avant l'ère chrétienne naît chez les Grecs la certitude que la Terre est un globe. Le concept apparaît clairement pour la première fois dans le *Phédon* de Platon. Plus question dès lors pour les penseurs sérieux d'un disque plat flottant sur les eaux. Platon et les pythagoriciens fondent leur conviction sur des raisons d'ordre esthétique : la forme mathématique la plus parfaite étant la sphère, il va de soi que telle doit être la forme de la Terre ; prétendre le contraire serait nier dans la Création toute espèce d'ordre. Quant à Aristote (384-322 av. J.-C.)

il donne pour la rotondité de la Terre des raisons purement mathématiques, assorties d'arguments physiques. Étant au centre de l'univers, la Terre, explique-t-il, ne peut faire autrement que devenir et rester sphérique : puisque tout corps qui tombe tend vers le centre, les particules de terre, en convergeant de tous côtés, forment logiquement une sphère. « Qui plus est, la sphéricité de la Terre nous est prouvée par le témoignage de nos sens : car si tel n'était pas le cas, les éclipses de la Lune ne prendraient pas les formes qu'elles ont. En effet, alors que, dans les phases mensuelles de la Lune, les segments sont de toutes espèces — droits, gibbeux ou en forme de croissant —, dans les éclipses, la démarcation est toujours arrondie. Cette ligne courbe, si l'éclipse est due à l'interposition de la Terre, signifie donc la sphéricité de celle-ci. »

Du temps d'Aristote, la géographie mathématique fit en Grèce des progrès remarquables. Les détails manquaient encore pour réaliser une vraie carte du monde, mais grâce aux mathématiques et à l'astronomie, on parvint à des estimations d'une étonnante précision. Les auteurs classiques postérieurs à Aristote — grands savants philosophes comme Pline l'Ancien (23-79) et Ptolémée (90-168) ou simples vulgarisateurs — ne devaient plus remettre en doute la sphéricité de la Terre. Cette découverte sera l'un des principaux héritages de l'âge classique.

La Terre comme une boule : de quoi enflammer les imaginations. Une sphère pouvait se diviser de tant de façons différentes et conserver toujours sa symétrie, voire sa beauté ! Les géographes philosophes de l'Antiquité ne furent pas longs à s'en apercevoir.

La première tentation fut d'enserrer la sphère dans un réseau de lignes parallèles. Et si, pour cela, on procédait de manière bien régulière, les espaces ainsi dessinés n'auraient-ils pas une signification particulière ? Alors, les Grecs tracèrent ces lignes sur toute la sphère, divisant la Terre en portions parallèles auxquelles ils donnèrent le nom de « climats ». Division non point d'ordre météorologique, mais géographique ou astronomique, car regroupant les régions selon la durée de leur jour le plus long. Ces « climats » viennent du grec *clima*, « inclinaison » (la durée du jour en un lieu donné étant toujours déterminée par l'inclinaison du Soleil en ce lieu). Dans la zone proche du pôle, le plus long jour de l'année durait plus de vingt heures, tandis que, à proximité de l'équateur, il n'y avait jamais plus de douze heures de jour. Dans les zones situées entre ces deux limites s'échelonnaient toutes les valeurs intermédiaires.

Des désaccords s'élevèrent quant au nombre de ces climats. Certains n'en distinguaient pas plus de trois, d'autres une dizaine ou davantage. Et puis la symétrie, dans un tel agencement, était mise à mal : la zone dans laquelle le jour le plus long durait entre quatorze et quinze heures avait une largeur de plus de 1 000 km, tandis que celle où sa durée était de dix-neuf à vingt heures n'en dépassait guère 275. Le système le plus répandu fut celui par lequel Pline divisait le monde connu des Grecs et des

Romains (jusqu'au 46ᵉ degré de latitude nord) en sept segments parallèles, tous situés au nord de l'équateur (il en ajoute trois pour les « déserts » septentrionaux). Ptolémée portera le nombre, pour tout l'hémisphère nord, à vingt et un.

Ce découpage, bien qu'arbitraire, sera finalement d'un grand secours à l'homme pour déchiffrer la surface de la planète. Mais pas dans le sens où l'entendaient les Anciens. Pour Strabon, par exemple (v. 64 av. J.-C.-v. 25 ap. J.-C.), les « climats » torrides situés de part et d'autre de l'équateur, où le Soleil est au zénith quinze jours par an, possèdent une flore et une faune caractéristiques. Là, explique-t-il, les sols sableux et brûlés de soleil « ne produisent que le silphium [le térébinthe, qui donne la térébenthine] et quelques fruits âcres, desséchés par la chaleur ; car ces régions n'ont dans leur voisinage aucune montagne contre laquelle les nuages puissent se briser pour engender la pluie, et aucune rivière non plus ne les traverse. C'est pourquoi elles produisent des animaux au pelage laineux, aux cornes recroquevillées, aux babines saillantes et au museau plat (car leurs extrémités sont rendues torses par la chaleur) ». De même expliquait-on le teint sombre des Éthiopiens par le soleil brûlant des « climats » tropicaux, et la pâleur et la sauvagerie des habitants du grand Nord par le caractère glacial des « climats » arctiques.

De la division en climats et de la recherche de la symétrie, Ptolémée fit un système. Moins connue que sa géographie du ciel, dont tout écolier sait qu'elle est fausse, sa géographie de la Terre est encore la nôtre. Hérodote et d'autres Grecs avaient autrefois, par souci de symétrie, tracé une ligne est-ouest à travers la Méditerranée, partageant le monde connu en deux. Ce procédé tout simple, destiné à prendre en compte la réalité nouvelle de la sphéricité de la Terre, allait jouer un rôle déterminant.

Ératosthène (v. 276-v. 195 av. J.-C.), le plus grand, peut-être, des géographes de l'Antiquité, nous est principalement connu par des témoignages indirects, et par les attaques dont il fut l'objet de la part de ceux qui lui devaient le plus. Jules César, semble-t-il, avait confiance dans sa *Géographie*. Il fut à Alexandrie le second responsable de la plus grande bibliothèque du monde occidental. « Mathématicien parmi les géographes », il a élaboré une méthode de mesure de la circonférence terrestre qui est encore en usage aujourd'hui.

Ératosthène avait entendu des voyageurs raconter que, à Syène (Assouan) le 21 juin à midi, les rayons du Soleil plongeaient verticalement dans un puits. Or il savait que chez lui, à Alexandrie, au nord de Syène, le Soleil faisait toujours une ombre. D'où l'idée que, s'il pouvait mesurer la longueur de l'ombre à Alexandrie à l'heure où il ne s'en produisait pas à Assouan, il serait en mesure de calculer la circonférence terrestre. Le 21 juin donc, il mesura l'ombre d'un obélisque de sa ville et, par la géométrie la plus simple, calcula que le Soleil faisait un angle de 7° 12' avec la verticale, soit un cinquantième des 360° de la circonférence terrestre :

mesure d'autant plus remarquable que la différence réelle de latitude entre les deux villes a été établie depuis à 7° 14'. Ainsi la circonférence du globe était-elle égale à cinquante fois la distance de Syène à Alexandrie. Mais cette distance, quelle était-elle ? Toujours en parlant avec des voyageurs, il apprit qu'il fallait cinquante jours à un chameau pour faire le voyage et que cet animal parcourait cent stades par jour. La distance entre les deux cités était donc égale à 100 stades × 50 = 5 000 stades. Et la circonférence terrestre égale à 5 000 stades × 50 = 250 000 stades. Ici se pose pour nous un problème de conversion, puisque l'on sait seulement qu'un stade valait 600 pas. Mais les meilleures estimations permettent d'avancer le chiffre de 180 m. Ce qui donne pour la circonférence terrestre 45 000 km environ, soit 12,5 % de plus que la réalité.

Qu'Ératosthène ait mieux su mesurer les angles que les distances n'a rien d'étonnant. Tel a presque toujours été le cas à travers l'histoire. Quoi qu'il en soit, la précision à laquelle il parvient dans son calcul de la circonférence terrestre ne se retrouvera plus avant les temps modernes. Pas plus que la manière féconde dont il conjugue théorie et expérience vécue.

Plus importante encore que la précision de ses résultats est la méthode qu'il utilise pour l'étude de la surface terrestre. Nous la connaissons par les attaques que lance contre lui Hipparque de Nicée (v. 165-v. 127 av. J.-C.), le plus grand sans doute des astronomes grecs. Hipparque découvrit la précession des équinoxes, répertoria un millier d'étoiles et est généralement considéré comme l'inventeur de la trigonométrie. Mais il détestait Ératosthène, qui pourtant était mort trente ans avant que lui-même naquit. Le géographe d'Alexandrie avait cerclé la Terre de lignes parallèles est-ouest et nord-sud. Il avait divisé le monde habitable en deux au moyen d'un axe est-ouest parallèle à l'équateur et qui passait par Rhodes. Puis il avait ajouté un axe nord-sud perpendiculaire au premier et passant par Alexandrie. Les autres lignes (est-ouest et nord-sud) n'étaient pas disposées à intervalles réguliers ; elles passaient par des lieux connus : Alexandrie, Rhodes, Meroë (capitale des anciens rois d'Éthiopie), Colonnes d'Hercule, Sicile, Euphrate, entrée du golfe Persique, delta de l'Indus, extrémité de la péninsule indienne. Le résultat était une grille irrégulière, mais qui rendait des services par son système de coordonnées.

Hipparque franchit l'étape suivante. Pourquoi, se dit-il, ne pas porter toutes les lignes de climat sur l'ensemble de la sphère, toutes parallèles à la ligne équinoxiale et à intervalles *égaux* depuis l'équateur jusqu'aux pôles ? Et ensuite porter les autres lignes perpendiculairement aux premières. Ainsi obtiendrait-on une grille régulière couvrant la planète entière. Les lignes de climat pouvaient faire plus que simplement décrire les régions de la Terre recevant le soleil selon un même angle. Numérotées, elles fournissaient un système de coordonnées unique, qui permettrait de *localiser* tout point de la Terre. Plus de problème alors pour situer sur la planète une ville, un fleuve, une montagne.

Les possibilités d'un tel système, Ératosthène les avait entrevues. Mais de son temps, la plupart des lieux que l'homme eût souhaité voir figurer sur une carte n'étaient encore localisés que par les récits des voyageurs et par la tradition. Il savait que cela ne suffisait pas, mais ne possédait pas assez de points de référence précis pour poursuivre. Hipparque voulut que chaque point soit localisé par une réelle observation astronomique avant d'être intégré à une grille mondiale des latitudes et longitudes. Son mérite fut non seulement d'avoir eu l'idée, mais de savoir la mettre en application. En utilisant, pour localiser les points de la surface terrestre, les phénomènes célestes communs à toute la planète, il fraya la voie à une réelle maîtrise de la cartographie.

Soit dit en passant, Hipparque a inventé le vocabulaire mathématique encore en usage aujourd'hui. Ératosthène avait divisé la sphère terrestre en soixante compartiments. Hipparque, lui, partage la surface de la planète en trois cent soixante parties, qui ont donné les « degrés » de la géographie moderne. Il dispose ses méridiens à des intervalles d'environ 110 km, ce qui est à peu près la longueur d'un degré. En combinant ce système avec celui des climats traditionnels, il conçut une cartographie fondée sur la détermination astronomique des latitudes et longitudes.

Latitude et longitude furent à la mesure de l'Espace ce que l'horloge mécanique fut à celle du Temps. Elles signifiaient la maîtrise de la nature par l'homme, la possibilité pour lui de se reconnaître partout sur la Terre. Aux formes accidentelles de la Création, les deux données nouvelles substituaient un système commode de représentation.

Quel dommage que le nom de Ptolémée — père indiscutable de la géographie moderne — soit à jamais associé à une astronomie obsolète ! L'une des raisons pour lesquelles Ptolémée le géographe occupe dans l'histoire une place si discrète est que l'on sait fort peu de choses de sa vie. Égyptien de Grèce ou Grec d'Égypte, il porte un patronyme très répandu en Égypte à l'époque d'Alexandre (et qui était aussi le nom de l'un des plus proches compagnons d'Alexandre le Grand). Un autre Ptolémée devint gouverneur d'Égypte à la mort d'Alexandre, puis se proclama roi et fonda la dynastie dite ptolémaïque, qui régna sur l'Égypte trois siècles durant (304-30 av. J.-C.). Mais Claude Ptolémée, lui, était plus qu'un roi : un homme de science.

Il possédait le don, semble-t-il, de perfectionner les travaux des autres, d'intégrer de multiples connaissances en un système cohérent. Ses divers ouvrages — *Almageste, Géographie, Tétrabible,* écrits sur la musique et l'optique, table chronologique des rois — résument les connaissances du temps.

Pour sa géographie, il emprunte à Ératosthène et Hipparque. Il reconnaît fréquemment sa dette envers Strabon, le géographe et historien grec qui, pour étudier le monde connu, fit appel tout à la fois à la tradition, à la mythologie et à sa propre expérience de voyageur.

Le plus remarquable est de voir à quel point Ptolémée est encore présent deux millénaires après sa mort. L'ossature et le vocabulaire de nos cartes restent façonnés par lui. Le système de grille qu'il adopta et perfectionna demeure la base de toute cartographie moderne. Il est le premier à avoir popularisé — et peut-être même a-t-il inventé — les termes « latitude » et « longitude ». Mais ces mots avaient pour lui, semble-t-il, aussi le sens — perdu aujourd'hui — de « largeur » et « longueur » du monde connu. Dans sa *Géographie*, il indique les latitudes et longitudes de huit mille lieux. C'est de lui qu'est venue l'habitude d'orienter les cartes le nord en haut et l'est à droite. Peut-être était-ce parce que les lieux les plus connus de son monde à lui se trouvaient dans l'hémisphère nord, et que, sur un planisphère, il était plus commode de les avoir dans le coin supérieur droit. Ptolémée divise sa carte du monde en vingt-six zones, modifiant l'échelle afin de mieux pouvoir détailler les régions les plus peuplées. Il établit la distinction moderne entre géographie (cartographie d'ensemble de la Terre) et chorographie (cartographie détaillée de certains lieux). A la suite d'Hipparque, il divise le cercle de la sphère en 360 degrés, qu'il subdivise ensuite chacun en « minutes », puis en « secondes », de l'arc.

Ptolémée a eu le courage d'assumer les conséquences cartographiques de la sphéricité terrestre. Et il établira, pour déterminer les distances, une table des cordes fondée sur la trigonométrie d'Hipparque. Il mit au point une technique de projection du globe terrestre sur un plan qui est loin d'avoir perdu toute valeur. En fait, les erreurs qu'il a commises ne sont pas dues à un manque de sens critique. La meilleure hypothèse, disait-il, est la plus simple de toutes celles capables d'embrasser les faits. Et il nous met en garde : ne doivent être acceptées que les données qui ont été soumises à la critique de plusieurs témoins.

La faiblesse majeure de Ptolémée est dans l'insuffisance très nette des données à sa disposition. Il faudra attendre, pour réaliser un atlas du monde satisfaisant, que puissent être fournis des renseignements solides sur toutes les régions par des observateurs qualifiés. Pourquoi s'étonner que, avec des informations aussi limitées que les siennes, Ptolémée ait abouti à d'aussi graves mécomptes ?

L'un d'entre eux fut sans doute l'erreur de calcul la plus lourde de conséquences de tous les temps. Pour la circonférence terrestre, Ptolémée avait rejeté l'estimation étonnamment précise d'Ératosthène. Il calcula que chaque degré était égal à seulement 80 km au lieu de 112, puis, à la suite de Posidonius (v. 135-v. 51 av. J.-C.) et de Strabon, il évalua la circonférence du globe à 28 800 km. Outre cette flagrante sous-estimation, il commit l'erreur d'étirer démesurément l'Asie vers l'est, sur 180 degrés au lieu des 130 réels. Ce qui, sur ses cartes, avait pour effet de grossièrement réduire l'étendue du monde inexploré entre la lisière orientale de l'Asie et l'extrémité occidentale de l'Europe. Combien de temps la rencontre de l'Ancien avec le Nouveau Monde aurait-elle pu être retardée si Ptolémée avait suivi Ératosthène au lieu de Strabon ? Et que serait-il advenu si Colomb avait connu les dimensions réelles du monde ? Mais il va se fier à Ptolémée, l'autorité absolue alors en matière de géographie. Et il améliorera encore ses chances en donnant au degré une valeur inférieure de 10 % au chiffre du géographe grec.

Mais ce n'est pas seulement par ses erreurs que Ptolémée a contribué à l'exploit réalisé par Colomb. En réunissant tous les faits disponibles pour prouver la sphéricité de la Terre, puis en établissant une grille des latitudes et longitudes sur laquelle viendront s'inscrire progressivement les données nouvelles, il va permettre à l'Europe de se lancer dans l'exploration de la planète. Ptolémée rejette l'idée homérique d'un monde connu entouré d'un Océan inhabitable. Préférant évoquer l'immensité des terres à découvrir, il prépare les esprits à la connaissance. Imaginer l'inconnu est autrement plus difficile que de dessiner les contours de ce que l'on croit connaître.

Pour Colomb, certes, mais aussi pour les Arabes et pour d'autres qui ont placé si haut la culture classique, Ptolémée devait rester source, modèle, phare de la géographie du monde. Si, dans les mille ans qui ont suivi sa mort, les navigateurs et leurs protecteurs royaux avaient su faire preuve d'assez de liberté d'esprit pour reprendre les choses là où lui les avait laissées, peut-être l'histoire du Vieux comme du Nouveau Monde eût-elle été tout à fait différente.

## 13

## *Le carcan du christianisme*

L'Europe chrétienne ne poursuivra pas dans la voie tracée par Ptolémée, bien au contraire ; les dirigeants de la chrétienté vont dresser contre le progrès des connaissances une formidable barrière. Les géographes chrétiens du Moyen Age consacreront toute leur énergie à donner du monde connu, ou supposé tel, une vision bien léchée, théologiquement conforme.

La géographie ne figurait pas parmi les « sept arts libéraux » du Moyen Age. Elle n'avait sa place ni dans le « quadrivium » des disciplines mathématiques (arithmétique, musique, géométrie, astronomie), ni dans le « trivium » des disciplines logico-linguistiques (grammaire, dialectique, rhétorique). Pendant mille ans, le mot « géographie » n'eut plus d'équivalent courant, et il n'apparaît dans la langue anglaise qu'au milieu du XVIe siècle. Privée de statut, la géographie fut comme une orpheline dans le monde des connaissances. Elle devint un invraisemblable ramassis mêlant connaissances réelles et imaginaires, dogmes bibliques, récits de voyages, spéculations philosophiques, élucubrations mythiques.

Il est plus facile de raconter les événements que de les expliquer de manière satisfaisante. Après la mort de Ptolémée, le christianisme conquiert l'Empire romain et la majeure partie de l'Europe. Apparaît alors un phénomène d'amnésie scientifique, qui frappera l'Europe entière depuis l'an 300 de notre ère jusqu'à 1 300 au moins. La foi et le dogme chrétiens vont entièrement occulter la représentation utile du monde qui avait été si lentement, si péniblement, si scrupuleusement élaborée par les géographes de l'Antiquité. Disparue la soigneuse restitution ptoléméenne des côtes, cours d'eau et reliefs, avec sa grille commode établie d'après les meilleures données astronomiques. Au lieu de cela, quelques schémas rudimentaires — simples caricatures pieuses — proclament la « vraie » forme de la Terre.

Sur la pensée des géographes chrétiens du Moyen Age, nous ne manquons pas de documents. De cette époque ont survécu plus de six cents mappemondes. Elles sont de toutes dimensions — les unes, comme celles illustrant, au VII^e siècle, l'encyclopédie d'Isidore de Séville, larges de 5 cm seulement ; les autres, telle la carte de la cathédrale d'Hereford, en Angleterre (1275), grandes de 1,5 m. En ces temps d'avant l'imprimerie, chacune de ces cartes — sans compter les milliers qui ont dû se perdre — atteste le désir de quelques artisans et de leur protecteur de donner leur propre vision du monde. Le plus remarquable est que, avec des cartes toutes si purement imaginaires, les représentations de la Terre aient été si peu variées.

Toutes présentent une caricaturale tripartition du monde selon un schéma immuable qui les a fait surnommer « cartes T-O ». Le monde habitable y apparaît sous la forme d'un disque — le « O » — que divise une masse d'eau en forme de T. L'est est placé en haut (ce que l'on appelait « orienter » la carte). Au-dessus du T se trouve l'Asie, à gauche de la ligne verticale le continent européen, à droite l'Afrique, et entre les deux la Méditerranée. Une barre horizontale sépare l'Europe et l'Afrique de l'Asie ; elle est constituée par le Danube et le Nil, censés couler dans le prolongement l'un de l'autre. Le tout est entouré par la « mer Océane ».

Ces cartes étaient dites « œcuméniques » car leur objet était de montrer l'ensemble du monde habité ou « œcuménée ». Conçues pour représenter ce que tout bon chrétien devait croire, elles étaient davantage cartes du dogme que du savoir. Ce qui pour le géographe n'est ici que simplisme est pour le croyant évidence même de la foi. Selon l'Écriture, comme l'explique Isidore de Séville, le monde habité a été partagé entre les trois fils de Noé, Sem, Cham et Japhet. L'Asie doit son nom à une reine Asia qui est « de la postérité de Sem, et elle est habitée par vingt-sept nations [...]. L'Afrique dérive son nom d'Afer, descendant d'Abraham [postérité de Cham] et compte trente races et trois cent soixante cités ». Quant à l'Europe, ainsi appelée par référence au personnage de la mythologie, elle « est peuplée par les quinze tribus des fils de Japhet et possède cent vingt cités ».

Au centre de toute carte de ce type figure toujours Jérusalem. « Ainsi parle le Seigneur, l'Éternel. C'est là cette Jérusalem que j'avais placée au milieu des nations et des pays d'alentour » (Ézéchiel, 5,5). Les paroles du prophète éliminaient tout besoin bassement terrestre d'un système de latitudes et longitudes. « Nombril de la Terre » : c'est ainsi que la Vulgate (traduction latine de la Bible) désigne la Ville sainte. Aussi les géographes chrétiens s'obstineront-ils. Des conflits, pourtant, surgiront entre Église et science lorsque les explorateurs feront progresser la carte vers l'est, puis vers l'ouest. Les chrétiens allaient-ils oser déplacer leur Jérusalem ? Ou bien voudraient-ils ignorer les découvertes ?

Placer le lieu le plus sacré au centre du monde n'était pas nouveau. C'est là, on l'a vu, que les Hindous situaient leur mont Mérou. Croire à l'existence d'une montagne sacrée, d'un haut lieu de la Création (comme ce fut le cas en Égypte, à Babylone ou ailleurs) n'était qu'une autre façon de dire que le lieu le plus saillant de la Terre avait été le nombril du monde. Les villes d'Orient se voulaient généralement au centre. Babylone (de *Babilani,* la « porte des dieux ») était le lieu où les dieux étaient descendus sur terre. Dans la tradition islamique, la Ka'ba est le point le plus élevé de la Terre et l'étoile Polaire indique que La Mecque est face au centre du Ciel. Tout bon souverain chinois se devait d'édifier sa capitale à l'endroit où le cadran solaire ne projette pas d'ombre à midi le jour du solstice d'été. Faut-il s'étonner, alors, si les géographes chrétiens, eux aussi, ont situé leur Ville sainte au centre ?

Ce qui étonne, c'est la Grande Coupure. Tous les peuples ont toujours eu tendance à se croire le centre du monde. Mais après tous les progrès de la géographie classique, il fallait une amnésie volontaire pour ignorer l'accumulation des faits et se claquemurer dans une foi aveugle. On a vu comment les empereurs de Chine produisirent l'« horloge céleste » de Su Sung bien avant que rien de comparable n'existât en Occident, puis s'approprièrent l'objet et sa technologie. La Grande Coupure géographique que nous allons décrire marque un repli beaucoup plus saisissant encore. Car les progrès de la géographie en Occident avaient été considérables, pénétrant la société à tous les niveaux.

Le dogme chrétien et l'interprétation littérale de la Bible imposèrent à la carte du monde des fictions théologiques. Les cartes devinrent des guides de la foi. Tout épisode ou lieu mentionné dans l'Écriture exigeait d'être situé sur la planète, et les géographes chrétiens s'y employèrent. L'un des plus tentants, bien sûr, fut le jardin d'Éden. Dans la partie orientale du monde, alors située en haut de la carte, était généralement figuré un Paradis terrestre, contenant Adam et Ève et le serpent, entouré d'une haute muraille ou de montagnes. « Le premier lieu à l'est est le

Paradis, explique Isidore de Séville (560-636) [qui passait pour être l'homme le plus savant de son temps], jardin célèbre pour ses délices, où l'homme ne peut jamais se rendre, car un mur de feu l'entoure, qui s'élève jusqu'au ciel. Ici est l'arbre de vie qui procure l'immortalité, ici la fontaine dont les quatre courants partent arroser le monde. » Quant aux déserts qui séparaient l'homme du Paradis, ils étaient infestés de bêtes sauvages et de serpents.

Pour remplir le monde entier d'une vision aussi sommaire, il fallait à la fois broder autour de la Parole Sacrée et refuser d'admettre la forme réelle du monde. On oublie trop facilement tout ce que leur renonciation au progrès scientifique pouvait valoir de compensations à ces croyants du Moyen Age. Une belle moisson de délices et de terreurs imaginaires !

Croire au Paradis devint plaisir autant que devoir. En hébreu, expliquaient les auteurs pieux, *Eden* signifie « lieu de délices ». Dieu avait placé le jardin d'Eden sur une hauteur, sur les bords de l'orbite lunaire, afin que le Paradis fût préservé des eaux du Déluge. Du reste, parmi les récits les plus populaires au Moyen Age figuraient les « Voyages au Paradis ». Selon ces textes, lorsque Alexandre le Grand eut conquis l'Inde, il parvint à un grand fleuve nommé Gange, sur lequel il s'embarqua avec cinq cents hommes. Un mois plus tard, ils atteignaient une vaste cité entourée de murailles, où les âmes des justes séjournaient jusqu'au Jugement dernier. C'était, bien entendu, le Paradis terrestre.

Les moines qui, courageusement, tels nos voyageurs de l'espace, partaient en quête du Paradis furent promus héros populaires. Le récit paradisiaque devint l'un des genres de la littérature sacrée, tout comme l'aventure spatiale, aujourd'hui, est l'une des branches de la science-fiction. D'après l'un de ces romans, Seth, le fils d'Adam, avait rapporté des graines de l'Arbre de connaissance afin de les déposer dans la bouche de son père après sa mort. Un arbre en était né, qui avait donné le bois dont fut faite la croix du Christ. Un autre de ces récits raconte comment trois moines quittent leur monastère entre le Tigre et l'Euphrate pour se mettre à la recherche du lieu où « la Terre rejoint le Ciel ». Finalement, ils parviennent aux sombres déserts de l'Inde, où vivent hommes à tête de chien, pygmées et serpents, et découvrent les autels qu'Alexandre le Grand avait fait dresser pour marquer les limites extrêmes de ses propres pérégrinations. A travers des paysages fantastiques peuplés de géants et d'oiseaux qui parlent, nos moines poursuivent leur route. Parvenus à une trentaine de kilomètres du Paradis terrestre, ils rencontrent saint Macaire, qui vit dans une grotte en compagnie des deux lions. Le bon vieillard fait aux deux voyageurs ravis la description des merveilles du Paradis, puis les renvoie en leur rappelant que nul vivant ne peut pénétrer dans l'Eden.

Mais même sur un point aussi fondamental que l'emplacement du jardin d'Eden, les géographes chrétiens n'étaient pas tous d'accord. L'un des plus célèbres de tous les voyageurs mortels en quête du Paradis est le moine irlandais Brendan (484-578). Croyant que l'Eden se trouvait quelque part dans l'Atlantique, il prend la mer et met le cap à l'ouest. Après de terrifiantes aventures, il aborde dans une île d'une exceptionnelle fertilité. Je suis ici en Paradis, se dit-il, « terre promise des saints ». Même ceux qui préféreront situer leur Paradis ailleurs continueront de faire figurer sur leurs cartes « l'île de saint Brendan ». L'histoire du moine héroïque sera maintes fois contée, en latin, français, anglais, saxon, flamand, irlandais, gallois, breton, gaélique écossais. Son île restera clairement portée sur les cartes pendant plus de mille ans, au moins jusqu'en 1759. Et les pionniers de la cartographie et de la navigation moderne chercheront obligeamment à la localiser. En 1492, le célèbre cosmographe Martin Behaïm situe l'île de saint Brendan près de l'équateur, à l'ouest des Canaries ; d'autres la voient plus près de l'Irlande, d'autres encore aux Indes occidentales. Il faudra deux siècles d'expéditions portugaises (1526-1721) pour que les chrétiens renoncent à leur recherche. Ils avaient trouvé ailleurs un meilleur emplacement.

A peine moins prégnantes que les délices du Paradis étaient les menaces de Gog et Magog. Ezéchiel prophétise contre « Gog, au pays de Magog ». « Quand les mille ans seront accomplis, dit l'Apocalypse, Satan sera relâché de sa prison. Et il sortira pour séduire les nations qui sont aux quatre coins de la terre, Gog et Magog, afin de les rassembler pour la guerre ; leur nombre est comme le sable de la mer. » De même que l'Eden était généralement situé « au bout de l'Orient », Gog et Magog étaient communément placés à l'extrême nord. L'existence de Gog et Magog devint un article de foi, mais leur situation géographique fut longtemps débattue, ce qui rendait la menace d'autant plus pesante.

Un chroniqueur populaire, Éthique d'Istrie, raconte qu'Alexandre le Grand repoussa Gog et Magog « ainsi que vingt-deux nations de méchants » jusque sur les bords de l'Océan septentrional. Là, poursuit le chroniqueur, ils furent contenus sur une péninsule au-delà des portes Caspiennes par une muraille de fer qu'Alexandre avait construite avec l'aide de Dieu — référence confuse peut-être à la Grande Muraille de Chine. Selon certains, le ciment utilisé pour ce mur provenait d'un lac bitumineux situé aux bouches de l'Enfer. Quand l'horrible invasion se produirait-elle ? Et d'où surgirait-elle ? On citait complaisamment alors les lettres du légendaire prêtre Jean mettant le monde chrétien en garde contre Gog, Magog et autres peuplades cannibales qui, au jour de l'Antéchrist, dévasteraient toute la chrétienté, jusques et y compris la ville de Rome. Le théologien anglais Roger Bacon, précurseur de la science moderne, préconise une étude sérieuse de la géographie, afin que l'homme, dit-il, sachant où sont tapis Gog et Magog, puisse s'armer contre leur invasion.

Gog et Magog étant mentionnés dans le Coran, les savants de l'Islam se penchèrent eux aussi sur le problème. Le grand géographe arabe al-Idrisi (1099-1166) fait état d'une expédition visant à localiser la fameuse muraille qui retenait les hordes de l'Apocalypse. D'autres auteurs islamiques assimilent Gog et Magog aux pillards vikings.

Dépister Gog et Magog devint l'une des occupations favorites des géographes chrétiens. Se trouvaient-ils parmi les mystérieuses tribus d'Asie centrale ? Peut-être ne faisaient-ils qu'un avec les tribus perdues d'Israël ? Ou bien était-ce eux les « Goths et Magoths » ? Quelles que fussent les incertitudes, le pays monstrueux, généralement cerné d'une grande muraille, figure toujours clairement quelque part sur les cartes chrétiennes du Moyen Age.

Peu de quêtes mythiques ont autant séduit les foules que celle visant le royaume du prêtre Jean. Au XIIe siècle, alors que l'Europe chrétienne compte les années précédant l'invasion de Gog et Magog, la menace bien réelle des Sarrasins en Terre sainte incite à rechercher des alliances contre les hordes musulmanes. Des récits parviennent alors en Occident faisant état d'un roi-prêtre du nom de Jean, qui, là-bas, dans les « Indes » fabuleuses, là même où se trouvaient les restes de saint Thomas, aurait réussi, dans son propre royaume, à repousser les Infidèles. Le personnage, disait-on, était à la fois habile chef de guerre, saint homme et riche comme Crésus. N'était-ce pas Dieu qui l'envoyait en Occident pour renverser l'équilibre des forces et ainsi prévenir une invasion mogole ?

Le chroniqueur Otton de Freising rapporte l'information, parvenue à la cour pontificale en 1145, selon laquelle ce prêtre Jean serait un descendant des Rois mages, et gouvernerait les terres qu'il avait héritées d'eux avec un sceptre d'émeraude. « Peu d'années auparavant, un certain Jean, roi et prêtre, qui vivait en Extrême-Orient, au-delà de la Perse et de l'Arménie [...], s'avança pour combattre aux côtés de l'Église à Jérusalem ; mais étant arrivé au Tigre et ne trouvant pas les moyens de transporter son armée, il se tourna vers le nord, car il avait ouï dire que le fleuve en cet endroit était gelé en hiver. Après avoir fait halte sur ses rives quelques années durant dans l'espoir que l'eau gèlerait, il fut contraint de rentrer chez lui. »

Par le plus heureux des hasards, vers 1165 apparut mystérieusement en Occident le texte d'une *Lettre* adressée par le prêtre Jean à ses amis, l'empereur byzantin de Rome Manuel Ier Comnène et le roi de France, et promettant de les aider à la reconquête du Saint Sépulcre. On n'a jamais pu établir qui fut l'auteur de cette lettre, quelle en fut l'origine, ni pourquoi elle fut écrite. On sait par contre qu'il s'agit d'un faux, bien que l'on ignore dans quelle langue elle fut rédigée initialement. Le texte connut un grand succès dans toute l'Europe : plus de cent versions manuscrites en latin, sans compter l'italien, l'allemand, l'anglais, le serbe, le russe, l'hébreu.

Ainsi existait-ils déjà, avant la naissance du journalisme, une sorte de presse à sensation. Était-ce lui l'empereur venu d'Orient qui devait libérer le tombeau du Christ ? Le mystérieux prêtre Jean était-il le dernier rempart chrétien contre la progression des Infidèles ? Henri le Navigateur lui-même songera, pour ses entreprises maritimes, à se concilier les bonnes grâces du saint homme. Après 1488, en effet, lorsque les Portugais ouvrent une nouvelle voie vers l'Inde en contournant l'Afrique, certaines raisons commerciales font espérer en la réalité du personnage. Deux siècles plus tard encore, lorsque les Russes développeront leur commerce terrestre avec l'Inde, ils feront appel, pour se guider, à la version russe de la fameuse *Lettre*.

Celle-ci semble avoir été inspirée par les pérégrinations de l'apôtre Thomas, dont le corps enterré aux Indes avait accompli plus de miracles qu'aucun autre saint et qui, bien que disparu depuis onze siècles, revenait prêcher chaque année, disait-on, dans son église indienne. Le tout assaisonné d'extraits du roman d'Alexandre et des aventures de Sindbad le Marin :

> Vous devez aussi savoir que nous avons des oiseaux appelés griffons, qui peuvent facilement porter un bœuf ou un cheval jusqu'à leur nid afin de nourrir leurs petits. Nous avons également une autre espèce d'oiseaux, qui règne sur tous les autres volatiles au monde. Ils sont couleur de feu, les ailes acérées comme un rasoir, et on les appelle Yllerion. Il n'en existe que deux en tout dans le monde entier. Ils vivent soixante années, au terme desquelles ils s'envolent pour aller plonger dans la mer. Mais ils commencent par couver deux ou trois œufs pendant quarante jours, jusqu'à ce qu'éclosent leurs petits [...]. Et nous avons encore d'autres oiseaux, que l'on appelle des tigres, lesquels sont si robustes et hardis qu'ils peuvent aisément soulever et tuer un homme en armure avec son cheval.
>
> Sachez que, dans une certaine province de notre pays, se trouve un désert, où vivent des hommes à cornes qui n'ont qu'un œil sur le devant, et trois ou quatre dans le dos. Il est aussi des femmes qui leur ressemblent. Nous avons dans notre pays une autre espèce d'hommes encore, qui se nourrissent uniquement de la chair crue des hommes et des femmes et ne craignent point la mort. Et lorsque l'un d'entre eux s'éteint, fût-ce leur père ou mère, ils l'avalent sans même le faire cuire. Ils tiennent qu'il est bon et naturel de manger de la chair humaine, et ils le font pour la rédemption de leurs péchés. Cette nation est maudite de Dieu ; on l'appelle Gog et Magog, et ces gens sont plus nombreux que ceux de tous les autres peuples. Quand viendra l'Antéchrist, ils se répandront de par le monde entier, car ils sont ses amis et alliés.

Quant à Jean, ses domaines, nous dit la *Lettre*, comptent quarante-deux rois, tous « puissants et bons chrétiens », une grande « féminie » régie par trois reines et défendue par cent mille femmes armées, ainsi que des pygmées qui partent chaque année en guerre contre les oiseaux, et des archers « qui, au-dessus de la taille, ont le corps d'un homme, mais au-dessous, celui d'un cheval ». Le pays possédant par ailleurs certains vers de terre utiles qui ne peuvent vivre que dans le feu, le roi-prêtre fait appel à une armée de quarante mille hommes pour alimenter les foyers nécessaires. Pourquoi tant de soins ? Parce que, dans les flammes, ces vers filent un matériau analogue à la soie ; et « chaque fois que nous désirons laver ces fils, poursuit le texte, nous les mettons dans le feu, d'où ils ressortent propres et nets ». A quoi s'ajoutent miroirs magiques, fontaines enchantées et des eaux souterraines qui se muent en pierres précieuses.

Plus les copies se multiplièrent, plus le temps passa, et plus le faux parut crédible. Nous ne saurons jamais combien de vrais croyants se laissèrent abuser au point de partir à la recherche du royaume mythique. En 1573, l'empire du roi-prêtre figure encore sur quelques-unes des meilleures cartes hollandaises du temps, mais déplacé cette fois vers l'Abyssinie.

## 14

## *La Terre de nouveau plate*

« Qui serait assez insensé pour croire qu'il puisse exister des hommes dont les pieds seraient au-dessus de la tête, ou des lieux où les choses puissent être suspendues de bas en haut, les arbres pousser à l'envers, ou la pluie tomber en remontant ? Où serait la merveille des jardins de Babylone s'il nous fallait admettre l'existence d'un monde suspendu aux antipodes ? » demande le vénérable Lactance, celui que l'on a appelé « le Cicéron chrétien » et que l'empereur Constantin choisit comme précepteur de son fils. Idée largement reprise par saint Augustin, saint Jean Chrysostome et autres sommités du christianisme : des antipodes — un lieu où d'autres hommes marcheraient les pieds opposés aux nôtres —, cela ne se peut pas.

Les théories classiques sur les antipodes décrivent une barrière de feu infranchissable entourant l'équateur et qui nous séparerait d'une zone habitée située de l'autre côté du globe. De quoi faire naître dans l'esprit d'un chrétien de sérieux doutes quant à la sphéricité de la Terre. Les hommes qui vivaient au-dessous de cette zone torride ne pouvaient bien sûr pas être de la race d'Adam, ni de ceux que le Christ avait rachetés. Pour quiconque croyait que l'arche de Noé s'était arrêtée sur les montagnes d'Ararat, bien au nord de l'équateur, il était impensable que des créatures aient pu atteindre l'autre extrémité de la Terre. Aussi, pour éviter tout risque d'hérésie, les bons chrétiens préférèrent-ils se dire qu'il ne pouvait y avoir d'antipode, et même, si nécessaire, que la Terre n'était pas sphérique. Saint Augustin, à cet égard, est catégorique, et son immense autorité, conjuguée à celle d'Isidore, de Bède le Vénérable, de saint Boniface, etc., suffira à dissuader les esprits téméraires.

Ces questions n'avaient pas fait problème pour les géographes grecs et romains. Mais comment un chrétien aurait-il pu nourrir l'idée que des hommes ne descendent pas d'Adam ou soient coupés du reste du monde au point que la bonne parole ne puisse les atteindre ? « Leur voix est allée par toute la Terre, et leurs paroles jusqu'aux extrémités du monde », dit Paul aux Romains. Ni la foi ni l'Évangile n'ont de place pour des êtres inconnus d'Adam ou du Christ. « Dieu préserve quiconque de croire, écrit un auteur du X^e^ siècle, que nous puissions admettre les récits où il est question d'antipodes, car ils sont en tous points contradictoires avec la foi chrétienne. » La « croyance à des antipodes » deviendra même l'une des accusations courantes portées contre l'hérétique que l'on va brûler. Quelques esprits cependant transigeront : ils vont accepter, pour des raisons géographiques, le concept d'une Terre sphérique, tout en continuant à nier, pour des raisons théologiques, qu'il puisse y avoir des antipodes. Mais ils resteront très peu nombreux.

C'est au moine fanatique Cosmas d'Alexandrie qu'est due la grande *Topographia christiana,* dont la fortune devait durer de si longs siècles. On ignore son véritable nom, mais on sait qu'il fut appelé Cosmas en hommage à ses talents de géographe, et surnommé Indicopleustès (« voyageur des Indes ») parce que c'était un marchand qui connaissait la mer Rouge et l'océan Indien, et avait eu des contacts avec l'Abyssinie et même avec Ceylan. Converti au christianisme vers l'an 548, il se fait moine. C'est dans un monastère du mont Sinaï qu'il rédige ses Mémoires et son apologie classique de la vision chrétienne de la Terre : un énorme traité en douze volumes, contenant les plus anciennes cartes d'origine chrétienne qui nous soient parvenues.

Cosmas offre aux croyants une attaque en règle contre le paganisme en même temps qu'une représentation merveilleusement simple de l'univers. Dès le premier volume, il liquide cette abominable hérésie qu'est la sphéricité de la Terre. Puis il expose son propre système, en s'appuyant d'abord, bien sûr, sur l'Écriture, puis sur les Pères de l'Église, et, enfin, sur quelques sources non chrétiennes. Ce qu'il donne est moins une théorie qu'une vision commode et séduisante des choses.

L'apôtre Paul, s'adressant aux Hébreux, ne se doutait probablement pas qu'en prenant le tabernacle de Moïse pour modèle de ce monde (Épître aux Hébreux, 9, 1-3), il fournirait à Cosmas les éléments d'un système. Le moine n'eut aucun mal à traduire les paroles de l'apôtre en termes de géographie concrète. « La première alliance, dit saint Paul, avait aussi des ordonnances relatives au culte, et le sanctuaire terrestre. Un tabernacle fut en effet construit. Dans la partie antérieure, appelée le lieu saint, étaient le chandelier, la table et les pains de proposition. » En qualifiant le sanctuaire de « terrestre », explique Cosmas, Paul voulait dire « que celui-ci était en quelque sorte un modèle du monde, dans lequel se trouvaient aussi le chandelier, c'est-à-dire les luminaires du Ciel, ainsi que la table, à savoir la Terre, et les pains de proposition, entendez les fruits qu'elle produit chaque année ». Et lorsqu'il est dit dans l'Écriture, poursuit l'exégète, que la table du tabernacle doit être longue de deux coudées et large d'une, cela signifie tout simplement que la Terre, qui est plate, est deux fois plus longue, d'est en ouest, qu'elle n'est large.

Dans cette piquante vision, la Terre entière est une grande boîte rectangulaire semblable à un coffre surmonté d'un couvercle bombé — la voûte céleste — du haut duquel le Créateur surveille ses œuvres. Au nord se trouve une grande montagne, autour de laquelle tourne le Soleil, et qui, en occultant celui-ci, provoque la durée variable des jours et des saisons. Cette Terre, bien sûr, est divisée de manière symétrique : à l'est, les Indiens ; au sud, les Éthiopiens ; à l'ouest, les Celtes ; au nord, les Scythes. Du Paradis jaillissent les quatre grands fleuves : l'Indus ou Gange, qui coule vers l'Inde ; le Nil, qui travers l'Éthiopie pour atteindre l'Égypte ; le Tigre et l'Euphrate, qui arrosent la Mésopotamie. Et la Terre naturellement n'a qu'une seule « face » — celle que Dieu nous a donnée à nous, les descendants d'Abraham —, ce qui rend l'idée même d'antipodes absurde et hérétique. Au total, un ouvrage d'une lecture salutaire pour quiconque croirait encore qu'il est des limites à la crédulité humaine.

Dans le sillage de Cosmas, vint toute une cohorte de géographes chrétiens présentant chacun sa variante du schéma initial. Tel Orose, ce prêtre espagnol du Vᵉ siècle, auteur d'une célèbre *Histoire contre les païens*, dans laquelle il reprend la classique tripartition du monde (Europe, Afrique, Asie), agrémentée de quelques générations de son cru :

> Une bien plus grande quantité de terre demeure inculte et inexplorée en Afrique à cause de la chaleur du Soleil, qu'en Europe à cause de l'intensité du froid, car il ne fait aucun doute que presque tous les animaux et presque toutes les plantes s'adaptent plus volontiers et plus aisément au grand froid qu'à la grande chaleur. Il est une raison évidente qui fait que l'Afrique, par ses contours, comme par sa population, apparaît petite à tous égards (comparée à l'Europe et à l'Asie, s'entend) : de par sa situation naturelle, ce continent dispose de moins d'espace, et, de par son mauvais climat, il compte davantage de terres désertiques.

Puis, au VIIᵉ siècle, vient un personnage plus influent encore : Isidore de Séville. Si la Terre porte l'appellation d'*orbis terrarum,* explique-t-il, c'est parce qu'elle a la forme ronde *(orbis)* d'une roue. « Il est tout à fait évident, affirme-t-il, que les deux parties, Europe et Afrique, occupent la moitié du monde et que l'Asie, seule, occupe l'autre moitié. La première des deux moitiés est constituée de deux parties pour la raison que la vaste mer dite Méditerranée, venant de l'Océan, pénètre entre elles et les sépare. » Le « disque mythique » de l'archevêque de Séville, fidèle à la convention du temps, place l'est au sommet de la carte :

> Le Paradis est un lieu situé dans les régions orientales, et dont le nom est traduit du grec en latin sous la forme *hortus* [jardin]. Il porte dans la langue hébraïque le nom d'Eden, lequel, traduit dans notre langue, devient Deliciae [lieu de délices]. La réunion de ces deux éléments nous donne : Jardin des délices ; car il est planté de toutes espèces d'arbres et possède aussi l'arbre de vie. Il ne connaît ni froidure, ni canicule, et la température y est continuellement celle du printemps.
> Du milieu du Jardin jaillit une source, qui arrose le bosquet tout entier, puis, se divisant, fournit les sources de quatre rivières. L'accès à ce lieu fut interdit à l'homme après son péché, car il est aujourd'hui entouré de tous côtés par une flamme semblable à une épée, ce qui veut dire qu'il est ceinturé d'une muraille de feu qui s'élève presque jusqu'au ciel.

Les géographes chrétiens à court d'idées puisaient dans le répertoire antique. Ils avaient beau mépriser chez les païens la science, menace à leurs yeux contre la foi, ils étaient moins regardants en ce qui concerne leurs mythes. Ceux-ci étaient si nombreux, si hauts en couleur, si contradictoires, qu'ils pouvaient servir le pire dogmatisme. Le géographe chrétien, si méfiant face aux calculs d'un Ératosthène, d'un Hipparque ou d'un Ptolémée, n'en intègre pas moins allègrement dans sa carte pieuse les plus folles extravagances de l'imaginaire païen. Solin (IIIe siècle), surnommé Polyhistor, « conteur d'histoires diverses », sera le grand pourvoyeur de mythes géographiques durant toutes les années de la Grande Coupure, du IVe au XIVe siècle. Les neuf dixièmes de sa *Collection des merveilles,* publiée vers 230-240, sont un calque pur et simple de l'*Histoire naturelle* de Pline l'Ancien ; le reste est emprunté à d'autres. « Extraire les scories en laissant l'or » : tel fut, selon la formule récente d'un historien, le talent particulier de ce Solin. Peu d'hommes ont exercé aussi longtemps sur la géographie une influence « aussi profonde et aussi néfaste ».

Ces scories vont connaître une étonnante fortune. Saint Augustin lui-même s'en est inspiré, comme tous les autres grands penseurs du Moyen Age chrétien. Les fables colportées par Solin vont pimenter la cartographie chrétienne jusqu'à l'ère des Grandes Découvertes. A la grille rationnelle de Ptolémée se substitue alors un fatras d'images fantasmagoriques. Solin voit partout des merveilles. En Italie, il trouve des hommes qui sacrifient à Apollon en dansant pieds nus sur des charbons ardents, des serpents pythons qui grandissent et engraissent en tétant le pis des vaches, des lynx dont l'urine se coagule jusqu'à devenir « aussi dure que la pierre précieuse, et possède des pouvoirs magnétiques et la couleur de l'ambre ». En Rhégie, sauterelles et grillons se tiennent cois depuis qu'Hercule, irrité par leur bruit, leur a intimé l'ordre de se taire. Plus loin, en Éthiopie, vivent les Siméens à tête de chien, gouvernés par un roi-chien. Sur la côte éthiopienne, Solin répertorie des hommes possédant quatre yeux, et sur les bords du Niger, des fourmis grandes comme des dogues. En Allemagne, une sorte de mulet doté d'une lèvre supérieure si longue qu'« il ne peut se nourrir qu'en marchant à reculons ». Parmi les difformités courantes dans les régions éloignées, notre savant signale des tribus dont les pieds de huit orteils sont tournés vers l'arrière, des hommes ayant la tête d'un chien, des griffes à la place des doigts et qui « aboient pour parler » ; d'autres qui ne possèdent qu'une jambe dont l'unique pied est si grand qu'il leur sert de parasol !

Mais l'héritage le plus durable de cette période, si familier pour nous que son sens premier nous échappe, est dans le mot « Méditerranée ». Les Romains avaient donné à l'ensemble des mers situées entre l'Afrique, l'Asie et l'Europe le nom de *mare nostrum* ou *mare internum*. Solin fut l'un des premiers à qualifier ces mers de « méditerranées », « qui sont au milieu des terres ». De cet adjectif, Isidore fit un nom, et son autorité était telle que nul ne pouvait oser aller là contre.

Tandis qu'en Europe, la géographie devient cet incroyable salmigondis, ailleurs, on continue à déchiffrer sérieusement la Terre et à la cartographier. Les Chinois, seuls, sans l'aide d'Ératosthène, d'Hipparque ou de Ptolémée, élaborent un système de coordonnées pour la surface terrestre. Ce que l'horloge est au Temps, la grille, on l'a vu, l'est à l'Espace, avec ses compartiments égaux permettant de cerner, décrire, découvrir, voire redécouvrir, l'infinie diversité du paysage terrestre.

Si la cartographie grecque prend pour base une Terre sphérique, celle des Chinois, elle, suppose une Terre plate. A l'époque même de Ptolémée, les Chinois possédaient eux aussi un système de grille, ainsi qu'une riche tradition cartographique, qui s'était développée sans connaître la solution de continuité dont fut victime l'Occident. La grille élaborée par les Grecs s'appuie sur les lignes de latitude et longitude, si faciles à tracer sur une sphère. Mais les problèmes que pose la projection d'une surface sphérique sur un plan sont tels que cette grille n'est finalement guère différente de ce qu'elle aurait été si les Grecs avaient, eux aussi, conçu la surface de la Terre comme plate.

Si la grille des Grecs est née de contraintes sphériques, celle, rectangulaire, des Chinois doit avoir d'autres origines. Lesquelles ?

Dès les débuts de l'époque Ch'in (221-207 av. J.-C.), on trouve de nombreuses références aux cartes et à leur usage. La Chine, unifiée en 221 avant notre ère, sécrète une énorme bureaucratie, qui a besoin de connaître la physionomie et les limites de ses vastes territoires. Le rituel tchéou (1120-256 av. J.-C.) fait obligation au directeur général de la plèbe de réaliser une carte de chacune des principautés et d'en recenser la population. Lorsque l'empereur tchéou fait la tournée de son empire, le géographe royal est à ses côtés, qui lui explique la topographie et les richesses de chaque région visitée. Sous la dynastie des Han (202 av. J.-C. -220 ap. J.-C.), la carte devient un instrument indispensable de maintien de l'empire.

Les deux derniers millénaires ont vu apparaître en Chine une pléiade de talents cartographiques. Tandis que l'Europe sombrait dans la cartographie religieuse, les Chinois allaient de l'avant. Ptolémée n'avait pas encore effectué ses travaux, que déjà Tchang Heng (78-139) avait « enserré ciel et terre dans un réseau de coordonnées et, sur la base de celui-ci, procédé à des calculs ». Moins de deux siècles plus tard, le Ptolémée chinois, Phei Hsui, nommé en 267 ministre des Travaux publics du premier empereur de la dynastie Chin (265-420), applique ces techniques à la réalisation d'une carte de Chine en dix-huit feuillets. « La grande dynastie Chin a unifié l'espace dans les six directions », proclame-t-il, et il n'est que juste que les cartographes fournissent des cartes complètes, exemptes de toute erreur et dessinées à l'échelle, montrant « les montagnes et les lacs, le cours des rivières, les plateaux et les plaines, les déclivités et les marais, les limites des neuf provinces anciennes et des seize modernes [...], les commanderies et les fiefs, les préfectures et les cités [...], et incluant, pour finir, les routes, chemins et voies navigables ».

Dans la préface à son atlas, Phei Hsui explique comment faire une carte : « Si l'on dessine une carte sans avoir de divisions graduées, on n'a aucun moyen de distinguer ce qui est proche de ce qui est éloigné [...]. C'est au moyen des divisions graduées que s'effectue la représentation des distances à leur échelle véritable. De même parvient-on à figurer la réalité des positions relatives en utilisant les côtés gradués de triangles rectangles ; et la reproduction de l'échelle réelle des degrés et configurations s'obtient par détermination de ce qui est haut ou bas, des dimensions angulaires et des lignes courbes ou droites. Ainsi, même lorsque surgissent de grands obstacles sous la forme de montagnes élevées ou de lacs très étendus, de distances énormes ou de lieux inconnus, nécessitant ascension et descente, retour en arrière ou détour, même dans ce cas, tout peut être pris en considération et déterminé. Lorsque le principe de la grille rectangulaire est convenablement appliqué, le droit et le courbe, le proche et le distant ne peuvent rien nous dissimuler de leur forme. »

Comment les Chinois ont-ils pu développer une technique aussi complexe ? Dès la plus haute antiquité, semble-t-il, ils ont réparti les terres à l'aide d'un système de coordonnées.

Depuis l'époque des Ch'in, les cartes impériales sont dessinées sur de la soie. Les termes *chin* et *wei*, que Phei Hsui utilise comme coordonnées pour ses cartes, servaient depuis longtemps à désigner dans les tissus la chaîne et la trame. L'idée d'une grille rectangulaire vient-elle de la constatation que, en suivant jusqu'à leur croisée un fil de chaîne et un fil de trame sur une carte en soie, on pouvait déterminer un emplacement ? Ou bien faut-il en voir l'origine dans le système de coordonnées utilisé par les devins de l'époque Han pour représenter le cosmos ? Ou bien encore y aurait-il eu influence de l'échiquier chinois primitif, dont les pièces étaient situées par leurs coordonnées ? Quelle que soit l'explication, le résultat est là : un système de grilles rectangulaires très élaboré et largement utilisé.

En 801, sous la dynastie T'ang (618-907), le cartographe impérial dressait une carte de l'empire tout entier mesurant 10 m × 11 m. Les cartes, du reste, connaissaient alors une telle vogue qu'on en trouvait jusque dans les bains impériaux.

Les cartographes chinois trouvent les moyens de lier les coordonnées géographiques et astronomiques, et apportent à leur grille perfectionnement sur perfectionnement. A l'époque des Sung (960-1279), on a pris l'habitude de placer le nord en haut. L'unification de l'Asie par les Mongols sous la conduite de Gengis Khan et Koubilaï Khan, au XIIIe siècle, apportera aux cartographes impériaux quantité de renseignements nouveaux. Sur leurs cartes, la grille est de plus en plus présente. Il en résulte toute une cartographie nouvelle, dite mongole. La carte devient une simple grille, sans figuration de la forme terrestre, mais avec inscription, aux emplacements appropriés, des noms de lieux et de tribus.

Au milieu du XIIe siècle, bien avant la redécouverte de Ptolémée par l'Europe, lorsque le géographe arabe al-Idrisi réalise sa mappemonde pour Roger II, roi de Sicile, lui aussi a recours à une grille qui, pas plus que celle des Chinois, ne prend en compte la rotondité de la Terre. Peut-être, comme l'avance Joseph Needham, la longue tradition chinoise est-elle parvenue en Sicile par l'intermédiaire de la colonie arabe de Canton et des nombreux voyageurs arabes en Orient. Si tel était le cas, les Chinois, alors, auraient contribué à mettre un terme à mille ans d'obscurantisme en Occident, relançant les géographes européens sur le chemin de la connaissance, leur faisant redécouvrir les outils quantitatifs que leur avaient légués la Grèce et Rome.

# CINQUIÈME PARTIE

## *Les routes de l'Orient*

*De l'Orient vient la lumière (Ex Oriente, lux).*
Proverbe latin.

*Qui va trop loin vers l'est arrive à l'ouest.*
Proverbe anglais.

## 15

## *Pèlerins et croisés*

Cette même foi qui peuplait le paysage de chimères et enfermait les chrétiens dans une géographie dogmatique allait pousser pèlerins et croisés à prendre la route de l'Orient. L'étoile de Bethléem qui avait guidé les Rois mages allait maintenant conduire les fidèles vers la Terre sainte. Le pèlerinage va devenir une institution chrétienne et les chemins de la foi seront chemins de découverte.

Un siècle à peine après la mort de Jésus, quelques croyants intrépides prennent le chemin de Jérusalem, à des fins de pénitence, d'actions de grâces, ou simplement pour fouler la terre de leur Sauveur. Après la conversion de l'empereur Constantin au christianisme, sa mère, l'impératrice Hélène, part en 327 pour Jérusalem, où elle effectue ce qu'on appellerait aujourd'hui des recherches archéologiques. Elle localise le Calvaire, recueille les restes hypothétiques de la Sainte Croix, et découvre même le Saint Sépulcre, lieu d'inhumation supposé du Christ. Sur cet emplacement, Constantin fait édifier la première église du Saint-Sépulcre. Puis, en 386, saint Jérôme se retire dans un couvent de Bethléem fondé par une noble Romaine, et y instruit les pèlerins après leur visite aux Lieux saints. Aux début du V^e^ siècle, il y a déjà autour de Jérusalem deux cents monastères et hospices pour pèlerins. Saint Augustin et les autres Pères de l'Église mettent en garde les candidats au pèlerinage contre les distractions du voyage. Mais le flot ne cesse de croître, encouragé par la publication de nombreux guides et par la mise en place d'une véritable « chaîne » de maisons hospitalières.

Le pèlerin qui, béni par son prêtre, se met en route, bourdon à la main, coquille au vêtement, large chapeau plat sur la tête, devient l'une des figures les plus pittoresques du monde médiéval. Le mot latin *peregrinatio* a fini par désigner toute migration, et *peregrinus* (le « pèlerin ») est finalement devenu synonyme d'« inconnu ». Mais le pèlerin est au sens propre celui qui, quelle que soit sa profession, part pour une destination sacrée, et le « paulmier », ainsi nommé à cause des palmes qu'il rapporte de la Terre sainte, est un vagabond religieux, qui passe parfois sa vie entière à aller d'un lieu saint à un autre.

Le déclin de l'Empire romain d'Occident, l'apparition des pirates, la poussée des Vandales, etc., rendent l'existence du pèlerin difficile, voire dangereuse. Les conquêtes arabes autour du bassin méditerranéen, la montée de l'islam, l'accroissement du nombre des pèlerins musulmans, tout cela congestionne les routes empruntées par les chrétiens et provoque une lutte sans merci pour la possession de Jérusalem. C'est du rocher de la colline du Temple, emplacement du temple de Salomon, que, d'après la religion islamique, Mahomet se serait élevé vers le Ciel. Certaines traditions musulmanes faisaient de Jérusalem, et non de La Mecque, le centre et nombril de la Terre, « le plus élevé de tous les pays et le plus proche du Ciel ». Lorsque le calife Omar, six ans seulement après la mort de Mahomet, fait son entrée sur son chameau blanc dans une Jérusalem encerclée, il entame une bataille pour les Lieux saints qui va durer près de mille ans.

La grande époque du pèlerinage chrétien débute au XIe siècle. Les musulmans se montrent généralement tolérants, encore que méprisants, envers ces « incroyants » pleins de fougue. Mais quand la Terre sainte devient plus difficile d'accès, les chrétiens très pieux trouvent le réconfort du pèlerinage plus près de chez eux. Bientôt naît toute une littérature hybride, mêlant allègrement histoire, sociologie, mythes et folklore. Ainsi le très populaire *Guide du pèlerin* raconte-t-il l'histoire du fou du Christ qui demande à une habitante de Villeneuve un morceau de pain qu'elle est en train de faire cuire ; la femme refuse ; mais lorsqu'elle va pour prendre son pain, elle trouve à sa place une pierre ronde. Autre récit édifiant : celui de ces pèlerins qui, de passage à Poitiers, frappent en vain à toutes les portes d'une même rue avant de trouver la bonne âme qui accepte de les héberger ; cette nuit-là, toutes les maisons de ladite rue brûlèrent, nous dit le guide, à l'exception de celle qui avait offert aux pèlerins l'hospitalité. Et les chansons de geste ne manquent pas de pèlerins héroïques.

Saint-Jacques-de-Compostelle devint ville sainte pour la découverte miraculeuse que l'on y aurait faite, vers 810, des restes de saint Jacques le Majeur, pourtant exécuté et vraisemblablement inhumé à Jérusalem. L'un des premiers pèlerins, selon la tradition, fut Charlemagne. Les foules, bientôt, affluèrent de l'Europe entière. Et lorsque les musulmans feront la conquête de l'Espagne, naîtra le culte de *Santiago Matamoros*, « saint Jacques tueur de Maures ».

En Europe, le grand pôle d'attraction pour les pèlerins est Rome, « seuil des apôtres ». L'érudit saxon Bède le Vénérable (673-735) évoque le voyage à Rome de ses compatriotes, « gens de noblesse et gens du commun, laïcs et clercs, hommes et femmes », pareillement désireux de consacrer un temps de leur « pèlerinage terrestre » à la visite des Lieux saints, « dans l'espoir, ce faisant, de mériter meilleur accueil de la part des saints qui sont au Ciel ». Peut-être ces pérégrinations vers Rome sont-elles à l'origine du verbe anglais *to roam*, « errer », « courir le monde ». En 727, le roi du Wessex avait fondé sur son territoire une hostellerie pour les pèlerins saxons. Le flot venu d'Angleterre et d'ailleurs grandira après l'échec des croisés devant Jérusalem.

Entre-temps, les moines de Cluny s'organisent pour assister les pèlerins. De robustes Scandinaves n'hésitent pas à traverser toute l'Europe — parfois depuis l'Islande —, servant quelques années dans la fameuse garde varangienne de l'empereur de Byzance pour poursuivre ensuite jusqu'à Jérusalem, avant de remonter vers le Nord chargés de trophées. Au milieu du XIe siècle, un prince danois part expier un meurtre. Il ne parviendra pas aux Lieux saints : pour mieux faire pénitence, il va nu-pieds et succombe en route.

Or voilà que, au moment où le goût du pèlerinage connaît son apogée, le sultan seldjoukide Alp Arslan (1029-1072), dont l'empire s'étend sur toute l'Asie jusqu'en Sibérie orientale, lance ses armées vers l'Ouest, défait les troupes byzantines à Manzikert en 1071 et occupe la majeure partie de l'Asie Mineure, y compris les routes menant aux Lieux saints. Autant de nouveaux périls pour les marcheurs de Dieu et pour l'ensemble de la chrétienté d'Orient.

Dans le même temps, d'autres forces, plus à l'ouest, une nouvelle vie commerciale et la croissance démographique viennent grossir le flot des pèlerins. Les Normands, descendants des Scandinaves qui, au Xe siècle, avaient conquis la Normandie, se convertissent au christianisme et lancent leurs hommes dans toutes les directions. Guillaume le Conquérant les mène à l'assaut de l'Angleterre en 1066. Ils sillonnent la Méditerranée, envahissent le sud de l'Italie : en 1130 est fondé le royaume de Sicile, bientôt centre de brassage culturel et artistique entre chrétiens, Juifs et Arabes.

Lorsque Urbain II devient pape en 1088, l'Église a grand besoin de réformes : elle est pourrie par la vénalité des indulgences et des charges et déchirée par les prétentions de l'antipape. Réformateur énergique, Urbain met à profit ses talents d'organisateur et son éloquence pour tenter de mettre dans tout cela un peu d'ordre. Alexis Ier Comnène, empereur d'Orient, voyant sa capitale menacée par l'Islam, demande à Urbain son aide militaire. Le pape comprend aussitôt la double chance qui s'offre à lui : réunir les Églises d'Orient et d'Occident, et libérer les Lieux saints.

Il convoque à Clermont les évêques de France et les représentants de l'Église de toute l'Europe. Lorsque s'ouvre le concile, le 18 novembre 1095, la foule est telle que, la cathédrale ne pouvant la contenir tout entière, on se rend dans un champ hors de la ville. Là, en plein air, le pape galvanise la foule avec une éloquence que rapporte la chronique de Robert le Moine :

> Jérusalem est le nombril du monde, terre plus qu'aucune féconde, pareille à un nouveau paradis. C'est la terre que le Rédempteur du genre humain a illuminée par sa venue, embellie par sa vie, consacrée par sa Passion, rachetée par sa mort et marquée de son sceau par sa mise en terre. Cette royale cité, sise au milieu du monde, est aujourd'hui captive de ses ennemis et transformée par ceux qui ne connaissent point Dieu en servante des cérémonies païennes. Elle attend et espère sa liberté, elle vous implore sans cesse de lui venir en aide. C'est vers vous tout particulièrement qu'elle se tourne parce que Dieu vous a accordé, plus qu'à toute autre nation, la gloire des armes. Entreprenez ce voyage, par conséquent, pour la rémission de vos péchés, avec l'assurance d'une gloire éternelle au royaume des cieux.

Pour délivrer les Lieux saints, tout vrai chrétien était appelé à prendre la route de l'est dès la moisson suivante rentrée, et au plus tard le jour de la fête de l'Assomption, le 15 août 1096. Dieu serait leur guide, la croix blanche leur emblème, et leur cri de guerre, « Dieu le veult ». En leur absence, tous leurs biens seraient placés sous la protection de l'Église.

Par cet appel aux armes, le pape Urbain II transformait les marcheurs chrétiens en soldats, les pèlerins en croisés. Le pèlerinage, expliquaient les latinistes, n'est qu'un *passagium parvum,* un simple voyage individuel, tandis que la croisade était un *passagium generale,* un voyage collectif. Un tel ébranlement allait-il repousser les frontières du connu ? L'homme qui voyage est toujours plus ou moins un homme qui découvre. Mais les croisés, pour l'essentiel, ne trouvèrent pas ce qu'ils étaient allés chercher. En revanche, ils découvrirent bien des choses auxquelles ils n'avaient pas songé.

Les croisades sont un des mouvements les plus composites et les plus tumultueux de toute l'histoire. Exemplaire, à cet égard, est le destin de Pierre l'Ermite. Ainsi nommé à cause de la pèlerine dans laquelle il se drapait, cet ecclésiastique n'avait rien d'un reclus : il aimait les foules et s'entendait à les manier. Il crée son propre corps d'agents recruteurs et réunit dans le Berry une armée bigarrée. Lorsqu'il parvient à Cologne le samedi saint 12 avril 1096, il a avec lui un cortège hétéroclite de quinze mille pèlerins. « Tout l'Occident et toutes les tribus barbares d'au-delà de l'Adriatique jusqu'aux Colonnes d'Hercule, rapporte la princesse Anna Comnène, traversaient l'Europe en masse en direction de l'Asie, emmenant avec eux des familles entières. »

A Constantinople, les choses se gâtent. La horde de Pierre se joint aux troupes du chevalier Gautier Sans Avoir. Ensemble, ils cheminent vers la Ville sainte, se livrant en cours de route au pillage. L'un des groupes, conduit par l'Italien Rainald, met à sac des villages chrétiens, suppliciant les habitants, selon certains récits, jusqu'à rôtir les bébés sur des broches. L'empereur de Byzance Alexis I^er^ tentera bien de raisonner ces trop fougueux chevaliers, mais les plus ambitieux d'entre eux continueront de guerroyer et de piller pour se constituer des royaumes. Les forces chrétiennes remporteront plusieurs batailles contre les Turcs et finiront par faire leur entrée triomphale dans Jérusalem en juillet 1099, mettant ainsi fin à ce que l'on appellera la première croisade.

Très vite naît le royaume latin de Jérusalem. Son établissement marque le début de deux siècles d'intense activité ayant pour but de protéger les routes des pèlerins. Il marque aussi, en un sens, la fin des croisades, en ce qu'il couronne la dernière campagne victorieuse pour libérer les Lieux saints. Les « croisades » suivantes ne seront que des expéditions pour venir en aide aux chrétiens déjà établis en Orient. Après la conquête de Jérusalem par Saladin en 1187, les pèlerins se rabattront sur les lieux saints d'Occident, plus accessibles.

Pour les croyants d'Angleterre, le lieu saint par excellence était Cantorbéry. C'était dans la cathédrale de cette ville, dont le second saint Augustin (mort en 604) avait été le premier archevêque, que Thomas Becket s'était fait le défenseur de l'Église contre le roi Henri II, avant d'être assassiné à l'instigation de ce dernier le 29 décembre 1170. Le souverain lui-même, en venant à Cantorbéry faire pénitence publique, avait en quelque sorte ouvert le pèlerinage. « Dès qu'il se fut approché de la ville, rapporte le chroniqueur Roger de Hoveden, à la vue de la cathédrale où gisait le corps du bienheureux martyr, il descendit de cheval et, s'étant déchaussé, pieds nus et vêtu de bure, il parcourut les trois miles qui le séparaient de la tombe du martyr, avec une telle soumission et repentance, que, assurément, c'était là l'œuvre de Celui qui abaisse Ses regards sur la Terre et la fait trembler. » Chaucer devait immortaliser le sanctuaire de Thomas Becket dans ses *Contes de Cantorbéry* :

> Alors ont les gens désir d'aller en pèlerinage
> Et les paumiers de gagner les rivages étrangers.
> Allant aux lointains sanctuaires, connus en divers pays ;
> Et spécialement du fond de tous les comtés
> De l'Angleterre, vers Cantorbéry ils se dirigent.

L'esprit de pèlerinage survivra aux croisades. Rome se substituant alors pour bon nombre de chrétiens à Jérusalem. En 1300, le pape Boniface VIII, s'inspirant d'Urbain II, proclame la première année sainte, accordant des indulgences exceptionnelles aux fidèles qui se rendront dans la ville pontificale. Plus de vingt mille pèlerins font le voyage. L'année sainte, assortie d'indulgences pour quiconque fera le pèlerinage de Rome, sera régulièrement célébrée tous les cinquante ans, jusqu'à ce que le pape, en 1470, réduise l'intervalle de moitié.

En terre d'islam, le pèlerinage fut, dès l'origine, un devoir sacré. Tout bon musulman devait — et doit —, à la condition d'en avoir les moyens et de pouvoir durant son absence subvenir aux besoins de sa famille, se rendre au moins une fois dans sa vie à La Mecque. Durant ce *hadj,* qui s'effectue entre le septième et le dixième mois de l'année islamique, le pèlerin porte deux vêtements blancs sans couture, symboles de l'égalité de tous devant Dieu. Il lui est interdit alors de se raser et de se couper les cheveux ou les ongles. Il doit faire sept fois le tour de la Ka'ba et accomplir divers autres rites dans les alentours de La Mecque, avant de rentrer chez lui. Après quoi il a droit à jamais au titre de *hadji.*

La Mecque était déjà avant Mahomet un lieu de pèlerinage pour les Arabes idolâtres. Ils s'y réunissaient pour célébrer l'an nouveau, allumant de grands feux pour exhorter le Soleil à se lever, exerçant des charmes dans l'espoir de conjurer la sécheresse. La ville a toujours été la destination par excellence du pèlerin musulman, et son nom, dans les langues occidentales, est devenu synonyme de lieu de pèlerinage. En cette fin du XXe siècle, le *hadj* est chose si courante que certains pays islamiques ont dû limiter le nombre annuel de leurs citoyens autorisés à effectuer le voyage afin d'éviter l'hémorragie des devises. En 1965, La Mecque voyait affluer chaque année un million et demi de pèlerins, dont la moitié environ de pays extérieurs à la péninsule Arabique.

Ibn Battuta (1304-1374), celui qu'on a surnommé « le voyageur de l'Islam », quitte son Tanger natal à l'âge de vingt et un ans, « mû par un élan irrésistible [...] et le désir très ancien de visiter ces illustres sanctuaires ». La relation qu'il donne de ses nombreux voyages fait de lui une sorte de Marco Polo arabe. Malgré la règle qu'il s'est fixée de « ne jamais prendre la même route deux fois », il fera quatre pèlerinages à La Mecque. Au total, il parcourra quelque cent vingt mille kilomètres, soit plus, sans doute, qu'aucun voyageur connu avant lui. Il visitera non seulement tous les pays musulmans, mais aussi nombre d'autres contrées, sera juge *(cadi)* dans des communautés islamiques aussi lointaines que Delhi, les Maldives ou Ceylan, et deviendra l'envoyé des sultans auprès des Infidèles chinois. Reste que ses voyages obéissent moins à l'attrait de l'inconnu qu'au désir de dresser une sorte d'encyclopédie des mœurs islamiques sous différents cieux. Il montre ce qu'un bon musulman, curieux et résolu, peut découvrir du monde, à condition de se déplacer et d'être prêt à affronter bandits, pirates, peste noire et sultans capricieux. Pour cela, il acquit une éducation libérale, mais son imagination ne dépasse guère les frontières de l'Islam et son savoir est limité par sa foi.

En Asie également, des foules de fidèles en route pour leurs lieux saints vont découvrir leur propre monde. On ne sait pas très bien à quelle date ni dans quelles conditions Bénarès — la plus ancienne ville du monde, d'après certains — est devenue une ville sacrée, mais au VII^e siècle, elle comptait déjà une centaine de temples dédiés à Siva. Au XI^e siècle, le musulman al-Biruni, décrivant la vénération des Hindous pour leur cité sainte, écrit ceci : « Leurs anachorètes s'y rendent, et y demeurent à jamais, comme les hôtes de la Ka'ba restent pour toujours à La Mecque [...] afin que soit meilleure leur récompense après la mort. Ils disent qu'un meurtrier est tenu responsable de son crime et reçoit le châtiment qui lui est dû sauf s'il pénètre dans Bénarès, auquel cas il obtient sa grâce. »

De même pour le bouddhisme. Le parc de Sarnath, où le Bouddha (v. 500 av. J.-C.) prêcha pour la première fois, est, pour les adeptes de cette religion, un barreau de l'échelle qui conduit au Ciel. L'empereur indien Asoka, qui se convertit au bouddhisme au III^e siècle de notre ère, conduisit des pèlerinages vers tous les lieux saints de sa nouvelle foi, réparant les stoupas anciens et en faisant édifier de nouveaux. Partout, il fit ériger des monuments commémoratifs, dont beaucoup subsistent encore. De tous les coins de l'Asie, hommes et femmes, nobles et paysans, savants et illettrés marchèrent sur les pas de l'empereur. Vers l'an 400 de notre ère, le religieux bouddhiste chinois Fa Hsien entreprend un long pèlerinage à travers déserts et montagnes jusqu'aux sanctuaires du nord de l'Inde, avant de traverser toute la péninsule pour se recueillir devant la dent du Bouddha à Ceylan.

L'Inde entière devint terre de lieux saints. Selon le Bouddha, « toutes les montagnes, les rivières, les lacs sacrés, les lieux de pèlerinage, les enclos à vaches et les temples des dieux sont des lieux qui abolissent le péché ». Les cultes locaux se multiplièrent, au point de faire dire à un voyageur visitant le Cachemire qu'il n'y avait « pas un espace grand comme un grain de sésame sans son pèlerinage ».

La Confession d'Augsbourg, profession de foi des réformés, condamne les pèlerinages — de même que le jeûne obligatoire, la vénération des saints et la récitation du chapelet — comme étant des « œuvres puériles et inutiles ». Rétrospectivement, pourtant, les croisades apparaissent comme une source importante d'éveil pour l'Occident, symptôme et cause tout à la fois d'une vitalité, d'une curiosité, d'une ouverture d'esprit, d'une mobilité nouvelles. De cette migration massive sont nées de nombreuses innovations. Les États croisés d'Orient ont développé les échanges avec le monde musulman. Les banques italiennes ont prospéré en finançant rois et papes et en prêtant de l'argent aux marcheurs de Dieu. Les croisés ont rapporté d'Orient des récits de splendeurs, ainsi que le goût des soieries, des parfums et des épices qui devait donner à Venise son cachet exotique.

Mais l'échec même des croisades fut aussi pour la chrétienté une chance, une incitation à la découverte de l'Orient. L'islam avait toujours cette grande institution internationale qu'était le pèlerinage à La Mecque, « congrès annuel du monde musulman », selon la formule d'Ibn Battuta. Les chrétiens, eux, avaient perdu ce haut lieu de retour obligé qu'avait été un temps pour eux Jérusalem. Ayant perdu tout espoir de reprendre la Ville sainte et les chemins qui y mènent, l'Occident chrétien va se tourner vers les missions. Or, si le pèlerinage rassemble les fidèles, la mission, elle, se porte vers l'Autre en pays étranger. L'histoire de l'expansion du christianisme sera celle des missions.

Certes, les missions, on l'a vu, existaient depuis longtemps dans toutes les religions à vocation universelle. Le roi Asoka avait envoyé des missionnaires bouddhistes à l'étranger au IIe siècle avant notre ère, et il y en eut, aux siècles suivants, dans toute la Chine. Mais les missions devaient occuper dans le christianisme une place plus importante que dans aucune autre religion. Dès le IIe siècle, un collège missionnaire était fondé à Alexandrie, et un autre à Constantinople en 404. Saint Patrick, saint Augustin de Cantorbéry et saint Boniface, évangélisateurs respectifs de l'Irlande, de l'Angleterre et de l'Allemagne, étaient des missionnaires, sans compter tous ceux, moins célèbres, qui propagèrent la foi à travers le continent. Dans les hautes montagnes de Suisse, dans la vallée du Rhin, dans les forêts de Suède et jusque dans la glaciale Russie, un peu partout, les monastères devinrent des centres de civilisation et de prédication. L'Europe était déjà solidement christanisée, la papauté avait pris en main l'organisation des monastères et des missions à travers tout le continent, lorsque, au VIIe siècle, surgit le rival musulman. L'islam militant chassa le christianisme du Proche-Orient, du Maghreb et de la péninsule Ibérique, créant un empire où le christianisme fut parfois toléré, mais condamné à l'immobilisme. L'islam interdisait tout prosélytisme aux autres religions et punissait de mort l'apostasie. Mais les missions des chrétiens nestoriens connurent des succès retentissants en Chine, hors de portée de l'islam. Les nestoriens traduisirent les Écritures en chinois pour la bibliothèque impériale et se virent octroyer par l'empereur le statut de religion tolérée.

L'Occident chrétien, donc, reporta son zèle sur les missions. Des moines missionnaires avaient accompagné les croisés vers Jérusalem, et lorsque les croisades eurent pris fin, franciscains et dominicains tournèrent leurs regards plus loin vers l'Orient. Les papes soutinrent ces missions, publiant des bulles pour assurer leur protection et envoyant, pour préparer leur venue, des émissaires auprès des khans mongols et des empereurs de Chine. Les frères missionnaires furent l'avant-garde de l'Europe en Asie.

L'islam, bien sûr, à commencer par le Prophète, accordait une place importante au prosélytisme et tout musulman se devait d'être un missionnaire. Mais les missions islamiques n'ont jamais été aussi bien organisées ni aussi développées que celles du christianisme. Les mollahs sont maîtres plutôt que prêtres, et l'islam ne possède pas d'équivalent des frères missionnaires chrétiens. De surcroît, il faut attendre la fin du XIXe siècle pour voir apparaître des sociétés missionnaires islamiques. Le *jihad,* obligation religieuse de propager l'islam par les armes, a longtemps été le principal moyen autorisé pour répandre la foi du Prophète. Le caractère totalisant de l'islam, qui n'établit aucune distinction entre royaume de César et royaume de Dieu, met sur le même plan la propagation de la foi et l'usage du glaive. Le guerrier islamique va donc, par souci religieux, partir à la conquête du monde, alors que le missionnaire chrétien se contentera de prospecter les confins de l'empire, dans l'espoir de gagner simplement quelques âmes.

Dans l'islamisme, le pèlerin va rester celui qui accomplit un déplacement rituel vers une destination sacrée. Dans le langage de la chrétienté moderne, par contre, le « pèlerin », plutôt qu'un marcheur en route vers Jérusalem, est l'être humain tout court qui, « séjournant dans la chair », traverse ce monde pour parvenir un jour à une mystérieuse félicité. C'est aussi le cas, dans l'usage américain courant, pour les fondateurs de la nation que sont les Pères Pèlerins. « Ils savaient qu'ils n'étaient que des pèlerins, écrit William Bradford en 1630, et n'avaient guère d'yeux pour les choses, mais levaient leurs regards vers le ciel, qui était le pays le plus cher à leur cœur. » De même, *Le Voyage du Pèlerin* de Bunyan conduit son héros vers la cité céleste. Quant au mot « croisade », il a connu en Occident une évolution analogue, cessant de désigner le combat armé contre les Infidèles pour prendre un sens figuré et pacifique. Ainsi lorsque Jefferson exhorte l'un de ses amis à « prêcher une croisade contre l'ignorance ».

## 16

## *Les Mongols ouvrent la voie*

Les pionniers européens qui, au milieu du XIIIe siècle, partent par voie de terre à la découverte de l'Orient ont des besoins fort différents de ceux de leurs successeurs sur mer au siècle suivant. Christophe Colomb devra réunir d'importantes sommes d'argent, trouver des navires, recruter et organiser des équipages, faire provision de vivres, veiller au moral de ses hommes et naviguer sur des mers inconnues. Talents tout autres que ceux nécessaires au voyageur terrestre : celui-ci peut partir avec un ou deux compagnons seulement et emprunter des voies connues — sauf d'un Européen ; il peut trouver à se nourrir en chemin ; s'il n'a pas besoin d'être un collecteur de fonds ni un maître organisateur, il lui faut au moins faire preuve d'esprit d'adaptation et de diplomatie. Les hommes de Colomb menaceront de se mutiner lorsqu'ils s'apercevront que la traversée dure plus longtemps que prévu, mais l'explorateur terrestre peut, au besoin, prolonger son voyage d'un mois, d'un an, d'une décennie. Si le navigateur traverse de longues étendues de désert culturel et si, en mer, l'événement est généralement source de tracas, l'explorateur terrestre, en revanche, marchand ou missionnaire, peut se livrer en route à ses occupations habituelles et apprendre toutes sortes de choses. Le voyageur terrestre qui effectue en bateau une partie de son trajet devient un simple passager, généralement conduit par un pilote de la région. Le pionnier empruntant des voies terrestres est à la fois plus seul et moins seul que son homologue sur mer. Car s'il lui manque compagnie et soutien (comme en bénéficiera Colomb sur la *Santa Maria*), son voyage, en revanche, lui offre, de jour comme de nuit, bien des possibilités de rencontre.

Si, sur mer, les dangers étaient à peu près les mêmes partout — vents, houle, tempête, difficulté à s'orienter —, sur terre, par contre, les périls étaient aussi variés que le paysage, contribuant à l'intérêt, au piquant même, du voyage. Des voleurs vous guettaient-ils dans telle auberge ? La nourriture locale vous réussirait-elle ? Fallait-il ou non adopter le costume indigène ? Allait-on vous laisser pénétrer dans telle cité ? Seriez-vous capable, malgré l'obstacle de la langue, d'exposer vos désirs et de montrer que vos intentions étaient pures ?

Le voyage par terre était non pas un saut collectif dans l'inconnu, mais une longue et difficile marche individuelle. De cette époque, du reste, date le mot anglais *travel*, « voyage », qui, à l'origine, se confond avec *travail*, « labeur » : double sens qui en dit long sur ce qu'était un déplacement terrestre au Moyen Age. C'est à ce labeur que vont se vouer quelques hardis pionniers, ouvrant aux Européens la route du Cathay.

Si les Européens étaient encore plongés dans les ténèbres d'une géographie dogmatique, ils étaient depuis longtemps bercés par les légendes d'un Orient chargé de mystères. Quelques-uns savouraient les produits de luxe venus de l'autre bout du monde, somptueuses soieries de Chine, diamants étincelants de Golconde. Dans des pièces tendues de coûteux tapis persans, ils se régalaient de plats relevés d'épices de Ceylan ou de Java et, pour se distraire, jouaient aux échecs avec des pièces en ébène en provenance du Siam.

Et pourtant, les marchands de Venise, Gênes ou Pise, qu'enrichissait le commerce de ces produits exotiques, n'avaient jamais eux-mêmes, bien sûr, mis les pieds en Inde ou en Chine. Leurs contacts avec l'Orient s'effectuaient dans les ports du Levant, où aboutissaient deux routes différentes. L'une, la fameuse route de la Soie, était un itinéraire entièrement terrestre, qui partait de l'est de la Chine pour traverser l'Asie centrale par Samarcande et Bagdad et atteindre finalement les villes côtières de la mer Noire ou de la Méditerranée orientale. L'autre traversait la mer de Chine méridionale, l'océan Indien et la mer d'Oman, avant de remonter le golfe Persique jusqu'à Bassora, ou la mer Rouge jusqu'à Suez. Pour atteindre le marché européen, les précieuses marchandises devaient encore être acheminées par voie de terre soit à travers la Perse et la Syrie, soit à travers l'Égypte, où elles étaient lourdement taxées au passage. Sur l'un comme l'autre de ces trajets, les marchands francs et italiens se voyaient interdire l'accès au-delà des ports de la Méditerranée. Les musulmans commerçaient volontiers avec eux à Alexandrie ou même à Alep ou Damas, mais il n'était pas question qu'ils fassent un pas de plus. Le Moyen Age finissant avait son rideau de Fer.

Puis, l'espace d'un siècle et d'un seul, de 1250 à 1350 environ, ce rideau va se lever et des contacts divers vont s'établir entre l'Europe et la Chine. Durant cet intermède, les plus hardis, les plus entreprenants des marchands italiens n'auront plus besoin d'attendre que leurs marchandises exotiques parviennent à Alep, Damas ou Alexandrie. Ils vont conduire eux-mêmes des caravanes sur la route de la Soie jusqu'aux villes de l'Inde et de la Chine, où ils pourront entendre des missionnaires francs et italiens dire la messe. Mais ce qui aurait pu être pour l'Orient et l'Occident le début d'une ère d'enrichissement réciproque s'avérera finalement n'être qu'une brève éclaircie, une trouée de lumière passagère dans des siècles de ténèbres. Des dizaines d'années s'écouleront ensuite avant que la découverte des océans permette aux Européens d'aborder à nouveau aux rivages de l'Inde et du Sud-Est asiatique, des siècles avant qu'ils aient de nouveau accès aux ports de Chine. L'Asie centrale restera longtemps inexplorée, et l'intérieur du continent chinois, après un entracte de deux siècles seulement, se fera de nouveau inhospitalier, voire hostile, aux Occidentaux.

Ce qui va, pour un temps, entrouvrir le rideau, ce ne seront ni les menaces d'une armée chrétienne en marche ni les manœuvres des gouvernants européens. Comme bien des événements mondiaux majeurs, celui-ci devait arriver par un biais. Car si quelqu'un a eu le mérite d'ouvrir aux Européens la route du Cathay, ce fut, curieusement, un peuple de même souche que ces Turcs qui, si longtemps, leur avaient barré la route : les Tatars, ou Tartares, des Mongols d'Asie centrale. Pour avoir menacé l'Europe au Moyen Age, ils ont été très dénigrés. Fixés dans la mémoire collective européenne sous les traits de conquérants sanguinaires, leur nom même est devenu synonyme de « barbare ». Le mot « horde », qui désigne aujourd'hui une troupe indisciplinée, vient du turc *ordu*, qui veut simplement dire « campement ». La réputation des Tatars a été forgée par les chroniqueurs européens qui ont vu ou entendu rapporter les horreurs de leurs premières incursions en Occident. Mais la grande majorité de ces auteurs n'avaient jamais vu un Tatar et ils ignoraient tout des remarquables réalisations de ce peuple.

Les empires mongols étaient des empires terrestres, deux fois grands au total comme l'Empire romain à son apogée. En 1214, Gengis Khan et ses hordes déferlent depuis la Mongolie jusqu'à Pékin. Dans le demi-siècle qui suit, ils occuperont la quasi-totalité de l'Asie orientale, puis se tourneront vers l'ouest, traversant la Russie, poussant jusqu'en Pologne et en Hongrie. Lorsque Koubilaï monte sur le trône mongol en 1259, son empire s'étend du fleuve Jaune au Danube et de la Sibérie au golfe Persique. La dynastie mongole, depuis Gengis Khan jusqu'à ses petits-fils — Batu Khan, Mangu Khan, Koubilaï Khan, Hulagu —, a été l'une des plus grandes qui soient. Ils ont su, mieux qu'aucune monarchie européenne, allier génie militaire, courage personnel, capacités administratives, tolérance envers les autres cultures. Ils méritent nettement mieux que ce que leur accorde généralement l'historiographie occidentale.

Sans l'ardeur à entreprendre des souverains mongols et de leur peuple, la route du Cathay ne se serait probablement pas ouverte au moment où elle l'a été. L'équipée de Marco Polo n'eût sans doute pas eu lieu. Et sans Marco Polo et les autres voyageurs dont les récits devaient faire naître en Europe le désir de voir cet Orient fabuleux, y aurait-il eu un Christophe Colomb ?

En 1241, les cavaliers tatars dévastent la Pologne et la Hongrie, taillant en pièces une armée polono-allemande à la bataille de Lignitz, en Silésie, tandis qu'une autre de leurs armées défait les Hongrois. La terreur s'abat sur l'Europe. En mer du Nord, les pêcheurs de Frise et de Gotland, hommes courageux pourtant, renoncent à venir pêcher le hareng près des côtes de l'Angleterre. L'empereur germanique Frédéric II (1194-1250), protecteur des sciences et des arts, l'homme qui a conduit la sixième croisade (1228-1229), pris Jérusalem et signé une trêve de dix ans avec le sultan d'Égypte, redoute de voir la marée tatare submerger la chrétienté. Il appelle les autres souverains d'Europe, et notamment Henri III d'Angleterre, à s'unir contre le nouveau « fléau de Dieu », dans l'espoir « que dans leur Tartare ces Tartares soient rejetés » *(ad sua Tartara Tartari detrudentur)*. Le pape prêche contre l'envahisseur une nouvelle croisade. Mais les relations sont si mauvaises entre Grégoire IX et Frédéric II, déjà par deux fois excommunié, qu'il n'est répondu au roi de Hongrie que par de belles paroles. Finalement, l'Europe sera sauvée par la chance : les hordes tatares, à l'apogée de leurs succès militaires, se replient brusquement à l'annonce du décès d'Ogodaï, leur grand khan.

En dépit des alarmes qu'ils suscitent parmi les monarques chrétiens, et des massacres qu'ils ont perpétrés en Pologne et en Hongrie, les Tatars vont s'avérer être de puissants alliés contre les musulmans et les Turcs qui interdisent la route de l'Orient. Car après avoir liquidé la secte ismaïlienne des Assassins sur le rivage sud de la Caspienne, ils triomphent du calife de Bagdad. Le général tatar lancé à la conquête de la Perse envoie même une ambassade à Saint Louis, roi de France, parti en croisade, pour lui proposer de faire alliance. Si les rois chrétiens et le pape lui-même avaient donné suite à cette offre, ils auraient pu partager la gloire et les fruits d'une victoire contre les Turcs, atteignant ainsi, avec l'aide des païens, les objectifs des croisés. Mais plutôt que de renoncer à la primauté de la conquête des âmes sur celle des choses bassement terrestres, ils préférèrent ne s'allier qu'avec d'autres chrétiens, s'épuisant vainement à tenter de convertir les souverains mongols. Cette erreur de jugement fut déterminante pour l'avenir d'une grande partie de l'Asie. L'islam, en effet, était alors en recul. Qui sait si, en faisant des Mongols leurs frères d'armes, les dirigeants de la chrétienté n'auraient pas fait d'eux aussi, tôt ou tard, leurs frères de foi ?

Cette soudaine conversion des khans qu'il espérait, l'Occident chrétien l'attendra en vain. Mais il profitera, sans l'avoir voulu, de leur absence de sectarisme religieux. Lorsque les Tatars eurent renversé le califat de Bagdad et pris possession de la Syrie, de la Perse et des terres devenues rideau de fer, la route, soudain, s'ouvrit au voyageur européen. C'est que les mentalités tatares étaient aux antipodes de celles de l'Occident médiéval. Lorsque, en 1251, le franciscain Guillaume de Rubrouck arrive à Karakoroum à la cour de Mangu Khan, quelle n'est pas sa surprise d'y trouver des prêtres de toutes religions — catholiques, nestoriens, arméniens, manichéens, bouddhistes, musulmans — argumentant tranquillement pour tenter de gagner le souverain à leur cause ! De surcroît, les khans sont favorables au libre-échange ; ils encouragent la venue des marchands en abaissant taxes et droits de douane, en protégeant les caravanes, en assurant la sécurité des routes.

Ainsi les « barbares » asiatiques, qui n'étaient prisonniers d'aucun dogme, ouvrirent-ils à l'Occident chrétien les portes de l'Orient. Par la conquête de la Perse, ils donnèrent aux Européens accès à l'Inde ; par celle de la Russie, accès à la Chine. Devant les Occidentaux s'ouvrait enfin la route de la Soie.

## 17

## *Des missionnaires diplomates*

Vers le milieu du XIIIe siècle, les événements font espérer à l'Europe une conversion des Tatars. Ceux-ci, en effet, en défaisant les Turcs, sont devenus les « alliés objectifs » de la chrétienté. Certains chrétiens rêvent si fort qu'ils en viennent à confondre Gengis Khan avec le prêtre Jean. Le bruit circule que le Grand Khan en personne se serait converti. Ne dit-on pas aussi que les épouses et la mère de l'empereur ont embrassé le christianisme ? N'est-il pas avéré, du reste, que les nombreux chrétiens nestoriens qui vivent au royaume des Mongols jouissent d'une totale liberté religieuse ?

Les franciscains deviennent des pionniers de la géographie. « En même temps que Dieu envoyait dans les régions orientales du monde les Tartares afin de tuer et d'être tués, écrit un chroniqueur chrétien, il envoya aussi en

Occident ses fidèles serviteurs Dominique et François, afin d'éclairer, d'instruire et de construire dans la Foi. » Le pape Innocent IV, peu après son élection en 1243, va organiser la chrétienté contre la menace mongole. Il réunit un concile à Lyon en 1245 afin de « trouver remède aux Tartares et autres contempteurs de la Foi et persécuteurs du peuple du Christ ». Ayant à l'esprit les atrocités commises par les Mongols en Pologne, en Russie et en Hongrie, le concile va exhorter les fidèles à bloquer les routes d'une éventuelle invasion ; en creusant des fossés, en élevant des murailles, en dressant toutes les barrières possibles. L'Église contribuera au financement de ces travaux et veillera à ce que tout chrétien directement concerné y prenne sa part.

Dans le même temps, le pape va tenter de couper le mal à la racine. Le 16 avril 1245, avant même l'ouverture du concile, il envoie un émissaire au Grand Khan pour essayer d'obtenir sa conversion. Son choix s'est porté sur le franciscain Jean du Plan Carpin (1180 ?-1252), compagnon et disciple de saint François (1182-1226). Né près de Pérouse, à quelques kilomètres seulement d'Assise, Plan Carpin est alors responsable de l'ordre des franciscains à Cologne. Il sera l'homme de la situation. Le récit qu'il a donné de ses deux ans de voyage reste, malgré sa brièveté (trente pages), la meilleure description que nous ayons de la société tatare de l'époque. Un autre franciscain, Benoît le Polonais, l'accompagna de bout en bout.

Durant leur périple à travers l'Europe orientale, puis l'Asie centrale, nos deux courageux voyageurs connurent les vents hurlants et le froid glacial des steppes, les neiges épaisses de l'Altaï et la chaleur torride du désert de Gobi.

> De là, ayant par la grâce de Dieu été sauvés des ennemis de la Croix du Christ, nous parvînmes à Kiev, qui est la métropole de la Russie. En arrivant, nous prîmes conseil [...] au sujet de notre route. Il nous fut déclaré que si nous emmenions en Tartarie les chevaux que nous avions, ils crèveraient tous, pour la raison que la neige y était haute et que ces bêtes ne savaient pas, comme les chevaux tartares, extraire l'herbe qui se trouve en dessous ; et que nous ne trouverions rien d'autre en chemin qu'ils pussent manger, car les Tartares n'avaient ni paille, ni fourrage. Aussi, nous décidâmes de laisser là nos chevaux [...]. Je fus malade à en mourir. Mais je me fis transporter sur un chariot à travers une neige épaisse et par un froid intense, afin de ne point entraver les affaires de la chrétienté.

Frère Jean, sans dissimuler sa mission, réussit, à force de persuasion, à obtenir des populations locales les guides et les montures nécessaires au voyage. Depuis la Volga, les deux hommes mirent trois mois et demi à parvenir jusqu'à la cour de Guyuk Khan, à Karakoroum, au cœur de la Mongolie. Lorsque les deux franciscains arrivèrent, à la mi-août, deux mille chefs tatars venaient d'élire et de couronner le nouveau khan suprême, dans une tente « reposant sur des colonnes couvertes de vaisselle d'or fixée par des clous en or ». La première audience du tout nouvel empereur mettait en scène tous les prestiges d'un Orient fabuleux. « Ils nous demandèrent si nous désirions offrir des cadeaux. Mais ayant déjà distribué presque tout ce que nous possédions, nous n'avions plus rien à lui donner. Tandis que nous étions là, sur une colline à quelque distance de la tente attendaient plus de cinq cents chariots, tous remplis d'or, d'argent et de robes de soie. Le tout fut partagé entre l'empereur et ses chefs ; et ces derniers répartirent les objets parmi leurs hommes comme bon leur semblait. » Les deux visiteurs purent ensuite délivrer leur message : le pape émettait le vœu que tous les chrétiens se liassent d'amitié avec les Tatars, et que ceux-ci fussent puissants devant le dieu du ciel. Mais pour y parvenir, les Tatars devaient commencer par embrasser la foi en Notre Seigneur Jésus-Christ. Constatant avec tristesse que ces gens avaient tué de nombreux chrétiens qui, pourtant, n'avaient rien fait pour leur porter préjudice, le pape invitait enfin les Mongols à se repentir de leurs actes et à lui faire connaître par écrit leurs intentions.

Fort obligeamment, le Grand Khan remit à Plan Carpin deux lettres à l'adresse du souverain pontife. Ces lettres, malheureusement, n'apportaient rien de bien solide, l'empereur n'étant nullement décidé à se convertir. Le moine, toutefois, ne se laissa pas décourager, certains chrétiens employés à la cour lui ayant laissé entendre qu'une conversion se préparait. Lorsque, cependant, Guyuk Khan proposa que ses propres ambassadeurs se rendent auprès du pape en compagnie des deux franciscains, Jean s'y opposa. « Nous craignîmes qu'ils ne découvrissent nos dissensions et nos guerres, et que cela ne les incitât à marcher contre nous. » Le 13 novembre 1246, Guyuk Khan autorisait les deux franciscains à partir.

« Nous voyageâmes tout l'hiver, raconte Plan Carpin, nous reposant la plupart du temps dans la neige du désert, excepté lorsque, dans l'immense plaine sans arbres, nous pouvions gratter avec nos pieds un emplacement à même le sol ; et souvent, lorsque le vent soufflait, nous nous retrouvions au réveil le corps entièrement couvert de neige. » Ils arrivèrent à Kiev au début du mois de juin, accueillis comme des ressuscités. A travers toute l'Europe, ce fut partout la même joie sur leur passage. Finalement, à l'automne 1247, soit un an après leur départ de Karakoroum, nos intrépides franciscains remettaient la missive du khan à Innocent IV et lui rendaient personnellement compte de leur mission.

Le rôle de Plan Carpin dans l'établissement de relations entre l'Orient et l'Occident ne s'arrête pas là. Il reprend quelques années plus tard, lorsque Saint Louis se prépare à partir pour la septième croisade (1248-1254).

Pour convaincre le roi de France qu'il servira mieux la chrétienté s'il reste chez lui à protéger le pape contre les Tartares et contre Frédéric II Hohenstaufen, Innocent IV dépêche à Paris les deux diplomates franciscains. La mission échoue. Mais un autre franciscain d'exception,

Guillaume de Rubrouck, natif de la Flandre française et homme de confiance de Louis IX, avait été intéressé par le récit de leur aventure mongole. Lorsque Saint Louis part en croisade, il emmène avec lui le moine flamand. A Chypre, en septembre 1248, un homme lui demande audience, qui se dit l'émissaire du Grand Khan. Son souverain, déclare-t-il, brûle de faire alliance contre l'Islam. Cela fait maintenant trois ans, ajoute le messager, que Guyuk Khan lui-même, à l'exemple de sa mère, s'est fait chrétien. Tous les grands princes tartares ont fait de même, et le peuple tout entier est maintenant impatient de faire cause commune avec l'Occident contre le Sarrasin.

Le crédule Saint Louis dépêcha aussitôt en Orient le dominicain André de Longjumeau, qui connaissait l'arabe et s'était déjà rendu au camp de Batu, sur la Volga. Après un nouveau et remarquable périple transcontinental, l'envoyé du pape devait parvenir à la cour du Grand Khan, où sa mission se termina en queue de poisson. Il s'attendait à être accueilli à bras ouverts par un Guyuk devenu son frère dans la foi et désireux de mettre en œuvre une grande alliance. Mais Guyuk était mort et la régente n'avait vraiment rien d'une chrétienne. Elle renvoya le dominicain comme on congédie un vassal, le chargeant de lettres insolentes à l'adresse de son souverain.

Le voyage de retour dura un an. Sa mission terminée, André de Longjumeau propagea toutes sortes de rumeurs. Les Tartares, originaires du fin fond d'un grand désert sableux qui commençait à l'extrémité orientale du monde, avaient franchi il y a fort longtemps, racontait-il, le mur de montagne — la Grande Muraille de Chine ! — qui retenait Gog et Magog. Le grand-père de Guyuk, Gengis Khan, s'était converti au christianisme après avoir eu une vision où Dieu lui promettait domination sur le prêtre Jean. Il était question aussi des monceaux d'ossements humains blanchis laissés partout derrière eux par les conquérants tartares, ainsi que des huit cents chapelles montées sur chariots que le frère prêcheur et ses compagnons avaient vues, de leurs yeux vues, dans un seul camp mongol. Ils ajoutaient à leurs fables l'histoire du chef mongol Sartach, fils de Batu et qui, assuraient-ils, était chrétien.

Saint Louis se trouvait en Terre sainte lorsque lui parvint ce compte rendu plus qu'optimiste. Avec lui se trouvait toujours Guillaume de Rubrouck qui, pour son temps, ne manquait pas des compétences nécessaires à une longue expédition en Asie : il possédait quelques notions d'arabe, avait le don des langues et pouvait même se débrouiller dans celle des Tatars. Le roi lui remit une bible et une somme destinée à couvrir ses frais, ainsi que des lettres à l'adresse de Sartach et du Grand Khan. La reine Marguerite lui fit don d'un psautier enluminé, ainsi que de quelques vêtements sacerdotaux. Il emportait également son propre livre de prières, quelques ouvrages pieux et, sans que l'on sache trop pourquoi, un manuscrit arabe extrêmement rare. Pour éviter un nouvel affront, le roi prit soin de ne pas nommer son moine ambassadeur. Rubrouck, accompagné d'un autre moine, Barthélemy de Crémone, guide-interprète passablement alcoolique, et de deux serviteurs, quitta Constantinople le 7 mai 1253, traversa la mer Noire jusqu'en Crimée, puis poursuivit sa route jusqu'au-delà du Don. Lorsque, enfin, nos quatre hommes parvinrent jusqu'à ce Sartach en qui ils voyaient un ami, celui-ci s'indigna qu'on ait pu le prendre pour un converti et « se moqua des chrétiens ». Reprenant leur route, les messagers de Saint Louis franchirent la Volga. Rubrouck, qui était un homme corpulent, connut les rigueurs de la faim, eut les orteils gelés, dut affronter les vents de la montagne et la chaleur du désert, avant d'arriver, le 27 décembre 1253, au camp impérial de Mongka Khan, en plein cœur de la Mongolie. Le « grand sire », par « compassion », l'autorisa à rester deux mois, en attendant la fin des « grands froids ».

Frère Guillaume eut la désagréable surprise de trouver à la cour un grand nombre de chrétiens hérétiques, les nestoriens, qui, selon lui, faisaient bien mauvaise réputation au christianisme. Et il ne trouva guère plus encourageant l'esprit de tolérance dont faisait preuve Mongka :

> Il entreprit de m'exposer ses croyances : « Nous autres, Mongols, dit-il, croyons qu'il n'y a qu'un seul dieu, par qui nous vivons et par qui nous mourons, et pour qui nous avons le cœur intègre. » « Assurément, dis-je, car sans Sa grâce, cela ne se peut faire. » [...] Il poursuivit. « Mais de même que Dieu nous donne les différents doigts de la main, de même il donne aux hommes des façons diverses. Dieu vous donne les Écritures, et vous, chrétiens, ne les respectez pas. Y est-il dit, par exemple, qu'il faille trouver à redire aux autres ? » Certes, non, Sire, lui répondis-je, mais je vous ai déclaré d'emblée que je ne cherche querelle à personne. » [...] « Ce que j'en dis, fit-il, n'est point pour vous, Dieu vous a donné les Écritures et vous ne les observez pas. A nous, Il a donné des mages, nous faisons ce qu'ils nous disent, et nous vivons en paix. »

« Peut-être, soupira Rubrouck, le seigneur des Tartares se fût-il abaissé s'il avait été en mon pouvoir d'opérer, comme Moïse, par signes et prodiges. »

A l'instar de Plan Carpin, Guillaume de Rubrouck refusa de ramener avec lui des ambassadeurs tatars. Mais il accepta les lettres adressées par le khan au roi Louis. Malgré un itinéraire de retour différent et d'égales rigueurs climatiques, il atteignit Chypre à la mi-juin 1255. Saint Louis était rentré en France, et le provincial de l'ordre des franciscains refusa à Guillaume l'autorisation de suivre le souverain ; notre moine était affecté à Saint-Jean-d'Acre, d'où il devait faire parvenir son rapport. C'est à cette obligation que nous devons d'avoir ce beau texte.

Rubrouck offre aux Européens une mine de renseignements sur l'autre bout du monde. Il décrit le cours du Don et celui de la Volga, et établit que la Caspienne est une mer fermée et non un golfe. Pour la première fois dans la littérature européenne, il fait remarquer que Cathay et « Sères » — le pays d'Asie auquel les Romains achetaient leur soie — ne font qu'un. Il est le premier Occidental à faire mention de l'écriture chinoise, et avec quelle justesse : « Les habitants du Cathay écrivent avec un pinceau comme en utilisent les peintres, et ils forment en une seule figure toutes les lettres d'un même mot. » De même, le rituel des lamas et leurs prières sont par lui fidèlement consignés.

Lorsque, enfin, Guillaume se voit accorder l'autorisation de se rendre à Paris, la chance veut qu'il rencontre un autre brillant franciscain, le philosophe et pionnier de la science anglais Roger Bacon (v. 1220-1292). Soupçonné par la hiérarchie ecclésiastique de nécromancie et d'hérésie, le « Doctor Mirabilis » était consigné à Paris, où ses supérieurs pouvaient avoir l'œil sur lui. Bacon étudia la relation faite par Guillaume de son voyage et en reprit l'essentiel dans l'encyclopédie qu'il rédigea à l'intention du pape Clément IV sous le titre d'*Opus majus* (1268). C'est grâce au théologien anglais que furent connus les découvertes de Guillaume de Rubrouck. Les annales franciscaines devaient longtemps les ignorer, et il faudra attendre l'année 1600 pour que soit publiée par Richard Hakluyt une partie de cet instructif et délicieux récit de voyage.

A la dernière page de son texte, le missionnaire flamand rend un vibrant hommage aux pionniers du voyage terrestre. Un demi-siècle plus tôt, rappelle-t-il, en 1201, le doge de Venise s'était engagé à transporter par mer les armées de la quatrième croisade pour la somme astronomique de 180 000 livres. A ces prodigalités, le franciscain oppose la frugalité du voyage par voie de terre. Les armées de l'Église ne devraient-elles pas, demande-t-il, emprunter des routes terrestres ?

> Autrefois, des hommes courageux traversèrent ces pays avec succès, bien qu'ils eussent en face d'eux des adversaires très puissants, que Dieu a depuis éliminés de la surface de la terre. De plus, à suivre cette route, nous éviterions de nous exposer aux dangers de la mer ou au mauvais vouloir des marins, et le prix que l'on paie pour une flotte suffirait à couvrir les dépenses du voyage par terre. Je suis certain que si les paysans — je ne parle ni des princes ni des nobles — étaient seulement prêts à voyager comme les princes tartares, et à se contenter de provisions égales aux leurs, ils feraient la conquête du monde entier.

## 18

## *La découverte de l'Asie*

De tous les voyageurs connus du monde chrétien, Marco Polo est le plus grand : par l'ampleur de son expérience, par sa réussite, par son influence. Les franciscains avaient fait le voyage de Mongolie aller retour en moins de trois ans, et s'étaient cantonnés au rôle de missionnaires-diplomates. Le voyage de Marco Polo va durer vingt-quatre ans. Il poussera plus loin que ses prédécesseurs, dépassant la Mongolie pour gagner le cœur même du Cathay. Il traversera toute la Chine jusqu'à l'Océan, et occupera diverses fonctions, devenant confident de Koubilaï Khan et gouverneur d'une grande cité chinoise. Connaissant bien la langue, il pouvait vivre de l'intérieur la Chine quotidienne et sa culture. A travers son récit, vivant et documenté, des générations entières d'Européens découvriront l'Asie.

Venise est à l'époque l'un des grands centres du commerce en Méditerranée et au-delà. Marco a tout juste quinze ans lorsque, en 1269, son père, Nicolo, et son oncle, Maffeo Polo, rentrent d'un périple de neuf ans en Orient. Un autre de ses oncles, nommé lui aussi Marco Polo, possédait des maisons de commerce à Constantinople et à Soudak, en Crimée, où Nicolo et Maffeo l'avaient rejoint en 1260. Marco, dans son *Livre des merveilles,* commence par rendre compte de ces voyages auxquels il n'a pas pris part. Nicolo et Maffeo avaient, à Constantinople, fait provision de bijoux, qu'ils emportèrent par bateau en Crimée, puis, en suivant la Volga, jusqu'à la cour somptueuse de Berké Khan, petit-fils de Gengis. Berké non seulement les reçut fort courtoisement, mais, chose pour eux plus importante, leur acheta tous leurs joyaux et, observe Marco Polo, « leur fit donner en échange bien deux fois autant que les joyaux ».

Mais voilà qu'une guerre éclate entre Berké et son rival Hulagu, empêchant les deux frères Polo de repartir pour Constantinople. Ils décident alors de pousser plus avant vers l'est avec leurs marchandises. Un voyage de dix-sept jours à travers le désert les amène à Boukhara, où des messagers de Koubilaï leur proposent de les conduire auprès de leur maître, « le Grand Sire des Tartares ». Koubilaï, expliquent-ils aux deux Vénitiens, n'ayant jamais vu aucun Latin, a « grand désir et volonté d'en voir » : les étrangers seront bien reçus et dûment protégés durant le voyage, précisent les émissaires du khan. Les frères Polo acceptent l'invitation, et après avoir marché « tout un an vers le Levant », découvrant au passage « grandes et diverses merveilles », ils parviennent à la cour de Koubilaï. L'accueil du Grand Khan fut en tous points conforme à ce qui avait été promis, et le souverain apparut comme un homme d'une vive intelligence, curieux de tout connaître sur l'Occident.

Pour finir, il demanda à ses deux hôtes de bien vouloir être ses ambassadeurs auprès du pape pour solliciter de celui-ci l'envoi en Chine de cent missionnaires « savants dans les sept arts », qui enseigneraient à son peuple « la religion et doctrine chrétienne », Koubilaï souhaitait également recevoir un peu d'huile de la lampe du Saint Sépulcre de Jérusalem. En repartant, Nicolo et Maffeo emportèrent avec eux, en guise de sauf-conduit, les tablettes d'or de l'empereur. Arrivés à Saint-Jean-d'Acre en avril 1269, les voyageurs apprirent que le pape était mort et que son successeur n'était pas encore choisi. Dans cette attente, ils rentrèrent à Venise.

Le nouveau pape enfin élu, Grégoire X, ne fournit pas les cent missionnaires demandés, se contentant de désigner deux dominicains pour accompagner les frères Polo en Mongolie.

En 1271, lorsque Nicolo et Maffeo reprennent la route de l'Asie, ils emmènent avec eux le fils de Nicolo, Marco, qui va rendre leur voyage historique. En chemin, les deux dominicains, pris de panique, abandonnent. Les trois Polo, maintenant seuls, se rendent à Bagdad, puis à Ormuz, à l'entrée du golfe Persique. Là, plutôt que de s'embarquer pour un voyage au long cours à travers la mer d'Oman, puis l'océan Indien, ils vont préférer prendre la voie vers le nord-est, traversant d'abord le désert de Kerman, en Perse, puis les montagnes du Badakshan, connues pour leurs rubis et leurs lapis-lazuli, ainsi que pour leurs chevaux. Il y avait eu jadis en cette province, raconte Marco Polo, « des chevaux descendus directement de la semence du cheval du roi Alexandre nommé Bucéphale, lesquels tous naissaient avec une corne sur le front comme Bucéphale, parce que les juments avaient été couvertes par cet animal lui-même ». Les trois voyageurs séjourneront un an dans cette région, afin de permettre au jeune Marco de se remettre d'une fièvre en respirant l'air pur des montagnes.

Puis, toujours plus haut, à travers un paysage de glaciers et entre des sommets de plus de 6 000 m. C'est le Pamir, que ses habitants ont très justement surnommé « le Toit du monde ». « Il y a fort grande abondance de toutes bêtes sauvages. En particulier, il y a là très grande multitude de moutons sauvages qui sont de taille énorme [les *ovis Poli,* déjà signalés par Guillaume de Rubrouck]. Ils ont les cornes très grandes, certaines de six bonnes palmes de long, et pour le moins de trois ou quatre. De ces cornes, les pâtres font de grandes écuelles où ils mangent, et aussi des enclos pour leurs troupeaux [...]. Là ne sont aucuns oiseaux, à raison de la hauteur et du froid intense [...]. De plus, je vous dis qu'à cause du grand froid, le feu n'est pas aussi clair et brûlant, ni de la même couleur que dans les autres lieux, et les aliments cuisent mal. » De là, nos voyageurs empruntèrent la vieille route des caravanes à travers le nord du Cachemire, où nul Européen ne remettra plus les pieds avant le XIXe siècle, pour arriver au désert de Gobi.

Ils prirent quelque repos dans une cité que Marco Polo appelle Lop, située en bordure ouest du désert, et où les voyageurs, généralement, faisaient leurs provisions avant d'affronter les rigueurs de la traversée.

> Ni bêtes d'aucune sorte, ni oiseaux il n'y a, car rien ne trouveraient à manger.
> Mais vous dis qu'en traversant ce désert, on y trouve une merveille que je vous vais conter.
> Lorsqu'on chevauche de nuit par ce désert, et que l'un des marchands ou autre

> reste en arrière et se trouve séparé de ses compagnons pour dormir ou pour toute autre chose, quand il veut aller rejoindre ses compagnons, lors souvent arrive qu'il ouïsse en l'air esprits malins parler de manière que semblent être ses compagnons, car souventes fois l'appellent par son nom et souventes fois il suit ces voix, et sort de la bonne route ; de la sorte, ne rejoint jamais ses compagnons et jamais plus on ne le retrouve.

Après trente jours dans le désert, nos voyageurs gagnent, dans l'extrême nord-ouest de la Chine, la province de Tangout (l'actuelle province de Kan-sou), puis, traversant les steppes de Mongolie, ils parviennent enfin, après un périple de trois ans et demi, à la cour du Grand Khan.

Koubilaï honora les trois Vénitiens. Décelant en Marco un jeune esprit de grand talent, le khan le prit immédiatement à son service et lui confia une mission diplomatique à six mois de route de la capitale. De l'insatiable curiosité de cet empereur mongol du XIIIe siècle devait naître pour une bonne part la matière du *Livre des merveilles*.

> Et comme il avait plusieurs fois vu et ouï que le Grand Khan, lorsque les messagers qu'il mandait par les diverses parties du monde, quand ils retournaient vers lui et rendaient compte de la mission pour laquelle ils étaient partis, ne savaient pas lui donner d'autres nouvelles des contrées où ils étaient allés, il disait d'eux qu'ils étaient fous et ignorants, et qu'il aimerait mieux ouïr les nouvelles, les coutumes et les usages de ces pays étrangers, que les affaires pour quoi il les avait mandés. Ainsi Marco, qui savait bien tout cela, quand il alla en cette messagerie, se fit très attentif aux nouveautés et à toutes les choses étranges qu'il pouvait apprendre ou voir, afin de savoir les redire au Grand Khan. [...] Après cela, Messire Marco demeura avec le Grand Khan bien dix-sept ans entiers et, en tout ce temps, ne cessa d'aller en mission. [...] Comme un prud'homme et un qui connaît toutes les façons du souverain, il prenait grande peine à apprendre et entendre tout ce qu'il savait devoir plaire au Grand Khan, et, de retour à la cour, le relatait tout dans l'ordre, et le Grand Khan le tint pour cela en grande estime et faveur. [...] Or ce fut la raison pour quoi Messire Marco vint à connaître ou visiter plus grande quantité de pays que nul homme qui jamais naquit. Il donnait toujours attention à connaître toutes choses de ces pays, afin d'avoir quoi dire à son souverain.

Marco Polo, s'exclamera le khan, vous êtes bien le seul qui sache regarder autour de lui !

Nous ignorons à quoi Nicolo et Maffeo passèrent leur temps à la cour du khan si ce n'est que, au bout des dix-sept ans, ils avaient « acquis grande richesse en joyaux et en or ». Koubilaï tenait chaque année un peu plus aux services de son émissaire vénitien. Mais en 1292, il fallut accompagner certaine princesse tatare qui devait épouser le souverain mongol de Perse, et les envoyés de ce dernier avaient vainement tenté d'escorter la promise par voie de terre : les régions à traverser étaient trop peu sûres. On songea alors à un retour par mer. Marco Polo rentrant à ce moment-là d'un long voyage maritime en Inde, les émissaires persans, qui connaissaient la réputation des Vénitiens, obtinrent de Koubilaï qu'il autorise ses trois protégés à les conduire par mer, la fiancée et eux, jusqu'en Perse. Le khan fit équiper quatorze vaisseaux et donner aux trois navigateurs une escorte de six cents personnes, ainsi que des provisions pour deux ans. Après une traversée périlleuse de la mer de Chine méridionale jusqu'à Sumatra, puis de l'océan Indien, à laquelle ne survivront que dix-huit des six cents personnes embarquées, la princesse tatare sera remise à la cour de Perse. Elle s'était tellement attachée aux trois Vénitiens qu'elle pleura au moment de les quitter.

Les Polo, poursuivant leur route par Tabriz, dans le nord de la Perse, Trébizonde, sur le littoral sud de la mer Noire, et Constantinople, rentrèrent finalement à Venise durant l'hiver 1295, après une absence de vingt-trois ans. On les croyait morts depuis longtemps. Une tradition fort plausible raconte qu'à l'apparition de ces trois misérables aux allures plus tartares que vénitiennes, les membres de leur noble famille refusèrent de les voir. Mais leur mémoire fut vite rafraîchie lorsque les vagabonds mal peignés, déchirant les coutures de leurs sordides vêtements, dévoilèrent leur trésor : une pluie de pierres précieuses. Nos voyageurs furent alors entourés de mille prévenances, un festin fut organisé en leur honneur, où musique et réjouissances se mêlèrent aux souvenirs d'Orient.

Venise et Gênes se livraient à l'époque à une lutte sans merci pour la suprématie commerciale en Méditerranée. Le 6 septembre 1298, une importante bataille navale entre les flottes des deux cités, au large de la côte dalmate, donnait la victoire aux Génois, qui firent sept mille prisonniers. Parmi ceux-ci, le capitaine vénitien Marco Polo. Emprisonné à Gênes, il se lie d'amitié avec un autre détenu, capturé lors d'une victoire des Génois sur les Pisans. Cet homme, nommé Rustichello, était un auteur de récits chevaleresques qui s'était acquis une réputation considérable en vulgarisant la geste du roi Arthur. Sans être un génie, Rustichello était un maître du genre qu'il avait choisi. Les souvenirs du voyage que lui raconte le Vénitien lui paraîtront fournir matière à un nouveau type de récit, la « description ou devisement du monde ». Il persuadera Marco Polo. Celui-ci avait sans doute ses notes avec lui. Alors, profitant de ses loisirs forcés et de la présence de l'écrivain, Polo dictera le récit d'une bonne partie de ses voyages à Rustichello.

Si Marco Polo ou Rustichello n'avaient pas combattu contre Gênes, les voyages du Vénitien ne nous auraient peut-être pas été connus, ni même son nom. Heureusement, certaines affinités rapprochaient les deux hommes et le Pisan savait tourner un récit. Sept cents ans après, celui-ci captive encore. Bien entendu, Rustichello ne peut s'empêcher d'enjoliver parfois les faits. Certains épisodes parmi les plus colorés ne sont que des reprises d'écrits antérieurs, de Rustichello ou d'autres. Par exemple, les éloges prodigués par Koubilaï à l'endroit du jeune Marco dès l'arrivée de celui-ci à sa cour ne sont pas sans rappeler l'attitude prêtée par Rustichello au roi Arthur lorsque ce dernier reçoit le jeune Tristan en son château de Camelot. Du reste, ce n'était ni la première ni la dernière fois qu'un écrivain faisait la célébrité d'un bourlingueur. La formule « recueilli par », qui, de nos jours, devrait figurer plus souvent sur la couverture des livres, a en fait une histoire des plus respectables. Mais pourquoi le dynamique Vénitien, qui connaissait plusieurs langues, qui écrivit sans doute beaucoup pour Koubilaï et qui dut prendre de nombreuses notes pour son usage personnel, ne rédigea-t-il pas lui-même le récit de ses aventures ? Il l'eût peut-être fait si, dès son retour à Venise en 1295, il s'était vu offrir un contrat par un éditeur. Mais deux siècles devaient encore s'écouler avant que fleurisse l'industrie de l'édition.

D'autres grands voyageurs médiévaux — Odoric de Pordénone, Nicolo de Conti, Ibn Battuta — ont dicté eux aussi le récit de leurs voyages. De même Joinville, chroniqueur et biographe de Saint Louis. L'attrait de l'argent ou de la célébrité n'incitait pas encore tout un chacun à publier, et un illettré pouvait accéder au pouvoir. Éclairante à cet égard est la première phrase du *Livre des merveilles* : « Seigneurs, empereurs et rois, ducs et marquis, comtes, chevaliers et bourgeois, et vous tous qui voulez connaître les différentes races d'hommes et les particularités des diverses régions du monde, prenez donc ce livre et *faites-le vous lire* » (c'est nous qui soulignons).

Rustichello rédigea le livre de Marco Polo en français, langue aussi courante à l'époque parmi les laïcs que l'était le latin parmi les clercs. Très vite, l'ouvrage fut traduit dans la plupart des langues européennes, et il en existe encore de nombreux manuscrits. Jamais dans toute l'histoire un livre n'a autant apporté d'informations nouvelles, ni autant élargi les perspectives d'un continent entier.

## 19

## *Les voies de terre se referment*

Durant les quelques décennies du voyage pionnier par voie de terre s'instaura entre l'Europe et l'Extrême-Orient un commerce florissant, quoique limité à certains secteurs. Des dizaines de marchands européens, sans doute, se rendirent alors en Asie, mais rares sont ceux, les Polo mis à part, qui ont laissé un compte rendu de leurs voyages. Une description vivante, sinon toujours fiable, des communautés européennes en Chine nous a été donnée par une succession de franciscains remarquables. L'un des plus entreprenants fut l'Italien Jean de Montecorvino. Envoyé par le pape Nicolas IV en 1289, il arriva à Pékin en 1295. Là, il « présenta les lettres de notre seigneur le pape, et invita le Grand Khan à adopter la foi catholique de Notre Seigneur Jésus-Christ ». Peine perdue : « Son idolâtrie était trop ancienne. » Toutefois, se console le moine, « il consent aux chrétiens bien des bontés et, depuis deux ans, je séjourne à sa cour ». Dans la cathédrale qu'il fit construire à Pékin juste en face du palais de l'empereur, le franciscain devait baptiser, à l'en croire, quelque six mille personnes. Et il mit sur pied et fit travailler un chœur de cent cinquante jeunes garçons. « Sa Majesté l'empereur prend grand plaisir à les entendre chanter. Je fais sonner les cloches aux heures canoniales et je célèbre l'office divin devant une assemblée de nourrissons et d'enfants en bas âge. Nous chantons d'oreille car je ne dispose point d'antiphonaires neumés. » Montecorvino sera nommé en 1307 archevêque de Cambaluc (Pékin) et sera bientôt assisté de trois évêques suffragants.

Parmi les meilleures descriptions de la vie en Chine figure celle dictée en 1330, après un séjour de trois ans, par un autre franciscain, Odoric de Pordénone. Il rapporte bon nombre de détails qui ont échappé à Marco Polo : l'usage du cormoran pour la pêche, l'habitude de se laisser pousser les ongles, celle de comprimer les pieds des femmes. Quant au Florentin Jean Marignolli, il observe, à son arrivée à Pékin en 1342, que l'archevêque de cette ville dispose d'une résidence appropriée à ses hautes fonctions, et que tout le clergé chrétien « reçoit subsistance de la table de l'empereur de la plus courtoise façon ». Il rapporte avoir vu à Zayton (Tsing-kiang) trois grandes églises franciscaines, ainsi que des bains à l'usage des marchands européens. Mais Marignolli consacre le gros de son récit à une description détaillée des charmes agrestes du Paradis et du jardin d'Eden, qu'il situe à Ceylan.

Vers l'an 1340, Francesco Balducci Pegolotti, agent d'une famille de banquiers florentins, les Bardi, rédigeait un guide à l'usage des marchands en voyage, qui fourmille de renseignements : distances d'un lieu à l'autre, endroits dangereux, poids et mesures utilisés, prix des denrées et taux de change, réglementations douanières, conseils culinaires, lieux où dormir, etc.

> En premier lieu, vous devez vous laisser pousser la barbe. A Tana, il faudra vous assurer les services d'un drogman [interprète]. Et mieux vaut ne pas chercher à économiser en engageant un mauvais drogman plutôt qu'un bon. Car le supplément d'appointements que vous coûtera l'interprète compétent vaut bien tout ce que sa présence vous pourra épargner. Outre le drogman, il est bon de prendre au moins deux bons serviteurs qui connaissent la langue des Coumans. Si d'autre part le marchand souhaite emmener femme au départ de Tana, qu'il le fasse. Si cela ne lui sied point, il n'y est pas tenu. Mais s'il décide d'en engager une, il n'en sera que mieux soigné. Dans ce cas, cependant,

il convient qu'elle soit aussi bien versée que les hommes dans la langue des Coumans [...].

Quelque argent que les marchands puissent apporter avec eux au Cathay, le seigneur de ce pays le leur prendra et le mettra dans son trésor. Aux marchands qui apportent ainsi de l'argent, ils donnent en échange leur papier-monnaie. Celui-ci est jaune et frappé du sceau de ce seigneur. Avec cette monnaie de papier, vous pourrez aisément acheter de la soie et toutes autres marchandises dont vous souhaitez faire acquisition. Tous les habitants du pays sont tenus de l'accepter. Cependant, vous ne devez pas payer vos marchandises plus cher pour la raison que votre monnaie est en papier. [...]

(Et n'oubliez pas que si vous traitez les officiers des douanes avec respect, et leur remettez quelque présent sous forme de marchandise ou de monnaie, ainsi qu'à leurs employés et drogmans, ils se comporteront envers vous avec grande civilité. Et soyez toujours prêt à estimer vos marchandises au-dessous de leur valeur réelle.)

Mais cette période d'intense activité devait rapidement prendre fin. Montecorvino fut le premier et, pour longtemps, le dernier archevêque effectif de Pékin. Son successeur, désigné en 1333, ne parvint jamais, semble-t-il, à son poste. Les routes terrestres de l'Orient qui s'étaient si brusquement ouvertes au milieu du XIII^e siècle se refermèrent tout aussi brusquement un siècle seulement plus tard.

Cette embellie, c'est à la force et à l'unité du vaste Empire mongol qu'on la doit. Durant cette période, que d'aucuns ont appelé « le siècle mongol », tandis que des Européens se rendaient en Asie, des Chinois faisaient route vers l'Ouest. Ensemble, ils ont introduit en Occident cartes à jouer, porcelaine, tissus, motifs décoratifs, styles d'ameublement — tous éléments qui devaient fortement marquer la vie quotidienne des classes aisées en Europe. D'autres « importations » allaient tout simplement changer la face du monde : papier-monnaie, imprimerie, poudre à canon. Toutes ces nouveautés parvinrent d'abord au Moyen-Orient, pour atteindre ensuite indirectement l'Europe, par l'intermédiaire des Arabes notamment. Une poignée d'hommes, chaque fois, suffisait.

Les Mongols s'aperçurent très vite qu'un empire conquis à dos de cheval ne se gouverne pas de même. A d'aussi vastes domaines, il fallait une solide administration. En Chine, les Mongols eurent souvent du mal à faire régner l'ordre. Ils occupèrent eux-mêmes les postes de commande ou les confièrent à d'autres étrangers, tel Marco Polo. Les Chinois, riches d'une vieille tradition d'écriture, d'une technologie avancée et d'un sens raffiné du cérémonial, ne manquaient pas de raisons pour condamner cet occupant barbare. Les Mongols, venus des plaines arides du Nord, ignoraient l'usage du bain. « Ils ont une odeur si forte que l'on ne saurait s'en approcher, écrit un voyageur chinois en Mongolie : ils se lavent dans de l'urine. » Marco Polo fut effrayé par la sauvagerie des guerriers mongols, qui buvaient du lait de jument, ne transportaient presque aucun bagage, et étaient, « de tous les hommes au monde, les plus capables d'endurer l'effort et les privations, ainsi que les moins coûteux à entretenir, et, par conséquent, les plus aptes à conquérir des territoires et à renverser les royaumes ». Il trouva au Cathay des soldats dissolus, et remarqua la nervosité des populations chinoises. Tout dans l'attitude des chefs mongols, à commencer par leur tolérance religieuse, irritait les adeptes traditionnels du confucianisme.

Vers le milieu du XIVe siècle, les ravages de la famine dans le nord, conjugués à des inondations catastrophiques du fleuve Jaune, accentuèrent les difficultés de l'occupant. Un peu partout éclatèrent des rébellions. Le dernier des empereurs mongols, Temur Khan (1320-1370), digne émule de Caligula, monta en 1333 sur un trône déjà branlant. Il invita dix de ses meilleurs amis au « Palais de la clarté profonde », à Pékin, où ils adaptèrent les exercices secrets des Tantra du bouddhisme tibétain à des fins orgiaques. On fit venir des femmes de tout l'empire pour participer à des évolutions qui étaient censées prolonger la vie des hommes en leur communiquant la force de l'autre sexe. « Toute femme pour qui le plus grand plaisir était d'avoir commerce avec des hommes était emmenée au palais, disait la rumeur publique. Au bout de quelques jours, elle était libérée. Les gens du peuple étaient tout aises de recevoir or et argent. Les nobles se réjouissaient en secret, disant : "Comment résister si l'empereur veut faire venir ces femmes ?" »

Mais la rébellion fit tache d'huile et, en 1368, le jeune et talentueux Tchou Yuan-tchang (1328-1398) prenait le pouvoir, fondant, sous le nom de Hong-wou, la dynastie des Ming. Les Chinois avaient réussi à s'organiser à la barbe même de l'occupant. En ces dernières années de la domination mongole, rapporte la tradition populaire, les khans étaient devenus si inquiets qu'ils avaient placé un informateur dans presque chaque maison, et interdit toute réunion. Les Chinois n'étaient pas autorisés à porter des armes, une seule famille sur dix avait le droit de posséder un couteau à découper. Mais les Mongols avaient omis d'interdire la coutume chinoise qui consiste à échanger, pendant la pleine lune, des petits gâteaux ronds renfermant des vœux inscrits sur un bout de papier. Les rebelles, nous dit-on, se servirent de ces innocentes pâtisseries comme de messagers. A l'intérieur se trouvait un appel au soulèvement général et au massacre des Mongols pour la pleine lune du mois d'août 1368.

Temur Khan, plutôt que de défendre ses richesses, préféra s'enfuir en compagnie de l'impératrice et de ses concubines, d'abord dans la fameuse résidence d'été de Xanadu, puis à Karakoroum, première capitale de l'Empire mongol, où il trouva la mort. Entre-temps, princes et chefs de guerre mongols s'entre-déchiraient et l'empire se disloquait. L'année même du soulèvement de Pékin, s'achevait, plus à l'ouest, la première phase d'une nouvelle conquête du monde : l'empire de Tamerlan ne couvrira que le quart sud-ouest de celui de Gengis Khan ; mais il sera comme la nouvelle sentinelle aux portes de l'Orient.

Le démembrement de l'Empire mongol va couper les voies de passage terrestre décrites par Pegolotti quelques dizaines d'années plus tôt seulement. Tamerlan laissera la route ouverte à travers ses territoires, donnant libre accès aux Européens jusqu'à Tabriz. Samarcande, où s'arrêtait son pouvoir, fut pendant quelques années l'Athènes de l'Asie. Peu après sa mort en 1405, la cité, qui avait été une étape si active sur la route de la Soie, n'était plus qu'une ville fantôme, l'empire de Tamerlan plus qu'un souvenir.

La route terrestre du Cathay était maintenant fermée aux Européens. Les nouvelles de l'autre bout du monde se firent rares. Le pape lui-même, dont le réseau transcontinental de communication était si supérieur à tous les autres, ne parvenait pas à savoir ce qui se passait à Pékin. Il continua d'y nommer archevêques et évêques longtemps après qu'il fut devenu impossible de s'y rendre. Car à supposer qu'un Européen parvînt jusqu'aux frontières du Cathay, il n'était pas admis à y pénétrer. Les nouveaux dirigeants de la Chine, après plus d'un siècle de domination étrangère, renvinrent au vieil isolationnisme.

Après l'éclatement du premier Empire mongol, l'Occident européen perdit contact avec l'Extrême-Orient. De l'époque de Tamerlan et du second Empire mongol, les récits de voyageurs sont extrêmement peu nombreux : le rideau de fer était retombé.

En 1403, le roi Henri III de Castille envoie un noble madrilène, Ruy Gonzalez de Clavijo, solliciter l'alliance de Tamerlan contre les Turcs. L'émissaire et ses deux compagnons se rendent par bateau à Trébizonde, sur la mer Noire, et, de là, gagnent Samarcande par voie de terre. Ils admirent la capitale de Tamerlan et ses splendeurs, ses communautés d'artisans captifs : tisseurs de soie, potiers, verriers, armuriers, orfèvres. Cambaluc, leur dit-on, était à six mois de marche. Mais qu'importe, ils ne pouvaient s'y rendre. Clavijo, du reste, n'eut pas le temps de rentrer de Samarcande que Tamerlan était mort, les princes en rébellion, et les routes terrestres de l'Orient plongées une fois de plus dans l'anarchie. Les émissaires espagnols durent emprunter des chemins détournés pour échapper aux bandits et éviter les innombrables champs de bataille qui avaient surgi sur les ruines de l'empire de Tamerlan.

Le dernier Européen connu à s'être rendu en Orient à l'époque du voyage par voie de terre n'était ni un aventurier, ni un missionnaire, ni un diplomate, ni un marchand, mais un voyageur malgré lui. Hans Schiltberger, Bavarois de bonne famille, n'avait que quinze ans lorsqu'il fut capturé à la bataille de Nicopolis (1396), où il participait à la croisade contre les Turcs menée par le roi Sigismond de Hongrie. Trente-deux ans durant, Schiltberger fut esclave du sultan ottoman Bajazet, puis du Turcoman Tamerlan et de son successeur. Pour survivre avant de pouvoir s'enfuir, il occupa diverses fonctions, dont celle de courrier. Au gré des combats, il fut ballotté d'un camp à l'autre, témoin de la vie chez les Turcs et les Tatars. Comme Clavijo, Schiltberger n'alla jamais plus loin que Samarcande. Son récit est pimenté d'épisodes fantastiques, tel celui de la victoire remportée par les Amazones tartares sous la conduite d'une princesse vengeresse ; ou encore la description qu'il fait d'un Caire aux douze mille rues dont chacune compterait douze mille maisons. Mais son récit, le *Reisebuch,* dicté à son retour en Bavière, nous donne aussi, à côté de telles divagations, un témoignage de première main sur la vie des petites gens au Moyen Age.

Les déboires de Clavijo et de Schiltberger attestaient la fin d'une époque héroïque. Le voyage en Orient par voie de terre avait vécu. Faute désormais de témoignages directs sur la Chine rédigés par des hôtes occidentaux du Grand Khan, les Européens allaient devoir s'en remettre, pour s'informer sur l'Orient fabuleux, aux comptes rendus incertains de captifs ou d'esclaves.

# SIXIÈME PARTIE

## *Doubler le monde*

*Suffit que la moitié cachée du globe nous soit révélée, et que les Portugais poussent chaque jour plus loin au-delà de l'équateur. Ainsi des rivages inconnus nous seront-ils bientôt accessibles, car chacun, par émulation de l'autre, se lance en labeurs et redoutables périls.*

PIERRE MARTYR (1493).

## 20

### *Ptolémée revu et corrigé*

La fermeture des routes terrestres devait finalement être une chance. Poussés par des raisons nouvelles à se lancer sur les mers, les Européens allaient découvrir, pour toutes les destinations, des voies maritimes. C'est sur mer que se développa la cartographie : les besoins du marin incitèrent géographes et cartographes à se préoccuper, non plus de l'ensemble, mais du détail. Et donc à se détourner de la géographie chrétienne qui, devenue entreprise cosmique, s'intéressait davantage au général qu'au particulier, au dogme qu'à la réalité. Représenter l'univers n'était pour elle qu'une façon de représenter l'Écriture.

Le capitaine chargé d'acheminer une cargaison d'un port à un autre n'avait que faire de l'univers rectangulaire proposé par Cosmas Indicopleustès. Ce dont il avait besoin, c'était de connaître l'emplacement précis des rochers et des hauts-fonds sur la route des ports desservant Rome ou Athènes, de pouvoir se frayer un passage entre les petites îles de l'Adriatique. Durant la Grande Coupure, les marins vaquant à leurs affaires accumulèrent sur la Méditerranée des informations susceptibles de leur faciliter la tâche. Recueillant les renseignements à une échelle et sous une forme utilisables par eux, ils constituèrent une somme de connaissances qui n'avaient rien à voir avec les spéculations des philosophes, théologiens et autres inventeurs d'univers. Peu leur importaient, à eux, la grandiose forme de l'œcuménée, l'emplacement exact de l'Eden, ou la direction d'où déferlaient Gog et Magog à la fin des temps. Ce qui les intéressait, c'était de relever, pour eux-mêmes et pour leurs successeurs, le plus de détails possible sur la configuration des côtes. Dès le Vᵉ siècle avant notre ère, certains marins, en Méditerranée, notaient les amers et autres détails utiles à la navigation. Le guide côtier ainsi obtenu prit le nom de « périple » (du grec « naviguer autour »).

Le plus ancien périple qui soit parvenu jusqu'à nous fut confectionné par Scylax pour l'empereur de Perse Darius Iᵉʳ au VIᵉ siècle avant l'ère chrétienne. Il donne des instructions nautiques précises sur la Méditerranée : le meilleur moyen pour se rendre de l'extrémité orientale — l'embouchure de la branche « canonique » du Nil — jusqu'aux Colonnes d'Hercule (Gibraltar), et nombre d'itinéraires plus courts, indiquant toujours la durée du trajet par temps favorable. « Le cabotage depuis les Colonnes d'Hercule jusqu'à l'île de Cerne demande douze jours. Au-delà de cette île, la mer n'est plus navigable, à cause de hauts-fonds, de vase et d'algues. Ces algues sont larges comme des palmes et pointues à en être piquantes. » Mais dès qu'il s'éloigne de la mer, Scylax perd tout sens critique. Ses élucubrations, heureusement, ne risquaient pas de nuire aux marins. « Les Éthiopiens sont les plus grands de tous les humains que nous connaissions, dépassant quatre coudées ; certains atteignent même cinq coudées (2,5 m). Ils portent une barbe et des cheveux longs, et sont les plus beaux de tous les hommes. C'est au plus grand d'entre eux qu'échoit la tâche de gouverner. » Bien entendu, les documents écrits, factuels ou fantaisistes, ne pouvaient être utiles qu'à qui savait lire, ce qui ne devait être le cas des marins que bien des siècles plus tard. En attendant, le marché des guides côtiers ne pouvait être que restreint. D'autant que, avec une cartographie primitive, il n'était pas aisé d'établir une représentation fidèle. La route la plus courte et la plus sûre d'un port à un autre devait rester longtemps secret professionnel et secret d'État : d'elle pouvaient dépendre la richesse d'une cité, la naissance d'un empire.

Rien d'étonnant donc si les guides côtiers étaient rares. Tout au long de la Grande Coupure, du IVᵉ au XIVᵉ siècle, il n'y a eu aucune carte marine. En cette époque d'analphabétisme universel, le savoir traditionnel des gens de mer se transmit de bouche à oreille. Au XIVᵉ siècle, toutefois, apparaissent de véritables cartes de la Méditerranée, offrant le même type de renseignement utile que les périples de l'Antiquité, mais sous forme, cette fois, de représentation visuelle. Ces cartes côtières sont celles que les historiens considèrent comme les premières vraies cartes, car « pour la première fois, elles représentaient une portion importante de la surface terrestre à partir d'observations minutieuses, suivies et pour ainsi dire scientifiques ». Ces cartes prirent le nom de « portulans », de l'italien *portolano*, « guide des ports ». C'étaient de véritables petits guides pratiques : portatifs, ils pouvaient être confrontés directement à la réalité, et corrigés.

En dépit, ou peut-être à cause même, de leur origine utilitaire, les portulans ont été l'une des meilleures sources d'information pour les grands atlas jusqu'au milieu du XVIe siècle. Les grands précurseurs de la cartographie moderne, Mercator et Ortélius, ne trouvèrent rien qui méritât d'être repris dans les spéculations des cosmographes chrétiens. Mais ils prirent en compte les mille petites observations faites quotidiennement par les marins. Et en 1595, les premiers commerçants maritimes du monde, qui étaient les Hollandais, se guidaient encore d'après les levés de rivages, les conseils pratiques, les avertissements, établis deux siècles plus tôt par les auteurs de portulans.

Ces derniers, du reste, tout comme Scylax, perdaient leur sens critique dès qu'ils mettaient pied à terre. Les portulans ou bien laissaient vierge l'intérieur des terres, ou bien le peuplaient de mythes. C'est sur les bords de la mer, là même où les contours de la terre font partie du vécu quotidien, que sont nées les vérité élémentaires de la cartographie moderne.

Si la mer fut le berceau de la cartographie scientifique, c'est aussi pour une autre raison. Les théologiens chrétiens, dont l'objectif était de percer les mystères de l'univers et de la destinée humaine, plaçaient tout naturellement le jardin d'Eden en haut de leurs cartes. « Et les six autres parties, tu les as asséchées », peut-on lire dans un livre apocryphe de la Bible (II Esdras, 6, 42). C'était donc que le monde était couvert de terre pour six septièmes, et d'eau pour un septième seulement. D'où la place très réduite des mers dans la cartographie d'inspiration théologique. C'est de sources littéraires, et généralement religieuses, qu'étaient principalement tirées les « données » géographiques terrestres. Au Moyen Age et tout au long des siècles qui précédèrent l'imprimerie, cette littérature s'accumula et donna lieu à glose sur glose.

Lentes à évoluer, les sources écrites théologiques devinrent crédibles à force de répétition. Mais l'épreuve de vérité pour une carte marine, c'est l'expérience, non la littérature. Aucune théologie au monde ne pouvait faire croire à un marin que les rochers heurtés par son navire étaient purement imaginaires. Les contours des terres explorées ne pouvaient être modifiés ou occultés par les écrits d'un Isidore de Séville, voire d'un saint Augustin. Plus l'homme s'éloignait sur la mer, moins il avait l'occasion ou la tentation d'ajouter foi aux sources littéraires. Car la mer n'avait pas de mémoire. Si la topographie terrestre restait soumise au texte, à la rumeur, au mythe, à la tradition, le monde marin, lui, était domaine de liberté : liberté de s'instruire par l'expérience, de se fier au seul réel, d'élargir toujours son savoir.

Atteindre l'Asie par mer depuis la Méditerranée impliquait, bien entendu, de quitter la mer fermée pour un voyage au long cours. Le cabotage était en Méditerranée le type de navigation le plus répandu. Pour cela, comptait surtout l'expérience personnelle des lieux traversés : vents et courants particuliers, repères familiers, îles connues, silhouette caractéristique de telle montagne toute proche. Au-delà des Colonnes d'Hercule, se posaient d'autres problèmes. Lorsque les Portugais se lancèrent le long de la côte africaine, ils laissèrent derrière eux tous leurs repères familiers. Plus ils poussaient vers le sud, plus ils s'éloignaient des certitudes rassurantes des portulans. Ils étaient ici sans expérience ni livre-guide.

Nulle part la Méditerranée ne fait plus de huit cents kilomètres de la côte sud à la côte nord la plus proche, soit une amplitude d'environ sept degrés de latitude seulement. Les pilotes se préoccupaient donc rarement de leur latitude, et ce d'autant moins que celle-ci était encore difficilement déterminable. Mais le continent africain s'étend du 38ᵉ degré Nord au 38ᵉ degré Sud, soit un cinquième du globe. Face à une côte mal connue, à des populations hostiles, à des obstacles naturels encore mal répertoriés, calculer la latitude était encore le meilleur et parfois le seul moyen de déterminer la position d'un navire. Un marin prudent devait donc s'y astreindre. Au début, il le fit en mesurant la hauteur de l'étoile Polaire. Mais celle-ci s'abaissait à mesure qu'il progressait vers le sud, et il devait alors, en observant la hauteur du Soleil à midi, utiliser conjointement avec son astrolabe, son quadrant et son arbalète, des tables de déclinaison. Ces techniques, essentielles à la navigation au long cours et dans des eaux peu familières, se développèrent à la fin du XVᵉ siècle, lorsque les Portugais poussèrent de plus en plus loin vers le sud de l'Afrique. Au début du XVIᵉ siècle, des échelles de latitude apparaissaient sur les cartes marines, et peu à peu se précisaient les latitudes de nombreux points du littoral africain.

Ces outils allaient permettre aux navigateurs de pousser plus avant vers le sud et vers le nord. Mais la détermination de la longitude, on l'a vu, posait des problèmes autrement plus délicats. Le marin continuait de se diriger à l'estime, c'est-à-dire à faire le point sans observer les astres, en calculant ou en supputant le trajet et la distance parcourus depuis une position précédente. Comme nous l'avons vu, ce n'est qu'au XVIIIᵉ siècle que l'horloge marine a permis au navigateur de déterminer sa longitude avec une précision suffisante pour retrouver sans difficulté tout lieu déjà visité. Outre tous ces problèmes, quitter la Méditerranée, c'était aussi, naturellement, courir le risque de se trouver dérouté, de se perdre peut-être, au milieu d'un océan inconnu.

Pour un Européen cherchant la route maritime des Indes par l'est, la carte médiévale d'inspiration religieuse n'était d'aucune utilité. Aussi les promoteurs de voyages au long cours furent-ils amenés à renoncer à la vision du théologien pour adopter celle du marin. Jérusalem va devoir perdre sa centralité, le jardin d'Eden être relégué dans un autre monde. A leur place viendra la géométrie des latitudes et longitudes.

Alors vint — ou plutôt revint — le grand Ptolémée. C'est au moment précis où les routes terrestres de l'Orient se fermaient aux Européens que se manifesta un renouveau de la géographie ptoléméenne, stimulant les modes de pensée de l'Occident chrétien. Simple coïncidence, ou relation de cause à effet ? Difficile à dire. Quoi qu'il en soit, la conjonction des deux événements devait changer la face du monde.

Avant même le retour à Ptolémée, à l'époque où Marco Polo rentrait à Venise, les observations faites par les marins et consignées sur les portulans étaient reprises dans les cartes et atlas. Parmi ceux-ci, le plus impressionnant, sans doute, est le fameux *Atlas catalan,* confectionné en 1375 par le cartographe et ingénieur du roi d'Aragon, Abraham Cresques. Les services rendus par Cresques, comme par d'autres savants juifs, au royaume d'Aragon étaient le fruit d'une politique de tolérance, qui devait également donner naissance à Majorque à toute une école juive de cartographie. Lorsque le roi de France Charles V demande au roi d'Aragon une copie de sa meilleure carte du monde, c'est celle-ci qu'il reçoit (conservée, fort heureusement, aujourd'hui à la Bibliothèque nationale).

Lorsque la persécution des Juifs reprit en Aragon, à la fin du XIVe siècle, le fils d'Abraham Cresques, Jehuda, qui poursuivait les travaux de son père, fut contraint d'émigrer. Sur invitation d'Henri le Navigateur, il se réfugiera au Portugal, où il participera comme cartographe à la préparation de la grande aventure maritime portugaise. Ce n'est pas un hasard, du reste, si les Juifs ont été au premier rang de ceux qui ont libéré l'Europe du carcan de la géographie chrétienne. Chassés d'un endroit à l'autre, ils ont contribué à faire de la cartographie, domaine jusque-là réservé à quelques princes et hauts fonctionnaires, une science universelle, présentant des faits également valables en tout pays, quelle que soit sa confession. Marginaux du monde chrétien comme du monde islamique, les Juifs se firent vecteurs d'idées, apportant aux chrétiens le savoir des Arabes.

L'*Atlas catalan* se proposait de fournir « une mappemonde, c'est-à-dire une image du monde et des régions qui sont sur terre, ainsi que des diverses sortes d'hommes qui l'habitent ». Il exprime les préoccupations dominantes des marins européens à l'âge du voyage terrestre finissant. L'étendue est-ouest qui constituait le centre de leur univers était représentée sur douze feuilles montées sur des panneaux pliants. Il ne montrait ni l'Europe et l'Asie du Nord, ni l'Afrique australe, mais faisait figurer l'Orient et le peu que l'on connaissait de l'« océan Occidental ». A l'inverse des cartes chrétiennes, l'*Atlas catalan* est un modèle d'empirisme. Il synthétise l'expérience d'innombrables individus, y compris les navigateurs arabes et les plus récents des voyageurs européens. Mais comme il fallait bien partir de quelque chose, nos cartographes avaient pris comme point de départ l'habituelle carte en forme de disque. Jérusalem demeure près du centre, et l'on voit les hordes de Gog et Magog contenues par les montagnes « Caspiennes », et autres vestiges de la géographie orthodoxe. Reste que cet Atlas est fondamentalement un livre-portulan : les rivages de la mer Noire, de la Méditerranée, de l'Europe occidentale ont été dessinés à partir des nombreux relevés effectués directement par les marins et consignés dans leurs guides côtiers.

Nous savons que les protecteurs de Cresques, le roi Pierre IV d'Aragon et son fils, procurèrent à leur cartographe divers manuscrits pour faciliter sa tâche : *Livre des merveilles* de Marco Polo, *Itinéraire* d'Odoric de Pordénone, *Voyages* de Jean de Mandeville. Grâce à quoi l'atlas de Cresques offrait enfin une Asie reconnaissable. La partie la moins inexacte est celle traversée par les Polo et décrite dans le *Livre des merveilles*. Le Sud-Est asiatique est totalement inexistant, mais pour la première fois en Occident, l'Inde est correctement représentée.

L'*Atlas catalan*, aussi primitif qu'il puisse nous paraître aujourd'hui, est un chef-d'œuvre d'esprit empirique naissant. Cresques écarte une bonne partie des détails légendaires qui avaient peuplé les cartes durant les longs siècles chrétiens. Et, preuve remarquable de maîtrise scientifique, il laisse en blanc, comme pour un portulan, les régions sur lesquelles il manque de renseignements précis : tout le nord et le sud de la planète. L'Afrique australe, si longtemps décrite comme un rempart d'anthropophages et de monstres fabuleux, est ici laissée vide, dans l'attente d'informations plus réalistes.

Presque tout au long de l'histoire, l'esprit humain a manifesté l'horreur du vide, préférant le mythe à la mention « terra incognita ». Comment faire admettre aux hommes, et singulièrement aux esprits cultivés, qu'ils ne peuvent tout savoir ? A cette question, l'atlas-portulan fournissait un début de réponse.

La découverte et la représentation de la Terre, toutefois, ne pouvaient s'accomplir au moyen du seul esprit empirique. Les larges a priori esthétiques de Ptolémée étaient ici essentiels. Tout comme les constructeurs de portulans, Ptolémée avait renoncé à l'idée homérique d'un océan primordial entourant terre et mer. Il admettait parfaitement qu'il pût y avoir des terres inexplorées au-delà du monde qu'il connaissait. Mais il apportait quelque chose de plus. Les portulans étaient des cartes établies sans projection. Bien qu'ils paraissent reposer sur des mesures et des calculs précis, il n'y en a jamais deux exactement semblables. Pourquoi ? Parce que les copistes ne disposaient d'aucun système scientifique de coordonnées ; rien d'équivalent aux parallèles et méridiens. La géométrie caractéristique des portulans était un canevas de « roses des vents », envoyant chacune des lignes rayonnantes, et dont le nombre était fonction des dimensions de la carte. Il y avait généralement un point central de rayonnement, autour duquel étaient disposés en cercle huit ou seize autres foyers. Les roses des vents, très ornées, indiquaient la direction des vents et fournissaient au marin un grand nombre de lignes rayonnantes, dont l'une peut-être correspondait à son itinéraire particulier. Les portulans plaçaient le Nord au sommet, mais sans fournir aucun réseau de parallèles et méridiens. Il faudra attendre le XVI^e siècle pour que les cartes marines indiquent les latitudes. A quoi bon celles-ci, du reste, tant que la navigation se pratiquait encore dans des eaux fermées et à l'estime ?

Le grand apport de Ptolémée, c'est l'esprit scientifique et quantitatif. Son système de coordonnées terrestres, à l'inverse de la très esthétique rose des vents, a une valeur constante et universelle. Deux cartes des mêmes lieux correctement dessinées selon ses principes seront toujours exactement identiques. Les coordonnées qu'il propose ne sont fonction ni de la taille de la feuille ni de celle de la région représentée. Dans le premier livre de sa *Géographie,* consacré aux techniques de la cartographie, il évoque les problèmes que pose la transposition de la surface sphérique de la Terre sur la surface plane d'un parchemin. Il faut pour cela, explique-t-il, un réseau de méridiens et parallèles. Il expose les difficultés de la projection sphérique, et propose une technique de projection conique précise « pour ceux qui, par paresse, préfèrent cette ancienne méthode ». A l'opposé des cartographes chrétiens, qui s'en tiennent au dogme, Ptolémée défend une vision à la fois holistique et mathématique de la surface terrestre. C'est ce qu'il explique dans la définition de la géographie sur laquelle s'ouvre l'ouvrage :

> La géographie est une représentation en image de l'ensemble du monde connu, ainsi que des phénomènes qui s'y déroulent.
> Elle diffère de la chorographie en ceci que cette dernière [...] examine plus complètement les détails des plus petits lieux possibles, tels que ports, fermes, villages, cours des fleuves, etc.
> La géographie s'intéresse à la position plus qu'à la qualité, notant partout les distances, et ne rivalisant avec l'art du peintre que pour certaines de ses grandes descriptions. La chorographie exige l'art pictural et l'on ne peut y réussir qu'en étant peintre. La géographie n'a pas ces exigences, n'importe qui pouvant, au moyen de lignes et de notations simples, marquer des positions et indiquer des formes. Qui plus est, la chorographie n'a pas besoin des mathématiques, qui constituent une partie importante de la géographie. Dans la géographie, il faut considérer la Terre tout entière, ainsi que sa forme et sa position par rapport au ciel, afin de pouvoir énoncer correctement quelles sont les particularités et les proportions de la partie dont on s'occupe, sous quel parallèle de la sphère céleste elle est située [...], la longueur de ses jours et de ses nuits, les astres qui se tiennent au-dessus, ceux qui franchissent l'horizon et ceux qui ne le dépassent jamais. [...]
> Montrer toutes ces choses à l'intelligence humaine, telle est la tâche grandiose et passionnante des mathématiques.

Le retour à Ptolémée sera donc éveil, ou réveil, de l'esprit empirique. L'homme va maintenant faire appel à son expérience afin de mesurer toute la Terre, de séparer le connu de l'inconnu. La redécouverte ptoléméenne sera l'un des faits saillants de la Renaissance.

Le manuscrit grec de la *Géographie* de Ptolémée parvient en Occident au début du XIIIe siècle. Mais rares étant alors ceux, même parmi les lettrés, qui savent lire cette langue, il faudra attendre, pour que l'œuvre de l'Alexandrin soit connue, qu'elle soit traduite en latin. En l'an 1400, un exemplaire en grec est rapporté de Constantinople à Florence par le mécène Palla Strozzi. Là, l'ouvrage est traduit en latin par le célèbre Emmanuel Chrysoloras (1355-1415) et ses élèves. Au début du XVe siècle, de nombreux manuscrits latins du texte circulent à travers l'Europe occidentale ; plus de quarante datant de cette époque sont parvenus jusqu'à nous. Certains étaient accompagnés de cartes réputées être celles du géographe grec, généralement au nombre de vingt-sept. Les premières éditions imprimées de cette traduction latine (Vicence, 1475) ne reproduisent que le seul texte. Qu'est-il advenu à l'œuvre de Ptolémée durant la Grande Coupure ? Où sont passés texte et cartes durant ces mille ans ? Il paraît maintenant vraisemblable que seul le premier volume, théorique, de la *Géographie* nous soit parvenu à peu près intact. Les autres volumes, comprenant la nomenclature des villes positionnées ainsi que les cartes, paraissent avoir été élaborés au long des siècles par des savants byzantins et arabes.

Le retour à Ptolémée s'accompagna de la publication de nombreuses copies manuscrites du texte et des cartes, et l'œuvre dans son ensemble acquit une exceptionnelle réputation. Non seulement la technique cartographique, décrite dans le Livre I, mais le texte entier et toutes les cartes qui l'accompagnaient, furent acceptés comme parole d'évangile, et auréolés du supplément d'authenticité qui s'attache aux chefs-d'œuvre retrouvés. Si la *théorie* ptoléméenne était inattaquable, les cartes qui se trouvaient annexées à sa *Géographie*, par contre, contenaient de graves erreurs, qui allaient peser lourd dans l'avenir de l'exploration. Ainsi la grossière sous-estimation par Ptolémée de la circonférence terrestre et sa non moins grossière surestimation de l'extension de l'Asie vers l'est se conjuguèrent-elles pour faire paraître ce continent beaucoup plus proche de l'Europe, à travers l'océan Occidental, qu'il ne l'est en réalité. Ce sont ces « faits » qui devaient inciter Colomb à chercher un passage par l'ouest. D'autres erreurs figurant sur la classique carte du monde attribuée à Ptolémée allaient dans le même sens. La partie de l'Afrique située au-dessous de l'équateur et baptisée « Terra incognita » prenait l'aspect d'une énorme masse continentale allant rejoindre l'Asie, ce qui faisait de l'océan Indien et de la mer de Chine une vaste mer fermée, et rendait, bien sûr, inconcevable l'idée d'un voyage maritime vers l'Asie via le sud et l'est.

Pour que les voyageurs européens puissent réagir à la fermeture des voies de passage terrestre vers l'Asie, il fallait d'abord que fût corrigée cette vision « ptoléméenne » de l'Afrique australe. Jusque-là, les Européens faisaient une distinction nette entre océan et mer. Il n'y avait pour eux en fait qu'un seul Océan, celui de la mythologie grecque, et qui était censé entourer le disque de la Terre. C'est ce qui explique qu'en anglais, jusque vers 1650, la vaste mer sans bornes se soit communément appelée *Ocean Sea,* « mer Océane » (du latin *mare oceanum*), par opposition à la Méditerranée et aux autres mers intérieures.

Les cartographes chrétiens du Moyen Age reprenaient généralement les légendes grecques, dépeignant le monde habité comme entouré par le fleuve Océan. « Que les eaux qui sont au-dessous du ciel se rassemblent en un seul lieu, dit la Genèse (1,9) et que le sec paraisse. Et cela fut ainsi. » Si les chrétiens exprimaient des divergences quant aux caractéristiques exactes de cet Océan qui aurait baigné la Terre de toutes parts, tous néanmoins considéraient que, même s'il s'avérait navigable, il ne devait pas être pénétré, car quelque part au-delà ou à son voisinage se trouvait le Paradis, que nul vivant ne devait ni ne pouvait atteindre.

A cette époque, l'Océan ne conduisait nulle part. Au cours des siècles suivants, on allait s'apercevoir qu'il mène partout. Ce n'est que progressivement, au cours du XV^e^ siècle, que le mot « océan » acquit ce sens moderne. Jusque-là, l'océan Atlantique n'était généralement pas répertorié parmi les « mers ». La route maritime des Indes, avant de s'ouvrir pour les navires, allait devoir s'ouvrir dans les esprits et sur les cartes. A cet égard, la découverte d'une voie maritime vers l'Inde fut tout à fait différente de la découverte de l'Amérique, laquelle advint sur terre avant de se produire dans les esprits.

Vers le milieu du XVe siècle, certaines cartes du monde confectionnées en Europe montraient déjà l'Afrique comme un continent en soi, et l'océan Indien comme une mer ouverte : une ouverture des esprits et des cartes antérieures de plusieurs dizaines d'années au premier contournement effectif de l'Afrique par un Européen. Ainsi de la fameuse mappemonde conçue par Fra Mauro (1459). Cette projection plane du globe terrestre est la dernière des grandes cartes du Moyen Age. Mais aussi, en un sens, l'une des premières cartes modernes. Car l'océan n'y apparaît plus comme une route interdite et sans issue, mais comme une voie menant aux Indes. Mauro rend hommage à Ptolémée, mais explique que, pour pouvoir utiliser le système de coordonnées proposé par le maître alexandrin, il faut commencer par modifier certaines de ses cartes afin d'y faire figurer divers lieux inconnus du monde antique. Ainsi justifie-t-il sa décision de combler les vides laissés par le Grec sur ses cartes.

Cette ouverture de l'océan n'était pas encore un fait avéré par l'expérience des marins. Elle n'était encore que supputation, basée sur des récits de voyageurs. Parmi ceux-ci, le plus important, sans doute, fut celui d'un marchand et aventurier vénitien. Même après la dislocation de l'Empire mongol, lorsque la route asiatique directe au départ de la Syrie cessa d'être accessible aux Européens, les marchands de Venise ne voulurent pas renoncer aux échanges avec l'Orient. Ils s'efforcèrent de poursuivre leur commerce, en utilisant les routes du sud-est, c'est-à-dire en traversant l'Égypte, la mer Rouge, le golfe d'Aden et la mer d'Oman. L'un de ces marchands était Niccolo dei Conti. Parti de Venise en 1419, il voyagea vingt-cinq ans durant. Ses pérégrinations le menèrent un peu partout : il traversa le désert d'Arabie, suivit toute la côte occidentale de l'Inde à la recherche de pierres précieuses, visita le lieu de sépulture de saint Thomas, près de Madras, les forêts de cannelle de Ceylan, Sumatra (dont il décrit l'or, le camphre, le poivre... et le cannibalisme), la Birmanie (où il observe les tatouages des populations, ainsi qu'éléphants, rhinocéros et serpents pythons), et atteignit même Java. Au cours de ces voyages, il épousa une Indienne, qui lui donna quatre enfants. Sur le chemin du retour, il fit halte en Terre sainte, où il rencontra un voyageur espagnol, qui, le plus sérieusement du monde, devait consigner dans ses carnets les invraisemblables aventures imaginaires du marchand italien à la cour du prêtre Jean.

A de telles élucubrations auraient pu se limiter pour nous les voyages de Conti. Mais durant son séjour en Orient, il avait renoncé au christianisme. C'est pourquoi, à son retour à Venise, en 1444, le pape Eugène IV lui ordonna, pour faire pénitence, de dicter le récit complet de ses aventures. Cette relation, consignée par le secrétaire du pape, Poggio Bracciolini, est l'une des meilleures descriptions connues de l'Asie du Sud à l'époque intermédiaire entre la grande période des voyages réguliers par voie de terre et l'arrivée des premiers voyageurs par mer. De toutes les notations qu'elle contient, aussi pittoresques soient-elles, aucune ne devait connaître un aussi bel avenir que ses supputations quant à la possibilité d'atteindre les îles orientales aux épices en contournant l'Afrique. Les constructeurs de mappemondes du milieu du XVe siècle allaient se saisir du texte de Conti pour procéder, sans plus attendre, à une mise à jour de Ptolémée, ouvrant ainsi une voie maritime vers l'Inde.

L'intégration progressive, dans les meilleures cartes du monde, de ce passage maritime vers l'Asie ne détrôna pas pour autant l'image ptoléméenne de l'Afrique. Durant l'âge, tout proche, des grandes découvertes maritimes, les vieilles cartes restèrent les plus usitées. Les nouveaux atlas se voulaient conçus « d'après les originaux de Ptolémée ». Les éditeurs mirent à profit la gloire du savant grec, comme, plus tard, les lexicographes américains useront du nom de Webster pour donner à leur production un cachet d'authenticité.

L'avènement de l'imprimerie, nous le verrons, modifiera non seulement le contenu, mais le rôle et les usages du savoir géographique. Ceci, toutefois, ne se fera pas toujours dans le sens du progrès. Ce n'est pas un hasard si, dans les premiers temps de l'image imprimée, de la gravure sur bois et sur métal, ce furent les ouvriers en métaux, orfèvres et peintres qui, en Allemagne centrale et en Rhénanie, se mirent à la gravure sur cuivre. Les lourds investissements en matériel des éditeurs d'atlas, conjugués à l'écrasante réputation de « Ptolémée », eurent pour effet de maintenir les anciennes cartes en circulation, et pas toujours comme simples curiosités. Même lorsque ces planches eurent été rendues obsolètes par les dernières découvertes géographiques, elles continuèrent d'être utilisées, parfois en même temps que des cartes plus récentes qui les contredisaient. Ceux qui avaient du mal à se faire à l'idée d'une Afrique contournable et d'un océan Indien ouvert pouvaient trouver consolation dans la vision ptoléméenne. Car la représentation de la réalité par Fra Mauro et quelques autres, au milieu du XVᵉ siècle, était encore maladroite et paraissait fantaisiste. Longtemps après que les Portugais eurent franchi le cap de Bonne-Espérance et atteint l'Inde par mer, jusque dans les années 1570, les « meilleurs » atlas continuèrent de proposer des rééditions des cartes désuètes de Ptolémée. Nombre d'atlas imprimés furent mis en circulation avant la fin du XVᵉ siècle, lorsque la cartographie commençait déjà à être une activité extrêmement lucrative, mais il faut attendre l'année 1508 pour voir une carte imprimée donner une image relativement précise de l'extension de l'Afrique vers le sud.

L'ouverture de l'océan Indien fut la première des révisions déchirantes auxquelles les Européens soumirent la géographie ptoléméenne. Au cours des siècles consécutifs à la fermeture des routes terrestres de l'Orient, bien d'autres allaient suivre. Le monde de Ptolémée, qui se terminait au 63ᵉ degré de latitude nord, à mi-chemin de la péninsule scandinave, allait devoir être étendu, tant vers le nord que vers le nord-ouest. Et, bien entendu, entre l'Europe et l'Asie, allait finalement surgir tout un Nouveau Monde. Mais l'esprit scientifique de Ptolémée, ses aveux d'ignorance, ses propositions pour un système de latitudes et longitudes, tout cela devait stimuler cartographes et marins dans leurs tâches.

## 21

## *Les Portugais, pionniers des mers*

Parmi les plus stimulés étaient les marins portugais, qui doivent à la géographie leur rôle dans l'histoire. Situé en bordure occidentale de la péninsule Ibérique, le Portugal s'est installé très tôt — au milieu du XIIIᵉ siècle — dans ses frontières modernes. Le pays n'avait aucun accès à la Méditerranée — la « mer au milieu des terres » — mais disposait de longues voies navigables et de ports profonds tournés vers l'océan. Des cités se développèrent sur les bords de fleuves dont les eaux se jetaient dans l'Atlantique. Ainsi le peuple portugais, plutôt que de se tourner vers les grands centres traditionnels de l'Europe, fut-il amené tout naturellement à regarder vers l'extérieur : à l'ouest vers l'océan inexploré, au sud vers un continent qui, pour les Européens, était tout aussi inexploré.

Longue entreprise de découverte organisée, l'œuvre portugaise d'exploration fut plus moderne, plus révolutionnaire que les exploits plus largement célébrés de Christophe Colomb. Car celui-ci prit une route que lui suggéraient les sources antiques et médiévales — meilleure information du temps —, lesquelles se fussent trouvées confirmées si l'entreprise avait réussi. Il n'y avait nul doute en son esprit, ni quant au paysage à traverser, ni quant à la direction à prendre. Seule inconnue : la mer. Le courage de Colomb fut d'emprunter une route maritime directe pour se rendre vers des terres « connues », dans une direction connue, mais sans savoir exactement combien de temps il lui faudrait.

A l'inverse, les expéditions portugaises pour tenter de doubler l'Afrique et, espérait-on, gagner l'Inde reposaient sur de simples supputations, des rumeurs, des hypothèses. Des terres inconnues allaient devoir être contournées, utilisées comme bases de ravitaillement. Le voyage conduirait vers des régions que la géographie chrétienne disait peuplées de dangers mortels, loin au-dessous de l'équateur. Exploration systématique de l'inconnu, l'entreprise portugaise était une œuvre nationale, exigeant une solide planification. L'entreprise de Colomb était un pari audacieux, dont on ne devait saisir l'importance que des dizaines d'années plus tard. Les explorateurs portugais participaient à une entreprise étalée sur un siècle et demi, et dont la signification fut perçue longtemps à l'avance et les résultats connus immédiatement. Le grand exploit de Colomb est dans cet imprévu, ce résultat second, cet autre chose que ce qu'il allait chercher. Le grand exploit des Portugais fut, au contraire, le fruit d'une politique délibérée, reposant sur un consensus national. Le prototype, en somme, de l'exploration moderne.

La planification à long terme ne fut possible que parce que les Portugais avaient entrepris une œuvre collective. Jusque-là, en Europe, les épopées nationales avaient chanté le courage et les exploits d'un héros singulier : Ulysse, Énée, Beowulf. L'épopée portugaise, elle, ne chantait plus l'homme unique ; son héros était devenu pluriel. « Ceci, explique Camoens au début des *Lusiades,* est l'histoire des *héros* (souligné par nous) qui, laissant derrière eux leur Portugal natal, ouvrirent une voie vers Ceylan et au-delà, à travers des mers que nul, jusque-là, n'avait empruntées. » Les horizons s'étaient élargis, l'histoire devenait l'affaire de tous. Alors que les anciens lais célébraient un héros demi-dieu, les lais modernes allaient célébrer les peuples.

L'aventure aussi était devenue plurielle, son champ d'action beaucoup plus vaste. Les parcours maritimes n'étaient plus des routes comme à travers une mer fermée, une Méditerranée ; les grandes voies nouvelles gagnaient la haute mer, et elles menaient partout.

Séparés de l'Afrique par un simple détroit, les Portugais étaient remarquablement dénués de tout racisme et de tout esprit de clocher. Leurs ancêtres étaient des Celtes, des Ibères et des Anglais. Beaucoup prirent femme ou mari en Afrique ou en Asie. Le Portugal devint une petite Amérique avant la lettre, un mini-creuset où se mêlaient chrétiens, juifs et musulmans. L'occupation arabe avait d'ailleurs laissé son empreinte dans les institutions. Tous ces apports physiques, intellectuels, artistiques, littéraires, ce brassage de cultures et de traditions, firent la richesse de la nation, lui insufflant l'énergie et les connaissances nécessaires pour se lancer sur les mers, puis revenir.

Revenir : c'était la condition *sine qua non* pour qu'un peuple s'enrichisse, au propre comme au figuré, au contact des mondes lointains. Rétroaction, appellera-t-on plus tard ce principe : crucial pour un découvreur, et qui explique peut-être pourquoi la conquête des océans ouvrit une ère nouvelle pour l'humanité. Combien d'actes, en effet, dans l'histoire de l'entreprise humaine, restés sans suite de cet indispensable choc en retour ? Quel moteur pour l'homme que la capacité à apprendre des autres ! Les expéditions maritimes, lorsqu'elles étaient à sens unique, n'ont eu par elles-mêmes que peu d'importance, et n'ont guère laissé de traces dans l'histoire. Car il ne suffit pas de parvenir à destination ; encore faut-il revenir, et pas les mains vides. L'enrichissement mutuel des peuples exige la capacité à rejoindre son point de départ, à rapporter de l'autre bout du monde de quoi transformer la vie de ceux qui sont restés. On a trouvé aux Açores des pièces de monnaie carthaginoises du IVe siècle, et des navires fous semblent avoir apporté au Venezuela des pièces romaines. Des bateaux vikings ont vraisemblablement touché l'Amérique du Nord à diverses reprises, au cours du Moyen Age. En 1291, les frères Vivaldi appareillèrent de Gênes dans le but de contourner l'Afrique, mais disparurent. Il est possible également que, à l'époque précolombienne, certaines jonques chinoises ou japonaises se soient trouvées entraînées jusque sur les côtes de l'Amérique. Mais tous ces événements sans effet de retour ne furent, pour cette raison même, que des incidents sans lendemain.

Pour la plupart des pays d'Europe occidentale, le XVe siècle — époque de la guerre de Cent Ans et de la guerre des Deux-Roses — fut une période de luttes intestines et/ou de peurs d'invasion. Les Turcs, qui avaient pris Constantinople en 1453, menaçaient tout le Levant, ainsi que les Balkans. L'Espagne, seul pays à partager la position péninsulaire privilégiée du Portugais (et qui possédait en outre les ports florissants sur la Méditerranée), était en proie à des querelles internes qui, presque tout au long du siècle, lui firent friser l'anarchie. Le Portugal, à l'inverse des autres pays, resta tout au long du XVe siècle un royaume uni, pratiquement épargné par les troubles.

Mais pour pouvoir exploiter ses nombreux atouts, il fallait au Portugal un conducteur d'hommes : quelqu'un qui rassemble les volontés, organise les ressources, indique le chemin à prendre. Sans un tel leader, tous les avantages du monde fussent restés vains. Cet homme exceptionnel, ce sera le prince Henri, dit le Navigateur : un curieux mélange de visionnaire audacieux et d'esprit casanier. Glacial dans ses rapports avec les individus, il était passionné pour ses idées. Mais son obstination et son sens de l'organisation devaient s'avérer essentiels à la première grande entreprise moderne de découverte.

Que le pionnier de l'exploration moderne ne soit jamais parti lui-même en expédition n'est pas pour nous surprendre, historiquement parlant. La grande aventure de l'Europe médiévale — les croisades — exigeait de ses participants qu'ils risquent leur vie contre l'Infidèle. L'exploration moderne, avant de devenir aventure maritime planétaire, devait commencer par être aventure de l'esprit, poussée d'une imagination individuelle. La grande aventure moderne — l'exploration — devait d'abord s'accomplir en pensée. Son précurseur fut un penseur solitaire.

Celui grâce à qui l'aventure fut possible n'avait pas que des côtés plaisants. Henri le Navigateur se comparait à Saint Louis, mais c'était un personnage nettement moins séduisant. Il menait l'existence d'un moine, notent les biographes, et on dit qu'il resta vierge. On découvrit à sa mort qu'il portait la haire et le cilice des pénitents. Toute sa vie durant, il fut partagé entre l'esprit de croisade et le désir d'exploration. Son père, le roi Jean I^er^, surnommé tour à tour « le Bâtard » et « le Grand », et fondateur de la dynastie d'Aviz, s'était emparé du trône du Portugal en 1385. A la bataille décisive d'Aljubarrota, il défit, avec l'aide d'archers anglais, les troupes du roi de Castille, assurant ainsi l'indépendance et l'unité du Portugal. Il scella son alliance avec l'Angleterre en épousant la dévote et obstinée Philippa de Lancastre, fille de Jean de Gand, mais conserva sa maîtresse au palais au vu et au su de l'épousée. « Elle trouva la Cour livrée au vice, elle la laissa chaste comme un couvent », écrit de la reine un historien portugais aussi pieux qu'optimiste. Et elle donna au roi six fils, dont le troisième, Henri, naquit en 1394.

Pour célébrer son traité d'amitié avec la Castille, en 1411, le roi Jean, suivant la coutume de l'époque, voulut organiser un tournoi, qui eût duré toute une année. L'Europe entière y aurait envoyé ses chevaliers, et la joute devait fournir aux trois fils aînés du roi, parvenus à leur maturité, l'occasion de conquérir publiquement leur titre de chevalier. Mais les trois princes, soutenus par le trésorier du roi, obtinrent du souverain qu'il renonce à tout ce faste et leur offre à la place une occasion de témoigner leur bravoure de chrétiens : en lançant une croisade contre la place forte musulmane de Ceuta, sur la côte marocaine. En « se lavant les mains dans le sang de l'Infidèle », le roi, expliquèrent les princes, pourrait racheter le sang chrétien versé lors de ses précédentes campagnes. Le jeune Henri participa à l'organisation de cette expédition, laquelle, à bien des égards, devait transformer son existence.

Le prince Henri, âgé de dix-neuf ans seulement, reçut pour tâche de construire une flotte. Après deux ans de préparatifs, la croisade contre Ceuta s'engagea sous une pluie de présages : un moine de Porto eut une apparition de la Vierge remettant au roi Jean une épée resplendissante. Il se produisit une éclipse de Soleil. Puis la reine Philippa, après un jeûne malencontreux, tomba gravement malade. Appelant à son chevet le roi et ses trois aînés, elle remit à chacun, pour le combat sacré, un fragment de la Vraie Croix. A chacun de ses fils, elle offrit également une épée de chevalier, puis, en expirant, elle bénit l'expédition contre la place forte arabe. De surcroît, une bulle papale, sollicitée pour l'occasion, conférait les avantages spirituels de la croisade à quiconque trouverait la mort dans cette entreprise.

L'armada portugaise attaqua Ceuta le 24 août 1415. Le combat fut très inégal. Les Portugais, bien équipés, bien armés et soutenus par un contingent d'archers anglais, écrasèrent les musulmans, réduits à jeter des pierres. En moins d'une journée, les croisés portugais avaient pris la place et fourni à l'infant don Henri son heure de gloire. Les assaillants n'avaient perdu que huit hommes, tandis que les rues de la ville étaient jonchées de cadavres adverses. L'après-midi, les Portugais entamaient le sac de la ville, ajoutant aux joies spirituelles de la mise à mort des infidèles des satisfactions plus terre à terre. Ce jour-là, Henri découvrit avec émerveillement les richesses cachées de l'Afrique. Car le butin saisi à Ceuta était constitué de marchandises apportées par caravanes d'Afrique saharienne et des Indes. Outre les produits de base — blé, riz, sel — les Portugais trouvèrent là des monceaux d'épices : poivre, cannelle, girofle, gingembre, etc. Tapis et tapisseries ornaient les maisons de la ville. Tout fut emporté, sans oublier l'or, l'argent, les bijoux.

Les Portugais laissèrent sur place une petite garnison et rentrèrent chez eux. Lorsque le prince Henri sera de nouveau envoyé à Ceuta pour faire face aux attaques répétées des musulmans, il passera plusieurs mois à étudier les problèmes du commerce caravanier. Sous l'occupation arabe, Ceuta possédait quelque vingt-quatre mille boutiques où l'on vendait l'or, l'argent, le cuivre, les soieries, les épices, apportés par les caravanes. Maintenant que la ville était devenue chrétienne, les caravanes n'arrivaient plus. Les Portugais étaient maîtres d'une cité morte, qui ne rapportait rien. Il leur fallait donc s'entendre avec les tribus islamiques d'alentour, ou conquérir l'arrière-pays.

Henri recueillit des informations sur les régions d'où provenaient les trésors de Ceuta. Il entendit parler d'un étrange « commerce muet » en usage entre peuples qui ne se comprenaient pas. Au départ du Maroc, les caravanes musulmanes traversaient l'Atlas, et, au bout de vingt jours de marche, atteignaient les rives du fleuve Sénégal. Là, les marchands marocains disposaient leurs marchandises — sel, verroterie en corail de Ceuta, produits manufacturés quelconques — en piles séparées. Puis ils se retiraient. Les indigènes, qui extrayaient de l'or de mines à ciel ouvert, venaient vers le rivage et plaçaient un petit tas d'or à côté de chaque pile de produits marocains. Après quoi ils disparaissaient à leur tour, laissant les Marocains prendre l'or qui leur était proposé ou réduire l'importance de la pile en fonction du « prix » offert. Puis, de nouveau, les étrangers se retiraient, et ainsi de suite jusqu'à conclusion de l'affaire. C'est par ce système que les Marocains se procuraient leur or. La description de cet étrange rituel fit naître de grands espoirs dans l'esprit du prince. Mais croisé avant tout, il mit sur pied une flotte et annonça son intention de prendre Gibraltar aux infidèles. Le roi, toutefois, interdit cette expédition alors qu'elle était déjà partie, et le prince Henri rentra à contrecœur. Mais au lieu de rejoindre la cour de Lisbonne, pour y prendre sa part de la gestion royale, il se rendit à l'extrême pointe du pays, au cap Saint-Vincent.

Les géographes de l'Antiquité attachaient à cette limite extrême des terres une signification mystique. Elle était pour Marin de Tyr et Ptolémée le « promotoire sacré », *promentorium sacrum*. Les Portugais, traduisant le terme par Sagres, en firent le nom du village tout proche. Un phare se dresse aujourd'hui sur les ruines de la forteresse dont le prince Henri fit pendant quarante ans son quartier général. Là, il organisa et mit en œuvre des expéditions aux frontières de l'inconnu : une série ininterrompue de voyages, la première entreprise moderne d'exploration. Aujourd'hui encore, le spectacle des rudes falaises de Sagres aide à comprendre l'attrait qu'a dû exercer ce lieu sur un prince ascète fuyant les mollesses de la vie de cour.

A Sagres, le prince Henri devint le Navigateur, appliquant à l'œuvre moderne d'exploration le zèle et l'énergie du croisé. Sa cour était un laboratoire de recherche et développement avant la lettre. Dans l'univers du croisé, le connu était dogme et l'inconnu inconnaissable. Mais dans le monde de l'explorateur, l'inconnu était simplement ce qui restait à connaître. Et le moindre détail du quotidien, à cet égard, pouvait devenir indice.

Le prince Henri avait appris sa destinée des astrologues. Il était écrit dans les astres, rapporte le chroniqueur contemporain Gomes Eanes de Zurara, que « ce prince était promis à de grandes et nobles conquêtes, et par-dessus tout à tenter la découverte de choses qui étaient celées aux autres hommes ». De terres lointaines qu'il découvrirait, il rapporterait des denrées qui enrichiraient le commerce portugais. Accessoirement, il recueillerait des renseignements utiles sur l'étendue de l'Empire musulman et pouvait espérer trouver, contre les Infidèles, de nouveaux alliés chrétiens, le prêtre Jean lui-même peut-être. En chemin, bien entendu, il convertirait d'innombrables âmes à Jésus-Christ.

Pour toutes ces raisons, Henri va faire de Sagres un centre de cartographie, de navigation et de construction navale. Il sait que, pour aller dans l'inconnu, il faut d'abord marquer clairement les limites du connu. Et donc, bien sûr, remplacer les caricatures des géographes chrétiens par des cartes dignes de ce nom, établies avec soin et par étapes.

A la manière des constructeurs de portulans, il accumula, pour tracer les contours des côtes, les témoignages de marins. Les Juifs étaient partout, depuis longtemps, de grands ambassadeurs culturels. Aussi fit-on venir à Sagres Jehuda Cresques, fils du célèbre cartographe que nous avons déjà rencontré. Il fut chargé de superviser la compilation des renseignements géographiques rapportés par les navigateurs du prince.

Henri exigea de ses marins un journal de bord ainsi que des croquis précis et exhaustifs. Jusque-là, comme le regrette le roi Alphonse V dans une lettre datée du 22 octobre 1443, les routes suivies étaient consignées de façon très désordonnée, et non « portées sur des cartes marines ou des mappemondes, autrement que par le bon vouloir de ceux qui les faisaient ». Or le prince ordonna que tout fût noté avec précision sur des cartes marines, que l'on était tenu de rapporter à Sagres, de manière à fonder une cartographie scientifique.

A Sagres affluèrent marins, voyageurs et savants, chacun porteur d'un fragment de réalité ou d'une nouvelle approche des faits. Il y avait là, outre des Juifs, des musulmans et des Arabes, des Génois et des Vénitiens, des Allemands et des Scandinaves, et, lorsque l'exploration progressa, des Noirs d'Afrique occidentale. Se trouvaient également réunis les récits manuscrits des grands voyageurs, que le frère du prince Henri, don Pedro, avait rapportés d'un voyage dans les cours d'Europe (1419-1428). A Venise, par exemple, don Pedro avait reçu une copie du *Livre des merveilles* de Marco Polo, ainsi qu'une carte « qui décrivait toutes les parties de la Terre, grâce à laquelle le prince Henri fut considérablement secondé ».

A quoi vinrent s'ajouter les toutes dernières nouveautés en matière d'instruments et de techniques de navigation. Le compas de route était déjà bien connu, mais on lui attribuait souvent encore des pouvoirs occultes, proches de la sorcellerie. Un siècle plus tôt seulement, Roger Bacon avait eu maille à partir avec le pouvoir pour ses expériences sur la pierre d'aimant. A Sagres, le compas, comme les autres instruments, n'était jugé que sur sa seule utilité pour le marin.

En s'aventurant plus au sud qu'aucun Européen avant eux, les navigateurs du prince Henri se heurtèrent au problème de la latitude, que l'on calculait maintenant en prenant la hauteur du Soleil à midi. Au lieu de l'astrolabe, instrument délicat et coûteux, les marins portugais utilisaient l'arbalète : simple bâton gradué porteur d'une règle transversale mobile, permettant de lire la hauteur du Soleil sur l'horizon. La communauté cosmopolite de Sagres devait contribuer à mettre au point le quadrant, les nouvelles tables de déclinaison, ainsi que divers instruments, qui allaient équiper la marine portugaise.

A Sagres et au port tout proche de Lagos, la recherche en matière de construction navale devait faire naître un nouveau type de navire sans lequel les expéditions du prince Henri et la grande aventure maritime du siècle suivant eussent été impossibles. La caravelle — car c'est d'elle qu'il s'agit — était un bateau spécialement conçu pour ramener l'explorateur à son port de départ. La classique et lourde *barca* à gréement carré, ou la caraque vénitienne, plus grande encore, étaient faites pour naviguer au vent. Elles convenaient à la Méditerranée, où le rapport d'un navire était proportionnel à sa taille, et au milieu du XVe siècle, les Vénitiens utilisaient des nefs à voilure carrée de six cents tonneaux ou davantage.

Un navire de découverte posait des problèmes particuliers. Sa raison d'être n'était pas de transporter une cargaison ; il devait pouvoir parcourir de longues distances dans des eaux inconnues, et, au besoin, se déplacer contre le vent. Il lui fallait faire l'aller *et le retour*. L'essentiel de sa cargaison était de *l'information*, substance qui peut être transportée dans un simple paquet, et même dans un seul cerveau d'homme, mais qui exige d'être rapportée. Le bateau d'exploration n'avait pas besoin d'être grand, mais devait être maniable et pouvoir rentrer : sans retour, pas de découverte. De plus, le marin était naturellement tenté de mettre à la voile vent arrière, ce qui évidemment signifiait devoir revenir vent debout. Les nefs les mieux adaptées au commerce en Méditerranée n'étaient donc pas les plus appropriées au voyage d'exploration.

C'est pour répondre à ces besoins de l'explorateur que fut conçue la caravelle sous la direction du prince Henri. Il emprunta pour cela aux *caravos*, navires utilisés depuis très longtemps par les Arabes le long des côtes égyptiennes et tunisiennes, et eux-mêmes inspirés des bateaux de pêche grecs en jonc et peau d'animal. Les navires arabes, équipés de voiles latines, c'est-à-dire triangulaires, pouvaient transporter jusqu'à trente hommes d'équipage et soixante-dix chevaux. Un bateau semblable, plus petit et plus maniable encore, la *caravela* (*ela* est un diminutif), était en usage sur le fleuve Douro, dans le nord du Portugal. La caravelle, mise au point par les constructeurs du prince Henri, conjuguait la capacité de charge du *caravo* et la manœuvrabilité de la *caravela*.

Ce remarquable petit vaisseau était assez grand pour contenir l'approvisionnement nécessaire à une vingtaine d'hommes, lesquels dormaient généralement sur le pont, mais descendaient par gros temps. La caravelle avait un tirant d'eau de quelque cinquante tonneaux, une vingtaine de mètres de longueur, sept à huit mètres de largeur, et portait deux ou trois voiles latines. « Le meilleur navire qui ait jamais navigué sur les mers », dit de la caravelle le navigateur vénitien Alvise Cadamosto au retour d'une expédition africaine organisée par le prince Henri. La caravelle deviendra le navire de découverte par excellence. Les trois nefs de Colomb, — la *Santa Maria*, la *Pinta* et la *Nina* — étaient de ce type, et la *Santa Maria* était cinq fois plus petite qu'un navire vénitien du temps.

Les expéditions africaines du prince Henri devaient démontrer l'exceptionnelle capacité de la caravelle à revenir à son port de départ.

Son faible tirant d'eau la rendait apte à explorer les côtes, et facilitait l'échouage pour le radoub. Qui dit capacité à revenir au point de départ dit capacité à naviguer vent debout, ce à quoi la caravelle excellait. Alors que l'ancienne *barca* à gréement carré ne pouvait s'approcher à moins de 67° d'un vent devant, la caravelle pouvait aller jusqu'à 55°. Ce qui veut dire que, sur la même distance où une *barca* devait tirer cinq bordées, une caravelle ne devait en tirer que trois ; une économie de parcours et de temps d'un tiers environ qui, sur une traversée entière, pouvait représenter des semaines de voyage en moins. Le marin qui savait que son bateau était conçu pour un retour sûr et rapide partait plus confiant, et plus disposé à accepter un long voyage aller.

Sous l'impulsion du prince Henri, Lagos, à quelques kilomètres de Sagres, devint un chantier de caravelles. Le bois de chêne pour la construction des quilles venait de l'Alentejo, province voisine de l'Algarve. Le bois de pin nécessaire aux coques poussait, protégé par la loi, sur le littoral atlantique. La résine de pin maritime servait à étancher les gréements et à calfater les interstices des bordages. Autour de Lagos se développa bientôt la fabrication des voilures et cordages.

Henri réunit à Sagres tous les éléments d'un véritable institut de recherche. Il fit venir livres et cartes ; maîtres de navires, pilotes et marins ; cartographes et fabricants d'instruments ; constructeurs, charpentiers et autres artisans, pour organiser les voyages, examiner les résultats obtenus, lancer des expéditions toujours plus avant. Un travail qui, une fois commencé, ne devait plus jamais cesser.

## 22

## *Franchir le cap de la peur*

Comparé à Colomb, qui visera rien moins que les Indes, Henri le Navigateur se fixe un objectif plus large, moins nettement ciblé, en un mot plus moderne (et conforme à son horoscope). « Le noble esprit de ce prince, écrit Gomes Eanes de Zurara, le poussait toujours à entreprendre et à mener à bien de grandes actions [...] Il avait aussi le désir de connaître les terres qui se trouvaient au-delà des îles Canaries et du cap que l'on nomme Bojador, pour la raison que, jusqu'à son époque, ni par aucun écrit, ni par la mémoire des hommes, n'était connue avec la moindre certitude la nature des terres situées au-delà de ce cap [...] Il lui sembla que, si lui ou quelque autre seigneur ne s'efforçait point d'obtenir ce savoir, nul marin ni marchand jamais ne l'oserait, car il est évident qu'aucun d'eux n'a souci de se rendre en un lieu où son profit n'est point assuré. »

Rien ne nous permet d'affirmer que le jeune prince ait eu pour dessein d'ouvrir la route des Indes par le sud de l'Afrique. Ce qui l'attirait, c'était l'inconnu, la mer des Ténèbres à l'ouest et au sud-ouest, le littoral africain inexploré au sud. Les îles de l'Atlantique — Açores (au tiers de la traversée), Madère, Canaries — avaient probablement été découvertes par des marins génois au milieu du XIVe siècle. L'œuvre du prince Henri dans cette direction fut moins de découverte proprement dite que de colonisation et de développement. Mais lorsqu'en 1420 ses hommes débarquent à Madère (*madeiras* veut dire « bois ») et entreprennent d'éclaircir l'épaisse forêt, ils provoquent un incendie qui fera rage sept ans durant. Sans qu'ils l'aient aucunement cherché, la potasse produite par la combustion du bois va s'avérer être un excellent engrais pour la vigne importée de Crète que les Portugais planteront en remplacement des arbres perdus. Ainsi naquit le fameux vin de Madère. Reste que, comme l'avait prédit son étoile, le prince Henri était, par tempérament et par goût, un découvreur, non un colonisateur.

Si l'on regarde aujourd'hui une carte de l'Afrique, il faut chercher longtemps pour trouver le cap Bojador (« renflement » en portugais), sur la côte ouest, juste au sud des Canaries. A plus de 1 500 km au nord de la principale saillie du continent vers l'ouest, apparaît sur la côte une minuscule bosse, un gonflement si léger qu'il est presque imperceptible sur une carte générale de l'Afrique. La barrière sableuse y est si basse qu'on ne l'aperçoit qu'en s'approchant, au milieu de récifs et de courants dangereux. A vrai dire, le cap Bojador n'était pas plus redoutable qu'une vingtaine d'autres barrières que les habiles marins portugais avaient réussi à franchir sans encombre. Mais ils avaient fait de ce cap-ci leur *nec plus ultra*. Gare à qui oserait pousser plus avant !

Lorsqu'on voit les énormes et périlleux promontoires — cap de Bonne-Espérance, cap Horn — que les navigateurs européens vont franchir dans les cent ans qui suivent, on s'aperçoit alors que Bojador, c'est tout autre chose : une barrière mentale, le prototype même des obstacles primitifs à l'exploration. Zurara nous explique, avec son éloquence habituelle, « pourquoi les navires n'avaient jusqu'à présent jamais osé franchir le cap Bojador » :

> Au vrai, ce n'était ni par couardise, ni par manque de bonne volonté, mais en raison de la nouveauté de la chose, et des nombreuses et anciennes rumeurs concernant ce cap qu'étaient allés répétant des générations de marins en Espagne. [...] Car, assurément, l'on ne saurait imaginer que parmi tant d'hommes nobles qui accomplirent de si hauts faits pour leur plus grande gloire, il ne s'en soit point trouvé un seul pour oser un tel acte. Mais, certains qu'ils étaient du péril et ne voyant espoir ni d'honneur, ni de profit, ils renoncèrent. Car, disaient les marins, il est tout à fait clair que, au-delà de ce cap, il n'est ni race d'hommes, ni lieu habité [...] la mer y est si peu profonde que, à une

> bonne lieu de la terre, elle n'a qu'une brasse de profondeur, et les courants sont si terribles qu'aucun navire, une fois franchi le cap, n'en pourrait jamais revenir. [...] Nos marins [...] étaient menacés non seulement par la peur, mais par son ombre, dont la grande fourberie fut cause de très grandes dépenses.

Le prince Henri savait que pour vaincre la barrière physique, il lui fallait d'abord vaincre celle de la peur.

Et pour cela, inciter ses navigateurs à doubler le cap Bojador. Entre 1424 et 1434, quinze expéditions successives seront chargées de cette mission. Chacune reviendra avec une bonne excuse pour ne pas s'être hasardée là où nul n'était jamais allé. Aux abords du cap légendaire, la mer bondissait de toutes parts, de sinistres cascades de sable rouge dévalaient du haut des falaises et, sur les hauts-fonds, des bancs de sardines troublaient l'eau entre les tourbillons. Et sur la côte même, nul signe de vie. N'était-ce pas là un spectacle de fin du monde ?

Lorsque Gil Eannes déclare au prince Henri en 1433 que le cap Bojador est infranchissable, celui-ci n'est guère satisfait. Les pilotes portugais allaient-ils se montrer aussi timorés que les marins méditerranéens ou flamands, qui n'empruntaient que des routes familières ? Ce Gil Eannes, gentilhomme de sa cour, n'était-il pas, lui, d'un autre métal ? Le prince, réitérant sa promesse de récompense, le renvoie en mission en 1434. Cette fois, en approchant du fameux promontoire, il vire à l'ouest, préférant affronter les périls inconnus de l'océan plutôt que ceux, connus, du rivage. Puis il vire au sud, et s'aperçoit que le cap tant redouté est déjà derrière lui. Débarquant alors sur la côte africaine, il constate qu'elle est certes désertique, mais ne ressemble en rien aux portes de l'enfer. « Et ce qu'il avait résolu de faire, rapporte Zurara, il l'accomplit ; car au cours de ce voyage, il doubla le cap, au mépris du danger, et découvrit que les terres situées au-delà étaient toutes différentes de ce que lui, comme d'autres, croyait. Et bien que la chose fût en soi de peu d'importance, son audace fit qu'elle fut estimée grande. » Ayant brisé le mur de la peur, le prince Henri va maintenant pouvoir réaliser ses objectifs. Année après année, il envoie ses expéditions, chacune poussant un peu plus loin. En 1435, il envoie de nouveau Eannes en mission, accompagné cette fois d'Alfonso Baldaya, l'échanson royal. Ils progressent encore de cinquante lieues vers le sud, et découvrent des traces d'hommes et de chameaux, mais sans jamais apercevoir personne. En 1436, Baldaya repart, avec ordre de ramener un indigène. Il parvient à ce qu'il pense être l'embouchure d'un grand fleuve : ne serait-ce pas ce Niger sur les rives duquel se pratique le fameux « commerce muet » autour de l'or ? On baptisera Rio de Oro ce qui n'était qu'un bras de mer, le fleuve Sénégal se trouvant en fait huit cents kilomètres plus au sud.

L'exploration progressive, systématique, de la côte ouest-africaine se poursuivra ainsi, malgré de bien maigres résultats commerciaux. En 1441,

Nuno Tristao et Antao Gonçalves parviennent, quatre cents kilomètres plus loin, au cap Blanc, où ils capturent deux indigènes. En 1444, Eannes ramène du même endroit la première cargaison humaine : deux cents Africains, qui seront vendus comme esclaves à Lagos. De ce premier épisode européen de la traite des Noirs, Zurara a laissé un témoignage qui préfigure les horreurs à venir : « Les mères serraient leurs bébés dans leurs bras, et se jetaient à terre pour les couvrir de leurs corps, sans se soucier des blessures auxquelles elles s'exposaient, ceci afin d'empêcher que leurs enfants fussent séparés d'elles. »

Mais, souligne le chroniqueur, les esclaves « étaient traités avec bienveillance, et l'on ne faisait aucune différence entre eux et les domestiques portugais libres de naissance ». Ils apprenaient des métiers, poursuit-il, se convertissaient au christianisme et finissaient par épouser des Portugais.

L'arrivée de cette marchandise humaine d'Afrique provoqua, nous dit-on, un revirement d'opinion à l'égard du prince Henri. Nombreux étaient ceux qui l'avaient accusé de gaspiller les fonds publics dans de folles équipées. « Alors, ceux qui avaient le plus récriminé s'apaisèrent et, d'une voix douce, louèrent ce qu'ils avaient jusqu'alors si fort décrié [...] Et ils furent ainsi forcés de muer leur blâme en éloge public, car, disaient-ils, l'infant, assurément, est un nouvel Alexandre, et leur convoitise se mit à croître. » Chacun voulait sa part d'un commerce aussi prometteur.

Lorsque Dinis Dias, en 1445, double le cap Vert, à l'extrémité ouest de l'Afrique, la partie la plus aride du littoral est franchie, et le florissant commerce portugais avec l'Afrique occidentale emploiera bientôt vingt-cinq caravelles chaque année. En 1455-1457, Cadamosto — précurseur vénitien des grands navigateurs italiens, tels Colomb, Vespucci ou les Cabot, qui servirent des princes étrangers — découvre par hasard les îles du cap Vert, avant de remonter les fleuves Sénégal et Gambie sur une centaine de kilomètres. Cadamosto sera l'un des plus dévoués en même temps que l'un des plus hardis de tous les navigateurs travaillant pour le compte de l'infant du Portugal. Ses descriptions alertes des coutumes tribales, de la flore tropicale, des éléphants, des hippopotames, donneront à d'autres l'envie de suivre ses traces.

Lorsque Henri le Navigateur meurt, à Sagres, en 1460, l'exploration du littoral ouest-africain n'en est encore qu'à ses débuts, mais quels débuts ! La première entreprise d'exploration systématique avait ouvert une large brèche dans la barrière de la peur. C'est pourquoi le prince portugais est aujourd'hui considéré comme l'inventeur de la découverte organisée. Pour lui, chaque nouveau pas dans l'inconnu était une nouvelle invite.

Sa disparition ne provoquera qu'une brève interruption dans l'entreprise d'exploration. En 1469, le roi Alphonse V — neveu du prince Henri —, qui avait des difficultés financières, trouva un moyen de faire de la découverte une affaire lucrative. Par un contrat de type tout à fait nouveau entre souverain et vassal, Fernao Gomez, riche citoyen de Lisbonne, s'engageait à découvrir au moins cent nouvelles lieues, soit quelque quatre cents kilomètres, de la côte africaine chaque année pendant cinq ans. En contrepartie, Gomez obtenait le monopole du commerce avec la Guinée, dont il versait une part au roi. La suite de l'histoire a le caractère inéluctable d'un lever de rideau. La découverte par les Portugais de toute la côte ouest-africaine n'était plus maintenant qu'une question de temps.

La politique portugaise du secret pose à l'historien des problèmes délicats, car elle-même semble avoir été tenue secrète. Lorsqu'on étudie l'avance exploratrice portugaise, il faut toujours se demander si l'absence de mention dans les textes de tel ou tel voyage est due à cette « politique du secret », ou simplement au fait que le voyage en question n'a jamais eu lieu. Les historiens portugais ont naturellement eu tendance à considérer que, si aucun voyage en Amérique n'est signalé antérieurement à Colomb, c'est la preuve que, précisément, il y en eut. Les Portugais avaient en fait d'impérieuses raisons diplomatiques de faire connaître leurs éventuelles découvertes en Amérique. En Afrique, par contre, ils avaient toutes les raisons de taire aussi bien ce qu'ils avaient appris de la topographie de la côte que les richesses qu'ils en retiraient. Les mentions existantes de ces premières découvertes portugaises en Afrique ne constituent sans doute que la partie visible de l'iceberg.

Le contrat passé par Gomez produisit, nous le savons, une impressionnante série de découvertes : franchissement du cap de Palmes, exploration du golfe du Bénin, de l'île de Fernando Po dans le golfe de Guinée, traversée de l'équateur. Gomez, aux termes de son contrat, progressa d'autant de kilomètres en cinq années que les navigateurs du prince en trente ans. A l'expiration du contrat, le roi accorda les droits commerciaux à son propre fils, Jean, lequel, devenu le roi Jean II en 1481, ouvrit la grande époque suivante de l'exploration portugaise.

Le roi Jean II disposait de certains atouts qui avaient fait défaut au prince Henri. Le trésor royal était maintenant enrichi par les importations de la côte ouest-africaine. Les cargaisons de poivre, d'ivoire, d'or, d'esclaves, étaient devenues si importantes qu'elles donnèrent leur nom aux régions concernées. Pendant des siècles, on les appellera Côte de la Graine (à cause du poivre de Guinée dit « graine de paradis »), Côte d'Ivoire, Côte de l'Or, Côte des Esclaves. Afin de protéger les comptoirs portugais, Jean II fera construire au cœur de la Côte de l'Or la forteresse de la Mina (« la mine »). Il organisera des expéditions terrestres à l'intérieur du continent, loin en Sierra Leone, et jusqu'à Tombouctou. Et il poussera toujours plus au sud.

Le marin qui dépassait l'équateur, nous l'avons dit, perdait de vue la Polaire, et devait donc avoir recours à un autre moyen pour déterminer sa latitude. Afin de résoudre ce problème, Jean II, comme l'avait fait le prince Heni, fit venir de partout des spécialistes et créa une commission.

A sa tête, deux éminents mathématiciens-astrologues juifs — conséquence bénéfique pour les Portugais des persécutions menées chez le voisin espagnol. En 1492, lorsque l'inquisiteur général Torquemada donna aux Juifs trois mois pour se convertir au christianisme ou s'expatrier, Abraham Zacuto quitta l'université de Salamanque pour se réfugier au Portugal. Un disciple de Zacuto à Salamanque, Joseph Vizinho, avait déjà accepté l'invitation du roi dix ans plus tôt et s'était vu confier en 1485 le soin de développer la technique de détermination de la latitude par la hauteur du Soleil à midi. Pour cela, il nota la déclinaison du Soleil tout le long de la côte de Guinée. Le meilleur ouvrage pour le calcul du point en mer d'après la hauteur angulaire du Soleil était l'*Almanach perpetuum* rédigé par Zacuto en hébreu quelque vingt ans plus tôt. Ces tables de déclinaison, une fois traduites en latin par Vizinho, allaient guider les découvreurs portugais un demi-siècle durant.

Pendant ce temps, le roi Jean, poursuivant l'œuvre du Navigateur, faisait progresser l'exploration de la côte africaine. Diogo Cao atteignait l'embouchure du Congo (1480-1484) et inaugurait l'usage des *padroes,* ces bornes de pierre surmontées d'une croix, destinées à la fois à affirmer les droits du Portugal sur les terres nouvelles découvertes et à y témoigner la présence chrétienne.

Cette progression le long de la côte va faire renaître les rumeurs touchant le célèbre, mais toujours invisible prêtre Jean. Si le principal objectif du prince Henri avait été, nous dit son chroniqueur, Zurara, de faire reculer les limites du monde connu, il avait également pour but « de savoir qu'il se trouvait en ces régions aucuns princes chrétiens en qui charité et amour du Christ fussent si bien enracinés qu'ils voulussent lui venir en aide contre les ennemis de la Foi ». Cet hypothétique allié ne pouvait être que le prêtre Jean, dont la *Lettre,* on l'a vu, faisait depuis deux siècles le tour de l'Europe. En ce milieu du XVe siècle, la résidence du légendaire roi-prêtre s'était déplacée de « l'extrémité de l'Asie » vers l'Éthiopie. Chaque fois que l'une des expéditions de don Henri découvrait quelque nouveau fleuve débouchant sur la côte ouest — Sénégal, Gambie, Niger — renaissait en lui l'espoir d'avoir enfin trouvé le « Nil occidental » conduisant au royaume éthiopien de Jean. Lorsque les marins de Jean II atteignent le Bénin, à l'extrémité orientale du golfe de Guinée, c'est avec un certain intérêt que le souverain portugais apprend que les rois du Bénin ont adressé des présents à un monarque du nom d'Ogané, dont le royaume est situé à douze mois de route dans l'intérieur des terres, et que ce dernier, en retour, a fait parvenir des cadeaux sur lesquels sont gravées de petites croix. Mais jusque-là, ni les expéditions du Navigateur à l'intérieur du continent africain ni celles de Jean II à Jérusalem n'avaient rien donné.

En 1487, le roi du Portugal a mis au point une double stratégie. Il enverra d'une part une expédition transcontinentale vers le sud-est, et, d'autre part, une expédition par mer pour contourner l'Afrique. S'il existe effectivement une route maritime vers les Indes, raisonne-t-il, un allié chrétien s'avère plus que jamais nécessaire, non seulement pour la croisade elle-même, mais également pour fournir un relais aux futures opérations commerciales.

L'expédition terrestre qui quitta Santarem le 7 mai 1487 était, comme celles qui l'avaient précédée, peu nombreuse : deux hommes seulement la composaient. Après de longues recherches, le roi avait choisi, pour cette périlleuse mission, Pero da Covilha (1460 ?-1545 ?) et Alfonso de Paiva. Covilha, presque la trentaine, avait déjà fait la preuve de ses nombreux talents. Il avait passé une bonne partie de sa vie à l'étranger, pris part à des mauvais coups dans les rues de Séville, servi d'agent secret du roi à la cour de Ferdinand et Isabelle, et effectué des missions diplomatiques auprès des États barbaresques (en Afrique du Nord). Ses missions à Tlemcen, surnommée alors « la Grenade de l'Afrique », puis à Fès l'avaient accoutumé aux mœurs islamiques (à peu près identiques depuis le Maroc jusqu'en Inde) et, par conséquent, préparé à voyager dans le monde musulman sans éveiller de soupçons. Si connaître l'arabe n'était pas à l'époque chose rare au Portugal, les contemporains de Covilha disaient de lui qu'il connaissait « toutes les langues susceptibles d'être parlées par chrétiens, maures ou païens ». Homme de courage et de caractère, il était également doté d'un grand pouvoir d'observation et d'une excellente mémoire. Quant à son compagnon, Paiva, on sait seulement que c'était un gentilhomme de la cour et qu'il parlait lui aussi l'espagnol et l'arabe.

Les deux hommes furent reçus en audience par le roi, puis se virent expliquer leur mission, à huis clos, par l'aumônier du roi, ses médecins et ses géographes. Des projets présentés au Portugal quelque temps auparavant par Christophe Colomb, ces experts avaient tiré des renseignements qu'ils pensaient utiles. Un banquier florentin de Lisbonne remit aux deux voyageurs une lettre de crédit, qu'ils utiliseront en traversant l'Espagne et l'Italie. A Barcelone, ils s'embarquent pour Naples, puis pour Rhodes. Là, au seuil du monde islamique, les chevaliers de Saint-Jean de Jérusalem — qui savent de quoi ils parlent — mettent nos voyageurs en garde : ils ne sont plus désormais que des « chiens de chrétiens », et les agents commerciaux de Venise et de Gênes qu'ils rencontreront ne veulent surtout pas de rivaux portugais ; aussi vaudrait-il mieux qu'ils se fassent marchands arabes, cherchant à vendre une cargaison de miel. C'est dans cet accoutrement que nos Portugais parviendront à Alexandrie, où tous deux manqueront succomber à une fièvre, puis poursuivront leur route jusqu'au Caire, et ensuite Aden, à l'entrée de la mer Rouge.

Là, ils se séparèrent, Paiva devait se rendre directement en Éthiopie, auprès du prêtre Jean, tandis que Covilha poursuivait sa route vers les Indes. Paiva allait disparaître, mais Covilha parvint à Calicut, puis Goa, sur la côte ouest de l'Inde, où il vit un florissant commerce de chevaux arabes, d'épices, de cotonnades et de pierres précieuses. En février 1489, Covilha reprenait le bateau, gagnant Ormuz, à l'entrée du golfe Persique, puis le port est-africain de Sofala, en face de Madagascar, et arrivait enfin au Caire. Ayant rempli sa mission (qui était d'étudier le commerce européen avec l'Inde), il avait hâte de rentrer. Mais au Caire, il voit venir vers lui deux émissaires juifs du roi Jean, porteurs d'une lettre à lui destinée : ordre lui est donné, s'il ne l'a point déjà fait, de se rendre sur-le-champ au royaume du prêtre Jean, afin d'obtenir des informations et de jeter les bases d'une alliance.

Ne pouvant désobéir à son souverain, Covilha se prépare à sa nouvelle mission ; mais avant de se remettre en chemin, il adresse au roi une importante lettre lui faisant part de tout ce qu'il a appris sur l'art de la navigation arabe et le commerce des Indes. En 1493, après un crochet par La Mecque, et six ans après son départ du Portugal, il parvient enfin en Éthiopie. En ce royaume réputé être celui du prêtre Jean, mais gouverné en fait par Alexandre, « lion de la tribu de Juda et roi des rois », il deviendra un Marco Polo portugais, si utile à la cour que le roi ne voudra plus se séparer de lui. Persuadé qu'il ne reverra jamais son pays, Covilha épousera une Éthiopienne, dont il aura plusieurs enfants.

Entre-temps, sa lettre au roi, qui n'est pas parvenue jusqu'à nous et dont on ne connaît la teneur qu'indirectement, va exercer une profonde influence sur le destin du Portugal et de l'Asie. Car elle informait le roi, semble-t-il, d'après ce que Covilha avait entendu dire sur la côte africaine, « que ses caravelles [celles du roi], qui faisaient commerce en Guinée, pourraient facilement, en naviguant de terre en terre, et en recherchant la côte de cette île [Madagascar] et de Sofala, pénétrer dans les mers orientales et gagner la terre de Calicut, car partout était la mer ».

## 23

## *Inde et retour*

Second volet de l'œuvre de découverte entreprise par Jean II : une exploration maritime de type moderne, longuement et minutieusement préparée, avec de gros investissements et des équipages importants. A sa tête, il nomme Barthélemy Diaz, ancien intendant des magasins royaux de Lisbonne, et qui avait déjà conduit une caravelle le long de la côte africaine. L'expédition comprend deux caravelles de cinquante tonneaux chacune, ainsi que, pour la première fois dans un voyage de découverte, un vaisseau de conserve : il permettra aux deux autres navires de s'éloigner davantage et de rester en mer plus longtemps, en somme d'avoir une plus grande autonomie. Diaz emmène avec lui six Africains ayant déjà participé à des voyages portugais. Bien nourris et vêtus à l'européenne, ils seront déposés en divers points de la côte, avec des échantillons d'or, d'argent, d'épices et autres produits africains, afin de faire comprendre aux indigènes, à la manière du « commerce muet », quelles marchandises les Portugais recherchaient. Mais à peine ont-ils débarqué le dernier de ces émissaires africains que les vaisseaux de Diaz sont pris dans la tempête. Courant vent du nord arrière, voiles au bas ris, pendant treize jours sur une mer plus qu'agitée, les trois nefs seront entraînées en haute mer dans la direction du sud. Les équipages, qui viennent de subir à l'équateur une chaleur tropicale, sont pris de panique. « Et les bateaux étant tout petits, et la mer plus froide et différente de ce qu'elle était dans le golfe de Guinée [...] ils se crurent perdus. » La tourmente passée, Diaz mit cap à l'est toutes voiles dehors, mais, pendant plusieurs jours, aucune terre n'apparut. Virant alors de bord, il mit cap au nord et navigua pendant cent cinquante lieues. Soudain, apparurent de hautes montagnes. Le 3 février 1488, Diaz jetait l'ancre dans la baie Mossel, à quelque 370 km à l'est de l'actuelle ville du Cap. Une tempête providentielle, réussissant ce qu'aucune politique délibérée n'avait pu accomplir, lui avait fait franchir le sud de l'Afrique. Lorsque les hommes débarquèrent, les indigènes tentèrent de les repousser à coups de pierres. Diaz lui-même en tuera un d'une flèche, et le combat cessera. L'expédition, ensuite, remontera vers le nord-est en longeant la côte sur près de 500 km, jusqu'à la baie d'Algoa.

Diaz souhaitait poursuivre vers l'océan Indien, réalisant ainsi le rêve séculaire de l'Occident. Mais ses hommes ne voulurent rien entendre. « Las et terrifiés par les grosses mers qu'ils avaient traversées, tous comme un seul homme commencèrent à murmurer, et exigèrent qu'on n'allât pas plus loin. » Il restait peu de vivres et la seule façon de se réapprovisionner était de retourner au vaisseau de conserve, resté loin derrière. N'était-ce pas assez pour un voyage de rapporter la nouvelle que l'Afrique était effectivement contournable par mer ? Après réunion de ses capitaines, qui firent serment de rebrousser chemin, Diaz dut s'incliner. En repassant devant la pierre dressée à leur arrivée, il éprouva « autant de chagrin et d'émotion que s'il lui fallait dire adieu à un fils condamné à l'exil perpétuel, se rappelant les dangers que lui et tous ses hommes avaient courus pour venir si loin dans ce seul but, et voyant que Dieu ne voulait point lui accorder d'y parvenir ».

Sur le chemin du retour, ils revinrent au navire-entrepôt, qu'ils avaient laissé neuf mois plus tôt avec neuf hommes à bord. Trois seulement étaient encore en vie, et l'un d'entre eux « fut à ce point saisi de joie à la vue de ses compagnons qu'il mourut brusquement, étant très affaibli par la maladie ». Le bateau, rongé par les vers, fut déchargé et brûlé, et les deux caravelles rentrèrent au Portugal en décembre 1488, soit seize mois et dix-sept jours après leur départ.

Dans le port de Lisbonne, les attendait, parmi d'autres, un jeune inconnu, du nom de Christophe Colomb, que les résultats du voyage de Diaz intéressaient directement. Car Colomb était alors dans la capitale portugaise pour tenter une nouvelle fois d'obtenir du roi Jean qu'il soutienne son propre projet d'expédition maritime vers les Indes, en partant par l'ouest. En 1484, lorsque Colomb était venu présenter sa thèse pour la première fois, Jean II avait nommé une commission d'experts, laquelle avait rejeté le projet, sous doute parce que, à ses yeux, Colomb avait grossièrement sous-estimé la distance des Indes par l'ouest. Mais le jeune homme avait frappé le roi par « son industrie et ses talents », il était maintenant venu réitérer sa demande. Le triomphe de Diaz fut pour Colomb un énorme désenchantement. Car si l'on pouvait atteindre les Indes en contournant l'Afrique, son projet à lui perdait tout intérêt. Colomb note sur son exemplaire de l'*Imago Mundi* de Pierre d'Ailly qu'il était présent lorsque Diaz remit son rapport au souverain. Quant à lui, il lui faudra chercher l'appui d'une nation qui n'avait pas encore réussi à contourner l'Afrique.

Diaz ne fut pas récompensé comme il le méritait ; il devint le laissé-pour-compte de l'âge des grandes découvertes portugaises. Certes, il supervisa la construction des navires de Vasco de Gama, mais il ne fut pas du voyage historique de celui-ci vers l'Inde. Seule sa mort, en l'an 1500, alors qu'il occupait un rôle modeste dans la flotte de Cabral, au large des côtes du Brésil, fut appropriée au personnage. Un ouragan vint couler quatre des treize vaisseaux, dont l'un commandé par Diaz, « les précipitant au plus profond de la vaste mer océane [...] des corps d'hommes livrés aux poissons, lesquels corps, peut-on penser, étaient les premiers, puisqu'ils naviguaient dans des régions inconnues ».

La découverte de Diaz aurait dû avoir des suites immédiates. Mais la phase suivante fut retardée, par des difficultés internes au Portugal, par un problème de succession, et surtout par les menaces constantes de guerre avec l'Espagne. Ironie de l'histoire, ce sont les découvertes de Christophe Colomb qui furent la cause principale de ces ennuis, lesquels retardèrent d'une bonne dizaine d'années la poursuite des explorations portugaises.

Lorsque Jean II apprend la découverte par Colomb de plusieurs îles dans l'Atlantique, il proclame, en mars 1493, que ces nouvelles terres, pour diverses raisons — dont leur proximité des Açores — appartiennent de plein droit au Portugal. La querelle qui s'ensuit entre le roi Jean de Portugal et le roi Ferdinand de Castille, ainsi que leur rivalité auprès du pape, qui avait le pouvoir d'accorder aux souverains catholiques le gouvernement de toute terre nouvellement découverte, aboutiront au fameux traité de Tordesillas (7 juin 1494). Les deux pays acceptaient une « ligne de marcation » nord-sud, établie à 370 lieues (1 200 milles marins environ) des îles du Cap-Vert : les terres situées à l'ouest de cette ligne revenaient à l'Espagne, celles situées à l'est, au Portugal. Cet accord avait le mérite d'éviter provisoirement la guerre et reste l'un des traités les plus célèbres de l'histoire européenne. Mais il était d'une telle ambiguïté que l'on ne saurait dire s'il fut réellement appliqué ou non. Laquelle des îles du Cap-Vert fallait-il prendre pour point de repère ? Quelle était la longueur exacte d'une lieue ? Et des siècles seraient nécessaires pour qu'existe une technologie permettant de tracer précisément la ligne de longitude en question. Reste que ce texte non seulement légitimait les prétentions portugaises sur le Brésil (dont l'existence, alors, n'était peut-être pas encore connue), mais affirmait les droits du Portugal sur la route maritime des Indes par l'est.

A son arrivée sur le trône du Portugal, en 1495, le jeune Manuel Ier fut surnommé « le Fortuné », parce qu'il héritait de projets grandioses. Pour donner une suite aux découvertes de Diaz, il mit en chantier un nouveau voyage de découverte qui atteindrait les Indes par mer, ouvrirait la route au commerce, et peut-être aussi à la conquête. Les conseillers du roi tentèrent de le dissuader. Comment un aussi petit pays pouvait-il espérer des conquêtes si loin de son territoire ? Et une telle entreprise ne lui vaudrait-elle pas l'hostilité de toutes les grandes puissances — Espagne, Gênes, Venise et, bien sûr, le monde islamique — dont les intérêts commerciaux seraient menacés ? Le roi, passant outre aux objections, choisit, pour diriger l'expédition, un gentilhomme de sa cour nommé Vasco de Gama (v. 1460-1524). Fils d'un gouverneur de la côte sud, Gama avait déjà prouvé ses talents tout à la fois de marin et de diplomate. Et le roi Manuel avait parfaitement compris que, pour traiter avec d'habiles potentats indiens, il ne suffisait pas d'être bon marin ; il fallait d'autres qualités, que Vasco de Gama possédait. Bien que violent et impitoyable, il sut montrer le courage, la fermeté de caractère, l'ampleur de vision nécessaires pour se faire entendre d'humbles gens de mer comme de sultans arrogants.

Après deux ans de préparatifs, la flotte de Vasco de Gama — quatre vaisseaux en tout : deux navires à gréement carré et de faible tirant d'eau de quelque cent tonneaux chacun, une caravelle d'environ cinquante tonneaux, et un navire-entrepôt de deux cents tonneaux — appareillait de Lisbonne, le 8 juillet 1497. Elle emportait pour trois ans de provisions. Elle était également bien équipée en cartes, instruments de navigation et tables de déclinaison préparées par Zacuto, ainsi qu'en poteaux de pierre sculptée destinés à marquer les terres conquises. Il y avait bien entendu à bord un prêtre, ainsi que le nombre habituel de forçats, utilisables en cas de danger mortel. Au total, quelque 170 hommes d'équipage.

La gloire de Colomb, vue d'Amérique tout au moins, a éclipsé d'autres exploits au moins égaux au sien en ce premier grand âge de la mer. Les voyages de Vasco de Gama devaient avoir des retombées immédiates incomparablement plus riches que ceux de Colomb. Celui-ci promis les fabuleuses cités du Japon et de l'Inde, mais ne parvint qu'à des rivages incertains. Et lorsque, après des décennies, son entreprise, enfin, devint payante, ce fut de la manière la plus inattendue. Gama proposait d'atteindre les métropoles du commerce indien et de créer des échanges lucratifs : c'est ce qu'il fit. Il promettait d'entamer les monopoles commerciaux que détenaient en Asie les musulmans du Levant et les marchands de Gênes et Venise : promesse également tenue.

Colomb prit l'initiative, promit une mine d'or et ne trouva qu'un désert. Dans le cas de Gama, l'initiative du voyage ne vint pas de lui, mais de son roi. Et ce n'est pas pour ses qualités d'homme, mais pour ses prouesses de navigateur que Gama, finalement, éclipse Colomb. Celui-ci, pour son premier voyage, alla droit vers l'ouest, poussé par un vent favorable, couvrant plus de 4 000 km depuis Gomera, aux Canaries, jusqu'aux Bahamas, et restant en mer trente-six jours durant. Gama, par un itinéraire qui exigeait une grande finesse de navigation, décrivit une grande boucle à travers une bonne partie de l'Atlantique Sud, pour venir affronter ensuite des courants et des vents contraires. Il prit la décision risquée de ne pas serrer la côte africaine mais de prendre loin au large, parcourant ainsi quelque 6 000 km depuis les îles du Cap-Vert jusqu'au cap des Tempêtes (cap de Bonne-Espérance), pour finalement atteindre, après quatre-vingt-treize jours de mer, la baie de Sainte-Hélène, un peu au nord de l'actuelle ville du Cap. De là, son habileté à naviguer, à mener ses hommes et à traiter avec les chefs musulmans hostiles — à Mozambique, Mombassa et Malindi — devait les conduire, lui et sa flottille, à travers l'océan Indien, jusqu'à leur destination, Calicut (l'actuel Kozhikode), sur la côte sud-ouest de l'Inde, où ils mouillèrent le 22 mai 1498.

A la différence de Colomb, Vasco de Gama n'a pas laissé son propre récit de voyage. Mais, heureusement, l'un de ses hommes a tenu un journal, lequel donne un bon aperçu des divers types de problèmes qu'il leur fallut surmonter. Les périls de la nature et de la mer n'étaient pas, finalement, les plus redoutables : la mer, dans ces régions éloignées, était vide d'ennemis humains ; quant à la nature, elle ne dissimulait pas. Mais en remontant lentement la côte orientale de l'Afrique, où aucun navire européen n'était jamais venu, et dont il n'existait aucune carte convenable, le navigateur portugais dut avoir recours à toutes sortes de ruses afin d'obtenir un pilote arabe qui le guidât à travers l'océan Indien. A Mozambique d'abord, et à Mombassa ensuite, le pilote qu'il avait trouvé, ou que lui avait assigné le sultan local, s'avéra incompétent et déloyal. Il dénicha finalement à Malindi un pilote arabe, qui conduisit les Portugais jusqu'à Calicut en l'espace de vingt-trois jours.

L'accueil réservé à la petite troupe de Gama, tel que le relate l'auteur du journal, démontrait que le roi de Portugal avait été bien inspiré d'agir.

Le lendemain, ces mêmes embarcations revinrent, et le capitaine-major [Vasco de Gama] envoya l'un des forçats à Calicut, et ceux avec qui il s'y rendit le conduisirent auprès de deux Maures de Tunis, lesquels parlaient le castillan et le génois. Il fut accueilli par ces mots : « Que le diable t'emporte ! Que viens-tu faire ici ? » Ils lui demandèrent ce qu'il venait chercher si loin de chez lui, et il leur dit que nous étions en quête de chrétiens et d'épices. Ils dirent : « Pourquoi n'est-ce pas le roi de Castille, le roi de France, ou la seigneurie de Venise qui vous envoie ? » Il répondit que le roi de Portugal n'y consentait point, et ils dirent qu'il faisait bien. Après cette conversation, ils le conduisirent à leur logis, et lui offrirent du pain de froment et du miel. Lorsqu'il se fut restauré, il revint aux navires, accompagné par l'un des Maures, lequel, à peine était-il à bord, prononça ces paroles : « Une fameuse chance ! Tous ces rubis, toutes ces émeraudes ! Rendez grâce à Dieu de vous avoir conduit dans un pays qui possède de telles richesses ! » Nous étions fort étonnés par son discours, car nous ne nous attendions guère à entendre parler notre langue si loin du Portugal.

Gama palabra trois mois avec le zamorin (le roi) de Calicut. Il essaya de le convaincre que ce que recherchaient principalement les Portugais, c'étaient les souverains chrétiens qui, leur avait-on dit, régnaient sur ces régions, et qu'ils « ne désiraient nul or ou argent, car de ceux-ci, ils avaient déjà telle abondance qu'ils n'avaient point besoin de ce que l'on trouvait dans son pays ». Mais le zamorin s'offusqua de ce que Gama n'ait à lui offrir que de piètres marchandises, juste bonnes pour commercer sur la côte de Guinée. Le Portugais tenta d'expliquer que ses navires étaient venus « seulement afin de faire des découvertes [...] Le roi, alors, demanda ce que c'était qu'il était venu découvrir : des pierres ou des hommes ? S'il était venu pour découvrir des hommes, comme il l'affirmait, alors pourquoi n'avait-il rien apporté ? ».

La flottille de Gama quitta Calicut à la fin du mois d'août 1498, « nous réjouissant fort, écrit l'auteur du journal, de la bonne fortune qui nous avait permis de faire une si grande découverte [...] étant convenus que, puisque nous avions découvert le pays que nous étions venus chercher, ainsi que des épices et des pierres précieuses, et qu'il apparaissait impossible d'établir avec ces gens des relations cordiales, nous ferions aussi bien de prendre congé ». Malgré des vents contraires, malgré l'obstruction des potentats arabes et malgré les ravages du scorbut, deux des quatre navires de l'expédition, le *Sao Gabriel* et le *Berrio,* faisaient leur entrée triomphale à Lisbonne à la mi-septembre 1499. Sur les 170 hommes qui étaient partis, seuls 55 étaient rentrés.

Rares sont les découvreurs qui ont la chance de savourer les fruits de leur découverte. Vasco de Gama fut de ceux-là. Son voyage, en prouvant que l'on pouvait atteindre l'Asie par mer, allait changer le cours de l'histoire, tant en Occident qu'en Orient. En février 1502, il repartait de Lisbonne, avec toute une escadre cette fois, dans le but de faire de Calicut une colonie portugaise. Près de la côte de Malabar, un deux-mâts se présente, qui ramène des pèlerins de La Mecque. Le Portugais exige que lui soient remises toutes les richesses transportées. Mais les responsables du navire interpellé tardent à s'exécuter. La suite, la voici, telle que la rapporte un compagnon de Gama : « Nous saisîmes un bateau venant de La Mecque, à bord duquel se trouvaient trois cent quatre-vingts hommes, femmes et enfants, et nous lui enlevâmes bien douze mille ducats, ainsi que des marchandises pour une valeur d'au moins dix mille autres. Puis, nous brûlâmes le bateau et tous ses occupants avec de la poudre à canon, le premier jour du mois d'octobre. » Le 30 du même mois, Gama, arrivé à Calicut, somme le zamorin de se rendre et exige l'expulsion de la ville de tous les musulmans. Le souverain temporise et envoie des émissaires. La réaction de Gama est brutale. Il fait appréhender au hasard dans le port un certain nombre de commerçants et de pêcheurs, et les fait pendre sur-le-champ. Puis il ordonne que les corps soient coupés en morceaux et fait jeter mains, pieds et têtes dans une barque, qu'il expédie à terre accompagnée d'un message en arabe suggérant au zamorin d'utiliser ces « restes » pour un curry. Lorsque Gama, finalement, repartit pour Lisbonne avec son butin, il laissait derrière lui dans les eaux indiennes cinq navires commandés par son oncle. C'était la première force navale permanente stationnée par des Européens dans les eaux asiatiques.

Les étapes suivantes de la constitution d'un empire portugais en Inde ont la même évidence que celles de l'exploration de la côte ouest-africaine. Le premier vice-roi portugais des Indes, Francisco de Almeida, taille en pièces la flotte arabe en 1509. Son successeur, Alfonso de Albuquerque, conquiert Ormuz, la porte du golfe Persique, en 1507, fait de Goa la capitale des possessions portugaises en 1510, s'empare de Malacca en 1511, puis entame les échanges maritimes avec le Siam, les Moluques ou Iles aux épices, et la Chine. Les Portugais sont désormais maîtres de l'océan Indien.

Les retombées seront mondiales. La splendeur italienne était due pour une bonne part aux richesses de l'Orient importées par Venise et par Gênes. Désormais, les trésors de l'Asie — épices, drogues, pierres précieuses, soieries — ne parviendront plus en Europe via le golfe Persique, la mer Rouge et le Levant, mais sur des navires portugais passant par le cap de Bonne-Espérance et arrivant par l'Atlantique. Les sultans d'Égypte avaient réussi à maintenir élevé le cours du poivre en limitant les envois à deux cent dix tonnes par an. L'ouverture de la route portugaise des Indes ne tarda guère à porter ses fruits : en 1503, le poivre se vendait cinq fois moins cher à Lisbonne qu'à Venise. Le commerce entre Venise et l'Égypte avait vécu. La richesse de l'Asie, les trésors fabuleux de l'Orient vont maintenant affluer directement en Occident. Les centres du commerce et de la civilisation vont se trouver déplacés par l'ère maritime naissante de la Méditerranée vers l'Atlantique : des bords d'une mer enclose aux rivages d'un océan sans bornes.

## 24

## *Pourquoi pas les Arabes*

Si donc l'Afrique n'était qu'une vaste péninsule, si l'on pouvait passer de l'Atlantique dans l'océan Indien, alors — c'est une lapalissade — le même chemin pouvait se faire en sens inverse. Les Arabes qui vivaient en bordure ouest et nord-ouest de l'océan Indien étaient au moins aussi avancés que les Européens dans les sciences de la mer, astronomie, géographie, mathématiques, art de la navigation. Pourquoi, alors, n'ont-ils pas pris la route maritime de l'ouest ?

A cette question, une réponse possible pourrait être celle donnée par cette Bostonienne de vieille souche à qui l'on demandait pourquoi elle ne voyageait jamais : « Pourquoi voyagerais-je, répondit-elle, je suis déjà arrivée ! » Vasco de Gama, on l'a vu, fut accueili sur la côte de Malabar par des Arabes de Tunis. Ceux-ci faisaient partie d'une importante communauté arabe de marchands et d'armateurs, qui dominait le commerce de Calicut avec l'étranger. Car longtemps avant que soit découverte une route maritime entre l'Occident et l'Orient, les Arabes d'Afrique du Nord et du Moyen-Orient étaient déjà bien établis en Inde.

Des tabous de caste, semble-t-il, empêchèrent les Hindous de se joindre librement au commerce outre-mer. Leur religion interdisait à certains de franchir une eau salée. Pendant ce temps, l'étonnante expansion de l'islam après Mahomet avait atteint l'Inde avant le milieu du VIIIe siècle. Les marchands arabes se répandirent dans les cités de la côte de Malabar.

Les musulmans étaient partout chez eux dans l'Empire islamique. Comme on l'a vu, Ibn Battuta, le Marco Polo du monde arabe, qui était né à Tanger, n'eut aucun mal à être juge à Delhi et aux îles Maldives, ou encore ambassadeur en Chine d'un sultan indien. Calicut, au temps de Gama, possédait un florissant quartier arabe. On trouvait dans toute la ville des entrepôts et des boutiques arabes, et la communauté était jugée par ses propres cadis. Les dirigeants hindous se montraient tolérants envers la religion de ceux qui assuraient la prospérité de leur cité. Bien des familles hindoues espéraient voir leur fille épouser un riche marchand arabe. Faut-il s'étonner, dans ces conditions, que les Arabes de Calicut n'aient pas vu d'un bon œil l'arrivée des Portugais ?

La navigation dans l'océan Indien s'était développée bien avant la naissance du Prophète. Au début, le voyage entre l'Égypte et l'Inde par la mer Rouge se faisait en suivant la côte. Le trafic maritime fut considérablement accru par la découverte et l'utilisation des moussons. Caractéristique de l'océan Indien, la mousson (de l'arabe *mausim,* « saison ») est un vent qui, parce qu'il s'inverse avec la saison, facilite les déplacements maritimes aussi bien dans un sens que dans l'autre. *Le Périple de la mer Érythrée*, qui date de l'an 80, nous apprend que ce fut le pilote grec Hippalus qui, un siècle plus tôt, « en observant l'emplacement des ports et les conditions de la mer, découvrit comment établir sa route droit à travers l'océan ». Et lorsque le pilote grec eut montré comment tirer parti de la mousson du sud-ouest, qui balaye l'océan Indien de juin à octobre, pour porter les navires depuis la mer Rouge jusqu'aux rivages de l'Inde, ce vent prit le nom d'*hippalus*.

Sous le règne d'Auguste, les échanges maritimes entre la mer Rouge et les Indes s'effectuaient au rythme de cent vingt navires par an. Pline l'Ancien se plaint, sous le règne de Néron, que tout l'argent de l'empire aille à l'achat de colifichets indiens. Les monceaux de pièces de monnaie romaines découvertes en Inde montrent l'ampleur de ce commerce.

Les marchands arabes n'avaient pas attendu l'expansion de l'islam pour se rendre nombreux aux Indes, mais après Mahomet, aux mobiles d'ordre commercial vint s'ajouter l'esprit de croisade. Au milieu du XIVe siècle, Ibn Battuta note que les marchands se rendent de la côte de Malabar jusqu'en Chine à bord de navires chinois. Dès le IXe siècle, Canton possédait une communauté musulmane avec son cadi, et de très anciens documents révèlent la présence de musulmans jusqu'en Corée.

Les Européens ont dans l'idée que les Arabes n'ont jamais été de grands navigateurs. Notion confortée, il faut le reconnaître, par l'histoire des Arabes en Méditerranée. Le calife Omar Ier (581-644), qui organisa l'islam et en étendit l'empire en parachevant la conquête de la Perse et de l'Égypte, se méfiait de la mer. Ainsi lorsque son gouverneur en Syrie sollicita l'autorisation d'attaquer Chypre : « Les îles du Levant, fit valoir le gouverneur, sont proches des côtes syriennes ; on entend presque l'aboiement des chiens et le caquètement des poules. Autorise-moi à les attaquer. » Omar prit l'avis de son meilleur général : « La mer est une vastitude, prononça le militaire, sur laquelle les plus grands navires ne sont que grains de poussière ; l'homme n'y a plus que le ciel par-dessus lui, et l'eau par-dessous ; la mer est-elle calme, le cœur du marin se brise ; est-elle tempétueuse, la tête lui tourne. Il faut peu s'y fier, et grandement la craindre. L'homme en mer est un insecte sur un fétu de paille, tantôt englouti, tantôt mort d'épouvante. » Omar, en interdisant l'expédition, ne fit qu'exprimer la méfiance arabe traditionnelle envers la mer. En arabe, du reste, on « monte » un bateau *(rakaba markab)* comme on monte un chameau, et pour un musulman, la mer baignant la péninsule arabique n'était qu'un désert à traverser avant d'atteindre les lieux d'une razzia ou d'un négoce. L'Arabe du Nord ne s'y sentait guère dans son élément. Et en Méditerranée, les expéditions arabes ne furent longtemps que des sorties à des fins commerciales ou de piraterie — activités peu distinctes à l'époque. Elles ne débouchèrent jamais sur la construction d'un empire maritime.

Même en Méditerranée, pourtant, les Arabes durent se faire marins. Lorsque la flotte byzantine eut repris Alexandrie (645), il devint clair qu'il fallait à l'Empire islamique une marine. Alexandrie devint le centre maritime arabe ; on y forma des marins et on y construisit des navires avec le bois venu de Syrie. En 655, les Arabes mettaient en déroute, à Dhat al Sawari, une flotte byzantine de cinq cents unités. Fidèles à leur tradition, les Arabes auraient préféré combattre ce nouvel ennemi sur la terre ferme, mais les Byzantins, eux, préféraient la mer. Les Arabes, toutefois, firent de la rencontre une sorte de bataille terrestre sur pont de navire : dans l'enchevêtrement des vaisseaux, ils massacrèrent leurs adversaires à coups d'épée et de flèches.

L'Empire arabo-islamique s'étendit tout autour de la Méditerranée. En Europe occidentale, il engloba la péninsule Ibérique. Les historiens, à la suite surtout d'Henri Pirenne, débattent encore pour savoir si la Méditerranée devint jamais un lac arabe. Quoi qu'il en soit, que les Arabes aient ou non dominé le trafic maritime en Méditerranée, le fait que, par leurs positions terrestres, ils en aient contrôlé les deux extrémités devait marquer profondément l'histoire de la navigation en Europe.

A quelques exceptions près — Chypre, Crète, Sicile — les Arabes n'avaient pas besoin de traverser une mer pour se rendre d'une région à l'autre de leur empire. Si les Arabes du Nord, ceux qui s'établirent sur tout le littoral sud de la Méditerranée, avaient ressemblé davantage aux Romains, avaient été plus aptes et plus à l'aise en mer, moins timorés face à une vaste étendue d'eau, alors l'histoire et même la religion de l'Europe auraient pu être toutes différentes. Alexandrie eût pu devenir une Venise musulmane. Au lieu de quoi, cette grande métropole, qui, en sa période de gloire, avait compté 600 000 habitants, n'en avait plus que 100 000 à la fin du IXe siècle. Les califes des IXe et Xe siècles laissèrent la ville à l'abandon. La célèbre tour de marbre construite sur l'île de Pharos pour guider les bateaux la nuit à l'entrée du port (d'où le mot « phare »), et qui avait été l'une des sept merveilles du monde antique, tomba en ruine. Puis ses ruines mêmes furent détruites par un tremblement de terre au XIVe siècle. La pensée et la littérature arabes étaient tournées vers la terre.

Mais en Méditerranée, c'est sur l'eau que se faisaient et se défaisaient les empires. Le navire était le glaive du bâtisseur d'empire. Cependant, durant les siècles du reflux de l'islam en Occident, l'océan Indien, zone de turbulence naturelle, demeura remarquablement paisible. Là, le génie maritime arabe put se donner libre cours. La plus brillante incarnation en fut Ibn Majid, fils et petit-fils de grands navigateurs, et qui s'était surnommé « le lion de la mer en furie ». Il avait la renommée d'être celui qui connaissait le mieux la navigation dans la mer Rouge tant redoutée et dans l'océan Indien. Il devint le patron des gens de mer du monde musulman, et c'est à sa mémoire que les marins orthodoxes, avant de s'embarquer dans des eaux dangereuses, récitaient la première sourate du Coran. Dans ses trente-huit ouvrages de prose ou de poésie, il traite de tous les sujets maritimes de son temps. Particulièrement utile pour les navigateurs arabes était son *Kitab al Fawa'id* (1490), véritable inventaire des connaissances nautiques de l'époque, et guide du marin en mer Rouge et dans l'océan Indien. Aujourd'hui encore, pour certaines régions, son œuvre, dit-on, reste inégalée.

La Providence devait veiller sur Vasco de Gama au cours de son premier voyage. Par une surprenante coïncidence, en effet, lorsque finalement, à Malindi, il réussit à dénicher un pilote arabe compétent et loyal pour le guider à travers l'océan Indien, ce pilote n'était autre que Ibn Majid en personne. Le capitaine portugais ne connaissait pas sa chance. Pas plus, du reste, que Ibn Majid ne pouvait se douter, à leur arrivée conjointe à Calicut, que tous deux étaient les acteurs de l'une des grandes ironies de l'histoire : le grand maître arabe de la navigation était, à son insu, en train de participer à la liquidation de la présence maritime arabe dans l'océan Indien. Pour tenter d'expliquer le rôle peu glorieux d'Ibn Majid dans cette affaire, les historiens arabes devaient lui trouver par la suite l'excuse de la boisson.

Une fois admis dans l'océan Indien, les Portugais et leurs successeurs venus des autres pays européens ne devaient plus se laisser évincer. A la fin du XIXe siècle, le percement du canal de Suez rendra la route de l'Inde plus facile que jamais pour les Européens. Aujourd'hui les Arabes qui naviguent du Koweit ou d'Aden vers l'Afrique orientale ou l'Inde ont largement oublié, semble-t-il, les exploits d'Ibn Majid, car, à nouveau, ils serrent la côte.

Lorsque Henri le Navigateur lança ses voyages d'exploration le long de la côte ouest-africaine, il y avait beau temps déjà que les Arabes connaissaient la côte sud-africaine, et ce jusqu'à Sofala, en face de Madagascar et à moins de 1 600 kilomètres du Cap. Là, dans le canal de Mozambique, ils avaient trouvé leur cap Bojador. Malheur à qui se hasarderait au-delà ! N'était-il pas dit dans le Coran, par deux fois, que Dieu avait séparé « les deux mers » par une barrière infranchissable ? Ces deux étendues d'eau fermée, expliquaient les exégètes, étaient la Méditerranée, et l'océan Indien, mer Rouge comprise. Mais, avait également dit le Prophète, « recherche le savoir, fût-ce en Chine ». C'est pour cela peut-être que, à la fin du Moyen Age, les savants arabes étaient moins prisonniers de leur foi que les savants européens ; ils n'hésitaient pas à critiquer, voire corriger, certains textes classiques sacro-saints, y compris la *Géographie* de Ptolémée.

Ce qui a ouvert l'horizon des Arabes, c'était, on l'a vu, le pèlerinage : l'obligation pour tout musulman, homme ou femme, où qu'il vive, de se rendre au moins une fois dans sa vie à La Mecque. Rappelons-nous à cet égard combien étroit, à l'époque, était l'univers du paysan écossais, norvégien ou français, qui ne se déplaçait guère que jusqu'à la foire la plus proche. Mais la tradition du pèlerinage, si elle poussa les Arabo-musulmans au voyage, n'encouragea pas pour autant chez eux l'exploration maritime.

Et pourtant la géographie arabe était florissante. Tandis que les cosmographes européens dormaient sur leurs dogmes, les géographes arabes, eux, pratiquaient Ptolémée. Ils allaient même jusqu'à le réviser, avançant l'idée que l'océan Indien n'était pas une mer fermée, mais s'ouvrait sur l'Atlantique. L'un des plus importants parmi ces géographes, et l'un des plus grands savants arabes du Moyen Age, fut al-Biruni (973-1050 ?). Doté d'un remarquable esprit d'observation et d'une curiosité insatiable, il avait déjà, à l'âge de dix-sept ans, fait progresser la technique de détermination de la latitude. Et sur la forme de l'Afrique, ses idées étaient parmi les plus avancées du monde arabe de l'époque.

> La mer du Sud commence en Chine et coule le long des côtes de l'Inde en direction du pays de Zendj [Zanzibar]. [...] Les navigateurs n'ont pas franchi cette limite, la raison étant que la mer, au nord-est, pénètre les terres [...] tandis qu'au sud-ouest, comme par souci d'équilibre, le continent s'avance dans la mer. [...] Au-delà de ce point, la mer pénètre entre montagnes et vallées qui alternent. L'eau est continuellement mise en mouvement par le flux et le reflux de la marée, les vagues se précipitant sans répit dans un sens, puis dans l'autre, de sorte que les navires sont brisés en mille morceaux. C'est la raison pour laquelle nul ne navigue sur cette mer. Mais cela n'empêche pas la mer du Sud de communiquer avec l'océan par une ouverture dans les montagnes sur la côte sud [de l'Afrique]. On possède des preuves certaines de l'existence de ce passage, bien que nul ne l'ait vu de ses yeux. C'est cette communication qui fait que la partie habituelle du monde se trouve placée au centre d'une vaste zone environnée de tous côtés par la mer.

Ibn Majid faisait donc sienne, apparemment, la thèse encore controversée des deux océans communicants. Aussi sa surprise ne dut-elle pas être bien grande de voir arriver à Malindi la flotte d'un Vasco de Gama. Les Portugais, « gens d'expérience », constate-t-il avec satisfaction, leur donnaient ainsi raison, à al-Biruni et à lui-même. Et les « Francs » (nom donné en Orient à tous les Européens) ayant pénétré dans l'océan Indien par le périlleux canal de Mozambique, Ibn Majid appela cet endroit « le passage des Francs ».

Pour les Arabes, le canal de Mozambique, comme pour les Portugais le cap Bojador, avait acquis au cours des siècles une sinistre réputation. *Les Mille et Une Nuits* brodaient sur ses dangers réels en imaginant les terrifiantes menaces d'un oiseau gigantesque appelé « griffon » ou « roc ». Voici ce que Marco Polo dit de Madagascar :

> Sachez que cette île est si méridionale que les nefs ne peuvent aller plus loin vers le midi, ni visiter autres îles dans cette direction, fors celle-ci, et cette autre que l'on appelle Zanghibar [Zanzibar], parce que le courant marin y coule si fort vers le midi que les navires qui s'y hasarderaient n'en pourraient jamais revenir. [...]
> Ceux qui ont été là-bas disent qu'en ces autres îles qui sont en si grande quantité vers le midi, et où les nefs ne vont jamais volontairement à cause du courant qui les empêcherait de jamais revenir, on y trouve, en certaines saisons, de très terribles oiseaux griffons. Mais sachez qu'ils ne sont nullement faits comme nos gens d'ici le croient, ou comme nous les faisons représenter, en disant qu'ils sont mi-oiseaux et mi-lions. Car ceux qui sont allés là-bas et les ont vus ont rapporté à Messire Marco Polo que l'oiseau ressemble tout à fait à un aigle, mais démesurément grand [...] si grand, à vrai dire, que ses ailes ouvertes couvrent plus de trente pas, et que les pennes de ses ailes sont longues de douze pas et grosses comme il convient à leur longueur. [...] Et il est si grand et puissant qu'il prend un éléphant dans ses serres et l'emporte en l'air bien haut sans l'aide d'aucun autre oiseau, puis le laisse choir à terre, si bien que l'éléphant se défait tout ; alors, l'oiseau griffon descend sur lui, le déchire, le mange et s'en repaît à discrétion. [...] Ceux de cette île appellent l'oiseau Roc et ne le nomment par autre nom.

Le Grand Khan, ajoute Marco Polo, avait reçu en cadeau une plume d'oiseau Roc « longue de quatre-vingt-dix travers de main, et ayant deux paumes de tour, ce qui en faisait une merveille ». Curieusement, le mot « roc », ancien nom de la tour au jeu d'échecs, semble dériver du nom de cet oiseau étrange.

La technologie navale pratiquée par les Arabes avant l'arrivée des Portugais est un curieux mélange d'extraordinaires points forts et de faiblesses insignes. Ce sont eux qui introduisirent en Méditerranée la voile latine, laquelle, en facilitant la navigation contre le vent, devait permettre les exploits portugais. Les Arabes développèrent également le gouvernail arrière, qui rendit les navires plus maniables. Au surplus, ils étaient experts en navigation astronomique. « C'est Lui, dit le Coran, qui a placé pour vous les étoiles [dans le ciel] afin que vous soyez dirigés dans les ténèbres sur la terre et les mers ; nous avons partout déployé des signes pour ceux qui comprennent. »

Mais pour des raisons obscures, les Arabes, au lieu de fixer les planches de leurs navires par des clous, les nouaient les unes aux autres avec de la corde en coque de noix de coco. De telles carcasses ne pouvaient résister longtemps aux assauts du vent ou au frottement contre les rochers. Pourquoi ce type de construction ? Peut-être parce qu'une légende alors fort répandue affirmait qu'il y avait dans la mer des pierres d'aimant qui attiraient à elles les fixations métalliques des bateaux, et donc mettaient en pièces toute coque maintenue par des clous. Peut-être aussi parce que ces derniers étaient un article rare et coûteux. Quoi qu'il en soit, des générations de marins peu enclins à l'innovation allaient figer cette technique en une solide tradition.

La péninsule d'Arabie n'est pas un lieu rêvé pour un marin. Elle ne possède pratiquement aucune des ressources — bois, résine, fer, textiles — nécessaires à la construction navale. Sa géographie elle-même posait de sérieux problèmes : aucun fleuve navigable, peu de bons ports, un arrière-pays peu peuplé et peu hospitalier. La navigation côtière se heurtait à des récifs de corail, autour desquels rôdaient les pirates. Les points d'eau étaient rares. Et les dangereux vents du Nord soufflaient toute l'année.

Autant de raisons géographiques et culturelles qui ont fait que les Arabes n'ont guère eu le désir d'aller contourner l'Afrique pour remonter vers l'Europe. Mais la meilleure explication, peut-être, est encore la plus évidente : rien ne les poussait à se lancer dans l'inconnu. L'entreprise d'exploration systématique voulue par Henri le Navigateur était sans précédent connu. Lorsque les marins, gens éminemment pratiques, prenaient la mer, c'était généralement pour acheminer une cargaison ou des passagers vers une destination donnée. Ou aller prendre livraison quelque part d'un chargement. Le marin, comme le terrien, ne part généralement pas pour percer l'inconnu, ni chercher confirmation de tel ou tel concept, mais, selon la formule d'E. G. R. Taylor, « va en mer comme un homme à son bureau, suivant la route précise et dans un but déterminé, qui est de gagner sa vie ». Et tout comme, sur la terre ferme, l'homme craignait les montagnes et leur préférait les chemins connus, de même, en mer, suivait-il des routes familières.

Les Arabes, dans l'océan Indien, étaient « déjà là ». A l'est comme à l'ouest. Pourquoi auraient-ils voulu gagner par mer le Portugal ou l'Europe du Nord ? N'étaient-ils pas déjà installés face aux chrétiens sur le détroit de Gibraltar ? Leur domaine n'englobait-il pas déjà toutes les richesses tropicales possibles — flore, faune, minerais ? Ce que le monde arabe avait à gagner au contact des Européens, il en avait déjà fait l'expérience dans la péninsule Ibérique. Quant à son affrontement avec les croisés au Moyen-Orient, promettait-il autre chose qu'une immense réserve d'Infidèles à convertir ?

## 25

## *L'aventure maritime chinoise*

Tandis qu'en Occident, Henri le Navigateur procédait à l'exploration progressive du littoral ouest-africain, à l'autre bout de la planète, les Chinois ne restaient pas inactifs. Leur marine était sans égale par le nombre de ses unités, le savoir-faire de ses hommes, le haut niveau de sa technologie. Leur flotte était déjà sortie de la mer de Chine pour explorer les rivages de l'océan Indien, longeant la côte orientale de l'Afrique jusqu'à la pointe extrême du continent. Mais alors que les exploits accomplis par les navires du prince Henri ouvraient une ère maritime qui allait voir la découverte d'un Nouveau Monde et la première circumnavigation du globe, les expéditions chinoises contemporaines, bien que de plus grande ampleur, n'aboutissaient à rien. Elles préludaient à la catastrophique fermeture de la Chine sur elle-même, fermeture dont les conséquences se font encore sentir aujourd'hui.

Le grand repliement de 1433 est d'autant plus frappant que la poussée chinoise en mer avait été spectaculaire. Le héros de ces explorations — son nom même symbolise la puissance maritime chinoise — fut Cheng Ho, « l'amiral du triple trésor », plus communément appelé « l'eunuque aux trois joyaux », par allusion soit aux trois éléments précieux du bouddhisme (Bouddha, Dharma, Sangha), soit aux bijoux que cet homme offrait en cadeau ou recevait comme tribut. Le fait qu'il ait été eunuque explique à la fois, on va le voir, pourquoi il a pu se lancer dans une telle entreprise, et pourquoi il y fut si brusquement mis fin.

En Occident, le rôle des castrats dans l'histoire a été d'ordre principalement musical, et non politique. La castration, outre qu'elle prive l'individu de la faculté de procréer, a pour effet de supprimer la mue. Aussi l'eunuque conserve-t-il une voix de soprano. De Constantinople, la pratique se répandit d'utiliser des eunuques dans les chœurs. Au XVIIIe siècle, les opéras de Haendel, par exemple, comportent des rôles de castrats. Ceux-ci, bientôt, vont dominer le monde de l'opéra, exigeant parfois des compositeurs des rôles spécialement écrits pour eux. Des castrats chanteront dans le chœur de la Chapelle Sixtine jusqu'au début du XIXe siècle. Et la pratique italienne consistant à châtrer de jeunes garçons pour en faire des sopranistes ne prendra fin qu'avec le pape Léon XIII, à la fin du XIXe siècle.

Une conception dogmatique de la foi a amené certains hommes pieux à s'émasculer afin d'échapper au péché ou à la tentation sexuelle. « Il en est [des eunuques] qui se sont rendus tels eux-mêmes à cause du royaume des cieux ; que celui qui peut comprendre comprenne », dit l'Évangile selon Matthieu (19, 12). Origène, l'un des Pères de l'Église (185 ?-254), fut de ceux-là et, à son exemple, naquit une secte dont les membres s'automutilaient pour être plus sûrs d'entrer au royaume des cieux. Cette secte devait subsister en Russie jusqu'au XXe siècle.

Despotisme et claustration des femmes étaient les deux conditions pour que l'eunuque joue un rôle politique. La privation de ses capacités sexuelles le désignait, par exemple, pour l'emploi de « gardien de la couche » (« eunuque », en grec, signifie « gardien de lit »). Lorsque le monarque possédait un harem, seuls ses proches étaient autorisés à résider au palais. Exception à cette règle : les eunuques chargés de servir les femmes du harem ; ils ne menaçaient ni la pureté du lignage impérial ni la chasteté des compagnes du souverain. Ils devinrent une véritable caste. Connaissant les habitudes et les goûts de l'empereur, il leur était facile de devancer ses moindres désirs. D'où un pouvoir énorme. Notamment sous les empereurs byzantins. Justinien, par exemple, fait de l'eunuque Narsès (478 ?-573 ?) l'un de ses généraux ; c'est lui qui, à la tête des armées byzantines, chassera d'Italie Goths, Alamans et Francs (553). Les sultans ottomans, eux aussi, offriront à leurs eunuques des postes élevés. L'influence des eunuques sur les monarques d'Égypte sera à ce point institutionnalisée que le terme même d'« eunuque » finira par désigner dans ce pays tout fonctionnaire de cour, châtré ou non. Un gouvernement d'« eunarques », en quelque sorte.

Le pouvoir des eunuques s'est trouvé tout spécialement favorisé par les institutions impériales de la Chine. Dès l'époque de Han, sous le règne de Han Shun-ti (126-144), une étiquette rigide confine l'empereur dans son palais et ses jardins, tel celui où, plus tard, sera installée l'« horloge céleste » de Su Sung. Dans les rares occasions où il sort de son isolement, des pages font évacuer les rues à son approche, et tout est fait pour qu'il n'apparaisse jamais aux yeux du peuple. Même ses ministres ne peuvent s'entretenir familièrement avec lui ; ils ne le voient qu'en audience solennelle et doivent s'adresser à lui par l'intermédiaire d'autres fonctionnaires, plus proches qu'eux du trône. Et pour lui parler, pour lui dire « Votre Majesté », on lui donne du « *Chieh Hsia* », « d'au-dessous des marches ». En revanche, les eunuques du palais peuvent converser chaque jour avec le souverain. Alors que les ministres doivent se contenter de faire à l'empereur des rapports oraux ou écrits, les eunuques, eux, peuvent lui parler à l'oreille.

Si l'empereur avait grandi hors du palais et ne montait sur le trône qu'une fois adulte, les eunuques avaient moins de chances d'exercer un rôle politique. Mais bien souvent, aux époques tardives de l'histoire de Chine, l'héritier, né au palais, grandissait sous la tutelle des eunuques. Et lorsqu'il accédait au pouvoir étant encore enfant, les eunuques contrôlaient ses décisions ou celles de la régente. Ces eunuques, qui commencèrent à jouer un rôle important sous les derniers empereurs Han, étaient généralement issus des couches les plus humbles. N'ayant aucun avenir hors du palais, ils ne craignaient pas d'être des mercenaires sans scrupules, acceptant les pots-de-vin, distribuant les honneurs, infligeant les tortures.

Mais peu à peu, une nouvelle classe, celle des lettrés, disciples ou commentateurs de Confucius, également recrutés dans les milieux pauvres, se constituait en bureaucratie. Partisans et adversaires des eunuques pouvaient désormais se compter. Les lettrés-bureaucrates craignaient, enviaient et méprisaient tout ensemble les eunuques, dont le pouvoir dépassait le leur, bien qu'ils fussent incapables de réciter par cœur un seul passage des classiques confucéens. Quant aux militaires, conduits par des généraux promus pour leurs compétences, ils avaient leurs raisons de mépriser ces confidents efféminés qui n'avaient jamais porté les armes. Lettrés et généraux, toutefois, ne parvinrent jamais à s'unir contre des conseillers qui vivaient hors de portée de tout adversaire.

L'un de ces eunuques occupant des postes clés était justement Cheng Ho. On sait peu de choses de sa personne, si ce n'est qu'il naquit musulman et qu'il était sans doute de basse extraction et originaire de la province de Yunnan.

L'histoire de Cheng Ho commence en fait un siècle plus tôt, lorsque le dernier des empereurs mongols fut chassé de Pékin par le « Napoléon chinois ». Chu Yuan-chang, fils d'un misérable ouvrier agricole, était né dans la province orientale d'Anhwei. Il n'avait que dix-sept ans lorsque toute sa famille fut emportée par une épidémie. Il devint d'abord bonze, puis, à vingt-cinq ans, quitta l'habit pour prendre la tête des armées de sa province contre l'envahisseur mongol. Après treize ans de combats, il entrait dans Pékin, en 1368. Agé alors de quarante ans seulement, il se proclame premier empereur de la dynastie des Ming. Tout en maintenant sa capitale à Nankin, il enverra des fonctionnaires du nord administrer le sud du pays, et réciproquement, dans le but d'unifier la nation. Durant ses trente années de règne, il réussira à consolider ainsi une nation longtemps divisée par la domination mongole sur le nord.

Chu Yuan-chang n'aimait guère s'entendre rappeler ses humbles origines, ni ses années monastiques. Deux confucianistes qui avaient commis l'erreur, dans un message de félicitations, d'utiliser le mot *sheng* (« naissance »), susceptible d'être pris pour un jeu de mots sur *seng* (« le moine »), le payèrent de leur vie. Nullement sectaire toutefois, l'empereur devait s'entourer de moines bouddhistes tout en encourageant le confucianisme.

Avec l'âge, il se mit à voir partout des complots. Pétitionner devint un crime capital. Ayant cru un jour percevoir à Nankin un certain esprit de rébellion, il fit exécuter d'un seul coup quinze mille personnes. Le Premier ministre, bien que nommé par l'empereur, était généralement recruté dans la classe des bureaucrates. Étranger à la cour, souvent issu d'un milieu populaire, il devait sa promotion à ses seules compétences. Il apportait donc un contrepoids salutaire aux caprices de l'empereur et aux intrigues de palais. Mais, invoquant la trahison, Chu Yuan-chang va consolider son pouvoir en supprimant purement et simplement le poste de Premier ministre. « Quiconque osera demander son rétablissement sera condamné à périr sur-le-champ avec toute sa famille », était-il précisé. La mesure, évidemment, renforçait le pouvoir de ceux qui avaient l'oreille de l'empereur, c'est-à-dire les eunuques.

Tout en rognant les pouvoirs de la bureaucratie, le premier des empereurs Ming inaugurait une autre politique, qui eut pour effet d'exacerber en haine la méfiance séculaire des simples fonctionnaires à l'égard des eunuques. Par un geste particulièrement méprisant, il brava la vieille tradition chinoise, renforcée par le confucianisme, qui voulait que l'on n'humiliât jamais un noble ou un lettré. Le lettré qui avait failli à son devoir pouvait être condamné à mort, c'est-à-dire au suicide, il ne devait en aucun cas subir une quelconque dégradation publique. Mais le parvenu Chu Yuan-chang semblait prendre un malin plaisir à humilier ceux qui lui étaient intellectuellement supérieurs. Il prit l'habitude de faire fouetter en public tout haut fonctionnaire à l'esprit tant soit peu indépendant ou insuffisamment flagorneur. Toute la cour, en habit de cérémonie, devait assister au rituel au cours duquel le malheureux était dévêtu, puis battu à mort. Arme efficace contre la corruption des bureaucrates, affirmaient les partisans de l'empereur. C'étaient les eunuques qui avaient la haute main sur ces flagellations rituelles.

Après les trente ans de règne de Chu Yuan-chang, et le bref passage au pouvoir de son fils, réformateur et partisan du confucianisme, une révolte de palais est organisée par l'oncle de l'empereur, Yung Lo (1359-1424), avec l'aide des eunuques. Tout comme Koubilaï avait tenté d'édifier en Chine un Empire mongol, Yung Lo se met en tête d'ajouter à la Chine l'Empire mongol. En 1409, avec beaucoup d'audace, il transfère son quartier général de Nankin, la capitale du sud, à Pékin, la capitale du nord, sur les marches mêmes de l'Empire mongol, à deux pas de la Grande Muraille. Il remodèle Pékin pour en faire la capitale impériale, avec sa « cité interdite », résidence de l'empereur, au centre, et un magnifique ensemble de palais, de terrasses, de lacs et collines artificiels, de jardins, le tout orné d'arbustes et de fleurs provenant des quatre coins de l'empire.

Mégalomane, Yung Lo décide, pour affirmer sa grandeur, d'envoyer un peu partout des expéditions navales. Comme amiral en chef, il choisit Cheng Ho. Ces expéditions (1405-1433), les plus importantes jamais vues jusque-là sur la planète, comportaient quelque 37 000 hommes d'équipage, répartis dans des flottilles comptant jusqu'à 317 unités. Le plus grand vaisseau, celui du Trésor, était un neuf-mâts de 130 mètres de long et

55 mètres de large ; le plus petit, le navire de combat, avait cinq mâts et mesurait 54 mètres de long et 20 mètres de large. Ibn Battuta, un siècle plus tôt, et Niccolo dei Conti, passager d'un bateau chinois vers l'époque dont nous parlons, se déclarèrent médusés par la taille de ces navires.

Les Occidentaux remarquèrent également l'ingénieux système de cloisons qui, divisant la cale en compartiments, permettait de mieux lutter contre toute voie d'eau ou incendie. Cette technique, nouvelle pour les Européens, était une vieille invention chinoise, inspirée sans doute des septums, les membranes transversales du bambou. Déjà, dans la Chine d'avant les Han, c'était elle qui donnait robustesse et élasticité aux navires à étages qui faisaient l'émerveillement des visiteurs étrangers par leur haute galerie de poupe, à laquelle était suspendu un gigantesque gouvernail. Et ce ne sont là que quelques-unes des remarquables caractéristiques de la marine de Cheng Ho. Bien entendu, il utilisait le compas, et peut-être d'autres instruments d'observation, ainsi que des cartes perfectionnées donnant des relèvements précis. En revanche, si les Chinois utilisaient depuis longtemps un système de grille pour leur cartographie terrestre, les cartes marines de Cheng Ho ne semblent pas avoir fait état des latitudes et longitudes.

Presque toutes les terres habitées bordant la mer de Chine et l'océan Indien furent visitées par la flotte de Cheng Ho (et non son armada, car ce n'était pas une flotte de guerre). Depuis cinq siècles au moins, les Chinois entretenaient des échanges maritimes avec le monde islamique. A leurs cartes, ils avaient ajouté le Nil, le Soudan, Zanzibar et jusqu'à certains points du littoral sud-méditerranéen. Peut-être tenaient-ils cette connaissance des Arabes, mais les récentes découvertes de pièces de monnaie et porcelaines T'ang et Sung tout le long de la côte africaine, depuis la Somalie jusqu'à Zanzibar, feraient plutôt penser que les Chinois s'y sont effectivement rendus eux-mêmes. A en juger par le nombre de personnes qui, à bord des navires de Cheng Ho, parlaient les langues de ces régions, les Chinois devaient avoir une longue expérience du commerce d'outre-mer.

Cheng Ho conduisit sept expéditions, qui poussèrent toujours plus loin vers l'ouest. La première, partie en 1405, se rendit à Java et Sumatra, puis Ceylan et Calicut. Les suivantes devaient atteindre le Siam et faire de Malacca une base sur la route des Indes orientales, avant de poursuivre vers le Bengale, les Maldives et jusqu'au sultanat persan d'Ormuz, à l'entrée du golfe Persique. La flotte du Pacifique visita Ruy-Kyu et Brunei, tandis que d'autres, à l'ouest, dépassaient Ormuz pour atteindre Aden, à l'entrée de la mer Rouge, puis descendre la côte africaine jusqu'à Mogadiscio, en Somalie, Malindi, au nord de Mombassa, et la côte de Zanzibar. L'aventureuse sixième expédition, en l'espace de deux ans (1421-1422), visita trente-six États d'un bout à l'autre de l'oécan Indien, depuis Bornéo jusqu'à Zanzibar. Mais malheureusement pour Cheng Ho et son œuvre, l'empereur Yung Lo mourut en 1424. Son successeur, soutenant les « anti-maritimes », annulera l'expédition prévue cette année-là.

Les voyages de Cheng Ho deviennent alors un enjeu dans la succession impériale. Après un court règne de l'empereur « anti-maritime », son successeur, partisan des expéditions par mer, soutiendra le septième — et le plus important — des voyages. Avec ses 27 500 officiers et hommes d'équipage, cette expédition ira plus loin, en deux ans, que toutes celles qui l'avaient précédée. Lorsqu'elle rente, en 1433, elle a établi des relations diplomatiques ou des liens de suzerain à tributaire avec vingt royaumes ou sultanats, depuis Java jusqu'à La Mecque, et loin sur la côte orientale de l'Afrique. Tous ces peuples qui, depuis un millénaire, connaissaient les petites jonques chinoises voyaient maintenant arriver des navires à plusieurs étages, d'une taille proprement inouïe. Qu'une aussi puissante marine affichât des intentions pacifiques dut fort les étonner.

Ces intentions, quelles étaient-elles ? Un Occidental a du mal à comprendre. Les objectifs de Cheng Ho et ceux des grands navigateurs européens sont comme le jour et la nuit. Les Portugais contournant le cap de Bonne-Espérance vers l'Inde espéraient accroître la richesse de leur nation, se procurer les produits d'Orient et convertir les païens au christianisme. Vasco de Gama, on l'a vu, emportait comme monnaie d'échange des pièces de toile, des lavabos, de la verroterie, des morceaux de sucre — produits qui ne suscitèrent que mépris de la part du zamorin de Calicut. Parmi les « marchandises » obtenues par les Portugais figuraient, bien entendu, les esclaves : 1 300 000 enlevés au seul Angola avant le milieu du XVIIe siècle. De surcroît, disposant d'un imposant armement, ils n'avaient aucun scrupule à employer la terreur : nous avons vu comment Vasco de Gama découpa les corps des marchands et de marins pris au hasard dans Calicut et en fit porter les morceaux au zamorin, dans le seul but d'amener celui-ci à se rendre. C'est dans cet esprit que les Portugais devaient gouverner toutes leurs possessions en Inde. Le vice-roi Almeida, par exemple, suspectant un jour un messager qu'il recevait, lui fit arracher les yeux. Le vice-roi Albuquerque, lui, pour soumettre les populations arabes, faisait couper le nez des femmes et les mains des hommes. Et lorsqu'ils arrivaient dans un port lointain pour la première fois, les navigateurs portugais, pour bien montrer le sérieux de leurs intentions, arboraient à la vergue des corps de captifs.

La flotte de Cheng Ho appartenait à un tout autre univers. Amasser des richesses, faire du commerce, conquérir, convertir, recueillir des informations scientifiques n'étaient pas le but de sa vaste et coûteuse entreprise. Les chroniqueurs chinois rapportent que Cheng Ho fut initialement envoyé sur les traces du neveu de Yung Lo, dont celui-ci avait usurpé le trône, et qui, après s'être enfui de Nankin, errait, disait-on, d'un pays à l'autre. Mais des mobiles plus ambitieux vinrent s'y ajouter par la suite.

Les voyages devinrent une institution destinée à montrer le pouvoir et la splendeur de la nouvelle dynastie. Et ils administrèrent la preuve que l'on pouvait, sans violence, par la seule persuasion, obtenir tribut d'un État lointain. Les Chinois se refusèrent à installer chez leurs tributaires des bases permanentes, escomptant plutôt l'admiration « du monde entier » pour le seul et unique centre de civilisation qui fût.

Avec de telles idées, il ne pouvait être question pour les navigateurs chinois de se livrer au pillage. Cheng Ho n'allait chercher ni esclaves, ni métaux précieux, ni épices. Rien dans leur comportement ne devait donner à penser que les Chinois convoitaient les biens des autres. Si les peuples d'Asie devaient être frappés par la volonté portugaise de butin, les Chinois, eux, impressionnèrent par leur générosité. Ils pratiquèrent sans le savoir la maxime chrétienne selon laquelle il est plus noble de donner que de recevoir. Au lieu de verroterie et de pacotille, ils offraient les plus beaux objets d'art. Les expéditions occidentales en Asie devaient montrer à quel point les Européens étaient avides de produits d'Orient, celles des Chinois hors de leur univers à quel point ceux-ci étaient satisfaits de ce qu'ils possédaient déjà. Le système du tribut, qui dominait alors les relations des Chinois avec les autres États asiatiques, était totalement différent de tout ce qu'a jamais pu connaître l'homme occidental. Verser tribut à la Chine n'était pas pour un État, dans cette optique, faire acte de soumission. C'était reconnaître, au contraire, que la Chine, par définition le seul pays vraiment civilisé, n'avait nul besoin d'aide. Le tribut, par conséquent, était purement symbolique. L'État tributaire se déclarait, par cet acte, disposé à recevoir les bienfaits de la culture chinoise, et, en contrepartie, la Chine démontrait « la générosité et l'abondance du Royaume central ». Rien d'étonnant dans ces conditions si les Chinois eurent quelque peine à imaginer une communauté de nations indépendantes. Seule la Chine, à leurs yeux, était réellement souveraine, car elle seule était digne de souveraineté. Les effets destructeurs de cette logique devaient perdurer jusqu'au XX^e^ siècle.

A l'époque de Cheng Ho, les Chinois conformèrent leurs actes à leurs paroles, et cela au détriment de leurs finances. Par sa logique boiteuse, le système du tribut amena la Chine à donner plus qu'elle ne recevait. Chaque nouvel État tributaire aggravait le déséquilibre des échanges. Cette étrange situation aide à comprendre pourquoi les relations de la Chine avec le monde extérieur devaient ensuite rester figées pendant des siècles. En attendant, les autres nations se servirent du système tributaire comme d'un paravent à leurs exigences commerciales naissantes. Les souverains étrangers acceptaient sans se faire prier les « dons » des Chinois. Ainsi le gouvernement chinois devint-il la dupe internationale. Bien qu'affaibli, il continua à recevoir les marchands étrangers en les baptisant flatteusement (pour lui) « tributaires ». Mais à l'époque de Cheng Ho, l'empereur de Chine réussit, pour un temps au moins, à accréditer l'idée que l'Empire central n'avait rien à prendre aux autres ni à apprendre d'eux.

Ni commerçants ni conquistadors, les Chinois n'étaient pas davantage des croisés. Les portugais apportaient avec eux en Asie une intolérance spécifiquement occidentale, doublée d'une farouche détermination à convertir les infidèles. Musulmans, bouddhistes, hindous, chrétiens hérétiques, tous devinrent pour eux objets de prosélytisme ou de persécution. L'établissement à Goa, en 1560, de la Sainte Inquisition inaugura un règne de terreur pieuse appuyé sur la logique de la chambre de torture.

Les Chinois avaient de la religion une tout autre conception : la liberté totale. Le mot « tolérance » est trop faible pour désigner un tel pluralisme. Les hommes de Cheng Ho non seulement se refusaient à persécuter qui que ce fût au nom de Dieu, mais mettaient partout leur point d'honneur à soutenir la ou les religions locales.

Un témoin de cette générosité est encore visible aujourd'hui à Galle, sur la côte sud-ouest de Ceylan. Là, un monument de pierre, gravé en trois langues — chinois, tamoul et persan — et daté de 1409, nous raconte une visite de la flotte de Cheng Ho. Voici la traduction du texte chinois :

> Sa Majesté impériale, empereur du grand Ming, a dépêché les grands eunuques Cheng Ho, Wang Ching-wen et d'autres afin de présenter ses paroles devant le seigneur Bouddha, Celui-que-le-monde-entier-honore. Voici ces paroles. Nous Te révérons profondément, Toi le Miséricordieux et l'Honoré, Toi le lumineusement Parfait, qui embrasses toutes choses, dont la Voie et la Vertu dépassent l'entendement, dont la Loi pénètre toutes relations humaines, et dont les années du grand *kalpa* égalent en nombre les grains de sable du fleuve : Toi dont l'influence ennoblit et transforme, inspirant des actes d'amour et accordant le pouvoir de comprendre [la nature de cette vallée de larmes] ; Toi dont la réponse pleine de mystère ne connaît nulle limite ! Les temples et monastères de l'île montagneuse de Ceylan sont tout imprégnés et illuminés de Ta miraculeuse faculté de réponse.
>
> Nous avons dernièrement envoyé des missions pour annoncer notre mandat aux nations étrangères, et durant leur voyage sur les océans, elles ont bénéficié de Ta bienfaisante protection. Ainsi, toujours guidées par Ta grande Vertu, ont-elles échappé au désastre et au malheur, allant et revenant en toute sécurité. C'est pourquoi, selon les rites, nous apportons ici des offrandes en récompense, et présentons avec respect devant le Seigneur Bouddha, Celui-que-le-monde-entier-honore, nos oblations : or et argent, bannières de soies diverses ornées de joyaux et brodées d'or, brûle-parfum et vases à fleurs, soieries de toutes couleurs à l'endroit comme à l'envers, lampes et chandelles, ainsi qu'autres présents, afin de manifester grande révérence du Seigneur Bouddha. Puisse Sa lumière éclairer les donateurs.

Et pour bien prouver qu'il ne s'agit pas de paroles en l'air, l'inscription dresse ensuite l'inventaire des présents offerts au Bouddha : 1 000 pièces d'or, 5 000 pièces d'argent, 100 rouleaux de soie, 2 500 cattis d'huile parfumée (1 catti = 600 g env.) et divers objets de culte en bronze doré et laqué.

Cette pierre portant également des inscriptions en tamoul et en persan, les historiens ont très longtemps supposé que, comme pour la pierre de Rosette, les différentes versions du texte étaient strictement identiques. Interprétation occidentale simpliste, que devait démentir une étude plus approfondie. Car la version en tamoul, langue du sud de l'Inde et de Ceylan, emploie un langage non moins dithyrambique que celle adressée au Bouddha, mais pour proclamer, elle, l'adoration vouée par l'empereur de Chine au dieu Tenavaraïnayanar, incarnation du dieu hindou Vishnou. De même le texte persan glorifie-t-il Allah et les saints de l'islam. Et à chacun de ces péans se trouve annexée la liste des riches présents offerts au dieu qu'il honore. Seules les trois listes de cadeaux sont exactement identiques dans les trois langues. Avec cette stèle apportée de Chine, Cheng Ho, on le voit, ne manquait pas d'arguments généreux envers chacune des trois religions en présence à Ceylan.

## 26

## *Un empire sans besoins*

Les puissances maritimes d'Occident n'auraient pu se satisfaire d'un hommage de pure forme. Depuis la plus haute Antiquité, ce qui leur avait manqué, elles étaient allées le chercher. Pour les parfums d'Arabie, les soieries de Chine, les épices de l'Inde, Rome envoyait ses navires dans l'océan Indien. Les Romains mettaient du poivre dans presque tous leurs plats. Le poète latin Perse (34-62) constate :

> Les marchands avides, poussés par le goût du lucre,
> Courent aux Indes brûlantes et au soleil levant,
> D'où ils rapportent poivre cuisant et riches drogues,
> Troquant contre des épices leurs marchandises d'Italie.

On retrouvera du reste dans toute l'Asie des monnaies romaines, et les trésors de la dynastie Han parviendront jusqu'à Rome.

A la fin du XV^e^ siècle, lorsque les Portugais ouvrent la route des mers d'Asie, le poivre n'est plus un condiment de luxe, mais une denrée de base de la cuisine européenne. Le besoin de poivre découlait du mode d'élevage. Sans fourrage d'hiver satisfaisant, le paysan européen ne pouvait garder durant la saison froide les quelques bêtes indispensables à l'attelage et à la production. Quant aux autres, il fallait les abattre et les « saler » pour en conserver la viande, processus qui exigeait, outre le sel et pour des raisons de goût, d'importantes quantités de poivre.

Au début du XIXe siècle, lorsque tout le minerai d'argent de l'Empire britannique servira à payer les soieries, les thés, les laques d'Orient, les responsables de la Compagnie anglaise des Indes orientales auront l'idée d'introduire en Chine, comme monnaie d'échange, l'opium, qu'ils pouvaient facilement faire venir d'Inde ou d'ailleurs. Ils provoqueront ainsi la Guerre de l'opium (1839-1842), qui amènera l'occupation de la Chine par des forces étrangères. Mais à l'époque de Cheng Ho, au début de la dynastie Ming, les Chinois n'avaient aucun besoin de ce genre. Les produits spécifiquement européens, tels que laines et vins, ne les intéressaient pas davantage. Cheng Ho, dans ses proclamations aux potentats étrangers, n'affirme-t-il pas que la seule chose que le monde puisse offrir à son pays, c'est la déférence et l'amitié ?

Ce n'est pas l'ascétisme, c'est la satisfaction de soi qui a frappé de stérilité l'entreprise chinoise d'exploration. Tout en condamnant comme un crime la recherche de produits étrangers, les Chinois affichaient une confiance souveraine en leur immunité naturelle face aux sollicitations extérieures. Témoin ce passage de l'un de leurs traités nautiques du XVIIe siècle :

> Dans vos contacts avec les peuples barbares, vous n'avez rien de plus à craindre que si vous touchiez la corne gauche d'un escargot. Les seules choses dont il faille réellement se soucier, ce sont les moyens de maîtriser les vagues de la mer — et, pire de tous les dangers, l'esprit de ceux qui sont avides de profit.

Pendant de longs siècles, les Chinois ont obstinément résisté au désir de s'approprier les biens des autres, comme le faisaient les Européens. Lorsque le premier diplomate anglais, lord Macarthney, arrive à Pékin en 1793 pour tenter d'établir des relations commerciales, il se heurte à une fin de non-recevoir. « Nous ne manquons de rien, déclare l'empereur, comme votre envoyé principal et les autres ont pu le constater par eux-mêmes. Nous n'avons jamais fait grand cas des objets inconnus ou indigènes, et nous n'avons pas davantage besoin des produits de votre pays. »

Le Royaume central étant, par définition, fermé aux produits courants des autres pays, les Chinois reportèrent leur intérêt sur les objets rares. Ces derniers n'apportèrent rien à leur économie, mais allèrent enrichir les collections de la cour et le zoo impérial. Sous le règne de Wang Mang (8-23), la livraison par un État tributaire d'un rhinocéros vivant réjouira la capitale. L'énorme oiseau griffon, auquel Marco Polo attribuait la faculté d'avaler un éléphant, fera l'objet, à leur retour de Madagascar, des récits détaillés de voyageurs chinois. Et à la suite des expéditions de Cheng Ho, le zoo impérial verra affluer, remis par les ambassadeurs étrangers, lions, tigres, oryx, nilgauts, zèbres et autruches.

Rien, peut-être, ne révèle mieux l'esprit qui présidait aux expéditions de Cheng Ho que l'accueil réservé à l'une des plus spectaculaires de ces acquisitions zoologiques : la girafe qui fut livrée comme tribut à l'empereur par le roi du Bengale, le 20 septembre 1414. Cet animal n'existait pas en Chine ; aucun produit étranger — animal, végétal ou minéral — n'avait jamais autant fait sensation. La réaction immédiate de la cour ne fut pas, comme on pourrait le croire, de s'émerveiller qu'un pays puisse posséder des animaux aussi étranges. Les Chinois, au contraire, intégrèrent tout bonnement l'événement dans leur propre vision du monde. Ce fut un délire d'autosatisfaction, ingénieusement nourri aux sources du folklore, de la religion, de la poésie, du chauvinisme.

La girafe est un animal extraordinaire, un animal que l'Européen, au XVIe siècle encore, situe dans un pays de rêve. Vision bien différente que celle de la cour de Chine à l'époque Ming. Dans la langue de la Somalie, son pays d'origine, girafe se dit *girin*. Pour des oreilles chinoises, ce mot ressemblait beaucoup à *k'i-lin* (prononciation moderne : *chi-lin*), terme par lequel les habitants du Céleste Empire désignaient un animal fabuleux proche de notre licorne. Celle-ci, on s'en souvient, est un animal gracieux et pur, dont la blancheur est emblème de virginité ; elle apparaît, souvent associée à la Vierge, dans les scènes de chasse de certaines tapisseries de la fin du Moyen Age et de la Renaissance.

Dans le folklore chinois, la licorne a une signification plus large, d'ordre cosmique. L'apparition d'un *k'i-lin* était pour les Chinois plus qu'un heureux présage, un signe de la faveur du ciel, une preuve de la vertu de l'empereur. Sous un régime parfait, les forces cosmiques étaient censées manifester leur excédent d'énergie par la création d'êtres extraordinaires tels que dragons ou *k'i-lin* aux pouvoirs bénéfiques. Une ressemblance frappante apparaissait entre la forme supposée du *k'i-lin* — lequel avait le corps d'un cerf et la queue d'un bœuf, se nourrissait exclusivement d'herbes et ne faisait de mal à aucun être vivant — et tout ce que l'on savait de la girafe. Lorsque Cheng Ho et les autres eunuques virent l'animal, ils eurent la certitude qu'il s'agissait d'un *k'i-lin*. Quelle magnifique occasion de flatter l'empereur ! Lorsqu'ils apprirent que l'animal était en fait originaire de Malindi, ils persuadèrent le souverain de ce royaume de devenir tributaire du Fils du Ciel. Le roi de Malindi fit envoyer une autre girafe, qui parvint à Pékin l'année suivante. Ce ne sera pas le besoin d'esclaves, ni l'attrait de l'or ou de l'argent, qui dès lors poussera Cheng Ho vers Malindi et la lointaine côte est-africaine ; mais tout simplement le charme de la girafe.

L'année précendant l'arrivée à la cour de l'animal merveilleux, d'autres présages favorables, déjà, étaient apparus. Lorsque la première girafe parvint à Pékin, eunuques et autres courtisans voulurent faire de l'animal la preuve et l'emblème même des perfections de l'empereur. Mais ce dernier, par fausse modestie, repoussa leurs flatteries. Refusant le panégyrique préparé par le Bureau des Rites, il fit remarquer que « même sans *k'i-lin*, rien n'empêche de bien gouverner ». Pourtant, il finit par céder, et lorsque la seconde girafe arriva de Malindi, il alla accueillir l'heureux présage en grande pompe aux portes de la ville. Là, il voulut bien admettre que, tout compte fait, le *k'i-lin* attestait bien « l'abondante Vertu » du père de l'empereur ainsi que le dévouement de ses ministres.

L'événement fournit à l'Académie impériale une belle occasion d'encenser l'empereur. Témoin cette allocution :

> Avec respect, je considère que Votre Majesté se montre en tout point digne du grandiose héritage de l'empereur T'ai-tsu, et que Votre vertu transforme [le monde] ; elle est cause que les Trois Luminaires suivent leur parcours régulier et que toutes âmes vivantes accomplissent leur devoir. En conséquence de quoi un tsou-yu [tigre végétarien] est apparu, de merveilleux épis ont été produits, une douce rosée est tombée des airs, le Fleuve Jaune est devenu clair et de délicieuses sources ont jailli. Toutes les créatures de bon augure nous arrivent. Le neuvième mois de l'année *chia-wu* de la période de Yung Lo [1414], un *k'i-lin* est venu du pays de Bengale pour être officiellement offert comme tribut à la cour. Les ministres et le peuple, alors, se rassemblèrent pour le voir et leur joie est infinie. Moi, Votre serviteur, j'ai ouï dire que, lorsqu'un sage possède la vertu de bienveillance au point d'illuminer les lieux les plus obscurs, alors apparaît un *k'i-lin*. Cela montre que la Vertu de Votre Majesté égale celle du Ciel ; ses bienfaits se sont répandus partout, de sorte que ses vapeurs harmonieuses ont suscité un *k'i-lin*, apportant à l'État la félicité pour des myriades et des myriades d'années. Moi, Votre serviteur, me joignant à la foule, j'observe respectueusement ce présage de bonne fortune, et, m'agenouillant cent fois et frappant ma tête contre le sol, j'entonne la louange que voici :
> O, glorieux est l'Empereur Sacré qui excelle dans les vertus tant littéraires que militaires.
> Qui a succédé à la Couronne Précieuse et qui a accompli un Ordre Parfait et imité les Anciens !

Après une longue célébration des perfections de l'empereur, vient un hymne à la girafe :

> Or voici qu'est venu un *k'i-lin* d'au moins 4,5 m de haut,
> Au corps de cerf et à la queue de bœuf, possédant une corne toute de chair,
> Avec des taches lumineuses comme un nuage rouge ou une brume pourprée.
> Ses sabots, lorsqu'il se déplace, évitent soigneusement de fouler les êtres vivants.
> Il marche avec solennité, en observant un certain rythme,

Sa voix harmonieuse évoque la cloche ou le tube à musique.
De ce doux animal, l'Antiquité n'a connu le pareil qu'une fois.
L'émanation de son esprit divin s'élève jusqu'aux demeures du Ciel.

Ainsi les curiosités du monde n'étaient-elles pour les Chinois que symptômes de leur propre vertu. Ainsi une muraille chinoise de l'esprit se dressait-elle contre les leçons du reste de la planète. L'empereur Yung Lo, que célébrait, disait-on, l'apparition du *k'i-lin*, devait recevoir davantage de missions étrangères qu'aucun autre empereur de l'histoire de Chine. Mais les Chinois s'étaient forgé une véritable immunité contre l'expérience du monde. Le confucianisme allait phagocyter toute nouveauté, si étonnante fût-elle.

Non moins remarquable que les expéditions de Cheng Ho elles-mêmes fut la soudaineté avec laquelle elles prirent fin. La Chine, après son Christophe Colomb, eût-elle connu aussi son Vespucci, son Balboa, son Magellan, ses Cabot, son Cortés, son Pizarro, alors peut-être l'histoire du monde aurait-elle été toute différente. Mais Cheng Ho n'eut pas de successeur et là cessa brusquement toute activité navale des Chinois hors de leurs eaux territoriales. Toute l'énergie jusque-là vouée par eux à la mise en œuvre d'expéditions lointaines sera du jour au lendemain consacrée au repli. La course des Européens aux colonies, leur incessante quête de terres nouvelles n'ont pas d'équivalent dans l'histoire moderne de la Chine. Et le goût de l'exploration lui est resté étranger.

Le repli sur soi des Chinois n'était pas nouveau. La Grande Muraille, qui remonte au IIIᵉ siècle avant l'ère chrétienne, a pris sa forme actuelle sous la dynastie Ming, à l'époque de Cheng Ho. Par ses dimensions comme par sa permanence, elle est unique au monde. Et l'esprit qu'elle traduit devait s'exprimer d'innombrables autres façons. L'une fut le Grand Repliement lorsque l'empereur interdit à ses sujets tout déplacement à l'étranger. Les contrevenants furent décapités. Un édit impérial pris l'année même du dernier retour de Cheng Ho (1433) et d'autres plus tardifs (1449, 1452) prévoient des châtiments de plus en plus cruels contre quiconque s'aventurera hors du pays.

Bien entendu, il y avait à ce Grand Repliement des raisons pratiques. Les États tributaires coûtaient cher. Car, on l'a vu, le poids du système tributaire chinois reposait principalement sur le « bénéficiaire ». Impressionner tant de pays si lointains exigeait d'énormes dépenses et ne rapportait guère à l'économie. Tous ces voyages égoïstes se justifiaient-ils ? demanda-t-on. Si la Chine était effectivement le nombril du monde, qu'avait-elle besoin d'une si coûteuse confirmation ?

L'opposition aux exploits de Cheng Ho n'était qu'un épisode de plus dans la guerre séculaire des bureaucrates confucianistes contre les eunuques de cour. La bureaucratie centralisée, dominée par des lettrés de tradition confucéenne, était l'une des plus anciennes réalisations chinoises. Ces gens exigeaient avec juste raison que le trésor impérial serve à des programmes de conservation de l'eau pour venir en aide aux paysans, à la construction de greniers pour prévenir la famine ou au creusement de canaux afin d'améliorer les communications intérieures, et non à de fastueuses et téméraires aventures maritimes. Qu'avaient donc apporté ces dernières, demandaient-ils, à l'exception de quelques pierres précieuses et de curiosités sans intérêt telles que rhinocéros et girafes ?

L'ouverture de communications avec tous les pays riverains de la mer de Chine et de l'océan Indien valut bien à la Chine, pourtant, quelques avantages secondaires. Mais sa balance commerciale restera déficitaire, et lorsque, par suite d'une dévalorisation brutale de la devise chinoise, le papier-monnaie en viendra à ne plus valoir que 0,1 % de sa valeur nominale, il faudra recourir, pour maintenir les échanges commerciaux, à des exportations d'or et d'argent. Dans le même temps, le Grand Canal de T'ien-Tsin à Hang-Chou, commencé deux mille ans plus tôt et long de 1 600 km, était aménagé de manière à pouvoir être utilisé au maximum et en toutes saisons. Dans l'acheminement des produits alimentaires, le canal remplaça la mer, et il fut mis fin au transport maritime du grain.

A la même époque, la menace mongole et tatare sur la frontière nord-ouest contraignait les Chinois à d'importantes dépenses militaires. Il fallut réparer la Grande Muraille et on lui donna sa configuration actuelle. Moins de quinze ans après le retour de Cheng Ho de son dernier voyage, le même empereur qui avait supprimé la flotte était capturé par les armées mongole et tatare. En 1474, les 400 vaisseaux de guerre n'étaient plus que 140. Les chantiers navals se disloquèrent, les marins désertèrent et les constructeurs de navires, qui ne voulaient pas se rendre complices du crime de navigation maritime, se firent rares. L'interdiction des voyages par mer à l'étranger fut étendue au cabotage. En quelques années, « il ne resta plus un centimètre de planche sur la mer ». En l'espace d'un siècle — celui d'Henri le Navigateur, où conquistadors et marins se lançaient sur les océans du monde entier — les Chinois prenaient toutes dispositions pour abolir la navigation. A la fin du XVe siècle, construire seulement une jonque de plus de deux mâts était un crime passible de la peine de mort. En 1525, les gardes-côtes chinois recevaient l'ordre de procéder à la destruction de tout bateau de ce type et à l'arrestation de tout marin surpris à s'en servir. En 1551, le crime d'espionnage était redéfini, de manière à inclure quinconque prenait la mer sur un multimâts, fût-ce dans un but commercial. Les « antimaritimes » avaient triomphé. La Chine se fermait sur elle-même.

Les Chinois avaient depuis longtemps leur vision personnelle du monde habitable. Dans cette œucuménée, ils se voyaient au centre : ils étaient à eux-mêmes leur propre Jérusalem. Les empereurs Ming, en tant que Fils du Ciel, étaient par définition les dirigeants suprêmes et les supérieurs de tous les peuples de la Terre. Si les autres peuples rejetaient les étrangers comme n'appartenant pas à leur tribu, les Chinois, eux, intégraient automatiquement le reste du monde au leur, en qualité de satellites. N'était-il pas naturel dès lors que tout peuple étranger rendît hommage au Céleste Empire ? Et évident que celui-ci n'avait aucune visée outre-mer ? Quel besoin pour un Fils du Ciel de commercer avec l'étranger ?

Ainsi, alors même que les Européens se lançaient à la conquête des mers, la Chine, elle, fermait ses frontières. Retranchée derrière une Grande Muraille autant physique que mentale, elle évitera désormais toute surprise. L'unité géographique chinoise était depuis longtemps le *kuo* : une terre habitée possédant son propre gouvernement. Seul un tel gouvernement pouvait être un tributaire du Fils du Ciel. C'est pourquoi les Chinois s'intéressaient si peu aux terres inhabitées ou hors d'atteinte. Cette introversion nationale, du reste, était confortée depuis le IIe siècle de notre ère par l'orthodoxie confucéenne. Pourquoi en effet les confucianistes se seraient-ils intéressés à la description purement physique du monde extérieur ? La sphéricité de la Terre les intéressait moins en tant que phénomène géographique que comme fait d'astronomie. La notion grecque des cinq bandes climatiques faisant le tour du globe leur était étrangère, tout comme l'idée connexe d'une répartition de la flore et de la faune selon ces « climats ». Pour eux, toutes les parties du globe se définissaient culturellement, par leur rapport au seul Royaume central. Aucune place dans ce schéma pour une quelconque quête exotique. C'est ainsi que, possédant tous les atouts nécessaires — technologie, intelligence, ressources nationales — pour devenir des découvreurs, les Chinois se condamnèrent à n'être que les découverts.

# SEPTIÈME PARTIE

## *La surprise américaine*

*L'homme de génie ne se trompe pas. Ses erreurs sont volontaires et ouvrent grandes les portes de la découverte.*

JAMES JOYCE, *Ulysse* (1922).

## 27

## *L'aventure viking*

Nous avons vu comment, brusquement, les Chinois se replièrent sur eux-mêmes. Ce retrait aux frontières du monde était un choix, le fruit d'une politique délibérée. Mais les peuples qui n'étaient ni organisés ni équipés pour se lancer sur les mers à la découverte du monde ne connurent jamais ce dilemme. Tel fut le cas de la plus grande partie de l'Europe au Moyen Age. L'époque de la grande aventure viking (v. 780-1070) est celle où le reste de l'Europe chrétienne fut le moins entreprenante. L'Empire islamique était alors à son apogée, bloquant pratiquement la Méditerranée. Et à l'intérieur même de l'Europe occidentale, les déplacements humains (marchands, pèlerins, envahisseurs, brigands) étaient encore essentiellement terrestres.

A la fin du VIIIe siècle, les « hommes du Nord » s'abattaient sur les pays de la Baltique et de la mer du Nord. Bien des siècles plus tôt, ces hommes de langue germanique s'étaient établis dans la grande péninsule nord-européenne et les îles qui l'entourent, pour se différencier peu à peu. Ainsi naquirent les peuples danois, suédois, norvégien. Depuis un millénaire, il se produisait en Europe par intemittence des infiltrations scandinaves. Mais cette fois, c'était de raids et de terreur qu'il s'agissait.

Le mot « viking » est d'origine obscure. En norrois comme en islandais ancien, *viking* voulait dire razzia, et *vikingr*, pirate. Ce dernier mot viendrait du vieux norrois *vik*, désignant la crique, anse ou baie dans laquelle s'embusquaient les Vikings. Le mot est également apparenté au vieil anglais *wic*, ou *wicing*, camp ou établissement temporaire (les

Vikings se déplaçaient d'un camp à l'autre). Le mot a également voulu dire combattant ou soldat. Peut-être est-il lié aussi au terme désignant le citadin, *wic* (du latin *vicus*), qui, par la suite, signifiera marin ou marchand. Et peut-être faut-il y voir un rapport avec le verbe vieux norrois *vikja*, se déplacer rapidement.

Les premiers raids vikings prirent pour cibles les richesses les moins protégées d'Europe occidentale : celles des églises et monastères. Les trésors accumulés là n'avaient guère besoin de protection contre les habitants du cru, fussent-ils les derniers des mécréants : voler dans une église était alors l'un des crimes les plus odieux (ce qui n'empêchait pas, parfois, certains monarques, tels Charles Martel ou Ethelbald de Mercie, de spolier une Église tout entière en expropriant ses terres et en réduisant ses privilèges).

Devant cette occasion providentielle, les Vikings, eux, n'hésitèrent pas. Ils s'attardèrent d'abord aux monastères isolés. Telle île perdue au large de l'Irlande, où les moines se croyaient à l'abri du monde et de ses tentations, était pour les pillards scandinaves une proie facile. Les moines répondirent par la construction de ces hautes tours de pierre que l'on voit aujourd'hui encore en Irlande, à proximité des anciens monastères. C'est dans ces « cheminées », hautes parois de quarante-cinq mètres, qu'ils trouvaient temporairement refuge. A la première alerte, ils se hissaient jusqu'à l'entrée, à plus de quatre mètres au-dessus du sol, par une échelle qu'ils tiraient ensuite derrière eux. Ainsi évitaient-ils le massacre, sans toutefois être équipés pour soutenir un siège. Dans leurs tours, ils entassaient avec eux leurs trésors (vases sacrés en argent, crosses, reliquaires sertis de pierres précieuses) jusqu'au départ des pillards. Mais les Vikings apprirent à attendre leurs victimes et à les rançonner à leur sortie, en échange d'une promesse de répit.

Le plus ancien raid viking connu fut celui lancé contre la petite île de Lindisfarne, au large des côtes du Northumberland, surnommée Holy Island, l'Île sainte, parce que le célèbre moine irlandais saint Aidan, premier évêque de Lindisfarne, y avait fondé un monastère en 635, et que saint Cuthbert s'était retiré en 676 dans l'île voisine de Farne. Les miracles attribués aux reliques de saint Cuthbert avaient fait de ces deux îles un lieu de pèlerinage. La chronique anglo-saxonne rapporte que, en juin 793, après un début d'année marquée par d'inquiétants éclairs, ainsi que par l'apparition de dragons volants et une terrible famine, une horde de païens surgit de la mer. Ces Norvégiens pillèrent église et monastère, égorgèrent les moines, puis incendièrent les bâtiments. Naturellement, cette attaque fut perçue comme l'expression de la colère divine contre un peuple qui avait péché. Comment expliquer, sinon, que Dieu ait permis la profanation de l'église de saint Cuthbert ?

Mais il faut croire que le péché était partout, car le siècle suivant fut marqué par toute une série de raids vikings dans la Baltique et en mer du Nord, en Écosse, dans le nord de l'Angleterre, en Irlande, dans l'île de Man, et même jusqu'aux Orcades, aux Shetland et aux Hébrides. Trois siècles durant, le péril viking hantera l'Europe occidentale. Charlemagne lui-même se sentit menacé. Un jour qu'il prenait son repas dans une ville côtière, rapportent les chroniqueurs, des pirates scandinaves vinrent piller le port, « et leur fuite fut si rapide qu'ils se dérobèrent, non seulement aux épées, mais au regard même de ceux qui cherchaient à se saisir d'eux ». Le visage baigné de larmes, Charlemagne resta longtemps les yeux tournés vers l'est, d'où les pillards étaient venus. Il entrevoyait pour sa postérité les pires malheurs.

Pendant tout le IX<sup>e</sup> siècle, les Scandinaves semèrent la terreur parmi les populations qui étaient à portée de leurs bateaux : dans les ports, le long des fleuves, sur les îles et péninsules. Au X<sup>e</sup> siècle, les raids vikings étaient devenus monnaie si courante que les Saxons officialisèrent le racket en créant le *Danegeld*, l'impôt danois. Les envahisseurs, du reste, méritaient bien leur réputation de sauvagerie. En 1012, par exemple, alors qu'ils festoyaient en présence de l'archevêque de Cantorbéry (qu'ils gardaient prisonnier dans l'espoir d'une forte rançon), les choses prirent soudain un mauvais tour : le primat anglais fut lapidé avec les os des bêtes consommées durant le banquet. Et il est question, dans les chroniques, d'un Viking particulièrement généreux, surnommé même « l'homme aux enfants », pour la raison qu'il se refusait à empaler sur sa lance les tout jeunes captifs « comme il était de coutume parmi ses compagnons ». Faut-il s'étonner dans ces conditions que les églises du nord et de l'ouest de l'Europe aient jugé bon d'ajouter à leur litanie l'imploration suivante : « De la furie des hommes du Nord, Seigneur, délivre-nous ! » ?

Pour le spécialiste du raid éclair, la mer était la meilleure voie d'accès. Il pouvait frapper sa victime à l'improviste, puis, chargé de son butin, prendre rapidement la fuite sans grand risque d'être poursuivi. Lorsque les pillards arrivaient par voie de terre, la nouvelle de leur venue, généralement, les précédait, laissant aux populations le temps de dissimuler leurs richesses, puis de disparaître. Mais pour les Vikings, la mer déserte était le plus sûr des alliés. Et dans un milieu où toutes les routes sont possibles, comment la victime aurait-elle pu exercer un quelconque droit de poursuite ?

Ce n'est qu'au milieu du VIII<sup>e</sup> siècle que les Vikings perfectionnèrent leurs vaisseaux pour la piraterie. « Cela fait près de trois cent cinquante ans que nous et nos pères habitons ce beau pays, écrit le théologien anglo-saxon Alcuin en 793, l'année du raid contre Lindisfarne, et jamais encore nous n'avions connu aussi grande terreur que celle que nous inflige maintenant une race païenne, et nul n'aurait pensé que de telles incursions fussent possibles par la mer. » Les Vikings avaient de la mer une longue expérience, acquise dans les fjords norvégiens, le long des côtes sablonneuses de la péninsule danoise et en remontant les fleuves suédois.

De là devaient naître, peu après l'an 800, ces superbes bateaux appelés *knorr* (tel celui exhumé à Gökstad), et merveilleusement adaptés à la piraterie. Ils mesuraient 22 m de longueur, 5 m de largeur et 2 m environ depuis le bas de la quille jusqu'au plat-bord de milieu. La quille, longue de plus de 17 m, était taillée dans un seul fût de chêne, ce qui contribuait à la souplesse de la nef. Bordée à clins de seize virures d'épaisseur variable, elle était calfatée de laine ou de poil animal. Bien qu'accessoirement équipé pour l'aviron, le *knorr* était essentiellement un voilier, qui, la nuit, pouvait être bâché pour abriter le sommeil de ses trente-cinq hommes d'équipage. Mais à pleine charge de dix tonnes, son tirant d'eau était de moins d'un mètre, et chaque tonne supplémentaire n'augmentait le tirant d'eau que d'environ 2 cm.

Des bateaux comme taillés sur mesure pour le raid. Leur faible tirant d'eau leur permettait de remonter les rivières, si bien que, au lieu de se présenter de front dans les ports en eau profonde, ils pouvaient surgir par-derrière sur une rive sablonneuse. Le gouvernail de tribord convenait parfaitement à ces manœuvres. Lorsque Guillaume de Normandie envahit l'Angleterre, en 1066, c'est, comme en témoigne la tapisserie de Bayeux, avec des navires de type viking, lesquels permettent d'amener les voiles promptement et de débarquer rapidement les chevaux. Au XIe siècle, l'accroissement des échanges exigea des vaisseaux plus profonds. Impropres au pillage, ces nouveaux navires livraient aux grands ports commerciaux blé, bois, tissus, produits de la mer et pierre à bâtir.

Peu à peu, les maraudeurs se firent colons. Plutôt que de rentrer chaque année hiverner en Scandinavie, ils trouvèrent plus commode de transformer leurs bases côtières en véritables villages, où ils attendaient le printemps pour repartir en razzia. Les *Northmanni*, « hommes du Nord », devinrent les « Normands » et donnèrent leur nom à la Normandie. En 911, le roi franc Charles le Simple cédait la haute Normandie au chef viking Rollon, arrivé avec ses hommes vingt ans plus tôt. Selon la légende, lorsque Rollon rendit l'hommage rituel, il mit ses mains entre celles du roi, ce que « ni son père, ni son grand-père, ni son arrière-grand-père avant lui n'avaient jamais fait pour quiconque », mais lorsqu'on lui demanda de s'agenouiller et de baiser le pied du souverain, il s'écria : « Par Dieu, non ! » Le lieutenant chargé alors d'accomplir à sa place ce geste humiliant s'en acquitta de si mauvaise grâce que le roi en fut profondément troublé. Un siècle et demi seulement après l'entrée en force des « hommes du Nord » en France, Guillaume de Normandie emmenait ses Normands à la conquête des îles britanniques.

Partout en Europe où ils arrivaient, les Normands firent preuve d'une remarquable capacité d'adaptation. En France et en Allemagne, ils s'intégrèrent au système féodal. En Angleterre, ils catalysèrent l'unité nationale. Et ils contribuèrent, par leur pratique du commerce fluvial, à consolider la principauté russe de Kiev. En Sicile, leur rôle fut tout différent. Trouvant là diverses communautés de langue et de religion — musulmans, chrétiens et juifs, parlant l'arabe, le grec ou l'italien — ils se firent médiateurs. Sous le règne éclairé du roi normand Roger II, la brillante cour de Palerme devint l'un des grands centres économiques, culturels et artistiques de l'Europe du Sud. Ce fut le Normand Tancrède (1078 ?-1112) qui conduisit la première croisade, prit Jérusalem et établit un nouveau royaume normand en Syrie.

Malgré leur aptitude à migrer, à assimiler les autres peuples et à cimenter les nations, les Normands n'avaient ni talent ni goût pour l'exploration. Les vaisseaux vikings n'étaient pas faits pour de longs voyages ni pour l'établissement de colonies à l'autre bout du monde. Leur cargaison n'aurait jamais suffi à nourrir un grand nombre de personnes des semaines durant. Le bateau du IXᵉ siècle mis au jour à Gökstad, par exemple, avait, pour trente-cinq hommes d'équipage environ, une capacité de quelque dix tonneaux seulement, contrairement à la *Santa Maria* de Colomb (équipage : 40 hommes, capacité : 100 tonneaux) ou encore au *Mayflower* des Pères pèlerins (équipage et passagers : une centaine de personnes, cargaison : 180 tonneaux environ). Mais si le vaisseau viking, avec sa quille découpée dans un seul chêne, était limité en longueur, il n'en tenait pas moins remarquablement la mer. Preuve en fut donnée en 1893, lorsque Magnus Andersen, sur une réplique exacte du navire de Gökstad, réussit, malgré la tempête, à traverser l'Atlantique de Bergen à Terre-Neuve en vingt-huit jours. Pour obtenir une quille suffisamment longue, il avait fallu faire venir en Norvège un chêne du Canada.

Tandis que certains bateaux vikings servaient à la mise à sac des églises et monastères, d'autres, en tout point semblables aux premiers, étaient utilisés pour la recherche de nouvelles terres, notamment dans les îles de mer du Nord. Les « hommes du Nord » s'étaient fait une réputation de peuple prolifique. La tradition — non confirmée par les statistiques — décrivait les pays scandinaves comme « une vaste ruche qui, par vigueur de propagation et santé de climat, jetait de temps à autre quelque nouvel essaim, lequel prenait son vol et se mettait en quête d'une nouvelle demeure, chassant ou soumettant les habitants anciens, et s'installant dans leurs maisons ». Les observateurs occidentaux étaient si impressionnés par cet « essaimage » des peuples scandinaves qu'ils supposaient chez eux, pour expliquer une telle croissance, quelque institution particulière du genre de la polygamie. Nous savons que certains de leurs chefs étaient effectivement fort prolifiques. Harold le Blond (850 ?-933), qui établit un royaume fort en Norvège et contraignit nombre de chefs de clan à s'exiler, eut neuf fils qui atteignirent l'âge adulte. Quant à son fils et successeur, Erik « la Hache ensanglantée », il eut huit fils. Pas étonnant, donc, qu'ils aient voulu conquérir des terres.

Certains de ces fils, ainsi que les chefs du clan déposés et d'autres, iront s'établir dans les îles de la mer du Nord ou de l'Atlantique. Les colonies ainsi créées (Orcades, Sthetland, Féroé, Hébrides, Islande) vivront longtemps en marge de l'histoire européenne. Entre-temps, les Suédois, dont rivières et baies étaient tournées vers l'est, remontaient et descendaient les fleuves de Russie — Dvina, Dniepr, Volga — commerçant avec les musulmans et régissant Kiev et Novgorod. Le mot « Russie » lui-même semble dériver du vieux norrois *Rothsmenn*, marins (de *rothr*, ramer). On oublie trop souvent aujourd'hui que le commerce mondial ne se nourrissait pas seulement à l'époque de soieries, d'épices, de pierres précieuses. Les musulmans achetaient aux Suédois les esclaves capturés dans les forêts du nord de la Russie. Certains produits de l'Arctique — notamment les défenses de morse, qui constituaient encore la principale source d'ivoire en Europe, et les fourrures — étaient extrêmement recherchés par les marchands des régions du sud et de l'est. Sept siècles durant, depuis l'époque de Constantin jusqu'aux croisades, les Scandinaves allaient être les principaux agents de l'expansion européenne vers le sud, vers l'est — et vers l'ouest.

## 28

## *Impasse au Vinland*

Dans leur poussée vers l'ouest, les Vikings, inlassablement, allaient d'île en île. Pour comprendre ce phénomène, il suffit d'examiner la carte du Grand Nord, juste au-dessous du cercle arctique. Entre ce dernier et le 60$^{e}$ degré de latitude nord, depuis Bergen jusqu'aux rivages de l'Amérique, on rencontre une terre tous les cinq cents milles environ. Quel contraste avec, plus au sud, le vase océan sans terres, domaine de Colomb et Vespucci ! Vers l'an 700, les « hommes du Nord » avaient atteint les îles Féroé, à deux cents milles au nord de l'Écosse, et en 770, ils débarquaient en Islande. Partant des Hébrides, au nord-ouest de l'Écosse, ils poussèrent jusqu'en Irlande, où ils fondèrent Dublin en 841.

Lorsque les lettrés européens apprirent l'installation des Vikings en Islande, ils baptisèrent ce pays « Thulé ». Ce nom, que Polybe et Ptolémée avaient donné à la terre la plus septentrionale du globe, devint l'« Ultima Thulé » pour désigner le bout du monde connu. Mais l'Ultima Thulé de l'Europe savante n'était point celle des Vikings illettrés, lesquels, au mépris de la littérature classique et du dogme chrétien, poursuivaient tant bien que mal leur avance d'une Thulé à l'autre. Ainsi, vers 930, semble-t-il, presque toutes les régions habitables de l'Islande étaient-elles occupées.

La « tyrannie » du roi Harold le Blond, qui unifiait alors la Norvège, chassa de nombreux chefs de clan. L'habituel manque de terres combiné au vague espoir d'une situation meilleure produisirent un nouvel « essaimage », qui bientôt remplit l'Islande elle-même à ras bord. Et la famine, quarante ans plus tard, incita les occupants de l'Islande à se remettre en rouite. Étape suivante de la progression viking : le Groenland, dont la conquête sera menée par un repris de justice nommé Erik le Rouge. Celui-ci, banni pour meurtre de sa Norvège natale, s'était expatrié à Haukadal, en Islande. Expulsé de la ville à la suite d'une nouvelle série d'homicides, il se réfugie sur une péninsule de la côte ouest. Et lorsque de nouveau il se voit condamner pour une série de meurtres, il décide de poursuivre vers l'ouest. En mettant le cap en direction d'une terre qu'avait aperçue cinquante ans plus tôt, disait-on, un marin norvégien égaré par la tempête.

Cinq cents milles vont suffire à Erik pour s'apercevoir que la rumeur était fondée. Découvrant un vaste sous-continent, il descendit la côte est du Groeland jusqu'au cap Farewell. De là, il remonta jusqu'à la côte ouest, où il trouva des parties verdoyantes, des fjords impressionnants, des promontoires, qui lui rappelaient la Norvège. Durant ses trois années de bannissement, Erik, accompagné de ses hommes, allait aménager le terrain en vue d'y installer des fermes. La terre était riche en gibier, ours, renards, caribous. La mer regorgeait de poissons, de phoques, de morses. Même l'air promettait moisson : des nuées d'oiseaux l'habitaient, peu farouches, prêts à se laisser capturer. Et surtout, il n'y avait sur cette terre aucune trace d'homme.

Dans l'espoir qu'un nom flatteur attirerait les colons, Erik baptisa cette terre Groeland, « Pays Vert ». Au terme de ses trois ans de bannissement, il rentra en Islande pour recruter des volontaires. En 986, il repartait, avec, cette fois, vingt-cinq bateaux transportant hommes, femmes et animaux domestiques. Quatorze personnes seulement arrivèrent à bon port, ce qui donna une première colonie viking au Groenland d'environ quatre cent cinquante âmes. Certains restèrent sur les bords d'une petite baie, à proximité de la pointe sud. Les autres allèrent plus au nord, en remontant la côte ouest. Le climat de l'île, comme celui de l'Islande, n'étant guère favorable à l'agriculture, les colons se consacrèrent à l'élevage (vaches, chevaux, moutons, porcs, chèvres). Ils vivaient de leurs produits : beurre, lait, viande, fromage. Les fouilles effectuées sur l'emplacement même de la ferme d'Erik ont révélé une vaste et confortable construction, protégée du vent et de la neige par d'épais murs de pierre et de tourbe.

Et toujours se répète le scénario du Viking prenant la mer en quête d'un lieu où débarquer, et qui, l'ayant trouvé par hasard, s'y établit. Les hommes du Nord avaient découvert l'Islande parce qu'un Suédois nommé Gardar Svavarsson, poussé par sa voyante de mère et désireux de récupérer l'héritage de son épouse aux Hébrides, avait mis à la voile, puis s'était trouvé dérouté. Plus tard, on l'a vu, ce fut parce qu'un autre marin pris dans une tempête avait aperçu une terre au sud-ouest de l'Islande qu'Erik le Rouge atteignit le Groenland. Il en sera de même pour le Vinland.

L'histoire des expéditions vikings en Amérique commence avec Bjarni Herjolfsson, qui possédait un navire faisant le commerce entre la Norvège et l'Islande. A l'été 986, il emmène une cargaison en Islande, où il compte, comme d'habitude, passer l'hiver avec son père, Heriulf. Mais il constate en arrivant que Heriulf a vendu ses biens pour suivre Erik le Rouge au Groenland. Bjarni et ses hommes décident alors de les rejoindre. Ils devaient savoir que le passage vers les fjords du sud-ouest du Groenland était dangereux. Naturellement, ils n'avaient jamais auparavant emprunté cette route et ne possédaient ni carte ni compas. Aussi ne durent-ils pas être surpris de se trouver noyés dans le brouillard. Lorsque enfin ils aperçurent une terre « plate, couverte de forêt », Bjarni sut qu'il ne pouvait s'agir du Groenland. En suivant la côte, ils virent d'abord « un pays plat et boisé », mais plus au nord, il n'y avait que des montagnes couvertes de glaciers. Étant surtout un homme pratique et peu curieux de caractère, Bjarni fut seulement troublé. Il refusa de laisser ses hommes débarquer et tourna sa proue vers la mer. Après quatre jours de voyage, il arrivait à Herjolfsnes, but même de son expédition, à l'extrémité sud-ouest du Groenland.

Les sagas groenlandaises ont préservé pour la postérité la description par Bjarni de cette terre inconnue rencontrée par hasard, et qui devait s'avérer être l'Amérique. Pendant les quinze années suivantes, aucun autre Groenlandais, semble-t-il, ne retrouva ce que Bjarni avait vu. Pourtant, lorsque les habitants de l'île gravissaient les hautes montagnes derrière leurs fermes et regardaient au loin vers l'ouest, ils apercevaient quelque chose qui ressemblait fort à une terre, ou du moins voyaient-ils de ce côté-là le même type de nuages qu'ils trouvaient généralement au-dessus des terres.

Leif Ericsson, nous disent les sagas, était « un grand et solide gaillard, de belle prestance, sagace, mesuré et loyal en tout point », qui était venu au Groenland avec son père, Erik le Rouge. Il racheta le bateau de Bjarni et, en 1001, ayant recruté trente-cinq hommes d'équipage, il mit le cap en direction de la terre que Bjarni avait rencontrée. Leif avait proposé la conduite de l'expédition à son père , mais celui-ci, désarçonné par sa monture sur le chemin du port, conclut que ce voyage n'était pas pour lui et que, « de toute leur famille, c'était encore Leif qui avait le plus de chances de parvenir au but ».

Leif et ses hommes, cinglant droit vers l'ouest, « atteignirent d'abord la terre que Bjarni et son équipage avaient vue en dernier. Au second plan, tout n'était que glaciers et, depuis la mer jusqu'à ceux-ci, on eût dit un seul et unique rocher. Cette terre leur parut totalement aride et inhabitable ». C'était l'île de Baffin, juste au nord du détroit d'Hudson ;

ils la baptisèrent Helluland, « Pays des pierres plates ». Longeant ensuite la côte vers le sud-est, ils virent un pays plat couvert de forêts — l'actuel Labrador — qu'ils appelèrent Markland, « Pays des forêts ». Plus loin, ils trouvèrent un endroit agréable où passer l'hiver et que, par allusion à ses abondantes « vignes », ils nommèrent Vinland ou Pays du vin. Mais le vocable utilisé dans les sagas, et sommairement traduit par « raisins sauvages », désignait peut-être de simples groseilles rouges ou à maquereau, ou encore des canneberges, lesquelles poussent à profusion à cette latitude. Le site du campement de Leif a été mis à jour à l'extrémité nord-est de Terre-Neuve, en un lieu appelé l'Anse-aux-Meadows.

Trouvant cette terre attrayante, Leif et ses hommes remontèrent une rivière jusqu'au lac qui lui donnait naissance. « Ils jetèrent l'ancre, débarquèrent leurs lits-sacs en peau [une invention viking] et se construisirent des huttes. Puis ils décidèrent de passer là l'hiver et de construire une grande maison. » La rudesse du climat groenlandais explique sans doute l'enthousiasme de ces hommes découvrant Terre-Neuve :

> Rivière et lac ne manquaient pas de saumons, et ceux-ci étaient les plus gros qu'ils eussent jamais vus. Le sol était d'une telle qualité qu'il leur parut inutile de mettre du fourrage de côté pour l'hiver. Durant la saison froide, il ne gela pas et l'herbe dépérit à peine. Le jour et la nuit étaient d'une durée plus égale en ces lieux qu'au Groenland ou en Islande. Au plus profond de l'hiver, le Soleil était visible depuis l'heure du petit déjeuner jusqu'au milieu de l'après-midi.

L'été suivant, Leif et ses hommes rentrèrent au Groenland. Bientôt, Erik le Rouge mourut et Leif dut assumer les charges de la famille. Il prêta alors son bateau à son frère Thorvald, qui brûlait du désir de voir cette terre nouvelle tant vantée. Thorvald et ses trente hommes d'équipage n'eurent aucun mal à retrouver le camp établi par Leif. Ils passèrent l'été à explorer le littoral, puis hivernèrent à Leifsbudir (« la hutte de Leif »). L'été suivant, rencontrant pour la première fois des indigènes, ils en tuèrent huit. Mais Thorvald fut blessé à mort par une flèche et ses hommes rentrèrent seuls au Groenland.

Les Vikings n'avaient pas encore tenté d'installer une colonie permanente. C'est ce qu'allait faire un parent de Leif Ericsson, l'Islandais Thorfinn Karlsefni, venu au Groenland à l'occasion d'un transport commercial. Les expéditions au Vinland étaient devenues, semble-t-il, une affaire de famille, ce qui devait leur être fatal. « Thorfinn Karlsefni était un homme aisé, rapporte la saga, et il hiverna à Brattahlid en compagnie de Leif Ericsson. Il ne lui fallut pas longtemps pour s'éprendre du Gudrid [la jeune veuve du frère de Leif]. Il demanda sa main et Gudrid s'en remit à la décision de Leif. Ils furent donc fiancés et se marièrent l'hiver suivant. » Mais Gudrid n'était pas du genre femme au foyer. Elle savait ce qu'elle voulait. Karlsefni dut céder à ses instances et accepter l'idée d'établir une colonie au Vinland. Il prépara trois navires et partit, emmenant quelque deux cent cinquante hommes et femmes, ainsi que toutes sortes d'animaux domestiques. Ils arrivèrent au Vinland avant l'automne et s'installèrent sur les bords d'une baie proche du camp naguère établi par Leif. L'hiver fut si doux qu'ils purent laisser leurs bêtes dehors. C'est alors que les choses se gâtèrent :

> Après ce premier hiver, vint l'été. Ils firent connaissance avec les Skraelings [les indigènes : Indiens ou Eskimos]. Une grande troupe d'hommes sortit de la forêt. Les bêtes se tenaient à proximité. Le taureau se mit à mugir et les Skraelings en furent si effrayés qu'ils s'enfuirent avec leurs paquets, lesquels étaient remplis de fourrure grise, de zibeline et de peaux de toutes sortes, et se dirigèrent vers la maison de Karlsefni, espérant s'y réfugier. Mais Karlsefni avait fait garder toutes les portes. Les deux groupes ne se comprenaient pas. Alors, les Skraelings posèrent leurs ballots à terre, les délièrent et offrirent leurs marchandises. Ils voulaient des armes en échange. Mais karlsefni interdit que l'on vendît des armes. Et il eut une idée : il dit aux femmes de porter du lait aux Skraelings. A peine ceux-ci eurent-ils vu le lait qu'ils ne désirèrent plus autre chose. Ainsi se fit le commerce avec les Skraelings : ils emportèrent leur achat dans leur ventre, tandis que Karlsefni et ses compagnons gardaient pour eux ballots et fourrures. Et là-dessus, ils s'en furent.

Lorsque les Skraelings se présentèrent à nouveau, les Vikings n'avaient l'intention ni de reprendre avec eux le troc ni de les soumettre. Quant aux indigènes, ils convoitaient l'étoffe rouge des étrangers, pour laquelle ils étaient disposés à donner leurs meilleures peaux. « Lorsque l'étoffe se fit rare, raconte la saga [les Vikings] la découpèrent en morceaux de la largeur d'un doigt, mais les Skraelings leur donnaient toujours autant de fourrure en échange, et même davantage. »

Un jour, se produisit l'attaque d'« une multitude de bateaux skraelings ». Les indigènes se lancèrent à l'assaut du camp viking, brandissant leurs armes « en sens inverse du Soleil » (il n'existait pas encore de « sens inverse des aiguilles d'une montre »), poussant des hurlements et arrosant leurs adversaires d'une pluie de projectiles. Mais ce qui effraya le plus les Vikings, ce fut l'espèce d'énorme pétard qu'utilisaient les autochtones (vraisemblablement une vessie d'élan gonflée d'air) et qui, en retombant, produisait un bruit assourdissant. C'est alors qu'intervint l'intrépide Freydis, sœur de Leif Ericsson. Sortant de chez elle pour voir ce qui se passait, elle constata que les Vikings avaient pris leurs jambes à leur cou. « Vous avez peur de ces gens-là ? s'écria-t-elle. Des hommes de votre trempe, j'étais sûre que vous les auriez cognés comme bétail. Si moi j'avais une arme, je vous montrerais comment on se bat. »

C'était comme s'ils ne l'entendaient pas. Freydis faisait de son mieux pour les suivre, mais sa grossesse la gênait. Elle courait derrière eux dans la forêt, lorsque les Skraelings l'attaquèrent. Elle trouva sur son chemin un homme mort : c'était Thorbrand Snorrason — une pierre lui sortait du crâne. Son épée gisait à ses côtés. Elle la ramassa et se prépara à se défendre. Les Skraelings arrivaient sur elle. Alors, elle déchira sa chemise, laissant apparaître ses mamelles, et fit claquer l'épée contre lesdites mamelles. Les Skraelings prirent peur, se précipitèrent dans leurs bateaux et s'éloignèrent. Les hommes de Karlsefni firent cercle autour de Freydis, louant son courage.

La menace skraeling, conjuguée à l'apparition d'un étrange « unipède » décochant ses flèches empoisonnées, chassa les Vikings de Terre-Neuve. De retour au Groenland, Freydis organisa ce qui devait être la dernière expédition viking au Vinland. En arrivant, elle eut la surprise de constater que la maison de Leif était occupée depuis peu par deux Islandais, Helgi et Finnbogi, qui étaient frères et déclarèrent vouloir partager la maison avec l'équipage de Freydis. Mais la jeune femme les déclara indésirables, et accusa son mari de lâcheté.

Il ne put supporter d'être ainsi traité. Il ordonna à ses hommes de se présenter immédiatement avec leurs armes, ce qu'ils firent. Ils se dirigèrent droit vers la maison des deux frères, surprirent les hommes endormis, s'emparèrent d'eux, les ligotèrent et les firent sortir un à la fois. Et Freydis fit tuer chaque homme alors qu'il sortait. Tous les hommes ayant été tués, il restait les femmes, que personne ne voulut abattre.
« Donnez-moi une hache », dit Freydis.
Ce qui fut fait, et elle se jeta sur les cinq femmes qui étaient là, et les laissa mortes.

Puis Freydis saisit les biens des deux frères, et les partagea entre ses gens afin d'acheter leur silence.

Au début du printemps suivant, Freydis et son groupe rentraient au Groenland sur le bateau des deux frères, prétendant que ces derniers avaient préféré rester au Vinland. Mais Leif apprit la vérité en soumettant trois des compagnons de sa sœur à la torture. Il n'eut cependant pas le cœur de châtier sa propre sœur, mais il la maudit, elle et sa descendance. Non sans effet, semble-t-il : en l'an 1020, les colonies vikings, premiers établissements européens en Amérique dont la trace soit restée, étaient sorties de l'Histoire pour entrer dans le domaine de l'archéologie.

Au XIIIe siècle, le climat du Groenland se refroidit, les glaciers avancèrent vers le sud et, sur les montagnes, la limite de végétation descendit. Les glaces dérivant depuis la côte nord de l'Islande vinrent envelopper le cap Farewell, à l'extrémité sud du Groenland, isolant complètement les colonies vikings établies sur la côte ouest. L'expansion des glaces polaires rendit périlleuses les routes habituelles entre la Norvège, l'Islande et le Groenland. De plus, les produits groenlandais perdirent peu à peu leurs débouchés. Les fourrures arrivaient maintenant en abondance du nord de la Russie, et l'Angleterre et les Pays-Bas fournissaient des laines en plus grande quantité et de meilleure qualité. Quant aux défenses de morse, produit le plus caractéristique du Groenland, elles passèrent au second plan lorsque les artisans français eurent découvert l'ivoire d'éléphant en provenance d'Afrique et d'Orient. Dans les ports du Groenland, les navires se raréfièrent, et la liaison régulière avec la Norvège cessa en 1369. De surcroît, le commerce avec le Groenland était le privilège exclusif de la ville de Bergen, sous monopole royal norvégien. Or le tiers de la population de cette ville succomba à la peste noire en 1349. La grande cité portuaire fut brûlée et mise à sac, ce qui eut pour effet de couper le cordon reliant le Pays Vert à la mère patrie. Puis, la peste noire ayant également décimé la population du Groenland, les Eskimos s'avancèrent vers le sud pour prendre possession des colonies scandinaves. Les chroniqueurs chrétiens devaient interpréter l'événement comme un châtiment infligé au Groenland pour avoir renoncé à la Vraie Foi (bien que rien ne prouvât l'apostasie). Et avant la fin du XIVe siècle, les colonies vikings du Groenland, comme celles du Vinland, n'étaient plus qu'un souvenir.

Que les Vikings aient sans doute été les premiers colons européens d'Amérique ne signifie pas pour autant qu'ils aient « découvert » ce continent. Qu'ils soient parvenus à franchir l'océan témoigne de leur courage physique, mais non spirituel. Leur présence en Amérique ne modifia ni leur propre vision du monde ni celle de quiconque. Vit-on jamais auparavant voyage aussi long (l'Anse-aux-Meadows se trouve à plus de 7 000 km de Bergen à vol d'oiseau !) et qui eût si peu d'impact ? Car les équipées vikings au Vinland ne débouchèrent pour ainsi dire sur rien. Le plus remarquable, sans doute, n'est pas que les Scandinaves aient effectivement atteint l'Amérique, mais qu'ils l'aient atteinte, et s'y soient même établis quelque temps, sans pour autant la *découvrir*.

Du reste, leur Amérique n'avait rien d'un monde nouveau. Leurs voyages eux-mêmes ne dépassaient guère les limites du connu. Les déplacements vikings à travers l'Atlantique Nord s'effectuaient à l'intérieur d'une même zone climatique. Entre Bergen et l'Islande, il n'y avait que quelques degrés de latitude de plus vers le nord ; les colonies vikings du Groenland étaient situées à la même latitude que Bergen ; et dix degrés plus au sud, on était au Vinland. Là, le climat était certes un peu plus doux, mais pour un Groenlandais, la flore et la faune du Vinland n'avaient rien d'insolite. Quant aux Skraelings, les sagas les décrivent avec beaucoup de prosaïsme : « Ils étaient petits, laids et avaient des cheveux répugnants » ; ou encore : « Ils avaient des yeux énormes et des joues très larges. » Seules nouveautés pour les Vikings au Vinland : la vessie d'élan dont se servaient les indigènes pour effrayer l'adversaire, et le fameux « unipède » décochant ses flèches.

Peu de choses, en fait, séparaient les deux cultures en présence sur cette terre. Les Vikings n'avaient ni la technologie, ni la volonté, ni les effectifs suffisants pour dominer ou asservir les indigènes. Pas plus qu'ils n'avaient le désir de développer les échanges entre les deux ethnies, ni l'équipement et les structures nécessaires. L'engouement des Skraelings pour l'étoffe rouge des Scandinaves était purement fortuit. Si les Vikings avaient, comme leurs successeurs espagnols ou portugais, disposé d'armes à feu, alors peut-être auraient-ils pu refouler les indigènes et s'implanter. La longueur du *knorr* (25 m) limitait le nombre des colons, et par conséquent leur impact. Mais leur principale contribution à la construction navale, le gouvernail de tribord, ne convenait guère à de grands vaisseaux.

Les Vikings atteignirent l'Amérique sans carte ni compas. Leur technique habituelle de navigation reposait sur une connaissance intime des mers à traverser. Technique d'une utilité réduite dans les régions éloignées et nulle sous des latitudes inconnues. Pour les plus longs voyages, ils naviguaient « selon la latitude » : le marin se plaçait à la latitude de sa destination, puis s'efforçait de s'y tenir. Le Viking se rendant de Bergen en Islande, par exemple, remontait la côte norvégienne jusqu'au point où la hauteur de l'étoile Polaire sur l'horizon et la déclinaison du Soleil à midi étaient identiques à ceux de sa destination en Islande. Cette technique, bien sûr, équivalait à déterminer la latitude, mais les hommes du Nord ne pensaient pas aussi loin. Ils utilisaient, pour suivre leur route, les moyens les plus grossiers : un bâton denté, un bras tendu, une main ou tout simplement un pouce. Bien entendu, les Vikings manquaient souvent leur destination, et c'est ansi qu'ils se retrouvèrent en Islande, au Groenland, au Vinland.

Cette forme primitive de détermination de la latitude exigeait la meilleure connaissance possible des eaux traversées. Il ne suffisait pas d'observer la Polaire et le Soleil, car si loin vers le nord, le ciel était souvent bouché. Le navigateur viking devait tout connaître : oiseaux, poissons, courants, bois flottants, algues, couleur de l'eau, reflets des glaces dans le ciel, nuages, vents. Floki, le grand marin scandinave du IXe siècle, découvrit l'Islande en se laissant guider par un corbeau. Les navigateurs vikings vivaient en étroite symbiose avec le milieu marin frayé par leurs ancêtres. Et finalement, c'est en allant d'île en île qu'ils aboutirent au Nouveau Monde. La distance entre le Groenland et l'Amérique du Nord n'était que la moitié de celle — pour eux depuis longtemps familière — séparant l'Islande du Groenland ou de la Norvège.

## 29

## *Le pouvoir des vents*

Outre les directions du lever et du coucher du Soleil, qui, naturellement, variaient suivant le lieu et la saison, les repères de direction les plus utiles au marin étaient les vents. Dès le premièr siècle avant notre ère, les Chinois évoquent les « saisons des vents ». Ils distinguaient vingt-quatre vents saisonniers, qu'ils étudiaient à l'aide de cerfs-volants. Ils connurent très tôt la girouette, premier sans doute de tous les systèmes indicateurs. Les Grecs anciens étaient si habitués à utiliser les noms des vents pour désigner la direction d'où ils soufflaient que, pour eux, « vent » devint synonyme de direction. Les joues gonflées et le souffle puissant des vents emblématiques sont, sur les premières cartes, plus qu'une simple décoration, de véritables indicateurs de direction. De même, pour les hommes d'équipage de Colomb, la direction n'était pas affaire de degrés sur le compas, mais de vents (*los vientos*). Du reste, les marins ont très longtemps appelé leur rose de compas une rose des vents. Et lorsque la confrérie des pilotes espagnols érige une chapelle à Cordoue, elle la dédie à Notre Dame du Bon Vent (*Nuestra Señora del Buen Aire*). Ainsi, dans toute l'Europe, avant l'ère de la boussole, les marins identifiaient-ils direction et vent.

Énergie capable de porter l'homme à travers l'océan, les vents ont naturellement suscité un immense intérêt, nourrissant mythes et spéculations. Principale autorité en la matière : Sénèque (v. 4-65), qui définit le vent comme « de l'air qui circule dans un sens ». Pour certains mystiques chrétiens, telle sainte Hildegarde, c'est le vent qui déplace la voûte céleste d'est en ouest et qui, en quelque sorte, règle les autres forces de la planète. Sans le mouvement constant des vents, les feux du midi, les eaux du ponant et les ombres profondes du septentrion couvriraient peut-être la Terre entière. Les quatre vents sont « les ailes de Dieu » qui séparent les éléments et les maintiennent en équilibre. Tout comme le souffle de l'âme soutient le corps, de même le souffle des vents soutient le firmament et empêche qu'il se corrompe. Comme l'âme, les vents sont invisibles, et participent du mystère divin.

Des théories complexes, comme celle avancée au XIIe siècle par Guillaume de Conches, attribuaient aux vents un rôle primordial dans la formation des climats, les mouvements des océans, le déclenchement des secousses sismiques. Le borée soufflait le froid du nord, l'auster le chaud du midi. L'une des plus importantes encyclopédies médiévales, publiée l'année même du premier voyage de Colomb par le franciscain

Barthélemy l'Anglais, énonçait une véritable anthropologie éolienne. « Le vent du nord sèche et rafraîchit la terre, et cependant, sa limpidité même le rend clair et subtil » ; c'est pourquoi sa fraîcheur referme les pores du corps humain, qui, de ce fait, retient mieux la chaleur. C'est ce qui fait que « les hommes du Nord ont la stature haute et le teint clair ». Quant au vent du sud, chaud et humide, il produit évidemment l'effet inverse : « Cela explique que les populations des terres méridionales soient de stature et d'aspect différents de celles du septentrion. Elles ne sont ni aussi hardies ni aussi colériques. »

Une exquise légende, rapportée par Gervais de Tilbury, fait état d'une certaine vallée de l'ancien royaume d'Arles, restée stérile pendant des siècles parce que les montagnes qui l'entouraient empêchaient les vents d'y pénétrer. Pour finir, l'archevêque Césaire, au temps de Charlemagne, décide de venir en aide aux habitants. Ayant compris de quoi ceux-ci avaient le plus besoin, il remplit son gant de brise de mer, qu'il lâche ensuite dans la vallée. D'où un vent nommé *pontianum*, qui, brusquement, fit de ce désert une vallée fertile.

Les cartographes du Moyen Age reprirent la terminologie classique. Les marins de la Grèce antique avaient des noms pour les quatre principales aires de vent, auxquelles ils ajoutaient quatre directions intermédiaires. L'élégante tour octogonale des Vents construite à Athènes (IIe siècle av. J.-C.) témoigne de ce puissant symbolisme. Là où les vents étaient moins réguliers — dans les pays germaniques, par exemple —, seuls ceux correspondant aux quatre points cardinaux portaient un nom. Les laïcs avaient tendance à désigner les quatre régions du ciel en fonction du parcours quotidien du Soleil.

Dans cette quête de la direction absolue, le monde islamique bénéficiait d'un net avantage : la nécessité pour les mosquées d'être tournées vers La Mecque. Ce qui exigeait un solide relevé des coordonnées terrestres. Même pendant la Grande Coupure, lorsque l'Europe chrétienne était prisonnière des dogmes d'une géographie théologique, les mathématiciens arabes se servaient de l'astrologie comme d'une proto-astronomie, afin d'améliorer les chiffres des latitudes et longitudes donnés par Ptolémée.

Après la Grande Coupure, l'usage de la boussole ouvre aux Européens de nouvelles perspectives. Finies les directions purement locales et relatives, caractérisées par tel ou tel vent. Le nouvel instrument va permettre au marin de déterminer des directions absolues en n'importe quel point du globe, sans avoir à se livrer à de savants calculs astronomiques. Colomb, à l'aide de son compas, pourra ainsi filer droit sur « Cipangu ».

Après l'introduction, au XIIe siècle, de l'aiguille directionnelle aimantée ou marinette, la rose des vents (plaque figurant les quatre, huit ou douze « vents » fut progressivement remplacée par la rose de compas comportant seize ou trente-deux aires de vent. Mais il fallut du temps pour que l'ancien et le nouveau compas n'en fassent plus qu'un. Au début, le compas était une plaque circulaire portant une rose des vents et posée à plat sur une table. A côté, dans un récipient rempli d'eau, une marinette flottait sur un morceau de bouchon ou un brin de paille. Le pilote tournait la plaque suivant les indications de l'aiguille aimantée. Au XIVe siècle enfin, quelqu'un eut l'idée de fixer l'aiguille sous la plaque de sorte qu'elles flottent ensemble, l'aimant maintenant le compas pointé dans la bonne direction.

Le compas, bien sûr, incitait à l'exploration, à la découverte de l'inconnu. Les marins pouvaient désormais, au lieu de vagues esquisses, emporter de véritables cartes. Les pôles magnétiques propres à la Terre diffèrent, comme on sait, des pôles géographiques autour desquels tourne notre planète. Les raisons de cette bipolarité demeurent mystérieuses, et le champ magnétique terrestre, nous disent les spécialistes, a connu à travers le temps bien des inversions de polarité.

Et pourtant, dans les faits, la boussole a apporté pour l'Espace un absolu comparable à ce qu'ont été pour le Temps l'horloge mécanique et les heures égales. Ces deux découvertes fondamentales se sont produites en Europe vers la même époque. La nature même de notre planète — sphéricité et rotation — rendait indissociables la mesure du Temps et celle de l'Espace. Pour qui s'éloignait sur l'océan inconnu, impossible, en effet, de savoir où il se trouvait sans savoir l'heure.

Se repérer sur la planète, c'était se situer sur la grille des latitudes et longitudes. Ptolémée avait ouvert la voie, mais l'Europe, ensuite, avait connu un millénaire de géographie chrétienne obscurantiste. Pour que s'ouvrît une nouvelle ère d'exploration, il fallait la boussole. La navigation astronomique ne devait apparaître que deux siècles après Colomb. Entretemps, l'outil merveilleusement simple et bon marché qu'était la boussole donnait pour la première fois au marin la certitude de pouvoir retrouver son chemin au retour. N'importe qui pouvait en confectionner une, et même un illettré pouvait s'en servir.

C'est en Chine, vers l'an mille, que l'aiguille aimantée fit son apparition dans la navigation. Mais il faudra attendre deux siècles avant qu'il en soit fait mention en Europe, dans les ouvrages d'Alexandre Neckam (1157-1217), un moine anglais qui enseignait à l'université de Paris. Nous ignorons comment le compas est arrivé en Europe, ou, chose plus vraisemblable, quand, comment et par qui il y fut inventé. Au XVIIe siècle encore, le compas utilisé par les géomètres et astronomes européens « pointait » — à la différence de celui des marins — vers le sud. C'est ainsi que, pendant des siècles, avaient été orientées les aiguilles en Chine. Peut-être, comme le suggère Joseph Needham, faut-il voir là une preuve que le compas nous est venu de Chine, les Européens l'ayant ensuite adapté en le faisant « pointer » vers le nord.

Partout où l'on remarquait les étonnantes propriétés de la pierre d'aimant, apparaissait la tentation de l'associer à la magie. En Chine, par exemple, les pouvoirs de l'aimant semblent avoir d'abord servi dans la pratique des arts divinatoires. Le jeu d'échecs fut probablement à l'origine une technique de divination ayant pour but de prévoir l'issue du combat entre les forces du Yin et du Yang. Au tout début des échecs chinois, la Grande Ourse était posée sur une cuillère que l'on faisait tourner. Celle-ci, une fois découvertes les propriétés magiques de la magnétite, fut faite dans cette matière, et utilisée à des fins divinatoires lorsqu'on la faisait tourner selon les règles du jeu.

Saint Augustin décrit sa stupéfaction de constater que la magnétite pouvait non seulement attirer le fer, mais encore lui communiquer son pouvoir, créant une chaîne maintenue par une force invisible. Rien d'étonnant si, en Occident aussi, l'aimant fut l'un des accessoires du magicien. Roger Bacon, le grand savant-nécromancien de l'Europe médiévale, joua un rôle important dans la diffusion des légendes relatives au compas. Même l'origine du mot « magnétite » — qui a donné « magnétique », « magnétisme » et, en anglais, *magnet*, l'aimant — demeure mystérieuse. Bien que courante dans bien des régions du monde, cette pierre tire sans doute son nom de l'ancienne région de Thessalie appelée Magnésie, où la légende évoque un berger nommé Magnes, dont le bâton cerclé de fer et les chaussures à clous adhéraient au sol où il découvrit le minéral magique. Une pierre d'aimant placée sous l'oreiller d'une épouse infidèle avait le pouvoir, disait-on, de lui faire avouer sa faute. La croyance populaire attribuait à l'aimant une telle force qu'un fragment suffisait, pensait-on, pour guérir toutes sortes de maux, et même servir de contraceptif. Mais les effets de la magnétite étaient censés être annulés par une haleine sentant l'ail ou l'oignon. D'où l'interdiction de ces deux aliments à bord des navires, de peur qu'ils démagnétisent l'aiguille du compas.

La capacité de l'aiguille aimantée à « trouver » le nord ayant des relents de magie noire, le marin ordinaire s'en méfiait. Très longtemps, les capitaines, par prudence, devaient consulter leur compas de route à la dérobée. Ce besoin de secret, hélas, ne facilite guère la tâche de l'historien. Mais il contribue à expliquer pourquoi le compas fut si longtemps enfermé dans son « habitacle » : un instrument considéré comme occulte ne pouvait qu'être dissimulé aux regards. Lorsque la boussole devint l'outil obligé du marin, elle cessa d'être secrète. Mais du temps de Colomb, le pilote qui s'en servait pouvait être accusé de commerce avec le Diable. A quoi certains navigateurs pieux répondaient que l'aiguille aimantée, étant percée à angle droit, formait une Croix et ne pouvait donc en aucun cas être un instrument de Satan. A Sagres, Henri le Navigateur combattait ces superstitions en accoutumant ses pilotes à l'usage quotidien du compas. à l'époque de Colomb, le compas magnétique était devenu si indispensable, que, pour plus de sécurité, le capitaine emportait généralement avec lui des aiguilles aimantées de rechange. Magellan en embarqua trente-cinq sur son vaisseau amiral pour remplacer éventuellement celle placée sous la plaque de compas si elle venait à perdre le nord. Parfois, une aiguille devenue faible était remagnétisée à l'aide d'un fragment de magnétite que conservait le capitaine.

Tout comme l'horloge libéra l'homme de la mesure quotidienne du Temps par observation du Soleil et des étoiles, la boussole lui permit de mieux se situer dans l'Espace, facilitant la navigation. « Lorsque les marins ne peuvent voir le Soleil clairement par temps sombre ou de nuit, et ne peuvent dire dans quelle direction tend leur proue, écrit Alexandre Neckam vers 1180, ils placent une aiguille au-dessus d'un aimant, qui pivote jusqu'à ce que sa pointe indique le nord, puis s'immobilise. » Le compas de route devint ainsi l'auxiliaire du marin par mauvais temps, ou lorsque le Soleil était invisible.

En Méditerranée, par temps couvert et sans compas, même le marin expérimenté risquait de se perdre. C'est pour cette raison, entre autres, que, jusqu'au XIIIe siècle, les déplacements lointains sur cette mer étaient interrompus en hiver. Les archives des villes italiennes révèlent que les navires ne devaient pas quitter le port à la mauvaise saison, c'est-à-dire d'octobre à mars. Chaque flotte prenant la route du Levant pour approvisionner les négociants vénitiens en marchandises d'Orient ne pouvait faire qu'un aller-retour par an. Une flotte quittait Venise à Pâques pour rentrer en septembre. Une autre, dite « flotte d'hiver », appareillait en août pour arriver à destination avant que le ciel ne se couvre, mais ne pouvait rentrer qu'au mois de mai suivant. Chaque flotte était donc paralysée une moitié de l'année.

Au XIVe siècle, l'apparition en Méditerranée du compas de route va stimuler les échanges maritimes. Les flottes vénitiennes ne seront plus immobilisées au port par un ciel couvert, et pourront désormais faire chaque année deux voyages au Levant.

Les vents dominants en Méditerranée étaient tels que l'on avait intérêt à les rallier, si possible. A la belle saison, de mai à octobre, les vaisseaux rentrant d'Égypte se heurtaient à des vents du nord et du nord-ouest, ce qui les contraignait à un détour par Chypre. Mais à la « mauvaise saison », un vent arrière rendait la route directe. Le compas mit fin à une tradition millénaire, en ouvrant la Méditerranée à la navigation d'hiver. La maîtrise du Temps et celle de l'Espace une fois de plus confondues.

Dans l'océan Indien, par contre, la régularité des moussons tenait lieu de compas. Les pilotes se guidaient sur les vents. Et sous le ciel clair des tropiques, pas de problème de plafond nuageux. Le compas des vents suffisait amplement aux marins.

Quant aux marins de la mer du Nord et de la Baltique, s'ils furent lents à adopter le compas, ce fut pour d'autres raisons : ils naviguaient, pour l'essentiel, dans les eaux peu profondes du plateau continental, où, depuis longtemps, il se dirigeaient à la sonde. Ici, contrairement à la Méditerranée, l'importance des marées faisait de la connaissance des fonds marins une question de vie ou de mort. « Dans cette mer, explique Fra Mauro sur sa carte (1459), on ne navigue point à l'aide du compas et de la carte, mais par la méthode de la sonde. » On descendait au fond de la mer un plomb enduit de suif pour connaître la profondeur, et aussi pour y préveler un peu de sable ou de vase. Ainsi les pilotes nordiques avaient-ils acquis une excellente connaissance de leurs fonds marins. L'introduction du compas, s'ajoutant au plomb de sonde, ne fera que leur apporter une sécurité supplémentaire. Voici comment le plus ancien manuel nautique anglais connu (milieu du XVe siècle) recommande de procéder pour qui veut gagner l'Angleterre au départ de la péninsule Ibérique :

> Lorsque vous quittez l'Espagne et que vous êtes au cap Finisterre, mettez le cap au nord-est. Lorsque vous avez accompli les deux tiers du chemin en direction de la Severn, naviguez au nord quart nord-est jusqu'à ce que vous soyez sur la sonde. Si vous décelez alors une profondeur de cent brasses ou quatre-vingt-dix, continuez vers le nord, jusqu'à ce que vous sondiez de nouveau et trouviez à soixante-douze brasses du beau sable gris. Vous avez alors atteint la côte qui s'étend entre le cap Clear [en Irlande] et les îles Scilly. Naviguez alors au nord, jusqu'à ce que vous sondiez de la vase, et ensuite mettez le cap à l'est nord-est, ou bien à l'est quart nord-est.

Les manuels de pilotage anglais, avec leur insistance sur les marées, les profondeurs et les fonds, différaient notablement de leurs homologues italiens, lesquels mettaient l'accent sur les distances. Les marins de l'Antiquité, comme l'explique Hérodote, tentaient eux aussi de naviguer à la sonde, mais la Méditerranée est presque partout trop profonde. A peine quitté la côte, ils se retrouvaient « hors de toute sonde ».

Naturellement, ce furent les marins de la Méditerranée qui accueillirent le plus favorablement le compas. Au début du XVe siècle, les portulans méditerranéens s'étaient nettement perfectionnés et simplifiés. Là où jadis apparaissaient des lignes tout en zigzag, la route était maintenant indiquée par un seul relèvement au compas. Déjà, les portulans de la Méditerranée étaient beaucoup plus précis que ceux de l'Atlantique ou de la mer du Nord. Le compas, par le progrès qu'il apportait, devint le principal, voire le seul instrument de navigation.

Sans ce besoin typiquement méditerranéen d'utiliser le compas, Colomb n'aurait peut-être jamais disposé du seul instrument qui lui était nécessaire pour le mener aux « Indes » et en revenir. L'aiguille qui indique le nord — une Europe obstinée allait finir par s'en rendre compte —

pointait en fait vers un nouveau monde. « La pierre d'aimant, fait remarquer Samuel Purchas un siècle à peine après la mort de Colomb, est la pierre angulaire[1], la semence même d'où naît la découverte. »

## 30

## *L'entreprise des Indes*

Gênes, « cette noble et puissante cité maritime » où Colomb vécut les vingt-deux premières années de son existence, disputait depuis longtemps à Venise l'hégémonie en Méditerranée orientale. C'était du fond d'une prison génoise que le Vénitien Marco Polo avait dicté le récit de ses voyages. Du temps de la jeunesse de Colomb, Gênes était un centre florissant de construction navale et d'activité maritime, dont les cartographes dominaient le marché des cartes côtières (les portulans) en Méditerranée occidentale. Ils réalisaient même des cartes des côtes africaines récemment découvertes par les disciples portugais d'Henri le Navigateur. Ce fut à Gênes, sans doute, que Colomb s'initia à l'art de la cartographie, que lui et son frère devaient pratiquer par la suite à Lisbonne. Si Gênes allait continuer à produire des explorateurs (Christophe Colomb, Jean Cabot), les grandes expéditions maritimes nécessitaient désormais des ressources plus importantes, un arrière-pays plus vaste, et, à l'heure où les musulmans détenaient une si grande partie de la Méditerranée orientale, une situation plus à l'ouest.

En 1476, alors que Colomb servait sur un vaisseau chargé d'escorter une cargaison vers l'Europe du Nord via le détroit de Gibraltar, son bateau fut attaqué et coulé par une armada française. Heureusement pour le futur « découvreur » de l'Amérique, ceci se passait près de Lagos, sur la côte portugaise, à quelques encablures seulement de l'endroit où Henri le Navigateur avait installé son quartier général. Le jeune homme, en s'agrippant à un aviron, parvint jusqu'au rivage.

Impossible pour un jeune marin ambitieux, à l'époque, de mieux tomber. Les habitants de Lagos le recueillirent, le nourrirent, puis l'envoyèrent rejoindre son frère cadet Batholomée à Lisbonne. L'infant Henri avait fait du Portugal le centre européen, et peut-être mondial, de l'exploration. En 1476, ces exploits rapportaient déjà de riches cargaisons : esclaves, ivoire, poivre de Guinée, poudre d'or. Les fruits de l'aventure maritime étaient partout visibles. Les frères Colomb, Christophe et Bartholomée, se mirent au commerce florissant de la fabrication-vente des cartes marines. A Lisbonne, ils pouvaient mettre

1. Le texte original comporte un jeu de mots sur *loadstone*, pierre d'aimant, et *leadstone*, pierre qui conduit, jeu de mots intraduisible en français. (N.d.T.)

à jour les vieilles cartes en profitant des toutes dernières informations rapportées par les vaisseaux portugais. Avec l'afflux chaque mois de précisions nouvelles sur les côtes découvertes, le cartographe était un peu un journaliste de la mer.

Tandis que Colomb et son frère ouvraient boutique à Lisbonne, les navires portugais poursuivaient leur lente exploration de la côte ouest de l'Afrique, n'ayant encore atteint que le golfe de Guinée. Mais la forme réelle de l'Afrique, que Ptolémée avait rattachée au sud-est de l'Asie, faisant de l'océan Indien une mer intérieure, restait ignorée. A la fin de l'année 1484, lorsque Colomb propose au roi Jean II de Portugal ce qu'il appelle son « entreprise des Indes », il semble encore que la route maritime la plus courte, la seule possible peut-être, vers l'Orient soit le passage par l'ouest.

Cette route par l'ouest, il semble bien qu'une bonne dizaine d'années plus tôt, le prédécesseur de Jean, Alphonse V, l'avait déjà envisagée. Il avait sollicité sur ce point l'avis du célèbre médecin, astrologue et cosmographe florentin Paolo Toscanelli (1397-1482), lequel, dans une lettre datée du 25 juin 1474, lui proposait « une route plus courte pour se rendre par mer aux pays des épices que celle qu'[il recherchait] par la Guinée ». Se fondant essentiellement sur ce que dit Marco Polo de l'extension de l'Asie vers l'est et de l'emplacement de « la noble île de Cipangu [le Japon], très riche en or, perles et pierres précieuses avec ses temples et résidences royales tout recouverts d'or massif » — et situé, selon lui, à quelque 2 500 km des côtes chinoises —, Toscanelli estimait qu'il fallait tenter le passage par l'ouest. « Ainsi, par la route inconnue, l'étendue des mers à franchir n'est point grande. » Lui-même, du reste, étant l'un des meilleurs cartographes de son temps, avait établi une carte marine de l'Atlantique, dont il joignit à sa réponse un exemplaire.

En fin 1481 ou début 1482, lorsque Colomb eut vent de cette missive, très excité, il écrivit à Toscanelli pour lui demander des précisions. En réponse, il reçut une lettre d'encouragement, accompagnée d'une nouvelle carte, qu'il devait emporter dans son voyage pour prouver que Toscanelli disait vrai.

Définitivement convaincu, Colomb défendra la projet avec passion. Mais il fallait des bailleurs de fonds. Afin de pouvoir les persuader, Colomb dut se plonger dans les écrits des voyageurs, des cosmographes, des théologiens, des philosophes. Car, on l'a vu, la géographie ne figurait ni dans les sept arts du Moyen Age ni dans le savoir chrétien. Le génois, langue maternelle de Colomb, était un dialecte parlé, et non écrit, et ne lui était donc d'aucun secours dans la préparation de son entreprise. Quant à l'italien, langue écrite qui aurait pu l'aider, Colomb ne savait ni le parler ni l'écrire : il n'avait reçu aucune instruction, et, lorsqu'il décida d'apprendre à lire et à écrire, ce fut en castillan, langue des gens instruits dans toute la péninsule Ibérique. Lorsque Colomb, du reste, écrit en castillan, c'est avec l'orthographe du portugais, ce qui laisse penser qu'il parla d'abord cette dernière langue. Peut-être écrivait-il aussi le portugais, mais rien de sa main n'existe dans cette langue. Il apprit également à lire le latin, atout majeur pour qui voulait convaincre les lettrés.

C'est en 1484 que Colomb présente officiellement pour la première fois son projet au roi Jean. Celui-ci est d'abord conquis par l'enthousiasme qui anime le jeune Génois. Notre Christophe, ayant « beaucoup lu Marco Polo, [était] arrivé à concevoir que l'on pouvait, naviguant à travers la mer Océane de l'ouest, atteindre l'île de Cipangu ou d'autres terres inconnues ». Dans ce but, il sollicitait le roi de vouloir bien équiper trois caravelles. Mais le souverain, finalement, « lui accorda peu de crédit », trouvant qu'il avait affaire à « un grand hâbleur, enclin à la vantardise lorsqu'il s'agit de présenter ses talents et plein de fantaisie et d'imagination quant à son île de Cipangu ».

Malgré ses doutes, le roi se laissa convaincre par Colomb de soumettre le projet à une commission d'experts. Ce groupe, qui comprenait un éminent ecclésiastique et deux médecins juifs spécialistes des problèmes de la navigation astronomique, rendit un jugement négatif. Contrairement à une légende fort répandue, ce rejet n'était nullement dû à un quelconque désaccord quant à la forme de la Terre. Aucun Européen cultivé ne doutait plus alors de la sphéricité de celle-ci. Ce qui, en fait, semble avoir gêné la commission, c'est la flagrante sous-estimation par Colomb de la distance entre l'Europe et l'Asie par l'ouest. Des craintes qui, au bout du compte, devaient s'avérer plus fondées que les espoirs de Colomb.

Naturellement, les Européens n'imaginaient pas qu'il pût y avoir entre l'Europe et l'Asie la barrière de deux vastes continents. Tout au plus certains d'entre eux soupçonnaient-ils qu'il existât dans l'océan Occidental des îles telles que les Antilles, l'île mythique des Sept Cités, et d'autres peut-être, pouvant servir d'escales. D'après les calculs optimistes de Colomb, la traversée depuis les Canaries jusqu'au Japon ne représentait que 2 400 milles marins. Perspective alléchante ! Et tout à fait à la portée des vaisseaux portugais de l'époque. La plus lointaine expédition portugaise le long de la côte ouest de l'Afrique — la découverte du fleuve Congo par Diogo Cão cette même année 1484 — était parvenue à plus de 5 000 milles marins de Lisbonne. Et rien ne permettait encore de dire si l'on pourrait ou non, un jour, atteindre les Indes en doublant le continent africain. Si les vaisseaux portugais pouvaient sans encombre, malgré la traîtrise des hauts-fonds et l'hostilité des indigènes, atteindre régulièrement une destination située à 5 000 milles, rien alors pouvait-il les empêcher, demandait Colomb, de couvrir, à travers un océan libre de tout obstacle, une distance deux fois moindre ?

Les « sages » réunis par Jean II ne voulurent pas se laisser gagner par la foi qui animait Colomb. Toutefois, en 1485, avec l'accord, sans doute, de la commission, le roi autorisait deux Portugais, Fernão Dulmo et João

Estreito, à partir à la découverte de l'île d'Antillia, dans l'océan Occidental. Les frais de l'expédition étaient à leur charge et ils seraient capitaines héréditaires des terres qu'ils auraient découvertes. Mais ils promirent que, après quarante jours de route vers l'ouest, ils rebrousseraient chemin en tout état de cause. Tout ce que l'on sait de cette expédition, c'est qu'elle appareilla effectivement en 1487. Et que, à la différence de Colomb, nos deux marins portugais commirent l'erreur de partir des Açores, à une latitude où les forts vents d'ouest représentaient un obstacle quasi insurmontable. C'était une chose de vouloir partir quarante jours à la recherche de l'île d'Antillia, autre chose de pouvoir atteindre l'extrémité de l'Asie. Les membres de la commission royale étaient, bien entendu, beaucoup plus près de la vérité que le bouillant Colomb. 10600 milles marins séparent les Canaries du Japon à vol d'oiseau, et leur estimation ne devait pas être très éloignée de ce chiffre. Voilà pourquoi, sans doute, ils rechignèrent à lancer leur roi dans une entreprise aussi hasardeuse.

Mais l'année 1485 est aussi celle pour Colomb d'une autre épreuve : la mort de son épouse. Accompagné de son fils Diego, âgé de cinq ans, il quitte alors le pays où il avait vécu la majeure partie de sa vie d'adulte, pour s'installer en Espagne, espérant que son projet recevra dans ce pays meilleur accueil.

L'aventure de Colomb sera presque autant réussite promotionnelle qu'exploit maritime proprement dit. Aidé par son frère Bartholomée, il passera le plus clair des sept années suivantes à proposer son projet dans les cours d'Europe occidentale. En Espagne, il éveille d'abord l'intérêt d'un riche armateur de Cadix, le comte de Medina Celi. Celui-ci semble avoir été disposé à financer les trois caravelles nécessaires à l'entreprise. Mais la reine refusa son accord : une telle expédition ne pouvait être entreprise que par la Cour. Elle attendit un an avant d'accorder audience à Christophe. Puis, elle aussi nomma une commission, présidée par son confesseur, Hernando de Talavera, afin d'examiner en détail la proposition du jeune solliciteur.

S'ensuivirent des années de palabres. La commission prouva ses capacités en n'approuvant ni ne désapprouvant le projet. Les savants professeurs qui la composaient discutèrent de la largeur de l'océan Occidental et tinrent Colomb en lisières en lui versant chaque mois une dérisoire indemnité royale.

Les choses traînant en longueur, Colomb se souvint que le roi Jean de Portugal s'était montré, quelques années plus tôt, bien disposé à son égard. Il retournerait donc tenter sa chance à Lisbonne. Il écrivit au souverain portugais pour lui faire part de ses aspirations. Mais il avait naguère quitté le pays dans une situation financière difficile, laissant derrière lui bien des créanciers. Il lui fallait, pour retourner à Lisbonne, un sauf-conduit du roi ainsi qu'une garantie d'immunité. Le souverain fit droit à cette requête, louant « l'industrie et les talents » de son correspondant et pressant son « ami personnel » de venir. Ce regain d'intérêt de la part du souverain s'explique sans doute par l'échec de l'expédition à Antillia conduite par Dulmo et Estreito. Sans compter que l'on était toujours sans nouvelles de Barthélemy Diaz, parti depuis sept mois pour la vingtième expédition portugaise à la recherche d'une route des Indes par l'est.

Mais le retour de Colomb tombait on ne peut plus mal. Car, comme on l'a vu, les deux frères arrivèrent en 1488, juste au moment où Diaz faisait son entrée triomphale, annonçant qu'il avait doublé le cap de Bonne-Espérance et découvert la route maritime des Indes par l'est. Bien entendu, ce succès et tout ce dont il était porteur ruinèrent l'intérêt du roi pour Colomb. Si la voie vers l'est était si simple, pourquoi se hasarder ailleurs ?

Les frères Colomb espéraient vivement que le succès portugais susciterait des tentatives rivales dans la direction opposée. Bartholomée, semble-t-il, se rendit en Angleterre, où il tenta — vainement — d'éveiller l'intérêt du roi Henri VII, puis en France, où il sollicita l'appui de Charles VIII. Celui-ci ne se montra guère réceptif, mais le jeune Génois, encouragé par la sœur aînée du roi, ne quitta pas la France. C'est là que, vivant de ses talents de cartographe, il devait, quelque temps plus tard, apprendre la grande découverte faite par son frère.

Entre-temps, Christophe était retourné à Séville, où le roi et la reine très catholiques étaient toujours aussi hésitants. Écœuré, il décida d'aller aider son frère à convaincre le roi de France. Il était en route lorsque, brusquement, Isabelle, pressée par son Trésorier royal, décida de soutenir l'entreprise des Indes. Cela ne coûterait pas plus cher, avait expliqué l'argentier, qu'une semaine de fêtes en l'honneur d'un hôte de marque. Peut-être aussi Isabelle fut-elle influencée par le fait que Colomb avait manifesté l'intention de proposer son projet au voisin et rival portugais. La reine était prête, au besoin, pour financer l'expédition, à engager les joyaux de la couronne. Heureusement, ce ne fut pas nécessaire.

*In extremis,* donc, la reine fit rattraper Colomb avant son embarquement pour la France. C'est seulement en avril 1492, soit huit ans après la première démarche auprès du roi du Portugal, que fut signé le contrat — les fameuses capitulations — entre Christophe Colomb et les souverains espagnols. Finies les années de démarches et d'attente. Tout désormais, pour Colomb, se jouera en mer. Et là, il n'est point de charme personnel qui tienne : à la cour de Neptune, nul n'a d'appui.

Colomb avait passé des années à rassembler documents et témoignages sur la possibilité d'atteindre les Indes par l'ouest. Le projet, sans être insensé, n'en était pas moins hasardeux. Sa réalisation, toutefois, s'articulait autour de deux idées simples, et fort peu originales pour l'époque.

La première était ce vieux dogme de la cartographie chrétienne qui voulait que la surface du globe fût essentiellement couverte de terres. « Les six autres parties, Tu les as asséchées », dit le prophète Esdras (II Esdras, 6, 42). L'orthodoxie voulait que la surface de la planète soit constituée pour six septièmes de terres et pour un septième seulement d'eau. Ce qui paraissait conforme à la logique divine, puisque Dieu avait mis l'homme au sommet de la Création. « La Nature n'a pu composer le globe de manière si désordonnée, affirme l'historien portugais João de Barros, contemporain de Colomb, qu'elle ait donné à l'élément aqueux prépondérance sur la Terre, qui est destinée à la vie et à la création des âmes. » Si l'ensemble des océans ne représentait que le septième de la surface de la Terre, et que celle-ci, comme le pensaient tous les lettrés, fût sphérique, alors il ne restait pas une bien grande quantité d'eau pour séparer l'Espagne des Indes par l'ouest, l'océan Occidental ne pouvait pas être très large, et l'entreprise proposée par Colomb était réalisable. CQFD.

La seconde idée concernait l'extension vers l'est du continent asiatique et les dimensions de la Terre. A l'évidence, plus vaste et plus étendue vers l'est on supposait l'Asie, plus courte devait être la traversée que Christophe Colomb se proposait d'effectuer. Sur ce point, les plus éminents spécialistes du temps avaient des avis très divergents. Si tous admettaient que le globe terrestre fût divisé en 360° de longitude, chacun cependant donnait du nombre de degrés séparant le cap Saint-Vincent, au Portugal, de la côte est de la Chine une estimation différente : 116° (l'*Atlas catalan* de 1375), 125° (Fra Mauro, 1459), 177° (Ptolémée, 150 ap. J.-C.), 225° (Marin de Tyr, 100 ap. J.-C.), ou même 234° (Martin Behaim, 1492). Le chiffre exact, on le sait, est de 131°.

Pour le marin en partance vers l'ouest, ces estimations en milles marins n'avaient de sens que par rapport à une autre considération, plus importante encore, bien que tout aussi peu précise : la circonférence de la Terre. La longueur d'un degré de longitude à l'équateur, égale à 1/360 de la circonférence terrestre, était évidemment fonction des dimensions que l'on prêtait à la planète entière. Sur ce point également, les auteurs les plus respectés étaient en désaccord, bien que moins diamétralement. Leurs estimations variaient d'environ 25 %, depuis les 32 000 km de l'*Atalas catalan* jusqu'aux 38 400 km avancés par Fra Mauro. Ce qui, traduit en longueur d'un degré à l'équateur, donnait des estimations allant de 90 à 105 km environ. Le chiffre réel est de 111,2 km.

Que l'entreprise des Indes rêvée par Colomb parût possible ou non, cela dépendait donc des chiffres choisis. Pour qui croyait que l'Eurasie ne couvrait vers l'est que 116° de longitude entre le cap Saint-Vincent et les rivages de la Chine, la distance océanique par l'ouest entre le Portugal et le Céleste Empire représentait le chiffre énorme de 244°. Soit une traversée de 22 400 km. Qui s'étonnera alors que Colomb ait préféré une autre base de calcul ?

Nous ne manquons pas d'informations sur ce que Colomb a pu lire. Quant à ses réactions à ces lectures, nous disposons d'au moins 2 125 « postilles », ces commentaires portés de sa main sur les ouvrages en sa possession, traitant de l'extension de l'Eurasie vers l'est, de la largeur de l'océan Occidental et des dimensions de la Terre. Des divers livres qu'il a pu posséder, nous sont restés les *Vies parallèles* de Plutarque, la *Géographie* de Ptolémée (1479) sans autre annotation que sa signature, ainsi que trois autres ouvrages de géographie, abondamment annotés de sa propre main.

Tout spécialement annoté, son exemple de l'*Imago Mundi*, géographie universelle rédigée par le théologien et astrologue français Pierre d'Ailly vers 1410, c'est-à-dire avant le retour en faveur de Ptolémée dans l'Europe chrétienne. C'est à cette source que Colomb devait se documenter sur les deux questions cruciales de l'étendue de l'Asie et de la largeur de l'océan Occidental. C'était, semble-t-il, un de ses livres de chevet. Il le conserva longtemps à portée de sa main, soulignant certains passages, ajoutant des commentaires, résumant tel point du texte, marquant d'une flèche son intérêt pour telle phrase. On y trouve aussi des annotations de la main de son frère. Le livre fut fort utile à Colomb, non seulement parce qu'il reprenait pour l'extension de l'Eurasie la longueur annoncée par Marin de Tyr (225°), mais aussi parce qu'il présentait un océan Occidental réduit à souhait. Mieux, d'Ailly réfutait catégoriquement Ptolémée, que son estimation relative à l'Eurasie (177°) rendait gênant pour Colomb. « L'étendue des terres [d'Eurasie] vers l'Orient, peut-on lire dans l'*Imago Mundi*, est beaucoup plus grande que ne l'admet Ptolémée [...] puisque l'étendue de la Terre habitable du côté de l'Orient est supérieure à la moitié du circuit du globe.

En effet, d'après le témoignage des philosophes et de Pline, l'océan qui s'étend entre l'extrémité de l'Espagne ultime [le Maroc] et le bord oriental des Indes n'est point très large. *Car il est évident que cette mer est navigable en quelques jours si le vent est favorable* [membre de phrase souligné avec force par Colomb], d'où il découle que cette mer n'est point si grande qu'elle couvre les trois quarts du globe, comme certains l'imaginent. »

Un autre ouvrage considérablement annoté de la bibliothèque de Colomb, l'*Historia rerum ubique gestarum* (1477) d'Enea Silvio Piccolomini (le pape Pie II), donnait des renseignements passionnants sur la Chine, empruntés à Marco Polo, Odoric de Pordénone et d'autres. L'accent y est mis sur le Grand Khan et sur l'empereur de Chine, et l'on y trouve des récits sur les Amazones et les anthropophages. Sans oublier, bien sûr, fortement annoté lui aussi, le *Livre des merveilles* de Marco

Polo, source, depuis sa publication, de toutes les estimations relatives à l'extension de la Chine.

La fascination de l'Orient qui habitait Christophe Colomb était le fruit de diverses influences : souvenirs émerveillés de Marco Polo, délires de Jean de Mandeville et d'autres auteurs inspirés par le *Livre des merveilles*, mythes des trésors asiatiques, fables évoquant animaux fantastiques et peuplades étranges. Le désespoir aussi devant l'incapacité des chrétiens à chasser l'infidèle du Saint Sépulcre, qui maintenant reportait le zèle missionnaire en direction des païens d'Asie. Colomb fut influencé également, sans doute, par l'axiome attribué à Aristote, selon lequel il suffisait de quelques jours pour se rendre d'Espagne aux Indes. Ainsi que par la prophétie bien connue de Sénèque : « Viendra le temps lointain où la mer Océane brisera ses chaînes ; et une vaste terre sera révélée aux hommes ; où Tiphé découvrira des mondes nouveaux, où Thulé ne sera plus l'Ultime. »

## 31

## *Bon vent, bonnes paroles, bonne fortune*

L'idée fixe de Colomb, les riches trésors de Ferdinand et Isabelle, tout cela fût resté lettre morte si le Génois n'avait bénéficié de vents favorables et su se servir des vents contraires. Étonnante maîtrise des vents, en effet, que la sienne, et que seul nous empêche d'apprécier aujourd'hui notre éloignement par rapport à l'ère de la marine à voiles. Certes, son erreur de continent était grossière. Mais s'il ne connaissait pas très bien les terres, la mer, en revanche, n'avait guère de secrets pour lui. Ce qui, à son époque, voulait surtout dire connaître les vents.

Lorsque, âgé de quarante et un ans, il se voit enfin offrir une chance de tenter l'aventure, il a déjà une grande expérience de marin. Sous pavillon portugais, il a navigué depuis le nord du cercle arctique jusqu'au voisinage de l'équateur, et depuis les Açores jusqu'à la mer Égée. L'un de ces voyages a été effectué sur un navire faisant le commerce de la laine, du poisson séché et du vin entre l'extrême nord de l'Islande et de l'Irlande, les Açores et Lisbonne. Il a également vécu quelque temps à Porto Santo, dans l'archipel de Madère, où est né l'un de ses fils. De là, il s'est fréquemment embarqué — une fois même comme capitaine — pour Sao Jorge de Mina, le florissant comptoir portugais établi sur la Côte-de-l'Or, dans le golfe de Guinée. Une riche expérience donc, qui va maintenant pouvoir servir son grand dessein.

Christophe Colomb aurait pu appareiller de Cadix, le principal port de mer espagnol sur l'Atlantique, n'était le fait qu'au jour convenu, la ville était encombrée d'une foule également sur le départ. Ce 2 août 1492, en effet, était aussi la date limite fixée par Leurs Majestés très catholiques pour l'expulsion de tous les Juifs d'Espagne (et c'était principalement de Cadix qu'ils devaient s'embarquer). Ceux qui, passé ce délai, n'auraient pas quitté le royaume devaient être exécutés s'ils ne s'étaient convertis au christianisme. Des milliers d'êtres humains dont le seul crime était la foi en leur Dieu furent entassés ce jour-là dans les cales des navires qui engorgeaient l'étroit Rio Saltès, et voués à l'exil dans un monde chrétien hostile. Certains devaient chercher refuge aux Pays-Bas, d'autres dans le monde plus tolérant de l'Islam.

A l'aube du 3 août, la même marée qui emmenait les malheureux Juifs vers de nouvelles persécutions emmenait aussi — au départ de Palos de la Frontera, près de l'embouchure du Rio Tinto — les trois caravelles de Colomb vers la découverte involontaire d'une nouvelle terre pour les persécutés.

Colomb ne reçut l'ordre d'appareiller — explique-t-il dans son Journal — qu'une fois le royaume débarrassé des Juifs. Aussi bien était-ce une autre grande mission chrétienne que lui confiaient Leurs Altesses catholiques : « Convertir [les peuples idolâtres de l'Inde] à notre Sainte Foi. Et elles m'ordonnèrent, poursuit Colomb, que je n'allasse point à l'Orient par voie de terre (par où l'on a coutume d'aller), mais par la route d'Occident, par où personne à ce jour n'a la certitude que quiconque soit passé. » Comme on l'a vu, le voyage de Colomb n'était pas le premier, au départ de la péninsule Ibérique, à tenter d'atteindre les Indes par l'ouest. Dulmo et Estreito, partis en 1487 à la recherche de l'île fabuleuse d'Antillia, avaient commis l'erreur de faire voile directement des Açores et avaient disparu ; ils n'avaient pu triompher du vent.

Plutôt que de filer directement vers l'ouest, Colomb mit d'abord le cap au sud, vers les Canaries, évitant ainsi les forts vents d'ouest de l'Atlantique Nord. Aux Canaries, après ce rodage d'une semaine, il vira à l'ouest, mettant à profit les alizés de nord-est pour arriver droit sur sa destination. Avantage supplémentaire de cette route pour Colomb : les Canaries se trouvent être à la même latitude que Cipangu (le Japon), but qu'il s'était fixé à la lecture de Marco Polo. Il n'avait plus, dès lors, qu'à cingler droit vers l'ouest. C'était sur le parallèle des Canaries qu'Orient et Occident étaient censés être le plus rapprochés l'un de l'autre, car à cette latitude, les îles du Japon, selon Marco Polo, se trouvaient à quelque 2 500 km de la côte est de la Chine.

Ce cap fixé, la route fut aisée. Vent en poupe, les trois caravelles filaient droit. Un vent si fort et si régulier même que les hommes eurent peur de ne pas trouver le vent d'ouest nécessaire au retour. Aussi, sans doute, durent-ils être soulagés lorsque, le 19 septembre, Colomb ayant jeté la sonde sans toucher le fond à deux cents brasses, ils se trouvèrent momentanément dans une zone de vents variables. Le 5 octobre, l'équipage, devenu nerveux, reprit courage en voyant venir des vols d'oiseaux. Et le trente-troisième jour, le 12 octobre à deux heures du matin, une vigie sur la *Pinta* pouvait crier : « Tierra, Tierra », remportant ainsi les 5 000 maravédis promis en récompense.

Pour le voyage de retour, Colomb avait prévu de remonter vers le nord, au-dessus des « calmes du Cancer », au voisinage du 35e degré, pour retrouver les vents d'ouest. Le plan était tout à fait correct, mais la traversée fut troublée par des tempêtes.

Ce n'est pas pour rien que la langue anglaise appelle le marin *sailor*, homme de voile. Car il devait, pour se déplacer, beaucoup manœuvrer ses voiles. « Le vent souffle où il veut, dit saint Jean pour décrire le mystère de cet univers, et tu en entends le bruit ; mais tu ne sais d'où il vient, ni où il va. Il en est ainsi de tout homme qui est né de l'Esprit » (Jean, 3, 8). Pour un marin habile comme Colomb, les vents étaient un mystère qu'il fallait maîtriser, tout comme le capitaine du vapeur devra maîtriser les machines de son paquebot. Le yachtman moderne reconnaît volontiers qu'un voilier aujourd'hui, malgré toutes les connaissances acquises depuis cinq siècles, ne peut faire mieux que suivre la route empruntée par Colomb.

Était-elle, cette route, le fruit d'une solide science des vents, ou le résultat d'un infaillible instinct de marin ? Colomb, c'est certain, avait fait l'expérience des vents sous toutes les latitudes où devait le conduire son voyage des Indes. Il était donc bien armé pour trouver toujours la meilleure route, à l'aller comme au retour. Ses pairs, tel Samuel Eliot Morison — dont l'*Admiral of the Ocean Sea* chante la mystique du marin —, penchent pour la thèse de l'intuition.

La « découverte » de l'Amérique a éclipsé les autres découvertes de Colomb, que la disparition de la marine à voiles nous empêche d'apprécier à leur juste valeur. Dès son premier voyage, pourtant, comme nous le rappelle George E. Nunn, Colomb fit en fait *trois* découvertes capitales : non seulement une terre jusque-là ignorée des Européens, mais également la meilleure route maritime entre l'Europe et l'Amérique du Nord, puis la meilleure route dans l'autre sens — itinéraire du voyage transatlantique à voiles établi par un maître manœuvrier des vents.

Naturellement, il lui fallait aussi être un meneur d'hommes, et soutenir le moral d'un équipage voguant vers l'inconnu n'était pas une mince affaire. Plus d'une fois durant les trente-trois jours du voyage aller, la mutinerie faillit éclater. Il fallait atteindre les Indes avant que fût épuisée la patience des équipages. Au départ, Colomb promit à ses hommes qu'ils toucheraient terre une fois parvenus à 750 lieues, soit quelque 2 250 milles terrestres (3 600 km) à l'ouest des Canaries. Histoire de les rassurer, de ne pas leur laisser perdre tout espoir de retour.

Pour entretenir leur courage et leur foi en l'objectif commun, Colomb n'hésite pas à user parfois de procédés douteux, voire malhonnêtes. Sachant le désir de ses hommes de retrouver au plus vite leur foyer, il falsifie son journal de bord. Pour noter les distances parcourues, « il décida de compter moins qu'il n'avait accompli, de sorte que, si le voyage était long, les hommes ne fussent point effrayés ni découragés ». Le 25 septembre, par exemple, alors qu'il estimait avoir couvert vingt et une lieues au moins, « il fut dit aux hommes que la distance avait été de treize ». En fait, Colomb trompait moins ses hommes qu'il ne le pensait : lui-même, sans le savoir, surestimait régulièrement les distances. Résultat : les chiffres mensongers qu'il livrait à l'équipage devaient se révéler plus exacts que ceux de son « vrai » journal.

Il y eut à l'aller plus d'un moment difficile. Les 21, 22 et 23 septembre, par exemple, en pénétrant cette vaste zone de l'Atlantique Sud couverte d'algues vert et jaune et que, pour cette raison, on appelle la mer des Sargasses, l'équipage, qui n'avait jamais rien vu de semblable, prit peur. Craignant que les navires ne soient pris dans les algues, ils exigèrent un changement de cap. Colomb poursuivit tout droit sa route. Aujourd'hui encore existe chez les marins la crainte superstitieuse de rester prisonnier de la mer des Sargasses.

Même le beau temps et la mer calme devenaient sujets de mécontentement. S'il ne pleuvait pas, comment reconstituer les réserves d'eau douce ? S'ils devaient poursuivre ainsi sans fin, peut-être leur seul espoir de jamais revoir leur famille était-il de jeter leur amiral par-dessus bord. Aux récriminations, Colomb répondait par « de bonnes paroles » et une évocation des trésors de l'Inde dont tous auraient leur part. Mais il leur rappelait aussi ce qu'ils risquaient à vouloir rentrer sans lui en Espagne. Du reste, lors du premier voyage aller, il bénéficia de ce précieux atout supplémentaire qu'est la chance. Le temps était au beau fixe, en sorte que, selon ses propres termes, « les matinées étaient un charme [...] Le temps était comme d'avril en Andalousie, il ne manquait que d'ouïr le rossignol ».

De tous les exploits accomplis par Colomb, le plus remarquable, peut-être, bien que le moins glorifié, fut sa capacité à retourner plusieurs fois sur les mêmes lieux. Exploit d'autant plus remarquable que les techniques de navigation étaient encore à l'époque rudimentaires. La navigation astronomique ne devait devenir pratique courante que bien des années après Colomb. Ce dernier ne disposait même pas d'un instrument aussi simple que l'astrolabe. Et contrairement à ce que montrent certaines illustrations, il ne vit probablement jamais une arbalète. Avec son quadrant rudimentaire, il ne put effectuer de véritable visée qu'après être resté une année à la Jamaïque.

Pour établir une direction et s'orienter en mer, le navigateur génois devait s'en remettre à l'estime, procédé purement empirique. Il utilisait le compas pour déterminer la direction, puis estimait la distance en évaluant la vitesse. Pour cela, il regardait défiler le long du bord algues, bulles ou autres (le loch n'a été inventé qu'au XVIe siècle).

La navigation à l'estime suffisait pour se rendre d'un lieu connu à un autre dont on connaissait le paysage, les bancs de sable, les courants. Mais elle ne permettait pas de se diriger dans l'inconnu. Or Colomb, ne l'oublions pas, était persuadé qu'il faisait route vers une destination connue.

## 32

## *Le paradis trouvé et perdu*

A la mi-février 1493, au retour de son premier voyage, Colomb, au large des Açores, rédige le premier compte rendu de ses exploits. Comme il eût été irrespectueux de sa part de s'adresser directement à Ferdinand et Isabelle, il adresse sa « lettre » à Santagel, le fonctionnaire qui avait amené la reine, *in extremis*, à le soutenir. Le texte de Colomb, rédigé en espagnol, est imprimé à Barcelone vers le 1er avril 1493, puis publié en latin à la date du 29 avril, avant de reparaître à Rome en mai, sous la forme d'une brochure de huit pages intitulée *De insulis inuentis*. Souvent et rapidement réédité, le texte deviendra, pour l'époque, un « best-seller ». Trois nouvelles éditions paraîtront à Rome en 1493, et six autres à Paris, Bâle et Anvers en 1493-1494. En juin 1493, le texte latin paraissait sous la forme d'un poème de soixante-huit strophes en toscan, le dialecte de Florence (une édition à Rome, et deux à Florence même).

L'Europe du Nord sera lente à admettre l'exploit accompli par Colomb. La fameuse chronique de Nuremberg, véritable histoire du monde depuis la Création (date d'impression : 12 juillet 1493), n'en fait pas mention. Il faudra attendre la fin du mois de mars 1496 pour qu'il soit question de Colomb en Angleterre, et la première édition de sa « lettre » en allemand ne paraîtra à Strasbourg qu'en 1497.

Quelle nouvelle Colomb apportait-il ? La première édition en latin de son texte (Bâle, 1493) était illustrée de grossières gravures sur bois déjà utilisées pour des ouvrages suisses sans aucun rapport avec Colomb, les Indes, ni le Nouveau Monde. L'une prétendait montrer le débarquement du navigateur en Inde sur une galère à quarante rames ; une autre, censée représenter les Bahamas, aurait pu se rapporter à n'importe quel village côtier du sud de l'Europe.

Colomb, convaincu que la traversée de l'océan Occidental conduisait aux Indes, voulait maintenant en convaincre les autres. Il avait trop misé dans l'entreprise pour pouvoir se permettre un échec. Dans sa relation, il passe soigneusement sous silence tous ses déboires : la perte de la *Santa Maria*, l'insubordination du capitaine de la *Pinta*, la menace permanente de mutinerie. Conformément aux règles de sécurité nationale du temps, il n'indique ni la route suivie ni la distance exacte parcourure, et ce afin d'éviter toute concurrence. Tout en n'admettant n'avoir vu ni le Grand Khan ni la fabuleuse cour de Cipangu, il affirme, se fondant sur de multiples observations, qu'il est parvenu à quelques encablures des côtes de la Chine. La demeure du Grand Khan, il en était sûr, n'était plus bien loin, et il y parviendrait, sans aucun doute, lors de son prochain voyage.

Observateur minutieux de la mer et des vents, Colomb restera pourtant, quant au terme de son voyage, prisonnier de ses rêves. Il est résolu à trouver partout la preuve qu'il est bel et bien parvenu aux confins de l'Asie. La botanique, champ nouveau aux images non encore vulgarisées par l'imprimerie, devint son domaine d'élection. A peine a-t-il posé le pied sur la côte nord de Cuba qu'il y découvre partout la flore asiatique. Un arbuste à la vague odeur de cannelle devient aussitôt un cannelier, promesse de cargaisons entières d'épices. Le gombo des Indes occidentales, affirme-t-il, doit être l'équivalent asiatique du lentisque des régions méditerranées. Une petite noix non comestible, le *nogal de pais*, devient un peu hâtivement la noix de coco décrite par Marco Polo. Le médecin de bord, examinant des racines découvertes par l'équipage, décrète obligeamment qu'il s'agit de rhubarbe de Chine fort appréciée comme purgatif (ce n'était que de la vulgaire rhubarbe des jardins). Mais tant de fausses odeurs finissaient curieusement par créer les authentiques parfums d'Orient.

Il n'en fallait pas plus, dans l'esprit de Colomb, pour confirmer la justesse de ses thèses. Caractéristique de son état d'esprit comme de sa méthode d'exploration : sa première expédition à Cuba. Le 28 octobre 1492, les caravelles de Colomb touchent le port de Bahia Bariay, dans la province d'Oriente. Là, les indigènes amenés de San Salvador pour servir d'interprètes interrogent les Indiens. Réponse de ceux-ci : il y a de l'or à Cubanacan (voulant dire : dans le centre de Cuba), à quelques heures de marche seulement. Pour Colomb, la chose est claire : Cubanacan n'est autre que *El Gran Can*, le Grand Khan. Il enverra donc de suite une ambassade au « grand sire ». Un arabophone embarqué tout exprès pour ce genre de mission se voit confier la tâche, accompagné par un marin qui, pour avoir un jour, en Guinée, eu affaire à un roi africain, était censé savoir comment traiter avec un souverain du bout du monde. Les deux envoyés emportent avec eux tout l'attirail diplomatique nécessaire — passeport latin, lettres de créance de Leurs Majestés catholiques auprès de Sa Majesté chinoise, riche présent pour l'empereur — ainsi que de la verroterie pour se procurer de la nourriture en chemin. Stimulés par d'exaltantes visions de Cambaluc, la capitale de l'Empire mongol selon Marco Polo, ils remontent la vallée du Cocayuguin. Au bout du voyage : une cinquantaine de huttes aux toits couverts de palmes. Le cacique du lieu les honorera comme des messagers du ciel, et la population leur baisera les pieds. Mais de Grand Khan, nulle trace.

En revenant au port, nos deux émissaires firent quand même une rencontre historique. Ils croisèrent un groupe d'Indiens Taïnos, « un grand nombre de personnes qui se rendaient à leurs villages avec un brandon à la main, et des herbes pour en boire la fumée, comme il est de coutume chez eux ». Le long cigare qu'ils portaient étaient rallumé à chaque arrêt par de jeunes garçons portant des brandons, puis circulait afin que chaque membre du groupe puisse tirer quelques bouffées ; après la pause, les Taïnos reprenaient leur route. C'était la première fois que des Européens voyaient du tabac. Obnubilés par l'or de Chine, les envoyés de Colomb ne virent là qu'une coutume primitive. Quelques années plus tard, lorsque les Espagnols eurent colonisé le Nouveau Monde et appris eux-mêmes l'usage du tabac, ils l'introduisirent en Europe, en Asie et en Afrique, où il devint source de richesse, de plaisir... et de consternation.

En attendant, Colomb restait au port, cherchant dans ses relevés la confirmation que Cuba était bien la province de Mangi décrite par Marco Polo. A ses moments perdus, il recueillait des spécimens de plantes qu'il croyait être asiatiques.

Les noms donnés par Colomb aux terres par lui découvertes témoignent de sa proverbiale piété : San Salvador, Navidad, Santa Maria de Guadalupe, S. M. de Monserrate, S. M. la Antigua, S. M. la Redonda, San Martin, San Jorge, Santa Anastasia, San Cristobal, Santa Cruz, Santa Ursula y las XI mil Virgenes, San Juan Bautista. N'avait-il pas reçu mission divine de convertir à la Vraie Foi les millions de païens ? Cette certitude d'être le messager de Dieu lui avait insufflé la force de supporter des années de ridicule, d'affronter les risques de mutinerie. Elle devait continuer à façonner sa conception de la géographie universelle.

Son premier voyage avait un côté croisière aux Caraïbes : il se contenta de ce qu'il pouvait voir sur la côte, s'aventurant rarement à l'intérieur des terres. Il avait traversé rapidement les Bahamas, puis longé le littoral nord de Cuba et d'Hispaniola. Le 16 janvier 1493, trois mois exactement après avoir aperçu la terre des « Indes » (l'île de San Salvador), ses caravelles quittaient la baie de Samana, à l'extrémité est d'Hispaniola, pour la route du retour.

Colomb avait beau n'être passé que rapidement parmi les îles, n'avoir pratiquement pas pénétré à l'intérieur des terres, et n'avoir recueilli que des indices fort ambigus quant à l'orientalité de ce monde nouveau, il restait d'une foi inébranlable. Sa relation est d'un homme qui ne doute pas d'avoir atteint les « Indes ». Et il généralise avec la certitude du touriste pressé. Les indigènes, dit-il, sont « à ce point dépourvus d'artifice et généreux de ce qu'ils ont, que nul ne le croirait qui ne l'a point vu. Quoi que ce soit qu'ils possèdent, si on le leur demande, jamais il ne disent non ; mais bien plutôt vous invitent à le partager avec eux, montrant autant d'affection que s'il donnaient leur cœur. Et quoi qu'on leur donne, chose de valeur ou chose de peu de prix, toujours ils sont contents ». Ou encore :

« En toutes ces îles, je n'ai point vu grande diversité dans l'esprit des gens, ni dans leurs coutumes, ni dans leur langue, mais au contraire, tous se comprennent, ce qui est chose fort singulière et qui, j'espère, déterminera Leurs Altesses à entreprendre leur conversion à notre Sainte Foi, pour laquelle ils montrent grande inclination. » Quant au site choisi pour la ville de La Navidad, c'est « le lieu le mieux situé, le plus proche des mines d'or et le meilleur pour tout trafic, tant avec notre continent qu'avec celui d'au-delà, qui appartient au Grand Khan, et où l'on fera grand négoce et profit ». A Leurs Altesses, Colomb promet « de l'or autant qu'Elles en auront besoin, pouvu qu'Elles [lui] accordent quelque aide ; outre des épices et du coton, autant qu'Elles en demanderont ; de la gomme de lentisque, autant qu'Elles ordonneront d'en charger [...] et de l'aloès, autant qu'Elles ordonneront d'en envoyer, et des esclaves autant qu'Elles en voudront, et qui seront des idolâtres. Et je crois avoir trouvé de la rhubarbe ainsi que de la cannelle, et je trouverai encore mille autres choses de valeur qu'auront découvertes les gens que là-bas j'ai laissés, car quant à moi, je ne me suis nulle part attardé tant que le vent m'a permis de naviguer ».

Durant les douze années suivantes, le Génois entreprendra trois autres voyages aux « Indes ». Des voyages dits de découverte, mais qui étaient plutôt de confirmation. Chez un esprit moins sûr de lui, les pires doutes auraient pu naître. Plus se dérobaient le Grand Khan et les splendeurs de l'Orient, plus Colomb perdait de sa crédibilité. Malgré des trésors d'ingéniosité, ses explications parurent de moins en moins convaincantes. Il allait redevenir objet de ridicule, victime de sa propre foi.

Six mois seulement après son premier retour, Colomb repart. L'expédition, cette fois, est d'envergure. Au lieu de trois caravelles, il conduit une armada de dix-sept vaisseaux et au moins mille deux cents hommes (toujours pas de femmes), comprenant, outre les équipages, six prêtres pour s'occuper des conversions, un grand nombre de fonctionnaires chargés de faire respecter l'ordre et de tenir les comptes, ainsi que des colons désireux de faire fortune aux Indes. Ce second voyage est celui qui doit rendre payante l'exploration effectuée lors du premier. Colomb a reçu mission d'établir un comptoir à Hispaniola. Il lui faut plus que jamais prouver qu'il a découvert les fabuleux trésors des Indes. Cette fois-ci, il se montre encore plus remarquable navigateur : il réussit, durant toute la traversée, à maintenir ensemble des dix-sept navires et, comme le dit Morison, « il touche les petites Antilles au point précis recommandé par les traités de navigation pendant les quatre siècles qui suivront ». Sans compter qu'il va découvrir, outre les petites Antilles, la Jamaïque et Porto Rico, explorer la côte sud de Cuba, établir la première colonie européenne permanente outre-Atlantique. Mais pour Colomb, cela ne suffisait pas. Il lui fallait les rivages de l'Asie.

De voir défiler, dans ce second voyage, les innombrables petites Antilles lui évoque les observations de Mandeville sur les cinq mille îles des Indes. Lorsqu'il touche l'extrémité sud de Cuba, il est persuadé d'avoir atteint le continent asiatique. Longe-t-il la côte cubaine vers l'ouest depuis le golfe de Guacanayabo, nul doute pour lui : ce ne peut être que le royaume chinois de mangi décrit par Marco Polo. Et lorsqu'il parvient à Bahia Cortès, où la côte vire brusquement vers le sud, il se croit parvenu à la Chersonèse d'Or (la presqu'île malaise). S'il n'a pas encore trouvé le passage dont Marco Polo assure qu'il conduit à l'océan Indien, du moins a-t-il trouvé la péninsule à l'extrémité de laquelle ce passage ne peut manquer d'apparaître. Mais voilà que ses caravelles font eau, que les gréements sont endommagés, les provisions très diminuées. La révolte gronde parmi les hommes. Colomb décide de rentrer. Dommage : cinquante milles de plus, et il aurait pu découvrir que Cuba est une île.

Afin de se protéger contre toute accusation de faiblesse ou de lâcheté, et pour avoir « confirmation » de ses thèses géographiques, Colomb extorque des officiers et équipages des trois navires qu'il a détachés pour cette exploration une déclaration sous serment. Le procédé n'était pas nouveau et Colomb devait bien le savoir. Six ans plus tôt seulement, en 1488, il se trouvait à Lisbonne lorsque Diaz revint et dut se justifier d'avoir rebroussé chemin juste au moment où s'ouvrait devant lui la route des Indes. Et, comme on l'a vu, Diaz lui aussi, afin de prouver que c'était son équipage qui l'avait forcé à rentrer, avait pris semblable précaution. Mais alors que Diaz n'avait fait attester par ses hommes que son seul courage et ses qualités de navigateur, Colomb, lui, va exiger des siens qu'ils cautionnent également ses conceptions géographiques. La côte qu'ils ont longée d'est en ouest sur trois cent trente-cinq lieues, déclare le texte, est plus longue que celle d'aucune île jamais vue par eux, et par conséquent il ne fait aucun doute que ce soit là « la terre ferme du commencement des Indes » ; nul doute non plus qu'en poussant plus avant, ils eussent bientôt rencontré « gens intelligents et policés et qui connaissent le monde ». Et Colomb menaçait de prouver ses dires en poursuivant le voyage jusqu'à circumnavigation complète du globe. Argument supplémentaire : quiconque, par la suite, se dédirait devrait payer une amende de dix mille maravédis et aurait la langue tranchée. Et si le contrevenant était un mousse, il recevrait en plus cent coups de garcette.

Le retour en Espagne en mars 1496 n'a rien d'un triomphe. Colomb est bien accueilli à la cour, mais la découverte d'îles indiennes dans l'océan Occidental ne fait pas sensation. A l'instar du second alunissage, l'exploit du Génois avait perdu l'attrait de la nouveauté. Hormis quelques savants, personne alors ne s'intéresse à ce voyage. Raison, entre autres : le peu de profits tirés de tant d'investissements. De plus, certains collaborateurs de Colomb commencent à douter que ses « Indes » soient les vraies. Ainsi, Juan de la Cosa, maître d'équipage de la *Santa Maria* lors du premier voyage et l'un des participants au second, avait signé le « serment sur Cuba ». Mais lorsqu'il établit sa fameuse carte du monde en l'an 1500, il représente Cuba comme une île. Et pendant longtemps, les cartographes européens, dans leur scepticisme, figureront deux Cuba : l'un insulaire, l'autre conforme au Mangi chinois de Marco Polo.

Mais plus les autres doutent, plus Colomb s'obstine. « L'Amiral, nous dit en 1501 la chronique de Martyr d'Anghiera, nomma la première côte qu'il toucha à Cuba Alpha et Omega, car il croyait que là se termine notre levant lorsque le soleil se couche sur cette île, et commence notre ponant lorsque le soleil s'y lève. [...] Il pensait arriver dans la partie du monde située au-dessous de la nôtre, à proximité de la Chersonèse d'Or, qui se trouve à l'est de la Perse. Il pensait à la vérité que, sur les douze heures de la carrière du Soleil que nous ignorons, il n'en avait perdu que deux. »

Alors, avec bien du mal et après deux ans de démarches, il rassemble six vaisseaux pour un troisième voyage, lequel débutera le 30 mai 1498. A l'époque, rumeurs et récits donnent à penser qu'il pourrait bien y avoir, à l'ouest des îles découvertes par Colomb, une grande terre ferme et qui ne serait pas l'Asie. Mais le navigateur génois ne veut rien entendre. Plus que jamais, il est résolu à trouver le passage vers l'océan Indien par la Chersonèse d'Or et à prouver ainsi sa thèse. Durant cette troisième expédition, il aura à résoudre plusieurs énigmes géographiques. Il donnera des réponses extravagantes qui lui vaudront d'être discrédité auprès des meilleurs cartographes du temps, tellement vivace est encore en lui la foi des géographes du Moyen Age.

Sa première « découverte » : l'île que, par référence à la Sainte Trinité, il baptise Trinidad. Puis il se retrouve dans le golfe de Paria, formé par le delta de l'Orénoque. Jusque-là, bien sûr, sa certitude exclut la présence dans cette direction de tout continent. Comment, alors, expliquer cette mer d'eau douce et la longueur du fleuve qui s'y déverse ? Se pourrait-il qu'il existe un continent inconnu de Ptolémée et qui possède tous ces flots d'eau non salée ? « Je suis persuadé que ceci est une immense terre ferme, inconnue à ce jour, note Colomb dans son journal de bord. Et ce qui me confirme fortement en cette opinion, c'est le fait de ce si grand fleuve et de la mer qui est douce ; et ce sont aussi les paroles d'Esdras [...] qui dit que six parties du monde sont de terre ferme, et une d'eau [...] ; lequel livre d'Esdras est approuvé par saint Ambroise en son *Hexamenon* et par saint Augustin (sur ce point : *morietur filius meus Christus*) tel que le cite Francisco de Mairones. De plus m'affermirent les propos de beaucoup d'Indiens Caraïbes que j'avais pris en d'autres occasions, lesquels disaient qu'au sud de leur pays était la terre ferme [...] et qu'en cette terre se trouvait quantité d'or. [...] Si cette terre est la terre ferme, c'est chose digne d'admiration, et ce le sera parmi tous les savants, puisqu'un si grand fleuve en sort qu'il crée une mer d'eau douce de quarante-huit lieues. »

Colomb, le fou de Dieu, n'était pas homme à refuser quelque importante révélation quant à la forme de la planète. « Le Seigneur a voulu que je sois le messager du ciel nouveau et de la terre nouvelle dont Il a parlé dans l'Apocalypse de saint Jean, après en avoir parlé par la bouche d'Isaïe. Et Il m'a indiqué le lieu où les trouver. » Mais cette révélation exigeait une révision des dogmes :

> J'ai toujours lu que le monde qui est fait de terre et d'eau était sphérique, et les expériences de Ptolémée et de tous les autres l'ont prouvé, aussi bien par les éclipses de Lune que par d'autres observations faites depuis l'Orient jusqu'à l'Occident, et par l'élévation du pôle du septentrion au midi. Mais je constatai une telle dissemblance à ces vues que je reconsidérai cette idée du monde, et trouvai qu'il n'est point rond de la manière qu'on le décrit, mais de la forme d'une poire [...] ou comme une pelote bien ronde, sur un point de laquelle serait une saillie comme un téton de femme ; et que cette proéminence se trouve au plus haut et au plus près du ciel, et située sous la ligne équinoxiale, à l'extrémité orientale de cette mer où se joignent la terre et les îles. [...] Sur cet hémisphère, on n'avait point encore formulé de certitudes, mais seulement de vagues conjectures, puisque nul, jamais, ne s'y était rendu ni n'avait été envoyé à sa découverte, jusqu'à ce moment où Vos Altesses m'ordonnèrent d'en venir explorer la mer et la terre.

Ici dont était le lieu terrestre de ce fameux paysage de l'Écriture que les cosmographes chrétiens du Moyen Age faisaient depuis si longtemps figurer en haut de leurs cartes.

> Je me suis convaincu que là est le Paradis terrestre, où nul ne peut atteindre si ce n'est par volonté divine. [...] Je ne conçois point que le Paradis terrestre ait la forme d'une montagne abrupte, comme il est dit dans les descriptions, mais qu'il se trouve plutôt sur le sommet de ce point que j'ai dit. [...] Je crois aussi que l'eau que j'ai décrite [l'Orénoque] en peut fort bien provenir, malgré la distance ; et que s'arrêtant à l'endroit que je viens de quitter, elle y forme un lac [le golfe de Paria]. Il y a là de grands indices du Paradis terrestre, car le site est conforme à l'opinion des saints et savants théologiens. De surcroît, les témoignages anciens confirment cette supposition, car je n'ai jamais lu, ni ouï dire, que pareille quantité d'eau douce vînt se mêler ainsi à l'eau de la mer. De même vient à l'appui de cela la douceur de la température. Et si l'eau dont je parle ne descend point du Paradis, c'est pour moi plus grande merveille encore, car je ne crois pas qu'il existe au monde fleuve si grand et si profond.

Que Colomb ait situé le Paradis terrestre sur cette terre nouvelle du Sud n'a rien d'une fantasmagorie. Était-il pour le Génois façon plus rationnelle de concilier la présence en ces lieux de tant d'eau douce avec tout ce en quoi il croyait : la doctrine chrétienne, la géographie de Ptolémée, l'asianité de Cuba, la certitude qu'en contournant la Chersonèse d'Or, on débouchait sur l'océan Indien ?

Pour comprendre Colomb, et pourquoi il se réfugie dans son Paradis terrestre, il faut avoir présente à l'esprit la vision ptoléméo-chrétienne de l'univers. Toutes les parties habitables de la Terre étaient censées appartenir à un seul et même continent, l'Orbe de la Terre ou *Orbis terrarum*, comprenant l'Europe, l'Asie et l'Afrique, et entouré d'une quantité d'eau relativement faible. Qui plus est, le livre d'Esdras affirme l'unité des terres émergées. Quelle place, dans une telle représentation, y avait-il pour un continent comme les Amériques, séparé de l'*Orbis terrarum* par des océans ? Il eût fallu plus d'eau qu'il n'était possible (car, par définition, celle-ci n'occupait, rappelons-le, qu'un septième de la superficie du globe). De plus, la présence de telles terres eût ruiné l'espoir le plus cher au cœur du Génois : trouver la route directe des Indes.

Autre objection grave, du point de vue orthodoxe de Colomb, à l'existence d'un nouveau continent : le refus chrétien, déjà évoqué, d'admettre qu'il pût y avoir sous l'équateur des terres habitées. Pour les Pères de l'Église, le seul continent, quoi qu'aient pu écrire les auteurs païens, restait l'*Orbis terrarum*. Ainsi, confronté à l'idée d'une vaste terre ferme là où le christianisme en excluait la possibilité, le pieux Christophe Colomb accommoda l'hypothèse à sa foi : c'était là le Paradis terrestre. Selon la formule même du Génois, et dans le meilleur sens chrétien, un *orbis alterius* ou *otro mundo* : un « autre monde », une seconde « île de la terre ».

Mais pour prouver sa thèse, justifier sa foi et satisfaire son obsession des Indes, il lui fallait trouver la route qui contournait la Chersonèse d'Or. C'est avec cet objectif précis en tête, celui-là même pour lequel, dix ans plus tôt, il avait entrepris son premier voyage, qu'il s'embarque pour son quatrième et dernier périple. Avec quatre caravelles, il quitte Séville le 3 avril 1502. Quelque part entre Cuba — qu'il prend toujours pour la Chine — et le « Paradis terrestre », il décide de rechercher le détroit qui avait permis à Marco Polo de naviguer depuis la Chine jusqu'à l'océan Indien. Cette fois, il est porteur d'une lettre de recommandation de Leurs Majestés catholiques à Vasco de Gama, qu'il espère bien rencontrer en Inde. Bien entendu, l'océan Pacifique, encore inconnu des Européens, n'est même pas évoqué.

Grâce à des vents favorables, les quatre caravelles traversent l'Atlantique depuis les Canaries jusqu'à la Martinique en vingt et un jours seulement. L'Amiral, âgé maintenant de cinquante et un ans, a baptisé ce périple « *el alto viaje* », « le grand voyage ».

Toujours ignorant de l'insularité de Cuba, il pique vers le sud-ouest et atteint le littoral atlantique de l'actuelle République du Honduras. Puis il longe la côte vers l'est et vers le sud, cherchant toujours le fameux passage vers l'océan Indien et continuant à collecter les indices « asiatiques » : spécimens de plantes, rumeurs de mines d'or. Après plusieurs désillusions — lorsque, par exemple, il explorte Bahia Almirante, à proximité de la frontière entre le Panama et le Costa-Rica — il conclut à l'inexistence de tout passage maritime dans cette région.

Renonce-t-il pour autant à son hypothèse asiatique ? Sa conclusion, semble-t-il, est plutôt qu'il existe deux Chersonèse d'Or, dont l'une serait beaucoup plus longue qu'on ne l'avait supposé. Si seulement j'étais allé assez loin vers le sud, dit-il en substance, j'aurais fini par la trouver, cette route de l'océan Indien. Peut-être, après tout, le golfe de Paria ne se trouvait-il pas sur un *Orbis terrarum* distinct, mais n'était-il qu'un prolongement des Indes. Colomb mourra persuadé de deux choses : n'avoir jamais cessé de suivre la côte est de l'Asie, et y avoir de plus découvert diverses îles et péninsules.

## 33

## *Nommer l'inconnu*

Que le Nouveau Monde ait reçu son nom un peu par accident, rien de plus normal, puisque sa « découverte » par l'Europe devait tant au hasard. Si le nom et la personne de Christophe Colomb devaient être célébrés à travers les Amériques, si son anniversaire allait devenir un jour férié, Amerigo Vespucci, par contre, est loin d'être devenu un héros populaire. C'est à peine s'il est reconnu. « D'un bout à l'autre du continent, depuis l'Alaska jusqu'à la Terre de Feu, constate à regret un éminent historien latino-américain, c'est en vain que l'on chercherait sa statue. » Ce pionnier de l'âge de la mer, qui mérite la célébrité en tant que bâtisseur de la modernité, s'est trouvé pris sous les feux croisés des adversaires les plus divers : patriotards, pédants, hommes de lettres aussi ignorants qu'exaltés. Ainsi le grand prêtre des lettres américaines, Ralph Waldo Emerson, s'exclame-t-il, avec sa superbe indifférence aux réalités : « Étrange [...] que la vaste Amérique doive porter le nom d'un voleur : cet Amerigo Vespucci, ce petit épicier de Séville [...] qui n'a jamais été mieux que second maître dans une expédition qui ne prit jamais la mer, est parvenu, dans ce monde de mensonges, à supplanter un Christophe Colomb et à faire baptiser la Terre de son nom interlope. » Un tissu de contrevérités. Plus conforme au réel est l'inscription gravée par leurs concitoyens, au début du XVIIIe siècle, sur la maison des Vespucci, évoquant le « noble Florentin qui, par sa découverte de l'Amérique, a rendu illustres son propre nom comme celui de son pays, celui qui a repoussé les limites du monde ».

Amerigo Vespucci est né dans une famille de notables à Florence en 1454, lieu et date clés pour la Renaissance italienne. C'est là qu'il passe les trente-huit premières années de son existence, là qu'il acquiert la curiosité vorace et les ambitions intellectuelles qui gouverneront sa vie.

Lorsque Vasari vient à Florence pour y étudier auprès de Michel-Ange, il loge chez un oncle d'Amerigo, lequel a également hébergé l'Arioste. Les Vespucci sont les amis de Botticelli et de Piero di Cosimo. Quant à Léonard de Vinci, il éprouvait une telle fascination pour la physionomie du grand-père d'Amerigo qu'il le suivait dans la rue afin de mieux graver dans son esprit les traits qu'il devait par la suite immortaliser. Ghirlandajo a peint la famille Vespucci, Amerigo y compris, dans sa fresque de l'église des Ognissanti. Amerigo est encore tout jeune homme lorsqu'il entre au service des Médicis comme administrateur d'affaires. A l'instar de son protecteur Laurent le Magnifique, Amerigo est très cultivé, collectionne livres et cartes, et s'intéresse particulièrement à la cosmographie et à l'astronomie. Toujours pour s'occuper des affaires de l'illustre famille italienne, il est envoyé en Espagne en 1492. A Séville, il devient fournisseur d'équipements pour navires. Mis au fait de la grande aventure de la mer, il se découvre bientôt une nouvelle passion : du commerce, il va se tourner vers l'exploration.

Cette nouvelle orientation, c'est de son double intérêt pour le négoce et pour la géographie qu'elle naquit. En 1499, les choses s'étaient précisées. Il était devenu évident alors que le commerce espagnol vers l'Orient devait s'effectuer à l'avenir par l'océan Occidental. Les Portugais avaient ouvert la route contournant l'Afrique, mais Colomb avait montré que des terres pouvaient être atteintes en mettant le cap à l'ouest. L'espoir nourri par le Génois de toucher ainsi l'Asie, Vespucci tentera de le réaliser. Le troisième voyage de Colomb, celui au bout duquel il avait cru découvrir le Paradis terrestre, n'avait toujours pas révélé la route de l'Inde. « Il était dans mon intention, explique Vespucci, de voir si je pouvais doubler ce promontoire que Ptolémée appelle le cap de Catigara, et qui relie au sinus Magnus. » Catigara, qui, sur les cartes de Ptolémée, désigne l'extrémité sud-est du continent asiatique, est décrit par Marco Polo comme étant le lieu par où se déversaient les trésors de Chine en route vers le Sinus Magnus et le Sinus Gangeticus, c'est-à-dire les deux grandes baies de l'océan Indien. Et Ptolémée ayant situé Catigara à huit degrés et demi au sud de l'équateur, c'était là que Vespucci voulait chercher le passage qui s'était dérobé à Colomb.

Avec deux bateaux à sa charge, Vespucci se joint à l'expédition dirigée par Alonso de Ojeda, qui part de Cadix le 18 mai 1499. Une terre apparaît au sud de l'endroit atteint par Colomb lors de son troisième voyage. Lorsque les autres navires d'Ojeda mettent cap au nord à la recherche des trésors de la « Côte des perles », Vespucci prend la direction du sud-est pour tenter de contourner Catigara. « Après avoir navigué quelque quatre cents lieues le long d'une seule et même côte, nous conclûmes qu'il s'agissait d'un continent ; que celui-ci se trouve aux limites extrêmes de l'Asie vers l'est et à son commencement vers l'ouest. » Vespucci est disposé à poursuivre la recherche, mais les carènes de ses navires sont rongées par les tarets, les provisions presque épuisées et les courants contraires. A contrecœur, il rentre en Espagne.

Peu après son retour à Séville, il décide de « repartir à la découverte ». « J'espère, avec le temps, écrit-il à Laurent de Médicis, pouvoir rapporter de très grandes nouvelles, et découvrir l'île de Tabrobana [Ceylan], qui se trouve entre l'océan Indien et le golfe ou la mer du Gange. » Le récit de son premier voyage, rédigé pour ce protecteur et ami florentin, révèle une toute nouvelle manière de voir. Lorsque Vespucci, comme Colomb, s'était lancé à travers l'océan, lui aussi pensait le monde selon les termes de Ptolémée. Mais le ton maintenant avait changé.

> Il m'apparaît, très excellent Lorenzo, que par mon voyage se trouve réfutée l'opinion de la majorité des philosophes, qui affirment qu'aucun homme ne saurait vivre dans la Zone Torride à cause de la forte chaleur, car au cours de ce voyage, j'ai découvert tout le contraire. L'air est dans ces régions plus frais et plus tempéré, et tant de personnes y vivent que le nombre en est plus grand que de ceux qui habitent en dehors de cette zone. En toute raison, dirais-je à demi-voix, l'expérience vécue vaut assurément plus que la théorie.

Il se refuse à généraliser à partir de détails pris au hasard. « Longeant la côte, nous découvrîmes chaque jour un nombre infini de gens qui parlaient des langues diverses. [...] Très désireux d'être celui qui identifierait l'étoile Polaire de l'autre hémisphère, je perdis de nombreuses nuits de sommeil à contempler le mouvement des étoiles autour du pôle Sud, afin de savoir laquelle se déplaçait le moins et était la plus proche du pôle. » Et plutôt que les écrits d'un Père de l'Église, il cite la description du pôle antarctique par Dante (*Purgatoire*, Livre I).

Le problème de la longitude, si fondamental pour un voyage transocéanique vers l'ouest, troublait depuis longtemps Vespucci. Dans l'espoir de trouver une solution, il avait emmené avec lui des éphémérides de la Lune et des planètes. Pendant vingt jours de loisirs forcés, du 17 août au 5 septembre 1499, tandis que ses hommes se remettaient d'une bataille contre des Indiens, il se pencha sur cette question.

> En ce qui concerne la longitude, j'affirme avoir rencontré de telles difficultés à la déterminer que j'eus grand-peine à connaître la distance est-ouest que j'avais parcourue. Tous ces efforts m'amenèrent à considérer que la meilleure chose à faire était d'observer de nuit la conjonction des planètes, et plus particulièrement celle de la Lune avec les autres planètes, car, de toutes, c'est la Lune la plus rapide. [...]
>
> Après que j'eus ainsi expérimenté bien des nuits, l'une d'entre elles, le 23 août 1499, il y eut une conjonction de la Lune avec Mars, laquelle, selon l'almanach [pour la ville de Ferrare], devait se produire à minuit ou une demi-heure plus tôt. Je constatai que, lorsque la Lune se leva une heure et demie après le coucher du Soleil, la planète avait dépassé cette position à l'est.

Utilisant ces données, Vespucci calcula la distance qu'il avait parcourue dans la direction de l'ouest. Sa méthode de calcul astronomique aurait pu donner des résultats beaucoup plus précis que l'évaluation à l'estime utilisée à l'époque, par Colomb entre autres ; mais faute d'instruments de précision, elle n'était pas vraiment applicable. Il n'empêche, en calculant la longueur du degré, Vespucci améliora les chiffres de l'époque et donna de la circonférence de la Terre à l'équateur la meilleure évaluation jamais réalisée jusqu'alors — de quatre-vingts kilomètres seulement trop courte par rapport à la réalité.

Pour son voyage suivant, qui lui fournira l'occasion de faire connaître ses doutes sur Ptolémée, de rompre avec les traditions consacrées de la cosmographie et de proclamer un monde nouveau, c'est sous d'autres couleurs qu'il s'embarque. Cette fois, il navigue non plus pour le compte de Ferdinand et Isabelle d'Espagne, mais pour celui du roi Manuel Ier de Portugal.

La facilité avec laquelle Vespucci change de pavillon est caractéristique du remarquable esprit de collaboration et de modération réciproque qui, en ces temps de découvertes transocéaniques, animait les deux grandes puissances maritimes rivales, Espagne et Portugal. Pendant plus d'un quart de siècle après le premier voyage de Colomb, les deux pays demeurèrent en paix, et coopérèrent même à la découverte du Nouveau Monde. Les mariages entre héritiers ou souverains du Portugal, d'une part, de Castille et d'Aragon, de l'autre, n'expliquent pas tout. Rivaux, ils firent en sorte d'être compagnons de recherche. Par avance, ils fixèrent des règles afin de répartir entre eux ce nouveau monde aux dimensions et aux ressources inconnues. Par avance, Espagne et Portugal se partagèrent l'ensemble du monde non chrétien.

Ce qui rendit l'accord possible et lui donna sa force, ce fut la soumission commune des deux puissances à une tierce autorité, celle du pape, lequel, sans armée ni flotte, exerçait un puissant magistère. Le respect de l'autorité papale était d'autant plus remarquable à cette époque que, lorsque Colomb entreprit son premier voyage, le trône de saint Pierre était occupé par un Borgia notoirement dissolu, Alexandre VI (1431 ?-1503 ; pape 1492-1503). Prêtre et cardinal, il avait eu de nombreuses maîtresses et de non moins nombreux enfants. Né près de Valence, en Aragon, il devait son élection à la corruption ainsi qu'à l'intervention de Ferdinand et Isabelle.

La communauté chrétienne d'Europe reconnaissait depuis longtemps au pape le droit d'accorder la souveraineté temporelle sur toute terre non revendiquée par un souverain chrétien. « Le pape, qui est le vicaire de Jésus-Christ, proclament les décrétales du XIIIe siècle, a pouvoir non seulement sur les chrétiens, mais également sur tous les infidèles. [...] Car tous, fidèles comme infidèles, sont les ouailles du Christ par la

Création, quand bien même ils ne seraient pas du troupeau de l'Église. » Bien avant Colomb, les rois du Portugal avaient cautionné ce pouvoir pontifical en obtenant que soient reconnus par des bulles papales leurs droits sur la côte africaine jusqu'au royaume du prêtre Jean, « jusqu'aux Indiens dont on dit qu'ils adorent le Christ ». Par la suite, le voyage de Colomb et les surprenantes îles des « Indes » avaient laissé entrevoir de nouvelles possibilités, dont les souverains espagnols furent prompts à saisir l'importance.

A la mi-avril 1493, soit moins d'un mois après le retour de Colomb, la lettre de celui-ci décrivant son exploit était connue à Rome, et des extraits en étaient même repris dans une bulle du pape consacrée aux terres nouvelles, et publiées par Alexandre VI le 3 mai. De tous les souverains pontifes qui ont régné, assurait Machiavel, Alexandre VI est celui qui « a le mieux montré comment un pape peut l'emporter par l'argent et par la force ».

Tout en ménageant habilement les ennemis de l'Espagne, le pape, dans une série de quatre bulles, concédait à l'Espagne toutes les terres nouvelles des « Indes ». C'est dans ces textes qu'il établit la fameuse ligne de démarcation courant du pôle Nord au pôle Sud « à cent lieues à l'ouest et au sud des îles connues communément sous le nom d'Açores et de Cap-Vert ». Toute terre découverte à l'ouest de cette ligne et n'appartenant pas déjà à un prince chrétien reviendrait à l'Espagne.

Il semble que l'idée d'une telle ligne de partage soit de Colomb lui-même. L'argumentation avancée n'était que délire pseudo-scientifique. Juste au-delà des cent lieues, prétendait Colomb, le climat, brusquement, changeait, « comme si l'on avait placé une colline au-dessous de l'horizon », la température s'adoucissait « sans variation entre l'été et l'hiver », et la mer, soudain, se remplissait d'algues. « Jusqu'aux Canaries et cent lieues au-delà, ou dans la région des Açores, nombreux sont les poux de mer ; mais à partir de là, ils commencent tous à mourir, si bien que, lorsque l'on hausse les premières îles [des Indes], nul homme ne les peut plus élever ni voir. » Dans sa quatrième bulle, le pape octroie tout simplement à l'Espagne les diverses routes des Indes par l'est, avec les terres qui pourraient y être découvertes.

Le roi Jean II du Portugal, qui disposait de la supériorité en mer, décida de s'opposer au dépeçage par le pape de son empire. S'appuyant sur sa marine, il négocia avec Ferdinand et Isabelle dans le but d'éviter la mise en œuvre des déclarations papales. Ce fut le fameux traité de Tordesillas, signé le 7 juin 1494, et qui repoussait la ligne de marcation jusqu'au méridien situé à trois cent soixante-dix lieues à l'ouest des îles du Cap-Vert.

Les deux puissances firent preuve d'une remarquable bonne volonté dans leur respect du traité, et ce malgré la difficulté, alors, à situer avec précision le méridien de référence. L'un des résultats les plus durables de cet accord devait être l'implantation des Portugais et de leur langue au

Brésil, et la prédominance des Espagnols, avec leur langue à eux, dans le reste de l'Amérique du Sud. Cette complaisance entre les deux principales puissances maritimes dura le temps que toutes deux, également soumises au pape, dominèrent la scène mondiale. Après la Réforme, lorsque la dissension s'installa entre souverains européens quant aux sources de l'autorité spirituelle, un tel accord devint difficile, voire impossible. Et lorsque les Anglais, les Hollandais, etc., transformèrent la lutte en mêlée générale, les sphères d'influence ne furent plus définies que par la puissance militaire.

Le premier voyage de Vespucci, effectué sous les couleurs espagnoles, avait fait naître en lui l'idée que, pour atteindre le passage vers les Indes en doublant ce que Ptolémée appelle le « détroit de Catigara », il lui faudrait suivre la côte en direction de l'est, puis du sud ; et par conséquent traverser la zone d'influence portugaise. Rien d'étonnant donc que, pour son voyage suivant aux « Indes », il se soit placé sous les auspices, non plus de l'Espagne, mais du Portugal. D'autres raisons peut-être expliquent aussi ce changement. Les souverains espagnols ignorant encore à l'époque que l'extrémité orientale de l'Amérique du Sud se trouvait, en fait, du côté portugais de la ligne convenue, peut-être écartèrent-ils délibérément de leur corps expéditionnaire le Florentin Vespucci, préférant voir explorer cet empire en puissance par leurs propres ressortissants.

Le 13 mai 1501, soit près de dix ans après la première traversée de Colomb, Amerigo Vespucci, à la tête de trois caravelles, quittait Lisbonne pour le voyage capital de seize mois qui allait récolter les fruits semés par Colomb. Retardée par un calme plat, la traversée des « étendues désolées de l'océan » dura soixante-quatre jours. « Nous parvînmes à une terre nouvelle, que, pour les multiples raisons exposées ci-après, nous jugeâmes être un continent. »

Vespucci avait suivi la côte sud-américaine sur une distance d'environ huit cents lieues, soit près de 3 850 km, « toujours dans la direction du sud-ouest quart ouest », ce qui l'amena loin vers le sud de la Patagonie, à proximité de l'actuel San Julian, à quelque 650 km seulement de l'extrémité sud de la Terre de Feu. De retour à Lisbonne en septembre 1502, Vespucci écrit de nouveau à son ami et protecteur Laurent de Médicis :

> Nous progressâmes si loin dans ces mers que nous pénétrâmes dans la Zone Torride et passâmes au sud de la ligne équinoxiale et du tropique du Capricorne jusqu'à ce que le pôle Sud fût au-dessus de mon horizon à cinquante degrés, ce qui était ma latitude par rapport à l'équateur. Nous naviguâmes dans l'hémisphère Sud pendant neuf mois et vingt-sept jours [du 1er août au 27 mai environ] sans jamais voir le pôle arctique, ni même la Grande ou la Petite Ourse ; mais à l'opposé de celles-ci, nombre de constellations fort brillantes et belles m'apparurent, qui dans notre hémisphère Nord demeurent toujours

> invisibles. Là, je notai l'ordre merveilleux de leur mouvement, ainsi que leur grandeur, mesurant le diamètre de leurs circuits et traçant leurs positions relatives à l'aide de figures géométriques. [...] Je fus du côté des antipodes ; ma navigation me fit traverser un quart de l'univers [...].

Les habitants étaient nombreux, et pourtant, l'infinie variété des arbres, les délicieux parfums des fruits et des fleurs, le plumage éclatant des oiseaux, tout ici évoquait le Paradis terrestre. « Que dire de la multitude d'animaux sauvages, de l'abondance des pumas, des panthères, des chats sauvages, non point ceux d'Espagne, mais des antipodes ; de tant de loups, de cerfs, de singes et de félins, des ouistitis de toutes sortes, et de tous ces grands serpents ? » Impossible, conclut Vespucci de manière tout à fait sacrilège, « que tant d'espèces fussent entrées dans l'arche de Noé ».

Avec une insatiable curiosité, et l'extrême élégance du Florentin de la Renaissance, Vespucci décrit les indigènes : traits et allures, rites de mariage, pratiques d'accouchement, religion, alimentation, habitat. Ces gens n'utilisant au combat que l'arc et les flèches, le dard et les pierres, tous leurs coups étaient, selon la formule de Pétrarque, « livrés au vent ». N'affichant aucun zèle particulier à convertir ces populations, Vespucci ne cite qu'une seule fois un auteur chrétien : « Les indigènes nous parlèrent d'or et d'autres métaux, ainsi que de nombreuses drogues miraculeuses, mais je suis l'un de ces adeptes de saint Thomas qui sont lents à croire. Le temps révélera tout. » Et de Ptolémée, dans tout cela, plus question !

Malgré toutes ces fascinantes nouveautés, trouver la route des Indes par l'ouest demeurait le souci prioritaire. Le continent imprévu continuait d'être perçu moins comme une source d'espoirs nouveaux que comme un obstacle aux anciens. Vespucci, lui aussi, paraissait moins désireux d'explorer cette « quatrième partie du monde » que de découvrir à travers elle l'accès aux trésors avérés des seules vraies Indes, celles d'Asie. Un mois après son retour à Lisbonne à la fin de ce voyage capital, il changeait à nouveau de pavillon et rentrait à Séville. Ses voyages, ainsi que son travail de mise à jour sur la carte de l'Atlantique Ouest, l'avaient persuadé que le fameux détroit de Catigara décrit par Ptolémée ne pouvait se trouver sur ce quatrième continent. N'avait-il pas suivi toute la côte appartenant au Portugal sans découvrir d'ouverture ? Il savait par conséquent que, s'il existait par là un passage vers les Indes, celui-ci ne pouvait se situer que plus à l'ouest, du côté espagnol de la ligne de démarcation. C'était aussi l'époque où, le Portugal commençant à engranger les richesses grâce au monopole de la route orientale des Indes, les souverains espagnols développaient leur flotte dans l'espoir de découvrir un meilleur passage vers l'ouest. Des savants étrangers furent invités à venir travailler en Espagne, et l'université de Salamanque reçut une nouvelle dotation. La reine Isabelle elle-même s'était mise à collectionner les livres, cette nouvelle source de connaissances.

Les souverains espagnols reçurent Vespucci à bras ouverts et lui confièrent immédiatement la tâche d'avitailler des caravelles pour une expédition « vers l'ouest, au nord de l'équateur, chargée de trouver le détroit que Colomb [n'avait] pu découvrir ». Le rôle éminent de Vespucci était attesté en 1508, lorsque la reine Joanna de Castille, qui avait succédé à Isabelle, le nomma au poste nouvellement créé de *piloto mayor*, grand pilote d'Espagne. Il se voyait confier la mise sur pied d'une école de pilotes et recevait le droit exclusif d'examiner et de breveter « tous les pilotes de nos royaumes et seigneuries appelés à voyager désormais vers les dites terres de nos Indes, découvertes ou à découvrir ». Les pilotes étaient, à leur retour, tenus de lui faire le rapport de toutes leurs découvertes, afin que les cartes espagnoles fussent tenues à jour. Contre la résistance de pilotes illettrés et à l'esprit essentiellement empirique, Vespucci tentera de faire adopter sa méthode complexe de détermination de la longitude. Il dressera les plans d'un nouveau voyage à bord de navires protégés contre les tarets par un revêtement en plomb, voyage qui devait « faire route vers l'ouest afin de trouver les terres qu'avaient découvertes les Portugais en naviguant par l'est ». Mais rongé par la malaria qu'il avait contractée lors de sa dernière expédition, maladie contre laquelle il n'existait alors aucun remède, Amerigo Vespucci mourut en 1512.

Que la découverte du Nouveau Monde, avec toutes ses richesses insoupçonnées, n'ait pas immédiatement soulevé l'enthousiasme en Europe, cela ne saurait étonner. Libraires et cartographes trouvaient leur intérêt dans la pseudo-précision des ouvrages et documents dont ils vivaient, ainsi que dans les planches servant à leur fabrication. Les cartes, globes et planisphères servant de référence ne laissaient aucune place pour un quatrième continent. La terminologie des bulles papales, le jargon des administrations encourageaient parmi le peuple un profond conformisme linguistique. Colomb étant réputé avoir « découvert » certaines terres des « Indes », il paraissait aussi prudent que commode de continuer à percevoir le nouvel empire d'outre-mer en ces termes plutôt que de l'investir de toute la richesse emblématique dont un nouveau nom eût été porteur. Le gouvernement espagnol continua à réunir son « conseil des Indes », à promulguer ses « lois des Indes » et baptisa à jamais « Indiens » les indigènes du Nouveau Monde. Les nombreuses histoires du Nouveau Monde publiées en espagnol étaient toutes des histoires des « Indes ». Bref, quand bien même le Nouveau Monde dût finalement s'avérer ne pas faire partie du continent asiatique, il était plus sûr pour le moment de ne voir en lui qu'un avant-poste de l'Asie.

Certains pourtant, l'imagination enflammée par les voyages de Vespucci, trouvaient stimulante l'idée que l'on eût pu découvrir une partie du globe jusque-là inconnue. Leur Nouveau Monde reçut son nom de baptême, non pas d'un souverain lors d'une cérémonie ni de quelque aréopage, mais un peu par accident, en un lieu où Vespucci n'avait jamais mis les pieds et dont, sans doute, il n'avait jamais entendu parler. Car ce ne fut pas lui, bien qu'on l'en ait souvent accusé, qui décida de donner son nom au nouveau continent. Alexander von Humboldt, le grand explorateur et naturaliste allemand (1769-1859), s'attribue « le modeste mérite d'avoir prouvé qu'Amerigo Vespucci n'eut aucune part dans la dénomination donnée au Nouveau Continent, mais que le nom d'Amérique est né en un lieu reculé des Vosges ».

Le baptême du Nouveau Monde fut en effet l'œuvre de Martin Waldseemüller (1470 ?-1518), un obscur ecclésiastique qui avait fait ses études à l'université de Fribourg et était chanoine à Saint-Dié. C'était un homme à l'esprit ouvert, ayant le sens poétique des mots et passionné de géographie. Le duc de Lorraine, Renaud II de Vaudemon, désireux de cultiver les arts, avait mis sur pied une sorte de salon provincial, le Gymnase vosgien, dont Waldseemüller devint membre. Un autre membre du groupe, le chanoine Ludd, qui disposait de quelques moyens, fit installer en 1500 pour son plaisir une presse destinée à publier ses propres ouvrages et, accessoirement, ceux des autres membres du Gymnase.

Waldseemüller avait une marotte : fabriquer des noms. Afin de se donner un pseudonyme latin qui en imposât, il se forgea, en combinant le mot grec pour « forêt », le mot latin pour « lac » et le mot grec pour « moulin », le nom de plume Hylacomylus, lequel, retraduit en dialecte allemand, donne son nom de famille, Waldseemüller. Sous la conduite de Waldseemüller, le petit groupe nourrissait l'ambitieux projet de publier pour commencer une nouvelle édition de la *Géographie* de Ptolémée. C'est alors que l'un des membres rapporta avoir vu un exemplaire imprimé d'une lettre en français intitulée « Quatre voyages ». Dans ce texte, nous est-il dit,

> [...] un grand homme, de beaucoup de courage mais de peu d'expérience, le nommé Americ Vespuce, a le premier parlé sans exagération de certaine peuplade qui vit dans le sud, presque sous le pôle Antarctique. Il y a en ces lieux des hommes [...] qui vont entièrement nus, et qui non seulement (comme font certains peuples des Indes) offrent à leur roi la tête des ennemis qu'ils ont tués, mais qui, eux-mêmes, se nourrissent avidement de la chair de leurs ennemis vaincus. Le livre même d'Americ Vespuce nous est par hasard venu entre les mains ; nous l'avons promptement lu et l'avions presque entièrement comparé avec celui de Ptolémée, dont vous savez que nous sommes actuellement occupés à examiner les cartes avec le plus grand soin. Ainsi avons-nous été amenés à composer, sur cette région d'un monde récemment découvert, un petit ouvrage de caractère non seulement poétique, mais aussi géographique.

Le groupe de Saint-Dié renonça brusquement au grand projet d'éditer Ptolémée. Au lieu de quoi il publia un petit volume de cent trois pages intitulé *Cosmographiae introductio* et résumant les principes traditionnels de la cosmographie, notamment tout ce qui concerne axes et climats, divisions de la Terre, vents et distances d'un lieu à un autre. Mais il contenait également une étonnante nouveauté : la description de la *quatrième* partie du globe, telle que l'avaient révélée les voyages de Vespucci. Dans un chapitre de présentation, Waldseemüller fait remarquer :

> A présent, ces parties du globe [Europe, Afrique, Asie] ont été plus largement explorées, et une quatrième partie a été découverte par Amerigo Vespucci (comme il sera décrit plus loin). Considérant que l'Europe comme l'Asie doivent leur nom à des femmes, je ne vois point de raison que quiconque puisse valablement faire objection à ce que l'on appelle cette partie Amerige [du grec ge, terre de], c'est-à-dire Terre d'Amerigo, ou Amérique, du nom d'Amerigo, son découvreur, homme de grandes capacités.

A deux autres reprises dans son texte, Waldseemüller réitérait sa proposition. Et pour servir de troisième partie à la publication, il reproduisait une impressionnante carte établie d'après douze planches fabriquées à Strasbourg. Chaque feuille mesurait 45 cm × 62 cm, ce qui, pour la carte entière, donnait plus de 3 m$^2$. Comme pour rendre son message plus clair encore, Waldseemüller avait placé, dominant le tout, deux portraits : celui de Ptolémée, tourné vers l'est, et celui de Vespucci, regardant vers l'ouest. Par une étonnante prophétie cartographique, le continent sud-américain sur lequel était inscrit le mot « Amérique » présente un contour remarquablement proche de la réalité. Sur la carte hors texte, les deux Amériques sont en fait reliées. Plus à l'ouest, apparaît, séparant le Nouveau Monde de l'Asie, un nouvel océan, plus large que l'Atlantique.

Quels qu'aient pu être les exploits accomplis par les explorateurs, il fallut donc l'initiative de l'obscur Waldseemüller pour que l'Amérique trouve sa place sur les cartes. Le livre publié à Saint-Dié en avril 1507 connut un tel succès qu'une seconde édition vit le jour en août. Dans l'année qui suivit, Waldseemüller pouvait se féliciter devant son associé que leur carte fût connue et louée dans le monde entier. Le tirage atteignit bientôt mille exemplaires.

Mais la presse à imprimer pouvait diffuser les connaissances, elle ne pouvait les rattraper. Waldseemüller fut le premier contrarié de constater la portée fantastique, irréversible, de la nouvelle technologie. Lorsqu'il changea d'avis et décida qu'après tout Vespucci n'était pas le véritable découvreur du Nouveau Monde, il était trop tard. Sur les trois cartes ultérieures qu'il publia faisant apparaître le nouveau continent, il supprima le nom « Amérique ». Mais les annonces étaient déjà diffusées en mille endroit. Impossible de revenir en arrière : le mot « Amérique » figura désormais sur toutes les cartes du globe. Du reste, il plaisait tant, ce nom que Waldseemüller lui-même avait donné à la seule partie méridionale du continent, que, lorsque Mercator publia sa grande carte du monde en 1538, il en doubla l'application : le document faisait figurer une « Amérique du Nord » (*Americae pars septentrionalis*) et une « Amérique du Sud » (*Americae pars meridionalis*).

Ainsi, la presse à imprimer, vieille d'un demi-siècle seulement, révélait une capacité sans précédent à propager information... et désinformation. Un public élargi, nouveau marché de la lecture créé *par* et *pour* la nouvelle technologie, façonnait déjà la chose imprimée selon ses goûts. La lettre rédigée par Colomb en 1493, bien que souvent réimprimée, était loin de connaître le succès du sensationnel *Mundus Novus* de Vespucci, paru en 1502. Si les lecteurs, naturellement, étaient curieux de savoir comment Colomb avait fait pour atteindre des « Indes » fabuleuses, mais déjà connues, bien plus grand était leur intérêt pour cette étonnante « quatrième partie du globe ». Dans les vingt-cinq années qui suivirent la parution du récit de Vespucci, il y eut trois fois plus de publications consacrées aux voyages de ce dernier qu'à ceux de Colomb. Durant ces années, de tous les ouvrages imprimés en Europe et décrivant les découvertes du Nouveau Monde, la moitié environ traitait de Vespucci. Un vaste public était ainsi préparé à recevoir les messages de mondes nouveaux.

# HUITIÈME PARTIE

## *La grand-route des mers*

*Viendra le temps lointain où la mer Océane brisera ses chaînes ; et une vaste terre sera révélée [...] ; où Tiphé découvrira de nouveaux mondes, où Thulé ne sera plus l'Ultime.*

SÉNÈQUE, *Médée*

*Le monde eût-il été plus vaste, Ils y seraient encore allés.*

CAMOENS, *Les Lusiades*, VII, 14.

### 34

### *Un monde d'océans*

En quelques décennies, la vision européenne du monde va se transformer. A l'idée d'une planète constituée aux six septièmes de terres ininterrompues, se substituera celle d'une Terre dont la surface est aux deux tiers recouverte d'eaux reliées entre elles. Jamais encore le champ de la connaissance humaine n'avait connu révision si soudaine et si radicale. Et la Terre, plus que jamais, devenait explorable.

Cette découverte de l'océan, on peut en suivre les péripéties à travers les exploits de deux grands découvreurs ibériques : Balboa et Magellan.

Vasco Nuñez de Balboa (1474-1517), aventurier-né de parents obscurs dans un village du sud-ouest de l'Espagne, se fit marin à l'âge de vingt-cinq ans, mais c'est sur la terre ferme qu'il devait accomplir son destin historique. S'étant joint en l'an 1500 à un voyage d'exploration en mer des Antilles, il s'installe comme planteur à Saint-Domingue. N'étant pas fait, à l'évidence, pour une vie sédentaire, il accumule les dettes, et, pour fuir ses créanciers, il s'embarque clandestinement à destination des établissements espagnols du golfe de Darien, à l'endroit où l'isthme de Panama rejoint le continent sud-américain. Les colons espagnols installés là avaient été décimés par la faim et par les flèches empoisonnées des Indiens. Le tout récent commandant de la place, Martin Fernandez de Enciso, s'étant avéré incapable d'organiser la colonie, Balboa prend les rênes. Il déplace l'établissement vers un meilleur site — on y trouve à se nourrir et les Indiens n'y disposent pas de flèches empoisonnées — qu'il baptise Santa Maria de l'Antigua del Darien, aujourd'hui Darien.

Diego Colomb, fils de Christophe, alors gouverneur de la région, autorise Balboa à conserver le gouvernement de la colonie. Mais Enciso et les autres dirigeants évincés résisteront au nouveau chef et Balboa fera rapatrier ses rivaux en Espagne. Après quoi, il se concilie les bonnes grâces des Indiens en aidant le cacique local, Comaco, dans ses guerres et en épousant l'une de ses filles.

Comaco, pour remercier ses nouveaux alliés, leur fit cadeau de cent douze kilos d'or. Mais lorsque les Espagnols procédèrent au pesage afin de constituer la part de la Couronne, « une querelle s'éleva ». L'un des fils du cacique, écœuré par ce spectacle, renversa la balance, répandit l'or sur le sol et sermonna les Européens sur leur cupidité. En même temps, s'il faut en croire le chroniqueur contemporain Pierre Martyr d'Anghiera, il livrait un renseignement géographique plus précieux à lui seul que tout l'or des Indes :

> Qu'est-ce donc qui fait que vous autres, chrétiens, ayez pour si petite quantité d'or estime plus grande que de votre tranquillité. [...] Si votre soif d'or est à ce point insatiable que, poussés seulement par le désir que vous en avez, vous troubliez tant de nations [...] je vous indiquerai une région toute ruisselante d'or, où vous pourrez satisfaire votre dévorant appétit. [...] Lorsque vous franchirez ces monts (il montra du doigt les montagnes du sud), vous apercevrez une autre mer, où des hommes naviguent sur des navires aussi gros que les vôtres, utilisant comme vous voiles et avirons, bien qu'ils soient nus comme nous.

Sans perdre de temps, Balboa réunit cent quatre-vingt-dix Espagnols ainsi que plusieurs centaines d'indigènes, et se mit en devoir de traverser l'isthme de Panama. Soucieux d'éviter que les Indiens ne menacent ses arrières, il fit d'eux « des guides et porteurs, qui, marchant en tête, ouvraient la voie. Ils franchirent des défilés inaccessibles habités par des bêtes féroces et gravirent des montagnes escarpées ».

L'épaisse forêt tropicale mit les Espagnols à rudes épreuve. Ceux qui, plus tard, suivront la même route, en constateront à leurs dépens l'extrême difficulté. Au milieu du XIXe siècle, tel explorateur français y restera onze jours sans voir le ciel, et une expédition botanique allemande y périra tout entière. Pour traverser les nombreux lacs et marécages qui parsèment la région, les hommes de Balboa devaient se déshabiller entièrement et porter leurs vêtements sur leur tête, s'exposant ainsi aux piqûres des serpents venimeux et aux flèches des Indiens. Lorsque les Quarequas, armés seulement d'arcs et de flèches ainsi que d'épées de bois, leur bloquèrent le passage, les hommes de Balboa les mirent en pièces « comme des bouchers découpant bœuf et mouton pour le marché. Six cents d'entre eux, dont le cacique, furent ainsi abattus comme des bêtes ». Et Pierre Martyr poursuit :

Vasco découvrit que le village de Quarequa était en proie au vice le plus immonde. Le frère du roi et un certain nombre d'autres courtisans étaient habillés en femmes, et, au dire des voisins, partageaient la même passion. Vasco ordonna que quarante d'entre eux fussent réduits en morceaux par des chiens. Comme les Espagnols utilisaient communément leurs chiens pour combattre ces gens nus, les bêtes se jetèrent sur eux comme s'ils eussent été des sangliers ou des daims. Les Espagnols observèrent que ces animaux étaient aussi disposés à partager avec eux leurs dangers que le constataient les gens de Colophon ou de Bastabara, lesquels entraînaient des meutes de chiens à la guerre ; car ceux-ci allaient toujours en tête et ne se dérobaient jamais au combat.

Après vingt-cinq jours d'« aventures multiples et [de] grandes privations », la cordillère était enfin franchie.

Le 25 septembre 1513, le guide quarequa indiquait aux Espagnols un sommet tout proche. Balboa ordonna la halte et gravit la montagne. Arrivé en haut, il aperçut au loin un océan. Alors « tombant à genoux, il leva les mains vers le ciel et salua la mer du Sud. Selon ses propres dires, il rendit grâce à Dieu et à tous les saints de lui avoir réservé cette gloire, à lui, l'homme ordinaire, aussi dépourvu d'expérience que d'autorité ». Puis il appela ses hommes à le rejoindre sur son sommet,où tous s'agenouillèrent et, ensemble, rendirent grâce. « Le voici, cet océan tant espéré, s'écria-t-il, regardez, vous tous qui avez partagé nos efforts, regardez le pays dont les fils de Comogre ainsi que d'autres indigènes nous ont dit tant de merveilles ! » Après quoi, il empila des pierres pour faire un autel, tandis que ses hommes gravaient le nom de leur souverain sur les troncs des arbres. Selon la coutume espagnole, le notaire qui les accompagnait rédigea un serment, qui fut signé par Balboa d'abord, puis par tous les autres.

Ils cheminèrent encore quatre jours avant d'atteindre le rivage de l'océan nouveau. Dans un geste spectaculaire, Balboa, en armure et l'épée au poing, s'avança dans l'océan, brandit la bannière de Castille et, au nom des rois catholiques, prit solennellement possession de cette « mer du Sud » (« du Sud » parce que c'était après avoir traversé l'isthme de Panama en marchant dans cette direction que la petite troupe, naturellement, avait atteint le Pacifique). Après quoi, par un bref défilé dans des pirogues empruntées aux Indiens du lieu, Balboa prit possession à la fois « de cette mer tout entière et des pays confinant à celle-ci ».

Balboa connut là l'apogée de sa carrière. La nouvelle de sa découverte ne parvint pas en Espagne suffisamment tôt pour annuler les effets désastreux du rapport d'Enciso. Le découvreur du Pacifique fut remplacé au poste de gouverneur par Pedrarias Davila, dont le seul mérite était d'être marié à une dame d'honneur de la reine Isabelle. Arrivant à Darien avec une vingtaine de navires et 1 500 hommes, Pedrarias mit en œuvre un plan d'asservissement des indigènes, lequel eut pour effet immédiat, selon Balboa lui-même, de transformer de doux Indiens en « lions féroces ». Pendant ce temps, Balboa, projetant d'explorer les rivages de la mer du Sud, acheminait de l'autre côté de l'isthme des matériaux de construction navale. Quatre navires étaient déjà presque achevés lorsque, en 1517, les hommes de Pedrarias, parmi lesquels un certain Francisco Pizarro, vinrent appréhender Balboa pour le ramener de force à Darien. Là, Pedrarias accusa faussement son rival de se préparer à trahir le souverain et à se proclamer empereur du Pérou. Avant même que les partisans de Balboa aient pu organiser la moindre défense, l'ancien gouverneur ainsi que quatre de se compagnons étaient décapités sur la place publique, et leurs corps jetés aux vautours.

Les aventuriers espagnols étaient maintenant bien installés aux Indes occidentales. Mais en ne voyant toujours dans celles-ci que de simples avant-postes sur la route de l'Asie. N'était-il pas logique, dès lors, de vouloir étendre ce domaine plus loin encore vers l'ouest, en direction des précieuses « îles aux Épices » ?

Le traité de Tordesillas, on l'a vu, fixait la ligne de démarcation à 370 lieues à l'ouest des Açores et des îles du Cap-Vert, établissant la limite du Nouveau Monde au 46e degré de longitude ouest et coupant à travers le continent sud-américain. L'autorité pontificale s'exerçant sur l'ensemble du globe, cette ligne passait par les pôles et faisait le tour complet de la planète. Elle servait donc également à séparer les domaines espagnol et portugais dans la moitié asiatique du globe (134° est). Mais les instruments scientifiques étaient encore incapables à l'époque de situer précisément ce méridien. En pratique, le partage fut donc le suivant : le Portugal recevait la moitié du monde, depuis la frontière occidentale du Brésil, et en allant vers l'est, jusqu'aux Indes (y compris donc les terres situées dans l'Atlantique et en Afrique), tandis que l'Espagne se voyait attribuer l'autre moitié, depuis ladite frontière du Brésil, et en allant vers l'ouest, jusqu'aux mêmes Indes, océan Pacifique compris.

Personne encore ne savait ce qui se trouvait entre cette « quatrième partie du monde » et l'Asie. Les Espagnols espéraient encore que Ptolémée, Marco Polo et Colomb ne s'étaient pas trompés en accordant à l'Asie une telle extension vers l'est. Peut-être, entre l'Amérique et les Indes orientales, ne restait-il que peu de chemin à parcourir, quelques îles tout au plus. Charles Quint espérait naturellement que les îles aux Épices s'avéreraient être du côté espagnol de la ligne, une fois celle-ci étendue à la moitié asiatique du globe. Pourquoi alors ne pas envoyer une expédition reconnaître ladite ligne, puis proclamer les droits de l'Espagne ? Telle sera précisément la chance de Magellan.

« Neuf mois d'hiver et trois mois d'enfer », disait-on de la région montagneuse du nord du Portugal qui vit naître Ferdinand Magellan (1480 ?-1521). Mais il quitte bientôt ce rude climat pour les douceurs de la cour de Jean II, où il devient page de la reine Léonore. A l'âge de vingt-cinq ans, il s'engage dans la flotte de Francisco de Almeida, premier vice-roi des Indes portugaises, qui sert auprès d'Alfonso de Albuquerque, fondateur de l'Empire portugais en Asie, et explore les îles aux Épices, c'est-à-dire les Moluques, dont il inventorie personnellement les richesses. Lorsqu'il rentre au Portugal, en 1512, il est devenu capitaine et a été promu dans la noblesse au rang de *fidalgo escudeiro*. Mais blessé lors d'un combat contre les Maures en Afrique du Nord, il boitera toute sa vie. Et accusé de trafic avec l'ennemi, il perdra la confiance du roi Manuel Ier. Ainsi s'achève sa carrière portugaise.

Désavouant publiquement sa fidélité au Portugal, il se rend à la cour de Charles Ier d'Espagne (futur Charles Quint). A ses côtés, un vieil ami, Rui Faleiro, mathématicien-astrologue quelque peu mégalomane, qui s'imaginait avoir résolu le problème de la détermination de la longitude, avait une grande réputation de cosmographe et défendait avec acharnement l'idée d'un passage du sud-ouest vers l'Asie. Afin de promouvoir son grand projet de voyage aux Indes par l'ouest, Magellan va manœuvrer très habilement. Il épouse la fille d'un émigré portugais, responsable des voyages espagnols aux Indes, qui s'assure l'appui enthousiaste de Juan Rodriguez de Fonseca (1451-1524), le puissant évêque de Burgos et organisateur du Conseil des Indes, qui avait été l'un des principaux adversaires de Colomb. Et pour obtenir le financement de son projet, il cultive un représentant de la banque internationale Fuggers qui nourrissait des griefs contre le roi du Portugal. Le 22 mars 1518, Charles Ier donne son aval à l'entreprise de Magellan. Objectif, une fois de plus : atteindre les îles aux Épices par l'ouest. Mais cette fois, le projet est plus précis : trouver un détroit à l'extrême pointe de l'Amérique du Sud. Magellan et Faleiro se voient promettre un vingtième du produit de leur voyage, ainsi que, pour eux-mêmes et leurs héritiers, le gouvernement de toutes les terres découvertes et le titre d'*Adelantados*.

Les Portugais tentèrent vainement d'empêcher le voyage. Après dix-huit mois de préparatifs, l'expédition appareillait, le 20 septembre 1519. Magellan partait faire le tour du monde avec cinq navires en très mauvais état et dont la capacité variait de 75 à 125 tonneaux. Ils étaient bien dotés en armes et bien fournis en produits d'échange, parmi lesquels, outre les habituels bracelets et verroteries, cinq cents miroirs, des pièces de velours et deux mille livres de vif-argent : autant de cadeaux destinés à plaire aux princes raffinés d'Asie. Les équipages, deux cent cinquante hommes environ, se composaient principalement de Portugais, d'Italiens, de Français, de Grecs, car il n'avait pas été facile de recruter des Espagnols pour un périple aussi dangereux, sous le commandement d'un aventurier étranger. Quant au vieil ami de Magellan, le prétentieux Faleiro, il décida à la dernière minute de ne pas s'embarquer, son horoscope ayant annoncé qu'il ne survivrait pas à un tel voyage.

Lors de toute traversée périlleuse, il était d'usage à l'époque pour le capitaine de soumettre toute décision importante à un conseil réunissant officiers et équipage. Pour Magellan, qui n'aimait guère partager ses décisions, cela ne pouvait que poser des problèmes. Il semble bien aussi que, dès le départ, les trois capitaines espagnols aient nourri des projets contre lui.

De toutes les heureuses coïncidences de ce voyage, aucune ne le fut davantage pour nous que la présence parmi tous ces hommes d'un certain Antonio Pigafetta, gentilhomme et aventurier italien, chevalier des Rhodes, que Magellan avait invité à l'accompagner. Avide de faits et vouant à son hôte une admiration sans bornes, il devait tenir un journal de bord circonstancié, d'où il tira ensuite son *Primo viaggio intorno al mondo*, le meilleur sans doute de tous les grands comptes rendus de voyage de cette époque. Son affabilité et son don des langues incitèrent souvent Magellan à l'envoyer à terre amadouer les indigènes. A diverses reprises, il montrera un véritable génie de la survie, et sera fort heureusement l'un des dix-huit participants à l'expédition à faire tout le voyage.

L'exploit accompli par Magellan était encore plus extraordinaire — moralement, intellectuellement et physiquement — que ceux de Gama, Colomb ou Vespucci. Il eut à affronter des mers plus démontées, à négocier des passages plus périlleux, à s'y retrouver sur un océan plus vaste. Il commandait des hommes plus enclins à la mutinerie, mais s'acquitta de sa difficile tâche avec autant d'humanité que de fermeté. « Parmi ses autres vertus, écrit Pigafetta, il avait celle d'être toujours le plus constant dans l'adversité la plus extrême. [...] Il endurait la faim mieux que tout autre et s'y entendait mieux que quiconque au monde à l'estime du point ainsi qu'à la navigation astronomique. Nul n'avait autant de talent ni d'ardeur à apprendre comment faire le tour du monde, ainsi qu'il manqua bien de faire. »

Deux mois de navigation les conduisirent des Canaries jusqu'à l'extrémité est du Brésil, où ils longèrent la côte en direction du sud-ouest, guettant l'ouverture vers la mystérieuse mer du Sud découverte par Balboa. A diverses reprises, ils crurent bien l'avoir trouvé, ce passage, à la hauteur de la baie de Rio d'abord, puis au golfe de San Matias, espérant que les explorateurs précédents s'étaient trompés. Mais ils durent rebrousser chemin. Lorsqu'ils parvinrent à Port San Julian, au milieu de la côte de Patagonie, on était à la fin du mois de mars, c'est-à-dire au début de l'hiver austral. Magellan prit la grave décision d'attendre là l'arrivée du printemps ; les rations étaient réduites. Les hommes protestèrent, exigeant d'aller hiverner sous les tropiques. Le chef d'expédition demeura inflexible.

Ses deux plus grandes épreuves, Magellan allait les connaître avant même de pénétrer dans le Pacifique. L'une portait sur ses qualités de commandement, l'autre sur ses talents de navigateur. A Port San Julian, une nuit, trois de ses navires — le *Concepcion*, le *San Antonio* et le *Victoria* — se mutinèrent. Seuls le soutinrent les hommes de son propre vaisseau, le *Trinidad*, et ceux du *Santiago*, le plus petit bâtiment de la flotille. Les mutins avaient l'avantage du nombre. Magellan ne put se résoudre à les laisser entrer en Espagne avec leurs bateaux. Dans une expédition à vocation coloniale, aucun navire, aucun homme n'était de trop. Sachant qu'il comptait de nombreux partisans sur le *Victoria*, il envoya à bord une chaloupe d'hommes sûrs, officiellement pour parlementer. Mais conformément aux instructions, les émissaires se jetèrent sur le capitaine des mutins et le tuèrent. Puis ils ramenèrent l'équipage à la raison. Magellan, pendant ce temps, bloquait l'entrée de la baie avec ses trois navires restés loyaux. Le *San Antonio* tenta bien de forcer le passage, mais fut intercepté, puis le *Concepcion*, dernier des navires mutins se rendit. Magellan ne fera finalement exécuter qu'un seul homme, un meneur qui avait assassiné un officier royal. Et il abandonnera sur le rivage le chef de la conspiration, ainsi qu'un prêtre qui avait participé à l'organisation de la mutinerie. D'autres mutins furent condamnés à mort, mais graciés par la suite.

Plus avant dans l'hiver, le *Santiago* fit naufrage en explorant la côte, et son équipage ne put rejoindre Port San Julian qu'après des jours et des jours de marche. En traversant ce pays qu'ils croyaient inhabité, ils rencontrèrent un « Patagon ». Sa présence semblait attester l'existence d'une race de géants : « Cet homme était si grand, écrit Pigafetta, que nous ne lui arrivions qu'à la taille. Il était d'assez belle apparence et avait un large visage, peint en rouge [...]. Ses cheveux étaient courts et colorés en blanc, et il était vêtu de peaux. »

A la fin août 1520, les quatre navires qui restaient se déplacèrent vers le sud, jusqu'à l'embouchure du fleuve Santa Cruz, où ils mouillèrent jusqu'en octobre, c'est-à-dire au début du printemps. Ce fut là que Magellan se trouva devoir affronter sa seconde grande épreuve. Un exploit digne de l'*Odyssée*. Il lui fallait trouver un passage permettant de traverser ce continent dont on ignorait la largeur. Pour cela, il devait explorer la moindre ouverture, aussi tortueuse fût-elle. Comment savoir si telle trouée ne se terminait pas en cul-de-sac ? Comment avoir la certitude qu'il n'allait pas tout simplement se perdre au cœur du continent ?

Ils appareillèrent du Puerto Santa Cruz. Quatre jours seulement plus tard, le 21 octobre, après avoir doublé, juste après le 52$^{e}$ degré, un promontoire qu'ils baptisèrent « Cap des onze mille vierges », ils « virent une ouverture qui donnait comme sur une baie ». Était-ce enfin le fameux détroit ? Impossible, dit l'équipage, car la baie paraissait « fermée de tous côtés ». Non sans naïveté, en effet, ils s'imaginaient un couloir bien droit, pareil au détroit de Gibraltar. Magellan, pour sa part, savait que le passage tant recherché risquait d'être un « détroit bien caché ». Peut-être, comme l'affirme Pigafetta, avait-il consulté « dans le trésor du roi de Portugal » quelque carte secrète montrant un passage détourné.

Pourtant, les cartes ou les mappemondes qu'il a dû connaître (celles d'un Martin Behaïm ou d'un Johann Schöner) montraient une pointe sud de l'« Amérique » séparée d'un vaste continent antarctique faisant le tour du monde par un passage étroit mais rectiligne, situé vers le 45e degré. Ces cartes, comme celle que Magellan avait en tête, restaient fondamentalement ptoléméennes. Seule différence : l'adjonction, dans l'océan Occidental, du nouveau continent sous la forme de plusieurs grandes îles aux dimensions incertaines. De Ptolémée subsistaient Cipangu (le Japon), le cap de Catigara et la Chersonèse d'Or (la presqu'île de Malacca). Quant au détroit caché, il ne pouvait, dans cette vision, que relier l'océan Occidental au Grand Golfe de Ptolémée, situé entre le cap de Catigara et la Chersonèse d'Or ; là étaient censées se trouver les îles aux Épices. Au-delà, conformément à Ptolémée, la mer située à l'ouest des « îles » d'Amérique récemment découvertes était perçues comme étroite et truffée de grandes îles. Ce qui donnait un Japon séparé de l'Amérique par seulement un étroit chenal. Mais le plus encourageant pour Magellan, c'était que cette vision de la planète faisait passer la ligne de marcation hispano-portugaise loin à l'ouest des îles aux Épices : les richesses de ces dernières se trouvaient donc sans conteste en zone espagnole.

Que le détroit permettant de traverser l'Amérique fût « bien caché », ce fut l'une des grandes litotes de tous les temps. Quelle ironie que ce détroit de Magellan, le plus étroit et le plus sinueux, en fait, de tous les passages reliant deux grandes mers, véritable dédale débouchant brusquement sur le plus vaste de tous les océans ! Il faut voir sur une carte le couloir tortueux, l'inextricable fouillis d'îlots, les innombrables bras de mer, pour mesurer vraiment le savoir-faire, la ténacité, le courage — et la chance — qui furent ceux du navigateur portugais. Si l'entrée, au cap des Vierges, sur la face atlantique, s'enfonce dans un paysage clément de prairies herbeuses, la sortie, du côté du Pacifique, s'effectue par un gigantesque fjord bordé de pics enneigés. Il fallut trente-huit jours à Magellan pour couvrir les 580 km séparant les deux océans. Drake établira le record du XVIe siècle en seize jours seulement, mais d'autres mettront plus de trois mois, et beaucoup, tout simplement, abandonneront en chemin.

Il fallait, pour persévérer dans de telles conditions, le courage indomptable d'un Magella face aux éléments, et ses qualités de meneur d'hommes. D'autant que, à Port San Julian après la mutinerie, avait surgi une autre source de contrariété. Quelle surprise lorsqu'on déchargea les navires afin de procéder à un carénage ! Les fournisseurs de Séville, abusant

Magellan, n'avaient livré que pour six mois de provisions au lieu des dix-huit demandés. Ils avaient même falsifié les documents. Avaient-il agi pour des saboteurs portugais ? Les équipages tentèrent bien de réparer le mal en attrapant poissons, oiseaux de mer et lamas sauvages, mais cela ne suffisait pas. Le bois, en outre, était inexistant sur les rivages arides de Port San Julian, et l'eau douce extrêmement rare. Quant aux indigènes du lieu, n'étant pas marins, ils ne pouvaient servir de guides.

Ayant perdu le *Santiago* à Port San Julian, Magellan s'engagea dans le détroit avec quatre navires. Cherchant d'abord sa route, il envoya son plus gros bâtiment, le *San Antonio* (cent vingt tonneaux) explorer l'un des passages possibles : c'était un cul-de-sac. Ne voyant pas revenir le navire, Magellan partit sur ses traces. Il fit ainsi quatre cents kilomètres, en vain. Le pilote du *San Antonio*, Esteban Gomez, qui en voulait à Magellan de ne pas lui avoir confié de commandement, avait mis son capitaine aux fers et pris la direction de l'Espagne. Interrogé sur le sort du bateau disparu, l'astrologue du navire-amiral consulta ses livres et fit au commandant de la flotille le compte rendu détaillé — et exact — des événements.

Chose remarquable, il n'y eut plus de mutinerie, et les trois derniers navires restèrent solidaires. Certaines des passes avaient moins de trois kilomètres de large. Le détroit faisait tant de méandre, comptait tellement de baies et de rivière trompeuses qu'ils ne découvrirent la mer qu'une fois la traversée accomplie. Lorsque Magellan pensa toucher au but, il envoya une chaloupe en reconnaissance. « Les hommes revinrent moins de trois jours plus tard, note Pigafetta, et rapportèrent avoir vu le cap et la mer. Alors, l'amiral pleura de bonheur et appela ce promontoire cap du Désir, pour la raison que nous l'avions longtemps désiré. »

Des vents étranges, les « williwaws », balayaient la moitié ouest du détroit. « C'étaient des paquets de vent, dévalant les montagnes en rafales depuis les régions boréales, fait observer en 1900 le capitaine Joshua Slocum. Un fort williwaw peut coucher un navire, même toutes voiles amenées. » Parvenu au bout du labyrinthe, ayant franchi toutes les embûches, Magellan se trouvait maintenant devant un immense désert liquide. Pendant plus de cent jours, le navigateur et ses hommes vont connaître les épreuves d'un monde d'eau apparemment sans fin.

Cet océan — le « Grand Golfe » de Ptolémée —, Magellan, semble-t-il, comptait bien en effectuer la traversée en quelques semaines seulement. On ne disposait encore d'aucun moyen précis de déterminer la longitude, et il était donc impossible de connaître la distance exacte entre deux points de la Terre. Toutes les estimations autorisées dont Magellan pouvait avoir eu connaissance, conclut Samuel Eliot Morison, accusaient donc par rapport aux dimensions réelles de l'océan une erreur de 80 % au moins. Même un siècle après le navigateur portugais, les cartes les plus « sûres » sous-estimeront encore ces dimensions de quelque 40 %. Aussi l'étendue réelle du Pacifique fut-elle pour Magellan une horrible déconvenue. Mais ce fut là, bien sûr, la plus grande — et la plus involontaire — de ses découvertes.

Tous savaient maintenant qu'ils n'avaient qu'un tiers des vivres escomptés, et cela pour un voyage trois fois plus long que prévu. Mais laissons la parole au témoin oculaire Pigafetta :

> Le mercredi 28 novembre 1520, nous débouchâmes du détroit, nous engouffrant dans l'océan Pacifique. Nous restâmes trois mois et vingt jours sans avoir aucune nourriture fraîche, nous nourrissant uniquement de vieux biscuits réduits en poussière, grouillants de vermine et imprégnés de l'urine des rats. Nous buvions d'une eau jaunâtre et depuis longtemps putride. Nous mangeâmes également les peaux de bœuf qui couvraient le haut de la grand-vergue afin d'empêcher celle-ci de frotter contre les haubans, et qui avaient été considérablement durcies par le soleil, la pluie et le vent. Nous les laissâmes tremper dans la mer quatre ou cinq jours durant, puis nous les plaçâmes quelques instants sur la braise, avant de les manger ; et souvent, nous mangeâmes de la sciure de bois. Les rats se vendaient un demi-ducat pièce, et, même à ce prix, il était impossible de s'en procurer. Les gencives inférieures et supérieures de certains de nos hommes enflèrent, de sorte qu'il leur devint tout à fait impossible de se nourrir, et qu'ils moururent. Dix-neuf hommes succombèrent à cette maladie, de même que le géant [de Patagonie] et un Indien du pays de Verzin.

Mais le temps, au moins, était au beau. Tout au long des trois mois et vingt jours qu'ils mirent pour franchir les 20 000 km de traversée, ils n'essuyèrent pas une seule tempête. Trompés par cette expérience exceptionnelle, ils donnèrent à cet océan le nom de Pacifique.

Et durant toutes ces semaines, aucune terre, « à l'exception de deux îlots déserts, où nous ne découvrîmes que des oiseaux et des arbres, raison pour laquelle nous leur donnâmes le nom d'îles Infortunées [...]. Nous ne trouvâmes aucun mouillage, [mais] nous aperçûmes dans leurs parages quantité de requins. [...] N'eût-il pas plu à Dieu et à Sa sainte Mère de nous accorder un temps aussi favorable, nous serions tous morts d'inanition sur cette vaste mer. Personne, à la vérité, je crois, n'entreprendra jamais plus un tel voyage ».

Sans la maîtrise des vents qui était la sienne, jamais Magellan n'eût traversé le Pacifique. Au sortir du détroit, il ne piqua pas directement au nord-ouest, vers les îles aux Épices tant désirées, mais commença par remonter la côte. Sans doute y cherchait-il les alizés, pour le conduire non aux Moluques — lesquelles, disait-on, étaient entre les mains des Portugais —, mais vers d'autres îles à épices encore « disponibles ». Quelles qu'aient été ses raisons, la route choisie par lui est encore aujourd'hui celle recommandée par les guides officiels américains pour se rendre, en cette saison de l'année, du cap Horn à Honolulu.

Le 6 mars 1521, enfin, la flottille de Magellan jetait l'ancre à Guam pour se réapprovisionner. Ils furent accueillis par des indigènes affables, mais quelque peu rapaces, qui envahirent les trois navires, faisant main basse sur tout ce qu'ils pouvaient emporter : vaisselle, cordages, cabillots, et même les chaloupes. Ces îles, actuellement les Mariannes, reçurent de Magellan le nom d'îles aux Voleurs. Ils n'y mouillèrent que trois jours, faisant provision de riz, de fruits et d'eau douce. Une semaine plus tard, ils atteignaient l'île de Samar, aux Philippines, non loin du golfe de Leyte qui, quatre siècles plus tard, devait être le théâtre de la plus grande bataille navale de tous les temps.

Dans cette région, où Chinois, Portugais, etc., se livraient à une rude compétition commerciale, le succès allait au marchand habile et au fin diplomate. Magellan, à peine rescapé des éléments, va commettre ici une imprudence qui lui coûtera la vie. Le roi de l'île de Cebu, feignant une conversion, réussit à persuader le navigateur portugais de devenir son allié, « afin d'aller brûler les maisons de Mactan, et forcer le roi de cette île à baiser les mains du roi de Cebu, et parce qu'il ne lui envoyait ni boisseau de riz ni chèvre en guise de tribut ». Officiers et hommes de Magellan adjurèrent leur capitaine de ne point participer à cette expédition, « mais lui, en bon berger, ne voulut pas abandonner ses brebis ». Et là, sur la petite plage de Mactan, le 27 avril 1521, Magellan sera plusieurs fois blessé par les flèches empoisonnées, les lances et les cimeterres des guerriers indigènes. Il tombera face contre terre.

Il aurait pu se replier et avoir la vie sauve, mais il préféra couvrir la retraite de ses compagnons. « Ainsi tuèrent-ils notre miroir, notre lumière, notre consolation, notre vrai guide, écrit Pigafetta. Lorsqu'ils l'eurent blessé, il se retourna à maintes reprises afin de voir si nous étions tous remontés dans les chaloupes. Puis, le voyant mort, nous qui étions blessés, nous entreprîmes de regagner les chaloupes, qui déjà quittaient le rivage. Sans lui, aucun de ceux qui se trouvaient dans les embarcations n'eût été sauf, car, tandis qu'il se battait, les autres purent se retirer. »

Son tour du monde, Magellan, en un sens, l'avait bel et bien accompli. Car sans doute avait-il déjà, lors de ses voyages portugais et en contournant l'Afrique, atteint et dépassé l'île de Cebu dans le sens ouest-est.

L'expédition ne s'arrêta pas là. Certes, le *Concepcion* était si mal en point qu'il fallut le sacrifier. On le brûla. Et le *Trinidad,* incapable lui aussi de regagner l'Espagne par l'ouest, tenta dans un premier temps de traverser le Pacifique jusqu'à Panama, puis retourna aux Indes. Seul le *Victoria*, commandé par Juan Sebastian del Cano, prit la route de l'ouest via le cap de Bonne-Espérance. Aux épreuves habituelles — faim, soif, scorbut — vint s'ajouter l'hostilité des Portugais, qui firent prisonniers près de la moitié des hommes de del Cano lors de leur escale aux îles du Cap-Vert. Le 8 septembre 1522, enfin, soit trois ans moins douze jours après leur appareillage, dix-huit hommes, sur les deux cent cinquante qui étaient partis, étaient de retour à Séville. Et dans quel piteux état ! Le lendemain, afin d'accomplir un vœu qu'ils avaient fait, les dix-huit rescapés, pieds nus et en chemise, un cierge à la main, parcouraient lentement le kilomètre et demi séparant le quai du port du sanctuaire de Santa Maria de l'Antigua.

## 35

## *Le règne du secret*

Le pilote portugais Pedro d'Alemquer, qui avait navigué avec Diaz et Gama, se vanta un jour à la Cour de pouvoir conduire n'importe quel navire, et pas seulement une caravelle, jusqu'à la côte de Guinée et retour. Le roi Jean II l'admonesta devant tout le monde, puis, le prenant à part, lui expliqua qu'il avait seulement voulu décourager les aventuriers étrangers de profiter de l'expérience portugaise. Quant à Henri le Navigateur et à ses successeurs, qui firent tout leur possible pour s'assurer le monopole du commerce avec les pays qu'ils avaient découverts sur le littoral africain, il leur fallait, pour cela, ne rien divulguer ni des lieux ni de la manière de les atteindre. Et lorsque Manuel I^er^, en 1504, entreprend de constituer pour son pays un monopole du poivre, il ordonne le secret sur tout ce qui touche à la navigation. « Il est impossible de se procurer une carte du voyage, regrette un agent italien après le retour d'Inde de Cabral, car le roi a décrété la peine de mort pour quiconque en ferait parvenir une à l'étranger. »

Cette politique n'était pas des plus faciles à appliquer, les rois du Portugal ayant à leur service certains navigateurs d'autres pays. En 1481, les Cortès portugaises adressent à Jean II une requête lui demandant d'interdire l'installation dans le pays des étrangers, notamment Génois et Florentins, sous prétexte qu'ils dérobaient « les secrets [royaux] relatifs à l'Afrique et aux îles ». Cela n'empêchera pas, quelques années plus tard, le jeune Génois Christophe Colomb de participer aux explorations portugaises sur la côte de Guinée. Et c'est un Flamand, Fernao Dulmo, que Jean II enverra avec Estreito chercher, avant Colomb, les îles de l'océan Occidental.

Il n'en demeure pas moins que le mur portugais du silence fut efficace — pour un temps du moins. Jusqu'au milieu du XVI^e^ siècle, quiconque désirait se renseigner sur le commerce du Portugal avec l'Asie devait se contenter de bribes d'informations provenant d'auteurs anciens, de rares voyageurs terrestres, de quelques marins transfuges et d'espions. Tout cela, pourtant, n'empêcha pas les cartes de l'Asie de venir à la connaissance du reste de l'Europe.

Les Espagnols, appliquant la même politique, conservaient leurs cartes officielles dans un coffre-fort à deux serrures et à deux clés, dont l'une était détenue par le pilote-major (le premier fut Vespucci) et l'autre par le cosmographe-major. Craignant que les cartes ne soient délibérément falsifiées ou qu'elles n'intègrent pas les tout derniers renseignements authentiques, le gouvernement fit établir en 1508 une carte-mère, le *padron real,* qui fut confiée à une commission des meilleurs pilotes. Précautions insuffisantes toutefois : le Vénitien d'origine Sébastien Cabot, lorsqu'il sera pilote-major de Charles Quint, tentera de vendre le « secret du détroit » à Venise et à l'Angleterre.

La peur des rivalités internes empêcha ces grandes nations exploratrices de tirer de leurs découvertes un maximum d'avantages patriotiques. Hors de l'Espagne et du Portugal, on l'a vu, ce furent les relations des voyages de Vespucci qui, de tous ceux dirigés vers le Nouveau Monde, furent les plus largement reproduites dans les trente-cinq années qui suivirent le premier voyage de Colomb. L'Europe devait connaître soixante éditions du texte de Vespucci, en latin et dans les langues vernaculaires naissantes, y compris le tchèque. Mais, curieusement, durant toutes ces années, il n'y en eut aucune édition ni en Espagne ni au Portugal. Sans doute les dirigeants ibériques voulaient-ils ne pas porter atteinte au monopole qui était le leur en éveillant l'esprit de compétition parmi leur propre peuple.

Parenthèse intéressante : si le secret engendre le monopole, la réciproque est également vraie. Il suffit pour s'en convaincre de se rappeler les événements survenus peu d'années auparavant à l'autre bout de la planète. Comme on l'a vu, après que Cheng Ho eut conduit la flotte chinoise dans tout l'Orient, soudain, en 1433, le Céleste Empire se replia sur lui-même, en interdisant toute nouvelle expédition. Puis, en 1480, un autre eunuque chinois parvenu dans les hautes sphères du pouvoir voulut lancer une expédition maritime contre l'Annam. Alors, les hauts fonctionnaires du ministère de la Guerre, pour l'empêcher d'accomplir son forfait, détruisirent tous les documents relatifs aux expéditions antérieures.

Même pour un voyage aussi propre à chatouiller l'orgueil national que le tour du monde de Francis Drake (1577-1580), le compte rendu original, étrangement, devait disparaître. A leur retour en Angleterre, Drake et son cousin remirent leur journal de bord illustré à la reine Elisabeth. Le document fut sans doute placé en lieu sûr, mais on ne devait jamais plus le retrouver. Et l'embargo a été le même, semble-t-il, pour les autres relations de ce grand voyage. Comment expliquer autrement qu'un tel exploit ait été passé sous silence par l'édition plus de dix ans durant ? Le fameux *Voyages and Discoveries of the English Nation (Voyages et découvertes de la nation anglaise)* de Richard Hakluyt (1589) n'en fait toujours pas mention. Mais l'interdit, semble-t-il, fut levé quelques années plus tard, puisque des pages supplémentaires furent intégrées au volume, relatant le fameux voyage.

La politique du secret posait des problèmes tant en ce qui concerne le recrutement des équipages que le maintien de leur moral lors de voyages au long cours vers des destinations incertaines. Un capitaine qui cherchait des hommes pour une expédition dans des eaux inexplorées avait du mal à trouver des volontaires, et, une fois en mer, redoutait la mutinerie face au moindre danger. Drake, par exemple, se garda de révéler à l'avance son objectif à ses hommes, fournissant seulement à ses officiers le minimum d'informations nécessaire pour qu'ils puissent conduire leur navire jusqu'au prochain port.

Tout empire en expansion a la hantise du secret. Dans l'Empire romain, nous dit Suétone, les cartes du monde étaient réservées à l'usage exclusif de l'État et, pour un particulier, en posséder une était un crime. C'est pour cela peut-être qu'il n'est resté aucune carte originale de Ptolémée, et que les plus anciens manuscrits de ses œuvres ne remontent qu'au XIII<sup>e</sup> siècle.

Cette politique du secret pratiquée par les puissances maritimes à l'époque des Grandes Découvertes est devenue elle-même, du reste, une source de prétentions extravagantes. Certains historiens portugais, par exemple, résolus à apporter la preuve que leurs ancêtres ont « découvert » l'Amérique avant les Espagnols, avancent l'argument que de tels voyages, naturellement, n'étaient pas portés sur les documents. « Mais la seule preuve que nous ayons de l'existence d'une politique portugaise du secret concernant la découverte de l'Amérique, rétorque Morison, c'est justement l'absence de preuve que ces mêmes Portugais aient découvert ce continent. » Qu'il y ait eu conspiration du silence, on peut le supposer à constater la rareté des cartes et chroniques portugaises dont on dispose pour les XV<sup>e</sup> et XVI<sup>e</sup> siècles. Dans quelle mesure les Portugais ont-ils voulu garder secrète leur politique du secret ? Les dirigeants d'autrefois n'ignoraient pas, pour reprendre une maxime connue, que « la meilleure façon parfois de conserver un secret, c'est encore d'en garder secrète l'existence même ». Historiens comme marins ont en fait toujours été aussi gênés qu'intrigués par la pratique du secret chère aux bâtisseurs d'empire. Et de tout temps ou presque, les archives nationales ont été une sorte de cimetière littéraire, où les documents historiques ne sont déposés et honorés que lorsqu'ils ont cessé d'être utiles ou dangereux.

La politique du secret sera finalement vaincue d'une manière tout à fait inattendue. Non par des espions ni des pilotes-majors félons, tel Sébastien Cabot, mais par une nouvelle technologie, qui créait un nouveau type de marchandise. Grâce au développement de l'imprimerie, la connaissance géographique allait devenir un produit commodément conditionnable et lucratif.

Bien entendu, il existait depuis longtemps un commerce des cartes marines. Les portulans recopiés à la main au XIII<sup>e</sup> siècle répondaient aux besoins pratiques des marins en Méditerranée, et au XIV<sup>e</sup> siècle les constructeurs de cartes marines gagnaient bien leur vie. Jusqu'au milieu du XVe siècle, en Europe, ils furent même les seuls cartographes professionnels en activité. Leurs cartes tendaient à être uniformes, bien que chacune fût dessinée à la main et produite par plusieurs artisans spécialisés. Mais secret et monopole firent naître un véritable marché noir de copies médiocres et de contrefaçons. A mesure que s'aiguisait la compétition dans le commerce maritime avec l'Asie, la moindre bribe d'information géographique devenait précieuse : emplacement d'un point d'eau secret, d'une baie bien protégée, raccourci possible.

Les compagnies commerciales privées avaient leurs atlas « secrets ». La Compagnie hollandaise des Indes orientales, par exemple, fit confectionner à son usage exclusif par les meilleurs cartographes des Pays-Bas quelque cent quatre-vingts cartes et schémas montrant les meilleures routes vers l'Inde, la Chine et le Japon via le cap de Bonne-Espérance. Cette collection, dont on avait longtemps soupçonné l'existence, ne vint au jour que bien plus tard, dans la bibliothèque du prince Eugène de Savoie, à Vienne. Quant aux cartes préparées par les gouvernements, elles ne devenaient généralement accessibles au public qu'une fois leur contenu connu de tous.

C'est essentiellement de la redécouverte de la *Géographie* de Ptolémée et des cartes figurant parmi les manuscrits byzantins que devait naître la cartographie *terrestre.* Tandis que la carte marine répondait aux besoins quotidiens des marins, la carte terrestre, elle, visait plus haut. Outre son aspect décoratif, elle aidait savants, prêtres et marchands à se repérer dans le monde entier. Le constructeur de cartes terrestres, on l'a vu, n'avait que faire du trivium et du quadrivium du Moyen Age. Son texte sacré à lui, il le trouvait chez Ptolémée, qui avait embrassé et dépeint le monde entier, ouvrant la voie à une cartographie mathématique. Et une fois la Terre quadrillée de coordonnées, tout point du globe devenait localisable par un système universel.

La Bible de Gutenberg, imprimée en caractères mobiles, paraît à Mayence en 1454. Malgré la méfiance du clergé envers toute « mécanisation » des Saintes Écritures, c'est de l'Église que vint le principal soutien à l'industrie naissante de l'imprimerie. En 1480, 111 villes d'Europe possèdent déjà une presse à imprimer, et, en 1500, plus de 238. De ces presses sortent des livres que l'on ne trouvait guère dans les églises : des classiques comme Aristote, Plutarque, Cicéron, César, Esope ou Boccace. La mise en vente de ces textes va stimuler l'apprentissage de la lecture.

Un bon demi-siècle avant Gutenberg, graveurs sur bois et sur métal illustraient les livres manuscrits. Les orfèvres avaient mis au point une technique d'encrage et de report de leurs motifs sur papier, d'abord à des fins d'archivage, puis pour la vente. Cartes ou recueils de cartes terrestres ainsi que récits de voyages illustrés étaient d'un abord facile pour qui n'était pas habitué à lire des textes longs. En cette époque de curiosité croissante pour les voyages lointains et les « découvertes » en tout genre, ces publications connurent un vif succès.

La *Géographie* de Ptolémée, quelle aubaine pour l'imprimerie ! Elle contenait tous les ingrédients nécessaires pour faire un beau livre et un produit attrayant (sans compter qu'elle diffusait une vision authentique de la planète). Même avant 1501, à l'époque des incunables, elle connut sept éditions in-folio. Et au moins trente-trois au cours du siècle qui suivit. L'ouvrage fit autorité. Jusqu'en 1570, soit pendant plus d'un siècle après la première édition imprimée, géographies, cartes et atlas européens ne s'en démarquèrent que par quelques légères variantes. La seule mention du nom de Ptolémée sur la page-titre suffisait à rendre l'ouvrage respectable, un peu comme celui de Webster[1] pour un dictionnaire américain. En l'absence de toute propriété littéraire, l'imprimerie pouvait diffuser partout les idées de Ptolémée, et cela au moment même où était démontrée la fausseté de nombre d'entre elles. Par exemple, même après que Diaz et Vasco de Gama eurent administré la preuve que l'on pouvait contourner l'Afrique pour déboucher dans l'océan Indien, les cartes ptoléméennes continuèrent à représenter ce dernier comme un grand lac, une sorte de Méditerranée asiatique. Et cela parfois dans un ouvrage où, par ailleurs, étaient décrits les exploits des deux navigateurs portugais.

Pouvoir résolument conservateur, en ce sens, que celui de l'imprimerie. « *Ars artium omnium conservatrix* », « art conservateur de tous les arts », dit d'elle une inscription gravée au XVIe siècle sur la maison de Laurens Janszoon Coster (mort en 1441), lequel, selon certains historiens néerlandais, aurait en fait coiffé Gutenberg au poteau. Pouvoir nouveau de l'imprimerie à prolonger des idées vieillies.

## 36

## *Le savoir-marchandise*

Mais la presse à imprimer avait aussi le diabolique pouvoir d'ouvrir le monde et de diffuser les acquis de la découverte sous des formats, des « conditionnements » commodes. Des centaines, des milliers de cartes allaient ainsi se répandre à travers l'Europe. Par sa seule capacité à multiplier le produit, l'imprimerie fut une championne des libertés, ouvrant une infinité de canaux à la circulation des faits et des idées dangereuses, disséminant toutes sortes de données de manière irréversible : une fois l'œuvre d'impression accomplie, une fois l'information semée, plus rien au monde, aucune loi ni décret, ne pouvait en annuler le message. Un

1. Homologue américain de Larousse. *(N.d.T.)*

nouveau texte, comme Waldseemüller devait le constater à ses dépens, pouvait venir contredire celui déjà publié, il ne pouvait en aucun cas l'abolir. Désormais, brûleurs de livres, censeurs et autres promulgateurs d'Index partaient battus.

A la différence du manuscrit, qui ne demandait qu'une plume, de l'encre, du papier et les talents d'un copiste, le livre imprimé, lui, exigeait de gros investissements : un surcroît d'encre et de papier proportionnel au tirage, une fonte de caractères, une presse. La préparation d'une planche pour l'impression d'une carte revenait fort cher. Les imprimeurs investissaient à long terme. Aussi ne renonçaient-ils pas volontiers à leur produit, quand bien même les idées en étaient périmées, les cartes remises en question par de nouvelles découvertes. Tout article produit devait être écoulé. Succès de vente et patine des siècles n'étaient pas des preuves d'authenticité. Ainsi l'année 1530 connut-elle trois rééditions des *Voyages* apocryphes de Jean de Mandeville, dont beaucoup voyaient la confirmation dans les voyages de Colomb. Le cuivre était un produit coûteux et les plaques de taille-douce avaient souvent la vie beaucoup plus longue que les « vérités » qu'elles contenaient. Les marchands de cartes avaient tout intérêt à ce que les connaissances stagnent. Et les grands centres de la cartographie se constituèrent là où la technologie était le plus développée. Après 1550, lorsque les meilleures cartes terrestres commencèrent à être gravées sur cuivre et non plus sur bois, le centre de la cartographie européenne se déplaça vers les Pays-Bas, où se trouvaient les meilleurs graveurs en taille-douce.

Les marins, eux aussi, étaient tout naturellement traditionnalistes, lents à accepter les idées nouvelles. Même après l'introduction par Mercator de son fameux système de projection permettant de rendre les lignes de rhumb par des droites, il faudra encore près de deux siècles pour que les gens de mer renoncent à leurs vieilles habitudes. Ils étaient évidemment peu disposés à admettre l'existence d'un continent ou d'un océan nouveau. En outre, l'impression des portulans devait être très progressive. Au XVIIe siècle encore, les pilotes européens se méfiaient des cartes imprimées, préférant celles dessinées à la main parce qu'elles leur étaient familières. Peut-être aussi ces dernières étaient-elles effectivement plus fiables, car plus facilement remaniables et par conséquent plus conformes au réel.

Malgré les réticences des marins, la production de cartes terrestres devint rapidement, pour l'époque, une véritable industrie. Comme on l'a vu, moins de vingt ans après la Bible de Gutenberg paraissait la première édition imprimée de la *Géographie* de Ptolémée, bientôt suivie de beaucoup d'autres. A partir de 1500, quantité de cartes sortiront régulièrement des presses. Martellus, l'auteur de la version révisée de Ptolémée dont s'était servi Colomb, travaillait avec le Florentin Francesco Rosselli, premier entrepreneur à se spécialiser dans l'impression et la vente des cartes terrestres. Et nous avons vu, à propos de Waldseemüller, toute l'importance que pouvait prendre, au début du XVIe siècle, une petite imprimerie dans un lieu reculé.

Parmi ceux qui saisirent l'occasion, le plus original et le plus important fut Gerhard Mercator (1512-1594). Les géographes chrétiens qui plaçaient Jérusalem au centre du monde s'étaient davantage souciés de guider les fidèles vers leur salut que d'aider les marins à gagner le prochain port ou les explorateurs à traverser les océans. Mercator sera le cartographe du nouvel âge séculier. La cosmographie, avec lui, devient géographie. Marchands, militaires, marins auront désormais à leur disposition non seulement des cartes côtières, mais une vision nouvelle de la planète tout entière.

La projection de Mercator a été pour les marins un apport inappréciable. Ils avaient toujours eu du mal à établir leur route sur des cartes qui ne tenaient aucun compte de la sphéricité de la Terre. Sur le globe, les méridiens se rejoignaient aux pôles. Comment représenter une portion de cette sphère sur une surface plane de manière que le marin puisse y tracer son itinéraire au moyen d'une ligne droite ? A ce problème Mercator apporte une solution. Il imagine les lignes de longitude pareilles aux coupes d'une peau d'orange, qui pose les fragments de « pelure » côte à côte sur une table. Les supposant élastiques, il les étire en leur partie étroite jusqu'à faire de chaque segment un rectangle accolé bord à bord à ses voisins. Ainsi la « pelure » entière de la sphère représentant la surface terrestre devient-elle un vaste rectangle, sur lequel latitudes comme longitudes sont figurées par des droites parallèles. Les formes, bien qu'agrandies, sont respectées. Sur la projection de Mercator, un simple matériel à dessin permettait au marin de tracer sa route sous la forme d'une droite coupant tous les méridiens sous un même angle. En cette fin du XXe siècle, les navigateurs utilisent encore dans quatre-vingt-dix pour cent des cas la projection de Mercator.

Homme d'action, Mercator avait également reçu une excellente instruction. Né en Flandre, il étudie la philosophie et la théologie à l'université de Louvain, puis se tourne vers les mathématiques et l'astronomie, apprenant accessoirement la gravure, la mécanique et la géodésie. Sa première œuvre, en 1537, est une petite carte de Palestine. Il met trois ans à préparer sa *Description exacte des Flandres,* faisant tout lui-même, depuis les levés de terrain jusqu'au dessin, puis à la gravure — un travail tellement supérieur à tout ce qui s'était fait jusque-là qu'il lui vaut la commande d'un globe terrestre par Charles Quint. A la livraison, en 1541, l'empereur lui commande, pour ses campagnes militaires, tout un matériel de dessin et d'arpentage, y compris un cadran solaire.

Louvain, où il vit et travaille un certain temps, est une ville en proie au fanatisme et à la persécution. C'est uniquement par chance qu'il échappe à l'autodafé. La très catholique régente Marie, reine douairière de Hongrie, qui se trouve alors gouverner la Flandre, ordonne l'exécution de tous les hérétiques, « en prenant soin seulement que les provinces ne soient pas entièrement dépeuplées ». En 1544, Mercator est arrêté en même temps qu'un groupe soupçonné de luthéranisme. Sur les quarante-quatre hérétiques présumés, deux mourront sur le bûcher, deux seront enterrés vivants et un autre décapité. L'hérétique qui abjurera, décrète la très charitable reine Marie, se verra épargner le bûcher : un homme sera seulement passé au fil de l'épée, une femme enterrée vive. Mercator restera en prison plusieurs mois, pour être finalement libéré grâce aux efforts déployés par le prêtre de sa paroisse.

En 1552, quittant sans regret ce milieu peu amène, il accepte une invitation à occuper la chaire de cosmographie à la toute nouvelle université de Duisbourg, en Prusse. Mais le poste promis ne se concrétise pas, et il devient cosmographe du duc de Clèves, s'installant définitivement dans la cité prussienne. C'est là qu'il publiera les premières cartes modernes de l'Europe, et, en 1569, la première carte du monde utilisant le système de projection dont il était l'inventeur.

La projection de Mercator reprenait la grille ptoléméenne des latitudes et longitudes, lui donnant une nouvelle utilité pour les navigateurs. Sa première carte du monde (1538), la première montrant une « Amérique du Nord », et une « Amérique du Sud », révèle encore une forte influence de Ptolémée. Mais Mercator n'est pas un disciple servile. Sur sa grande carte de l'Europe (1554), la Méditerranée ne présente plus la traditionnelle extension ptoléméenne ; sa longitude n'est plus que de 52 degrés, ce qui est beaucoup plus proche de la réalité. Il a également établi de nouvelles normes de gravure et introduit l'usage des italiques.

Ajoutons que Mercator nous a légué l'édition la plus authentique que nous ayons des cartes de Ptolémée. Chacune des nombreuses éditions antérieures était agrémentée d'« améliorations » apportées par l'éditeur. En rendant à Ptolémée ce qui lui appartenait, Mercator rendait plus évidentes les corrections nécessaires. Et quel sens moderne de l'histoire dans l'édition de 1578, qui nous donne, sans ajout ni correction, vingt-sept des cartes de Ptolémée telles que celui-ci les dessina, ainsi qu'une version plus fidèle de sa *Géographie* ! Mercator est aussi l'auteur d'un ouvrage historique pionnier, la *Chronologie depuis le début du monde jusqu'à l'année 1568.* Dans ses quatre cent cinquante pages in-folio, il corrige les dates des événements par recoupement avec les éclipses de Soleil et de Lune mentionnées par les contemporains, et compare les systèmes de datation assyrien, perse, grec et romain.

Abraham Ortélius (1527-1598) était un ami de Mercator. Lui n'était jamais allé à l'université, mais avait le don des affaires. Lui aussi était hanté par l'Inquisition. Alors que le sud des Pays-Bas, où il était né d'une famille catholique, restait attaché à l'Église de Rome, le calvinisme se développait dans les provinces du nord. Philippe II d'Espagne, qui gouvernait les Pays-Bas, poursuivait la politique fanatique d'Isabelle. Institué en 1567, le Conseil du sang, dirigé par le duc d'Albe, pouvait poursuivre quiconque pour hérésie — ce qui équivalait à une trahison — et un refus de comparaître entraînait la confiscation de tous les biens. Dans cette optique, imprimeurs et éditeurs, en tant que diffuseurs d'idées, étaient par définitions suspects.

Qui pouvait dire ce que l'Inquisition jugerait hérétique ? Vendre le portrait d'une personne soupçonnée d'hérésie, comme Erasme, était déjà en soi un délit grave. Toute grande carte couverte de motifs décoratifs, d'armoiries, de frontières politiques et ecclésiastiques était pour l'Inquisiteur un terrain d'élection. Il fallait alors bien du courage pour publier quoi que ce soit à Anvers.

A la différence de Mercator, Ortélius était venu à la cartographie non par les mathématiques et l'astronomie, mais par les affaires. A l'âge de vingt ans, il enluminait déjà des cartes et était membre de la corporation idoine. Pour subvenir aux besoins de sa mère et de ses deux sœurs, il s'était mis au commerce. Il se procurait des cartes, que ses sœurs montaient sur toile, puis les ornait d'enluminures afin de les vendre à Francfort ou ailleurs. A mesure que croissait son affaire, il parcourait les îles Britanniques, l'Allemage, l'Italie et la France, achetant des cartes de fabrication locale et vendant les siennes. Il réunit ainsi à Anvers les meilleures cartes terrestres de toute l'Europe.

En ces temps troublés, les marchands d'Anvers avaient besoin de cartes qui intègrent les tout derniers résultats des guerres religieuses et dynastiques. Comment, sinon, arrêter pour leurs marchandises l'itinéraire à la fois le plus court et le moins risqué ? L'un des plus entreprenants d'entre eux, Egidius Hooftman, avait réussi en se tenant bien informé et en accumulant dans son bureau les meilleures cartes de son temps. Il y en avait de toutes formes et de toutes tailles. Les plus grandes ne pouvaient être utilisées que déroulées. Mais sur les plans de ville, les petits caractères rendaient les noms de lieu presque illisibles. Trouvant fort gênante cette diversité de tailles, Hooftman et un autre marchand demandèrent à Ortélius de leur procurer des cartes qui soient toutes de même format. Chacune des cartes retenues devait être imprimée sur une seule « feuille » de papier, de 71 cm × 60 cm environ, dimensions maximales à l'époque. Une trentaine d'entre elles pourraient ensuite être réunies en un seul volume de format commode.

En s'acquittant de sa tâche envers Hooftman, Ortélius va produire un nouveau type de livre : le premier atlas moderne. L'idée lui paraît tellement bonne qu'ensuite il en fait d'autres, qu'il propose au public. Avec l'aide de son ami Mercator, il réunit les meilleures cartes, fait réduire les plus grandes au format requis, et s'assure la collaboration de Christophe

Plantin, un ami lui aussi, dont l'imprimerie anversoise était l'une des meilleures d'Europe. Le 20 mai 1570, au bout de dix ans de travail, Plantin sortait le *Theatrum orbis terrarum,* premier atlas moderne. Beaucoup plus épais que le volume réalisé pour Hooftman, le nouvel ouvrage regroupait cinquante-trois cartes en taille-douce accompagnées d'un texte. Pour la première fois, l'éditeur remerciait nommément les quatre-vingt-sept auteurs des cartes consultées ou reproduites. Ce faisant, Ortélius annonce l'ère des grandes élaborations collectives, où tout un chacun pourra apporter sa contribution à la connaissance. Le cartographe, pour être crédible, n'aura plus besoin désormais de s'abriter derrière Ptolémée.

L'atlas d'Ortélius connut un succès commercial immédiat. Il fallut procéder à une seconde édition au bout de trois mois, puis le texte latin fut traduit en néerlandais, allemand, français, espagnol, italien et anglais. A la mort d'Ortélius, en 1598, on ne comptait pas moins de vingt-huit éditions, et en 1612, quarante et une. Ortélius acquit gloire et fortune et conseilla les plus grands géographes de son temps. Reconnu catholique orthodoxe, il fut nommé géographe de Philippe II.

Les lettres d'admirateurs affluèrent. « O Ortelius, toi l'ornement éternel de ton pays, de ta race et de tout l'univers, écrivait l'un d'eux, c'est Minerve qui t'a formé. [...] Grâce à la sagesse qu'elle t'a donnée, tu dévoiles les secrets de la Nature et tu montres comment la prodigieuse charpente du monde a été embellie d'innombrables villes et cités par la main et le travail des hommes, ainsi que par le commandement des rois. [...] Voilà pourquoi tous portent aux nues ton *Image du monde* et te souhaitent le bonheur. » Mercator lui-même complimente son ami pour « le soin et l'élégance avec lesquels [il a] embelli les travaux des auteurs, et la fidélité avec laquelle [il met] en lumière la vérité géographique, si corrompue par les cartographes ». Enfin, poursuit Mercator, quelqu'un a fort commodément réuni en un seul volume, et pour un prix raisonnable, le meilleur des connaissances relatives à la planète. De plus, Ortélius tenait son ouvrage à jour en y intégrant les cartes que lui faisaient parvenir correspondants et admirateurs.

Pour la première fois, un atlas était orné sur sa page-titre de *quatre* figures humaines, symbolisant les quatre continents, dont l'Amérique (les éditions de Ptolémée, bien entendu, n'en présentaient que trois : l'Europe, l'Asie et l'Afrique). Le plan du livre suivait un schéma classique : d'abord une carte du monde, puis une carte de chacun des continents connus, suivies de cartes des pays et régions. Pas entièrement libéré de l'influence de Ptolémée ni du folklore, Ortélius fait encore apparaître un continent méridional surgissant du pôle Sud, et aussi, bien sûr, l'inévitable royaume du prêtre Jean. Reste qu'il a beaucoup fait pour affranchir les cartographes, et tous les Européens instruits, des erreurs les plus grossières de Ptolémée. Lorsqu'il écrit à Mercator, en Allemagne, pour lui annoncer le départ de Drake en expédition, son ami lui répond que les Anglais ont également envoyé un certain capitaine Pitt explorer la côte nord de l'Asie. L'atlas, plus que jamais, faisait de la poursuite du savoir une œuvre de coopération.

Ces pionniers de la fabrication, de l'impression et du commerce des cartes ont mis les découvertes de Colomb et Vespucci, Balboa et Magellan à la portée de tous. Avant l'imprimerie, il existait en Europe deux grandes traditions cartographiques. Les cosmographes produisaient de grandes et belles pièces destinées à orner palais et bibliothèques, tandis que les confectionneurs de cartes marines fournissaient des portulans aux pilotes. Une nouvelle présentation, celle de l'atlas — aux formats et aux prix divers —, était désormais disponible pour qui voulait apprendre.

Mercator préparait un atlas en trois volumes regroupant les meilleures cartes du monde. Il n'eut le temps d'en publier que deux parties avant sa mort, en 1594. L'ouvrage fut achevé par son fils Rumold, sous le titre ronflant et un peu suranné choisi par Mercator : *Atlas ou méditations cosmographiques sur la création de l'univers et sur l'univers tel qu'il fut créé.* Il y en eut trente et une éditions en l'espace de quelques années. Malgré l'ouvrage d'Ortélius, c'était la première fois que le mot « atlas » était utilisé pour désigner ce type de publication.

De même que l'horloge portable a rendu le Temps universel perceptible pour tous, de même l'atlas, une fois devenu portatif, a donné à voir à tous l'espace mondial. Au début du XVIIIe siècle encore, le géographe de Louis XV, dans son introduction à l'*Atlas de poche à l'usage des voyageurs et des officiers,* se plaint que les atlas grand format soient, en raison même de leur prix, inaccessibles à la plupart des hommes de science et condamnés à seulement décorer les étagères de quelques personnes fortunées. Mais lorsque l'atlas mondial aura fait ses preuves en version in-folio, commenceront à paraître des éditions portatives et peu coûteuses. Le grand atlas de Mercator connaîtra en petit format, sous le titre *Atlas minor,* vingt-sept éditions au moins, dont une en turc. Et le *Theatrum* d'Ortélius ne tardera pas à paraître sous la forme d'*Épitomes* au format de poche et en plusieurs langues. Les Européens allaient désormais pouvoir transporter partout avec eux la toute dernière représentation connue de la Terre.

## 37

## *Les ardeurs de l'antidécouverte*

Le même conservatisme naturel qui empêcha les marins d'adopter plus vite la carte imprimée ou d'admettre qu'il pût exister des continents inconnus devait aussi les faire s'accrocher à leurs illusions séculaires.

Parmi celles-ci, la plus séduisante peut-être, la plus durable certainement, fut la croyance en l'existence d'un vaste continent méridional. On broda sur cette idée parce qu'elle ne pouvait encore être réfutée, et parce qu'elle répondait au besoin universel de symétrie. Les Grecs, sachant que la Terre était une sphère et qu'au nord de l'équateur se trouvait une grande masse continentale, estimaient que pour faire équilibre à celle-ci il devait y avoir au sud une masse de terres analogues. Pomponius Mela, dans la plus ancienne géographie en latin qui nous soit parvenue (v. 43), accorde à ce continent une telle extension que Ceylan en devient l'extrémité nord. Sur les cartes inspirées de Ptolémée apparaîtra longtemps un vaste continent antarctique baptisé « Terre inconnue selon Ptolémée ». Et à la fin du XV^e^ siècle, ce continnet mythique collé à l'Afrique fait encore de l'océan Indien un grand lac inaccessible par mer depuis l'Europe.

Diaz, en doublant le cap de Bonne-Espérance, réduit d'un coup le continent méridional. Et lorsque Magellan, par le détroit qui porte son nom, atteint le Pacifique, les cartographes repoussent vers la Terre de Feu le rivage nord du fameux continent.

Sur le premier atlas moderne, le *Theatrum orbis terrarum* d'Ortélius, toute la zone polaire est couverte par une *Terra australis nondum cognita* (« Terre australe non encore connue »). Au XVII^e^ siècle, ce continent figure encore sur les cartes, plutôt mal défini, mais avançant vers le nord en direction de l'équateur. Et après que le navigateur hollandais Willem Schouten (v. 1580-1625) aura doublé le cap Horn, en 1616, de nouveau les cartographes devront repousser vers le sud les limites nord du continent méridional.

Les explorateurs européens du Pacifique seront hantés par les descriptions que fait Marco Polo d'un Eldorado austral. Ce pays de Lokach, dit-il, le Grand Khan l'eût certainement conquis s'il avait été plus accessible, car « l'or s'y trouve en si grande quantité que quiconque ne l'a vu ne peut le croire ». A mesure qu'apparaissaient les contours des Amériques et que se précisaient ceux de l'Afrique et de l'Asie, les cartographes désireux de situer cette terre n'eurent bientôt plus que l'Antarctique pour exercer leur imagination.

La découverte par les Européens de certaines terres aux antipodes ne fit que repousser plus au sud le continent tant escompté. En 1642, Abel Tasman (1603-1659), le plus grand peut-être de tous les navigateurs hollandais, se voyait confier par Anton van Diemen, gouverneur général des Indes orientales, la tâche d'explorer la « Grande Terre du Sud » (l'Australie), dont on avait déjà atteint les côtes nord et ouest. Sa mission était de découvrir « la partie encore inconnue du globe terrestre [laquelle se composait] de régions bien peuplées situées sous des climats favorables. [...] En récompense de la découverte d'une si grande partie du monde [il] recevrait certains avantages matériels, ainsi qu'une gloire immortelle ». Lors de ses deux voyages, Tasman effectua la circumnavigation de l'Australie, prouvant que cette terre-là non plus ne faisait pas partie du continent mythique.

Au siècle suivant, un géographe écossais travaillant pour la Compagnie britannique des Indes orientales fit de cette hypothétique Grande Terre du Sud son idée fixe. Alexander Dalrymple (1737-1808) s'était spécialisé dans la cartographie marine et devint en 1795 le premier hydrographe de l'Amirauté. Depuis son enfance, il admirait Colomb et Magellan, dont il espérait devenir l'égal en découvrant lui aussi un continent. Dans son *Account of the Discoveries made in the South Pacific Ocean Previous to 1764 (Récit des découvertes faites dans le Pacifique Sud antérieurement à 1764),* s'appuyant sur « les analogies de la Nature » et sur « les découvertes passées », il le décrit, ce vaste continent méridional, qui « manque encore au Sud de l'équateur pour faire contrepoids aux terres du Nord et sauvegarder ainsi l'équilibre nécessaire au mouvement de la Terre ». Depuis l'équateur jusqu'au 50$^{e}$ degré de latitude nord, explique-t-il, il y a à peu près autant de terre que d'eau ; mais au sud de l'équateur, les terres jusqu'ici découvertes représentent à peine un huitième de la surface d'eau. Or les vents capricieux signalés par les explorateurs dans le Pacifique Sud ne peuvent s'expliquer que par la présence toute proche de grandes masses de terres. Et de conclure qu'il devait y avoir là un vaste continent, et que presque toutes les régions inexplorées situées entre l'équateur et le 50$^{e}$ degré sud devaient être constituées de terres, soit « une étendue plus grande que toute la partie civilisée de l'Asie, depuis la Turquie jusqu'à l'extrémité de la Chine ». De quoi loger avantageusement les colonies anglaises d'Amérique, déjà remuantes avec leurs deux millions d'habitants seulement, ajoute Dalrymple, car le nouveau continent pourra un jour contenir cinquante millions de personnes, et « les reliefs de pareille table suffiront à maintenir la puissance et l'Empire de la Grande-Bretagne en employant tous ses manufacturiers et tous ses navires ».

Il se trouva qu'était prévu, pour le 3 juin 1769, le passage de la planète Vénus sur le Soleil. L'observation du phénomène (qui ne devait pas se reproduire avant un siècle) depuis divers points de la Terre très éloignés les uns des autres devait permettre d'affiner le chiffre de la distance Terre-Soleil, ainsi que les données de la navigation astronomique. La Royal Society prépara donc une expédition à Tahiti. Pour le gouvernement britannique, ce fut un prétexte à une nouvelle exploration du Pacifique à la recherche de la fabuleuse Grande Terre du Sud. Et si, après tout, ce continent n'existait pas, se disait-on, eh bien, ce voyage en détruirait le mythe une bonne fois pour toutes.

Dalrymple, qui se considérait comme le plus grand spécialiste vivant du continent inexploré, espérait se voir confier la responsabilité de cette expédition. A un peu plus de trente ans seulement, ce descendant d'une influente famille écossaise, qui n'était pas mauvais mathématicien, était déjà membre de la Royal Society. Son frère, lord Hailes, était un magistrat en vue et un ami du célèbre Dr Jonhson. De plus, la perspective d'un voyage de deux ans dans des eaux inconnues et parmi des populations « sauvages » n'avait rien de bien attrayant, en cet âge de piraterie, pour l'homme de science généralement sédentaire ou le capitaine ambitieux.

Mais malheureusement pour notre Écossais, la marine britannique venait d'être réformée par lord Anson, principal artisan des récentes victoires navales de son pays. Un tour du monde en quatre ans avait conduit ce dernier dans le Pacifique, où il s'était emparé d'un trésor espagnol d'une valeur de 400 000 livres. Il avait professionnalisé le commandement de la Royal Navy, luttant contre le favoritisme. Or Dalrymple n'avait ni le tempérament ni les aptitudes physiques de l'emploi. Il avait été remercié par les responsables de la Compagnie anglaise des Indes orientales pour le manque de doigté dont il avait fait preuve à défendre leurs intérêts dans les îles du Pacifique, et il souffrait sérieusement de la goutte. L'Amirauté, en la personne de lord Hawke, voulut bien le laisser partir, mais seulement comme observateur ; pour le commandement, il fallait un officier de marine. Ulcéré, le géographe écossais renonça.

Hawke porta judicieusement son choix, au grand scandale des nobles et des lettrés, sur un obscur sous-officier nommé James Cook. Fils d'un ouvrier agricole écossais établi dans le Yorkshire, Cook n'avait reçu que des rudiments d'instruction. Alors qu'il travaillait dans un magasin, il fit la connaissance de plusieurs marins et armateurs. A dix-huit ans, il est engagé comme mousse par un armateur spécialisé dans le transport du charbon en mer du Nord. Pendant neuf ans, il cabotera par tous les temps. A ses heures de loisir, il étudie les mathématiques, pour lesquelles il se révèle avoir un don. S'étant également avéré bon navigateur, il devient bientôt officier. Il aurait pu faire tranquillement carrière dans la marine marchande, mais il préférait l'aventure, et lorsqu'on lui offrit le poste de capitaine de charbonnier, il refusa et s'engagea comme matelot dans la Navy. Grand et vigoureux, c'est un homme qui frappera par sa présence, son affabilité, son habileté à manœuvrer dans des eaux inconnues. Durant la guerre de Sept Ans, il gravira successivement tous les grades de sous-officier. Son levé hydrographique du Saint-Laurent contribuera à la prise de Québec et à la victoire finale des Anglais.

Après la guerre, il retourne à Terre-Neuve, où pendant cinq ans il commande une goélette chargée d'effectuer le levé des côtes. L'hiver, il rentre en Angleterre mettre ses cartes au point. Durant son séjour à Terre-Neuve, ayant observé en 1766 une éclipse de soleil, il rompt avec la tradition, proposant ses calculs à la Royal Society.

Que l'Amirauté ait choisi Cook pour diriger l'expédition à Tahiti, cela n'est pas étonnant. Bien que seulement sous-officier, il avait fait ses preuves tant comme soldat que comme navigateur, était bon géomètre et avait montré curiosité et compétence dans l'observation des phénomènes astronomiques. Le choix du capitaine entraîna celui du navire. Ce fut Cook en effet qui suggéra l'utilisation d'un gros charbonnier du type sur lequel il avait fait ses premières armes en mer du Nord : un vaisseau trapu vieux de quatre ans, jaugeant près de 370 tonneaux, long de 30 m et large de 9 m, plus robuste et spacieux qu'élégant. Contrairement à l'usage du temps, il ne comportait même pas de figure de proue. Un bien piètre navire pour une expédition de la Royal Navy à l'autre bout du monde !

En mai 1768, Cook est promu lieutenant de vaisseau. Son navire, baptisé *Endeavour*, est doté d'une protection spéciale contre les tarets et approvisionné pour dix-huit mois. « Nul n'a jamais pris la mer mieux équipé pour l'histoire naturelle, ni plus élégamment », écrit John Ellis à son correspondant Linné. L'importante contribution du voyage à la botanique et à la zoologie sera l'œuvre de Joseph Banks (1743-1820), le grand défenseur anglais de l'histoire naturelle et futur président de la Royal Society (1778), qui utilisa sa fortune pour promouvoir la communauté scientifique naissante. Par la suite, il participera au développement des jardins botaniques de Kew, près de Londres, et enverra des botanistes en mission à travers le monde. Daniel Solander, le naturaliste-responsable que Banks emmenait avec lui, était un disciple de Linné. C'était la Royal Society qui avait fourni les instruments scientifiques dont on avait besoin à Tahiti, mais il n'y avait pas de chronomètre à bord. Bien que, nous l'avons vu, la récompense offerte à qui fabriquerait un chronomètre marin pour la détermination de la longitude ait été décernée en 1765 à John Harrison, l'Amirauté n'avait pas jugé utile d'en faire livrer un sur l'*Endeavour*. Cela signifiait que pour connaître la longitude, Cook, assisté par un astronome de Greenwich, devait se livrer à des calculs lunaires fort compliqués. S'aidant des cartes et relations laissées par les explorateurs précédents — que Cook avait pris soin d'emporter —, ils n'en obtinrent pas moins des résultats d'une précision remarquable.

L'*Endeavour* quitta Plymouth le 26 août 1768, avec quatre-vingt-quatorze hommes à son bord, auxquels était venue s'ajouter à la dernière minute, sur la demande de Banks, « une suite composée de huit personnes, avec leurs bagages », et qui comprenait, outre Solander, un secrétaire particulier, deux dessinateurs botanistes, deux valets de pied et deux serviteurs noirs, sans oublier le matériel de dessin, les filets de pêche, la verroterie destinée aux « sauvages », les produits chimiques et flacons nécessaires à la conservation des spécimens, et deux grands lévriers. Faisant route vers le sud-ouest, et bénéficiant d'un temps favorable, Cook atteignit Madère, puis Rio de Janeiro, et franchit le cap Horn pour finalement arriver à Tahiti le 10 avril 1769, avec devant lui tout le temps nécessaire pour se préparer aux observations du 3 juin. Puis, une fois celles-ci terminées, Cook se mit en devoir de remplir sa mission secrète : partir à la recherche du continent méridional, quitte à prouver peut-être qu'il n'existait pas.

Réussir une découverte négative — apporter la preuve de la non-existence d'une entité mythique — est une tâche autrement plus ardue que celle consistant à atteindre par une route inédite un objectif connu. Le passage par l'ouest que recherchait Colomb était un moyen nouveau de gagner un lieu à l'existence avérée. En allant toujours vers l'ouest à la latitude du Japon, il avait la certitude d'être parvenu à destination. Et s'il apparut qu'il s'était trompé, c'était uniquement parce qu'un continent imprévu avait surgi en travers du chemin. Car, en fin de compte, Colomb avait bel et bien ouvert la route de l'Asie par l'ouest, fût-ce au prix d'un détour. Mais pour ce qui concernait la Grande Terre du Sud, aussi longtemps que son existence et sa localisation exacte demeuraient légendaires, l'explorateur devait fouiller tous les recoins. En fait, avant de pouvoir conclure à son inexistence, il allait devoir faire le tour du globe.

Ce rôle de plus grand découvreur négatif de tous les temps, le capitaine Cook avait toutes les qualités requises pour le bien remplir : énergie indomptable, sens aigu de l'organisation, profonde connaissance de la mer, opiniâtreté à tenter ce que d'autres n'avaient pas eu le courage ou l'énergie d'entreprendre. Sa grande marche vers l'insaisissable commence au départ de Tahiti. Avant lui, l'usage pour les explorateurs dans cette région avait été de mettre le cap à l'ouest et à l'ouest-nord-ouest afin de profiter des vents favorables. Cook pique vers le sud et le sud-ouest, cherchant l'hypothétique continent jusqu'au 40$^{e}$ degré. N'ayant rien trouvé, il vire à l'ouest. C'est ainsi qu'il découvre la Nouvelle-Zélande, dont il passera six mois à explorer les 3 800 km de côtes, démontrant qu'il s'agissait de deux îles et non d'une quelconque partie d'un continent méridional. Un premier pas, encore timide, vers la réfutation complète des thèses de Dalrymple.

Cook avait ordre de rentrer soit par l'est, comme il était venu, soit par l'ouest en doublant le cap de Bonne-Espérance. En cette fin de mois de mars (1770), où l'été austral tire à sa fin, mettre le cap à l'est en zone antarctique eût été dangereux. Aussi décide-t-il de repartir par l'ouest, d'explorer la côte orientale de la Nouvelle-Hollande (l'Australie), puis de remonter vers les Indes avant de rentrer par le cap de Bonne-Espérance — choix qui, s'il mettait fin pour cette fois à l'enquête sur le continent mystérieux, devait cependant enrichir la science de manière tout à fait inattendue. Sur la côte sud-est de l'Australie, en effet, nos explorateurs découvraient Stingray Harbour, mais Banks, Solander et leurs compagnons, ravis de voir là tant de plantes inconnues en Europe, baptisèrent l'endroit Botany Bay, « baie de la Botanique », nom qui, aujourd'hui encore, en plein Pacifique Sud, rappelle le rôle que jouèrent les naturalistes dans l'élaboration d'une vision européenne du monde.

Leur découverte suivante fut moins agréable. La Grande Barrière, au large de la côte nord-est de l'Australie, constitue la plus importante structure jamais construite par des êtres vivants. S'étendant sur 2 000 km à une distance de 15 km à 150 km du littoral, elle couvre une superficie de 210 000 km$^2$. Ses polypiers multicolores et ses restes de corallines se composent d'au moins trois cent cinquante espèces différentes de corail, agrégées sur vingt-cinq millions d'années. Aujourd'hui, le site est devenu si touristique que sa survie s'en trouve menacée. Mais avant le premier voyage de Cook, la barrière était inconnue des Européens.

Les anciennes cartes présentaient cette côte comme dangereuse, signalant la présence de hauts-fonds et de bancs de sable. Cook n'en réussit pas moins à s'y frayer un passage. Mais devant procéder en chemin à un levé du littoral, il ne pouvait s'éloigner de la côte. C'est ainsi que sans le savoir, en juin, il se trouva à l'intérieur de la Barrière. Un soir qu'il venait de se retirer après s'être entendu dire par son sondeur que le fond était à dix-sept brasses (une trentaine de mètres), voilà que soudain la quille racle quelque chose : c'était le corail, le bateau était perché sur un récif. Cook se précipite sur le pont « en caleçons ». Une voie d'eau est signalée, le niveau dans la cale atteint bientôt un mètre. Pour tenter de dégager le navire, l'équipage actionne les ancres, puis jette par-dessus bord une cinquantaine de tonnes de lest, y compris plusieurs canons. Même les messieurs s'étaient mis aux pompes pour empêcher le bateau de sombrer, et s'il ne s'était pas agi d'un solide charbonnier, nul doute qu'il eût coulé.

Finalement, grâce au courage et à l'habileté de ses hommes, grâce aussi à la marée montante, la nef sera décrochée de son récif. Mais des réparations s'imposaient de toute urgence, si l'on ne voulait pas voir le vaisseau sombrer avant qu'il ait atteint la côte. L'un des matelots se souvint alors que, lors d'un naufrage survenu au large de la Virginie, son navire avait pu être sauvé grâce à un « aveuglement ». Cook décida d'essayer cette technique : il s'agissait de faire passer une voile dans l'eau par-dessous le fond du bateau. Sur cette voile, on cousit des morceaux de laine et d'étoupe couverts de chènevottes et de déjections des bestiaux du bord, dans l'espoir que ces débris divers, une fois dans l'eau, se trouveraient aspirés dans les ouvertures de la quille. Par chance, la voie d'eau la plus importante se trouva obturée par un gros fragment de corail. Grâce à cela, l'*Endeavour* put être maintenu à flot jusqu'a l'embouchure d'un fleuve tout proche, où il fut échoué. Les réparations firent perdre un mois. Pendant ce temps, Cook et ses compagnons faisaient l'expérience de la survie sous les tropiques, se nourrissant de kangourous, d'oiseaux, de tortues, de palourdes et de poissons. Une nourriture peu abondante, mais Cook imposa des rations égales pour tous.

La traversée de la mer de corail confirma que l'Australie était séparée de la Nouvelle-Guinée. Cook atteignit ensuite Batavia (Djakarta), puis, doublant le cap de Bonne-Espérance, il rentra en Angleterre le 12 juillet 1771, soit trois ans moins un mois après son départ.

Cook fait preuve d'une lucidité envers soi rare chez les grands navigateurs. « Bien que les découvertes faites durant ce voyage soient modestes, je me flatte cependant, écrit-il à l'Amirauté, qu'elles sont de nature à mériter l'attention de Leurs Seigneuries, et si je n'ai point réussi à découvrir ce continent méridional si souvent évoqué (lequel peut-être n'existe pas) et qui me tenait tant à cœur, j'ai la certitude cependant que cet échec ne m'est en aucune part imputable. [...] Eussions-nous eu la chance de ne pas nous échouer, nous aurions accompli bien davantage dans la seconde partie du périple, mais les choses étant ce qu'elles sont, j'aime à croire que ce voyage sera tenu pour aussi accompli qu'aucun autre effectué jusqu'ici dans les mers du Sud. » A son retour, il fut présenté à Georges III et promu capitaine de frégate.

Une des raisons de l'intérêt suscité par le premier voyage de Cook était la riche moisson de spécimens rapportée par l'équipage de naturalistes. Banks se joignit à ceux qui réclamaient un second voyage. Mais cette fois, malheureusement, il ne put être accepté à bord car sa « suite », portée à quinze personnes, comprenait maintenant, outre Solander et un portraitiste, plusieurs dessinateurs et domestiques supplémentaires, ainsi qu'un corniste. Pour cette seconde expédition, Banks souhaitait un grand navire du service des Indes, mais Cook resta fidèle à ses bons vieux charbonniers du Yorkshire, qui ne pouvaient satisfaire les folles exigences de Banks. Froissé, le mécène partit avec sa petite troupe pour l'Islande.

Cook obtint deux charbonniers tout neufs — le *Resolution*, 462 tonneaux, et l'*Adventure*, 340 tonneaux —, tous deux bien armés et dotés d'équipages compétents. Comme naturaliste, il engagea Johann Reinhold Forster, un Allemand passablement pédant, auteur connu d'ouvrages d'histoire naturelle, accompagné de son fils Georg, et que devait assister le Suédois Anders Sparrman, autre disciple de Linné. En outre, chacun des deux navires emmenait à son bord un astronome du Bureau des longitudes. Il y avait également une nouveauté : quatre chronomètres pour déterminer la longitude, dont un seulement, confectionné sur le modèle de Harrison, allait donner satisfaction : « notre guide infaillible », « notre fidèle ami », dit Cook.

Son seul objectif cette fois était de résoudre la question de la Grande Terre du Sud. Pour cela, il lui fallait effectuer une circumnavigation complète à la latitude la plus australe possible. Son précédent voyage l'avait amené dans le Pacifique via le cap Horn ; il se proposait cette fois de naviguer dans l'autre sens : « descendre » l'Atlantique, franchir le cap de Bonne-Espérance, puis, parvenu le plus loin possible au sud, piquer vers l'est pour faire le tour des régions du pôle Sud. Si vraiment il existait un continent austral atteignant les régions habitables, en procédant ainsi il ne pouvait le manquer. Pour pouvoir mener à bien son projet, Cook devait atteindre le cap de Bonne-Espérance début octobre au plus tard, « lorsque l'on a tout l'été devant soi et que [...] l'on peut, grâce aux vents d'ouest, mettre cap à l'est à la latitude de son choix, de manière que, si l'on ne rencontre point de terre, on ait le temps de doubler le cap Horn avant que l'été ne soit trop avancé ». Puis, ayant suivi la lisière australe du Pacifique, « si l'on ne trouvait aucune terre », on aurait encore le temps de remonter « vers le nord et, après avoir visité certaines des îles déjà découvertes [...] de revenir vers l'ouest grâce aux vents alizés », à la recherche d'autres îles encore hypothétiques. « Ainsi, conclut le texte du projet, seraient achevées les découvertes en mer du Sud. » Les directives pour le voyage, préparées après consultation de Cook, envisageaient les deux hypothèses : que le continent existât, ou non. Dans le premier cas, Cook devait en effectuer le levé, en revendiquer l'appartenance à l'Angleterre et distribuer des médailles aux habitants. De même pour toute île nouvelle. Mais en tout état de cause, officiers et équipages étaient tenus au secret, et tous les journaux de bord, même personnels, devaient être confisqués avant le retour.

Le second voyage de Cook fut l'un des plus grands et des plus longs de tous les temps. Parti de Plymouth le 13 juillet 1772, il allait parcourir plus de 112 000 km. Mais là n'était pas sa seule nouveauté. Jamais l'époque moderne n'avait connu voyage aussi long dans un but de pure investigation. Pas question, en l'occurrence, de partir en quête d'un Eldorado ni d'aller chercher des esclaves. Certaines expéditions antérieures — le premier voyage de Cook, par exemple — avaient eu pour objectif de procéder, à l'autre bout de la planète, à des observations astronomiques. Quant à Diaz, Gama, Colomb, Magellan, ils partaient chercher la route la plus sûre ou la plus courte vers une destination donnée, ou espéraient trouver quelque base stratégique pour s'emparer de nouvelles richesses. Cook, lui, dans un esprit tout à fait moderne, partait principalement pour trouver réponse à une question : existait-il, oui ou non, un continent austral ?

La question, notons-le, conduisit notre navigateur dans quelques-unes des régions les plus inhospitalières du globe, à travers un paysage marin tout à fait nouveau. Car l'Antarctique était autrement dangereux que l'Arctique. Cook allait révéler à une Europe incrédule l'existence de montagnes de glace éternelle là où, depuis des siècles, on imaginait les paysages les plus extravagants. Un certain ouvrage médiéval, par exemple, le *De vegetabilibus* (attribué par erreur à l'époque à Aristote), ne soutenait-il pas que, puisque le Soleil, aux pôles, brillait sans discontinuer six mois durant et que, le reste de l'année, il ne descendait jamais très au-dessous de l'horizon, aucune plante ni animal n'y pouvait survivre, car ils étaient régulièrement brûlés par le Soleil ?

N'empêche, il y avait quand même quatre mois d'été, et Cook se hâta d'en profiter. Le *Resolution* et l'*Adventure,* quittaient Le Cap le 23 novembre 1772 dans la direction du sud, et en moins de deux semaines se retrouvaient à l'intérieur du cercle polaire antarctique (60e degré de latitude Sud). Les eaux arctiques n'étaient bien sûr pas inconnues des marins européens qui, depuis déjà deux siècles — depuis Jacques Cartier, Martin Frobisher, Henry Hudson —, cherchaient le passage du nord-ouest.

Ces régions proches du pôle Nord sont un vaste océan gelé entouré de terres. S'y frayer un chemin à travers la banquise exige d'infinies précautions. Mais loin à l'intérieur du cercler arctique se trouvent de vastes zones habitées toute l'année par Lapons, Groenlandais ou Eskimos. Cet « Arctique bienveillant », comme l'appelle Vihjalmur Stefansson, regorge d'animaux comestibles : canards, oies, saumons, crabes, poissons de toutes sortes. Dans l'Antarctique, par contre, les rares animaux sont à peu près incomestibles et l'on n'y rencontre aucun habitant. L'Antarctique n'est qu'un continent glacé entouré d'icebergs grands parfois comme des montagnes, ballottés par des vents en rafales et des paquets de mer imprévisibles. Cook, bien que préparé à beaucoup de choses, ne s'attendait pas à ce qu'il allait trouver.

Plongeant dans l'été antarctique, nos explorateurs furent éblouis par la beauté du paysage blanc et bleu qui se dressait devant leurs yeux. Ils poursuivirent vers le sud, jusqu'à ce qu'ils fussent bloqués par la banquise. Partout, d'infranchissables icebergs. Par chance, ils réussirent à les éviter, mais, se heurtant ensuite à un fort vent et à une mer agitée, ils n'osèrent pas poursuivre dans la brume. A un certain moment, ils se trouvèrent à une centaine de kilomètres seulement du continent antarctique, mais sans le voir. Pour échapper à la banquise, Cook va virer au nord, puis à l'est. Ses deux navires seront séparés par le brouillard, mais se retrouveront comme prévu dans la baie Dusky, en Nouvelle-Zélande, pour y passer l'hiver austral. Durant sa seconde saison polaire, Cook, poursuivant sa circumnavigation, repart vers l'est, puis vers le sud, franchissant à nouveau le cercle antarctique. Même situation qu'un an auparavant. Le 30 janvier 1774, atteignant le point le plus austral de toutes ses pérégrinations, le navigateur britannique se voit de nouveau bloqué par les glaces, la brume ne laissant apercevoir au loin que des icebergs. Il notera dans son journal de bord :

> Dans ce champ, nous dénombrâmes quatre-vingt-dix-sept collines ou montagnes de glace, dont beaucoup étaient de taille immense. [...] Je ne dirai pas qu'il fût impossible de pénétrer parmi ces glaces, mais il eût été dangereux de le tenter, et nul à ma place n'y eût songé. [...] Bien que j'eusse l'ambition non seulement d'aller plus loin que quiconque avant moi, mais aussi loin qu'il était possible à l'homme d'aller, je ne fus point fâché de rencontrer cet obstacle : il nous délivrait pour une part des dangers et privations inséparables de la navigation dans les régions proches du pôle Sud. Ne pouvant donc progresser d'un pouce de plus au sud, je n'avais besoin d'aucune autre raison pour virer de bord et mettre le cap au nord, me trouvant alors par 71° 10' de latitude sud et 106° 54' de longitude ouest.

Il passera l'hiver suivant à explorer le Pacifique Sud, reconnaissant l'île de Pâques et les îles Tonga, puis découvrant la Nouvelle-Calédonie, avant de poursuivre vers l'est. Sur la route du cap de Bonne-Espérance, il découvrira encore les îles Sandwich du Sud et la Géorgie du Sud. Il sera de retour en Angleterre le 30 juillet 1775, trois ans et dix-sept jours après son départ.

Voici comment, dans son *Journal* toujours, il dresse le bilan de son voyage :

> J'ai maintenant accompli le circuit de l'océan Méridional sous de hautes latitudes, et l'ai traversé de manière à ne point laisser la moindre place pour la présence d'un continent, si ce n'est à proximité du pôle et hors de portée de toute navigation. En visitant par deux fois la mer tropicale Pacifique, j'avais non seulement résolu le problème de certaines découvertes anciennes, mais j'en avais moi-même accompli nombre d'autres, ne laissant, ce me semble, plus grande possibilité, même dans ces régions. Ainsi je me flatte de ce que l'objectif même du voyage a été pleinement atteint en tout point, l'hémisphère Sud suffisamment exploré, et qu'un point final a été mis à la recherche d'un continent austral qui, depuis presque deux siècles, retient régulièrement l'attention de certaines des puissances maritimes, et depuis toujours celle des géographes.

Par son anti-découverte, Cook libérait les énergies pour des entreprises plus constructives.

Mais l'Amirauté britannique tenait en réserve pour Cook une nouvelle mission à la frontière entre géographie et mythe : existait-il vraiment un passage du nord-ouest entre l'Atlantique et le Pacifique ? Depuis la découverte de l'Amérique, la question restait posée. Pour la Royal Society, Cook, au vu de ses récents exploits, était homme à pouvoir tirer la chose au clair. Moins d'un an après son second retour de voyage, le navigateur repartait, pour chercher ce passage. Le *Resolution* avait été remis en état, et lui avait été joint un autre navire charbonnier, le *Discovery*. Cook longea l'Afrique, doubla le cap de Bonne-Espérance, traversa l'océan Indien, franchit le détroit qui porte son nom entre les deux îles de la Nouvelle-Zélande, et remonta vers les côtes nord-ouest de l'Amérique. Il explora la mer de Béring et pénétra l'océan Arctique jusqu'à la limite sud de la banquise. Peine perdue : il n'existait pas de passage du nord-ouest, pas de passage du moins qui pût être emprunté par des voiliers.

Cook voulut prendre quelque repos à Hawaii. Là, cet homme qui avait bravé les glaces de l'Antarctique, les récifs de corail et les tempêtes tropicales, qui avait su mener des équipages durant des voyages de plusieurs années, allait trouver la mort dans une échauffourée peu héroïque, qui rappelle tristement la fin de Magellan aux Philippines deux cent cinquante ans plus tôt. Les Polynésiens, avec qui Cook avait beaucoup fait pour établir des relations d'amitié, avaient un fâcheux penchant à s'emparer de tout ce qui pouvait se détacher d'un navire, singulièrement les objets en fer. Ils avaient même inventé une technique consistant à plonger sous un bateau munis d'un silex fixé à un bâton pour arracher les longs clous de la carène. Constatant le vol de l'une de ses chaloupes, Cook n'y tint plus. Il débarqua avec quelques hommes armés dans le but de récupérer l'embarcation ou de prendre un indigène en otage. Les Hawaïens, furieux, l'assaillirent à coups de couteau et de gourdin, puis le noyèrent.

Si toutefois Cook fut reconnu et admiré de son temps, ce ne fut pas pour ses exploits de navigateur, mais pour son action en faveur de la santé des marins. Car il fit plus qu'aucun autre explorateur de l'âge des Grandes Découvertes contre ce fléau des gens de mer qu'était le scorbut. Coleridge, dans le *Dit du vieux marin,* décrit avec force les symptômes de la maladie : la léthargie et l'anémie, les gencives qui saignent, les dents qui se déchaussent, la raideur des articulations, la lenteur des plaies à se cicatriser. C'est au scorbut que succombèrent, semble-t-il, cent des cent-soixante-dix marins qui accompagnaient Vasco de Gama dans son périple africain. La découverte par le médecin de la marine écossais James Lind (1716-1794) du rôle de l'ingestion d'agrumes dans la prévention et la lutte contre cette maladie devait attirer l'attention de lord Anson, celui-là même dont les réformes, on l'a vu, allaient permettre la carrière de Cook. Rien pourtant ne fut entrepris dans l'immédiat. Un exemple classique de ces « pesanteurs administratives » sur lesquelles se penchent les sociologues.

Apparemment, Cook ne connut pas les travaux de Lind. Mais il avait entendu parler de l'usage des agrumes dans la lutte contre le scorbut. Et il prit la peine d'expérimenter d'autres fruits et herbes. Il obligeait ses hommes à la propreté en inspectant régulièrement leurs mains et en privant les marins malpropres de leur grog quotidien (mais il n'était pas d'une sévérité excessive et n'avait que rarement recours au fouet). Les divers produits testés — oranges, citrons, choucroute, oignons de Madère, céleri sauvage, « herbe aux cuillères » de la Terre de Feu — donnèrent des résultats remarquables. Lors de son premier voyage, il perdit des hommes par suite d'accidents et de maladies diverses, mais aucun, semble-t-il, ne succomba au scorbut. De même pour le second voyage. A son retour, il était élu membre de la Royal Society, laquelle lui décernait ensuite sa plus haute distinction, la Copley Medal, pour la surveillance sanitaire à laquelle il soumettait ses hommes. Il explique dans son journal la méthode employée pour convaincre l'équipage :

> Au début, les hommes refusèrent la choucroute, jusqu'à ce que j'eusse mis en pratique une méthode que je n'ai jamais vu échouer sur des marins : c'était d'en faire servir chaque jour à la table de cabine, et d'autoriser tous les officiers sans exception à en faire usage, laissant aux hommes toute liberté d'en prendre autant qu'ils désiraient, ou point du tout. Cette pratique ne dura pas plus d'une semaine avant que je dusse rationner tout le monde, car tels sont le tempérament

> et la disposition des marins en général que, quoi qu'on leur puisse donner qui sorte de l'ordinaire, fût-ce pour leur plus grand bien, cela ne les agrée point, et ce ne sont que murmures contre celui qui en fut l'inventeur ; mais dès l'instant où ils voient leurs supérieurs y attacher du prix, alors cela devient la plus belle chose au monde, et son inventeur un bien brave homme.

Une véritable parabole de l'art de commander les hommes.

## Livre III

# LA NATURE

*La Nature est pour l'étude un pâturage infini, où chacun peut paître et où plus nombreux sont ceux qui mordent et plus l'herbe est haute, plus douce est sa saveur et plus elle est nourrissante.*

THOMAS HENRY HUXLEY (1871)

La découverte de la Nature, des mécanismes planétaires, du mode de vie des plantes, des animaux, exigeait que soit transcendé le sens commun. La science progressera non en ratifiant l'expérience sensible, mais en se colletant avec les paradoxes, en s'aventurant dans l'inconnu. Des instruments nouveaux, télescope et microscope entre autres, ouvriront des perspectives troublantes. Devant les parlements de la science — communautés du savoir où désormais on parle la langue du pays — de simples amateurs vont pouvoir apporter la contradiction aux professionnels, comme le feront ces derniers entre eux. Le public devient alors témoin et instigateur, la nouveauté fait prime. La Nature elle-même apparaît comme ayant une histoire, et du long passé de notre planète resurgissent d'innombrables créatures depuis longtemps disparues. Autant d'incitations nouvelles à fouiller le monde à la recherche d'espèces inconnues, à tenter d'élucider les mystères d'une Nature perpétuellement changeante.

# NEUVIÈME PARTIE

## *Voir l'invisible*

Là où finit le télescope, le *microcospe* commence.
Lequel des deux a la vue la plus grande ?

VICTOR HUGO, *Les Misérables* (1862).

## 38

## *Dans les « brumes du paradoxe »*

Une Terre immobile et plantée au centre de l'univers : est-il rien de plus évident pour nos sens ? C'est bien pourtant par la négation de cette évidence-là que commence la science moderne. Négation-acte de naissance, négation-prototype des souverains paradoxes de la science, négation qui allait inciter l'homme à vouloir pénétrer l'infini du monde invisible. Tout comme la Connaissance amena Adam et Eve à découvrir leur nudité et à se vêtir, de même la prise de conscience de ce simple paradoxe — que la Terre n'est ni aussi centrale ni aussi immobile qu'il n'y paraît — allait conduire l'homme à découvrir la nudité de ses sens. Le sens commun, fondement de notre vie de tous les jours, ne pouvait plus servir comme clé du monde. Lorsque la science, fruit d'instruments compliqués et de savants calculs, fournit des vérités irréfutables, les choses ne sont plus ce qu'elles paraissent.

Les cosmogonies antiques recouraient à des mythes pittoresques pour illustrer les leçons du sens commun et décrire les mouvements des corps célestes. Les tombeaux des pharaons dans la vallée des Rois, par exemple, montrent, au-dessus de la Terre, le dieu des airs supportant la voûte céleste. On y voit également commun, chaque jour, le dieu-soleil Rê accomplit son voyage dans sa barque. Et aussi comment, chaque nuit, empruntant une autre barque, il traverse les eaux situées sous terre pour revenir au point de départ de son itinéraire diurne. Et pourtant cette vision mythique, on l'a vu, ne devait pas empêcher les Égyptiens de mettre au point le calendrier solaire le plus précis que l'on ait connu pendant des millénaires.

Pour l'Égyptien moyen, ces mythes avaient un sens. Mais ils ne contredisaient en rien ce qu'il voyait chaque jour et chaque nuit de ses propres yeux.

Les Grecs ont développé l'idée d'une Terre sphérique habitée, surmontée d'une sphère céleste portant les étoiles et les déplaçant par sa rotation. La sphéricité de la Terre, comme on sait, était étayée par des preuves sensibles telles que la disparition des bateaux sous l'horizon. Quant à la sphéricité du ciel, n'était-elle pas confirmée par l'expérience de tout un chacun, de jour comme de nuit ? Au-delà de cette voûte étoilée, il n'y avait rien, selon les Grecs, ni espace, ni même vide. A l'intérieur de la sphère étoilée, le Soleil tournait autour d'une Terre immobile. Platon décrit ainsi la création de cet univers bisphérique : « Il a donc créé le monde de la forme d'un globe tout rond comme un objet fait au tour, de manière que ses extrémités en toutes directions soient équidistantes du centre, et qu'il soit la plus parfaite et la plus semblable à lui-même de toutes les figures, car il a considéré que le semblable est infiniment plus beau que le dissemblable. »

De cette « vérité d'évidence », Aristote fait un dogme attrayant. Un « éther » transparent et sans poids constitue pour lui la substance du ciel et des sphères célestes concentriques portant étoiles et planètes. Malgré le désaccord de certains de ses disciples, il établit à cinquante-cinq le nombre de ces sphères éthérées. Quant à la distance variable de chaque planète par rapport à la Terre, il l'explique par les mouvements de chacune d'entre elles dans les limites de sa propre sphère. Pendant des siècles, les meilleurs astronomes, astrologues et cosmologues européens devaient s'en tenir à cette vision.

Pour comprendre les débuts de la science moderne — et leurs paradoxes — il faut bien voir que cette belle symétrie, tant raillée aujourd'hui, rendait de fiers services à l'astronome comme au profane. Elle décrivait le ciel exactement tel qu'il semblait être, et cadrait avec les observations et calculs faits à l'œil nu. La simplicité même de cette construction, son gros « bon sens » lui donnaient l'air de confirmer tous les postulats philosophiques et religieux. Et elle remplissait même certaines fonctions d'une véritable explication scientifique : en corroborant les faits connus, en permettant un certain degré de prévision, en s'inscrivant dans la vision admise du reste de la Nature. De surcroît, elle fournissait à l'astronome un modèle cohérent et commode, intégrant tous les faits épars alors connus. Mieux, cette représentation géocentrique et ptoléméenne tant décriée fournissait au profane une vision claire des choses, et à l'astronome les moyens d'une plongée dans l'inconnu. Même le navigateur, Colomb l'a montré, pouvait en faire son profit. Sans un système géocentrique à remettre en question, on voit mal comment aurait pu s'élaborer l'héliocentrisme. Copernic ne modifie pas la forme du système, il en déplace seulement les corps.

Bien entendu, le géocentrisme d'Aristote et Ptolémée — et de bien d'autres au cours des siècles — avait ses insuffisances. Il n'expliquait pas, par exemple, les irrégularités observées dans le mouvement des planètes. Mais le profane ne les remarquait guère et, de toute façon, tout cela n'était-il pas dû aux mouvements des planètes à l'intérieur de leurs sphères respectives ? Les astronomes avaient le chic pour expliquer des phénomènes apparemment mineurs par toutes sortes de subtilité : épicycles, déférents, équants et autres excentriques — d'où leur intérêt à la perpétuation de ce système. Et plus cette littérature de l'accessoire se développa, plus il devint difficle d'en revenir aux questions fondamentales. Car, pensait-on, si sur l'essentiel la description n'avait pas été exacte, pourquoi tant de savants auraient-ils pris la peine d'en amender les détails ?

Pourquoi Nicolas Copernic (1473-1543) va-t-il se donner tant de mal pour ruiner un système si solidement étayé par le vécu quotidien, par la tradition, par l'autorité ? Plus on pénètre les mentalités de l'époque, plus on s'aperçoit que ceux qui ne se laissèrent pas convaincre par Copernic étaient ceux qui, tout simplement, se fiaient à leurs sens. L'état des connaissances, alors, n'appelait pas à une remise en cause du système admis. Des décennies s'écouleront avant qu'astronomes et mathématiciens puissent recueillir des faits nouveaux et découvrir de nouveaux instruments, un siècle au moins avant que le profane admette que ses sens le trompaient. Certes, malgré toutes les ténébreuses retouches auxquelles procédaient les savants personnages, la vision traditionnelle ne cadrait pas exactement avec tous les faits connus. Mais on peut en dire autant du système de Copernic.

Il semble que Copernic ait été mû non par la force des faits, mais par un souci esthétique, métaphysique. Le système de Ptolémée ne le satisfaisait pas. Aimant à jongler avec les idées, il voulut en imaginer un plus beau. Sa carrière, pourtant, fut banale. Sans jamais entrer dans les ordres, il vécut et travailla tranquillement dans le giron de l'Église. Ce fut même elle qui lui permit de se consacrer à ses nombreuses activités intellectuelles et artistiques.

Il est né en 1473 dans l'active cité commerçante polonaise de Torun, sur les bords de la Vistule. Il n'a que dix ans lorsque disparaît son père, un riche négociant exerçant également des fonctions municipales. Son oncle et tuteur, évêque de Warmie, fera prendre le jeune garçon en charge par l'Église. Nicolas sera nommé à vingt-quatre ans chanoine de Frauenbourg, poste qui, jusqu'à la fin de sa vie, lui assurera la subsistance.

En astronomie, Copernic n'était qu'un amateur. Cette science ne devait, ni de près ni de loin, lui servir de gagne-pain. En fait, c'était un esprit universel, bien dans la manière des hommes de la Renaissance. Lorsqu'il est né, Léonard de Vinci était déjà en pleine activité créatrice ; Michel-Ange a été son contemporain. Copernic commence par étudier les mathématiques à l'université de Cracovie, acquérant également des compétences suffisantes en peinture pour réaliser de lui-même un portrait honnête. A peine nommé chanoine à Frauenbourg, il part pour un voyage prolongé en Italie. Il étudiera le droit canon à Bologne et Ferrare, la médecine à Padoue, et suivra même quelques cours d'astronomie. De retour à Frauenbourg, il sera le médecin personnel de son oncle l'évêque, jusqu'à la mort de celui-ci, en 1512. En ces temps agités, le canonicat n'était pas une sinécure. Notre chanoine devait tenir les écritures, veiller à la sauvegarde des intérêts politiques du chapitre et remplir les fonctions de vicaire général du diocèse. Ce faisant, il trouva le temps de préparer pour la diète de Graudenz un projet d'amélioration de son système monétaire. Quant à sa théorie héliocentrique de l'univers, c'est à ses moments perdus qu'il l'élabore. Et il faudra l'insistance de ses amis et de ces disciples pour qu'il consente à la publier.

Copernic avait bien conscience que sa théorie allait contre le sens commun. C'était pour cette raison que ses amis avaient dû le « presser et même [l'] importuner » pour qu'il publie ses travaux. « Ils firent valoir que, quand bien même ma théorie sur le mouvement de la Terre semblerait étrange à première vue, elle n'en paraîtrait pas moins tout à fait recevable et admirable lorsque la publication de mes éclaircissements serait venue dissiper les brumes du paradoxe. »

La première ébauche d'ensemble de sa théorie, le *Commentariolus*, ne fut pas imprimée de son vivant. Seuls quelques exemplaires manuscrits circulèrent parmi ses amis. Curieusement, du reste, la première présentation au monde de la révolution copernicienne ne devait pas venir de Copernic lui-même, mais de l'un de ses disciples. Ce jeune Autrichien de vingt-cinq ans, né Georg Joachim (1514-1574), avait pris le nom de Rheticus afin d'échapper à l'opprobre qui s'attachait à son père, un médecin décapité pour sorcellerie. Rheticus était venu à Frauenbourg durant l'été 1539 pour y faire la connaissance de Copernic et en savoir plus sur sa nouvelle cosmologie, non encore imprimée. Il venait d'obtenir sa licence à l'université de Wittenberg pour un mémoire dans lequel il montrait que le droit romain n'interdisait pas les prédictions astrologiques puisque celles-ci, comme les pronostics médicaux, s'appuyaient sur des causes physiques observables. Rheticus était à l'évidence un jeune homme courageux et doté d'un grand pouvoir de persuasion. Copernic, qui avait à plusieurs reprises refusé de publier lui-même les résultats de ses recherches, autorisa son jeune visiteur à le faire à sa place.

Quelques mois plus tard, Rheticus avait rédigé un résumé du système copernicien, qui fut imprimé à Dantzig en 1540, sous le titre de *Narratio prima*. Pour Copernic, c'était un ballon d'essai. Si l'accueil était favorable, il pourrait publier lui-même un compte rendu plus complet. Sinon, il ne lui resterait plus qu'à renoncer, ou à introduire dans son texte des modifications. Mais ses doutes furent dissipés lorsqu'il apprit qu'une seconde édition du *Narratio prima* était nécessaire. Il révisa alors pour la publication son propre manuscrit, qui était pratiquement terminé depuis une bonne dizaine d'années, et demanda à Rheticus de le faire publier. Mais celui-ci, n'ayant pu, pour des raisons personnelles, mener à bien sa mission, confia la tâche à l'une de ses connaissances, Andreas Osiander (1498-1552). Malheureusement, Osiander était un théologien luthérien querelleur et quelque peu machiavélique, pour qui la révélation divine était la seule et unique source de vérité. Il était bien décidé, nous le verrons, à refondre les idées de Copernic à l'image de sa propre orthodoxie. Le novateur polonais, qui était mourant à des centaines de kilomètres de là, ne put rien faire.

La Terre aussi tourne : telle était l'idée révolutionnaire de Copernic. Et si elle tournait autour du Soleil, alors c'était ce dernier et non la Terre qui était au centre de l'univers. Toute la structure du ciel n'en devenait-elle pas du même coup plus simple ?

L'intention de Copernic n'était pas de mettre sur pied un nouveau système physique, et encore moins une nouvelle méthode scientifique. La seule modification qu'il introduit — une Terre qui tourne et qui n'occupe plus la position centrale — laisse intact l'essentiel du système de Ptolémée. Il demeure fidèle à la théorie des sphères, et évite de se prononcer sur l'existence des sphères célestes. Il ne précise pas si, selon lui, les « sphères » — *orbes* — dans lesquelles tournent les planètes et, dans son système, la Terre également, ne sont qu'une figure géométrique commode permettant d'en décrire les mouvements, ou si, au contraire, chacune de ces « sphères » est une épaisse coquille faite de quelque substance transparente. Pour lui, *orbis* veut simplement dire « sphère » et il intègre la vision classique des sphères à son système. Le titre qu'il choisit pour finalement exposer sa théorie, *De revolutionibus orbium caelestium*, ne fait pas référence aux planètes, mais signifie : « Des révolutions des sphères célestes ». Et sur une autre question essentielle, celle du fini ou de l'infini de l'univers, il refuse également de s'avancer, laissant le problème « à la discussion des spécialistes de la philosophie naturelle ».

De même que Colomb s'appuie sur Ptolémée et d'autres auteurs traditionnels, estimant qu'on n'en avait pas tiré tous les enseignements possibles, de même Copernic s'inspire-t-il des Anciens. Et tout d'abord des pythagoriciens. Aucun des ouvrages de Pythagore n'est parvenu jusqu'à nous, mais les idées dont ses disciples lui attribuent la paternité devaient jouer un rôle de premier plan dans l'histoire moderne. Pour le pythagorisme, la connaissance pure est purgation (*catharsis*) de l'âme et exige le renoncement aux données des sens. La réalité profonde est celle des nombres, et c'est leur ordonnancement qui fait les beautés harmonieuses de la musique : octave, quinte, quarte sont des notions pythagoriciennes.

En astronomie, la passion pythagoricienne des nombres avait une signification on ne peut plus nette. « Ils affirment que les choses elles-mêmes sont des nombres, constate Aristote dans sa *Métaphysique*, et ne placent pas les objets des mathématiques entre formes et choses sensibles [...]. Comme, pour eux, les rapports des notes de musique entre elles et leurs modifications étaient exprimables par des nombres, et comme, d'autre part, toutes autres choses dans la Nature paraissaient faites sur le modèle des nombres, et que ceux-ci semblaient, de toute la Nature, être les choses premières, ils considéraient que les éléments des nombres étaient les éléments de toute chose, et que le ciel tout entier était une gamme musicale et un nombre [...] ; et toute la disposition du ciel, ils la faisaient entrer dans leur système ; et s'il apparaissait un vide quelque part, ils procédaient sans hésiter à des ajouts, de manière que leur théorie fût cohérente. » A l'époque de Copernic, les pythagoriciens estimaient toujours que la seule voie vers la Vérité était celle des mathématiques.

Non moins surprenante est l'autre source des idées de Copernic — et de la science moderne : Platon et ses héritiers mystiques, les néo-platoniciens. Bien que précurseur — sans le savoir — de la croyance scientifique en la souveraineté des sens, Copernic prend pour modèle Platon, pour qui toutes les données des sens ne sont que des ombres vides de toute substance. Le monde « réel » de Platon est un monde de formes idéales, et, de son point de vue, la géométrie a plus de réalité que la physique. « Nul n'entre ici s'il n'est géomètre », était-il gravé, dit-on, au fronton de son Académie.

Les néo-platoniciens, eux aussi, construisent toute leur vision du monde sur une mathématique idéale. Pour eux aussi, les nombres sont à l'origine de tout. « Toutes les catégories mathématiques [...] existent d'abord dans l'âme, dit Proclus, de sorte que, avant les nombres sensibles, il se trouve au plus profond de celle-ci des nombres qui se meuvent d'eux-mêmes [...] une harmonie idéale, préexistante aux sons ; et des sphères invisibles, préexistantes aux corps qui décrivent un cercle [...]. Nous devons suivre la doctrine de Timée, qui fait dériver l'âme et sa texture de formes mathématiques, et situe dans la nature de cette même âme les causes de tout ce qui existe. »

Le néo-platonisme, réapparu à la Renaissance — l'époque de Copernic — devait livrer combat à l'esprit frileux et prosaïque des scolastiques. L'aristotélisme, avec sa logique têtue, s'était trouvé renforcé par la découverte au XIIe siècle de nouveaux textes aristotéliciens. Contre quoi les néo-platoniciens prônaient la poésie et l'imagination. A Bologne, Copernic avait eu pour professeur Domenico Maria de Novara, fervent néo-platonicien et détracteur du système de Ptolémée. Le système céleste, pour lui, était une chose bien trop simple pour qu'il soit besoin de tout cet appareil pédant d'épicycles, déférents, équants, etc. Les astronomes, à n'en pas douter, n'avaient pas su saisir le charme profond des nombres célestes.

Dans sa préface au *De revolutionibus*, Copernic, reprenant les idées de son professeur, se range résolument du côté des néo-platoniciens. Le système de Ptolémée, dit-il, exige « l'acceptation de nombreux points qui paraissent contraires au principe fondamental de l'uniformité du mouvement. Au surplus, ils [les ptoléméens] ne sont pas parvenus par ce moyen à discerner ou à déduire le principal, à savoir la forme de l'univers et la symétrie inaltérable de ses diverses parties ». Copernic, en fait, est persuadé que le système qu'il propose décrit mieux que le vieux schéma géocentrique ce que *devrait* être l'univers. Lequel, pour lui, reste essentiellement mathématique.

Les mouvements célestes devaient être des cercles parfaits. A l'époque de Copernic, ne l'oublions pas, l'astronomie est encore l'une des branches des mathématiques, « la géométrie du ciel » selon l'expression de E.A. Burtt. Conséquence de cette intégration dans la vision pythagoricienne et néo-platonicienne : les mathématiques, au lieu d'être l'étude déductive de constructions abstraites, prétendaient décrire le monde réel. Il faudra un certain temps pour que la situation évolue. En attendant, la confusion des deux disciplines devait s'avérer fructueuse, puisqu'elle entraîna astronomes et autres spécialistes sur les sentiers de la science moderne.

Copernic avait pour lui une poignée d'autorités et quelques hypothèses séduisantes, mais sans aucune preuve encore pour étayer ses intuitions. En cela aussi, il rappelle Colomb, si résolu à tenter le voyage aux Indes par l'ouest malgré l'incertitude et malgré la relative réussite de Vasco de Gama par l'est. De même, le système de Ptolémée fournissait depuis des siècles un calendrier commode. Le système proposé par Copernic, quel qu'en fût l'attrait esthétique, ne cadrait pas mieux avec les faits observés. Et pour ce qui était de prévoir la position des planètes, il était loin d'avoir la précision du système ancien.

Quelle importance Copernic accordait-il à ses thèses ? Pensait-il avoir résolu les grands problèmes de l'astronomie ? Ou bien ne faisait-il que proposer une voie aux autres ? A cette question, la première édition imprimée de son *magnum opus*, le *De revolutionibus* (1543) — qui ne lui parvint que sur son lit de mort — paraît apporter, dans une longue introduction, une réponse claire et nette :

> La nouveauté des hypothèses avancées dans cet ouvrage étant maintenant bien connue, je ne doute point que certains hommes de savoir se soient offusqués de cette idée énoncée par le livre, que la Terre tourne et que le Soleil se tient immobile au centre de l'univers. Ces hommes, assurément, estiment que les arts libéraux, établis il y a bien longtemps sur des fondements convenables, ne doivent pas se trouver plongés dans la confusion. Mais pour peu qu'ils

consentent à examiner attentivement la question, ils découvriront que l'auteur de cet ouvrage n'a commis aucun acte répréhensible. Car il est du devoir d'un astronome de composer l'histoire des mouvements célestes par le moyen d'une scrupuleuse et habile observation. Puis, portant son attention sur les causes de ces mouvements, il lui faut, dans l'impossibilité où il se trouve d'en découvrir les origines véritables, imaginer et supputer des hypothèses qui, une fois admises, permettent de calculer correctement lesdits mouvements selon les principes de la géométrie, pour l'avenir comme pour le passé. Ces deux tâches, l'auteur du présent livre les a supérieurement menées à bien. Car point n'est besoin que ces hypothèses soient vraies, ni même vraisemblables ; si les chiffres auxquels elle aboutissent s'avèrent conformes aux observations, cela seul est suffisant [...]. En ce qui concerne les hypothèses, nulle certitude n'est à attendre de l'astronomie, car elle n'en peut fournir, à moins que l'on n'accepte pour vérité des idées conçues à d'autres fins, et que l'on sorte de cette étude plus sot que l'on y est entré. Adieu.

Ce n'est que plus tard que l'on découvrit que cette introduction n'était pas de Copernic. Au nom de l'orthodoxie luthérienne, Osiander avait sans aucun scrupule remplacé le texte de l'astronome polonais par un autre, de sa propre main. C'est au grand Kepler qu'il revient d'avoir identifié l'auteur anonyme et défendu l'intégrité de Copernic. Osiander pensait défendre Copernic, mais ses précautions devaient s'avérer superflues. Lorsque le *De revolutionibus* fut diffusé à l'étranger, Copernic était mort et n'avait donc plus rien à craindre d'aucune Église. « Il considère, tout autant que les astronomes anciens, ses hypothèses comme vraies, souligne Kepler [...]. Non seulement il le pense, mais il le prouve [...]. C'est pourquoi son propos n'est pas d'élaborer un mythe, mais de donner une expression sérieuse à des paradoxes, c'est-à-dire de philosopher, pratique requise alors d'un astronome. »

Copernic ignorait tout de l'opération de récupération théologique à laquelle Osiander se livrait sur lui. Mais Kepler, enthousiaste comme toujours, était plus copernicien que Copernic lui-même. Celui-ci semble bien s'être rendu compte qu'il n'avait fait qu'entrouvrir la porte. Sans doute ne lui déplaisait-il pas de laisser entrevoir à ses contemporains ce qui risquait de leur arriver. Il fallait pour cela du courage. Mais il n'était pas prêt pour autant à une franche exploration de son Nouveau Monde. La réelle nouveauté de ce Nouveau Monde dont il avait seulement poussé la porte, il n'en avait pas, ne pouvait pas encore en avoir conscience. Car, comme Colomb ici encore, il faisait rond principalement sur les cartes anciennes.

« Hypothèses », dit Copernic de son système. Et dans la langue du siècle de Ptolémée, une « hypothèse », c'était, plus qu'une simple notion expérimentale, le principe, la proposition fondamentale sur laquelle repose un système tout entier. Ce qui, pour Copernic, signifie que ses propositions ont deux qualités essentielles. D'abord, elles doivent « sauver les apparences » *(apparentias salvare)*, c'est-à-dire que les conclusions auxquelles elles aboutissent doivent cadrer avec les résultats de l'observation. L'expression sera source d'ambiguïté quelques décennies plus tard, lorsque le télescope révélera des « apparences » non visibles à l'œil nu, mais, en 1543, « sauver les apparences » paraît encore un critère évident. Cependant, concorder avec les faits visibles n'était pas suffisant. Une autre nécessité, à ses yeux, était qu'une proposition scientifique fût conforme aux postulats de la physique, celui, par exemple, qui affirmait que tous les mouvements des corps célestes étaient circulaires et uniformes. Or, si, selon Copernic, le système de Ptolémée était assez bien corroboré par l'observation, il ne répondait pas vraiment pour autant à la double exigence d'uniformité et de circularité. Pour lui, un système digne de ce nom devait satisfaire non seulement l'œil, mais aussi l'esprit.

Si Copernic craignait que son système astronomique ne lui valût l'étiquette d'hérétique, ses craintes devaient s'avérer sans fondement, non seulement de son vivant, mais pendant un demi-siècle après sa mort. Ses amis haut placés dans l'Église, dont un cardinal et un évêque, le pressaient depuis longtemps de publier son *De revolutionibus*. Il allait même dédier l'ouvrage au pape Paul III, rendu réceptif, espérait-il, par sa formation mathématique.

Les pères fondateurs du protestantisme — Luther, Melanchthon, Calvin —, tous contemporains de Copernic, tenaient un discours fondamentaliste, anti-intellectualiste. « Un parvenu de l'astrologie », telle est l'épithète dont Luther, en 1539, dans ses *Propos de table*, gratifie Copernic : « Ce sot voudrait mettre sens dessus dessous toute la science astronomique ; mais l'Écriture nous enseigne que c'est au Soleil que Josué ordonna l'immobilité et non à la Terre. » Condamnation reprise par Melanchthon, quelques années après la mort de Copernic : « Affirmer publiquement de telles notions est contraire à toutes les règles de l'honnêteté et de la bienséance, et l'exemple est pernicieux. Un bon esprit doit accepter la vérité telle que Dieu la révèle. » Quant à Calvin, qui n'avait, semble-t-il, jamais entendu parler de Copernic, son fondamentalisme le rendait, lui et ses disciples, assez peu ouvert aux idées nouvelles. Osiander lui-même, qui tentait naïvement par un faux de protéger Copernic des foudres de l'Église, était un prédicateur luthérien très à cheval sur l'orthodoxie. C'est l'une des raisons, sans doute, pour lesquelles le *De revolutionibus* ne fut pas publié, comme on aurait pu s'y attendre, à Wittenberg où Rheticus enseignait. Car cette cité, où Luther avait affiché ses « 95 thèses » sur la porte d'une église, était devenue le grand centre de prédication de Luther et de Melanchthon.

L'Église catholique avait des spéculations scientifiques une vision moins simpliste. Elle n'avait plus énoncé aucune orthodoxie cosmologique depuis le XIVe siècle. Sans doute les extravagances et les frustrations de la géographie chrétienne, ainsi que les révélations de l'âge des Grandes Découvertes, n'y étaient-elles pas étrangères. Mais quelles qu'aient été les raisons de cette tolérance, le livre de Copernic fut lu dans quelques-unes des meilleures universités catholiques. L'Église en avait vu bien d'autres. Les esprits les plus éclairés espéraient encore pouvoir protéger les vérités révélées des bouleversements du monde. Des dizaines d'années encore après la mort de Copernic, une telle coupure restera possible.

En astronomie plus que dans aucune autre science, un test simple permettait de juger de la valeur d'un système. Une théorie parfaite du ciel devait pouvoir prévoir avec précision les dates des solstices d'été et d'hiver. A l'époque de Copernic, les inexactitudes du calendrier administraient publiquement la preuve que la théorie astronomique communément admise laissait à désirer. Lorsque Jules César, en 45 av. J.-C., réforma le calendrier romain en s'inspirant du modèle égyptien, il introduisit, on l'a vu, le cycle de trois années de 365 jours suivies d'une années de 366 jours. Or l'année de 365 jours 1/4 ainsi obtenue était encore de quelque 11 minutes et 14 secondes plus longue que le cycle solaire réel. Avec les siècles, cette erreur accumulée, comme pour une horloge qui retarde, avait abouti à une distorsion perceptible du calendrier. En conséquence, du temps de Copernic, l'équinoxe d'hiver qui, dans l'hémisphère Nord, marque le début du printemps, se trouvait avoir rétrogradé du 21 au 11 mars. Les paysans ne pouvaient plus se fier à leur calendrier pour les travaux des champs ni les négociants pour la signature de leurs contrats.

Ce désordre du calendrier, Copernic l'avait invoqué comme raison pour trouver un autre système que celui de Ptolémée. « Les mathématiciens, écrit-il dans la préface du *De revolutionibus*, sont si peu sûrs des mouvements du Soleil et de la Lune qu'ils ne peuvent même pas expliquer ni observer la longueur constante de l'année solaire. » Assurément, raisonne Copernic, une théorie qui avait pu produire un tel calendrier devait pécher quelque part.

Entre-temps, l'essor des États-cités et le développement des échanges maritimes à l'échelle mondiale rendaient de plus en plus nécessaire l'existence d'un calendrier exact. Que les papes de la Renaissance aient entrepris dans ce domaine une réforme cela n'est pas étonnant. Mais lorsqu'ils sollicitèrent à cette fin l'aide de Copernic, celui-ci leur répondit que l'heure n'était pas encore venue. Car si le vieux système ptoléméen était effectivement incapable de fournir un meilleur calendrier, rien encore ne prouvait que son propre système s'avérât plus satisfaisant. En fait, avec les données de l'époque, comme nous le rappellent les historiens de l'astronomie, le système héliocentrique était à cet égard moins satisfaisant encore. Il n'empêche, les idées de Copernic, l'Église va les reprendre pour aider Grégoire XIII à élaborer le nouveau calendrier, qui est encore le nôtre aujourd'hui. Ce sera même, pendant un demi-siècle, leur seule application pratique. Mais ce ne sera pas Copernic lui-même qui administrera ainsi la « preuve » de la justesse de ses idées, et cette preuve sera présentée de manière à ne paraître cautionner aucune des vues nouvelles.

La révision du calendrier fut l'œuvre d'un autre fidèle disciple de Copernic, passionné de calcul astronomique. Érasme Reinhold (1511-1553) avait été nommé à vingt-cinq ans professeur d'astronomie (*mathematum superiorum*) à l'université de Wittenberg par le redoutable lieutenant de Luther, Melanchthon. Dans les années 1540, lorsque l'imprimerie eut permis la diffusion des manuels dans les universités, Reinhold édita les ouvrages de référence sur le système ptoléméen. Son collègue Rheticus, également professeur à Wittenberg, lui avait fait l'éloge de Copernic. Ce qui, chez Reinhold, fit naître l'espoir que Copernic « rendrait sa place » à l'astronomie. Lorsque parut *le De revolutionibus*, Reinhold annota son exemplaire et éprouva le désir d'établir des tables astronomiques plus complètes qu'aucunes autres alors disponibles. Il publia ses calculs en 1551, après avoir passé sept ans à cette « énorme et désagréable tâche » (Kepler).

Les *Tables pruténiques*, ainsi nommées par Reinhold en hommage à son protecteur le duc de Prusse, étaient à ce point supérieures à tout ce qui se faisait dans le genre à l'époque qu'elles furent bientôt adoptées dans toute l'Europe. Pour réviser les anciennes tables, Reinhold avait largement utilisé les observations incluses par Copernic dans son ouvrage. Bien entendu, il ne se rendait pas compte à quel point les thèses de Copernic sur la position et le mouvement des planètes — à ses yeux, des combinaisons de cercles — était éloignées de la réalité. Mais son travail marquait un progrès certain. Cependant, tout en reconnaissant sa dette envers Copernic, jamais il ne fait référence au système héliocentrique. Pour lui, l'hypothèse nouvellle n'a d'autre intérêt, sans doute, que de permettre l'établissement de meilleures tables. Et lorsque le pape Grégoire III élaborera, en 1582, son nouveau calendrier, lui aussi s'appuiera sur les tables de Reinhold. Leur supériorité, finalement, semble avoir été le fait d'une étrange conjoncture historique : produit de l'intuition d'un homme (Reinhold) plutôt que de la vérité d'un système (celui de Copernic).

## 39

## *L'observation à l'œil nu*

La capacité de l'œil nu à observer et à interpréter le ciel va être poussée à l'extrême par un infatigable astronome danois né trois ans exactement après la disparition de Copernic, Tycho Brahé (1546-1601). Son père, un riche aristocrate l'encourage très tôt à cultiver l'éclectisme et l'épicurisme qui vont le faire connaître dans toute l'Europe cultivée d'alors. A l'université luthérienne de Copenhague, il fait connaissance avec les sept arts libéraux : trivium (grammaire, rhétorique, dialectique) et quadrivium (arithmétique, astronomie, géométrie, musique). Il y ingurgite une bonne dose d'Aristote et découvre le système de Ptolémée. Il étudie aussi, bien sûr, l'astrologie, science « interdisciplinaire » combinant astrologie et médecine, et qui donnait aux astronomes un semblant d'utilité dans la vie de tous les jours. Puis, pour compléter sa formation, il va étudier le droit à Leipzig.

Son éducation livresque n'avait pas étouffé en lui une passion précoce pour l'observation du ciel. L'astronomie pratique, bien entendu, ne figurait pas au programme des universités. Tycho n'a pas encore quatorze ans lorsqu'il constate avec stupeur et ravisssement qu'une certaine éclipse de Soleil a bien lieu le jour prévu. « Que les hommes puissent connaître le mouvement des astres avec une précision qui leur permette d'en prévoir longtemps à l'avance les positions », voilà qui, au jeune homme, parut tout bonnement « divin ».

Mais sa famille préférant lui voir faire des études plus traditionnelles, il devra cultiver sa passion en secret. A Leipzig, où ses parents lui ont assuré les services d'un précepteur, il poursuivra le jour ses études de droit pour leur être agréable. Mais la nuit, lorsque apparaissent les étoiles et que son précepteur est couché, Tycho se consacre à son violon d'Ingres. Il économise sur son allocation pour acquérir des tables astronomiques et apprend seul les constellations à l'aide d'un globe céleste miniature qu'il dissimule à son précepteur.

Comme pour confirmer les dogmes astrologiques du temps, c'est une conjonction de planètes qui va lancer la carrière de Tycho. En août 1563, était attendue une conjonction de Saturne et de Jupiter : l'occasion pour Tycho, âgé alors de dix-sept ans à peine, d'effectuer ses premières observations. Seul instrument à sa disposition : un compas à dessin. Tenant la charnière à hauteur de son œil, il pointa chacune des branches vers l'une des deux planètes, puis reporta l'écartement obtenu sur une feuille de papier où il avait préalablement dessiné un cercle divisé en 360 degrés et demi-degrés. Cette première observation — Tycho devant en faire des milliers d'autres — fut consignée de 17 août (1563). Le 24, Saturne et Jupiter étaient si proches l'une de l'autre que l'écart n'était plus mesurable. A son grand étonnement, le jeune homme découvrait que les tables alphonsines accusaient une erreur d'un bon mois ; les tables pruténiques de Reinhold elles-mêmes se trompaient de plusieurs jours.

L'année suivante, Tycho ajouta à son matériel une arbalète du type courant à l'époque. Cet instrument n'était rien de plus qu'une réglette graduée d'environ un mètre de long, sur laquelle coulissait à angle droit une autre réglette, de longueur deux fois moindre. En visant à travers les pinnules fixées aux extrémités des deux réglettes, et en faisant coulisser la réglette transversale jusqu'à ce que les deux astres soient visibles, on pouvait mesurer leur distance angulaire. Pendant que son précepteur dormait, Tycho s'entraînait en cachette au maniement de l'arbalète. Trouvant bientôt l'instrument par trop primitif, il voulut s'en procurer un plus perfectionné. Mais il n'osa pas demander l'argent nécessaire et se contenta d'élaborer sa propre table de corrections. C'est de cette tâche, « conçue et entreprise en l'an 1564 par Tycho, le prince des astronomes », que Kepler date « la renaissance de l'astronomie ».

Et de fait, Tycho était un phénomène, non seulement le type même de l'astronome pratique, mais l'une des personnalités les plus insolites de son temps. Jeune étudiant à l'université de Rostock, il se prend de querelle, lors d'un bal, avec un autre étudiant. Objet de la dispute : leurs talents respectifs de mathématiciens. Dans le duel qui s'ensuit, Tycho laisse un morceau de son nez. Alors, pour dissimuler son infirmité, il se confectionne une sorte de prothèse en or et argent. Ce nez ne sera que l'un des nombreux traits extravagants du personnage lorsqu'il s'installera sur l'île danoise de Hveen, que le roi Frédéric II lui a octroyée pour construire son laboratoire. (En ouvrant sa tombe pour l'anniversaire de sa mort, en 1901, on devait découvrir une tache verte sur l'orifice nasal, signe que le dispositif avait dû être altéré par du cuivre.)

Les observations effectuées par Tycho ont apporté davantage à l'astronomie que celles de quiconque avant lui. La plupart ont été réalisées durant les vingts années passées sur son île. Frédéric II lui avait accordé tous les loyers des insulaires. Puisant également dans sa fortune personnelle, l'astronome fit construire une magnifique installation, qu'il baptisa « Château céleste » (Uraniborg). « Cité céleste », aurait-il pu dire, car il s'agissait d'une communauté entière se consacrant à l'étude du ciel. On y trouvait, outre les ateliers des artisans chargés de fabriquer les instruments : un laboratoire, un moulin à papier, une presse, un moulin à farine et à tan, soixante viviers, des jardins d'agrément et des potagers, un arboretum contenant quelque trois cents essences, un moulin à vent et un système de pompage assurant l'approvisionnement en eau courante — le tout pour la subsistance et le bien-être des astronomes.

Un rassemblement d'experts à faire pâlir d'envie le scientifique d'aujourd'hui. L'imposant observatoire comprenait une élégante bibliothèque agrémentée d'un globe céleste de 1,5 mètre, des bureaux, des salles de réunion et des chambres pour les savants et leurs assistants. Dans un second observatoire, dénommé « Château des étoiles » (Stjerneborg), se trouvaient d'autres instruments, ainsi que les portraits d'astronomes célèbres, anciens et modernes, la place d'honneur revenant, bien sûr, à Tycho Brahé soi-même. Tous les instruments étaient des systèmes fort simples pour l'observation à l'œil nu. Mais c'étaient les meilleurs de leur temps, et Tycho les perfectionna en les agrandissant, en les dotant d'une graduation plus précise, en améliorant leur rotation dans les plans vertical et horizontal. Dans le même temps, il inventait des moyens pour les fixer, de manière que les observations successives se fassent d'un même point.

Il essaya même des clepsydres, espérant qu'elles seraient plus exactes que des horloges mécaniques. Son instrument le plus célèbre était un « quadrant mural » géant de 1,8 mètre de rayon, qui, grâce à de larges graduations, donnait des mesures d'une grande précision. Il effectuait ses observations avec une scrupuleuse régularité, les répétant, les combinant, essayant toujours de faire la part des imperfections dues aux instruments. Ce qui lui permit de ramener sa marge d'erreur à une fraction de minute d'arc, et d'obtenir ainsi un degré de précision jamais atteint avant l'ère du télescope.

Aidé par de nombreux collègues et étudiants, il établit la position de 777 étoiles fixes, et publie ses résultats dans les *Progymnasmata* (1602), accompagnés, afin que les autres puissent juger, par une description de ses méthodes d'observation et des instruments utilisés. L'ouvrage supplantera rapidement la nomenclature de Ptolémée. Et une nouvelle édition portera à mille le nombre des étoiles répertoriées.

Avant même de s'installer à Hveen, Tycho avait découvert dans la constellation de Cassiopée une nouvelle étoile, dont la position supralunaire appelait une révision de toutes les vieilles théories sur les sphères célestes. Toutefois les observations remarquables qu'il effectua ensuite sur son île ne devaient pas déboucher sur une théorie de qualité comparable. C'était un homme, aurait pu dire Matthew Arnold, « oscillant entre deux mondes, l'un mort, l'autre impuissant à naître ». Son propre système céleste attestait tout à la fois les insuffisances du système ptoléméen et la minceur des éléments alors rassemblés à l'appui de la thèse copernicienne.

Tycho ne pouvait renoncer à la vision géocentrique de l'univers, il était trop attaché à la physique aristotélicienne et à sa Terre immobile. Si vraiment la Terre tournait, disait-il, un boulet de canon tiré dans le sens de sa rotation devrait couvrir une plus grande distance que s'il était tiré en sens contraire ; or tel n'était pas le cas. Sans compter l'argument décisif du Livre de Josué, où il était dit que le Soleil s'était arrêté dans sa course.

Et pourtant, voyant bien que l'héliocentrisme pouvait simplifier la vision du monde, Tycho devait élaborer un compromis de son cru. Il conserve, du système ptoléméen, une Terre immobile au centre et un Soleil qui tourne autour. Mais dans son système, les autres planètes tournent autour du Soleil comme ce dernier autour de la Terre.

Sur son lit de mort, Tycho Brahé léguait la masse de ses observations à un jeune collègue nommé Kepler, d'esprit plus émancipé mais également plus fantasque, le priant d'en tirer des tables astronomiques, et exprimant l'espoir que celles-ci serviraient à corroborer ses thèses à lui, Tycho (et non celles de Copernic !).

Copernic avait osé modifier les relations des corps célestes entre eux, mais pas la parfaite circularité de leurs mouvements ni celle du système tout entier. Cela, Kepler va le faire. Cherchant à découvrir une symétrie mathématique plus subtile dans les orbites des corps célestes et dans les relations entre distances et périodes, il osera, lui, abandonner la parfaite circularité aristotélicienne des mouvements célestes. Accessoirement, il contribuera à accréditer le système copernicien en ramenant tous les mouvements observés à quelques lois simples exprimées en termes mathématiques.

C'est de l'énonciation par Kepler des lois relatives au mouvement des planètes que l'on date généralement la naissance de l'astronomie moderne. Pourtant, si Kepler se penche sur ces questions, c'est parce qu'il est convaincu pour des raisons d'ordre théologique et métaphysique qu'il est du devoir de l'homme de science de faire ressortir aux yeux de tous la nécessaire ordonnance de l'univers. Comprendre non les voies de la Nature mais son harmonie profonde.

Johannes Kepler (1571-1630) est né dans le Wurtemberg, en Allemagne du Sud, en plein cœur des luttes entre luthériens et catholiques. La guerre de Trente Ans (1618-1648) va y décimer la population, y dévaster l'agriculture, y ruiner le commerce, y torturer la paysannerie. La famille de Kepler, luthérienne, a été déshonorée parce que le père, un raté, s'est engagé comme mercenaire contre les protestants des Pays-Bas. Jusqu'à l'âge de vingt-deux ans, Kepler se destine au saint ministère. Il décline plusieurs offres d'argent et d'emploi qui l'auraient conduit à embrasser la cause catholique. Toute sa vie durant, il restera un luthérien convaincu, voyant chaque jour quelque preuve nouvelle du grand dessein de Dieu.

> Hier, las d'écrire, je fus appelé pour le souper, et une salade que j'avais demandée me fut apportée. « Il semblerait donc, fit-je observer, que si plats d'étain, feuilles de laitue, grains de sel, gouttes d'eau, vinaigre, huile et tranches d'œufs avaient flotté dans l'air de toute éternité, le hasard pourrait finir par faire que vienne une salade. » « Oui, répondit ma douce épouse, mais pas aussi belle que la mienne. »

Savourant de même le divin plat céleste, il voulut en connaître la composition.

Né dans une famille plus fortunée, Kepler ne se fût peut-être jamais intéressé à l'astronomie. Sa grande passion était la théologie et c'est à contrecœur qu'il renonça à la préparation au sacerdoce pour gagner sa vie comme professeur de mathématiques dans une petite ville du sud de l'Autriche. Pour arrondir ses fins de mois, il publiait des calendriers astrologiques prédisant le temps, le sort des princes, les soulèvements paysans, les dangers d'invasion turque.

« Je voulais devenir théologien, déclare-t-il en 1595 à un professeur de Tübingen, longtemps j'ai été sans repos. Et maintenant, voyez comment, grâce à mes efforts, Dieu est célébré par l'astronomie. » Kepler fait ici allusion à son premier ouvrage, le *Mysterium cosmographicum* (1596), chef-d'œuvre de mysticisme mathématique qui annonce toute son œuvre à venir. Il y explique comment, certain de l'existence d'une beauté mathématique dans les dimensions et les mouvements des planètes, il se mit au travail.

> Presque tout l'été fut dissipé dans cette tâche harassante. Enfin, lors d'une circonstance triviale, je m'approchai de la vérité. Sans doute la divine Providence intervint-elle afin que j'obtinsse, par un effet apparent du hasard, ce que je n'aurais jamais pu obtenir par mes propres efforts. Je le crois d'autant plus que j'ai constamment prié Dieu qu'Il me permette de réussir si Copernic avait dit vrai. Ainsi arriva-t-il que, le 19 juillet 1595, au moment où je montrai à mes élèves comment les grandes conjonctions [celles de Saturne et Jupiter] se reproduisent au bout de huit signes du Zodiaque, et comment elles passent petit à petit d'un trine aspect à l'autre, j'inscrivis dans un cercle de nombreux triangles, ou quasi-triangles, tels que l'extrémité de l'un était le début de l'autre. De cette façon, un cercle plus petit se trouvait esquissé par les points où se croisaient les lignes des triangles.

Comparant ces deux cercles, il constate que le cercle intérieur correspond à Jupiter, et le cercle extérieur à Saturne. Était-ce là la piste qu'il cherchait ?

Soudain lui revient à l'esprit une extraordinaire coïncidence : le fait que d'une part la géométrie connaisse *cinq* types de polyèdres réguliers ; et que, d'autre part, les planètes, si l'on excepte la Terre, ne sont que *cinq,* elles aussi.

> Alors, l'idée me frappa : pourquoi aurait-on des figures planes au milieu d'orbites à trois dimensions ? Considère, lecteur, toute l'invention et la substance de ce petit livre ! Voici la phrase dans les termes mêmes où elle me vint : l'orbite de la Terre est la mesure de toutes choses ; circonscrivons à celle-ci un dodécaèdre, et le cercle qui le contient sera Mars ; circonscrivons à Mars un tétraèdre, et le cercle qui le contient sera Jupiter ; circonscrivons à Jupiter un cube, et le cercle qui le contient sera Saturne. Inscrivons maintenant dans la Terre un icosaèdre, et le cercle contenu dans celui-ci sera Vénus ; inscrivons dans Vénus un octaèdre, et le cercle contenu dans celui-ci sera Mercure. Ainsi s'explique le nombre des planètes [...].
>
> C'est ainsi que mes travaux aboutirent. Et le plaisir que j'éprouvai à cette découverte ne saurait être exprimé par des mots. Je ne regrettai plus le temps perdu. Jour et nuit, je me livrai au calcul, afin de savoir si cette idée s'accordait avec les orbites coperniciennes, ou si ma joie allait s'envoler comme fétu de paille. En l'espace de quelques jours, tout se confirma, et je vis un corps après l'autre prendre exactement sa place parmi les planètes.

Eh oui, elle fonctionnait, cette géométrie fantaisiste. Compte tenu de l'excentricité des orbites planétaires, et abstraction faite d'un petit problème particulier à Mercure, force est de constater que toutes les planètes, effectivement, à seulement cinq pour cent près, s'intègrent dans le système de Kepler.

Un résultat impressionnant, donc, quoi que l'on pense de la « méthode employée ». Et un résultat qui, pour son auteur, paraissait bien justifier le saut de la théologie vers l'astronomie. Curieusement, du reste, ce livre publié par le jeune Kepler un bon demi-siècle après le *De revolutionibus* de Copernic constituait la première défense ouverte du nouveau système après Copernic lui-même.

Dans le système copernicien, le Soleil est passé au centre de l'univers, mais continue à ne remplir qu'une fonction d'« éclairage » : c'est lui qui illumine les planètes, il n'est pas la *cause* de leur mouvement. Kepler fait un grand pas en avant lorsqu'il voit dans le Soleil un véritable moteur. Il note que plus une planète est éloignée du Soleil, plus sa période est longue. A ce phénomène, les astronomes du Moyen Age n'avaient donné que des explications de type mystique ou animiste. Par exemple, les stoïciens, que Kepler avait étudiés dans l'ouvrage classique de Scaliger, considéraient que chaque planète possède son esprit propre *(mens)* qui la guide à travers le ciel. De même la médecine, qui rattachait chaque planète à une sphère transparente, affirmait que les sphères étaient mues par quelque intelligence céleste.

Lorsque Kepler tente d'expliquer la diminution de la vitesse linéaire d'une planète à mesure que s'accroît sa distance par rapport au Soleil, lui aussi commence par imaginer pour chaque planète un « esprit de mouvement » *(anima motrix)*.

> Il nous faut donc établir l'un des deux faits suivants : ou bien les *animae motrices* [des planètes] sont d'autant plus faibles que la distance de celles-ci par rapport au Soleil est plus grande, ou bien il n'existe qu'une seule *anima motrix,* située au centre de toutes les orbites, c'est-à-dire dans le Soleil, laquelle meut les corps avec d'autant plus de force qu'ils sont plus proches d'elle, mais qui devient inopérante sur les corps les plus éloignés, en raison de la distance et de l'affaiblissement qui en résulte.

Kepler fera par la suite une remarque capitale : mon système céleste affirme-t-il, reste d'une parfaite cohérence « si l'on remplace le mot "âme" *(anima)* par celui de "force" *(vis)* ». Ainsi fraye-t-il hardiment la voie à une explication mécaniste, et non plus organique, de l'univers. « Esprit » et « intelligence céleste » feront place à des forces.

Kepler, à l'en croire, n'était nullement poussé vers une explication de type mécaniste. Bien au contraire. Pour lui, le système copernicien tel que l'expose Copernic manque par trop de spiritualité. Il préfère un système dans lequel un Soleil immobile, source de toute Énergie et de toute Lumière, représenterait Dieu le Père, les étoiles fixes au-delà des planètes, le Fils, et la force motrice du Soleil dans l'espace, le Saint-Esprit. C'est sur ces fondements sacrés qu'il construit sa théorie des forces régissant l'univers.

Si la description qu'il donne de ces forces — une sorte d'effluve magnétique — est erronée, son intuition n'en demeure pas moins prophétique. Lorsque le médecin anglais William Gilbert publie en 1600 son important ouvrage sur le magnétisme, Kepler a soudain le sentiment de toucher enfin du doigt la force expliquant les mouvements célestes. Ne serait-il pas possible, demande-t-il, « de montrer que la machine céleste est moins un agencement divin qu'un pur mécanisme [...] puisque tous ces mouvements si divers sont provoqués par une seule et simple force magnétique, de même que, dans une horloge, tous les mouvements sont le fait d'un simple poids » ?

C'est à partir de la théorie visionnaire de Copernic, des observations accumulées par Tycho Brahé — à qui Kepler rend volontiers hommage — et grâce à sa propre passion mystico-mathématique que Kepler énoncera les trois lois du mouvement planétaire qui font de lui un lointain précurseur de la physique moderne.

L'extase où le plonge la découverte de la troisième de ces lois n'est pas sans rappeler d'autres grands prophètes :

> Maintenant, depuis l'aube d'il y a huit mois, depuis le plein jour d'il y a trois mois, et depuis quelques jours que le grand Soleil illumine mes spéculations merveilleuses, rien ne me retient plus. Je m'abandonne tout entier à sa frénésie sacrée. J'ose avouer sans détour que j'ai dérobé les vaisseaux d'or des Égyptiens pour construire un tabernacle à mon Dieu loin des frontières de l'Égypte. Pardonnez-moi, et je me réjouirai ; faites-moi des reproches, je les endurerai. Le sort en est jeté et j'écris mon livre. Qu'il soit lu par mes contemporains, ou seulement par la postérité, il n'importe : mon livre peut attendre un siècle son lecteur, comme Dieu lui-même attend depuis six mille ans Son témoin.

## 1

## *La vision qui dérange*

Le passage de l'observation à l'œil nu à l'observation instrumentale a constitué l'un des grands progrès de l'histoire humaine. Mais l'invention du télescope ne procéda pas d'une volonté délibérée. Trop tenace était encore à l'époque la foi dans le témoignage direct des sens.

D'où vient la lunette ? On l'ignore. Tout ce qu'on en sait donne à penser qu'elle fut inventée par hasard, par des gens peu versés en optique. Peut-être un jour un vieil artisan verrier fabriquant des vitraux eut-il la joie, en regardant à travers l'un de ses verres pour en vérifier la qualité, de constater que sa vue soudain s'améliorait. On peut penser que l'inventeur n'était pas un universitaire, car ces chers professeurs aiment à se prévaloir de leurs découvertes et aucun texte avant le XIIIe siècle ne revendique la paternité de ce type d'invention. Le mot italien *lente* (de « lentille », la plante) ou *lente di vetro* (« lentille de verre »), qui servit d'abord à désigner l'objet, n'est pas, à l'évidence, un terme d'origine savante. Depuis le premier usage connu de la lunette, avant l'an 1300, jusqu'à l'invention du télescope, près de trois siècles plus tard, les savants ont toujours ignoré la lentille. Il y avait à cela de multiples raisons. D'abord, on ne savait pas grand-chose sur la théorie de la réfraction. Malheureusement, les rares physiciens un peu curieux, plutôt que d'étudier le phénomène tel qu'il se produit sur des surfaces courbes, se laissèrent abuser une fois de plus par leur goût des formes parfaites. Ils commencèrent par étudier la réfraction dans une sphère de verre, ce qui donnait lieu à des aberrations complexes et les conduisit à une impasse.

Dans leur recherche sur les effets des lentilles, les adeptes de la philosophie naturelle étaient paralysés par leur conception de la lumière et de la vision. Ce qui les intéressait, c'était moins la nature même de la lumière en tant que phénomène physique que la façon dont l'homme voit. Pour les Grecs anciens, la vision est un acte volontaire de l'œil humain plutôt qu'un phénomène passif de perception. Dans la théorie euclidienne de la perspective, c'est de l'œil et non de l'objet perçu que partent les lignes de la vision. Platon et les pythagoriciens décrivent la vision comme une émanation de l'œil qui embrasserait l'objet perçu. C'est aussi la conception de Ptolémée. Pour Démocrite et les atomistes, en revanche, l'objet perçu émet des sortes de corpuscules qui pénètrent l'œil pour y produire une image. A quoi Galien, grand spécialiste d'anatomie, objecte, en s'appuyant sur le sens commun, qu'une pupille d'œil est chose bien trop petite pour que puisse y passer l'image d'un objet de grandes dimensions, une montagne par exemple. Les atomistes, du reste, étaient bien en peine d'expliquer comment un seul objet aurait pu émettre suffisamment de corpuscules pour atteindre tous ceux qui se trouveraient le regarder en même temps. Galien élabore une théorie moyenne, qu'il tente de relier à la physiologie de l'œil. Mais durant tout le Moyen Age prévalut l'idée d'un œil « actif » dont l'expérience visuelle était régie par l'âme. L'œil n'était donc pas un simple instrument d'optique, ni la lumière un phénomène de pure physique.

Autre obstacle à l'étude de l'optique et à la fabrication d'instruments : la religion. « Vous êtes la lumière du monde », dit Jésus dans le Sermon sur la montagne (Matthieu, 5, 14). « Dieu est lumière, déclare l'apôtre Jean, et il n'est point en Lui de ténèbres » (première épître de Jean, 1, 5). Et, le premier jour de la Création, « Dieu dit : Que la lumière soit ! Et la lumière fut » (Genèse, 1, 3). De plus, selon le texte sacré, le Soleil, la Lune et les étoiles ne furent créés que le quatrième jour ! S'attaquer à la lumière, la traiter en simple phénomène physique, c'était comme vouloir pénétrer la chimie de l'Eucharistie.

Une théologie que venaient conforter tradition populaire et bon sens. Pourquoi des yeux avaient-ils été donnés à l'homme sinon pour connaître la forme, la taille, la couleur des objets qui l'entourent ? Et, en ce cas, miroirs, prismes et lentilles pouvaient-ils faire autre chose que mentir ? Les instruments inventés par l'homme pour multiplier, dévier, agrandir, diminuer, doubler ou renverser les images ne pouvaient être perçus, dans ce contexte, que comme des moyens de déformer la vérité. Une supercherie dont devait se garder tout bon chrétien, tout physicien honnête.

Certains pourtant allaient oser. Ils étaient contents de porter des lunettes à nez tout simplement parce que celles-ci amélioraient leur vue. Il semble que les besicles aient d'abord servi à corriger la presbytie. Au début du XIVe siècle figure dans un inventaire florentin « une paire de besicles à monture d'argent doré ». A Venise, à la fin du XIIIe siècle, la fabrication des lunettes est devenue si courante qu'une loi doit être votée contre les lunetiers qui parfois trompent leurs clients en leur vendant du verre pour du cristal. « A mon grand chagrin, écrit Pétrarque, lorsque j'eus dépassé soixante ans [...] je dus me résoudre à porter des besicles. » Kepler lui-même portait des lunettes. Vers le milieu du XIVe siècle, les personnages en vue se faisaient portraiturer le visage ainsi agrémenté. Mais les fabricants ayant longtemps, pour des raisons commerciales, gardé pour eux leurs secrets, il est difficile de connaître toute l'histoire.

« Nous sommes certains, écrit Galilée en 1623, que l'inventeur du télescope fut un simple lunetier qui, manipulant par hasard diverses formes de verre, regarda, également par hasard, à travers deux d'entre eux, l'un convexe et l'autre concave, tenus à différentes distances de ses yeux ; il constata avec étonnement l'effet produit et, partant, découvrit l'instrument. » Sans doute la découverte est-elle survenue dans plusieurs ateliers à peu près en même temps. L'hypothèse la plus vraisemblable situe l'événement vers 1600, dans la boutique d'un obscur opticien hollandais de Middelburg, du nom de Hans Lippershey. Deux enfants entrés là par hasard se mirent à jouer avec les lentilles. Ils en accolèrent deux et, regardant à travers elles dans la direction du clocher du l'église, s'aperçurent à leur grand émerveillement que la girouette se trouvait considérablement grossie. Lippershey regarda à son tour, puis se lança dans la fabrication des télescopes.

Lippershey avait la réputation d'être un « ouvrier illettré ». Pas, en tout cas, au point de ne pas saisir sa chance. Le 2 octobre 1608, les États généraux des Pays-Bas recevaient une requête dans laquelle notre lunetier,

> [...] inventeur d'un instrument pour voir à distance, comme il a été prouvé aux États, demandait que ledit instrument fût tenu secret, et que lui fût accordé un privilège, interdisant à quiconque d'imiter ces instruments, ou bien que lui fût versée une pension annuelle, afin de lui permettre d'en fabriquer à l'usage exclusif de ce pays, sans en vendre aucun à des rois ou princes étrangers. Il a été résolu que certains membres de l'Assemblée constitueront une commission, laquelle devra se mettre en relation avec le pétitionnaire au sujet de ladite invention, et lui demander s'il ne lui serait pas possible de la perfectionner, de sorte que l'on puisse y regarder avec les deux yeux. [...]

Proposer un nouvel outil de guerre au moment même où les Pays-Bas tentaient d'arracher leur indépendance aux puissantes armées de Philippe II d'Espagne, voilà qui ne manquait pas d'habileté. Le prince Maurice de Nassau, commandant des forces armées et protecteur des sciences, ne pouvait qu'être sensible aux applications militaires d'un « instrument pour voir à distance ». Après avoir testé l'engin du haut d'une tour du palais, la commission conclut à son « intérêt probable pour l'État ».

Malheureusement pour Lippershey, d'autres Hollandais revendiquèrent en même temps que lui la paternité — et les avantages financiers — de l'invention. Ainsi de ce Jacob Metius, d'Alkmaar, qui prétendit avoir fabriqué un télescope de qualité égale à celui de Lippershey et se proposait, pour peu que les États généraux lui accordent leur appui, d'en construire un bien meilleur encore. Les autorités n'ayant pas immédiatement donné suite à sa proposition, l'excentrique Metius se refusa à montrer son œuvre à quiconque et, à sa mort, fit détruire ses outils afin que personne ne puisse se prévaloir de son travail. Il y eut aussi, lorsque la nouvelle de l'invention fut connue, des revendications tout à fait fantaisistes, certains n'hésitant pas à revendiquer la paternité... pour leur père. L'un des plus effrontés de ces inventeurs rétroactifs fut un certain Zacharie Jansen (1588-1631 ?), lui aussi opticien à Middelburg. Il devait sa réussite à la contrefaçon des pièces de cuivre espagnoles, manière de narguer l'ennemi. Après quoi il était passé à la contrefaçon des pièces d'or et d'argent de Hollande même, ce qui lui valut une condamnation au supplice de l'huile bouillante. Son fils jura par la suite que Lippershey avait volé l'idée du télescope à son père à lui, Jansen — lequel, à l'époque du geste incriminé, avait deux ans tout au plus !

Dans la confusion ambiante, les États généraux repoussèrent la requête de Lippershey. Tous ceux qui revendiquaient la paternité de l'invention furent du reste éconduits. Entre-temps, le télescope se répandait. En 1608, l'ambassadeur de France à La Haye s'en procurait un à l'intention du roi

Henri IV et, dès l'année suivante, on vendait des télescopes à Paris. La même année, on en vit un à la foire de Francfort. Sous des noms divers, l'instrument fit bientôt son apparition à Milan, Venise, Padoue et, avant la fin de l'année, on en fabriquait à Londres.

Mais les esprits prudents eurent bien du mal à renoncer au témoignage de leurs sens pour accepter celui d'un douteux instrument. Obtenir d'un adepte de la « philosophie naturelle » qu'il veuille bien mettre l'œil à la lunette de Galilée ne fut pas chose facile. Tant de savantes raisons l'empêchaient de croire ce qu'il ne pouvait voir à l'œil nu. L'éminent aristotélicien Cesare Cremonini refusa de perdre son temps à regarder dans un télescope pour y voir ce que « nul autre que Galilée n'a vu ». Du reste, ajoute-t-il, « regarder à travers ces lunettes me donne mal à la tête ». Et un autre : « Galilée, mathématicien de Padoue, est venu nous rendre visite à Bologne, apportant avec lui son télescope, avec lequel il aurait vu quatre planètes. Je n'ai point fermé l'œil le 24, ni le 25 avril, et j'ai expérimenté cet instrument de M. Galilée de mille façons, tant sur les objets d'ici-bas que sur ceux d'en haut. Sur terre, il fonctionne à merveille. Dans le ciel, il est trompeur, car certaines étoiles fixes apparaissent doubles. J'ai pour témoins hommes fort excellents et nobles docteurs [...] et tous ont admis que l'instrument induit en erreur. Galilée en resta tout interdit et, le 26 du mois [...] il repartit tête basse. » Et le célèbre père Flavius, professeur de mathématiques au Collège romain, commença lui aussi par se railler des prétendus satellites de Jupiter observés par Galilée. En effet il assurait que lui aussi pouvait les faire voir à tous pour peu qu'on lui laissât le temps « de les insérer dans une lunette ».

Dans ses observations, Galilée commençait par regarder l'objet à travers son télescope, puis s'en approchait pour s'assurer qu'il n'avait pas été abusé. Le 24 mai 1610, il déclarait avoir déjà testé sa lunette « cent mille fois sur cent mille étoiles et autres objets ». Un an plus tard, il était encore en train de procéder à des expérimentations. « Depuis deux ans, j'ai éprouvé mon instrument — ou plutôt des dizaines de mes instruments — dans des centaines, des milliers d'expériences, réalisées sur des milliers et des milliers d'objets, proches et lointains, grands et petits, brillants et obscurs. Je ne vois donc pas comment il pourrait venir à l'idée de quiconque que j'aie pu être ingénument abusé dans mes observations. »

« Ingénu », voilà bien le mot ! Galilée est en fait l'un des premiers à donner priorité aux paradoxes de la science sur la tyrannie du sens commun. La grande leçon du télescope n'était pas dans ce qu'il montrait des objets terrestres, et que Galilée pouvait toujours aller vérifier par lui-même, mais dans l'infinité des « autres objets » qui ne pouvaient être ni touchés ni approchés, ni même perçus à l'œil nu.

La vision télescopique, si l'on peut dire, troublera longtemps les esprits avant d'être admise. En 1611, le grand poète anglais John Donne note que les idées coperniciennes, qui « peut-être sont vraies [...], s'insinuent dans tous les esprits », créant un immense désarroi :

> Et la philosophie nouvelle sème partout le doute,
> Le feu primordial est éteint,
> Le Soleil perdu de vue, ainsi que la Terre, et nulle intelligence
> N'aide plus l'homme à les trouver.
> Les hommes admettent volontiers que notre monde est épuisé
> Lorsque dans les planètes et le firmament
> Ils cherchent tant de nouveautés, puis s'aperçoivent que
> Telle chose est à nouveau brisée en ses atomes.
> Tout est en pièces, sans cohérence aucune [...]
> Et dans les constellations alors s'élèvent
> Des étoiles nouvelles, tandis que les anciennes disparaissent à nos yeux.

En 1619, lors d'un voyage sur le continent, Donne prendra la peine d'aller voir Kepler à Linz.

John Milton, autre grand poète, fut lui aussi déconcerté par la nouvelle cosmographie. Agé de trente ans à peine, il rend visite à Galilée, à Arcetri, près de Florence, où l'astronome italien avait été assigné à résidence sur ordre du pape. Puis, dans son *Areopagitica* (1644), publié deux ans après la disparition de Galilée, Milton dépeint le proscrit d'Arcetri comme une victime héroïque. « C'était cela qui avait terni la gloire du génie italien [...]. Rien, dans toutes ces années, ne s'était écrit dans ce pays sauf flatterie et emphase. C'est alors que je rendis visite au célèbre Galilée, homme vieilli et prisonnier de l'Inquisition pour avoir eu en astronomie des idées différentes de celles des autorités franciscaines et dominicaines. » Mais vingt ans plus tard, lorsque Milton écrit *Le Paradis perdu* (afin de « justifier les voies de Dieu envers les hommes »), il ne s'écarte guère de la cosmographie ptolémé-chrétienne classique. Tout en décrivant les deux systèmes, il se refuse à opter clairement pour l'un ou l'autre. Son choix transparaît bel et bien pourtant lorsqu'il situe son poème dans un cosmos purement biblique. Son récit, en effet, n'a de sens qu'avec une Terre immobile, créée spécialement par Dieu pour l'homme, avec le Ciel au-dessus et l'Enfer au-dessous. Dans la vision ptoléméenne du poète anglais, Satan monte au Ciel, descend vers le Soleil, et de là est envoyé sur Terre. Plus d'un siècle après le *De revolutionibus* de Copernic, Milton ne parvient toujours pas à intégrer la nouvelle conception de l'univers.

C'est par une série de coïncidences que Galilée (1564-1642) rencontre le télescope. Rien à voir ici avec un quelconque désir de réviser le cosmos ptoléméen, de faire progresser l'astronomie ou de percer les secrets de l'univers. Les causes immédiates furent plus terre à terre : ambitions maritimes et militaires de la République de Venise, volonté d'expérimentation suscitée par la réussite commerciale.

Un mois à peine après la requête de Lippershey au prince Maurice, Venise avait vent de l'invention. Le premier à en entendre parler fut Paolo Sarpi, un moine passionné de science. Ses fonctions de théologien auprès du Sénat et de principal conseiller dans la querelle avec le Saint-Siège l'obligeaient à se tenir au courant de ce qui se passait dans le monde. Excommunié par Paul V, il avait fait l'objet d'une tentative d'assassinat. Il était l'un des amis de Galilée, dont il avait peu de temps auparavant défendu l'invention d'un système de calcul contre les prétentions d'un faussaire. A l'époque, Galilée était déjà depuis quinze ans, grâce au Sénat vénitien, professeur de mathématiques à l'université de Padoue. Il avait effectué de nombreuses visites aux arsenaux de Venise et possédait un petit atelier à Padoue, où il fabriquait des instruments topographiques, des compas et autres outils mathématiques. Les revenus de l'atelier venaient arrondir son maigre traitement d'enseignant et lui permettaient d'assurer une dot à ses sœurs, ainsi que de subvenir aux besoins de ses frères et de sa vieille mère. Galilée était maintenant connu comme fabricant d'instruments.

Un jour, un visiteur inconnu vint proposer aux sénateurs de Venise l'achat d'un télescope. La question fut soumise à Sarpi. Celui-ci, bien que conscient de l'utilité d'un tel engin pour une puissance maritime en pleine expansion, était convaincu que Galilée pouvait en produire sur place un plus perfectionné. Il conseilla donc au Sénat de décliner l'offre.

La confiance de Sarpi envers le fabricant italien devait bientôt s'avérer justifiée. En juillet 1609, Galilée, qui se trouvait à Venise, entendit lui-même parler de la fameuse lunette. Dans le même temps, il apprenait qu'un étranger possédant ce type d'instrument était arrivé à Padoue. Afin de satisfaire sa curiosité, il regagna immédiatement sa ville. Hélas, le mystérieux visiteur était déjà reparti, à destination de Venise. Mais s'étant renseigné sur le fonctionnement de l'engin, il entreprit d'en confectionner un lui-même. Et avant la fin du mois d'août, il était de retour dans la cité des doges, présentant aux sénateurs, pour la plus grande joie de Sarpi, une lunette de grossissement 9, c'est-à-dire trois fois plus puissante que celle proposée par l'étranger. Il continua ensuite à perfectionner l'instrument, jusqu'à produire, à la fin de l'année 1609, un modèle grossissant trente fois. On ne pouvait guère faire mieux avec les moyens de l'époque (un objectif plan-convexe et un oculaire plan-concave). Il prit le nom de « lunette de Galilée ».

Galilée, plutôt que de chercher à vendre son télescope, en fit solennellement don au Sénat de Venise le 25 août 1609. En contrepartie, l'auguste assemblée lui offrit le renouvellement à vie de sa chaire, ainsi que le doublement de son traitement annuel. Ce qui lui valut le ressentiment actif de ses collègues pour le restant de ses jours. A leurs yeux, tout ce à quoi Galilée pouvait prétendre, lui qui n'avait fait que reprendre un instrument inventé par d'autres, c'était qu'on lui payât le sien un bon prix.

Bien que n'ayant aucune connaissance particulière en optique, Galilée était assez habile fabricant pour réussir à produire une lunette. S'il n'avait été qu'un vulgaire praticien, le télescope n'eût pas été source de tant d'ennuis. Les autres nations auraient partagé l'enthousiasme des sénateurs vénitiens pour un instrument qui, en rapprochant les objets, servait le commerce et la guerre tout ensemble. Mais Galilée ne voulut pas en rester là. Au début de janvier 1610, il fit ce qui pour nous est l'évidence même : pointer sa lunette vers les étoiles. Un tel geste, aujourd'hui, n'exige ni bravoure ni imagination. Il en allait tout autrement du temps de Galilée. S'armer alors d'un jouet pour chercher à pénétrer la majesté des sphères célestes, quelle audace ! Vouloir observer la forme du ciel créé par Dieu était un acte superflu, présomptueux, sacrilège peut-être. Galilée n'était, théologiquement parlant, qu'un indiscret.

Un demi-siècle s'était écoulé depuis le *De revolutionibus* de Copernic (1543) et sa thèse héliocentrique, sans que pour autant le monde en fût changé. Cette thèse, il faut le rappeler, n'était le fruit ni d'une découverte astronomique ni d'observations nouvelles. « Les mathématiques aux mathématiciens ! » disait prudemment l'astronome polonais. Et dans les décennies qui avaient suivi sa mort, ses démonstrations compliquées et ses spéculations esthético-philosophiques n'avaient ni touché le monde laïc ni particulièrement irrité celui des théologiens.

L'opinion courante face aux idées coperniciennes, on la trouve exprimée, une dizaine d'années seulement avant la lunette de Galilée, par Jean Bodin (1530-1596), homme connu pour son esprit ouvert :

> Nul homme sensé, ou un tant soit peu versé aux choses de la physique, ne saurait admettre que la Terre, rendue si lourde par son poids et par sa masse, puisse tourner autour de son propre centre et de celui du Soleil ; car à la moindre trépidation, nous verrions alors jeter bas cités et forteresses, villes et montagnes. Un certain courtisan nommé Aulicus, entendant un jour un astrologue défendre l'idée de Copernic devant le duc Albert de Prusse, se tourna vers le domestique qui servait le falerne et lui dit : « Prenez garde que la cruche ne se renverse ! » Car si la Terre était mobile, ni une flèche tirée droit en l'air ni une pierre lâchée du haut d'une tour ne tomberaient perpendiculairement, mais se trouveraient déportées vers l'avant ou vers l'arrière [...]. Enfin, toute chose, lorsqu'elle trouve un lieu qui convient à sa nature, tend à y demeurer, comme l'écrit Aristote. Et par conséquent la Terre, ayant reçu un lieu approprié à sa nature, ne saurait être ébranlée par aucun autre mouvement que le sien propre.

En 1597, Galilée lui-même soutenait encore le système de Ptolémée dans une série de conférences faites à Padoue, et la *Cosmographie* à laquelle il travaillait alors ne laisse transparaître aucun doute dans son esprit sur la vision traditionnelle de l'univers. Cette même année toutefois, dans une lettre à un ancien collègue de Pise, il défend la thèse de Copernic contre certaines attaques injustifiées. De même, lorsqu'il reçoit le premier ouvrage de Kepler, le *Mysterium cosmographicum,* nettement pro-copernicien, il adresse à l'auteur ses félicitations. Mais ce qui le séduit dans la vision que donne Kepler de Copernic, ce n'est pas le contenu spécifiquement astronomique, mais la confirmation qu'il y trouve de sa propre théorie sur les marées. Et lorsque Kepler le presse de se prononcer clairement pour la nouvelle vision du monde, Galilée tout simplement refuse.

Lorsqu'il pointe pour la première fois sa lunette vers le ciel, Galilée découvre des choses si étonnantes qu'il s'empresse d'en publier le compte rendu. En mars 1610, son *Sidereus nuncius (Le Messager étoilé),* simple brochure de vingt-quatre pages, plonge le monde des savants dans l'étonnement. Il y rapporte avoir vu « le plus beau et ravissant spectacle qui soit [...] des sujets de grand intérêt pour tous les observateurs des phénomènes naturels [...] d'abord pour leur excellence intrinsèque, ensuite pour leur absolue nouveauté, et enfin à cause de l'instrument même qui m'a permis d'en avoir l'appréhension ». Jusque-là, explique-t-il, toutes les étoiles fixes perçues « sans l'aide d'aucun pouvoir de vision artificiel » pouvaient être comptées. Désormais, le télescope « nous met clairement sous les yeux d'autres étoiles que nul n'a jamais vues encore, et dont le nombre est dix fois plus élevé au moins que celui des étoiles déjà connues ». Grâce au nouvel instrument, le diamètre de la Lune apparaît « environ trente fois plus grand, sa surface neuf cents fois, et sa masse solide presque vingt-sept mille fois plus grande que lorsqu'on la regarde à l'œil nu ; et n'importe qui, par conséquent, peut savoir, avec la certitude que donne l'usage de nos sens, que la surface de la Lune n'est sûrement pas lisse, mais rugueuse, et que, telle la face de la Terre elle-même, elle présente partout de vastes protubérances, des gouffres béants et des sinuosités ».

En outre, le télescope mettait fin aux querelles sur la Galaxie (la Voie lactée). « Toutes les controverses qui, depuis tant de siècles, agitent les philosophes sont d'un seul coup balayées par le témoignagne irréfutable de nos yeux, et nous voici libérés des dissensions verbeuses sur ce sujet, car la Galaxie n'est rien d'autre qu'une masse d'étoiles innombrables, réparties en différents groupes. Sur quelque partie de cette masse que l'on dirige le télescope, aussitôt une foule d'étoiles apparaît [...].

« Mais ce qui, de loin, causera le plus d'étonnement, et qui m'a incité tout spécialement à attirer l'attention de tous les astronomes et philosophes, c'est que j'ai découvert quatre planètes qu'aucun astronome avant moi ne connaissait, ni n'avait jamais observées, et qui ont leur orbite autour d'une même étoile brillante. » Il venait de découvrir les quatre satellites de Jupiter.

Chacune de ses observations toutes simples ébranlait l'un des piliers de l'univers aristotélo-ptoléméen. Voilà en effet que, de ses propres yeux, un homme avait vu des étoiles fixes en nombre incalculable (l'univers était-il infini ?). Il avait constaté que la forme de la Lune n'était pas plus parfaite que celle de la Terre elle-même (n'y avait-il pas de différence alors entre la substance des corps célestes et celle de la Terre ?). La Voie lactée s'avérait n'être qu'une masse innombrable d'étoiles (la théorie aristotélicienne des exhalaisons célestes n'était-elle donc pas fondée ? Les phénomènes n'étaient-ils pas fondamentalement différents là-haut de ce qu'ils étaient sur terre ?). Mais si chacune de ces observations ponctuelles portait un coup aux vieux dogmes, aucune cependant ne confirmait vraiment Copernic.

Reste que, pour Galilée, tout cela était déjà suffisamment probant. Dans sa brochure, il prenait ouvertement parti pour le système de Copernic. Kepler n'avait pas réussi à le convaincre, mais le télescope avait tout changé. Pour Galilée, la découverte la plus importante était celle des quatre satellites de Jupiter. N'était-ce pas la preuve que la Terre n'était pas un cas unique ? Combien d'autres planètes possédaient-elles ainsi leurs propres satellites ? Et cela montrait aussi qu'un corps comme la Terre, autour duquel tournait un autre corps, pouvait lui-même tourner autour d'un troisième. D'où cette conclusion de Galilée :

> [...] Nous disposons d'un solide argument, propre à vaincre les scrupules de ceux qui admettent la rotation des planètes autour du Soleil dans le système de Copernic, mais sont si troublés par l'idée que la Lune puisse se déplacer autour de la Terre alors que l'une comme l'autre décrivent une orbite d'une année autour du Soleil, qu'ils tiennent cette théorie de l'univers pour irrecevable : car nous n'avons plus affaire maintenant à une seule planète tournant autour d'une autre, et toutes deux parcourant une vaste orbite autour du Soleil, mais notre *vue même* [souligné par nous] nous présente quatre satellites qui tournent autour de Jupiter, à la façon de la Lune autour de la Terre, tandis que l'ensemble du système décrit une énorme orbite autour du Soleil en l'espace de douze ans.

Ces étonnantes découvertes devaient rapidement promouvoir la carrière de Galilée. Ses rivaux, toutefois, tant à Padoue qu'à Venise, intervinrent, semble-t-il, car les sénateurs vénitiens ne tinrent pas leurs généreuses promesses. Galilée dut chercher ailleurs la chaire qui lui permettrait de se consacrer à sa nouvelle passion. Afin d'obtenir les bonnes grâces de Cosme II de Médicis, il baptisa « planètes médicéennes » les quatre satellites de Jupiter. Et il adressa au grand-duc un « merveilleux » télescope.

Ces politesses produisirent l'effet escompté. Du grand-duc vinrent une chaîne en or et une médaille, suivies, en juin 1610, d'une lettre nommant Galilée « premier mathématicien de l'université de Pise et philosophe auprès du grand-duc, sans obligation d'enseigner ni de résider à l'université ou dans la ville de Pise, et avec un traitement de mille écus florentins par an ». Florence devait rester son lieu d'ancrage universitaire jusqu'à la fin de ses jours.

Kepler, dont la foi avait anticipé sur les faits, se réjouit de constater que Galilée avait enfin « chassé » ses doutes, et écrivit deux opuscules pour lui apporter son soutien. Pendant ce temps, Galilée poursuivait ses observations à la lunette, apportant de nouvelles confirmations du système de Copernic. Il nota l'ovalité de Saturne. Et la découverte des phases de Vénus, que l'on ne pouvait voir à l'œil nu, vint renforcer la thèse d'une rotation de cette planète autour du Soleil. Autant d'observations confirmant la théorie héliocentrique.

Galilée fut invité à Rome, où il connut un triomphe tout à fait inespéré. Arrivé le 1er avril 1611, il fut très vite reçu en audience par le page Paul V, qui, déférence rare, le fit relever aussitôt agenouillé. Les Pères jésuites tinrent en l'honneur du « messager étoilé » une réunion spéciale du Collège romain : Galilée obtint même de certains hauts personnages de l'Église qu'ils consentent à regarder dans sa lunette. Le spectacle leur plut, mais pas au point, toutefois, de leur faire admettre les thèses de l'astronome.

Dans la soirée du 14 avril 1611, un banquet en l'honneur de Galilée était organisé dans une grande propriété aux portes de Rome par l'Académie des Lynx (l'une des toutes premières sociétés savantes). Sur les armoiries de l'académie était représenté un lynx arrachant les entrailles de Cerbère, le chien tricéphale posté à l'entrée des Enfers : la Vérité combattant l'Ignorance. « Les invités étaient des théologiens, des philosophes, des mathématiciens et d'autres savants. Après que Galilée leur eut montré les satellites de Jupiter, ainsi que nombre d'autres merveilles célestes, il leur fit voir avec ses instruments la galerie des bénédictions de Saint-Jean de Latran, avec l'inscription de Sixte Quint très clairement lisible. Et pourtant [...] la distance était de plus d'une lieue. »

C'est à cette occasion que la lunette de Galilée fut baptisée. Le nom en fut proclamé par le maître de céans, Federico Cesi, marquis de Monticelli et duc d'Acquasparta, mais le mot « télescope » avait été imaginé en fait par un poète et théologien grec présent à la cérémonie. Ainsi naquit l'usage consistant à donner aux instruments de la science moderne des noms empruntés à la Grèce antique.

## 41

## *Pris entre deux feux*

De retour à Florence, Galilée commence à rassembler des arguments conciliant vérité biblique et théorie copernicienne. Soucieux de préserver son orthodoxie, il offre une explication ingénieuse des contradictions entre les paroles de l'Écriture et les faits observés. Il n'existe qu'une seule et unique Vérité, dit-il, mais exprimée sous deux formes : le langage de la

Bible et celui de la Nature. Dans un cas comme dans l'autre, le langage de Dieu. Dans le texte sacré, Dieu parle la langue vernaculaire, mais dans la Nature Il utilise un idiome plus ésotérique :

> [...] Aussi bien l'Écriture sainte que la nature procèdent de la Parole divine, la première étant le Verbe du Saint-Esprit, la seconde l'exécutrice la plus fidèle des commandements de Dieu. Et comme il est nécessaire dans l'Écriture, afin de mettre celle-ci à la portée des gens ordinaires, de dire maintes choses qui — par le sens des mots — paraissent différentes de la vérité absolue, et que, d'autre part, la nature est inexorable et inaltérable et se moque que ses raisons cachées soient expliquées à l'homme, aussi longtemps qu'elle n'outrepasse point les lois qui lui sont imposées, pour ces diverses raisons, donc, il semble qu'aucun des effets physiques placés sous nos yeux par nos sens, ou découlant de démonstrations irréfutables, ne soit en quoi que ce soit mis en doute par un quelconque passage de l'Écriture dont le sens, pourtant, paraîtrait différent [...] deux vérités ne sauraient en aucun cas se contredire [...].

Mais, à Rome, les Pères jésuites ne l'entendaient pas de cette oreille. Poussés par le cardinal Bellarmin, ils flairaient l'hérésie. Et Bellarmin, grand maître du débat théologique et de l'orthodoxie aristotélicienne, avait pour lui le sens commun. Saint Augustin lui-même, s'empresse-t-il de rappeler, était d'avis qu'il fallait toujours, sauf « démonstration rigoureuse » du contraire, prendre l'Écriture à la lettre. Or, l'expérience quotidienne de l'homme lui montrant « clairement que la Terre est immobile » et sa rotation autour du Soleil ne pouvant être « rigoureusement démontrée », il fallait s'en tenir au texte sacré. Et accepter littéralement l'expression du roi Salomon lorsque celui-ci déclare que le Soleil « revient à sa place ».

Galilée commit l'erreur de se rendre à Rome afin de se défendre. Lors de son procès par l'Inquisition dix-sept ans plus tard, l'accusation tournera autour des propos tenus durant l'audience que lui avaient accordée Bellarmin et le pape en 1616. Lui avait-on, oui ou non, intimé l'ordre de renoncer à enseigner la doctrine de Copernic ? Que s'était-il dit effectivement ? Si Galilée n'était pas retourné à Rome, l'Église eût peut-être été contrainte de lui faire un tout autre procès. Durant cette visite en tout cas, l'astronome ne réussit pas à convaincre les responsables de l'Église. L'idée que la Terre puisse tourner fut expressément condamnée, sans toutefois que Galilée lui-même soit jugé coupable, ni ses livres interdits.

Certains grands philosophes modernes des sciences — le Français Pierre Duhem, par exemple, ou le Britannique Karl Popper — soutiennent que, d'un point de vue purement positiviste, Bellarmin était plus près en fait de la vérité que Galilée. Ce dernier, disent-ils, n'explique rien vraiment, tandis que le cardinal, lui, admet que la thèse copernicienne ne fait que « sauver les apparences ».

En 1624, Galilée retourne à Rome pour présenter ses respects au nouveau pape, Urbain VIII. Il demande l'autorisation pontificale, malgré l'interdit de 1616, de publier un ouvrage impartial comparant les doctrines ptoléméenne et copernicienne. En pure perte. Rentré à Florence, il passera six ans à écrire son *Dialogue sur les grands systèmes d'explication du monde*. Sans prendre délibérément parti pour Copernic, l'ouvrage constitue un exposé convaincant de la nouvelle théorie. A la manière de Platon, Galilée présente les arguments pour et contre sous la forme d'un entretien entre trois amis : un noble florentin partisan des thèses de Copernic, un aristotélicien imaginaire, favorable à la théorie géocentrique, et un aristocrate vénitien à l'esprit ouvert, que les deux autres tentent de convaincre.

Galilée cherchait-il, comme il a été dit, à « embobiner les censeurs » ? Toujours est-il qu'il n'y parvint pas. De même que *Le Messager étoilé* annonçait un univers « télescopique » fait d'espace infini, de même le *Dialogue* affirmait l'existence d'un univers héliocentrique. Se pouvait-il vraiment que notre Terre ne fût qu'une « planète » parmi d'autres, une voyageuse de plus autour du Soleil ?

La théorie de Copernic était quelque peu tombée dans l'oubli au cours du demi-siècle qui avait suivi la mort de l'astronome polonais. Sans l'invention du télescope, l'héliocentrisme eût pu rester longtemps une simple hypothèse d'école. Ce fut ce qu'il vit qui persuada Galilée de la vérité de ce qu'il avait lu. Et il ne fut pas le seul. Avant l'apparition du télescope, les garants de l'orthodoxie chrétienne n'éprouvaient pas le besoin d'interdire les idées de Copernic. Mais le nouvel instrument, qui parlait directement aux sens, court-circuitait l'Église traditionnelle, gardienne du ciel. L'astronomie, domaine réservé jusque-là aux théories et au langage abscons, était mise désormais à la portée de tous.

Lorsque Galilée, à l'âge de quarante-cinq ans, utilisa pour la première fois sa lunette, il avait déjà défié les aristotéliciens. S'il effectua jamais ses fameuses expériences de la tour de Pise, ce fut sans doute pour discréditer ceux-ci. Mais voilà que, soudain, il se trouvait projeté en pleine controverse. Pas une seconde il ne songea à se défiler. Homme de tempérament combatif, il saisit l'occasion qui s'offrait à lui. Armé de sa lunette, rapporte son biographe Ludovico Geymonat, il entreprit une double campagne de persuasion : en direction des laïcs et en direction de l'Église.

Le *Dialogue* parut à Florence le 21 février 1632. L'accueil réservé à l'ouvrage fit croire à Galilée que sa campagne publicitaire était en passe de réussir. A l'époque, la plupart des travaux scientifiques étaient encore rédigés en latin, mais afin de toucher un plus vaste public, Galilée avait publié son livre en italien. Bientôt affluèrent les lettres d'éloges. « Toutes les théories nouvelles et les nobles observations sont rendues par vous si simples que même moi, qui exerce une profession différente, j'ai la certitude de pouvoir en saisir au moins une partie », dit l'une. « Vous avez réussi auprès du public à un point auquel nul autre n'est parvenu », écrit un autre admirateur. Et un autre encore : « Franchement, qui donc en Italie se souciait du système de Copernic ? Mais vous lui avez donné vie et, chose essentielle, vous nous dévoilez la Nature. » Quelques-uns même avaient saisi le sens profond de la démarche de Galilée : « Je vois bien à quel point votre thèse est plus solide que celle de Copernic, qui pourtant est fondamentale [...]. Ces nouveautés sur des vérités anciennes, des mondes nouveaux, des étoiles nouvelles, des systèmes nouveaux, de nouvelles nations, etc., marquent le début d'une ère nouvelle. »

Mais l'espoir qu'avait Galilée de convertir l'Église fut ruiné par des faits étrangers à l'astronomie. D'abord, il allait se trouver pris entre deux feux. Les coups de boutoir du protestantisme amenèrent le pape Urbain VIII à vouloir montrer la détermination de l'Église à faire respecter les dogmes : laisser aux protestants le monopole de l'orthodoxie, voilà qui n'était pas pensable. Et quelle meilleure façon pour le pape de marquer son zèle apostolique que d'abattre un Galilée, à qui naguère encore il témoignait sa sympathie ? Certains détails matériels du livre, en outre, confirmèrent Urbain VIII dans sa résolution. La maison Landini, imprimeur du *Dialogue,* avait porté sur l'ouvrage sa marque typographique habituelle : trois poissons. Les ennemis de Galilée insinuèrent qu'il y avait là une allusion diffamatoire aux trois neveux de compétence douteuse que le pape avait promus dans la hiérarchie ecclésiastique. Quant au personnage du livre défendant la thèse géocentrique et portant le nom peu flatteur de Simplicio, n'était-il pas, ajoutaient-ils, une caricature du pape lui-même ?

L'histoire du brutal procès de Galilée par l'Inquisition est bien connue. Lorsque l'astronome reçut la convocation pontificale, il était alité, gravement malade. Selon les médecins, tout déplacement à Rome risquait de lui être fatal. Le pape n'en menaça pas moins de le faire transporter enchaîné s'il ne venait pas de son propre gré. Le grand-duc de Florence fournit la litière et Galilée fut ainsi traîné à Rome en février 1633. Le procès porta sur des points de détail, sur ce que Galilée avait pu ou non s'entendre dire par Bellarmin en 1616, sur la question de savoir dans quelle mesure il était au courant de la condamnation par le pape des thèses de Copernic. Pour s'assurer de la sincérité de ses dépositions, on menaça Galilée de lui infliger la question, sans toutefois jamais mettre la menace à exécution. La sentence papale, prononcée le 16 juin, optait pour la plus humiliante de toutes les peines possibles. Urbain VIII aurait pu se contenter d'interdire le *Dialogue* jusqu'à ce qu'il ait été « amendé », ou de condamner l'astronome à la pénitence privée et à la résidence surveillée. Au lieu de quoi le livre était purement et simplement interdit et son auteur condamné à l'abjuration publique ainsi qu'à l'emprisonnement. Le mercredi 22 juin au matin, le condamné s'agenouillait devant ses juges et faisait son mea-culpa :

Moi, Galileo, fils de feu Vincenzio Galilei, Florentin, âgé de soixante-dix ans, traduit en personne devant ce tribunal et m'agenouillant devant vous, Éminences et seigneurs cardinaux, inquisiteurs généraux de la foi dans toute la Chrétienté, ayant sous les yeux et touchant de mes mains les Saints Évangiles, jure que j'ai toujours cru, que je crois, et qu'avec l'aide de Dieu je croirai à l'avenir tout ce qui est tenu pour vrai, prêché et enseigné par la Sainte Église catholique et apostolique. Mais étant donné que, après qu'une injonction m'eut été adressée par le Saint-Office, m'intimant l'ordre de renoncer à l'opinion fausse selon laquelle le Soleil se tiendrait au centre de l'univers et serait immobile, tandis que la Terre ne serait point le centre du monde et se mouvrait, ainsi que de ne tenir, défendre ou enseigner en aucune manière, verbalement ou par écrit, ladite fausse doctrine, et après qu'il m'eut été signifié que cette même doctrine était contraire à l'Écriture sainte, j'écrivis et fis imprimer un livre dans lequel je traitai de cette nouvelle doctrine déjà condamnée, et avançai en faveur de celle-ci des arguments sans présenter nullement leur solution ; pour ces raisons, j'ai été jugé fortement soupçonnable d'hérésie, c'est-à-dire d'avoir cru que le Soleil était le centre de l'univers et se tenait immobile, tandis que la Terre n'en serait point le centre et se mouvrait.
C'est pourquoi, désireux d'ôter de l'esprit de Vos Éminences et de tous les fidèles chrétiens cette forte suspicion à juste titre conçue à mon endroit, c'est d'un cœur sincère et d'une foi non simulée que j'abjure, maudis et abhorre les susdites erreurs et hérésies, ainsi que toute autre erreur, quelle qu'elle soit, pouvant nuire à la Sainte Église, et fais ici serment que, à l'avenir, plus jamais ne prononcerai, verbalement ou par écrit, aucun propos qui soit de nature à faire naître envers moi semblable suspicion. De plus, connaîtrais-je un hérétique ou une personne soupçonnée d'hérésie, je le dénoncerai auprès du Saint-Office ou de l'Inquisiteur ou ordinaire du lieu où je me trouverai [...].

Sans contester aucunement l'arrêt prononcé contre lui, Galilée demande ensuite à ses juges de bien vouloir, en appliquant leur juste verdict, « prendre en considération le pitoyable état d'indisposition physique dans lequel, à l'âge de soixante-dix ans [il s'est] trouvé réduit par dix mois de permanente angoisse d'esprit, et par la fatigue d'un long et pénible voyage entrepris durant la saison la plus inclémente ».

Confiné dans une maison isolé d'Arcetri, près de Florence, il ne peut recevoir de visiteurs qu'avec l'autorisation expresse du délégué pontifical. Comble d'infortune : voilà que meurt sa fille tant aimée. Il paraît bientôt se désintéresser de tout. Sa curiosité pourtant demeure en éveil. En l'espace de quatre ans, il va écrire un nouveau livre « sur deux sciences nouvelles », la mécanique et la résistance des matériaux. Cette fois encore, le texte est rédigé en italien et sous la forme d'un « dialogue ». Mais l'Inquisition ayant interdit ses livres, le manuscrit devra être passé clandestinement à l'étranger. Il sera publié à Leyde par Elzévir. C'est sur la base de cet ouvrage — le dernier rédigé par Galilée — que Huygens et Newton développeront la science de la dynamique, et, finalement, la théorie de la gravitation universelle.

Ses quatre dernières années d'existence, Galilée fut atteint de cécité, peut-être pour avoir trop observé le Soleil dans sa lunette. C'est l'époque où Milton lui rend visite, trouvant auprès du proscrit matière à la fois pour son *Areopagitica ou de la liberté de la presse* et — lorsque lui-même, plus tard, sera aveugle — pour son *Samson Agonistes*. Le pape, finalement, accordera à Galilée la compagnie d'un jeune scientifique, Vincenzo Viviani, lequel signalera la mort de l'astronome, le 8 janvier 1642, un mois avant son soixante-dix-huitième anniversaire : « Avec une grande fermeté philosophique et chrétienne, il rendit son âme au Créateur, l'envoyant ainsi contempler de plus près, se plaisait-il à croire, toutes ces immuables merveilles que lui-même, à l'aide d'un instrument fragile, avait, avec tant de zèle, rapprochées de nos yeux de mortels. »

## 42

## *Les nouveaux mondes du dedans*

L'invention du microscope est contemporaine de celle du télescope. Mais alors que Copernic et Galilée font aujourd'hui figures de héros populaires, de prophètes de la modernité, Hooke et Leeuwenhoek, en revanche, leurs homologues pourtant dans le domaine du microscope, ont été relégués au musée des sciences spécialisées. Et il se trouve que Copernic et Galilée ont joué un grand rôle dans la querelle entre « science » et « religion », mais pas Hooke ni Leeuwenhoek.

On ignore qui a inventé le microscope. Le « favori » est Zacharie Jansen, un obscur lunetier de Middelburg. On sait par contre que le microscope, tout comme les lunettes à nez et le télescope, était en usage bien avant que soient saisis les principes de l'optique. Sans doute son invention fut-elle tout aussi accidentelle que celle du télescope. Qui, en effet, aurait pu à l'époque concevoir délibérément le moyen technique de pénétrer un monde microscopique par définition encore insoupçonné ? Peu après l'apparition du télescope, on eut l'idée d'utiliser celui-ci pour grossir les objets proches. Au début, le même mot (*occhialino* en italien, *perspicillum* en latin) servit à désigner télescope et microscope. Galilée lui-même tenta d'utiliser sa lunette comme microscope. « Grâce à ce tube, déclare-t-il à un visiteur en novembre 1614, j'ai vu des mouches qui ont l'air grosses comme des agneaux, et j'ai constaté qu'elles ont le corps tout couvert de poils et possèdent des ongles fort pointus au moyen desquels elles s'accrochent aux murs et marchent sur le verre, bien que suspendues pattes vers le haut, en insérant la pointe de ces mêmes ongles dans les pores du matériau. » Mais il fut consterné de découvrir que si une lunette de

60 cm suffisait pour observer les étoiles, il en fallait une deux à trois fois plus longue pour grossir les objets de petite taille.

Dès 1625, un membre de l'Académie des Lynx, le naturaliste et médecin John Faber (1574-1629), donnait un nom au nouvel instrument : « J'appellerais ce tube optique, sur le modèle de "télescope", un "microscope", pour la raison qu'il permet de voir les objets les plus minuscules. »

La méfiance dont avaient fait preuve les adversaires de Galilée envers le télescope se retrouve à propos du microscope. Le premier pouvait de toute évidence être utile sur le champ de bataille, mais pas le second. Les personnes « de bon sens » se méfiaient tout spécialement des « illusions d'optique » *(deceptiones visus)*. Cette défiance moyenâgeuse envers tout instrument d'optique devait constituer l'obstacle majeur à la naissance dans ce domaine d'une véritable science. Comme on l'a vu, l'idée prévalait que l'interposition entre les sens et l'objet perçu d'un quelconque dispositif ne pouvait qu'abuser les facultés données à l'homme par Dieu. Et dans une certaine mesure, le microscope encore rudimentaire de l'époque ne faisait que les confirmer dans leur suspicion. Les phénomènes d'aberration chromatique et de sphéricité produisaient des images floues.

En 1665 paraît la *Micrographia* de Robert Hooke (1635-1703). Il y expose plusieurs de ses théories (lumière et couleur, combustion et respiration) et y décrit le microscope et ses usages. Mais la méfiance générale face aux « illusions d'optique » va créer à Hooke bien des obstacles. Au début, le « nouveau monde » qu'il prétend voir à travers ses lentilles sera un objet de raillerie — par exemple dans la farce de Thomas Shadwell, *The Virtuoso* (1676).

Ce que *Le Messager étoilé* de Galilée avait fait pour le télescope et ses perspectives célestes, la *Micrographia* va l'accomplir pour le microscope. Pas plus que Galilée n'avait inventé le premier de ces instruments, Hooke n'inventera le second. Simplement, en décrivant ce qu'il voit dans son engin, il va éveiller l'intérêt de l'Europe savante pour les merveilles ainsi révélées. Cinquante-sept dessins dus à la plume de Hooke lui-même montrent pour la première fois l'œil de la mouche, la forme d'un dard d'abeille, l'anatomie de la puce et du pou, la structure d'une plume, la morphologie d'une moisissure. Pour décrire la structure alvéolaire du liège, il emploie le terme de « cellules ». Fréquemment réédités, les dessins de Hooke figureront dans les manuels jusqu'au XIXe siècle.

Si le télescope avait permis d'englober la Terre et les astres les plus lointains dans un même système de pensée, la plongée au microscope révélait maintenant un univers du minuscule étonnamment semblable à celui que chacun pouvait voir en grand chaque jour. Dans son *Historia Insectorum Generalis,* Jan Swammerdam (1637-1680) montrait que les insectes, à l'instar des animaux « supérieurs », possèdent une anatomie complexe et ne se reproduisent pas par génération spontanée. Son microscope lui avait appris que les insectes se développent, comme l'homme, par épigenèse (différenciation progressive des organes). Ce qui n'empêcha pas la croyance en d'autres formes de génération spontanée de survivre. Comme nous le verrons, en effet, il faudra attendre les travaux de Pasteur, au XIXe siècle, pour que ce dogme perde toute crédibilité scientifique.

Le microscope ouvrait de vastes continents neufs et, à bien des égards, faciles à explorer. Pour les grands voyages de découverte, il avait fallu de gros investissements, le goût d'entreprendre, le génie de l'organisation et le charisme d'un Henri le Navigateur, d'un Christophe Colomb, d'un Magellan ou d'un Vasco de Gama. Et pour sa part, l'exploration astronomique exigeait des observations coordonnées entre différents lieux. Mais avec le microscope, un homme seul pouvait s'aventurer sans avoir besoin de personne.

Antonie Van Leeuwenhoek (1632-1723) sera le pionnier de cette nouvelle science. Il est né à Delft, où son père fabriquait des paniers destinés à l'emballage de fameuses faïences. Antonie lui-même gagnait bien sa vie en vendant soieries, laines, cotonnades, boutons et rubans aux riches bourgeois de la cité. Il tirait également des revenus substantiels de ses fonctions de bourgmestre, de vérificateur des poids et mesures, et d'expert auprès des tribunaux. Ami intime de Vermeer, il fut nommé à la mort du peintre administrateur de ses biens. Il n'avait reçu aucune formation universitaire et, durant ses quatre-vingt-dix années d'existence, il ne sortit de Hollande que deux fois, l'une pour se rendre à Anvers, l'autre en Angleterre.

Leeuwenhoek ne connaissait pas le latin et n'écrivait que le hollandais de Delft. Mais l'observation au moyen d'instruments se jouait des barrières linguistiques. Il n'était plus indispensable de savoir ni l'hébreu, ni le grec, ni le latin ni l'arabe pour faire partie de la communauté scientifique.

L'époque de l'âpre rivalité commerciale entre les Pays-Bas et l'Angleterre pour l'appropriation des richesses de l'Inde fut celle aussi de leur collaboration active au progrès scientifique. Alors même que bâtiments britanniques et hollandais se canonnaient sans complexe, les savants des deux nations échangeaient cordialement les informations et partageaient les vues nouvelles. Une véritable communauté scientifique internationale était en train de naître. En 1668, les « transactions philosophiques » de la Royal Society de Londres publiaient un extrait d'une publication savante italienne signalant qu'un opticien italien du nom de Eustachio Divini avait, à l'aide d'un microscope, découvert « un animal plus petit qu'aucun jamais vu jusqu'ici ». Cinq ans plus tard, en pleine guerre navale anglo-hollandaise, Henry Oldenburg (qui était né en Allemagne, avait fait ses études à Utrecht et vivait maintenant à

Londres, où il publiait les *Transactions philosophiques*) recevait une lettre de l'anatomiste hollandais Régnier de Graaf :

> Afin qu'il vous apparaisse d'autant plus évident que les humanités et la science ne sont point encore bannies de parmi nous par le tumulte des armes, je vous écris pour vous mander que l'un de nos esprits très ingénieux, du nom de Leeuwenhoek, a réussi à confectionner des microscopes fort supérieurs à ceux que nous connaissions jusqu'à présent, fabriqués par Eustachio Divini ou d'autres. La lettre de lui ci-jointe, dans laquelle il décrit certaines choses qu'il a observées plus précisément que les auteurs précédents, vous founira un échantillon de son travail. Et si bon vous semble, et que vous souhaitiez éprouver l'habileté de cet homme très zélé et lui apporter encouragement, alors adressez-lui, je vous prie, une lettre où vous lui ferez vos suggestions et lui soumettrez des problèmes de même type, mais plus ardus.

Grâce à cet « encouragement », Leeuwenhoek trouvera sa place dans la communauté scientifique ; pendant cinquante ans, il correspondra avec ses collègues de l'étranger.

Les drapiers consciencieux, tel Leeuwenhoek, se servaient d'un verre grossissant pour examiner leur marchandise. Son premier microscope fut une petite lentille faite à la main à partir d'un globule de verre et calée entre deux plaques de métal perforées, avec une poignée réglable pour tenir le tout. Il ne travaillera d'ailleurs jamais qu'avec des microscopes « simples » (unilenticulaires). Il se fabriquera en tout quelque cinq cent cinquante lentilles, dont la meilleure grossissait cinq cents fois et possédait un pouvoir de résolution d'un millionième de mètre. A la manière traditionnelle des alchimistes, fabricants d'instruments et cartographes, Leeuwenhoek avait le goût du secret. Ce que ses visiteurs pouvaient voir dans sa boutique n'était rien, disait-il, en comparaison de ce que lui-même avait vu, grâce aux lentilles supérieures qu'il n'était pas libre de leur montrer. Ses concitoyens le disaient magicien, ce qui ne lui plaisait guère. Il se méfiait du visiteur étranger trop empressé, « beaucoup plus enclin, disait-il, à se parer de mes plumes qu'à me venir en aide ».

La Royal Society encouragea Leeuwenhoek à faire part de ses découvertes, ce qu'il fit par cent quatre-vingt-dix lettres. Comme il n'avait pas de programme systématique de recherche, la lettre était pour lui le meilleur moyen de faire connaître ce qu'il avait découvert. Ses premières observations furent souvent les plus saisissantes. Si Galilée avait connu une telle excitation intellectuelle en découvrant les étoiles de la Voie lactée et quatre satellites de Jupiter, combien plus excitante encore la découverte de tout un univers dans chaque goutte d'eau !

Une fois en possession d'un microscope, Leeuwenhoek, tout naturellement, chercha à s'en servir. En septembre 1674, par simple curiosité, il remplit un flacon d'une eau trouble et verdâtre — de la « miellée », disaient les villageois — prélevée dans un lac marécageux proche de Delft. Il découvrit sous son verre grossissant « un grand nombre d'animalcules ». Puis il plaça sous sa lentille une goutte de cette même eau :

> Je perçus alors très clairement qu'il s'agissait de petites anguilles ou vers, serrés les uns contre les autres, et qui se tortillaient ; exactement comme si l'on voyait à l'œil nu un plein baquet de toutes petites anguilles qui frétillaient dans de l'eau. Et cette eau tout entière paraissait grouiller de ces multiples petits animaux. Ce fut pour moi, des nombreuses merveilles que j'ai pu découvrir dans la nature, la plus merveilleuse de toutes. Et je dois dire, pour ma part, que jamais devant mes yeux n'est apparu spectacle plus plaisant que celui de ces milliers d'êtres vivants logés dans une gouttelette d'eau, et qui se déplacent les uns parmi les autres, chacun animé de son mouvement propre [...].

Dans sa célèbre dix-huitième lettre à la Royal Society, datée du 9 octobre 1678, il conclut que « ces petits animaux » sont « plus de dix mille fois plus petits que l'animalcule décrit par Swammerdam et baptisé puce d'eau à l'œil nu ».

A l'instar d'un Balboa spéculant sur l'étendue du « Grand Océan Méridional », ou d'un Galilée se délectant de l'infini sidéral, Leeuwenhoek se grise de la petitesse de ces animaux et de leur nombre incalculable. Il place dans un tube de verre une quantité d'eau grande comme une graine de millet, marque trente graduations sur son tube, « puis, explique-t-il, je le place devant mon microscope au moyen de deux ressorts en argent ou en cuivre, que j'y ai fixés [...] afin de pouvoir le relever ou l'abaisser ». Stupéfaction alors du visiteur. « Si l'on suppose maintenant que cet homme vit effectivement mille animalcules dans une particule d'eau grosse comme la trentième partie d'une graine de millet, cela fera trente mille être vivants dans une quantité d'eau égale à une graine entière, et par conséquent 2 730 000 êtres vivants dans une seule goutte d'eau. » Et pourtant, ajoute notre observateur, il existe des êtres bien plus petits encore, non visibles pour le visiteur, « mais que je pouvais voir au moyen d'autres lunettes et d'une méthode différente (que je garde pour moi seul) ».

Que de tels propos aient rencontré l'incrédulité, cela n'est pas étonnant. Certains même accusèrent Leeuwenhoek de « voir davantage avec son imagination qu'avec ses verres grossissants ». Afin de convaincre la Royal Society, il produisit des attestations de témoins oculaires. Non des scientifiques, mais des profanes dignes de confiance : notaires, pasteurs, etc.

Ayant découvert le monde des bactéries, Leeuwenhoek entreprit de donner une certaine dignité, pourrait-on dire, à ses habitants. Prenant le contrepied des dogmes aristotéliciens sur les « animaux inférieurs », il affirme que chacun des animalcules observés est pleinement doté des organes nécessaires à son existence. Aucune raison par conséquent, dit-il, de croire que les petits animaux — insectes, vers intestinaux, etc. —

puissent naître spontanément de la saleté, du fumier ou d'une quelconque matière organique en décomposition. Bien au contraire, explique-t-il, chacun de ces animaux se reproduit selon son espèce, comme l'indique la Bible.

Lorsque Leeuwenhoek adresse à la Royal Society le compte rendu de ses observations sur la semence humaine, il prend quelques ménagements. « Si Votre Seigneurie estimait que ces observations sont de nature à provoquer répulsion ou scandale parmi les doctes, je la prierais très instamment de les tenir alors pour privées, et de les bien vouloir publier ou détruire selon que bon lui semblera. » Quelques années plus tôt, William Harvey, dans son *De Generatione* (1651), avait décrit l'œuf comme la seule et unique source de toute vie nouvelle. On pensait couramment alors que le sperme ne produisait que des « vapeurs » fertilisantes. Lorsque Leeuwenhoek, pour qui la mobilité est synonyme de vie, découvre les spermatozoïdes, il tombe dans l'autre extrême, leur accordant le rôle prépondérant dans la création de la vie.

Chercheur passionné, il se fourvoiera souvent, expliquant par exemple l'âcreté du poivre par sa texture spinifère, ou encore la croissance humaine par une « préformation » des organes dans le sperme. Mais il aura aussi frayé la voie à bien des sciences : microbiologie, embryologie, histologie, entomologie, botanique, cristallographie. Son élection bien méritée à la Royal Society de Londres, en 1680, lui fera un plaisir immense. Elle marque le début d'une ère scientifique nouvelle, de dimension internationale, où l'avancement des connaissances ne sera plus le seul fait de ses détenteurs traditionnels. L'« artisan », le simple amateur y prendront également leur part.

## 43

## *Galilée en Chine*

Au Moyen Age, d'importants progrès en optique théorique et dans l'étude de l'œil étaient venus du monde arabo-musulman. Al-Kindi (813-873), parfois appelé le premier philosophe arabe, reprend la nation de rayons rectilignes entre l'objet éclairé et l'œil de celui qui regarde. Ibn-al-Haytham, dit Alhazen (965-1039), développe l'idée, repoussée par les philosophes chrétiens, que la vision est le produit d'un agent entièrement extérieur à l'œil, et parvient à la conclusion que les rayons rectilignes émanent de chacun des points de la surface éclairée. Il étudie le phénomène d'éblouissement, note la persistance des images rétiniennes et traite l'œil comme une pièce de mécanisme d'optique. Autant d'exemples d'une réelle participation arabe au progrès de l'optique.

En Chine, ni télescope ni microscope ne figurent parmi les priorités. Mais les Chinois savaient dès le VIIe siècle avant l'ère chrétienne fabriquer des miroirs. Ils produisirent très tôt des miroirs ardents et des miroirs courbes, ils étaient versés dans la technologie du verre dès le Ve siècle av. J.-C., et au XVe siècle de notre ère ils connaissaient les besicles. La chambre noire n'avait plus de secrets pour eux au XIe siècle. Et dès le IVe siècle av. J.-C. le grand classique mohiste de la physique chinoise proposait une théorie optique où figurent déjà nombre des notions les plus avancées de l'Europe post-Renaissance. Les Chinois, peut-être parce qu'ils ne croyaient pas à l'« âme », n'étaient pas obnubilés par l'idée que l'œil émet des rayons optiques ; ils étudiaient, eux, les rayons lumineux émis par les objets.

Comme on l'a vu, les Chinois observaient et notaient les phénomènes célestes avec zèle et précision. Pourtant le père Ricci, à son arrivée, constate leur retard en astronomie. Ils avaient dénombré quatre cents étoiles de plus que les Européens, explique-t-il, mais en incluant les plus pâles. « Et malgré tout cela, les astronomes chinois ne cherchent nullement à ramener les phénomènes des corps célestes à la discipline des mathématiques [...]. Ils donnent toute leur attention à cette partie de l'astronomie que nos hommes de science nomment l'astrologie, ce qui peut s'expliquer par le fait qu'ils croient que tout ce qui advient sur notre globe terrestre est fonction des astres [...]. Le fondateur de la famille qui régit actuellement l'étude de l'astrologie a fait interdiction à quiconque de s'adonner à l'étude de cette science à moins qu'il ne soit pour cela élu par droit héréditaire. Cette interdiction se fondait sur la peur que celui qui parviendrait à la connaissance des astres pourrait par là même acquérir la capacité de troubler l'ordre de l'empire et chercher alors l'occasion de nuire. » Ricci note chez les Chinois, entre autres idées fausses, le fait qu'« ils ne croient pas aux sphères célestes cristallines ». Les Chinois, il est vrai, n'ayant pas le culte des Grecs pour le cercle en tant que figure géométique parfaite, n'avaient pas les raisons d'Euclide et de Platon de cantonner dans cette forme le mouvement des planètes et la rotation des étoiles.

De Pékin, le père Ricci écrit à ses supérieurs de Rome le 12 mai 1605, pour demander qu'on lui envoie un astronome. « Ces globes, horloges, sphères, astrolabes, etc., que j'ai fabriqués et dont j'enseigne l'usage m'ont valu la réputation d'être le plus grand mathématicien au monde [...]. Si le mathématicien dont j'ai parlé venait ici, nous pourrions aisément traduire nos éphémérides en caractères chinois et rectifier les tables dont ils [les Chinois] se servent. Ceci nous procurerait grand avantage, ouvrirait plus grandes les portes de la Chine et nous permettrait de vivre en plus grande sécurité et liberté. » Et Ricci tenait ces propos avant que Galilée ait effectué ses étonnantes observations.

La nouvelle de l'accueil triomphal réservé à Galilée par les jésuites de Rome ne fit que renforcer la détermination de leurs collègues d'Extrême-Orient à impressionner les Chinois par leurs talents d'astronomes. Parmi eux se trouvait le père Jean Schreck, ancien élève de Galilée à Padoue et membre de l'Académie des Lynx. Il avait assisté à la fameuse réception de Galilée à Rome et se souvenait que l'un des invités avait refusé de regarder dans la lunette de l'astronome, par peur du réel. Déjà, en 1612, un missionnaire jésuite en Inde, qui avait entendu parler des découvertes de Galilée, avait demandé que lui soit envoyé un télescope, ou du moins son mode de fabrication. En 1615, un jésuite en mission à Pékin ajoutait à son manuel d'astronomie en chinois une page consacrée au nouvel instrument. Il avait fallu cinq ans — délai raisonnable alors — pour que le contenu du *Messager étoilé* de Galilée parvienne de Rome jusqu'en Chine.

Galilée ayant refusé de fournir aux missionnaires des informations astronomiques, ceux-ci se tournèrent vers Kepler, qui se montra plus coopératif. Le général des jésuites finit par envoyer à Pékin plusieurs bons mathématiciens, dont un copernicien convaincu, le père Schall, qui avait assisté à la réunion du Collège romain organisée en l'honneur de Galilée en mai 1611 et en avait fait son profit. Arrivé à Pékin, il publiait en 1626 un ouvrage illustré expliquant longuement comment fabriquer un télescope. Dans sa préface, hommage était rendu à l'œil, organe qui mène, dit-il, « du visible vers l'invisible », et qui recevait du télescope un nouveau pouvoir. En 1634, un télescope confectionné sous la responsabilité des jésuites était offert solennellement à l'empereur.

Certains, à la cour impériale, subodoraient qu'un engin aussi utile en astrologie pouvait également servir à des fins moins nobles. On le présentait alors de façon quelque peu spécieuse comme « un instrument destiné uniquement à atteindre là où les autres ne parviennent pas ». « Si brusquement devait éclater une révolution militaire, commente un lettré chinois, [...] on pourrait voir, à distance, la position de l'ennemi, son campement, ses hommes, ses chevaux, la façon dont ils sont armés, et savoir ainsi si l'on est prêt ou non, s'il convient d'attaquer ou de se défendre, et aussi s'il est opportun de faire donner les canons. Il n'est rien de plus utile que cet instrument-là. »

Les jésuites en mission en Chine ignoraient encore que Galilée avait été jugé et condamné. Lorsqu'ils l'apprirent, ils ne renoncèrent pas au télescope, mais cessèrent de défendre la théorie héliocentrique de l'univers. Nous avons vu comment Galilée lui-même avait acquiescé à sa condamnation par le pape. A la mort de l'astronome, en 1642, la communauté scientifique n'était pas encore acquise à la doctrine copernicienne. L'attitude des jésuites pris individuellement était marquée par l'envie et l'animosité personnelles. Certains des amis de Galilée estimaient que celui-ci s'était « ruiné par infatuation pour son propre génie et manque de respect pour autrui ». Et l'un des principaux mathématiciens jésuites, Christophe Schreiner (1575-1650), prétendra avoir devancé Galilée dans l'observation des taches solaires.

Résultat de tout ceci : lorsque le télescope parvint finalement en Chine, il fut un piètre propagandiste pour le système de Copernic. Récemment, certains jésuites ont tenté de justifier l'abandon par les missionnaires de la théorie héliocentrique. Dans un pays où la sienne traditionnelle plaçait la Terre au centre de l'univers, argumentent-ils, soutenir la thèse héliocentrique n'eût fait que susciter inutilement l'antipathie pour les jésuites, et par conséquent aurait discrédité la foi chrétienne que ceux-ci étaient censés propager. L'adoption du système copernicien exigeait, disent-ils, des conditions sociales non encore réunies en Chine. En 1635, en tout cas, le télescope servait dans ce pays à diriger l'artillerie au combat. Moins de dix ans après la publication du *Messager étoilé,* selon Needham, deux « opticiens virtuoses » chinois fabriquaient des appareils optiques, parmi lesquels peut-être des microscopes composés et des lanternes magiques. Et du vivant même de Galilée, une poignée de lettrés chinois faisaient état d'un certain astronome barbare du nom de *Chia-li-le-lo.*

Dans le reste de l'Asie, la diffusion du télescope, comme on pouvait s'y attendre, ne se fit que par le truchement des rares canaux officiels. Un ambassadeur de Corée en route pour Pékin rencontra en 1631 un jésuite portugais, le père Rodriguez, réfugié à Macao. Le diplomate ayant manifesté son intérêt pour l'astronomie et le perfectionnement du calendrier, le missionnaire lui remit deux ouvrages comportant la description des découvertes de Galilée, puis lui offrit un télescope. L'engin fut baptisé « miroir aux mille *li* », soit quatre cents kilomètres, distance à laquelle il était censé permettre de voir.

Comment le télescope passa ensuite de Corée au Japon, on l'ignore. Ce que l'on sait, en revanche, c'est que dès 1638, c'est-à-dire du vivant encore de Galilée, il existait un télescope à Nagasaki, seul point d'accès autorisé aux étrangers, où il servait à repérer de loin les visiteurs indésirables. Au sud-est de la ville, un préposé armé d'une longue-vue montait la garde à l'« observatoire des étrangers », qui dominait le port. Il devait noter l'arrivée des navires non japonais, puis envoyer une chaloupe arborant pavillon noir prévenir l'Office maritime. Moins d'un demi-siècle plus tard, l'engin était utilisé à d'autres fins : une illustration du roman de Ihara Saïkaku intitulé *L'Homme qui passa sa vie à aimer* (1682) montre le héros, âgé de neuf ans, perché sur un toit et visant de sa lunette d'approche une servante au bain.

Les idées de Copernic et de Galilée parvinrent finalement au Japon par des livres en chinois imprimés par les jésuites de Pékin. Parmi ceux que, sans doute, ils influencèrent figure le « Newton japonais », Seki Kowa (1642 ?-1708 ?), inventeur d'un système de calcul. Nagasaki devait rester le port d'accès des idées étrangères. A la fin du XVIIIe siècle, la théorie copernicienne était admise par nombre d'astronomes japonais et en cours de vulgarisation auprès d'un public encore peu convaincu. A Nagasaki, les marchands hollandais, et non plus les jésuites, étaient les représentants avancés au Japon de la science européenne. Finalement, si les idées de Copernic ne sont parvenues au Japon que tardivement, elles devaient s'y heurter à moins de résistance qu'en Europe, car au début du XIXe siècle le prestige dont jouissait la science occidentale conférait à la « nouvelle doctrine » une fascination toute particulière.

La vision asiatique du monde, tolérante et pluraliste, devait s'avérer fructueuse pour la science. Le Japon ne connut pas d'opposition religieuse à la théorie copernicienne. Les croyances nippones, nous rappelle G.B. Sansom, n'étaient « ni anthropocentriques ni géocentriques, et par conséquent ne furent pas considérées comme mises en danger par une théorie qui faisait de la Terre un satellite et réduisait l'importance de l'homme ». Très vite, les Japonais honorèrent la théorie copernicienne en en revendiquant la découverte. Plusieurs hommes de science nippons prétendirent avoir précédé l'Europe dans l'élaboration de cette théorie. Le Soleil, centre de l'univers copernicien, expliquèrent les lettrés japonais traditionnels, n'était autre que le très ancien Ameno-minaki-nushi-no-kami, « le dieu qui gouverne le centre du ciel », et par conséquent les Japonais étaient depuis toujours des coperniciens.

# DIXIÈME PARTIE

## *L'intérieur du corps*

*L'expérience ne trompe jamais, c'est votre jugement seul qui s'égare en se promettant des résultats qui ne découlent pas directement de votre expérimentation.*

LÉONARD DE VINCI (vers 1510).

### 44

### *Un prophète fou montre la voie*

Dans l'Europe du XVIe siècle, tout comme ils faisaient écran entre l'homme et les étoiles, le bon sens et la sagesse populaire occultaient la vision que l'homme avait de lui-même, s'opposant ainsi à l'exploration de son corps. Toutefois, à la différence de l'astronomie, l'anatomie était un domaine où personne ne pouvait se dispenser d'une certaine part de connaissance directe. En Europe, le savoir sur le corps humain avait été codifié et confié à la garde d'une corporation puissante, fermée et respectée. Constitué dans des langues savantes (le grec, le latin, l'arabe et l'hébreu), ce savoir était la chasse gardée de ceux qui accaparaient le titre de docteurs en médecine. S'occuper du corps, que ce soit pour le soigner ou pour le disséquer, constituait le domaine d'une autre corporation davantage apparentée à celle des bouchers et qu'on appelait jadis les chirurgiens-barbiers.

Ce n'est que vers l'an 1300 que l'on commença à disséquer le corps humain pour l'enseignement et l'étude de l'anatomie. A cette époque, ouvrir un cadavre était une opération particulièrement désagréable. L'absence de congélation obligeait à disséquer en premier lieu les parties les plus périssables : on commençait par la cavité abdominale, ensuite venait le thorax, enfin la tête et les membres. Une dissection ou « leçon d'anatomie » se poursuivait fébrilement et sans discontinuer pendant quatre jours et quatre nuits, et elle était généralement pratiquée à l'extérieur. Les illustrations des premiers manuels d'anatomie imprimés montrent le professeur de médecine, vêtu impeccablement, portant robe et chapeau, siégeant sur une sorte de trône surélevé ou *cathèdre,* tandis qu'un chirurgien-barbier, debout au pied de la chaire, manipule les entrailles du cadavre étendu sur un banc de bois et qu'un assistant désigne à l'aide d'une baguette les différentes parties du corps. Entre les mains du médecin nous voyons un livre, sans doute un Galien ou un Avicenne, qu'il lit à bonne et antiseptique distance.

Les docteurs en médecine enfermaient leurs secrets dans des langues incompréhensibles pour leurs malades. Il n'est pas surprenant qu'ils aient bénéficié du prestige lié au savoir et de la crainte respectueuse qu'inspirent les choses occultes. Aristocrates du monde universitaire, détenteurs d'un pouvoir sur la vie et sur la mort, ils restaient invulnérables aux attaques du profane. Plutôt que de payer leurs coûteux honoraires et que de s'exposer à des traitements aussi douloureux qu'énergiques, les gens consultaient habituellement le premier apothicaire venu, qui n'était guère plus qu'un marchand d'orviétan ou qu'un épicier.

Ce monde de la médecine était un monde de cloisonnement : entre les livres et les corps, entre le savoir et l'expérience, entre les doctes médecins et ceux qui avaient le plus besoin de recourir à la médecine. Et pourtant, c'était bien cet ensemble de cloisonnements qui avait établi dans sa dignité l'auguste corporation médicale.

A la fin du XV^e^ siècle, n'importe quel médecin, s'il s'était donné la peine d'apprendre les langues savantes et s'il était devenu le disciple de quelque éminent professeur, bénéficiait de droits fermement établis sur le savoir traditionnel et les dogmes en vigueur. Léonard de Vinci lançait cet avertissement : « Luttez pour préserver votre santé, et vous y parviendrez d'autant mieux que vous vous tiendrez à l'écart des médecins, car leurs dogmes consistent en une sorte d'alchimie, et l'on a écrit autant de livres sur la question qu'il existe de médicaments. » Pour attaquer cette citadelle, il fallait être prêt à défier les canons de la respectabilité, à s'exclure de la communauté universitaire et de la confrérie des médecins. Une telle entreprise exigeait autant de passion que de savoir, et plus d'audace que de prudence. L'homme capable d'ouvrir la voie devait posséder les connaissances d'un professionnel sans pour autant être engagé dans la profession. Il devait faire partie du monde de la médecine, mais sans lui appartenir.

De toute évidence, la route qui conduisait à la médecine moderne ne pouvait pas être ouverte par une sommité universitaire conformiste. Il fallait un prophète et un visionnaire, un homme animé d'une témérité mystique. Celui qui oserait montrer la voie devrait s'exprimer dans la langue courante et non pas parler, mais crier.

Paracelse (1493-1541) fut tenu pour suspect de son vivant et ne perdit jamais sa réputation de charlatan. Sa foi en Dieu le conduisit à une nouvelle conception de l'homme et de l'art de guérir. Tout comme la foi de Kepler en la divine symétrie de l'univers avait renforcé sa croyance en un système cosmographique copernicien, de même Paracelse fut inspiré par la conviction que l'ordre divin devrait se retrouver dans le corps humain.

« Paracelse », le surnom sous lequel il demeura dans l'histoire, constitue lui-même une énigme. Peut-être voulait-il dire qu'il se plaçait au même rang que Celse, l'illustre médecin de la Rome impériale, peut-être tout simplement qu'il écrivait des ouvrages *para*doxaux, en contradiction avec les opinions courantes dans sa profession. De son vrai nom, il s'appelait Théophraste Philippe Aureolus Bombast von Hohenheim. A vrai dire il n'est pas à l'origine du mot anglais « bombast » (emphase), mais il aurait bien pu l'être. Il naquit dans l'est de la Suisse. Son père était un médecin d'origine obscure et sa mère avait été servante à l'abbaye bénédictine d'Einsiedeln. Elle mourut quand il avait neuf ans et son père partit s'installer dans un village minier de Carinthie, en Autriche, et c'est là qu'il grandit. Son instruction se fit au hasard, par bribes. Il tira parti des connaissances de son père, ou bien de celles de religieux versés dans la médecine et les sciences occultes. Il n'obtint probablement jamais le diplôme de docteur en médecine. Il ne se fixa jamais nulle part et le cours de ses errances l'amena à travailler dans les mines de Fugger au Tyrol, et à servir comme chirurgien dans les armées de Venise au Danemark et en Suède. Il s'aventura même jusqu'à l'île de Rhodes et plus loin encore vers l'Orient.

Il connut un moment de prospérité à Strasbourg comme médecin praticien. Puis il eut la chance d'être appelé en consultation à Bâle à l'occasion de la grave maladie de Jean Froben (1460-1527), personnage éminent qui avait fondé l'une des plus importantes parmi les premières imprimeries et qui avait publié la première édition du Nouveau Testament imprimée en grec. On attribua à Paracelse le mérite de la guérison de Froben. C'est chez Froben que vivait alors le célèbre Erasme (1466-1536), et il le soigna aussi. Tous deux furent si impressionnés par le bon sens du jeune Paracelse qu'ils obtinrent pour lui, en 1527, la position de médecin de la ville de Bâle et qu'ils le firent nommer professeur à l'université. Mais les autres professeurs le frappèrent d'ostracisme parce qu'il avait refusé de prêter le serment d'Hippocrate et qu'il ne possédait même pas le diplôme de docteur en médecine.

A trente-trois ans, Paracelse cumulait l'arrogance de l'autodidacte et l'éloquence de celui qui s'était lui-même attribué le rôle de porte-parole de Dieu. Parrainé par le principal propagateur de l'humanisme, il saisit la chance qui s'offrait à lui, en cette ville de Bâle, de porter un grand coup à l'ordre médical. Simultanément, il produisit son propre manifeste de combat en faveur de l'art de guérir qui, espérait-il, remplacerait le traditionnel serment d'Hippocrate. Exactement comme Luther, dix ans plus tôt, avait invoqué l'Église primitive, Paracelse en appelait aux principes primitifs de la médecine par-dessus la tête des mandarins et autres grands-prêtres de la confrérie. Et pour montrer qu'il ne plaisantait pas, il jeta un exemplaire des œuvres de Galien et du sacro-saint *Canon* d'Avicenne dans un feu de la Saint-Jean allumé par des étudiants, le 24 juin 1527. Puis il annonça tout net que ses cours de médecine seraient fondés sur son expérience personnelle auprès des malades.

Il poussa plus loin la provocation vis-à-vis des professeurs de médecine quand, au lieu d'utiliser le latin, il fit ses cours dans le dialecte alémanique parlé en Suisse et appelé « Schweizerdeutsch ». Par la même occasion, il violait aussi le serment d'Hippocrate qui régissait la profession, et par lequel tout médecin digne de ce nom s'engageait à ne pas divulguer ses connaissances professionnelles, sans doute pour mettre les profanes à l'abri des praticiens incompétents. « Ne donnez pas aux chiens ce qui est sacré », nous enseigne l'Évangile selon saint Matthieu (7 : 6), « et ne jetez pas vos perles devant les cochons : ils pourraient bien les piétiner, puis se retourner contre vous pour vous déchirer ».

Les savants docteurs se dressèrent contre Paracelse. Quand Froben, son défenseur le plus énergique, mourut subitement en octobre 1527, tous ses ennemis unirent leurs forces : les professeurs, les apothicaires qu'il avait attaqués sur l'ampleur de leurs profits et la faiblesse de leurs connaissances et même les étudiants qui s'amusaient à tourner en ridicule ses emportements. La chance abandonna Paracelse quand il perdit un procès intenté à un haut dignitaire de l'Église afin de percevoir des honoraires exorbitants. L'ecclésiastique, souffrant d'une affection abdominale aiguë, avait effectivement promis une forte somme à Paracelse s'il parvenait à le guérir. Puis, Paracelse l'ayant tout simplement guéri grâce à quelques pilules de laudanum, l'homme d'Église refusa de payer les honoraires. Le juge se prononça contre Paracelse, et quand Paracelse invectiva le juge, il fut contraint de quitter Bâle. Cette fonction que Paracelse avait occupée à Bâle pendant deux ans, de manière si tumultueuse, fut son dernier emploi officiel. Plus jamais il ne fut attaché à une institution. Paracelse devint un aventurier de la science, un Don Quichotte de la médecine. En 1529, il séjourna à Nuremberg assez longtemps pour y dénoncer le traitement habituel de la syphilis, qui consistait à administrer des doses toxiques de mercure et de gaïacol — drogue extraite d'un arbre feuillu d'Amérique et que l'on supposait destiné par Dieu à guérir le mal précisément venu de ce continent. Paracelse traita par le mépris le clergé local et la faculté de médecine, qui lui déniaient le droit de se faire publier. Puis il prit son « bâton de pèlerin » et se rendit à Innsbrück et dans le Tyrol pour y étudier les maladies des mineurs. Au cours de ses vagabondages il traversa Augsbourg et Ulm, parcourut la Bavière et la Bohême. En 1538 il était de retour à Villach, ville où son père était mort quatre ans plus tôt. Bien que la pauvreté, l'exposition aux intempéries et les tribulations d'une vie errante aient détruit sa propre santé, il essayait toujours de pratiquer la médecine. Sa violence contestataire augmentait avec les années. Lorsque les savants docteurs l'eurent une fois de plus contraint à partir, il alla finalement à Salzbourg, où il mourut à quarante-huit ans le 24 septembre 1541. C'est là qu'il fut enterré, à l'hospice Saint-Sébastien. On l'honora d'une épitaphe flatteuse qui se terminait comme suit : « Ci-gît Philippe Théophraste, distingué Docteur en Médecine, qui guérissait avec un art merveilleux les plaies, la lèpre, la goutte, l'hydropisie et d'autres maladies contagieuses du corps, et qui voulut que ses biens soient distribués aux pauvres. »

L'hostilité des médecins empêcha la plupart de ses écrits d'être publiés de son vivant. Mais après sa mort, en l'espace de quelques dizaines d'années, l'imprimerie se chargea de propager ses idées au-delà des cercles académiques, hors de portée des docteurs. Il devint alors une sorte de héros romantique qui allait inspirer Christopher Marlowe, Goethe, Robert Browning et Arthur Schnitzler, sans parler de la musique de Berlioz.

La conception originale que Paracelse avait de la maladie, en dépit — ou peut-être à cause — de sa source mystique, allait fonder certains axiomes de la médecine moderne. Dans l'Europe du Moyen Age, le point de vue dominant sur la maladie était celui hérité des auteurs classiques et affiné par les « Docteurs de physique ». La maladie, selon eux, était causée par une rupture d'équilibre entre les « humeurs » du corps. Leur théorie de la médecine ne formait qu'une partie de leur théorie générale de la nature humaine selon laquelle, dans le corps de chaque personne, régnaient quatre « humeurs cardinales » (« humeur » du latin *humor* qui signifie « liquide » ou « humidité ») : le sang, le flegme, la bile et l'atrabile (ou bile noire). La santé résidait dans le juste équilibre de ces quatre humeurs et la maladie provenait d'un excès ou d'une insuffisance de l'une ou l'autre d'entre elles. Le « tempérament » de chaque personne se manifestait dans le rapport unique qu'elle maintenait entre les quatre humeurs cardinales, de sorte que certains étaient « sanguins », d'autres « flegmatiques », « bilieux » ou « atrabilaires ».

Il en résultait qu'il pouvait y avoir autant de maladies différentes que d'individus différents, car la maladie consistait en un désordre dans le rapport humoral spécifique d'une personne. Comme il n'existait pas de norme pour la température du corps, Francis Bacon pouvait dire que parmi les gens cultivés se trouvaient « des personnes de toutes températures ». « Il est évident », écrivit sir Walter Raleigh en 1618, « ... que les hommes diffèrent beaucoup par la température de leur corps ». Ce qui, pour l'un, était de la fièvre, pouvait chez un autre être la température normale. Avant l'invention du thermomètre médical — et même un certain temps après — la « température » du corps n'était pas autre chose qu'un synonyme de « tempérament ».

La théorie globalisante des humeurs était tout à la fois une physiologie, une pathologie et une psychologie. La pièce de Ben Jonson *Chacun dans son humeur* (1598), dans laquelle Shakespeare lui-même joua un rôle, tourne en comédie les « humeurs » d'un mari jaloux. *L'Anatomie de la mélancolie* (1621) de Robert Burton, selon sir William Osler « le meilleur traité de médecine jamais écrit par un profane », étudiait dans le plus grand détail une autre sorte de trouble des humeurs. Il devint un classique de la littérature anglaise, car il traitait de tous les sujets intéressant la nature humaine. Burton définissait la maladie comme « une affection du corps contraire à la nature ». Puisqu'une maladie correspondait à un dérangement de tous les éléments dont les corps est formé, pour guérir les maladies il faudrait donc traiter le corps comme un tout. La théorie des humeurs apprenait aux médecins comment découvrir le rapport humoral « naturel » unique, particulier à chaque personne, puis comment rétablir ce rapport dans le corps entier par des traitements tels que sudation, purges, saignées ou vomitifs.

Paracelse se fit le champion d'une théorie radicalement différente, ce qui allait entraîner pour la science médicale des conséquences d'une portée incalculable. Ce qui provoque la maladie, soutient Paracelse, ce n'est pas une disharmonie des humeurs du corps intrinsèque à la personne, mais une cause spécifique extérieure au corps. Il se gausse des « humeurs » et des « tempéraments » qu'il tient pour inventions nées de l'imagination des savants. Mais il n'est pas moins irrité par les rares pionniers de l'anatomie qui tentent de donner à la médecine des fondations un peu plus solides. Selon Paracelse, lorsque Dieu créa l'ordre du monde, à chaque sorte de désordre il assura un remède. Les principales sources de maladies résidaient dans les minéraux et les poisons provenant des étoiles et qui restaient en suspension dans l'atmosphère. Paracelse exprime cette intuition dans son langage astrologique personnel, accommodé à son propos. Quand il met le corps au premier plan, quand il insiste sur l'uniformité des causes et la spécificité des maladies, il montre la voie à la médecine moderne. Si ses arguments sont faux, par contre ses trouvailles et ses intuitions sont justes.

La foi de Paracelse le conduit à croire qu'il n'y a pas de maladies incurables, mais seulement des médecins ignorants. « Car c'est Dieu qui a ordonné ceci : tu aimeras ton prochain comme toi-même et tu aimeras Dieu par-dessus toute chose. Et si tu aimes Dieu, tu aimeras aussi ses œuvres. Si tu aimes ton prochain, tu ne diras pas : on ne peut rien faire pour lui. Mais tu diras : je ne puis le faire et je n'y entends rien. Cette vérité te protégera de la malédiction qui s'abat sur le mensonge. Alors tiens compte de ces paroles — quant au reste, il faudra le chercher jusqu'au jour où l'on découvrira cet Art dont procèdent les œuvres du Bien. » Bref, le médecin doit toujours trouver de nouveaux remèdes, sans jamais limiter son arsenal thérapeutique à celui admis par Galien.

La Faculté se bornait généralement à prescrire des herbes médicinales qui, de par leur nature organique, étaient considérées comme appropriées au corps humain. C'est pourquoi la botanique faisait obligatoirement partie du cursus médical, et c'est pourquoi, pendant des siècles, les préjugés qui bloquaient les progrès de la médecine ont également borné le champ d'étude de la botanique. Le royaume des plantes était devenu le domaine de l'herboristerie. Des mythes venus de tous les pays — l'Égypte, Sumer, la Chine, la Grèce — racontaient comment les herbes avaient été extraites de la chair des dieux et comment les dieux avaient ensuite appris aux hommes l'art de s'en servir. L'« herbier », genre qui relevait à la fois de la médecine et de la botanique, fut dans les premiers temps de l'imprimerie l'ancêtre du « best-seller ». Les médecins aisés et les marchands prospères étaient une clientèle toute trouvée pour les éditeurs d'herbiers agréablement illustrés. Les ouvrages anciens sur la botanique qui eurent le plus d'influence dans l'Europe du Moyen Age n'étaient pas des traités philosophiques sur la nature des plantes — comme ceux de Théophraste —, mais des guides pratiques sur leurs usages médicinaux. En matière de botanique, l'ouvrage de référence, et en même temps le fondement de la pharmacologie pendant quinze siècles, ce fut le *De materia medica* de Dioscoride, un Grec du Ier siècle qui servit comme médecin dans les armées de Néron.

Médecine et botanique étaient devenues sœurs siamoises. Aucune des deux ne semblait pouvoir avancer sans l'autre. Mais Paracelse prophétisa qu'elles se sépareraient un jour. Pourquoi, pensait-il, les médecins n'utiliseraient-ils pas, pour guérir les maux du corps, *toutes* les ressources créées par Dieu : minérales, végétales ou animales, inorganiques ou organiques ? « A chaque maladie son remède propre. » Qui osait dire que les minéraux et les métaux ne sauraient servir à la guérison ? Dans un petit nombre de cas, comme par exemple l'utilisation du mercure contre la syphilis, les médecins avaient essayé à contrecœur des remèdes inorganiques. Objecter que les matières inorganiques sont des « poisons » parce qu'elles sont étrangères au corps est tout à fait stupide, fait observer Paracelse, puisque « toute nourriture et toute boisson, si l'on en abuse, est un poison ».

La foi de Paracelse lui fit aussi retrouver la doctrine populaire des correspondances ou « signatures », selon laquelle la forme ou la couleur d'une plante pourrait suggérer l'organe qu'elle est destinée à guérir. Ainsi, l'orchidée avait pu être conçue pour les maux de testicules, ou une plante de couleur jaune pour les maladies du foie. Si le chien vous a mordu, « reprenez du poil de la bête ». A la différence de ses confrères plus respectables, Paracelse respectait les remèdes populaires.

A cette époque, la chimie n'était pas constituée en une véritable science, et l'étude des minéraux et des métaux était dominée par la quête des alchimistes pour la « pierre philosophale » qui devait transmuer les autres éléments en or. Paracelse assigna aux alchimistes une tâche nouvelle : transformer les minéraux et les métaux en médicaments. Il espérait détourner les alchimistes de la poursuite des richesses pour les orienter vers la recherche de ce bien plus précieux, la santé.

Pendant que les Docteurs en Médecine confortablement installés se prononçaient sur l'équilibre humoral de leurs riches malades, Paracelse menait en pionnier son étude des maladies professionnelles. Paracelse connaissait la vie du mineur ; en effet, alors qu'il n'avait que neuf ans, son père était parti pour la ville minière de Villach, dans le sud de l'Autriche ; puis, jeune homme, il avait travaillé dans les fonderies de Schwaz, au Tyrol. Ses derniers vagabondages au Danemark, en Suède et en Hongrie, ainsi que dans la vallée de l'Inn, le conduisirent à l'intérieur des mines. Il revint finalement à Villach pour y diriger les ateliers métallurgiques de Fugger. Au cours de toutes ces années, il s'était penché sur les conditions de travail des mineurs et des ouvriers métallurgistes, il avait observé leurs maladies spécifiques et expérimenté des remèdes contre celles-ci. Comme les autres livres de Paracelse, *De la maladie des mineurs et de leurs autres affections (Von der Bergsucht und andern Bergkrankheiten)* ne fut pas publié de son vivant. Il fut imprimé en 1567, un quart de siècle après sa mort et il porta ses fruits au cours des siècles suivants.

La maladie des mineurs, explique-t-il, est une maladie des poumons et elle occasionne aussi des ulcères d'estomac. Elle est due à l'air que le mineur respire et aux minéraux absorbés par les poumons et ou par la peau. Paracelse fait la distinction entre l'empoisonnement aigu et l'empoisonnement chronique et il relève les différences qui existent entre les troubles provoqués par l'arsenic, par l'antimoine ou par les alcalis. Dans un paragraphe spécialement consacré à l'empoisonnement par le mercure, il en note avec précision les symptômes : frissons, troubles gastro-intestinaux, dents noires, haleine putride... Son traitement de l'empoisonnement par le mercure repose sur l'idée que, puisque le mercure se concentre dans certaines parties du corps, le médecin doit pratiquer des ouvertures permettant au mercure de s'échapper. On obtenait ce résultat en provoquant un ulcère par l'application d'un emplâtre corrosif, ou bien par des bains, traitement encore employé de nos jours.

« C'est, dit Paracelse, parce que la connaissance des faits naturels — dont l'homme même ne parvient pas à sonder les mystères — est si lourde de conséquences que Dieu a créé le médecin... Et, de la même manière dont le démon est extirpé de l'homme, les maladies provoquées par les poisons sont expulsées au moyen de telles purges, tout comme le mal chasse le mal et comme le bien retient le bien... » Paracelse met les Docteurs en Médecine au défi de rivaliser avec les succès obtenus par la médecine populaire. Il lance cet avertissement : « Les Docteurs devraient tenir compte davantage des choses évidentes, par exemple du fait qu'un paysan illettré sache guérir mieux qu'ils ne le font tous, avec tous leurs livres et avec leurs robes rouges. Et si ces messieurs en bonnet rouge pouvaient en comprendre la raison, ils se vêtiraient d'un sac et se couvriraient de cendres, comme les habitants de Ninive. »

## 45

## *La tyrannie de Galien*

Pendant quinze siècles, la source première à laquelle les médecins européens puisaient leur connaissance du corps humain n'était pas le corps lui-même. Ils préféraient s'en remettre aux œuvres d'un médecin de la Grèce antique. Le « Savoir » faisait barrière au savoir. La source classique, sacralisée, était devenue un obstacle.

A l'exception d'Aristote et de Ptolémée, aucun des auteurs anciens qui se consacrèrent à la science n'eut plus d'influence que Galien (vers 130-200 ap. J.-C.). Né à Pergame en Asie Mineure sous le règne de l'empereur Hadrien, de parents grecs, il se mit à étudier la médecine à l'âge de quinze ans. Après avoir été l'élève de médecins qui professaient à Smyrne, à Corinthe et à Alexandrie, il regagna, âgé de vingt-huit ans, sa Pergame natale où il devint le médecin des gladiateurs. A une époque où la dissection des cadavres était proscrite, il saisit cette occasion pour tirer enseignement de ce qu'il voyait à l'intérieur des blessures des gladiateurs. Lorsqu'il vint s'installer à Rome, il guérit quelques patients éminents, donna des cours publics de médecine, et finalement devint médecin en titre de l'empereur et philosophe stoïcien Marc Aurèle (121-180) et de son fils Commode. Galien, qui fut l'un des écrivains les plus prolifiques de l'Antiquité, aurait paraît-il rédigé cinq cents traités en grec : sur l'anatomie, la physiologie, la rhétorique, la grammaire, le théâtre et la philosophie. Plus d'une centaine de ces ouvrages ont survécu — y compris un traité sur l'organisation des propres écrits de l'auteur — et, dans une édition moderne, ils font la matière de vingt gros volumes.

Malgré sa prolixité, Galien écrasa ses rivaux par l'ampleur même de son œuvre qui, préservée par d'heureuses coïncidences, parvint à une postérité lointaine. Il rassembla et mit en ordre les connaissances empiriques des médecins anciens qui l'avaient précédé. Mais il fut plus qu'un simple compilateur. Il élabora sa propre philosophie des voies de la médecine. « Je ne sais comment cela arriva », disait-il de lui-même avec quelque vantardise, « si ce fut un miracle, une inspiration des dieux, un accès de frénésie ou ce que vous voudrez, mais il se trouve que dès ma prime jeunesse j'ai méprisé l'opinion de la multitude et que j'ai aspiré à la vérité et à la connaissance, car j'étais convaincu que l'homme ne pouvait rien posséder de plus noble ni de plus proche de la divinité ». Il observait aussi que ses confrères médecins, qui prospéraient au service de ce que Rome comptait de riches et de puissants, lui reprochaient effectivement de « poursuivre la vérité au-delà de toute modération ».

Lui-même reconnaissait qu'il n'aurait pu réussir comme médecin s'il n'avait « rendu visite aux grands le matin et dîné avec eux le soir ». A sa manière, il professait déjà le mépris de Paracelse pour les biens matériels et pour les médecins avides d'argent. En effet, disait-il, il n'avait besoin de rien de plus que de deux vêtements, deux esclaves domestiques et deux séries d'ustensiles ménagers.

Selon Galien, les connaissances étant cumulatives, le médecin, pour progresser, devait étudier Hippocrate et tous les grands auteurs du passé. On pouvait comparer, disait-il, les progrès étonnants de la médecine à l'amélioration impressionnante des voies romaines au cours des siècles. Les Anciens avaient tracé les sentiers et pratiqué les premiers frayages à travers des contrées sauvages, puis chaque génération, à la suite de la précédente, avait construit des digues et des ponts, et enfin posé le revêtement de pierre. « Ainsi ne faut-il point s'étonner du fait que nous-même, tout en reconnaissant à Hippocrate le mérite d'avoir découvert la méthode thérapeutique, ayons entrepris le présent ouvrage. » Galien exhortait ses confrères à apprendre par l'expérience et à concentrer leurs efforts sur l'acquisition des connaissances utiles à la guérison des malades. Il consacra une étude particulière au pouls et montra que ce n'était pas, comme on le pensait, de l'air qui circulait dans les artères, mais du sang. Il était réputé pour la justesse de son diagnostic et il composa même un traité sur la simulation.

Son livre le plus important, qui allait représenter quelque sept cents pages imprimées, était intitulé *De l'utilité des parties du corps humain.* Il y décrivait chaque membre et chaque organe et expliquait comment il était conçu pour servir à des fins particulières. Dans le Livre premier, qui traite de « La Main », nous lisons par exemple :

> Ainsi, l'homme est le plus intelligent des animaux, d'où il découle que les mains sont aussi des instruments parfaitement adaptés à un animal intelligent. Car ce n'est pas parce qu'il est pourvu de mains qu'il est le plus intelligent, comme le prétend Anaxagore, mais bien parce qu'il est le plus intelligent qu'il possède des mains, comme le dit Aristote à fort juste titre. En vérité, l'homme a été initié aux arts non par ses mains, mais par sa raison. Les mains sont un instrument, tout comme la lyre est l'instrument du musicien et les tenailles celui du forgeron... chaque être possède de par son essence même certaines facultés, mais sans l'aide d'instruments il est incapable d'accomplir ce que la Nature l'a destiné à accomplir.

Même lorsqu'il s'appuie sur Aristote, Galien exhorte ses lecteurs à ses méfier de la pédanterie médicale. « Quiconque souhaite observer les œuvres de la nature doit se fier à ses propres yeux et non pas aux livres d'anatomie, et ou bien venir à moi, ou suivre l'un de mes élèves, ou bien encore, confronté avec lui-même, s'appliquer seul et assidûment à des exercices de dissection. Mais tant qu'il se contentera de lire, il est fort probable qu'il se laissera égarer par tout ce qu'ont écrit les anatomistes du passé, car ils sont un grand nombre. » Conformément à ses convictions personnelles, Galien était un médecin qui ne cessait d'expérimenter et de se référer à l'expérience.

Par une ironie fréquente de l'histoire, les livres de Galien devinrent à leur tour des textes sacrés et leur esprit même fut perdu de vue. Pendant des siècles, le « galénisme » allait être le dogme prédominant des médecins. De même que les écrits d'Aristote étaient devenus le fondement de la philosophie scolastique, de même l'œuvre de Galien — beaucoup plus volumineuse — allait constituer la base de la médecine scolastique. Du fait qu'il avait écrit en grec, son influence se répandit d'abord à Alexandrie et à Constantinople, vestiges orientaux de l'Empire romain, puis parmi leurs voisins musulmans.

Les médecins établirent un corpus galérien canonique de seize ouvrages, qui furent déclarés faire autorité au plus haut degré. Une telle sélection allait tout à fait à l'encontre de la doctrine de Galien, car il avait demandé instamment que ses disciples commencent par étudier ses ouvrages de méthodologie. Lorsque la culture arabe assimila la science grecque, on traduisit Galien en arabe et, là aussi, on fit de lui le modèle des médecins. Même les biographies des savants arabes furent calquées sur son autobiographie. A partir du Xᵉ siècle, le titre de « Galien de l'Islam » devint la plus haute distinction, celle que les médecins arabes pouvaient conférer à Avicenne (980-1037) ou à toute autre gloire médicale.

Dans le monde islamique, les textes de Galien subirent des altérations et des textes arabes leur furent intégrés. Galien eut parfois à souffrir de la comparaison avec Rhazès, Avicenne, Averroès et Maimonide, qui s'étaient permis d'émettre sur lui leurs propres critiques. Il demeura cependant l'élément unificateur de la médecine médiévale, et les médecins se reconnaissaient eux-mêmes comme appartenant à la « famille de Galien ».

Quelques-uns des textes grecs de Galien furent probablement traduits en latin vers le VIᵉ siècle, puis, avec la montée du pouvoir arabo-musulman dans le monde méditerranéen et l'occupation de l'Espagne et de la Sicile, les œuvres de Galien atteignirent finalement l'Europe occidentale. Là aussi, autour du XIᵉ siècle, le galénisme prit une forme figée. Alors que l'aristotélisme continuait à reposer sur le texte d'Aristote, le galénisme combinait les textes originaux de Galien avec les textes byzantins et arabes ainsi que les commentaires par le biais desquels il était parvenu en Occident. Au moment même où les chrétiens d'Europe traversaient la Méditerranée pour partir en croisade contre les Infidèles et brûlaient les juifs et les hérétiques sur la place publique, en Europe même les médecins chrétiens tiraient quotidiennement parti, pour soigner les maux du corps, de la sagesse des médecins juifs et musulmans de leur époque. Déjà on percevait à certains signes que ni les frontières nationales ni les barrières confessionnelles n'arrêteraient la science moderne. Dans le pèlerinage de Canterbury de Chaucer, le médecin « connaissait bien » à la fois les auteurs grecs et arabes : non seulement Esculape, Hippocrate et Galien, mais aussi Rhazès, Avicenne et Averroès.

La Renaissance, à laquelle nous faisons remonter les débuts de la science moderne, eut certaines conséquences curieusement contradictoires et imprévues. Seul un petit nombre des ouvrages scientifiques de Galien était connu en Europe avant le XIVe siècle. Le plus important de ses ouvrages d'anatomie ne fut traduit et ne devint donc pleinement accessible en Occident qu'à partir de la Renaissance, au moment de la réapparition des classiques grecs. La première traduction latine d'une partie importante des œuvres de Galien avait été imprimée en 1490. Ce furent les presses établies à Venise par Alde Manuce qui imprimèrent la première édition en grec de Galien (1525). On ne voit guère d'autres productions des presses aldines qui eurent davantage de retentissement. Pour la première fois, les médecins européens possédaient leur exemplaire personnel des textes de leur vénéré maître, et ce, dans la langue originale. En répandant sur le marché ces textes par milliers, les imprimeurs renforcèrent l'orthodoxie galéniste. Ce qu'apporta leur contribution, ce ne fut pas de la science médicale ni de l'expérience, mais de la pédanterie.

La Faculté de médecine de Paris acheta l'édition aldine des œuvres de Galien l'année qui suivit sa publication. Jacobus Sylvius (Jacques Dubois), le professeur d'anatomie qui y faisait autorité, enseignait que Galien avait toujours raison. Partant de ce principe, sa manière d'étudier la médecine consistait à rechercher ce que Galien avait vraiment voulu dire, et l'« anatomie » était pour lui une annexe de la philologie classique. Il était, comme d'autres galénistes, convaincu que la contribution la plus importante à une meilleure connaissance du corps humain serait une traduction latine plus exacte des plus purs textes grecs de Galien. Les débats médicaux se mirent à ressembler aux arguties des théologiens sur le sens des mots dans l'Écriture sainte. Les anatomistes en vue défendaient Galien à n'importe quel prix. Sylvius, par exemple, partageait l'opinion largement répandue selon laquelle, si un cadavre disséqué ne présentait pas toutes les caractéristiques décrites dans le texte de Galien, la raison en était que le corps humain avait effectivement changé et que l'espèce humaine, dégénérant au cours des siècles, s'était écartée de la conformation idéale observée par Galien.

Même les professeurs de médecine de la Renaissance les plus avancés pour leur temps cherchaient la représentation du corps humain dans le miroir de l'Antiquité. En rendant un nouvel éclat à Galien, ils ne faisaient que polir ce miroir. Ainsi, Thomas Linacre (1460 ?-1524), médecin d'Henri VIII, Docteur en Médecine de l'université de Padoue et fondateur de l'Académie royale de médecine de Londres (1518), accrut encore sa réputation médicale en traduisant six ouvrages de Galien de grec en latin.

Mais la plupart des choses que Galien décrivait, il ne les avait jamais vues ! La grande autorité en matière d'anatomie humaine, celui dont l'œuvre fut tenue pour parole d'évangile durant quinze siècles, avait-il sans doute pratiqué lui-même des observations sur le corps humain, mais il n'avait jamais disséqué de cadavre. Selon ses propres dires, il n'eut qu'à deux reprises l'occasion d'étudier la structure osseuse complète du corps humain. Une première fois, il put examiner un squelette dépouillé de sa chair par des oiseaux de proie ; la seconde fois, il s'agissait d'un squelette qui avait été complètement nettoyé par les eaux d'une rivière.

Étant donné qu'à cette époque le droit romain interdisait la dissection du corps humain, Galien avait effectué toutes ses observations sur des singes pour l'anatomie externe et sur des porcs pour l'anatomie interne. Puis il extrapola le résultat de ses découvertes à l'anatomie humaine. Il n'en faisait d'ailleurs pas mystère et il évoquait avec nostalgie ce bon vieux temps où la dissection avait été autorisée. Dans ses œuvres majeures où il se proposait de décrire l'anatomie humaine, il assumait tacitement que ce qu'il avait trouvé chez « ceux des autres animaux qui ressemblaient de très près à l'homme » se retrouvait chez l'homme.

Des générations de médecins qui puisèrent chez Galien leurs connaissances anatomiques acceptèrent sans objection, et même avec enthousiasme, ce défaut fondamental des sujets observés par Galien. Cela facilitait leur tâche et leur fournissait une bonne excuse pour suivre son exemple. « Du fait que la structure des parties internes du corps humain était presque entièrement inconnue », explique un texte d'anatomie de l'école de Salerne datant du XIIe siècle, « les médecins de l'Antiquité, en particulier Galien, entreprirent de montrer la disposition des organes internes en disséquant des bêtes. Bien que certains animaux, comme le singe, s'avèrent nous ressembler beaucoup quant à leur aspect extérieur, aucun n'est intérieurement plus semblable à nous que le porc. C'est pourquoi nous allons maintenant pratiquer une dissection de cet animal. »

L'influence du christianisme sur le développement de la science anatomique fut curieusement contradictoire. La croyance chrétienne en l'immortalité de l'âme et le mépris envers le corps — simple dépouille que l'homme abandonnait en mourant — ne favorisaient pas un intérêt passionné pour l'anatomie humaine. Mais d'un autre côté, cette séparation du corps charnel d'avec l'âme, qui constituait l'essence de l'être immortel, eut à la longue pour effet de faire admettre la dissection des cadavres plus facilement qu'en Égypte ou à Rome.

L'Islam médiéval ne se résigna jamais à la dissection du corps humain. Du VIIIe au XIIIe siècle, les connaissances anatomiques des doctes médecins musulmans n'étaient (selon l'expression de l'historien C.D. O'Malley) que « Galien sous l'habit musulman ». Quand les meilleurs médecins musulmans corrigèrent les descriptions anatomiques de Galien, ce ne fut pas par une démarche méthodique ni grâce à leurs propres dissections, mais fortuitement, par quelque hasard heureux. Ainsi, un éminent médecin arabe voyageant en Égypte au début du XIIIe siècle eut-il la chance de tomber sur un amas de squelettes humains accumulés au cours d'une récente épidémie de peste et, les ayant examinés, il fut en mesure de corriger la description inexacte que Galien avait faite de la mâchoire humaine.

Les efforts de Galien pour décrire le corps humain par analogie l'avaient si souvent induit en erreur que certains critiques de la génération suivante le traitèrent par dérision de spécialiste de « l'anatomie du singe ». Or la carrière de Paracelse arrive à son apogée précisément à l'époque où était publiée l'édition aldine définitive des œuvres de Galien en grec. Mais, pour faire apparaître les erreurs de Galien, l'enthousiasme prophétique d'un Paracelse n'était pas suffisant.

Même à l'époque galénique, un observateur précis et acharné comme Léonard de Vinci (1452-1519) était capable de décrire ce qu'il pouvait voir par lui-même. Léonard projetait d'écrire plusieurs traités : un sur l'anatomie, d'autres sur la peinture, l'architecture et la mécanique. Il ne publia jamais aucun d'eux, mais, après sa mort, on reconstitua à partir de ses notes un ouvrage sur la peinture et un sur l'hydraulique. S'il avait pu terminer son traité d'anatomie et si celui-ci avait été publié, la science médicale aurait peut-être progressé plus rapidement. Mais Léonard finissait rarement quoi que ce soit. Un sort contraire laissa inachevées deux de ses peintures les plus importantes : celle du tombeau des Sforza et la fresque de la Bataille d'Anghiari.

Après sa mort, ses cinq mille pages de notes manuscrites devinrent la proie des collectionneurs et furent, de ce fait, en grande partie dispersées. Presque chaque page révélait la diversité cosmique de son esprit, sa curiosité sans limites que tout interpellait. Ainsi trouve-t-on sur une même page, dont, par exemple, le point de départ est son intérêt pour les courbes, un exercice sur les courbes géométriques, le dessin d'une chevelure bouclée, des herbes s'enroulant autour d'un arum, des croquis d'arbres, des nuages arrondis, des vagues ondulantes, un cheval caracolant et le modèle d'une presse à vis.

Léonard de Vinci exerçait son ingéniosité à rendre ces fragments encore plus illisibles et hermétiques. Il s'inventa une sténographie et une orthographe personnelles. Il coupait et combinait les mots selon un système qui lui était propre et ne mettait aucune sorte de ponctuation. Pour mystifier plus encore la postérité, il traçait les lettres à l'envers en écrivant de la main gauche, de manière à ne pouvoir être lu que dans un miroir. Ce ne fut pas avant la fin du XIXe siècle que les notes de Léonard atteignirent un large public cultivé.

Et finalement on s'aperçut que Léonard de Vinci était un pionnier en matière d'anatomie. « L'œil, écrit-il, fenêtre de l'âme, est le tout premier moyen qui permette à l'intelligence de pénétrer le plus complètement, le plus largement, l'œuvre infinie de la Nature. Ensuite vient l'oreille. » Rien d'étonnant à ce qu'un cadavre eût quelque chose de répugnant pour les yeux sensibles et les narines délicates de Léonard. Mais chaque trait du monde réel, ne serait-ce qu'une veine, qu'un bouton, était pour lui sacro-saint. Nier ce que l'on voyait, quoi que ce fût, aurait été un sacrilège. « L'expérience ne trompe jamais, c'est votre jugement seul qui s'égare en se promettant des résultats qui ne découlent pas de votre expérimentation. » C'est pourquoi Léonard ne se pressait pas de traduire les faits d'observation en « principes » universels, dans des domaines comme celui de la circulation du sang.

Ce que nous avons récolté de connaissances anatomiques dans ces milliers de feuillets de mélanges plutôt hermétiques révèle que Léonard constata et consigna par écrit des points que ses prédécesseurs n'avaient pas vus. S'il était parvenu à faire une synthèse de ses idées et n'en avait pas été détourné par l'universalité de ses intérêts, il aurait bien pu devenir le successeur de Galien. Léonard avait secrètement dépassé Galien, il avait lu le corps lui-même. Les différentes parties du corps, disait-il, devaient être montrées sous tous les angles. Ses dessins inédits du squelette humain montrent celui-ci de dos, de face et de profil. Il prescrivait des dissections systématiques et répétées. « Il vous faudra trois [dissections] pour avoir une connaissance complète des veines et des artères, et vous les pratiquerez en enlevant tout le reste avec un très grand soin ; trois autres pour connaître les membranes, trois pour les nerfs, les muscles et les ligaments, trois pour les os et les cartilages... Trois [dissections] devront aussi être consacrées au corps de la femme, lequel recèle un grand mystère à cause de la matrice et de son fœtus. » Pour explorer l'anatomie de l'œil, il construisit un modèle en verre de l'œil et du cristallin, de manière à pouvoir confirmer, en regardant à travers celui-ci, sa théorie selon laquelle le nerf optique était le vecteur des impressions visuelles. En concevant ainsi le corps comme une machine, il fut amené à faire des dessins remarquablement précis des muscles et de leur action sur les os. Il entreprit de dessiner les replis du gros intestin et de l'intestin grêle, et il fut probablement le premier à avoir représenté l'appendice. Il montra en détail que les oreillettes du cœur sont des cavités qui, en se contractant, envoient le sang dans les ventricules. Il fit des moulages de certaines parties du corps, préparant ses échantillons en y injectant de la cire.

Et pourtant, malgré son art consommé, son ingéniosité et ses dons d'observation inégalés, Léonard de Vinci ne fit qu'accroître ses propres connaissances et n'ajouta rien, ou presque rien, aux connaissances anatomiques de son époque. Ses observations personnelles ne furent pas non plus enrichies par un apport extérieur comme elles auraient pu l'être. En effet, comme nous le verrons, la publicité de la chose imprimée contribue à l'amélioration de l'œuvre. Or les travaux de Léonard restèrent du domaine privé.

## 1

## *Des animaux à l'homme*

André Vésale (1514-1564), qui n'était pas un génie universel, ne se laissa pas détourner de son principal sujet d'étude. Il naquit à Bruxelles, à l'ombre des remparts et à portée de vue de la colline où les condamnés à mort étaient torturés et exécutés. Enfant, il dut voir souvent les corps qui restaient là, pendus, jusqu'à ce que les oiseaux les aient nettoyés. Son père était apothicaire de l'empereur Charles Quint et sa famille était bien connue du milieu médical. A l'inverse de Paracelse, Vésale reçut la meilleure formation médicale existant à son époque. Il s'inscrivit à l'université de Louvain en 1530, puis continua ses études à l'université de Paris, sous le professorat de Sylvius (Jacques Dubois), adepte bien connu du galénisme. Quand la guerre éclata entre la France et le Saint Empire romain germanique, Vésale, étranger et appartenant au camp ennemi, fut contraint de quitter Paris. A son retour à Louvain, il fut reçu bachelier en médecine, en 1537, puis il se rendit à Padoue où se trouvait l'école de médecine considérée comme la meilleure d'Europe. Là, après s'être soumis à un examen qui dura deux jours, il reçut le titre de Docteur en Médecine *magna cum laude*. Il devait être parfaitement au fait de l'enseignement traditionnel pour recevoir à vingt-quatre ans, et deux jours seulement après avoir passé ses examens, la chaire de chirurgie et d'anatomie à l'université.

A partir du moment où Vésale commença son enseignement, il donna à la chirurgie et à l'anatomie un sens nouveau. En effet, il ne considéra plus comme sa tâche principale d'interpréter les textes de Galien. Tout en pratiquant, comme on l'attendait de lui, des dissections ou « anatomies » (du grec *anatemnein*, « couper en morceaux, disséquer »), il rompit avec la tradition. A l'inverse des professeurs qui l'avaient précédé, Vésale ne se borna pas à siéger dans sa chaire, pendant qu'un chirurgien-barbier retirait les organes du cadavre de ses mains couvertes de sang. Vésale, au contraire, manipulait le corps et disséquait les organes lui-même. Pour aider ses étudiants, il mit au point de nouvelles méthodes destinées à faciliter l'enseignement — en l'occurrence quatre grandes planches anatomiques, assez détaillées pour montrer à l'étudiant la conformation du corps lorsqu'il n'y avait pas de cadavre disponible. Chaque partie du corps y était désignée par son nom exact. Un glossaire et un index y étaient joints, donnant les mêmes noms en grec, en latin, en arabe et en hébreu.

Utiliser ces planches était en soi une grande nouveauté. Les dessins anatomiques avaient été rares en Europe pendant le Moyen Age. Au XVIe siècle, quand on redécouvrit les textes de Galien, scrupuleusement édités, retraduits et imprimés, ils n'étaient toujours pas accompagnés de dessins anatomiques. Quelques-uns parmi les professeurs les plus en vue, y compris Sylvius, le maître respecté de Vésale, s'opposaient en fait à l'utilisation de dessins et de schémas. Les étudiants n'avaient qu'à lire le texte authentique !

Les *Six Planches anatomiques* de Vésale (*Tabulae Anatomicae Sex,* Venise, 1538) constituèrent le premier effort réalisé pour donner une représentation visuelle complète de l'enseignement de Galien. Si la presse à imprimer n'avait pas existé, Vésale n'aurait peut-être pas été tenté de publier les planches qu'il avait préparées pour ses étudiants. Mais après qu'une de ces planches eut été plagiée et alors qu'on pouvait craindre que les autres ne le fussent, Vésale les fit toutes publier. Trois d'entre elles étaient la reproduction d'un squelette par un élève hollandais du Titien, Johann Stephan von Kalkar (Giovanni di Calcare), dessins exécutés « sous les trois angles classiques » familiers aux élèves des beaux-arts au Moyen Age. Les trois autres « planches » étaient entièrement originales dans leur conception : il s'agissait de dessins des veines, des artères et du système nerveux réalisés par Vésale lui-même. Leur nouveauté résidait moins dans ce qu'elles montraient que dans la façon de le montrer. Et c'est avec ses « planches » que Vésale inventa la méthode du dessin en anatomie. Aujourd'hui, il peut paraître un peu surprenant qu'un apport aussi évident à l'enseignement ait jamais eu besoin d'être inventé. Mais à bien y songer, cela n'est pas tellement surprenant. Pendant des siècles, alors même que la formation des médecins, dans les meilleurs écoles d'Europe, avait comporté un peu d'anatomie, les occasions de voir l'intérieur du corps humain avaient été rares et espacées.

Il n'y avait pas que la théorie des « humeurs » — cible favorite de Paracelse — à ignorer les précisions anatomiques, mais aussi l'astrologie médicale, alors largement répandue. Les schémas populaires représentant « l'homme zodiacal » se bornaient à montrer une relation entre chaque partie du corps prise comme un tout et le signe du zodiaque qui lui correspondait, pour indiquer les saisons les plus appropriées ou les moins favorables à l'emploi de certains remèdes. Le mot anglais « influenza » (grippe) est un vestige de ces affinités. Quand Vésale faisait ses études de médecine, les savants docteurs utilisaient toujours ce terme (emprunté à l'italien, où il a le même sens que le mot anglais « influence ») pour décrire les conséquences médicales d'une « influence » astrale néfaste. D'abord il désigna toute irruption soudaine d'une maladie et fut synonyme d'« épidémie » jusqu'au moment où son acception actuelle — pour désigner une maladie spécifique — commença à se faire jour au XVIIIe siècle.

Après ses *Six Planches anatomiques,* il restait à Vésale beaucoup de chemin à parcourir car ses planches, se référant à Galien, refaisaient subrepticement le même saut de l'anatomie animale à l'anatomie humaine. Par exemple, elles montraient un *rete mirabile,* un « réseau merveilleux » situé à la base du cerveau humain et où, selon Galien, l'« esprit vital » de l'homme se transformait en « esprit animal ». Mais, bien qu'on le trouve chez les quadrupèdes à sabots, ce « réseau » n'existe pas chez l'homme. Les « grands vaisseaux sanguins » (veines caves inférieure et supérieure) tels qu'on les voit dans Vésale étaient aussi spécifiques aux ongulés. Dans ses dessins, la forme du cœur, les branches issues de la crosse de l'aorte, l'emplacement des reins et la forme du foie renvoyaient, comme dans le texte de Galien, non pas à l'homme, mais au singe.

Ce n'est qu'en de rares et macabres occasions que l'intérieur du corps humain était effectivement examiné. Ainsi, l'empereur Frédéric II (1194-1250), connu dans toute l'Europe pour son esprit encyclopédique, voulut satisfaire sa curiosité à propos du processus de digestion chez l'homme. Un chroniqueur raconte qu'il « fit prendre à deux hommes un excellent repas, après quoi il ordonna à l'un d'eux d'aller dormir et à l'autre de partir à la chasse. Le soir venu, il donna l'ordre de faire vider leurs estomacs en sa présence afin de voir lequel des deux avait le mieux digéré le repas, et les chirurgiens affirmèrent que celui qui avait dormi avait eu la meilleure digestion ». Par ailleurs, en 1238, l'empereur fit obligation à l'école de médecine de Salerne de pratiquer une dissection publique tous les cinq ans.

Pendant les croisades, il se présentait de temps en temps une occasion macabre d'étudier le squelette humain, quand on démembrait et que l'on faisait bouillir les corps de ceux qui étaient morts en cours de route, afin que leurs os puissent être commodément ramenés sur le sol natal du croisé pour y être enterrés. Cette habitude était si répandue qu'une bulle du pape Boniface VIII dut être publiée en 1299 pour en interdire la pratique. Malgré l'opposition individuelle de beaucoup de gens d'Eglise à la dissection du corps humain, il semble bien que le pape lui-même n'ait jamais formulé d'objection de principe. Au cours du XIVe siècle, la dissection pratiquée sur l'homme devint chose plus familière dans les facultés de médecine, et quand le pape Alexandre V mourut subitement à Bologne en 1410, on fit sur-le-champ son autopsie.

Et pourtant la dissection paraissait encore, d'une certaine manière, contraire à la nature et à la volonté de Dieu. Faire une « anatomie » signifiait aussi pratiquer un accouchement par césarienne. Quelquefois aussi une autopsie était ordonnée par le tribunal afin d'établir que les blessures de la victime étaient bien la cause de sa mort.

Quand la santé de la communauté était en jeu, des autopsies pouvaient être tolérées ou même exigées. Après la peste noire de 1348, les responsables de la santé publique à Padoue ordonnèrent que toute personne morte de cause inconnue ne puisse être enterrée que si un médecin attestait n'avoir trouvé aucun signe de peste après examen du corps. Pour découvrir le gonflement des ganglions lymphatiques qui constituait le diagnostic de la peste, il fallait disséquer le corps, et les étudiants en médecine de Padoue s'instruisirent grâce à ces cadavres.

Des autopsies pratiquées sur le corps de personnes en vue, dont la mort avait soulevé l'intérêt général, ajoutaient parfois quelques éléments au savoir médical. Vésale rapporte l'expérience qu'il fit lors d'un séjour à Bruxelles en 1536 :

> Au retour de mon voyage en France, le médecin de la comtesse d'Egmont m'invita à assister à l'autopsie d'une jeune fille de dix-huit ans de noble naissance. Son oncle pensait qu'elle avait été empoisonnée, à cause de la pâleur persistance de son teint et d'une difficulté à respirer — bien qu'elle fût par ailleurs d'un aspect agréable. La dissection ayant été entreprise par un barbier totalement inexpérimenté, je ne pus m'empêcher de me mettre au travail bien que — à part deux dissections grossières qui avaient duré trois jours et auxquelles j'avais assisté lorsque je faisais mes études à Paris — je n'eusse jamais été témoin d'aucune autre démonstration de ce genre.
>
> Le thorax ayant été resserré par un corset que la jeune fille avait été habituée à porter afin que sa taille paraisse longue et svelte, je jugeai que le mal venait d'une compression du buste dans la région de l'hypocondre (située sous les côtes) et des poumons. Bien qu'elle eût souffert d'une maladie pulmonaire, l'étonnante compression des organes situés dans l'hypocondre semblait être la cause de son mal, malgré l'absence de signes indiquant un étranglement de l'utérus, si ce n'est un certain gonflement des ovaires. Après que les femmes présentes eurent quitté précipitamment la pièce pour se débarrasser de leurs corsets et que les autres spectateurs s'en furent allés, je disséquai l'utérus de la jeune fille pour examiner l'hymen. Mais celui-ci n'était pas tout à fait entier, sans avoir non plus complètement disparu, comme c'est généralement le cas — selon mon expérience — dans les cadavres de femmes où l'on a de la peine à retrouver sa localisation antérieure. Il semblait que la jeune fille ait déchiré son hymen avec ses doigts, soit pour quelque raison frivole, soit pour se conformer aux prescriptions de Rhazès, selon qui l'utérus ne devait pas être comprimé sans qu'ait eu lieu l'intervention d'un homme.

Du fait que les corps des criminels exécutés constituaient la principale source de cadavres à disséquer, les cadavres de femmes étaient particulièrement rares, ce qui ajoutait encore un obstacle à la découverte des processus de procréation et de gestation.

Ce n'est que peu à peu que l'anatomie cessa d'être l'ouverture occasionnelle d'un cadavre pour répondre à une question spécifique, et qu'elle devint l'étude systématique du corps humain. Un manuel d'anatomie écrit en 1316 par Mondino de Luzzi, de l'école de Bologne, et qui adjoignait à Galien quelques remarques de médecins arabes éminents, domina pendant deux siècles l'enseignement galénique de l'anatomie. La présentation de Mondino suivait encore l'ordre des urgences de l'époque et décrivait d'abord les organes situés dans la cavité abdominale, qui étaient les plus périssables et par conséquent disséqués en premier lieu ; puis il continuait avec les os, la colonne vertébrale et les extrémités. Mondino reproduisit les vieilles erreurs qui avaient leur origine dans l'anatomie animale et n'ajouta rien sur le plan visuel.

Comme nous l'avons vu, beaucoup d'obstacles matériels s'opposaient à une étude suivie de l'intérieur du corps humain. L'absence de réfrigération obligeait à pratiquer les dissections dans la hâte, avant que le corps ne se décompose, et même dans les meilleures universités on n'accomplissait des dissections qu'une ou deux fois par an. Pendant les quatre jours et les quatre nuits faiblement éclairées que durait ce rare spectacle, la foule des étudiants en médecine, la vue brouillée, n'avait guère le temps ni l'envie de poser des questions, de réfléchir ou d'y regarder à deux fois. Vésale lui-même décrit :

> Cette détestable manière de procéder selon laquelle certains accomplissent la dissection du corps humain tandis que d'autres présentent la description de ses parties, ces derniers perchés sur leur cathèdre comme des corbeaux, croassant avec une insigne arrogance des choses qu'ils n'ont jamais vérifiées mais simplement tirées des livres des autres et retenues de mémoire, ou lisant même ces descriptions toutes faites. Les premiers sont ignorants des langues au point qu'ils sont incapables d'expliquer leurs dissections aux spectateurs et ne s'y retrouvent pas dans ce qui, selon les directives du médecin, devrait être montré. Celui-ci gouverne hautainement le navire en se fiant à un manuel, alors qu'il n'a jamais mis la main à une dissection. Et c'est ainsi que tout est mal enseigné dans les écoles et que des journées se perdent en questions absurdes, au point que dans une telle confusion on montre moins de choses au spectateur qu'un boucher à son étal ne pourrait en apprendre à un médecin.

En Europe, la seule dissection légalement autorisée continua pendant des siècles à être celle des corps de condamnés à mort qui arrivaient rarement intacts. En Angleterre la pendaison était d'usage, mais à quelques personnes de rang élevé était accordé le privilège d'être décapitées. Dans la république de Venise et dans les autres pays européens, la décapitation était plus courante. Le manuel de Mondino explique que l'on commençait une « leçon d'anatomie » en disposant à plat « le corps d'une personne morte par décapitation ou pendaison ». Ce qui faussait inévitablement le point de vue de l'étudiant — déformant en particulier sa vision des phénomènes internes, comme par exemple la circulation du sang. Et encore, même de ce genre de cadavres on ne disposait que rarement.

De toutes les exécutions publiques qui eurent lieu à Padoue entre 1562 et 1621, un seul corps fut livré à des fins de dissection. C'était celui d'un jeune meurtrier qui avait été pendu, puis attaché à la queue d'un cheval et traîné ainsi depuis la Piazza della Signoria jusqu'à l'école de médecine. On avait rarement l'occasion de disséquer des corps qui n'aient pas été mutilés au cours de l'exécution.

Des professeurs astucieux saisissaient toutes les occasions de s'emparer des moindres fragments de corps humain, et cela dans les circonstances les moins ragoûtantes. Le célèbre Jacobus Sylvius (Jacques Dubois), dont Vésale avait été l'élève, se ravitaillait comme il pouvait, ainsi que le rapporte un de ses étudiants :

> Comme de toute sa vie il n'avait jamais eu de domestique, je le voyais parfois apporter dans sa manche tantôt la cuisse, tantôt le bras d'un pendu, afin de les disséquer et d'en faire le sujet d'une leçon d'anatomie. L'odeur en était si forte et incommodait tellement ses auditeurs que certains auraient volontiers abandonné, s'ils l'avaient osé ; mais l'irritable bonhomme, têtu en vrai Picard qu'il était, entrait dans de telles colères, menaçant de ne pas réapparaître de la semaine que tout le monde se tenait coi.

Vésale saisissait toutes les occasions, licites ou illicites, de se procurer quelque pièce anatomique à disséquer. Il raconte une de ces équipées, qui eut lieu en 1536 :

> Quand la guerre éclata, je dus quitter Paris et revenir à Louvain et là, alors que je me promenais en compagnie du célèbre physicien et mathématicien Gemma Frisius, cherchant des os le long des routes de campagne où — pour le plus grand bénéfice des étudiants — on expose généralement les criminels exécutés, je tombai sur un cadavre tout sec, pareil à celui du voleur mentionné par Galien. Si, comme je le suppose, les oiseaux avaient dépouillé le premier de sa chair, ainsi en avaient-ils fait de celui-là qui avait été partiellement brûlé et grillé sur un bûcher de paille et ensuite attaché à un poteau. De sorte que les os étaient complètement dénudés et ne tenaient plus ensemble que par les ligaments, de telle manière que seules les insertions et les extrémités des muscles avaient été préservées... Voyant que le corps était sec et ne présentait aucune trace de pourriture ou d'humidité, je tirai parti de cette occasion inattendue et néanmoins la bienvenue et, avec l'aide de Gemma, je grimpai au poteau et détachai le fémur de l'os iliaque. En tirant vigoureusement, les omoplates vinrent aussi, avec les bras et les mains ; il ne manquait que les doigts d'une main, les deux rotules et un pied. Après avoir subrepticement rapporté chez moi, en plusieurs voyages, les jambes et les bras — en laissant la tête et le tronc —, je fis en sorte de me trouver enfermé le soir hors de la ville, afin de pouvoir m'emparer du thorax qui était solidement attaché par une chaîne. Si grand était mon désir de posséder ces os que, seul, au milieu de la nuit et entouré de tous ces cadavres, je grimpai au poteau au prix d'un effort considérable et n'hésitai pas à saisir ce que je désirais si fort. Quand j'eus

descendu les os de la potence, je les transportai à quelque distance de là et les cachai jusqu'au lendemain, et je pus alors les rapporter chez moi petit à petit en empruntant une autre porte de la ville.

En usant d'expédients de cette nature, Vésale parvint finalement à faire à Louvain l'assemblage d'un squelette complet. Pour éviter d'attirer sur lui les soupçons, il réussit à convaincre les gens qu'il l'avait rapporté avec lui de Paris. Par chance, le bourgmestre de Louvain, qui s'était pris d'intérêt pour l'anatomie, « était si favorablement disposé à l'égard des études des apprentis médecins qu'il était toujours prêt à accorder le cadavre que l'on désirait obtenir de lui ».

Plus tard, à Padoue, Vésale intéressa à ses travaux un juge de la Cour criminelle qui non seulement lui remettait les corps des condamnés exécutés mais poussait la complaisance jusqu'à retarder les exécutions, afin que les corps soient frais lorsque Vésale serait prêt à les disséquer. Le bruit courait même que les étudiants en médecine dérobaient dans leurs tombeaux les corps de respectables défunts et, dissection faite, se débarrassaient des morceaux dans la rivière ou les jetaient aux chiens. A la suite de ces rumeurs, une ordonnance de 1597 prescrivit qu'à Padoue les restes de tout corps disséqué devaient nécessairement faire l'objet d'un enterrement en public. Il semblait qu'il n'y aurait jamais assez de cadavres pour satisfaire les étudiants en médecine. Jusqu'au XVIIIe siècle, en Angleterre, le pillage des sépultures constitua une profession florissante : « quelqu'un exerçant ouvertement le métier de pourvoyeur de cadavres » était désigné sous le nom de « résurrectionniste ». Jerry Cruncher, le personnage de Dickens dans *le Conte des deux villes,* nous initie à cette profitable activité.

En puisant dans l'œuvre de Galien la matière de son enseignement, Vésale avait rencontré tellement de cas où les descriptions de Galien ne correspondaient pas à ce que l'on trouvait dans le corps humain qu'il comprit vite que l'anatomie prétendument « humaine » de Galien n'était en réalité qu'un ensemble de considérations sur les animaux en général. En 1539, Vésale indique comme une révélation qu'il « s'interroge très sérieusement sur la possibilité de vérifier ses hypothèses au moyen de la dissection anatomique ». C'est alors qu'il décide d'écrire un nouveau traité complet d'anatomie, entièrement fondé sur ses propres observations du corps *humain.* Lors d'une leçon d'anatomie faite publiquement à Bologne en 1540, Vésale avait comparé deux squelettes — celui d'un singe et celui d'un homme — pour montrer que l'appendice décrit par Galien, qui s'étendrait de la colonne vertébrale à la hanche, ne se trouvait que chez le singe. Cette erreur lui parut tellement significative qu'il la cita tout spécialement en exemple dans sa *Fabrique du corps humain.* Pendant ses leçons d'anatomie, Vésale exhortait ses étudiants à regarder, à palper et à se faire une opinion par eux-mêmes. A ceux qui lui demandaient si la pulsation des artères suivait vraiment les battements du cœur, Vésale répliquait : « Je ne donnerai pas mon opinion. Je vous invite à en faire le constat sur vous-même avec vos propres mains, en vous fiant à elles. »

Sa carrière d'anatomiste trouva son aboutissement dans le livre qui, circulant dans toute l'Europe, lui apporta la gloire. La *Fabrique [structure] du corps humain (De Humani Corporis Fabrica)* de Vésale, couramment appelée la *Fabrica,* volume in-folio de 663 pages magnifiquement imprimé, parut en août 1543, l'année même du *De Revolutionibus [Des Révolutions des orbes célestes]* de Copernic. Appelé à être à l'anatomie ce que l'ouvrage de Copernic serait à l'astronomie, il pourrait être considéré à juste titre comme l'œuvre d'une vie. Or Vésale le termina alors qu'il avait entre vingt-six et vingt-huit ans.

Comme il était décidé à montrer uniquement et dans le plus grand détail ce qu'il avait vérifié lui-même, de ses propres yeux et de ses propres mains, il était conscient du fait que la valeur scientifique de son ouvrage dépendrait de la qualité des illustrations. C'est pourquoi il rechercha les meilleurs artistes, qui réalisèrent ensuite les dessins selon ses instructions.

Il engagea les meilleurs graveurs sur bois de Venise pour travailler à ses reproductions. Dessinant aussi avec talent, il réalisa lui-même quelques-unes des illustrations. Les autres sont l'œuvre d'artistes de l'école du Titien, et probablement du même Johann Stephan von Kalkar qui avait exécuté les dessins des *Six Planches anatomiques.*

Léonard de Vinci avait signalé le danger de l'illusoire précision verbale des textes anatomiques. Il le dit en ces termes dans des carnets intimes : « Vous qui pensez faire voir à l'aide de mots l'image de l'homme et toute la variété de postures que peuvent prendre ses membres, renoncez à cette idée, car plus votre description sera minutieuse, plus vous sèmerez la confusion dans l'esprit du lecteur et plus vous l'éloignerez de la connaissance de l'objet décrit. Il vous faut à la fois présenter et décrire. » Le moment était favorable pour qu'un Vésale vienne libérer l'anatomie de ses entraves littéraires. Avec les artistes de la Renaissance, comme Léonard de Vinci, un réalisme nouveau s'annonçait sur les murs des palais et des églises. Quand Léonard énumère les qualités d'un bon anatomiste, il met au nombre de celles-ci la patience, la persévérance, un « goût pour ces choses-là » et le courage de « passer ses nuits en compagnie de tous ces cadavres écartelés, écorchés et horribles à voir ». Mais il complète sans tarder cette liste de manière significative avec « l'habileté au dessin... jointe à la connaissance des lois de la perspective ». Léonard se targue dans ses carnets d'avoir lui-même disséqué « plus de dix corps humains » et de pouvoir rassembler en un unique dessin tout ce qu'il en avait appris. Évidemment, il y a des ressemblances frappantes entre les dessins de Léonard et quelques-uns de ceux qui figurent dans la *Fabrica* de Vésale. Mais il n'existe aucune preuve certaine que Vésale ait jamais vu le moindre dessin de Léonard. Les nouvelles techniques de la perspective permettaient désormais à tous les artistes de talent de représenter le même modèle.

Choisir pour son livre l'imprimeur qui convenait était décisif, et Vésale en avait conscience. Il aurait pu sembler naturel qu'un professeur de Padoue, ville qui appartenait à la riche république de Venise, fasse imprimer son ouvrage dans la cité des Doges. « Reine de l'Adriatique », Venise, dès la naissance de l'imprimerie, en avait été un des hauts lieux et avait compté de grands imprimeurs. Au début du XVIe siècle, le métier d'imprimeur avait déjà atteint un suprême degré de perfection avec les élégantes publications d'Alde Manuce. Mais, autour de 1540, des complications juridiques intervinrent. Les membres de la commission de l'université de Padoue devaient donner un avis favorable avant que les livres ne soient soumis au Conseil des Dix, qui siégeait à Venise et donnait l'imprimatur. L'honorable firme vénitienne des Junte (Giunta) s'était lancée dans la publication de textes tirés des *Opera omnia* (œuvres complètes) de Galien, revus et corrigés, et s'était bel et bien assuré le concours de Vésale pour l'établissement de leur édition définitive la plus récente. Mais la qualité de l'imprimerie à Venise était en déclin. Le passage par les défilés alpins escarpés et glissants présentait des risques évidents, mais, pour assurer à sa *Fabrica* une impression de bonne qualité, le scrupuleux Vésale choisit néanmoins de faire franchir les montagnes à son pesant manuscrit et aux nombreux bois gravés destinés aux illustrations, en les envoyant à Bâle chez Oporinus. Il n'allait pas être déçu.

Vésale avait de bonnes raisons d'avoir confiance en son « très cher ami Oporinus ». Johannes [Herbst] Oporinus, fils d'un artiste, avait travaillé dans la célèbre imprimerie de Froben et avait également enseigné le latin et le grec. A Bâle, étant à la fois étudiant et secrétaire du terrible Paracelse, il avait accompagné celui-ci pendant une brève période dans ses errances prophétiques. Oporinus était prêt à prendre des risques. Il avait même osé publier la traduction latine du Coran par Théodore [Buchmann] Bibliander, ce pourquoi il avait passé un certain temps en prison. Or il était tellement certain de pouvoir se plier aux critères si exigeants de Vésale qu'il n'hésita pas à imprimer au début du livre les instructions de Vésale à l'éditeur, afin que le lecteur puisse en juger par lui-même. Vésale en personne s'était rendu à Bâle pour surveiller la publication.

La célèbre page de titre illustrée de la somptueuse *Fabrica* de Vésale montre le théâtre d'une « leçon d'anatomie », empli d'une assistance nombreuse comme l'exigeaient les statuts de l'université de Padoue. Le professeur, Vésale lui-même, manipule les organes abdominaux bien visibles d'un cadavre de femme en cours de dissection. Pour bien montrer qu'il s'agit là d'anatomie *humaine,* un squelette humain est placé juste au-dessus du cadavre, tandis qu'une forme masculine nue, se tenant sur le côté, regarde la scène. Au premier plan, tristement assis sous la table de dissection, on voit deux barbiers, qui à l'époque prévésalienne auraient eux-mêmes pratiqué la dissection. A présent, ils se bornent à aiguiser les bistouris du professeur. Dans le coin gauche se trouve un petit singe familier, dans le coin droit un chien, ni l'un ni l'autre n'étant digne de l'intérêt du professeur.

Le titre de Vésale *De Humani Corporis Fabrica* laisse entendre qu'il s'intéresse à la fois à la *structure* (par analogie avec le mot anglais « fabric », structure) et au *fonctionnement* du corps humain (par analogie au français « fabrique » et à l'allemand « Fabrik », qui signifient « usine »). Devant ses étudiants, Vésale soulignait toujours l'importance de la structure interne du corps en marquant d'un trait de charbon, sur la chair du cadavre, la forme du squelette qu'elle recouvrait. Enfin, avec la *Fabrica,* il abandonnait désormais l'ordre de présentation habituel de la dissection, qui jusque-là était déterminé par le degré de putréfaction. Il commençait au contraire par les os — structure fondamentale du corps — et continuait avec les muscles, le système vasculaire, le système nerveux, les organes abdominaux, le thorax et le cœur et enfin le cerveau.

Vésale semble en général avoir été à la hauteur de ses ambitions dans les parties de l'ouvrage où il traite des os, des muscles, du cœur et du cerveau, qui occupent plus de la moitié du volume. Ce qu'il montre et ce qu'il décrit dans ces chapitres, il l'avait vérifié personnellement. Nous ne saurions être surpris qu'à l'âge de vingt-huit ans Vésale n'ait pas encore été en mesure d'embrasser toute l'anatomie humaine en se fondant uniquement sur ses propres observations. Il commet la même erreur que Galien en faisant apparaître des voies de passage entre les deux ventricules du cœur. Le reste de l'ouvrage suit encore le plan traditionnel qui est celui de Galien, mais, dans chaque partie, les inexactitudes flagrantes de Galien sont corrigées. En ce qui concerne le squelette par exemple, il démontre à propos de la mâchoire, du sternum et de l'humérus que Galien avait généralisé à l'homme des structures existant chez l'animal. Il souligne l'erreur commise par Galien quand celui-ci décrivait le foie humain formé de plusieurs lobes, par analogie avec les singes, les chiens et les moutons, et il dépeint le foie humain comme une masse unique. Il rectifie enfin une erreur qu'il avait jadis perpétuée dans ses *Six Tables* et montre que le *rete mirabile* n'existe absolument pas chez l'homme.

En moins d'un demi-siècle, l'anatomie vésalienne l'emporta dans les écoles de médecine européennes. Quelque chose avait définitivement changé en Occident dans l'étude de l'anatomie. Ce que vésale a dit du cœur ou du cerveau est de peu d'importance en regard du fait qu'il traça la voie aux étudiants futurs en leur apprenant comment étudier tous les organes du corps. Il ne suffisait pas de discréditer Galien. Il fallait éveiller un nouvel enthousiasme pour la dissection comparative et répétée, seul moyen pour le médecin de s'assurer qu'il ne décrivait pas quelque anomalie. Les usages du temps et un préjugé tenace contre la dissection étaient encore sources de difficultés. La *Fabrica* relate sans vergogne comment le professeur s'emparait des cadavres et donne de macabres conseils pour éviter de se faire repérer :

> La belle maîtresse de certain moine de Saint-Antoine étant morte soudainement ici [à Padoue], comme d'un étranglement de l'utérus ou de quelque mal foudroyant, les étudiants de Padoue l'enlevèrent rapidement de sa tombe et l'emportèrent pour en faire la dissection publique. Ils furent assez habiles pour écorcher entièrement le cadavre afin qu'il ne puisse être reconnu par le moine qui, de concert avec la famille de sa maîtresse, avait porté plainte devant le juge municipal pour viol de sépulture et enlèvement de cadavre.

Vésale raconte aussi comment, afin de satisfaire sa curiosité concernant le liquide péricardique, il prit ses dispositions pour assister à l'exécution d'un criminel qui allait être écartelé vif. Puis il emporta rapidement « le cœur encore battant, avec les poumons et les viscères », pour les étudier. Le bruit courait que sa passion pour l'anatomie le conduisait parfois à disséquer des corps avant même qu'ils ne fussent morts.

De nouvelles dissections ayant élargi ses connaissances, Vésale révisa son propre ouvrage. La seconde édition de la *Fabrica,* postérieure de douze ans à la première, apporte des corrections décisives. L'auteur parvient encore à éluder cette épineuse question théologique : le cœur est-il le siège de l'âme ? En même temps, il se concilie les critiques en accueillant favorablement leurs observations. Lorsque le grand Gabriel Fallope (1523-1562) publie une respectueuse critique de la *Fabrica,* Vésale se donne la peine de lui répondre en détail et accepte quelques-unes de ses rectifications. Jacques Dubois [Sylvius], son maître respecté, reprochait à Vésale son irrévérence envers l'infaillible Galien. Heureusement, ceux qui, après Vésale, occupèrent l'importante chaire d'anatomie de Padoue, étaient ses propres disciples et avaient comme lui l'exigence d'une anatomie entièrement *humaine.*

La *Fabrica* publiée, le jeune Vésale abandonna brusquement l'étude de l'anatomie pour pratiquer la médecine. Il fit en sorte d'obtenir l'emploi de médecin à la cour de l'empereur Charles Quint. La pratique médicale qui était maintenant son lot s'avéra extrêmement spécialisée. La débauche et la gloutonnerie étant les vices les plus répandus à la cour, Vésale se trouva confronté à des problèmes tels que « le mal français, les troubles gastro-intestinaux et les maladies chroniques » qui faisaient, disait-il, « l'habituel sujet de plainte de mes malades ». Il vécut encore vingt ans, mais il avait déjà accompli son œuvre.

## 47

## *D'invisibles courants à l'intérieur du corps*

Depuis quatorze siècles, les idées de Galien régnaient en Europe sur la physiologie aussi bien que sur l'anatomie. L'explication convaincante qu'il donnait du processus vital remontait à Platon, pour qui le fonctionnement du corps était dominé par trois « principes » ou *pneuma*. Le principe rationnel — situé dans le cerveau — régissait la sensation et le mouvement, le principe passionnel — qui siégeait dans le cœur — contrôlait les passions, et le principe appétitif — placé dans le foie — permettait la nutrition. L'air que l'on respirait était transformé en *pneuma* par les poumons, et le processus vital assurait le passage d'une forme de *pneuma* à une autre. Le foie élaborait le « chyle » qui, du tractus intestinal, passait dans le sang veineux porteur de l'« esprit naturel » et coulait dans les veines avec un mouvement de flux et de reflux rappelant celui des marées. Une partie de cet esprit naturel pénétrait dans le ventricule gauche du cœur où il devenait une forme supérieure de *pneuma*, l'« esprit vital ». L'esprit vital parvenait ensuite à la base du cerveau où, dans le *rete mirabile,* le sang était transformé en une forme encore supérieure de *pneuma,* l'« esprit animal ». La forme de *pneuma* la plus subtile était diffusée dans tout le corps par les nerfs, que Galien supposait creux.

Chaque aspect de l'âme possédait une faculté particulière qui lui était propre et qui correspondait à sa capacité à produire un *pneuma.* « Aussi longtemps que nous ignorerons la véritable essence de la cause efficiente », expliquait Galien, « nous l'appellerons une *faculté.* Ainsi dirons-nous qu'il existe dans les veines une faculté qui produit le sang, de même qu'une faculté digestive dans l'estomac, une faculté pulsative dans le cœur et, dans chacune des autres parties du corps, une faculté particulière correspondant à sa fonction ou à son activité propre ».

Voilà, résumé brièvement, le système fondamental de la physiologie de Galien, qui était essentiellement une *pneuma*-tologie. Il expliquait tout, sans que personne ne puisse l'accuser de prétendre à plus de connaissances qu'il n'en possédait réellement, car il reconnait volontiers le caractère évasif de tous les éléments de son système. Comme il faisait appel à l'indéfinissable pour expliquer ce qu'il n'était pas à même d'expliquer, sa terminologie constituait le champ clos des débats auxquels se livraient les docteurs ès physique portés sur la philologie.

Au cœur du système de Galien figurait sa théorie personnelle du cœur humain. En effet, la source de la *chaleur innée* qui, selon Hippocrate et Aristote, baignait le corps entier et faisait le partage entre les vivants et les morts se trouvait dans le cœur. Nourri par le *pneuma*, le cœur était naturellement l'organe le plus chaud, une sorte de fournaise qui eût été consumée par sa propre chaleur si elle n'avait été opportunément refroidie par l'air venu des poumons. La chaleur, qui est la manifestation même de la vie, était par conséquent *innée* et signait la présence de l'âme.

Comme le cœur était de toute évidence la citadelle de la physiologie galénique, il était clair que les médecins ne pourraient se défaire de leurs « esprits » et de leurs *pneuma* tant que quelqu'un n'aurait pas rendu compte du fonctionnement du cœur de manière également convaincante. William Harvey (1578-1657) allait accomplir cette tâche. Né en Angleterre près de Folkestone, dans une famille cossue, il bénéficia de toutes les facilités que pouvait désirer une personne attirée par la médecine. Il fréquenta d'abord *King's School* à Canterbury, puis il continua ses études au *Gonville and Caius College* de Cambridge.

Depuis sa réforme par John Caius, ce collège était devenu un centre d'enseignement de la médecine unique en son genre. John Caius (prononcez « Keys », 1510-1573) était un homme doué d'une énergie infatigable qui, à la génération précédente, s'était fait le champion du professionnalisme en médecine. Lorsqu'il était étudiant à Padoue, Caius avait bel et bien séjourné chez le grand Vésale, qui y enseignait encore l'anatomie. Il demeura néanmoins un adepte fervent de Galien. « A part quelques points insignifiants, rien ne lui a échappé », soutenait Caius, « et si l'on avait seulement lu Galien, on aurait pu apprendre de lui toutes ces choses que de nouveaux auteurs tiennent pour importantes ». Président de l'Académie de médecine de Londres, il revendiqua pour celle-ci le droit d'habiliter les médecins et de poursuivre les charlatans. Dans le but d'élever le niveau des études de médecine, il obtient des magistrats qu'ils fournissent chaque année, à des fins de dissection, le corps de quatre condamnés à mort exécutés — privilège qu'ils avaient déjà accordé en 1540 à la Confrérie réunie des chirurgiens-barbiers. Deux de ces corps étaient destinés à son collège de l'université de Cambridge. Caius fit fortune pendant qu'il était médecin d'Édouard VI, de la reine Marie et de la reine Élisabeth. Il consacra cet argent à reconstruire son vieux collège de Cambridge — qui prit alors le nom de « Gonville and Caius » — et à financer les premières bourses universitaires destinées aux étudiants en médecine.

Quand Harvey, à l'âge de quinze ans, arrive en 1593 à « Gonville and Caius », une bourse de six ans lui a été accordée pour faire sa médecine. Après quoi, en 1599, et suivant l'exemple même de Caius, il se rend à Padoue où il gagne la confiance de ses condisciples et devient représentant de la « Nation anglaise » au conseil de l'université. Naturellement les cours se donnaient en latin, langue que Harvey était capable de lire et de parler. Les étudiants menaient une vie turbulente et peu stimulante sur le plan intellectuel. Harvey était le plus souvent armé et n'était que « trop disposé à tirer l'épée à la moindre occasion ». Mais heureusement un professeur sut éveiller son intérêt et lui indiquer sa voie dans la carrière médicale.

Le célèbre Fabrici d'Acquapendente (1533-1619), qui avait jadis soigné Galilée, était un chercheur infatigable, mais encore adepte de Galien. Un jour, un groupe d'étudiants s'étant rebellé contre ses manières ironiques, il sut les amadouer en leur abandonnant un précieux cadavre pour qu'ils le dissèquent entièrement par eux-mêmes. L'amphithéâtre d'anatomie que Fabrici fit bâtir en 1595 rendit pour la première fois possible la pratique des démonstrations d'anatomie dans un local fermé. Cinq volées d'un escalier de bois donnaient accès à six galeries circulaires qui surplombaient un puits étroit. Les étudiants pouvaient se pencher par-dessus les balustrades de ces multiples galeries et, de là-haut, regarder de tous leurs yeux — perçant l'obscurité — la table de dissection placée au centre. Cependant des étudiants tenaient des candélabres pour éclairer le cadavre pendant la dissection, et ce dispositif permettait à trois cents étudiants à la fois de voir clairement la démonstration. Étant donné la pénurie de cadavres et la rareté des dissections, cela constitua un progrès remarquable dans l'enseignement de la médecine. C'est là que Harvey assista aux dissections que Fabrici pratiquait en amphithéâtre. Harvey vécut un certain temps chez Fabrici qui possédait, à proximité immédiate de Padoue, une maison de campagne entourée d'un jardin d'agrément.

Vers 1574, longtemps avant l'arrivée de Harvey à Padoue, Fabrici avait remarqué au cours de ses dissections que les veines des membres renfermaient chez l'homme des valves minuscules, qui permettaient au sang de ne s'écouler que dans une seule direction. Il avait aussi constaté que les grosses veines thoraciques qui apportaient directement le sang aux organes vitaux n'étaient pas dotées de valvules de cette sorte. Fabrici fit habilement cadrer ces faits nouveaux avec les vieilles théories de Galien, selon lesquelles le sang était animé d'un mouvement centrifuge qui lui permettait d'aller nourrir les viscères :

> Ma théorie est que la Nature les a formées [les valvules] pour ralentir dans une certaine mesure l'écoulement du sang, et pour empêcher que tout le flux sanguin ne se précipite dans les pieds, les mains et les doigts, et ne s'y accumule. Deux maux sont ainsi évités, à savoir la sous-nutrition des parties supérieures des membres et une enflure permanente des mains et des pieds. Les valvules furent donc créées en conséquence, afin d'assurer une distribution vraiment équitable du sang entre les différentes parties du corps qu'il va nourrir...

Le souvenir de ces merveilleuses valvules que Fabrici avait montrées au jeune Harvey à Padoue allait rester vivace dans l'esprit de celui-ci, et continuer à le préoccuper et à le stimuler.

Lorsqu'il revint en Angleterre, Harvey épousa la fille d'un ancien médecin de la reine Élisabeth. Il devint membre de l'Académie de médecine et se fit une clientèle riche et aristocratique. Parallèlement, c'est lui qui assura les cours de chirurgie à l'école de médecine de 1615 à 1656. De plus, il assura la fonction de médecin du roi, d'abord auprès de Jacques Ier, à une époque où se montrer proche du roi n'était pas sans présenter des risques politiques. Le cercle des relations de Harvey comprenait le philosophe et homme de science Francis Bacon, le rose-croix Robert Fludd, le juriste John Selden, ainsi que Thomas Hobbes. Les domaines où s'exerçait son intérêt n'avaient d'autres limites que celles de l'univers.

Galien avait réparti les processus vitaux entre des organes distincts qui satisfaisaient chacun un besoin particulier du corps. Chez Galien, le sang ne jouait aucun rôle unificateur, car l'unité des processus essentiels à la vie résultait de la collaboration des divers « esprits » ou *pneuma*. Le sang, élaboré dans le foie, n'était rien de plus qu'un moyen de transmission parmi d'autres, spécialisé dans le transport d'une cargaison de matières nutritives vers certains organes. Harvey se mit en quête d'un phénomène vital unificateur. Il allait révéler l'aboutissement de ses recherches dans son *[Exercitatio anatomica] de motu cordis et sanguinis in animalibus ([Étude anatomique] du mouvement du cœur et du sang chez les animaux),* opuscule mal imprimé de soixante-douze pages, publié en 1628.

Aujourd'hui encore, quand nous lisons le petit livre de Harvey, nous sommes impressionnés par sa puissance de conviction. Pas à pas, il nous amène avec lui à la conclusion que c'est du cœur que provient l'impulsion donnée au sang, et que le sang parcourt d'un mouvement circulaire le corps tout entier. Il commence par présenter successivement les faits dont il dispose concernant les artères, les veines et le cœur, leur structure et leur fonctionnement. Tout au long de son travail, ses observations sont « vérifiées par la dissection d'animaux vivants ».

A l'époque où Harvey entreprit d'étudier le cœur, les médecins n'étaient pas encore parvenus à s'entendre sur le point de savoir si le cœur était en activité quand il se dilatait — ce qui semblait coïncider avec la dilatation des veines — ou quand il se contractait. Il commence donc par faire une brève description du fonctionnement du cœur :

> En premier lieu, d'après mes observations sur le cœur de tous les animaux encore vivants après que le thorax a été ouvert et l'enveloppe qui entoure immédiatement le cœur écartée, l'on peut voir le cœur alternativement en mouvement et en repos, un instant en mouvement, en repos l'instant d'après... En phase active de mouvement, la force des muscles augmente, ils se contractent, de relâchés ils deviennent durs, ils s'élèvent et s'épaississent ; et de même le cœur...
>
> C'est pourquoi il se produisit simultanément les phénomènes suivants, à savoir la contraction du cœur, le battement de la pointe [du cœur] (que l'on sent de l'extérieur quand elle vient battre contre la poitrine), l'épaississement des parois du cœur et l'expulsion brutale du sang qui est produite par la contraction des ventricules.

> Ce qui découle de l'observation est donc exactement à l'opposé du point de vue communément admis. Selon l'opinion générale, les ventricules sont relâchés et le cœur se remplit de sang quand sa pointe frappe la cage thoracique et que l'on peut sentir son battement à l'extérieur. Cependant c'est le contraire qui est vrai, à savoir que le cœur se vide pendant sa contraction. D'où il découle que le mouvement du cœur communément tenu pour la diastole se trouve être, en fait, la systole. Pour la même raison, le mouvement essentiel n'est pas la diastole [dilatation] mais la systole [contraction] ; et la force du cœur n'augmente pas pendant la diastole mais pendant la systole — c'est alors, en vérité, qu'il se contracte, qu'il est en mouvement et que sa force augmente.

Harvey poursuit en décrivant le mouvement des artères, en montrant comment elles se dilatent quand le cœur se contracte et, telle une pompe, propulse le sang dans leur direction. « Pour se faire une idée de la pulsation généralisée des artères qui se produit quand le ventricule gauche éjecte le sang qui va alors les remplir, on peut souffler dans un gant et observer comment tous les doigts augmentent simultanément de volume. » « Ainsi, explique-t-il, le pouls que nous sentons dans les artères n'est rien d'autre que l'irruption soudaine du sang provenant du cœur. »

Harvey retrace ensuite le parcours du sang quand il quitte la partie droite du cœur. Sortant du ventricule droit, le sang chemine à travers les poumons et passe dans l'auricule gauche ; et de là, il est pompé par le ventricule gauche. Cela implique une notion nouvelle — celle de « petite » circulation sanguine, ou encore circulation pulmonaire, c'est-à-dire le passage du sang à travers les poumons.

Lorsque Harvey étendit son système, cette notion se révéla d'une importance capitale. Elle avait déjà été développée par Realdo Colombo (1510-1559), successeur de Vésale à l'université de Padoue, qui n'était pas un lecteur attentif de Galien mais un expérimentateur intrépide. Le médecin et botaniste italien Andrea Cesalpino (1519-1603) avait décrit les valvules cardiaques et les vaisseaux pulmonaires reliés au cœur. Michel Servet, l'ardent réformateur d'origine espagnole que Calvin fit brûler vif pour hérésie en 1553, avait lui aussi eu l'occasion de décrire la circulation pulmonaire du sang dans sa *Restitution du Christianisme* (1553), opuscule éminemment coupable sur le plan théologique et dont quelques exemplaires seulement ont survécu. Enfin il semble que dès le XIIIe siècle le médecin arabe Ibn al-Nafis ait eu la même idée.

C'est Colombo qui fournit à Harvey les données essentielles. Deux séries d'observations faites par lui se trouvaient être des pièces manquantes dans le puzzle que formait pour Harvey le fonctionnement cardio-vasculaire. La première était le fait, autrefois ignoré de Vésale, que le sang passait du ventricule droit au ventricule gauche du cœur en empruntant la voie des poumons. La seconde était la description exacte du fonctionnement cardiaque, avec la signification véritable de la systole et de la diastole.

Colombo avait mis l'accent sur le fait que le cœur accomplissait son travail quand il se contractait pendant la systole. Il comptait le rythme cardiaque « au nombre des choses les plus belles à contempler. Vous vous apercevrez qu'alors que le cœur se dilate, les artères se contractent et que, l'instant d'après, quand le cœur se contracte les artères sont dilatées ». Ce simple fait procura à Harvey, comme il le reconnut lui-même, l'indice qui allait lui permettre de tirer profit des vivisections et qui vint à son secours dans l'accomplissement de « cette tâche en vérité si ardue et si remplie de difficultés que je fus presque tenté de penser, avec Frascatorius, que la compréhension du mouvement du cœur était le privilège de Dieu ».

Quand Harvey rapprocha les intuitions de Colombo sur l'action de pompe exercée par le cœur des descriptions faites par Fabrici des valvules veineuses — qui permettaient l'écoulement du flux sanguin dans une seule direction —, il commença à entrevoir la solution. Le cœur n'était pas une fournaise mais une pompe et le sang qui en sortait allait nourrir les organes. Cependant d'autres données manquaient encore pour prouver la *circularité* du mouvement du sang. Harvey devait accomplir ce pas décisif et passer de la simple *circulation* du sang — que même Galien avait suggérée à sa manière — à la *circularité* du mouvement, concept qui fonda la physiologie moderne. Le raisonnement qui permit de franchir ce pas marqua une étape importante à plus d'un titre. Il permit de passer des qualités aux quantités — des « humeurs » et esprits vitaux du monde ancien aux thermomètres et sphygmomanomètres, aux électrocardiogrammes et à d'innombrables instruments de mesure qui sont les témoins du monde moderne.

Harvey avait posé le problème essentiel en décrivant le chemin emprunté par le sang pour pénétrer dans le cœur et en sortir, et en mettant en évidence la fonction du cœur qui est d'entretenir constamment ce flux. Il avait découvert le fleuve Amazone à l'intérieur du corps, ainsi que la force qui entretenait le courant. Mais il n'avait pas encore fait le relevé du trajet de toutes les rivières et de tous les ruisseaux parcourus par le sang. « Les points qui restent à traiter », explique Harvey dans son chapitre VIII qui est d'une importance décisive » (à savoir la quantité de sang qui traverse ainsi les veines et les artères, et sa provenance), bien que dignes du plus grand intérêt, sont si nouveaux qu'ils ne sont jusqu'à présent mentionnés nulle part et que je crains, en en parlant, non seulement de me heurter à la mauvaise volonté de quelques-uns, mais de m'attirer l'opposition de tous. Dans une certaine mesure, c'est pour tout le monde pratiquement une seconde nature que de suivre les règles acceptées et que d'enseigner ce qui, après avoir été une première fois implanté dans l'usage, s'y est profondément enraciné. Dans cette mesure, les hommes subissent l'influence excusable du respect pour les auteurs anciens ».

Il se pose alors une nouvelle question *quantitative :* « Quel est le volume de sang qui passe des veines dans les artères ? » — question à laquelle il entend donner une réponse quantitative. « J'ai aussi considéré la question de la symétrie et de la dimension des ventricules du cœur et des vaisseaux qui y aboutissent ou qui en partent (car la Nature, qui ne fait rien sans raison, n'aurait pas sans raison donné à ces vaisseaux une taille aussi importante). » Il espère trouver la réponse à cette question en sectionnant les artères d'animaux vivants. Il se demande « quel volume de sang circule et dans quel laps de temps ». « *Une aussi grande quantité* [c'est nous qui soulignons] ne peut provenir que de ce que nous mangeons et... elle est beaucoup trop importante pour correspondre aux besoins nutritifs des différents territoires. » Si le flux sanguin n'était sans cesse renouvelé que par le suc provenant de la nourriture récemment absorbée, il en résulterait deux choses : toutes les artères risqueraient de se vider soudainement ou encore d'éclater sous l'effet d'un afflux excessif de sang.

Quelle était la réponse ? Le fonctionnement du corps ne fournissait aucune explication, « à moins que le sang ne puisse refluer de quelque manière des artères dans les veines, et retourner au ventricule droit du cœur. C'est pourquoi je commençai, dans mon for intérieur, à me demander s'il n'était pas animé d'un mouvement, en quelque sorte, circulaire. »

Cette explication était remarquable dans sa simplicité. Harvey commença par réfuter toutes les objections qu'il avait pu soulever lui-même contre sa propre hypothèse, puis l'ayant ainsi consolidée à ses yeux, il s'efforça de persuader ses confrères en invoquant à l'appui de ses dires les anciens qui faisaient autorité. C'est ainsi qu'il cite longuement l'immortel Galien — « cet homme inspiré, le Père des médecins » — pour corroborer son propre point de vue sur les relations des artères et des veines avec les poumons. Il cite souvent aussi avec respect Aristote, dont les intuitions anatomiques avaient été quelque peu éclipsées par les textes de Galien, depuis que ceux-ci avaient été si largement diffusés par l'imprimerie au cours du XVI^e siècle.

Harvey se sentait depuis longtemps une parenté de pensée avec la manière dont Aristote envisageait le processus vital. En effet, Aristote considérait lui aussi la vie comme un processus unique, impliquant l'organisme tout entier — et non pas comme quelque chose qui se produisait quand les « esprits » ou *pneuma* venaient s'adjoindre aux organes du corps. Le point de vue d'Aristote sur l'unicité du processus vital encourageait Harvey dans sa recherche et, finalement, justifiait ses conclusions. Dans le chapitre VIII, où il explique pour la première fois le mouvement circulaire du sang, Harvey s'exprime ainsi :

> Nous avons tout autant le droit de qualifier ce mouvement du sang de circulaire, qu'Aristote de dire que l'air et la pluie suivent les mouvements circulaires des corps célestes. Il décrit comment la terre humide, réchauffée par le soleil, émet des vapeurs qui se condensent en s'élevant et, ainsi condensées, retombent

> sous forme de pluie et humidifient à nouveau la terre, permettant à des cycles de vies nouvelles d'en surgir les uns après les autres. Pareillement, le mouvement circulaire du Soleil, c'est-à-dire la manière dont il s'approche puis s'éloigne de la Terre, produit les orages et les phénomènes atmosphériques...
>
> Cet organe (le cœur) mérite d'être désigné par métaphore comme le point de départ de la vie et le soleil de notre microcosme, tout autant que le Soleil, mérite d'être désigné comme le cœur du monde.

Nous sommes évidemment tenté de chercher un lien entre la conviction de Harvey quant aux mouvements circulaires du sang, le cœur étant au centre, et la théorie héliocentrique de Copernic, où les planètes tournent autour du Soleil qui occupe le centre du système. Mais il n'existe aucune preuve à l'appui de cette hypothèse séduisante. Galilée enseignait à Padoue alors que Harvey était étudiant mais, à notre connaissance, il ne se trouvait aucun médecin parmi ses étudiants. Et d'ailleurs, à cette époque, Galilée exposait encore fidèlement dans ses cours le système de Ptolémée.

Harvey répète constamment qu'il ne fait que décrire simplement les faits et qu'il ne s'agit pour lui ni de tirer l'application d'une philosophie ni de broder autour. « Je ne crois pas que l'on puisse apprendre ou enseigner l'anatomie en partant des axiomes des philosophes, écrit-il dans l'introduction de son *De motu,* mais en partant des Dissections et de l'Œuvre de la Nature. » Et, presque à la fin de sa vie, il répète ceci : « Je dirais avec Fabrici qu'il faut faire taire tout raisonnement quand l'expérience dément ses conclusions. Un défaut trop courant à notre époque est d'imposer comme des vérités certaines de simples produits de notre imagination, fruits de suppositions et d'un raisonnement superficiel, que le témoignagne des sens ne vient conforter en aucune façon. »

Il restait cependant dans la théorie de Harvey une lacune qui l'empêchait de boucler la boucle : de grandes quantités de sang étaient sans cesse propulsées du cœur dans les artères, de là dans les veines, et de nouveau revenaient au cœur. Mais le système tout entier ne pouvait fonctionner que si le sang passait constamment des artères dans les veines.

Harvey ne trouva pas la réponse et ne put finalement expliquer comment cela se produisait. Mais sa foi en la simplicité de cette théorie — un grand cercle parcouru par le sang — lui donnait la conviction que ce dernier maillon essentiel de la chaîne devait exister. Il ne trouva jamais les passerelles qui assuraient la liaison (les « anastomoses », comme les médecins allaient les appeler plus tard), mais il affirma avec la plus grande conviction que ce lien était effectivement assuré par quelques « artifices admirables » qui restaient à découvrir. Harvey se servait quelquefois d'une loupe, mais il ne disposait pas du microcope — qui lui aurait permis de découvrir les vaisseaux capillaires. En dernier ressort, il dut faire reposer sa théorie sur la certitude que la Nature n'avait pu manquer de compléter le cercle.

## 48

### *Des qualités aux quantités*

La critique classique des galénistes orthodoxes à l'égard des travaux de Harvey s'exprima par la voix de l'un de ses contemporains, le célèbre professeur Caspar Hofmann qui enseignait la médecine à l'université d'Altdorf, près de Nuremberg. Parlant au nom de médecins honorables, Hofmann accusa Harvey de faire peu de cas de la réputation de sa profession « en quittant l'habit de l'anatomiste » pour se mettre subitement à jouer les mathématiciens. « En vérité, vous ne vous servez pas de vos yeux et vous ne leur commandez pas de voir, mais au lieu de cela vous vous fiez à des raisonnements et à des calculs, vous supputez le nombre de pintes et, jusqu'à la plus petite unité près, la quantité de sang qui doit, à des moments soigneusement déterminés, passer du cœur dans les artères en l'espace d'une petite demi-heure. Franchement, Harvey, vous pourchassez un fait qu'il est impossible de vérifier, une chose qui n'est pas calculable, qui est inexplicable, qui échappe à la connaissance. » L'approche quantitative de Harvey et ses spéculations oiseuses avaient selon Hofmann, engagé le débat dans une mauvaise direction. La vraie controverse, affirmait Hofmann, portait sur le grand dessin de la Nature, où rien n'est laissé au hasard :

> I. — Vous sembleriez accuser la Nature d'être bornée, en prétendant qu'elle s'est égarée à ce point, alors qu'il s'agit d'une œuvre dont l'importance est presque sans égale, à savoir la formation et la répartition des substances nutritives ! Et, si nous commençons par admettre cela, à quel point de confusion extrême n'allons-nous pas arriver lorsqu'il s'agira de toutes les autres fonctions qui dépendent du sang !
> II. — Pour cette raison même, vous sembleriez réfuter l'axiome universellement reconnu à propos de la Nature et dont on trouve même la louange sous votre propre plume, à savoir qu'elle fournit toujours en quantité suffisante les choses nécessaires, sans pour autant produire en quantité excessive celles qui sont superflues, etc.

Malgré les insultes des galénistes, Harvey sut fort bien attirer l'attention comme il convenait sur ces « chipotages » à propos de quantités. Il n'était d'ailleurs pas seul à le faire. Dans toute l'Europe, d'autres personnes commençaient à parler le langage des machines et à analyser les données de l'expérience à l'aide d'une grammaire d'un genre nouveau, celle des mesures. L'expérience familière en était transformée. Il n'y eut rien de plus remarquable que la nouvelle manière de considérer la chaleur et le froid. Le chaud et le froid, le sec et l'humide, constituaient des distinctions évidentes au toucher. Selon les anciens Grecs, ces qualités se combinaient pour donner la terre, l'air, le feu et l'eau, et le monde était formé uniquement de ces éléments. Exactement comme nous tenons aujourd'hui les odeurs et les saveurs pour des *variétés* différentes plutôt que pour des quantités différentes, ainsi en était-il, comme nous l'avons vu, de la température. Dans la langue anglaise, par exemple, le mot « température » (du verbe « tempérer », mélanger, combiner ou maintenir dans les proportions voulues) a eu avant le XVIIe siècle un certain nombre de sens, nous l'avons dit, dont aucun n'était absolu ou quantitatif. Tant que la médecine était dominée par la théorie galénique des humeurs, il ne pouvait y avoir aucun moyen quantitatif de comparer les conditions internes des corps humains avec une quelconque norme extérieure. Chez une personne donnée, le mélange convenable d'humeurs assurait la santé, tandis qu'une perturbation de ce mélange produisait la maladie.

Les différences les plus flagrantes entre le chaud et le froid étaient les différences de climat et de conditions atmosphériques. C'est semble-t-il à celles-ci qu'aurait d'abord été appliquée la notion d'une éventuelle échelle des chaleurs. Cette idée s'accordait bien avec la représentation ptolémaïque de cercles entourant la Terre. La notion d'une certaine échelle des températures — au sens moderne de degrés de chaleur — apparut avant même qu'il n'existât un instrument propre à les mesurer. Galien lui-même avait suggéré que quatre « gradations de chaleur et de froid » pourraient être déterminées dans les deux sens, à partir du point neutre défini par le mélange, en quantités égales, de glace et d'eau bouillante. Il ne précisa pas davantage sa définition, et bien entendu il pensait que le cœur était l'organe le plus chaud du corps.

Avant qu'on ne disposât d'un moyen universel de mesurer la température du corps, il était naturel de penser qu'elle pouvait varier selon les différentes régions du monde. Les gens qui vivaient sous les tropiques étaient censés avoir une température corporelle plus élevée que ceux qui vivaient sous des climats plus froids. Le premier livre européen qui, à notre connaissance, traite de mathématiques appliquées à la médecine est le *De Logistica Medica* de Johannis Hasler (Berne, 1578), et le problème qu'il aborde en tout premier lieu est le suivant : « Comment trouver le degré naturel de température propre à chacun, tel qu'il est déterminé par son âge, l'époque de l'année, l'élévation du pôle [c'est-à-dire la latitude] et autres influences ? » L'auteur fournit un tableau indiquant à quel degré de chaleur ou de froid on peut s'attendre chez une personne vivant sous une certaine latitude, afin que le médecin soit en mesure d'adapter en conséquence la « température » de ses remèdes.

Il existait des « termo*scopes* », appareils qui indiquaient un changement de température, bien avant l'apparition de « thermo*mètres* » permettant de mesurer ce changement sur une échelle graduée. Des savants de l'Antiquité — Philon de Byzance (IIe siècle avant J.-C.) et Héron d'Alexandrie (Ier siècle après J.-C.) — avaient démontré que le niveau de l'eau s'élevait sous l'effet de la chaleur et ils avaient eu l'idée de construire expérimentalement une « fontaine dont l'eau tombe goutte à goutte au soleil ». Bien qu'il n'ait probablement pas été le premier, nous savons avec certitude que Galilée avait inventé un appareil pour mesurer les changements de la température de l'air. Le mot « thermomètre » — attesté pour la première fois en anglais en 1633 — désigne alors « un instrument pour mesurer les degrés de chaleur et de froid dans l'atmosphère ».

Bien entendu, on remarqua les variations de la température longtemps avant celles de la pression barométrique, pour lesquelles il fallut attendre la découverte de la pesanteur de l'air. Au demeurant, l'étalonnage de ce genre d'appareils restait imprécis. La découverte réalisée en Angleterre, au XVIIe siècle, que des modifications de l'atmosphère faisaient monter ou descendre un liquide dans un tube, donna naissance au « weather glass » (verre à mesurer la température) qui ne tarda pas à procurer un excellent débouché aussi bien aux verriers qu'aux fabricants d'instruments. Dans son *Novum Organum* ou *Éléments d'interprétation de la nature* (1620), Francis Bacon explique comment construire cette sorte d'instrument.

La question sans réponse de savoir qui construisit le « premier » thermomètre atmosphérique nous introduit dans une faune de faux savants, de charlatans et de mystiques. Le Dr Robert Fludd (1574-1637), ami de Harvey et adepte étonnant de la Rose-Croix, déclina modestement, vers 1626, l'honneur d'être le premier inventeur du thermomètre, arguant qu'il avait reçu ses principes philosophiques de Moïse et qu'ils étaient donc « marqués du doigt de Dieu et conçus par Lui ». Il se vanta même d'avoir redécouvert la conception du thermomètre « dans un antique manuscrit datant d'au moins cinq cents ans ». Pour sa part, il se contentait donc de « l'utiliser pour les besoins de l'expérimentation ». Avant même qu'il existât effectivement un appareil permettant de mesurer les changements de température grâce à un liquide montant ou descendant dans un tube clos, les philosophes de la Nature s'apprêtaient à domestiquer le mouvement des liquides sous l'effet de la température, et ce à des fins moins banales. A Heidelberg, Salomon de Caus, ingénieur et architecte de l'Électeur palatin Frédéric, avait fait en 1615 le projet d'utiliser ce phénomène pour construire une machine à mouvement perpétuel. En partant du même principe, Cornelis Van Drebbel — un Hollandais entreprenant qui avait appris le métier de graveur — fit breveter en 1598 « une montre ou appareil à mesurer le temps qui pourrait servir pendant cinquante, soixante, voire cent ans, sans qu'il soit besoin de la remonter ni de faire quoi que ce soit, aussi longtemps que les rouages et autres pièces du mécanisme ne seraient pas entièrement usés ». Un jour viendrait où les modifications de la pression atmosphérique seraient aussi mises à contribution sous la forme de gracieuses pendules « atmosphériques » aussi précises que modernes.

Les dogmes de Galien eux-mêmes pouvaient, d'une manière ou d'une autre, inciter un esprit inventif à explorer l'univers nouveau des mesures. Tout comme Christophe Colomb s'était engagé sur la voie tracée par Ptolémée, de même Santorio Santorio allait-il suivre les chemins frayés par Galien. Et il est de fait qu'il pensait avoir inventé des techniques quantitatives qui permettraient de confirmer les théories de Galien et qui rendraient la thèse classique encore plus utile. Selon la classification galénique des maladies, il existait pour chaque personne une échelle continue des désordres, allant de la combinaison parfaitement adéquate des humeurs (« eucrasie »), passant par toutes les étapes intermédiaires et aboutissant à la plus mauvaise combinaison possible (« dyscrasie ») qui provoquait la mort. Avec son esprit naturellement porté aux mathématiques, Santorio calcula que le total de toutes les combinaisons d'humeurs possibles devait être de l'ordre de quatre-vingt mille, ce qui signifiait qu'il devait y avoir le même nombre de « maladies » virtuelles. Avant la fin de sa vie, l'intérêt que Santorio trouvait à mesurer et à dénombrer les choses allait le conduire bien plus loin que Galien.

Santorio (1561-1636) avait eu l'avantage de naître dans une famille aristocratique et aisée, dans une île appartenant à la république de Venise, où le commerce avec le monde entier, la fierté civique et la lutte contre l'orthodoxie pontificale entretenaient un véritable bouillonnement d'idées. De respectables citoyens de Venise se livraient à des expériences et avançaient des opinions qui, sous la domination de Rome, auraient sans doute exigé un esprit rebelle et téméraire. Riche et noble, le père de Santorio était officier d'intendance au service de la république de Venise, et sa mère était une héritière de noble extraction. Conformément à la mode de l'époque, ils donnèrent à leur fils aîné un prénom identique à son nom de famille. A l'âge de quatorze ans, le jeune Santorio Santorio fut admis à l'université de Padoue où, selon l'usage, il commença par étudier la philosophie. Puis il obtint son diplôme de médecine en 1582, à l'âge de vingt et un ans. Il partit alors pour la Croatie où il fut engagé comme médecin dans une famille de l'aristocratie. Il profita de sa présence sur la côté Adriatique pour expérimenter son anémomètre et l'appareil qu'il avait inventé pour mesurer les courants marins.

Lorsqu'il rentra à Venise en 1599 pour s'y installer comme médecin, Santorio apprécia cette société en effervescence composée d'artistes, de médecins, d'alchimistes et de mystiques, où l'on rencontrait des gens comme Galilée, Paolo Sarpi, Fabrici et Giambattista della Porta. Le prélat vénitien Fra Paolo Sarpi, esprit vigoureux et encyclopédique, avait porté la république de Venise au premier rang de la lutte contre la papauté. Santorio rencontra la chance de sa vie le jour où, Sarpi ayant été victime d'une tentative d'assassinat et laissé pour mort, Fabrici et lui-même soignèrent ses blessures avec un tel succès qu'il s'en remit, ce qui fit de Sarpi un défenseur prestigieux de la recherche et de l'expérimentation à Venise.

Santorio lui-même pensait — à juste titre d'ailleurs — être l'inventeur d'une nouvelle branche de la médecine, qu'il appela « Médecine statique » en forgeant ce terme à partir du latin *staticus* et du mot grec *[statikos]* qui désignait l'art de l'équilibre. L'*Ars de Medicina statica [Traité de médecine statique]* de Santorio, publié à Venise en 1612, rendit son auteur célèbre dans l'Europe entière. Il fut diffusé non seulement en latin, mais aussi en anglais, en italien, en français et en allemand. Il y eut vingt-huit éditions du seul texte latin et la seconde édition, celle de 1615, fut réimprimée avec des commentaires au moins quarante fois. Pendant un siècle entier, les médecins les plus éminents considérèrent qu'avec le livre de Harvey sur la circulation du sang, c'était l'un des deux ouvrages fondateurs de la médecine scientifique moderne. Martin Lister (1639-1712), pionnier de la zoologie et le plus en vue des médecins anglais de l'époque, déclare dans la préface de l'édition anglaise (1676) qu'« il n'est pas d'autre découverte en médecine qui soit comparable à celle-ci, excepté celle de la circulation sanguine ». Le grand médecin hollandais Hermann Boerhaave (1668-1738) proclame, pour sa part, que le livre de Santorio est « le plus parfait » de tous les ouvrages de médecine.

Santorio était parti de l'étude des médecins de l'Antiquité et il avait solidement fondé ses travaux sur les leurs. Dans ses ouvrages de jeunesse, il se donnait pour but de « combattre les erreurs dans l'art de la médecine » en se servant de sa propre expérience pour corriger les œuvres médicales d'Hippocrate, Galien, Aristote et Avicenne. Dans la lettre qu'il adresse en 1615 à son ami Galilée en lui envoyant la *Médecine statique,* il expose ses deux principes : « Le premier, énoncé par Hippocrate, c'est que la médecine revient à additionner et à soustraire, à ajouter ce qui manque et à enlever ce qui est en trop. Le second principe, c'est l'expérimentation. » L'ingénieux Santorio était convaincu de pouvoir faire entrer la science des humeurs dans une ère nouvelle — quantitative — grâce à ses instruments qui permettraient de mesurer à l'intérieur du corps humain les phénomènes et les « qualités » qui le caractérisent. Sans s'en rendre compte, il inventa tout un arsenal qui allait finalement triompher de la citadelle galénique avec ses humeurs et ses données qualitatives. Galilée et d'autres avaient déjà utilisé le thermoscope pour évaluer les modifications caloriques dans l'air ambiant. Santorio l'adapta de manière à pouvoir mesurer les changements de température à l'intérieur du corps. Les anciens thermoscopes atmosphériques consistaient en un ballon de plomb ou de verre contenant un liquide et relié à un tube dans lequel ce liquide montait et descendait de façon visible, au fur et à mesure que l'air se réchauffait ou se refroidissait autour du ballon. Santorio modifia l'appareil de manière à mesurer la température du corps humain. « Le malade serre le ballon dans sa main, explique Santorio, ou bien souffle dessus, la tête sous un capuchon, ou encore met le réservoir dans sa bouche, ce qui nous permet de juger si le patient va mieux ou plus mal, sans commettre d'erreur en ce qui concerne le pronostic ou le traitement. »

Fidèle à Galien et à sa conception humorale de la santé et de la maladie, Santorio ne fixa aucune échelle absolue des températures. De toute manière, cela eût été hors de propos, étant donné que l'équilibre des humeurs était unique pour chaque individu. Selon les dogmes de la médecine hippocratique, lorsque le corps humain s'écartait par un « signe » quelconque de sa norme personnelle, c'était un symptôme de « maladie ». Santorio transforma le thermoscope en thermomètre par l'adjonction d'une échelle graduée, divisée en unités égales comprises entre la température de la neige et celle de la flamme d'une bougie. Cela non pas dans le but de déterminer la température « normale » de tous les êtres humains, mais plutôt dans celui de contrôler par comparaison les variations de température de chaque individu lorsqu'il est en bonne santé et lorsqu'il est malade. Plus l'écart était grand par rapport à la norme de cet individu, plus le pronostic était mauvais.

Combien de temps le malade devrait-il tenir la boule dans sa main, ou bien souffler sous le capuchon, ou encore garder la boule dans sa bouche, pour que l'on puisse mesurer exactement sa température ? Selon les indications de Santorio, « pendant dix battements de pulsiloge ». Rien de surprenant à ce qu'un ami de Galilée imaginât ce dispositif pour mesurer le temps. Les pendules portatives venaient d'être inventées et les aiguilles indiquant les minutes et les secondes n'existaient pas encore. Nous avons vu que le jeune Galilée, tout en observant le balancement de la lampe de la cathédrale de Pise, passait pour l'avoir chronométré d'après les battements de son propre pouls. Et voilà que Santorio, en inversant le même principe de manière ingénieuse, s'apercevait qu'un balancier pouvait servir à chronométrer le rythme du pouls.

Pour réaliser cet appareil, le médecin n'avait besoin que d'une cordelette au bout de laquelle était attaché un poids. Le médecin la raccourcissait ou la rallongeait jusqu'à ce que le rythme du balancier corresponde exactement au battement du pouls du malade. La longueur de la cordelette exprimait alors de manière quantitative le rythme du pouls de ce malade. On perfectionna l'appareil en enroulant la cordelette autour d'un cylindre et en fixant une aiguille sur le pivot du cylindre afin que le rythme du pouls puisse apparaître sur un cadran. L'analogie évidente avec une pendule (« horloge ») conduisit à donner à l'appareil le nom de « pulsiloge ».

Quand, pour traiter les maladies, Santorio jugea utile de connaître le degré d'humidité de l'atmosphère, il inventa un hygromètre sommaire. On tendait horizontalement une corde le long d'un mur et en son milieu on suspendait une boule. Quand l'humidité de l'air augmentait, la corde se raidissait et par conséquent la boule s'élevait. Le degré d'élévation était enregistré au moyen d'une échelle graduée verticale dessinée sur le mur.

Selon Hippocrate et Galien, la santé d'une personne, la juste proportion de ses humeurs, résidait dans un équilibre entre l'individu vivant et l'ensemble du milieu environnant. Par conséquent, la maladie résultait d'un déséquilibre entre ce que le corps absorbait et consommait, et ce qu'il rejetait ou expulsait. Santorio se fixa pour tâche d'étudier cet équilibre — ce qui s'avéra à la fois difficile et déplaisant, car cela revenait à mesurer tout ce qui pénétrait à l'intérieur de son propre corps et tout ce qui en sortait. Il fabriqua dans ce but sa « chaise statique », qui devint célèbre sous le nom de chaise à peser de Santorio. Elle était composée (selon le principe de la balance romaine) d'une échelle graduée spécialement conçue et minutieusement étalonnée à laquelle était suspendue une chaise sur laquelle il s'asseyait pour se peser avant et après chacun de ses actes : manger, dormir, prendre de l'exercice, sans oublier les rapports sexuels. Il pesait la nourriture qu'il absorbait, ainsi que ses excrétions, et prenait note de toutes ses variations de poids.

Santorio était en train de fonder la science moderne du métabolisme, c'est-à-dire l'étude des transformations qui sont le processus même de la vie. Ses efforts pour prouver les théories de Galien par des méthodes quantitatives furent couronnées de succès au point qu'il finit par démolir de fond en comble le système galénique. Dans ce système, le chaud et le froid, le sec et l'humide — c'est-à-dire les quatre humeurs fondamentales — constituaient des qualités distinctes. Non seulement elles étaient douées d'une réalité objective, mais elles étaient les seules réalités importantes concernant la santé et la maladie chez l'homme. Entre elles, les différences étaient absolues. Mais à partir du moment où le chaud et le froid furent mesurés sur l'échelle d'un thermomètre, le sec et l'humide sur celle d'un hygromètre, chacune des quatre qualités se modifia dans une certaine mesure. C'est pourquoi, dans les sciences physiques modernes, le chaud et le froid allaient tout bonnement devenir des qualités secondaires, subjectives, perçues par un individu donné dans des circonstances particulières. En transformant les humeurs galéniques en quantités, Santorio avait porté un coup fatal à la médecine ancienne.

Mais la « médecine statique » de Santorio ne s'en tint pas à cela. Elle créa un champ d'action entièrement nouveau, pour un monde où allaient être explorés et expliqués les processus vitaux à travers la notion de *quantités*. Ce qui ressortait des observations scrupuleuses de Santorio, c'est que, lorsqu'il avait pesé sa nourriture et ensuite toutes ses excrétions, le poids des excrétions était nettement inférieur à celui de la nourriture absorbée. Il découvrit par là même que le poids de son propre corps était de beaucoup inférieur au poids attendu, compte tenu de toutes les excrétions y compris les selles, l'urine et la transpiration apparente. Il devait bien se produire quelque autre phénomène susceptible d'expliquer ce qui était advenu des quantités absorbées — mais lequel ?

La réponse trouvée par Santorio, c'était la « transpiration imperceptible ». A son époque le mot « transpiration » [en anglais *perspiration*] était encore connoté de son étymologie latine (de *per* + *spirare* = « respirer à travers ») — avec le sens de s'évaporer, expirer ou exhaler. A l'époque où Santorio ajouta à « transpiration » le qualificatif « imperceptible » *(perspiratio insensibilis)*, cela faisait figure de simple redondance, alors qu'en fait il soulignait ainsi que ce qu'il décrivait était distinct de toutes les excrétions visibles.

Avec l'enthousiasme d'un pionnier, il insista sur le fait que le phénomène décrit était, sur le plan quantitatif, le plus important de tous les processus physiologiques. Voici l'explication que Santorio en donne dans les aphorismes de son ouvrage sur la médecine statique :

> *Aphorisme IV.* — La transpiration imperceptible élimine à elle seule plus que toutes les fonctions excrétoires inférieures réunies.
>
> *Aphorisme V.* — La transpiration imperceptible s'effectue d'une part à travers les pores répartis sur la surface du corps, qui est tout entier perméable à la transpiration, et elle enveloppe la peau comme un filet ; elle a lieu d'autre part au moyen de la respiration orale, dont on peut évaluer d'ordinaire la quantité à une demi-livre en l'espace d'une journée, ainsi qu'il est facilement démontrable en soufflant sur une plaque de verre.
>
> *Aphorisme VI.* — Si l'on absorbe en une journée huit livres de nourriture et de boisson, la quantité qui d'ordinaire s'évapore par l'effet de la transpiration imperceptible, pendant le même espace de temps, est de cinq livres...
>
> *Aphorisme LIX.* — On évacue généralement en l'espace d'une nuit seize onces d'urine, quatre onces de selles et au moins quarante onces par la transpiration.
>
> *Aphorisme LX.* — Il s'élimine autant par la transpiration imperceptible en l'espace de vingt-quatre heures que par les selles en l'espace de cinq jours. Tout médecin qui négligerait de tenir compte de ce phénomène « ne ferait que tromper son malade sans jamais le guérir ».

Les médecins grecs de l'Antiquité avaient cru que non seulement les poumons mais le corps tout entier inspiraient et expiraient. Galien expliquait que la finalité de la respiration était de refroidir le feu dont le cœur est le siège et de produire les esprits — naturel, animal et vital — qui maintiennent en vie l'organisme et assurent sa croissance. La transpiration, selon lui, dénotait un excès de liquide dans l'ensemble du corps. Pour que le corps soit en bonne santé, il fallait que tous ses orifices demeurent bien ouverts, en particulier les pores de la peau, afin que les « vapeurs » produites par les processus physiologiques puissent s'échapper. « Transpiration » était le nom donné à cette sorte de vapeurs. Ce n'est qu'à la fin du XIXe siècle que ce mot désigna spécifiquement les gouttes de transpiration. La structure de la peau était si peu connue à l'époque qu'il était difficile d'expliquer comment la transpiration passait à l'extérieur du corps. Cette énigme ne sera résolue que lorsque Nicolaus Steno (1638-1686) et Marcello Malpighi auront pu étudier la peau au microscope.

En fin de compte, c'est le phénomène depuis longtemps reconnu de la transpiration imperceptible que Santorio exprimait en termes quantitatifs. « C'est une chose nouvelle et inconnue en médecine, clamait Santorio, que chacun puisse parvenir à mesurer avec exactitude la transpiration imperceptible. Personne d'ailleurs, pas plus les philosophes que les médecins, n'avait osé s'attaquer à ce domaine de la recherche médicale. Je suis en vérité le premier à l'avoir osé et, à moins que je ne me sois fourvoyé, j'ai, grâce au raisonnement et à trente ans d'expérience, amené cette partie de la science à son degré de perfection. » La science n'en était qu'à ses débuts — et le thermomètre, le pulsiloge et le chaise statique de Santorio ouvraient alors aux médecins des horizons inconnus.

Pendant des années, Santorio mangea, travailla et dormit sur sa « chaise à peser ». Son imagination fertile lui fit concevoir d'autres instruments, tantôt simples, comme le trocart (seringue chirurgicale triangulaire servant à extraire les calculs rénaux), tantôt des machines compliquées comme le lit-baignoire, grâce auquel le patient pouvait être immergé dans de l'eau froide ou dans de l'eau chaude pour faire baisser ou monter sa température, tout en gardant la pièce au sec. Ses confrères médecins l'élirent président de l'Académie de médecine de Venise et, pendant la terrible épidémie de 1630, le Sénat de Venise le chargea de prendre les mesures nécessaires pour lutter contre la peste.

L'esprit de Santorio formait un salmigondis d'idées anciennes et modernes. Il souleva par ses attaques contre l'astrologie l'hostilité de ses confrères ; il adopta le système de Copernic ; il était en accord avec les idées de Galilée sur l'astronomie et la mécanique et avec celles de Kepler sur l'optique. Par contre, il ne comprit pas l'immense portée des découvertes de Harvey. Il va sans dire que sa prétention extravagante à faire de la « médecine statique » une technique nouvelle de la médecine galénique était sans fondement. Mais la méthode quantitative qui faisait son orgueil et ses délices allait rendre caduque la théorie galénique.

# 49

## *Le microscope de la nature*

L'anatomie moderne, nous l'avons vu, n'avança qu'à partir du moment où Vésale et quelques autres mirent l'accent sur la nécessité d'étudier le corps humain à partir de la dissection du corps *humain*. Et pourtant, en l'espace de quelques dizaines d'années, certains recoupements inattendus allaient révéler le corps humain sous un jour surprenant. C'était en faisant des expériences sur des poulets, des grenouilles, des crapauds, des serpents et des poissons que Harvey avait trouvé la clef de la circulation du sang. Mais le circuit de la circulation, tel que Harvey l'avait décrit, était encore incomplet et n'allait être bouclé que grâce à quelques observations ingénieuses effectuées sur des animaux « inférieurs », autrement dit par une nouvelle anatomie *comparée*. L'éventail de ces comparaisons allait être beaucoup plus large, plus audacieux et plus étrange que tout ce que Galien avait osé imaginer.

Le héros de cette histoire, Marcello Malpighi (1628-1694), a été un grand savant dont l'œuvre était dépourvue d'unité dogmatique. Il fut l'un des premiers représentants d'une nouvelle catégorie de chercheurs dont le champ d'intervention n'était délimité ni par référence à la doctrine de leurs maîtres ni en fonction de l'objet de leurs recherches. Ils ne se définissaient plus comme « aristotéliciens » ou bien comme « galénistes ». Ils devaient recevoir leur nom d'un parrain mécanique, d'un certain instrument qui allait affiner leur sens et élargir leurs horizons. Et c'est autour de cette nouvelle invention que vont s'organiser les travaux de Malpighi. Celui-ci va être un « microscopiste » et sa science la « microscopie » — mot utilisé pour la première fois en anglais dans le *Journal* de Samuel Pepys, en 1664 —. Sa carrière scientifique trouvera son unité non pas dans ce qu'il tentera de confirmer ou de prouver, mais dans le véhicule qui le transportera tout au long de ses voyages à travers l'observation.

Malpighi, généralement considéré comme le fondateur de l'anatomie microscopique, est l'un des premiers parmi ces explorateurs d'un nouveau genre à détourner leur attention du cosmos pour la porter sur l'infiniment petit et à ne plus s'intéresser à l'univers mais aux faits. Les écrits de Malpighi auraient pu être intitulés « Voyages à bord d'un microscope », car son œuvre est le journal plein de diversité d'un voyageur plongé dans un monde invisible à l'œil nu. Vésale avait découvert les vastes contours du Continent humain et Harvey en avait découvert le Mississippi. A présent Malpighi allait en décrire la topographie, avec ses criques, ses ruisseaux et les minuscules îlots qui le parsèment. Ne nous étonnons pas si son œuvre ne pèche guère par excès de cohérence théorique ! Sur un terrain aussi finement contourné, les délices de la découverte se trouvaient partout.

Deux coups d'œil à travers le télescope de Galilée, s'écriait Malpighi, avaient apporté plus de révélations sur le ciel que ce qu'on avait pu apercevoir au cours de tous les millénaires passés. Quand un de ses adversaires reprocha à Malpighi de perdre son temps à s'occuper de détails microscopiques, évoquant par contraste le point de vue plus juste de Galien sur les grandes lignes du visible. Malpighi tenait une réponse toute prête. Il répliqua que Galien, lui aussi, avait décrit ce qu'il avait pu apercevoir de plus petit. « Je ne suis pas devin, fit observer Malpighi, et je ne puis donc être certain de ce que Galien aurait dit exactement, mais à mon avis il aurait sans doute entonné un hymne à la gloire de Dieu pour Le remercier de lui avoir révélé autant d'organes, si minuscules fussent-ils, jusqu'ici inconnus de lui. »

Malheureusement nous ne savons pas grand-chose sur l'instrument dont Malpighi se servait précisément pour ses observations. Nous savons qu'il utilisait souvent un microscope à lentille unique qu'il appelait « verre à puce », et quelquefois un microscope à deux lentilles. Il les considérait comme les instruments essentiels de ses recherches et, en 1684, lorsqu'un incendie détruisit sa maison de Bologne et tous ses microscopes, il en resta inconsolable. Pour tenter de réparer cette perte, la *Royal Society* de Londres lui fit envoyer des lentilles polies spécialement à son intention, et plusieurs gentilshommes s'intéressant aux sciences joignirent à ce don leurs propres microscopes.

Malpighi avait reçu une importante formation médicale traditionnelle et il lui faudra du temps pour se libérer de la médecine dogmatique. Né en 1628 près de Bologne, d'une famille riche, il acheva ses études à l'université en 1653 avec le titre de docteur en médecine et en philosophie. Il donna des cours de logique dans la même université, puis devint professeur de médecine théorique à Pise, où il rencontra un professeur de mathématiques de vingt ans son aîné qui allait avoir une influence déterminante sur sa vie. Giovanni Alfonso Borelli (1608-1679) était né à Naples mais avait fait ses études à l'université de Pise, où Galilée avait lui aussi été professeur de mathématiques. Sans sa rencontre avec Malpighi et malgré ses dons, Borelli serait peut-être resté simplement un honnête disciple de Galilée et de Kepler, connu pour avoir observé l'orbite des satellites de Jupiter. S'il n'avait rencontré Borelli, Malpighi aurait pu continuer, comme beaucoup d'autres, à enseigner la « médecine théorique ». De tempérament et de formation, Borelli était physicien et mathématicien. « Les progrès que j'ai pu faire du côté de la philosophie, raconte Malpighi, c'est à lui que je les dois. En revanche, lorsque je disséquais chez lui des animaux vivants et que j'observais leurs organes, je m'appliquais de mon mieux à satisfaire sa très vive curiosité. » Malpighi amena l'intérêt de Borelli à se concentrer sur les mouvements subtils des créatures vivantes.

Après une carrière brillante et orageuse à l'*Accademia del Cimento* (Académie des Sciences expérimentales) de Florence, Borelli quitta la Toscane et devint l'un des membres itinérants de la nouvelle communauté scientifique européenne. Les académies scientifiques étaient ses principaux centres d'intérêt ; elles stimulaient ses recherches et lui offraient un auditoire passionné. Borelli devint l'un des fondateurs de la « iatrophysique » (du grec *iatros* qui signifie médecin), c'est-à-dire l'application des sciences physiques à la médecine. Il emprunta les principes de physique qu'il avait autrefois appliqués aux mouvements des fluides ou à l'éruption de l'Etna de 1669, et les focalisa sur un sujet plus intime : le corps humain. En 1675, Borelli devint membre de la nouvelle *Accademia Reale* que la reine Christine de Suède avait instituée à Rome après sa spectaculaire conversion au catholicisme. Dans l'espoir d'être élu à l'Académie royale des Sciences de Paris, récemment fondée par Louis XIV, il présenta à l'appui de sa candidature les deux gros volumes manuscrits de son *De motu animalium (Du Mouvement des animaux)*, mais, comme il n'en possédait qu'un seul exemplaire, il n'osa pas le confier à la poste, alors peu sûre entre Rome et Paris. Le livre fut, en fin de compte, imprimé à Rome peu après la mort de Borelli.

Dans cet ouvrage, Borelli montre que les mouvements du corps humain sont identiques à ceux de tous les autres corps physiques. Ainsi, lorsque le bras de l'homme soulève une charge, l'effort est accompli en vertu des principes — bien connus — d'Archimède : l'os joue le rôle d'un levier actionné sur sa plus courte longueur par la force de traction du muscle. Quand on soulève quelque chose, quand on marche, court, saute ou patine, les mouvements des membres obéissent, eux aussi, aux lois de la physique. Borelli démontre que ce sont exactement les mêmes lois qui actionnent les ailes des oiseaux, les nageoires des poissons et les pattes des insectes. Après avoir expliqué les mouvements « externes » du corps dans son premier volume, il s'emploie dans le second à appliquer les mêmes lois physiques aux mouvements des muscles, ainsi qu'au cœur, à la circulation du sang et au mécanisme de la respiration.

A la même époque, Malpighi braquait son microscope sur les organes internes afin de découvrir toute la subtilité de leur structure. Dans sa jeunesse, alors qu'il étudiait la médecine à l'université de Bologne, il avait été fortement impressionné par les travaux de Harvey qui, selon lui, étaient le signe « des progrès d'une connaissance nouvelle de l'anatomie ». Il était persuadé qu'en expliquant les fonctions du cœur et du sang, Harvey avait apporté une cohérence nouvelle et extraordinaire à toute la physiologie humaine, et que sa technique expérimentale, la rigueur de sa logique et sa manière de procéder par élimination de toutes les autres hypothèses possibles devaient emporter la conviction. Mais à l'époque de Malpighi les théories de Harvey étaient loin d'être unanimement acceptées. Les docteurs continuaient à se chamailler à propos de théories rivales, comme celle de Cesalpino, qui avait prétendu que le sang circulait dans les artères en se dirigeant vers les parties extérieures du corps lorsque l'animal était éveillé et que, pendant son sommeil, il revenait par les veines vers les organes les plus internes. Depuis Harvey, il n'y avait pas eu grand monde pour proposer d'autres théories sur le mouvement du sang, « mis à part, peut-être, ceux qui s'adonnaient tellement à l'esprit de chapelle qu'il ne restait aucun espoir de les arracher à un galénisme incurable ».

Selon Malpighi, Harvey avait clairement démontré que le sang effectuait à travers le corps de nombreux circuits au cours d'une journée. Cependant il manquait toujours un maillon essentiel à la théorie de Harvey : si une telle quantité de sang traversait le cœur aussi rapidement, alors que le corps produisait le sang aussi lentement, il devait à coup sûr exister un mécanisme qui renouvelait le sang et le remettait en circulation. Le même sang devait être pris dans un mouvement constant entre les artères et les veines pour entretenir ce flux vital de manière ininterrompue. Il était assez facile pour un anatomiste expérimenté de distinguer les artères des veines. Mais qu'est-ce qui les reliait entre elles ? Jusqu'à ce que ce soit résolu ce mystère qui avait déjà préoccupé Harvey, il subsistait toujours une possibilité de voir Harvey remis en question.

Malpighi situa le champ du mystère dans les poumons. Et c'est effectivement là qu'il allait résoudre ce mystère grâce aux nouvelles techniques de l'anatomie comparée. Il annonça ses découvertes en 1661 dans deux courtes lettres envoyées de Bologne à son vieil ami de Pise, Giovanni Borelli. Celles-ci furent bientôt publiées à Bologne sous la forme d'un livre, le *De pulmonibus observationes anatomicae (Observations anatomiques sur les poumons)*, qui devint un des ouvrages fondateurs de la médecine moderne.

Selon l'anatomie galénique orthodoxe, les poumons devaient être des viscères charnus, source d'une humeur chaude et humide de nature sanguine. Malpighi se demanda si c'était bien là leur véritable structure. « Comme la Nature a coutume de dessiner dans ce qui est imparfait une ébauche de la perfection, c'est par gradation que nous atteignons la lumière. » En disséquant des créatures « inférieures » et en les observant au microscope, il espérait découvrir des indications nouvelles sur l'anatomie humaine. Que ce soit par l'effet d'une habile calcul, d'une intuition scientifique ou d'un heureux hasard, Malpighi trouva l'endroit précis où le maillon manquant de la circulation sanguine apparaissait clairement. Voici ce que Malpighi raconte dans ses lettres à Borelli :

> J'ai presque entièrement sacrifié la race des grenouilles, chose qui ne s'était jamais produite, même au cours de la furieuse bataille entre les grenouilles et

les souris décrite par Homère. C'est en disséquant des grenouilles, entreprise que je menais avec l'aide de mon distingué confrère — Carol Fracassati — dans le but de parvenir à plus de certitude quant à la substance membraneuse des poumons, que je vis par hasard des choses tellement prodigieuses que je pus m'exclamer comme Homère, mais à plus juste titre : « Mes yeux ont aperçu une indiscutable merveille. » En vérité, les choses apparaissent beaucoup plus clairement chez les grenouilles, parce que chez elles cette substance membraneuse possède une structure simple et que les vaisseaux sont transparents comme presque tout le reste, ce qui permet d'apercevoir des structures plus profondes. Mais l'observation microscopique révèle des choses encore plus prodigieuses, car tandis que le cœur bat encore... on peut observer dans les vaisseaux le mouvement du sang en des directions opposées, de sorte que le mécanisme de la circulation est clairement révélé...

Comme mes yeux ne parvenaient pas à en voir davantage sur l'animal vivant, j'en tirai la conclusion que le sang se déversait dans un espace vide, où il était capté par un vaisseau béant. Mais un poumon de grenouille asséché m'en fit douter, car ses plus petites ramifications (des vaisseaux sanguins, comme je l'appris plus tard) étaient par hasard restées rouge sang et, avec une lentille plus précise, ce que je vis ne ressemblait plus au grain de la peau de chagrin. Il s'agissait de petits vaisseaux reliés entre eux de manière à former des anneaux, et ces vaisseaux bifurquaient tellement — une branche se détachant d'une artère alors que l'autre rejoignait une veine — que leur nature de vaisseaux ne pouvait plus être reconnues et qu'un *rete* [réseau] apparaissait, constitué à partir des branches des deux vaisseaux. Je pus corroborer cette observation chez la tortue, dont le poumon est également membraneux et diaphane.

A partir de là je pus clairement voir que le sang se divisait et circulait dans des vaisseaux tortueux, qu'il ne se déversait pas dans des espaces vides, mais qu'il était toujours contenu dans des tubules et réparti grâce aux contournements multiples des vaisseaux...

Afin de permettre aux autres savants de vérifier ses découvertes, Malpighi donna des indications sur la méthode pour préparer un échantillon de poumon de grenouille et pour le monter sur une plaque de cristal, puis sur la manière de l'éclairer, enfin sur la façon de l'observer, soit avec un « verre à puce » à une seule lentille, soit avec un microscope équipé de deux lentilles.

Même lorsque les pulsations de la grenouille avaient cessé, on pouvait encore observer le mouvement du sang. Les conclusions à en tirer pour l'anatomie humaine et la structure des poumons étaient évidentes.

Or donc, par analogie, et compte tenu de la simplicité dont la Nature fait preuve dans toutes ses créations, nous pouvons conclure... que le réseau que j'avais d'abord cru être de nature nerveuse est en réalité un vaisseau qui se mêle étroitement aux vésicules et aux alvéoles, qui apporte jusqu'à eux le flux sanguin et qui le remporte.

Et, quoique dans les poumons des animaux supérieurs un vaisseau semble parfois se terminer et rester béant au milieu du réseau d'anneaux, il est néanmoins probable, comme c'est le cas dans les cellules de grenouilles et de tortues, qu'il possède de minuscules vaisseaux qui se prolongent sous forme de réseau, bien que ceux-ci, en raison de leur petite dimension, échappent même à la vue la plus perçante.

Malpighi avait découvert les vaisseaux capillaires. Par la même occasion il révélait la structure et la fonction des poumons, ouvrant la voie à la compréhension du mécanisme de la respiration.

Par son ingéniosité et sa patience, par sa technique de laboratoire attentive, par sa recherche, passionnée des analogies et par son acharnement à accumuler les preuves, Malpighi avait élaboré une anatomie comparée nouvelle et ambitieuse. Ce qui avait été pour Galien une source d'erreur était devenu pour lui une ressource de connaissance. Cette nouvelle anatomie comparée utilisait ce que Malpighi appelait le « Microscope de la Nature ».

Malpighi montra ce qu'il y avait d'inépuisable dans les perspectives ouvertes par le microscope. Il découvrit sur la langue les organes du goût en forme de bourgeons, ou papilles, et commença à décrire leur fonction. Il révéla la structure des glandes. Il fit œuvre de pionnier dans l'anatomie cérébrale en observant la répartition entre la matière grise et les autres structures plus fines du cerveau et du cervelet. Il découvrit la couche pigmentaire de la peau. L'étudiant en médecine du XX$^{e}$ siècle trouve aussi le nom de Malpighi attaché à certaines parties du rein et de la rate, qu'il fut le premier à décrire. Enfin, il fit progresser l'embryologie par ses judicieuses observations microscopiques sur le développement du poussin dans l'œuf. Malpighi accourait avec empressement partout où l'appelait le microscope, y compris dans le monde des animaux « inférieurs » et des insectes auquel Aristote n'avait même pas attribué une panoplie complète d'organes. L'ouvrage de référence qu'il a consacré au ver à soie constitua le premier traité vraiment fouillé sur l'anatomie des invertébrés. Le ver à soie l'aida aussi à comprendre le mécanisme de la respiration, grâce au réseau compliqué de trachées parcourant tout son corps. Il compara à l'aide de son microscope les cellules des plantes, avec leur système de vésicules, et le système trachéal des insectes, devenant ainsi le fondateur de la phytotomie — ou anatomie des plantes.

Malgré ses préventions contre les théories, Malpighi fut conduit à formuler une hypothèse générale concernant tous les processus vitaux. Ce qu'il voyait dans la texture du bois, dans la trachée des insectes, dans les poumons des grenouilles et des hommes lui donnait à penser que plus un organisme était « parfait », moins ses organes respiratoires étaient — proportionnellement — développés. Alors que les organes respiratoires des plantes s'étalent sur toute leur surface et que les trachées des insectes parcourent leur corps tout entier, alors que les poissons possèdent des ouïes vastes et importantes, l'homme et les autres animaux supérieurs sont dotés de deux poumons relativement petits.

Malpighi fait remarquer qu'à son époque l'étude des insectes, des poissons et des « structures animales les plus simples » avait permis de découvrir « beaucoup plus de choses que n'avaient réussi à le faire les générations précédentes, qui avaient limité leurs recherches à l'anatomie des animaux les plus complexes ». Il nous avertit que les animaux supérieurs,

> voilés par l'ombre qui leur est propre, demeurent dans l'obscurité ; c'est pourquoi il faut les étudier par le biais d'analogies fournies par des animaux simples. J'ai par conséquent été attiré par l'étude des insectes ; mais cette étude présente elle-même des difficultés spécifiques. Aussi, en fin de compte, me suis-je tourné vers celle des plantes, en espérant que par des recherches approfondies dans ce domaine je pourrais peut-être trouver une voie qui me ramènerait à mes travaux antérieurs, et j'ai commencé par la nature végétale. Mais même cela sera peut-être insuffisant, car le domaine encore plus simple des minéraux et des éléments devrait être étudié en premier lieu. Dans ces conditions, l'entreprise deviendrait immense et absolument disproportionnée à mes forces.

Les forces de Malpighi allaient être éprouvées par la jalousie et la malveillance de ses confrères médecins dont il s'efforçait à l'avance de réfuter les critiques. « Rejetant les sombres brouillards de la philosophie nominale et de la médecine vulgaire qui n'enseignent que des noms », Malpighi avait entrepris de mettre les théories des galénistes et des aristotéliciens à l'épreuve de « critères sensoriels ». Prenant exemple sur les *Dialogues* de Galilée, il met ses propres idées dans la bouche d'un « chirurgien mécaniste », dont un galéniste et un autre interlocuteur supposé objectif font mine de réfuter les arguments. Dans d'autres domaines aussi l'exemple de Galilée présentait de mystérieuses analogies. Les ignorants avaient refusé de regarder dans la lunette de Galilée, ou bien alors ils avaient refusé d'en croire leurs yeux. Le « verre à puce », lui, était tellement pratique qu'il leur aurait été plus difficile de refuser de regarder au travers, mais, là encore, ils objectèrent que le microscope créait une distorsion des formes naturelles, qu'il ajoutait des colorations inexistantes et que c'était un appareil propre à falsifier la réalité. Ce genre de critique était pratiqué par des esprits fort respectables et même, à son grand chagrin, par les propres élèves de Malpighi.

En 1689, à la bibliothèque des frères maristes de Rome, devant une assemblée impressionnante de dignitaires de l'Église, un réquisitoire complet fut solennellement prononcé contre Malpighi. L'un des propres élèves de Malpighi exposa et soutint les quatre chefs d'accusation en vertu desquels les travaux inconsidérés de Malpighi étaient décrétés en tous points inutiles. En premier lieu, puisque « Dieu tout-puissant a conçu le corps comme la demeure parfaite de l'âme infiniment élevée de l'homme... nous sommes fermement convaincus que l'anatomie de la conformation interne et infiniment petite des viscères, dont notre époque fait si grand cas, n'est d'aucune utilité à un médecin ». Et voilà pour le microscope ! En second lieu, prétendre que « les humeurs sont séparées... uniquement par la présence d'une structure qui fonctionnerait comme un filtre... est absolument faux ». Et voilà pour les capillaires et les poumons ! En troisième lieu, bien que « l'anatomie des insectes et des plantes, à laquelle on est parvenu en réduisant à des éléments de la plus extrême finesse les parties qui les composent, soit sans conteste une des plus remarquables réalisations de notre temps... la connaissance de la conformation merveilleuse de ces organismes ne fera pas progresser l'art de guérir les malades ». Et voilà pour l'anatomie comparée ! En quatrième et dernier lieu, la *seule* connaissance anatomique du corps humain qui soit utile consiste à « apprendre la différence entre les signes et les symptômes permettant de faire un diagnostic et un pronostic, ainsi que l'emplacement des organes, grâce à quoi l'on peut connaître à la fois le nom des maladies, leurs phases successives et leur dénouement ». Et vive la médecine lexicologique, adieu l'expérimentation !

Mais ce qui fit par-dessus tout la tristesse et l'échec de la vie de Malpighi, ce ne fut pas la malveillance critique des dogmatistes et des imbéciles, bien que certains d'entre eux aient compté parmi ses élèves. C'est à son vieil ami et confrère Borelli que Malpighi avait dédié son œuvre capitale. Mais dans ce monde plein de rivalités où la science était en train de naître, dans cette lutte pour la première place, même les plus longues et les plus profondes amitiés intellectuelles pouvaient être éprouvées jusqu'au point de rupture. En 1668, Malpighi mit fin avec acrimonie à la correspondance féconde et prolongée qu'il entretenait avec Borelli, sous le singulier prétexte qu'une personne en relation avec ce dernier avait publié une brochure (à laquelle Malpighi soupçonna Borelli d'avoir prêté la main) qui marquait un désaccord avec la nouvelle explication de Malpighi sur le rôle des papilles cutanées. L'éloquence de leurs amis ne parvint pas à les réconcilier. Borelli et son vieil ami Malpighi s'engagèrent dans une chicane venimeuse sur le point de savoir lequel des deux avait été le premier à remarquer la « structure en spirale » des fibres d'un cœur de bœuf macéré. Malpighi prétendait qu'il les avait vues le premier et qu'il avait attiré sur elles l'attention de Borelli. Et Borelli de répliquer : « C'est d'abord moi qui ai vu cette merveilleuse structure en 1657, à Pise, alors que l'éminentissime Malpighi se tenait à mes côtés. » Quand le grand ouvrage de Borelli, *Du Mouvement des animaux* — que Malpighi avait pour une part inspiré —, parut enfin en 1681, Malpighi l'attaqua avec hargne bien que Borelli fût déjà mort à cette date, ne voulant voir dans ce livre que la tentative éhontée d'un ami d'autrefois pour « anéantir » son œuvre.

A la mort de Malpighi, ses propres confrères rendirent un verdict plus charitable. En 1697, les « Transactions » [Actes] de la *Royal Society* de Londres publièrent une communication nécrologique émanant du titulaire de la chaire d'Anatomie de Rome. « L'incomparable Malpighi, écrivait ce professeur, qui par un penchant naturel ne s'employait qu'à des études sérieuses — qu'il n'interrompait que rarement et contre son gré pour prendre quelque récréation —, a consacré tout son temps à la découverte de mondes nouveaux par la pratique de l'anatomie, et (à l'instar des grands hommes) à la réfutation, par sa vertu et son immense savoir, des calomnies suscitées par la jalousie. » Non sans à-propos, la notice nécrologique comportait un compte rendu détaillé de l'autopsie de Malpighi, mentionnant une anomalie du rein droit, le cœur « plus gros que la moyenne » et la rupture vasculaire responsable de la congestion cérébrale qui avait entraîné la mort. L'article concluait que Malpighi avait été l'une des rares figures de son époque, et peut-être la seule, à avoir apporté une contribution aussi riche à la « Communauté du Savoir ».

# ONZIÈME PARTIE

## *La propagation de la science*

*Quant à la science elle-même, elle ne peut que s'étendre.*
GALILÉE, *Dialogue* (1632).

### 50

### *Un parlement de savants*

« Les vérités, remarquait Descartes, ont sans doute été découvertes par un seul homme plutôt que par une nation. » Les générations qui produisaient des Galilée, des Vésale, des Harvey et des Malpighi avaient besoin de nouveaux forums scientifiques permettant la confrontation des vérités découvertes par les individus, en vue de leur mutuel enrichissement et au bénéfice de tous les autres auteurs de découvertes, où qu'ils fussent. Les communautés scientifiques se transformèrent en « parlements » de savants où l'on s'exprimait dans les langues nationales. Les sujets offerts à la discussion n'avaient pas besoin de faire partie d'un grand dessein significatif. Il suffisait que ce soit « intéressant », insolite ou nouveau. Les frontières étaient floues entre la science et la technique, entre le professionnalisme et l'amateurisme. A travers un nouveau mécanisme d'échange des connaissances apparaissait une nouvelle conception — cumulative — de la science.

Ces « parlements » de savants allaient avoir besoin d'une nouvelle espèce d'« hommes d'État » ou de « diplomates » scientifiques, qui auraient le don de stimuler, de persuader et de concilier. D'hommes qui seraient proches des grands et des ambitieux, mais qui pourtant ne sauraient rivaliser avec eux sur le plan de la renommée. Les principales langues nationales devraient leur être familières, car aux XVIe etXVIIe siècles peu de scientifiques étaient en mesure de parler une autre langue que leur langue maternelle, et beaucoup de savants éminents avaient déjà cessé de rédiger leurs œuvres en latin.

Marin Mersenne (1588-1648) était le type même de ces hommes de science d'un genre nouveau. Né dans une famille paysanne du nord-ouest de la France, élevé dans un collège de Jésuites, il étudia la théologie à la Sorbonne avant d'entrer dans l'ordre des Minimes, ordre franciscain de fondation récente dont les règles d'humilité, de pénitence et de pauvreté étaient encore plus sévères que celles qui étaient observées par les autres franciscains. Mersenne s'installa au couvent des Minimes de Paris, près de la future place des Vosges, où — sauf à l'occasion de quelques brefs voyages — il demeura jusqu'à sa mort. Par son charme personnel, il fit de ce couvent l'un des foyers de la vie scientifique de Paris et il contribua à faire de cette ville le centre intellectuel de l'Europe. Au début, il semble que le père Mersenne ne soit autant préoccupé de la défense de la religion que des progrès de la science. Selon sa propre estimation, rien qu'à Paris il y avait cinquante mille athées. Contre ces « athées, magiciens et autres déistes », il envisageait les nouvelles découvertes scientifiques comme un moyen de conforter les vérités de la religion. C'est dans cette maison des Minimes que Mersenne rassembla quelques-uns des esprits de son temps les plus vifs et les plus curieux, et pas uniquement des Français. Ses conférences régulières réunissaient Pierre Gassendi (ami de Galilée et de Kepler), les Descartes (le père et le fils) et bien d'autres encore. Il entretenait — aussi bien avec Londres qu'avec la Tunisie, la Syrie ou Constantinople — une correspondance qui brassait les idées les plus récentes et propageait les découvertes de Huygens, Van Helmont, Hobbes et Torricelli. C'est là, dans la cellule de Mersenne, que Pascal rencontra Descartes pour la première fois. La gentillesse et la générosité de Mersenne le désignaient comme l'intermédiaire idéal dans une société d'intellectuels irascibles et virulents, parmi lesquels il passait pour n'avoir aucun ennemi — à part cet extravagant mystique anglais, Robert Fludd. Comme il ne cherchait pas à se mettre en vedette, leur confiance lui était assurée et l'on n'hésitait pas à lui demander conseil.

Mersenne faisait entrer dans son réseau international de correspondants des penseurs qui étaient loin d'appartenir tous à la même école. Il expliquait aux disciples italiens de Galilée que celui-ci n'avait pas vraiment été condamné pour hérésie. Mais alors même qu'il publiait une traduction française des œuvres inédites de Galilée, il se gardait bien de prendre à son compte les nouvelles données de l'astronomie. Un ami anglais avait demandé qu'on lui communiquât « toutes les nouvelles observations dans les domaines du magnétisme, de l'optique, de la mécanique, de la musique et des mathématiques » que Mersenne pourrait recevoir d'Italie ou de Paris, et par la même occasion signalait qu'à son tour il allait bientôt lui envoyer un petit traité du système des mesures dans l'Empire romain, et encore un autre au sujet des pyramides d'Égypte. Il lui promettait aussi de le tenir au courant de l'invention d'un Irlandais qui consistait, paraît-il, « à écrire de telle manière que le message puisse être lu simultanément dans toutes les langues ». En retour, Mersenne divulgua les expériences faites à Paris grâce au télescope ainsi qu'une nouvelle approche du problème de la cycloïde, il donna un compte rendu sur la chimie de l'étain et il répandit la nouvelle qu'une « plante sensitive » venait d'arriver des Indes occidentales. Chaque fois que des intellectuels étrangers venaient à Paris, ils rendaient visite à Mersenne, participaient à une réunion sur quelque sujet d'intérêt mutuel, puis s'en retournaient à Rome, Altdorf, Londres ou Amsterdam tout en restant membres du « réseau » Mersenne. Quant à ses convictions personnelles, Mersenne les exprima dans un recueil de *Questions théologiques, physiques, morales et mathématiques* (1634).

L'esprit de Mersenne était dans l'air et se manifestait de diverses façons. En 1635, le cardinal de Richelieu avait réuni à l'Académie française un certain nombre d'hommes de lettres. C'est une académie d'un genre tout différent qui allait être fondée par un riche Parisien, Henri-Louis Habert de Montmor, et c'est dans son hôtel particulier que les membres de cette académie allaient se réunir pour exposer leurs préoccupations scientifiques. En 1657, les statuts de l'Académie de Montmor stipulaient que « les conférences ne devaient pas consister dans un vain exercice de l'esprit à propos de subtilités inutiles, mais que la compagnie devait constamment avoir en vue une meilleure connaissance des créations de Dieu, ainsi que l'amélioration des commodités de l'existence par le biais des Arts et des Sciences qui s'efforcent de les établir ».

Mersenne avait organisé des échanges particulièrement actifs avec l'Angleterre : il importait des livres anglais et procurait des livres français aux savants anglais. C'est chez eux qu'il inspira l'idée d'un autre « parlement » de savants, de caractère plus officiel, dont le catalyseur allait être un homme de renommée modeste, Henry Oldenburg (1617 ?-1677). Il ne faisait pas partie des grands esprits de sa génération, mais il avait un certain talent pour organiser et aiguillonner ceux qui en faisaient partie.

Né dans la cité commerçante de Brême, fils d'un professeur de médecine et de philosophie, il avait appris le latin, le grec et l'hébreu, obtenu un diplôme de théologie, puis il était allé poursuivre ses études à l'université d'Utrecht. Devenu le précepteur de jeunes gentilshommes anglais, il visita la France, l'Italie, la Suisse et l'Allemagne au cours des douze années suivantes, ajoutant à sa langue maternelle — l'allemand —, la pratique courante du français, de l'italien et de l'anglais.

On l'envoya en Angleterre pour y persuader Cromwell d'autoriser la ville de Brême à poursuivre ses activités commerciales durant les hostilités entre l'Angleterre et les Pays-Bas ; il obtint en fait l'appui de Cromwell pour négocier l'indépendance de Brême vis-à-vis de la Suède et il parvint à maintenir en activité le commerce florissant de la cité hanséatique. Entre-temps, Oldenburg — alors âgé d'une trentaine d'années — avait eu l'occasion de faire la connaissance des principales figures intellectuelles de l'Angleterre, en particulier John Milton (1608-1674), Thomas Hobbes (1588-1679) et surtout Robert Boyle (1627-1691). « Vous avez vraiment appris à parler notre langue, lui écrivait Milton, d'une manière plus correcte et plus courante qu'aucun autre étranger de ma connaissance. » Pour Oldenburg, le moyen de réussir ne résidait pas dans la puissance des idées, mais dans la facilité et le charme personnel indispensables à un futur ambassadeur de la science. Lady Ranelagh, sœur de Robert Boyle, éprouva de la sympathie pour cet homme jeune et cultivé. Elle en fit le précepteur de son fils, si bien que, lorsque Oldenburg accompagna Richard Jones à Oxford en 1656, il y rencontra les savants de l'entourage de Boyle, notamment John Wilkins, mathématicien-astronome aux talents protéiformes, ainsi que d'autres qui allaient former le noyau de la *Royal Society*.

Oldenburg fut ébloui par ce coup d'œil sur la science nouvelle. « J'ai commencé à entrer en relation avec ces quelques personnages qui appliquent leur esprit aux études les plus sérieuses — de préférence aux autres — et qui sont écœurés par la théologie scolastique et la philosophie nominaliste. Ce sont des serviteurs de la nature et de la vérité et, qui plus est, ils estiment que le monde n'est pas devenu si vieux, ou notre époque si faible, qu'ils ne puissent encore donner naissance à quelque chose d'essentiel. » Pour sa part, Boyle avait déjà baptisé cette libre compagnie de savants passionnés, et bien qu'ils fussent dispersés, le « Collège invisible ».

En 1657, fort de son nouvel enthousiasme, Oldenburg emmena son jeune élève — qui maintenant n'était plus simplement Richard Jones mais était devenu lord Ranelagh — visiter l'Europe continentale. Le rang social de Ranelagh leur ouvrit les salons des savants et des amateurs français. A ce moment-là, le voyage d'Oldenburg à Paris se révéla providentiel. Les « collèges invisibles » se multipliaient et l'esprit de Mersenne — lui-même mort dix ans plus tôt — était encore resté très vivace. Oldenburg conduisit Ranelagh aux réunions de l'Académie de Montmor, où ils participèrent à des entretiens sur tous les sujets imaginables. « Chacun des membres de la compagnie se doit de disserter sur telle ou telle matière, soit physique, soit médicale, soit relevant de la mécanique. Parmi les sujets traités, plusieurs sont excellents et dignes d'attention, comme l'origine des divergences dans l'opinion publique, l'explication de la pensée de Descartes, l'insuffisance des notions de mouvement et de forme pour expliquer les phénomènes de la nature (insuffisance qu'un aristotélicien avait entrepris de démontrer). Puis il a été question du cerveau, de la nutrition, de l'utilité du foie et de la rate, de la mémoire, du feu, de l'influence des étoiles ; de savoir si les étoiles fixes sont des soleils, si la Terre est un corps animé, si nos connaissances sont d'origine sensorielle, quel est le processus de la formation de l'or, et plusieurs autres sujets dont je ne me souviens pas pour l'instant. » Oldenburg remarquait toutefois que « les naturalistes français ont l'esprit plutôt discursif qu'actif ou expérimental. Soit dit en passant, il y a du vrai dans le proverbe italien : *Le parole sono femine, li fatti maschii* [Les mots sont féminins, les faits masculins] ».

Lorsque Oldenburg revint en Angleterre, il put y découvrir une communauté scientifique plutôt « masculine ». Arrivé à Londres juste à temps pour y assister à l'entrée de Charles II, il lui était permis d'espérer qu'un renouveau des activités scientifiques irait de pair avec la restauration de l'ordre et de la monarchie. Le 28 novembre 1660, un groupe de savants anglais se réunit à *Gresham College* sous le patronage du roi, afin de fonder une nouvelle académie pour le progrès des sciences. « Elle est composée, rapporte Oldenburg, d'hommes extrêmement érudits, tous remarquablement versés dans les mathématiques et les sciences expérimentales. » Le président de la nouvelle société était John Wilkins — l'homme aux talents universels —, récemment nommé doyen de la cathédrale d'York, et que Oldenburg avait rencontré au cours de son bref séjour à Oxford. Robert Boyle était parmi les figures marquantes de la société. Quoique n'ayant pas assisté à la réunion des fondateurs, Oldenburg figura en décembre sur la première liste des futurs sociétaires et devint effectivement l'un d'entre eux. Au début de février 1661 il fut nommé membre d'une commission chargée « d'envisager les questions sur lesquelles il serait opportun de faire des recherches dans les plus lointaines parties du monde ».

Lorsqu'en 1662 Charles II conféra au groupe des *Gresham College* le statut officiel de *Royal Society,* il procura à Oldenburg la chance de sa vie. « Après avoir meublé son esprit au cours de ses voyages et, suivant le précepte de Montaigne, *frotté sa cervelle contre celle d'autrui,* ce drôle d'Allemand fut, dès son retour en Angleterre, accueilli comme un homme de grande valeur et appelé à devenir secrétaire de la *Royal Society.* » Tel était le témoignage d'un voyageur français bien informé. En principe, John Wilkins était « premier secrétaire » et Oldenburg « deuxième secrétaire » seulement, mais jusqu'à sa mort ce fut lui qui joua le rôle prépondérant. Tandis que d'autres s'employaient avec bonheur à fournir des observations scientifiques, Oldenburg agissait en organisateur d'un nouveau « parlement de savants » singulièrement fécond.

N'étant plus limitée aux seules célébrités établies de la capitale, la société ne tarda pas à devenir un « collège invisible ». Pour être écouté à la *Royal Society* de Londres, il n'était plus indispensable de participer à ses débats. John Beale pouvait écrire du comté de Hereford, dans l'ouest de l'Angleterre, pour exposer des questions d'arboriculture, fournir des conseils sur la meilleure méthode de fabrication du cidre, ou encore proposer d'invraisemblables panacées contre les calamités agricoles. Nathaniel Fairfax adressait du Suffolk une communication à propos de gens qui mangeaient des araignées et des crapauds. Mais on peut également citer John Flamsteed, qui écrivait du comté de Derby à propos d'astronomie, tout comme Martin Lister le faisait depuis York sur des questions de biologie. Il va sans dire que Boyle et Newton envoyaient aussi de nombreuses communications.

Le cercle étendu des relations d'Oldenburg et sa familiarité avec les langues étrangères faisaient merveille. L'activité des correspondants était en plein essor : en même temps que les ouvrages qu'ils lui adressaient, leurs lettres fournissaient des sujets de discussion aux réunions hebdomadaires de la Société. En 1668, Oldenburg précisait que ses fonctions de secrétaire consistaient à assurer l'exécution des recherches expérimentales prévues au programme, à rédiger toutes les lettres à destination du Continent et à entretenir une correspondance régulière avec au moins trente savants étrangers, et ce, en se donnant « beaucoup de mal pour s'informer des questions philosophiques qui étaient posées par ses correspondants et ensuite pour y répondre de manière satisfaisante ».

A cette époque, la correspondance était déjà un mode de communication habituel entre hommes de science. A Paris, par exemple, les savants exprimaient leurs idées sous la forme d'une lettre adressée à un ami. Puis ils la faisaient imprimer à leurs frais et ils en expédiaient des centaines d'exemplaires. Pour se tenir au courant des nouvelles inventions et découvertes, il leur fallait des correspondants dans les autres foyers scientifiques. Peu d'entre eux pouvaient y parvenir de leur propre initiative, et ceux-là mêmes qui le pouvaient couraient de gros risques. A une époque de guerres continuelles, il suffisait d'une vague ambiguïté ou d'une expression irréfléchie pour qu'un philosophe naturaliste se retrouve en prison sous prétexte de trahison... alors qu'il demandait tout simplement de nouveaux relevés d'observation sur les anneaux de Saturne, des renseignements sur les expériences de transfusion sanguine ou bien la description d'un insecte exotique. En 1667, Oldenburg lui-même fut brusquement enfermé à la Tour de Londres pour avoir, dans une communication scientifique, émis quelques propos inconsidérés où le Secrétaire d'État avait cru déceler une critique de son action dans le conflit entre l'Angleterre et les Pays-Bas.

Par rapport au livre, la lettre présentait des avantages manifestes. Alors que les ouvrages scientifiques étaient souvent de grands volumes — proie facile pour la censure —, les remarques originales glissées dans une lettre pouvaient passer inaperçues et atteindre leur destination par « courrier ordinaire ». Il n'y avait pas encore de service régulier des « colis postaux », mais même au XVIIe siècle le « courrier ordinaire » pouvait circuler une fois par semaine entre Londres, Paris et Amsterdam. Malgré tout, son fonctionnement dépendait beaucoup des conditions météorologiques et politiques ; il était irrégulier, coûteux et n'atteignait que des destinations assez proches. L'ingénieux Oldenburg créa un service à la fois plus sûr et plus étendu dont les agents étaient recrutés parmi le jeune personnel des ambassades britanniques. Leurs informations étaient expédiées par la valise diplomatique à une adresse utilisant pour code l'anagramme d'*Oldenburg*: « Grubendol, Londres ». Une fois parvenues dans les bureaux du Secrétaire d'État, les communications étaient transmises à Oldenburg qui, en contrepartie, se faisait un devoir de fournir au Secrétaire d'État toutes les nouvelles d'ordre politique qui pouvaient y figurer.

A l'époque où Oldenburg était devenu secrétaire de la *Royal Society*, les services postaux britanniques, encore rudimentaires, étaient liés pour une large part à la sécurité nationale et servaient aussi bien à la censure qu'au contre-espionnage. Tous les commissionnaires indépendants avaient été supprimés. Dans une loi de 1711, les taxes postales étaient présentées comme des impôts destinés à financer les guerres interminables auxquelles participait la Grande-Bretagne. Ce ne sera guère avant la fin du XVIIIe siècle que les « courriers » à cheval seront remplacés par les fameuses malles-poste. En attendant, Oldenburg utilisait tous les moyens possibles pour ouvrir de nouvelles voies de communication scientifique entre Londres, l'Angleterre et le reste du monde.

La lettre, qui demeura pendant des siècles le mode de relations à grande distance « le plus rapide, le plus sûr et le plus économique », exprimait aussi une nouvelle attitude vis-à-vis de la science et des espérances toutes neuves de la technique. La lettre étaient bien adaptée à la communication d'un fait ou d'un petit groupe de faits. Elle traduisait par rapport à l'expérience une approche plutôt cumulative que systématique. Le « papier » ou l'« article » scientifique imprimé, qui n'était autre chose qu'une forme ultérieure de la lettre, allait devenir pour la science moderne le véhicule spécifique de son accumulation et de sa transmission. C'est cette forme de communication et la disposition d'esprit des savants en sa faveur qui marquent l'apparition de l'homme de science expérimental par opposition au « philosophe naturaliste ». La lettre constituait un moyen idéal d'accroître le nombre de ces hommes qui, dispersés dans toute l'Europe, ne s'attendaient plus à prendre d'assaut la citadelle de la vérité, mais espéraient faire progresser la connaissance pas à pas.

Même lorsqu'il n'en était pas chargé par la Société, Oldenburg écrivait à toute personne susceptible de détenir ou de pouvoir trouver le moindre élément inédit d'information scientifique. Quelquefois il incitait la société à lui donner pour instructions d'entreprendre une correspondance officielle. Il prit par exemple l'initiative d'un échange avec Johann Hevelius (1611-1687), dont la société publia les remarques sur une éclipse de Soleil vue de l'observatoire qu'il avait fait construire avec les bénéfices de sa brasserie, ainsi qu'une carte de la surface de la Lune dont il était l'auteur. Grâce à ce contact avec l'Angleterre, Hevelius put recevoir les lentilles spéciales nécessaires à ses observations, et le modèle de son télescope fut diffusé dans toute l'Europe. Les communications qu'Oldenburg recevait de médecins français permettaient aux Anglais de se tenir au courant des discussions hargneuses auxquelles les Français se livraient à propos de la transfusion sanguine.

Les lettres qui arrivaient étaient rédigées dans les principales langues européennes. L'amateur Leeuwenhoek, qui ne connaissait pas le latin, écrivait dans sa langue maternelle, le néerlandais. Lorsqu'il recevait des communications de ce genre, Oldenburg en faisait un résumé, ou bien il les traduisait en anglais ; dans ce cas, il pouvait arriver que les Français les traduisent à leur tour pour les publier chez eux. Ni un drapier de Delft à l'esprit inventif, ni qui que ce soit d'autre, ne pouvait se trouver exclu de la communauté scientifique par simple ignorance du latin.

Et pourtant, l'irruption des langues nationales dans le monde de la science n'était pas sans comporter quelque revers de la médaille, car de nouveaux obstacles surgissaient. Tant que le latin avait été en Europe la langue universelle de la science — comme ce fut le cas jusqu'à la fin du XVIe siècle —, un imprimeur d'ouvrages en latin pouvait espérer en vendre un grand nombre, même s'il s'agissait de livres techniques coûteux ou abondamment illustrés. Coïncidant avec l'apparition de l'imprimerie, le développement de la lecture et l'essor des langues nationales avaient contribué à restreindre le marché des livres en latin. Les marchés nouvellement créés étaient étroitement régionaux. Même en Italie, la communauté scientifique aurait évité un livre en latin, pour peu qu'il fût aussi disponible en italien. Ainsi qu'Oldenburg l'expliquait à Boyle en 1665, « ils aiment autant lire des livres en italien, tout comme les Anglais préfèrent les lire en anglais ». Bien entendu, cela ne pouvait qu'élargir les perspectives d'éducation générale et procurer un public aux ouvrages de science populaire. Mais, d'un autre côté, cela posait de nouveaux problèmes aux hommes de science. Le vocabulaire latin traditionnel, que nous utilisons encore dans les nomenclatures de botanique et de zoologie, était de plus en plus contaminé par des expressions familières. Alors qu'en Europe l'homme qui se consacrait à de sérieuses études scientifiques pouvait autrefois se contenter du latin, il lui fallait maintenant pouvoir lire une demi-douzaine de langues nationales. Et encore était-il beaucoup moins certain de bien saisir ce qu'il lisait. Au fur et à mesure que des communautés nationales lettrées se constituaient autour des langues vernaculaires, la communauté intellectuelle internationale se trouvait démembrée, ou tout au moins affaiblie. Peu à peu les mathématiques et les systèmes de mesure universels allaient fournir un nouveau langage propre aux chercheurs. Mais les mathématiques ne s'intéressaient qu'à l'aspect quantitatif des choses.

Cette multiplicité linguistique rendait particulièrement nécessaire l'existence d'un réseau de correspondance. Il ne suffisait plus d'entretenir des relations avec Venise, Paris ou d'autres hauts lieux de l'édition en langue latine. Il fallait maintenant faire face en toutes circonstances à un problème — et à des frais — supplémentaires : ceux de la traduction. Oldenburg s'efforça de franchir le nouvel obstacle linguistique en prenant l'initiative de traduction en français et en anglais. Il essaya aussi d'atteindre le dernier carré des pratiquants de la latinité universaliste en mettant sur le chantier des traductions en latin (comme, par exemple, celle de quelques ouvrages anglais de Boyle).

A l'époque d'Oldenburg, la plupart des membres britanniques de la *Royal Society* lisaient encore le latin. Newton écrivait en latin aussi bien qu'en anglais, mais rares étaient les familiers d'une quelconque langue nationale — excepté leur propre langue. Robert Hooke passait pour ne pas croire un mot de ce qui était écrit en français. Quant aux savants français, ils ignoraient généralement l'anglais. L'allemand commençait à peine à se constituer en langue de culture. Pour toutes ces raisons, la petite communication — c'est-à-dire la lettre — devenait particulièrement commode, économique et utile. Lorsque l'auteur d'une communication voulait diffuser le compte rendu de sa dernière expérience ou invention ni lui ni son imprimeur n'avaient à engager de frais considérables, comme c'eût été le cas s'il s'était agi d'un livre. Il y avait également là un moyen d'échapper à tel ou tel contrôle politique ou religieux qui n'aurait pas manqué d'être exercé sur un ouvrage bien en vue.

Combinant la nature fragmentaire et informelle de la lettre avec l'audience du texte imprimé, l'ingénieux Oldenburg inventa la profession de journaliste scientifique. Devenu un nouveau genre littéraire, le journalisme scientifique était appelé à faire connaître quelques-unes des innovations les plus importantes des temps modernes.

Au début, Oldenburg ne recevait aucun salaire. Plus tard, en décembre 1666, le Conseil de la *Royal Society* lui accorda quarante livres pour l'ensemble de son travail au cours des quatre années précédentes ; deux ans plus tard il obtenait un traitement annuel de quarante livres et l'on mettait un secrétaire à sa disposition. Dans l'intervalle, Oldenburg avait conçu l'idée de réunir et de publier la correspondance de la société, qui était considérée comme sa propriété pleine et entière. Le 6 mars 1665, il inaugurait une nouvelle ère scientifique avec la publication du premier numéro des *Transactions philosophiques* [Actes de la *Royal Society*], lesquelles rendent compte des recherches, études et travaux en cours des esprits inventifs dans mainte région importante de l'univers. Mis en circulation à Paris deux mois plus tôt, le *Journal des sçavants* se voit quelquefois attribuer l'antériorité en matière de presse scientifique, mais il était surtout consacré à l'analyse des nouveaux livres et à des sujets littéraires. Quand l'hostilité des Jésuites le contraignit à devenir une publication anodine, il cessa de paraître en 1668[1].

1. Le *Journal des savants* reparut par intermittence de 1670 à 1674, puis de façon régulière de 1675 à 1792 et de 1816 à nos jours.

Dès leur origine, les « *Phil. Trans.* » (abréviation familière de « *Philosophical Transactions* ») se fixèrent des buts grandioses. Voici ce qu'annonce Oldenburg dans une Introduction au premier numéro :

> Étant donné qu'il n'est rien de plus nécessaire pour favoriser le progrès des disciplines philosophiques que la communication à ceux qui orientent leurs recherches et leurs efforts dans cette direction, de tout ce qui est susceptible d'être découvert ou mis en pratique par d'autres, il est donc jugé opportun d'utiliser la *Presse,* en tant que moyen le plus propre à satisfaire ceux dont l'investissement dans de telles recherches, ainsi que la délectation que leur procurent les progrès du Savoir et de fructueuses Découvertes, leur font mériter de connaître tout ce que ce royaume ou les autres parties du monde peuvent de temps en temps procurer, aussi bien pour l'avancement des recherches, travaux et expériences des esprits curieux et savants en ces matières, qu'en ce qui concerne l'intégralité de leurs Découvertes et de leurs Réalisations ; à cette fin que, les œuvres de cette nature étant communiquées avec clarté et exactitude, la soif de connaissances sérieuses et utiles soit encore mieux encouragée, que soient favorisés les efforts et les entreprises de ceux qui sont doués d'ingéniosité, qu'ils soient invités et poussés à rechercher, expérimenter et inventer des choses nouvelles, à se transmettre mutuellement leur savoir, enfin à contribuer selon leurs possibilités au Grand Dessein d'améliorer la connaissance de la Nature et de perfectionner tous les Arts et toutes les Sciences qui constituent la Philosophie. Et ce, pour la Gloire de Dieu, l'Honneur et le Profit des Royaumes et le Bien Universel du Genre Humain.

La publication de ce premier journal scientifique ne fut interrompue qu'à deux reprises du vivant d'Oldenburg : une fois — pour peu de temps — pendant la peste de 1665, quand les fascicules furent édités à Oxford au lieu de Londres, et une seconde fois lorsque Oldenburg fut envoyé à la Tour de Londres pour quelques propos inconsidérés.

Alors que les *Transactions philosophiques* réalisaient les espérances d'Oldenburg d'une manière qu'il n'aurait jamais pu imaginer, les retombées financières en étaient fort peu gratifiantes. Chaque livraison mensuelle de vingt pages environ était tirée à douze cents exemplaires et ne rapportait guère plus que son prix de revient. Le fait que cette entreprise ait été dédiée à la *Royal Society* par Oldenburg prouve bien que celui-ci en faisait vraiment son affaire personnelle ; la Société n'assumera officiellement la responsabilité de la publication qu'à partir du milieu du XVIII^e^ siècle. Les *Phil. Trans.* allaient devenir l'archétype des publications scientifiques modernes. En 1866, Thomas Henry Huxley affirmait que « dans l'hypothèse où tous les livres du monde se trouveraient détruits à l'exception des *Transactions philosophiques,* on peut estimer à coup sûr que les fondements des sciences physiques n'en seraient pas autrement ébranlés, et que l'empreinte des immenses progrès intellectuels accomplis au cours des deux siècles précédents, même incomplète, serait préservée pour l'essentiel ».

Avec le recul, il est facile d'oublier que la *Royal Society* était une assemblée de précurseurs. A une époque où la science était encore prisonnière de liens étroits avec la religion, l'innovation apparaissait porteuse des stigmates de l'hétérodoxie. Au cours des premières années, la *Royal Society* ne cherchait pas tellement à justifier son existence en dressant le catalogue de ses utiles travaux, mais plutôt en s'efforçant de prouver que ceux-ci étaient parfaitement innocents. Lorsque l'évêque Thomas Sprat publie son importante *Histoire de la Société royale de Londres* (1667), il consacre le tiers de l'ouvrage à démontrer « que le fait d'encourager l'expérimentation, dans l'esprit où il est conçu, ne saurait faire injure à la vertu ni à la sagesse de la pensée humaine, pas plus qu'à la pratique traditionnelle des arts et des techniques, ni aux modes de vie tels qu'ils existent. Et cependant, la parfaite innocence de ce dessein n'a pas suffi à le placer à l'abri des cavillations de la vanité et de la méchanceté ni de la jalousie de telle ou telle corporation ou hiérarchie humaine, qu'en dernier lieu je dois maintenant dissiper en montrant qu'il n'y a aucun fondement à tout cela ».

A la longue, les partisans de la modernité allaient l'emporter. L'un des plus éloquents d'entre eux, le théologien anglais anticonformiste Joseph Glanvill (1636-1680), dont les écrits comprenaient une apologie de la préexistence de l'âme et un traité sur la menace de la sorcellerie, se faisait gloire en 1668 de ce que ce « grand ferment de savoir utile et généreux constituait une banque de toutes les connaissances pratiques, et rendait possible l'aide réciproque que s'accordaient la physique théorique et la physique appliquée... » Il ajoutait que « la *Royal Society* [...] avait fait davantage de choses que n'en avait produit la philosophie spéculative depuis qu'Aristote avait ouvert boutique ».

## 51

## *De l'expérience à l'expérimentation*

« Ne faites confiance à personne ; cherchez vous-même », telle a été la meilleure traduction de la formule latine *Nulli in Verba,* devise de la Société royale. La nouvelle manière d'aborder le champ de la connaissance était constituée par une forme nouvelle de l'expérience : l'expérimentation ; parallèlement, tandis que l'ancien discours scientifique visait à donner une signification et une certitude, le nouveau vocabulaire se fondait sur une volonté de précision.

Monseigneur Sprat expliquait que le but de la Société royale « ne résidait pas dans l'artifice des mots mais dans une connaissance nue des choses ». A ce moment de l'histoire de la Grande-Bretagne, les puritains volubiles avaient, en dépit de leur désir avoué d'un « style épuré », donné une mauvaise réputation à l'éloquence. Pour beaucoup de gens, leurs longs sermons ampoulés et leur emphase parlementaire semblaient être un brandon de désordre civil. Leur « superfétation verbale » avait amené monseigneur Sprat et d'autres membres respectables à déclarer que « l'éloquence devait être définitivement bannie de toutes les Sociétés civiles, car elle constituait un danger fatal pour la Paix et les bonnes Manières ». Si l'on parvenait à réformer l'expression orale, on purifierait par la même occasion les formes de la pensée.

Espérant mener cette œuvre à bien, la Société royale « exigea, par conséquent, de tous ses membres l'adoption d'un langage dépouillé, naturel et précis ; d'expressions positives, de jugements clairs ; d'une aisance naturelle : ramenant toutes choses au plus près de la rigueur des Mathématiques, et préférant le langage des Artisans, des Paysans, des Commerçants, à celui des beaux esprits et des érudits ». Sprat expliqua avec fierté que la « vocation universelle » des Britanniques, leur climat, l'air de leur pays, l'influence du ciel, la structure atavique même du sang anglais, autant que l'étreinte de l'Océan — tout cela tendait « à faire de notre pays une Terre de Connaissance Expérimentale ».

La simplicité du langage de la science ne suffisait pas. Il lui fallait encore être précise et, autant que possible, internationale. En appelant de ses vœux « la rigueur des Mathématiques », Sprat était sur la bonne voie. Le changement dans la façon de s'exprimer permettrait de mettre au jour la différence existant entre l'Expérience et l'Expérimentation. Toujours subjective, l'Expérience ne pouvait jamais se répéter avec précision. Les voyages de Marco Polo, ainsi que les pérégrinations de Colomb et de Magellan constituaient des expériences nouvelles à raconter, fort plaisantes à lire ou à écouter. Au seuil de l'ère nouvelle de la « Connaissance Expérimentale », cela n'était pas suffisant. Pour mériter le nom d'expérimentation, une expérience devait être répétable.

Pour Sprat et les membres de la Société, il s'agissait de faire de toute expérimentation, même quand elle avait lieu dans un pays lointain, un objet « susceptible pour nous d'être ramené dans le domaine de la Vue et du Toucher ». Leur foi fondamentale, ajoutait-il, devait être « que l'expérimentation soit conduite par les membres eux-mêmes, toutes les fois où il leur serait possible de le faire. L'absence d'une telle exactitude affaiblit grandement le crédit que l'on peut accorder aux anciens naturalistes ». Les recherches antérieures, ainsi que les diverses expériences de ces naturalistes, s'étaient déroulées à l'aveuglette d'une façon bien souvent futile, et parfois même tendaient volontairement à induire en erreur. Désormais moulée dans le rigoureux creuset de l'expérimentation, l'expérience pouvait être coordonnée, confirmée et ainsi enrichir, pierre après pierre, le patrimoine de la Connaissance. Un langage étalon universel était nécessaire à tous les scientifiques pour transformer l'expérience en expérimentation.

Dans cette optique, les mathématiques deviendraient le latin du monde scientifique moderne, tout comme cette ancienne langue parviendrait à pulvériser les barrières des formes vernaculaires. Depuis les temps les plus reculés, les méthodes ordinaires de mesure s'étaient établies à partir des usages du marché local : elles se rapportaient à des mesures corporelles que l'on retrouvait partout. Le « doigt » s'utilisait pour de courtes longueurs, la « paume » pour celles de quatre doigts, la « coudée » était la distance séparant le coude de l'extrémité du majeur ; on se servait du « pas » pour des mesures au sol, et la brasse représentait la longueur des bras étendus dans toute leur envergure. Ces règles empiriques avaient permis de construire la Grande Pyramide de telle manière que la disparité dans la longueur de ses côtés soit, au plus, de un pour quatre mille.

Très tôt, le développement d'un pouvoir central fort en Angleterre avait permis l'adoption de mesures standardisées. Ainsi, les premiers Tudors établirent le « furlong » (c'est-à-dire la longueur d'un sillon) comme mesurant 220 yards, soit 201 mètres. La reine Élisabeth Ier décréta que le mile romain traditionnel de 5 200 pieds serait désormais portés à 5 280 pieds, soit exactement huit furlongs, plus adapté et plus pratique pour un usage quotidien. Malgré cela, la diversité des unités de mesure de base était source d'inconvénients journaliers et constituait une incitation à la fraude. Après l'époque saxonne, la « livre » était communément utilisée pour mesurer les poids et l'argent, mais il existait au moins trois « livres » en usage. On pouvait également mesurer le poids en « clous de girofle », en pierres, en quintaux ou en sacs, et le volume en demi-gallons, en gallons, en boisseaux, en tonnelets, en *stakes* et en charretées. Chaque corporation possédait son propre vocabulaire. Les apothicaires utilisaient les gouttes et les drachmes, les pêcheurs les brasses, les nœuds et les encablures. La mesure d'un gallon de vin différait de celle d'un gallon de bière. Quant au boisseau, il était utilisé différemment selon les grains : pour le blé, on entassait au-dessus des bords de la mesure ; pour le maïs, par contre, on égalisait.

Nulle par ailleurs en Europe la pratique n'était beaucoup plus simple. Un dictionnaire des unités locales de poids et mesures en vigueur dans la France de l'Ancien Régime contient deux cents pages imprimées. Le désordre et la diversité locale exprimaient partout la variété des besoins.

En 1785, James Madisan observait « qu'aux inconvénients liés aux différents langages, s'ajoutait encore celui d'une utilisation de poids et mesures également différents et arbitraires ». Un langage mathématique international serait utile aux scientifiques pour confirmer mutuellement leurs expériences ; il apporterait de plus un moyen pratique d'exprimer la mesure jusqu'aux plus petites fractions de l'unité. Un commerçant belge, Simon Stevin (1548-1620), fut le héros de cette entreprise, dans l'extraordinaire floraison qu'il connut à la fin de sa vie. Né à Bruges et enfant naturel de riches bourgeois, il n'entra qu'après trente ans à l'université de Leyde. De son vivant, il connut la célébrité grâce à son « char à voile », bateau amphibie, dans lequel le prince Maurice et sa suite, composée de vingt-huit personnes, parcoururent la côte à grande vitesse non loin de Scheveningen, « volant littéralement en deux heures... jusqu'à Petten distant de quatorze miles hollandais ». Passager de cette excursion historique, fondateur du droit civil international moderne, Hugo Grotius (1583-1645) immortalisa cette aventure par un poème en langue latine : *Iter Currus Veliferi*. Ce char atteignit l'apogée de son immortalité littéraire dans *Tristram Shandy* de Sterne, et les hôtes de la maison d'Orange-Nassau prirent plaisir à le chevaucher jusqu'à l'extrême fin du XVIIIe siècle.

Les autres travaux de Stevin eurent une portée plus pratique. Sa *Table des Taux d'intérêts* (1582) publiée à Anvers par Christophe Plantin (1520 ?-1589), lequel avait collaboré avec Ortelius à son *Image du Monde* (Imago mundi) et s'était rendu célèbre par sa Bible polyglotte en huit volumes, marqua une ère nouvelle dans l'histoire du système bancaire. Les tables d'intérêts existaient bien auparavant, mais, tout comme les cartes des meilleures routes commerciales, elles étaient soigneusement tenues secrètes par les banquiers qui les considéraient comme un capital sûr. Désormais, les tables de Plantin, soigneusement imprimées, étaient disponibles sur le marché ; elles indiquaient des règles pour le calcul des intérêts simples et composés et proposaient des graphiques permettant de déterminer rapidement les comptes et les rentes.

Lorsque Stevin reçut la charge de précepteur de Maurice de Nassau (1567-1625), génie militaire de l'époque, il rédigea son manuel révolutionnaire *L'Art des Fortifications* (1594), dans lequel les anciens moyens de protection contre les archers se trouvaient remplacés par des dispositifs propres à se prémunir des armes à feu. Polyvalent, Stevin fut egalement l'auteur d'un traité d'astronomie (1608) plaidant en faveur des thèses de Copernic (avant même Galilée), d'un traité de perspective, de manuels de mécanique, de textes sur l'art de naviguer et la manière de déterminer la longitude, d'un système amélioré permettant de gouverner un bâtiment par un loxodrome lui permettant de tenir le cap, d'un livre sur la théorie du son musical avec l'échelle du « tempérament égal », d'un plan de rôtissoire à viande mécanique conçue selon sa propre conception du parallèlogramme des forces et d'un manuel de survie en période de troubles civils à l'usage des citadins. « Ce qui paraît être un miracle n'en est pas vraiment un » : telle était sa devise.

Cependant, sa plus grande invention fut tellement simple que nous avons peine à imaginer qu'elle n'ait jamais existé précédemment. Publié par

Plantin à Leyde, *Le Dixième,* petit opuscule de 36 pages, constitua l'œuvre par laquelle Stevin nous révéla et nous offrit le système décimal. La traduction de 1608 introduisit ce dernier mot pour la première fois dans notre vocabulaire. Les systèmes antérieurs de manipulations de fractions avaient tous manqué de pratique. Stevin proposa de traiter les puissances fractionnaires comme des quantités radicales. Prenons par exemple la quantité $\frac{4{,}29}{100}$ ; pourquoi ne pas la présenter en utilisant le centième de l'unité, soit : $429 \times \frac{1}{100}$? Réduisons les facteurs radicaux au plus petit dénominateur commun, puis traitons la quantité radicale et la fraction comme des multiples de ce dénominateur. Il était désormais possible pour les expérimentateurs de n'utiliser que des nombres entiers.

Pour un usage quotidien, Stevin montra comment son système décimal serait à même de simplifier les problèmes des négociants et ceux de leurs clients, des banquiers et des emprunteurs. Le décimal pourrait également servir à quantifier les poids et mesures, le système monétaire, de même que les divisions du temps et les degrés de l'arc de cercle. Il montra aussi les avantages de son utilisation dans les relevés de terrain, dans la coupe des tissus, la mise en barrique du vin, dans le travail des astronomes et celui des directeurs de la monnaie. Il fit également remarquer l'utilité de grouper les soldats en unités de 10, 100 ou 1 000 hommes.

Stevin ne pensa pas à la virgule. Au lieu de cela, il suggéra que chaque nombre succédant à son « unité de commencement » ou radical puisse être distingué par un signe (1, 2, 3, etc.) placé au-dessus ou à côté, indiquant si les unités étaient des dizaines, des centaines ou des milliers. Cela constituait pour l'avenir un tremplin facile qui permettrait de passer des exposants à la virgule décimale. Le mathématicien écossais John Napier (1550-1617), inventeur des logarithmes, intégra, par l'insertion de sa virgule, l'ensemble du système dans l'agencement positionnel indo-arabe, et rendit ainsi l'usage quotidien des fractions décimales plus aisé encore.

Rempli d'un enthousiasme débordant, Stevin n'eut de cesse que toutes sortes de calculs, même la mesure de l'arc de cercle ou celle du temps, ne soient harmonisés dans le système décimal. Cependant, le système sexagésimal, issu de la plus haute Antiquité et consacré par le cercle parfait et la mécanique céleste, ne pouvait guère être remplacé en astronomie, ni pour les problèmes relatifs à la circonférence ni pour les unités de temps qui avaient tant d'affinités avec l'une et l'autre.

Lorsque Galilée aperçut la relation existant entre la période et la longueur d'un pendule, il ouvrit la voie à l'utilisation du temps comme unité de base pour une mesure uniforme de l'espace. Comme nous l'avons vu, en inventant l'horloge à pendule, Christian Huygens fit les premiers pas sur ce chemin. A long terme, la recherche d'une mesure commune du *temps* devait accélérer la quête relative à d'autres unités de mesures universelles et, en ce sens également, l'horloge se trouvait bien être la mère de toutes les mécaniques. Pour une quelconque raison, un prêtre lyonnais qui ne quitta jamais sa ville, Gabriel Mouton (1618-1694), fut obsédé par cette quête. Alors qu'il étudiait la période d'un pendule, il découvrit à son grand étonnement que la longueur de cet instrument, battant à une fréquence d'un coup par seconde, variait selon la latitude. Il suggéra alors que l'on utilise ces variations pour calculer la longueur d'un degré du méridien terrestre. Ainsi, une fraction de temps, ou une « minute » de degré, pouvait devenir une unité universelle de mesure des longueurs.

Cet effort pour définir une unité de mesure universelle par l'utilisation conjuguée du mouvement pendulaire et d'un système décimal plus simple et plus facile à comprendre devait finalement porter ses fruits. En avril 1790, Talleyrand (1754-1838) invita l'assemblée de la Révolution française à adopter (on espérait qu'il serait adopté de façon universelle) un système national de poids et mesures basé sur la longueur précise d'un pendule dont la période était d'une seconde à 45° de latitude, c'est-à-dire en plein centre de la France. Afin que l'on puisse procéder aux mesures et aux calculs nécessaires à cette entreprise, l'assemblée décréta :

> Le Roi voudra bien prier également Sa Majesté de Grande-Bretagne qu'Elle demande au Parlement anglais d'apporter son concours à l'Assemblée Nationale pour la détermination d'une unité naturelle de mesure et de poids ; et... sous les auspices des deux nations, les commissaires de l'Académie des Sciences de Paris devront se mettre d'accord sur un chiffre égal à celui qui sera proposé par la Société Royale de Londres... afin d'en déduire un étalon invariable pour toutes les mesures et tous les poids.

Heureusement, l'Académie française des sciences n'attendit pas que la Société Royale se joigne à elle, car les Britanniques ne le firent jamais. En attendant, les Français allèrent seuls de l'avant, recommandant l'emploi des décimales pour l'établissement des nouvelles unités, et la dix millionième partie de la longueur du quart d'un méridien terrestre (c'est-à-dire la longueur d'un arc joignant l'équateur et le pôle Nord) comme unité de base. On devait bientôt baptiser cette unité du nom de « mètre », d'après le mot grec signifiant mesure ; c'est sur ce mètre qu'allait désormais reposer le système métrique tout entier. Un cube mesurant un mètre de côté servirait de mesure de volume, et ce même cube rempli d'eau indiquerait l'unité de masse. Ce système du pendule à une seconde apportait une constante naturelle de base pouvant servir à la mesure de toute espèce de quantités, en l'exprimant par multiples de dix.

Thomas Jefferson (1743-1826) était également avide de projets susceptibles de favoriser par la science l'unité du genre humain. La Consitution fédérale (Article I - section 8) avait donné au Congrès des tout récents États-Unis le pouvoir « de fixer les Étalons des Poids et Mesures » ; au prix d'un grand effort personnel, Jefferson publia son *Rapport... au sujet de l'établissement d'une uniformisation des Poids, Mesures et Monnaies des USA* (1790). Jefferson ne connut la proposition de Talleyrand qu'après avoir rendu la sienne publique ; elle reposait sur la nécessité d'harmoniser les poids et mesures pour unifier la nation. Pour les calculs, il s'en remit à son ami David Rittenhouse, premier mathématicien américain de son temps. C'est ainsi que Jefferson ouvrit la voie au système monétaire décimal ; mais, à son plus grand regret, il pensait que l'opération serait infiniment plus difficile dès qu'il s'agirait d'imposer un nouveau système de poids et mesures.

Jefferson recherchait un étalon universel et si possible existant dans la nature, pour la mesure des longueurs. Mais il était troublé par le fait que les changements de température affectaient la longueur des objets ; aussi proposait-il de baser son système sur le temps et le mouvement. La vitesse de rotation de la Terre sur son axe était vraisemblablement uniforme et pouvait être mesurée en tout lieu. Suivant en cela les traditions de Stevin, Galilée et Huygens, Jefferson opta pour le pendule. « Que l'étalon soit une barre de fer uniformément cylindrique, d'une longueur telle que, à une latitude de 45°, au niveau de la mer, dans une cave ou un autre lieu dans lequel la température ne varie pas au cours de l'année, il oscillera selon des petits arcs de cercles égaux, en une seconde », disait-il dans son rapport. Au départ, il avait choisi la latitude de 38° (au cœur de la Virginie), mais il céda lorsque Talleyrand proposa 45° (au cœur de la France) sous prétexte que ce degré était équidistant des pôles et de l'équateur.

A l'époque où se dessinaient déjà les prémices de la science moderne, en Europe les grandes nations industrielles étaient également celles où les progrès scientifiques faisaient les plus grands bonds en avant. L'Angleterre, la France, les Pays-Bas, l'Allemagne et l'Italie, pays dans lesquels on choyait les bâtisseurs de théories scientifiques, étaient aussi ceux qui fabriquaient les meilleurs instruments utilisés pour ces recherches. Peu à peu, le vieux monde aristotélicien de la qualité glissait vers celui, baconien, de la quantité sous l'influence de cette instrumentation. La précision devait constituer l'objectif du philosophe naturel, affirmait Mersenne. L'œuvre de Newton, celle qui détermina l'orientation de l'époque et que nous appelons à tort les *Principes*, portait, en réalité, un titre plus complet ainsi libellé : *Principes mathématiques de la Philosophie naturelle*. Lorsque la science se confondit avec les mathématiques et que la mesure devint le critère des vérités scientifiques, alors les fabricants d'appareils de mesure devinrent des citoyens de premier ordre dans la république des sciences, et la communauté scientifique vit son horizon considérablement s'élargir.

Les nouveaux instruments eurent également pour effet de transformer des expériences uniques en expérimentations répétables. Comprenant bien évidemment l'horlogerie, une industrie de fabrication d'instruments de mesure scientifiques prit son essor en Europe dans le courant du XVIIe siècle, pour devenir au XVIIIe, comme nous l'avons déjà remarqué, une des exportations majeures pour l'Angleterre et les Pays-Bas.

Simples outils d'observation au départ, les instruments devinrent des outils de mesure, puis des appareils servant aux expérimentations. Ainsi, l'astrolabe, anciennement utilisé par les astronomes et les navigateurs pour l'observation des altitudes et des positions des corps célestes, fut transformé en un instrument de mesure perfectionné par le mathématicien-cosmographe portugais Pedro Nunes (1502-1578). Considérant que l'instrument traditionnel ne rendait pas compte de la mesure de l'arc de cercle avec suffisamment de précision, il inventa un accessoire simple : le « nonius » (du nom de Nunes) qui était composé de 44 cercles concentriques, tous divisés en parties égales jusqu'au quart de cercle. Le cercle extérieur était divisé en 89 parties, l'intérieur en 46 seulement. Chaque cercle comprenait une division de moins que son prédécesseur immédiatement supérieur, et une de plus que son prédécesseur immédiatement inférieur. Il était ainsi possible de mesurer des fractions d'arc de cercle en lisant l'échelle sur le cercle qui se rapprochait le plus de la position visuelle.

Alors qu'il aidait son père dans l'établissement topographique d'une carte de Franche-Comté, l'ingénieur militaire français, Pierre Vernier (1584-1638), considéra que le nonius n'était pas suffisamment précis pour l'usage qu'il désirait en faire. Aussi y apporta-t-il l'amélioration qui rendit son nom familier dans tous les commerces de machines du monde entier. Il eut simplement l'idée de remplacer les cercles concentriques intérieurs, gravés sur la partie immobile de l'instrument, par un segment mobile concentrique et rotatif qui permettait de trouver l'axe qui coïncidait précisément avec celui de la vue. Amélioration capitale. Car à l'époque, les procédés de gravure n'étaient pas suffisamment performants pour marquer de façon lisible tous les axes requis par le nonius. Vernier put se passer de la plupart de ceux-ci, car le disque central rotatif permettait de le positionner correctement. Ce premier « vernier » fut adapté sur le compas et d'autres instruments, et améliora considérablement la fiabilité des moyens de navigation et de métrage dans les siècles suivants.

Galilée lui-même s'était d'abord rendu célèbre comme fabricant de télescopes. L'avance technique prise dans la taille et le polissage des lentilles optiques, que l'on savait rendre désormais achromatiques, et le progrès des méthodes de réglages mécaniques rendaient possible l'utilisation des visées télescopiques pour mener à bien les nouvelles recherches entreprises. Peu de temps après, on installait des micromètres dans les télescopes afin de mesurer le diamètre des planètes et des étoiles. « Ou bien j'ai découvert, ou bien j'ai trébuché sur... un moyen sûr et simple », rapportait modestement William Gascoigne (1612-1644), astronome anglais autodidacte, « par lequel il est possible de mesurer à la seconde près [un arc de cercle] la distance séparant n'importe lesquelles des étoiles les plus lointaines, invisibles à l'œil nu, mais également de façon remarquablement précise l'augmentation et la diminution du diamètre apparent des planètes ». Gascoigne raconta comment, grâce à l'intervention obligeante du « Tout-Puissant », une araignée avait tissé un fil en travers de sa lunette pendant qu'il se livrait à une expérience d'observation du soleil ; c'était, disait-il, ce qui lui en avait donné l'idée.

L'usage de fils de réticule et d'autres accessoires améliora encore les micromètres des télescopes, et tous ces appareils trouvèrent leur application dans le microscope. L'œuvre de Leeuwenhoek ne consista pas simplement à *voir* des objets microscopiques, mais en fin de compte à les *mesurer*. Il fit savoir par ses lettres à la Société Royale que le diamètre d'un gros grain de sable mesurait 1/30 de pouce, et celui d'un petit grain 1/80 ou 1/100 de pouce, et observa que vingt cheveux de son chignon devaient mesurer 1/30 de pouce, ce qui permit aux experts modernes de conclure que celui-ci devait être composé de poils de chèvre angora. Un œil de pou mesurait entre 1/250 et 1/400 de pouce, écrivait-il. La taille d'un globule rouge humain était 25 000 fois plus petite qu'un grain de sable, et « la totalité des globules qui rendent notre sang rouge est si petite que l'alignement de cent d'entre eux ne serait pas égal à l'axe du gros grain de sable de 1/3 000 de pouce ».

## 52

## *« Dieu dit : Que Newton soit ! »*

Le premier héros populaire de la science moderne fut Isaac Newton (1642-1727). Avant lui, bien sûr, il y en eut d'autres à travers l'Europe, renommés pour leur connaissance — réelle ou imaginaire — des forces de la nature. Aristote servait de référence classique. Mais lorsque Roger Bacon (v. 1220-1292), l'homme de science européen le plus célèbre du Moyen Age, chercha à « déterminer la nature et les propriétés des choses » — ce qui impliquait l'étude de la lumière, de l'arc-en-ciel et la description du processus de fabrication de la poudre à canon —, on l'accusa de magie noire. Il ne réussit pas à convaincre le pape Clément IV d'admettre les sciences expérimentales au programme des études universitaires ; il dut aussi écrire ses traités scientifiques dans le secret, et fut emprisonné pour « innovations suspectes ». Inspiré par un magicien-charlatan bien réel du XVIe siècle, le légendaire Dr Faust incarnera sur scène les dangers encourus par l'homme lorsqu'il tente de pénétrer les secrets de la nature, et deviendra un stéréotype littéraire. Immortalisé par Christopher Marlowe et Goethe, il fera la joie des amateurs de théâtre. Mais Newton, dont la vision des processus de la nature était plus grandiose et plus pénétrante que celle de Bacon ou de Faust, fut publiquement acclamé et porté aux nues. Tandis que les expérimentateurs précédents furent supposés être en cheville avec le Diable, on plaça Newton à la droite de Dieu. A l'inverse de Galilée, son plus illustre prédécesseur, il baigna dans les courants scientifiques de son époque. Sans doute influença-t-il plus fortement la pensée scientifique que n'importe quelle autre figure séculière depuis Aristote ; et le monde ne devait pas connaître semblable « géant » avant Einstein. Bien que difficiles ou impossibles à saisir pour le profane, les travaux de Newton furent suffisamment bien compris en son temps pour que leur auteur soit considéré comme un demi-dieu. Fait chevalier en 1705 par la reine Anne au Collège de la Trinité de Cambridge, il fut le tout premier en Angleterre à être ainsi honoré pour ses travaux scientifiques. Encore n'est-ce là qu'un tout petit exemple de la fascination exercée par ce Galaad de la quête scientifique.

En Newton convergèrent et culminèrent les forces montantes de la science. Nous avons précédemment vu que son temps avait déjà emprunté la « voie mathématique ». Pour la première fois, observations et découvertes étaient exposées devant des assemblées scientifiques aux fins de discussion, d'approbation, de rectification et de diffusion. Président pendant un quart de siècle de la *Royal Society,* Newton fit de celle-ci un centre de diffusion et de pouvoir sans précédent au service de la science.

Et pourtant, même un romancier n'aurait pu imaginer pour la naissance (en 1642) et la jeunesse de Newton circonstances plus propres à alimenter le sentiment permanent d'insécurité qui domina sa vie. Petit fermier, son père était un propriétaire terrien qui ne savait même pas signer de son nom. Il est même possible que ses ancêtres du côté paternel aient été d'une extraction plus basse encore. Enfant chétif, on dit qu'à sa naissance, il aurait tenu dans un gobelet d'un litre et qu'il faillit ne pas vivre. Son père mourut trois mois avant qu'Isaac ne vînt au monde, et il n'avait que trois ans quand sa mère se remaria et s'en alla vivre avec un clergyman aisé des environs, abandonnant son fils à la charge de sa grand-mère maternelle dans une ferme solitaire. Isaac fut si contrarié par le second mariage de sa mère qu'à l'âge de vingt ans il se souvenait encore « d'avoir menacé mon père et ma mère Smith de les brûler vifs, eux et leur maison ». Lorsque, veuve de son second mari, la mère revint au bercail avec ses trois jeunes enfants, Isaac avait onze ans. Elle le retira de l'école, espérant qu'il deviendrait fermier, mais il ne montra que peu de dispositions pour les corvées de la terre. Encouragé par l'instituteur local et par un oncle clergyman, il retourna en classe, où il acquit de bonnes bases en latin, mais très peu en mathématiques. A dix-neuf ans, plus âgé que les autres étudiants, il entra au Trinity College de Cambridge, en tant que « Subsizar » (boursier partiel). Malgré tous les honneurs du monde, il ne put jamais oublier totalement l'insécurité de ces années-là. Très tôt, il se fit appeler « gentilhomme » et revendiqua des liens de parenté avec la noblesse titrée. Il surestima toute sa vie les honneurs de la cour et la dignité des situations héréditaires. Et en public du moins, il se montra anglican scrupuleux et loyal.

Newton obtint sa licence au début de l'été 1665, juste au moment où l'université fermait ses portes en raison de l'épidémie de peste ; aussi, pendant environ deux ans, se retira-t-il dans sa maison du Lincolnshire. Lorsque l'université rouvrit et qu'il retourna à Cambridge en 1667, où il fut élu membre du Collège de la Trinité, et deux ans plus tard, à vingt-six ans, titulaire de la chaire lucasienne de mathématiques. Au moment où il fréquentait Cambridge, la physique d'Aristote, basée sur la distinction des principes, se trouvait supplantée par la nouvelle philosophie « mécanique » dont Descartes (1596-1650) était le chantre le plus connu. Pour ce dernier, le monde physique était constitué d'invisibles particules de matière en déplacement dans l'éther. Toute chose dans la nature, disait-il, pouvait s'expliquer par l'interaction mécanique de ces particules, et selon cette conception mécaniste du monde, il n'y avait, pour le penseur français, aucune différence ontologique — hormis la complexité — entre le fonctionnement d'un corps humain, d'un arbre, ou d'une pendule. Compliquées par diverses théories atomistes, les idées de Descartes dominaient la « nouvelle physique » en Europe. La nature tout entière devait s'expliquer par ces minuscules et invisibles particules en mouvement et en interaction. Aux yeux de Newton, la philosophie communément admise semblait basée sur « des choses qui ne sont pas démontrables » et qui donc ne valaient rien de plus que des « hypothèses ». La physique ou « philosophie naturelle », qui prévalait à l'époque où il entra à Cambridge, était remplie de notions d'origine cartésienne telles que « corpuscules », « atomes », « tourbillons ».

En réaction contre ces prétentieuses suppositions, Newton choisit de demeurer dans la droite ligne des mathématiques. Bien que dans l'immédiat il semblerait apporter moins d'explications, il pensait qu'à long terme, sa philosophie expérimentale irait plus loin dans la compréhension des phénomènes. Polyvalent, Descartes possédait aussi le génie des mathématiques ; il découvrit la géométrie analytique et fit d'autres avancées en algèbre et en géométrie. Cependant il se laissa emporter par ses théories sur les sensations et la physiologie et prétendit même avoir percé à jour le secret de la reproduction humaine. Bardé de son dogme mécaniste, Descartes ne concevait pas qu'un quelconque secret de la nature puisse échapper à son investigation. Comme nous le verrons, Newton n'était, par tempérament, en rien plus modeste que Descartes ; néanmoins il s'efforça toujours d'orienter ses efforts scientifiques vers une recherche de lois physiques exprimées sous une forme mathématique.

C'est lorsqu'il était encore étudiant, et au cours de ses deux années de retraite causées par l'épidémie de peste, que Newton esquissa les grandes lignes de son approche expérimentale de la nature. Il avait découvert le binôme auquel il donna son nom et était bien avancé dans la mise au point du calcul avant même d'atteindre sa vingt-sixième année, époque où il devint membre du Collège de la Trinité. Sa « philosophie expérimentale » était une sorte d'autodiscipline, et la modestie dont il fait preuve dans sa célèbre confession n'est pas tout à fait forcée : « Je ne sais ce que je parais être aux yeux du monde ; mais, à moi-même, il me paraît n'avoir été qu'un petit garçon qui aurait joué sur le rivage, m'y étant diverti en y découvrant de temps à autre un galet plus lisse ou un coquillage plus beau que d'ordinaire, tandis que le grand océan de la vérité s'étendait, inviolé, devant moi. »

L'essence de sa nouvelle méthode apparut dans ses premières expériences véritablement significatives portant sur la lumière et la couleur. L'historien Henry Guerlac a démontré que ces travaux se révélèrent être une parabole parfaite de la « philosophie expérimentale » de Newton. De tous les phénomènes naturels, la lumière était celui qui portait le plus à l'affabulation, à la métaphore et à la théologie la plus difficile à contenir dans la discipline des nombres. C'est pourtant ce que devait réussir à faire le jeune Newton, comme il le confia à Henry Oldenburg, juste après sa licence :

> Au début de l'année 1666 (époque à laquelle je m'appliquais à tailler des verres optiques autres que sphériques), je me procurai un prisme triangulaire, afin d'expérimenter avec celui-ci le célèbre phénomène des couleurs. Pour ce faire, j'obscurcis ma chambre, et fis un petit trou dans mes volets fermés afin de laisser pénétrer une quantité convenable de lumière solaire. Puis je plaçai mon prisme à l'entrée de cette ouverture afin que la lumière puisse, de ce fait, se réfracter sur le mur opposé. Au début, ce fut un très plaisant divertissement de contempler les couleurs intenses et brillantes ainsi produites ; mais, un moment après, m'appliquant à les considérer plus attentivement, je fus surpris de constater qu'elles prenaient des formes oblongues ; alors que je m'attendais selon les lois de la réfraction communément admises, à ce qu'elles soient circulaires...

Pour expliquer ce phénomène, il imagina un système qu'il nomma son *experimentum crucis*. Il dirigea une partie du spectre oblong — soit un rayon de même couleur — à travers un petit trou, vers un second prisme, et découvrit que la lumière réfractée par le second prisme ne se dispersait plus et demeurait de la même couleur. Il en conclut simplement « que la Lumière consiste en des Rayons différemment réfrangibles, lesquels... étaient, selon leur degré de réfrangibilité, dirigés vers diverses parties du mur ». Ce qui signifiait que « la Lumière elle-même est un mélange hétérogène de rayons différemment réfrangibles ». Il nota qu'il existait une corrélation exacte entre la couleur et le « degré de réfrangibilité » — le moins réfrangible étant le rouge, et le plus étant l'indigo — et mit ainsi au rebut l'ancienne opinion communément admise selon laquelle les couleurs étaient des modifications de la lumière blanche. Puis il démontra sa surprenante proposition selon laquelle toutes les couleurs n'étaient que des composantes du blanc, en utilisant une lentille biconcave afin de faire converger tous les rayons du spectre vers un foyer unique. Les couleurs disparaissaient totalement lorsqu'elles se rejoignaient pour produire la lumière blanche. Ainsi, par des expériences de la plus grande simplicité, Newton avait ramené les différences « qualitatives » de la couleur à des différences quantitatives. Pour reprendre sa propre formule, « au même degré de réfrangibilité, appartient toujours la même couleur, et à la même couleur appartient toujours le même degré de réfrangibilité ».

Il devenait alors possible de désigner n'importe quelle couleur par un nombre indiquant son degré de réfrangibilité. La science de la spectroscopie était fondée. Chose plus importante, cette découverte était un modèle de la méthode expérimentale de Newton. Certains cherchèrent à le rabaisser en disant qu'il n'avait vraiment rien découvert concernant la « nature » de la lumière, et déclarèrent que son explication des couleurs ne constituait qu'une « hypothèse ». A quoi Newton répliqua fermement : « La doctrine que j'ai expliquée au sujet de la réfraction et des couleurs ne consiste qu'en certaines propriétés de la lumière, sans tenir compte d'aucunes hypothèses, par lesquelles ces propriétés pourraient être expliquées... Car les hypothèses devaient seulement servir à expliquer les propriétés des choses et ne pas être admises pour déterminer celles-ci ; à moins de fournir des sujets d'expérience. Car si la raison d'être de l'hypothèse est de constituer une épreuve pour la vérité et la réalité des choses, je ne vois pas comment l'on pourrait, dans une science, parvenir à une quelconque certitude. » Il suffisait à Newton de considérer la lumière comme « une chose qui se propage dans toutes les directions et en ligne droite, à partir de corps lumineux, sans déterminer ce qu'est cette chose ». Bien sûr, reconnaissait-il, Huygens avait raison de dire qu'il n'avait pas décrit le mécanisme par lequel s'obtiennent les couleurs. Mais là précisément résidait la rigueur de la méthode expérimentale de Newton.

La même rigueur devait caractériser la méthode newtonienne lorsqu'il en vint à décrire le système du monde. Dès 1664, alors qu'il était encore étudiant, Newton avait déjà commencé à songer aux moyens de quantifier les lois de déplacement des corps physiques. Diverses idées glanées ici et là l'avaient également stimulé : la thèse de Hook, fondée non pas sur des données, mais des intuitions — selon laquelle l'attraction gravitationnelle pouvait décroître en raison directe du carré des distances ; et la spéculation d'Edmund Halley dérivée de la troisième loi de Kepler, selon laquelle la force centripète en direction du soleil décroissait proportionnellement au carré de la distance de chaque planète avec le soleil. Mais ce n'étaient là que des hypothèses. Restait à Newton à démontrer l'universalité des principes, à les vérifier par des calculs et à montrer que les orbites elliptiques des planètes devaient suivre les mêmes lois.

En réponse à une requête de Halley, Newton rédigea, en neuf pages, « un curieux traité portant le titre de *De motu ;* lequel, selon le désir de M. Halley, devait... être envoyé à la Société afin d'être répertorié sur les registres ». C'était là, on l'a vu, le procédé mis au point par Oldenburg pour honorer tout inventeur et assurer des communications à la Société Royale. Ses stimulants avaient, à cette occasion, été fructueux, car Halley « désirait rappeler à M. Newton la promesse concernant la mise à l'abri de son invention, jusqu'au moment où il aurait le loisir de la publier ». Les quelques pages de Newton sur « Le déplacement des corps en orbite » prouvèrent qu'il était déjà parvenu au point crucial de sa grande théorie, en démontrant, parmi d'autres choses, que l'on pouvait expliquer le phénomène de l'orbite elliptique par la propriété en vertu de laquelle tous les corps s'attirent en raison directe de leur masse et en raison inverse du carré des distances. En révisant le *De motu,* Newton échafauda sa première et sa seconde loi : 1) la loi de l'inertie, et 2) la loi selon laquelle la vitesse de déplacement est proportionnelle à la force imprimée.

La force et la grandeur du système de Newton résidaient, bien sûr, dans son universalité. Ayant finalement proposé une explication unique aux dynamiques terrestre et spatiale, il avait ramené sur terre les corps célestes, et fourni à l'homme, par la même occasion, un nouveau cadre de travail et de nouvelles limites à la compréhension de ceux-ci. La légende de la pomme n'est du reste pas sans fondement. Il dit lui-même que la grande « idée de la gravitation » lui vint, « alors qu'il était assis à méditer » et « qu'elle fut déclenchée par la chute d'une pomme ». Il eut l'intelligence de penser que cette pomme n'était pas seulement en train de lui tomber sur la tête, mais qu'elle était attirée vers le centre de la terre. Il note que la lune était soixante fois plus éloignée que la pomme du centre de la terre, et devait par conséquent avoir, en raison de la loi des carrés inversés, une accélération en chute libre de $1/(60)^2 = 1/3\,600$ de l'accélération de la pomme. Alors, appliquant la troisième loi de Kepler, il put éprouver sa théorie ; cependant, son chemin fut semé de bon nombre de difficultés pratiques, et tout d'abord la valeur erronée qu'il attribua au rayon de la terre. Mais sa simple perspicacité le mit sur la voie de son système du Monde. Exprimée en termes mathématiques, la généralité de ses lois unifia tous les phénomènes physiques terrestres et célestes. Car on pouvait voir, observer et mesurer les déplacements de tous les corps. Avant même la gravitation, ce furent les mathématiques qui constituèrent le grand facteur d'unification dans le système newtonien.

La « voie mathématique » de Newton était une voie de découverte, mais également d'humilité, car elle était aussi bien une méthode d'autodiscipline qu'un instrument d'exploration.

Le titre de son maître ouvrage, *Principes mathématiques de la Philosophie naturelle (Philosophiae Naturalis Principia Mathematica,* 1687 ; traduction anglaise, 1729), indiquait on ne peut plus clairement le bouleversement qu'il apportait par rapport aux prétentions courantes de démythification des mécanismes de la nature. Certains critiques d'Europe continentale s'élevèrent de nouveau contre l'étroitesse du projet de Newton. Il n'avait pas expliqué le fonctionnement du monde physique, mais seulement offert des formules mathématiques. Par conséquent, dirent-ils, sa pensée ne relevait aucunement de la véritable « philosophie naturelle ». Bien entendu, ils avaient encore une fois parfaitement raison mais, par la même occasion, ils démontraient, sans le vouloir, la force neuve de la méthode newtonienne. A l'extrême fin de ses *Principes,* Livre III, « le Système du Monde », tout comme dans son « *Optique* », Newton se donna la peine de définir les limites de sa méthode et de son œuvre. Après son péan final au Dieu qui « existe toujours et partout », il poursuit ainsi : « Nous avons des idées sur ses attributs, mais quant à la substance réelle de toute chose, nous en ignorons tout, et c'est pourquoi nous pouvons seulement connaître Dieu d'après les apparences des choses. »

> Nous avons jusqu'ici expliqué les phénomènes des cieux et de notre mer par la force de la gravitation, mais nous n'avons cependant pas encore attribué une cause à cette force... cependant... Je n'ai pas été capable de découvrir la cause des propriétés de la gravitation d'après les phénomènes et je ne construis aucune hypothèse ; car tout ce qui n'est pas déduit des phénomènes doit être appelé hypothèse ; et les hypothèses, fussent-elles physiques ou métaphysiques, occultes ou mécaniques, n'ont point de place dans la philosophie expérimentale. Dans celle-ci, des propositions particulières sont déduites des phénomènes, et ensuite généralisées par induction. Ainsi furent découvertes l'impénétrabilité, la mobilité, la force impulsive des corps, ainsi que les lois du mouvement et de la gravitation. Et à nos yeux, il est suffisant de savoir que la gravitation existe vraiment, fonctionne selon les lois que nous avons expliquées et sert abondamment à rendre compte de tous les mouvements des corps célestes, et de notre mer.

Éditeur scientifique de l'*Encyclopédie* de Diderot et disciple le plus influent de Newton au XVIII^e siècle, Jean Le Rond d'Alembert (1717-1783) rendit hommage à ce dernier pour son refus de jouer à Dieu, et pour sa vision de la nature aperçue « seulement à travers le voile qui cache à nos yeux les rouages de ses parties les plus délicates... Condamnés... à ignorer l'essence et la texture interne des corps, la seule chose qui s'offre encore à notre sagacité est de tenter de saisir, au moins, l'analogie des phénomènes et de les réduire à un petit nombre d'actes fondamentaux et primitifs. Ainsi Newton, sans attribuer une cause à la gravitation universelle, n'en démontra pas moins que le système du monde repose entièrement sur les lois de cette gravitation ». Mettant en garde contre les pièges du sens commun, d'Alembert souligne que « les notions les plus abstraites, celles que les hommes ordinaires considèrent comme les plus inaccessibles, sont souvent celles qui répandent les plus brillantes clartés ».

C'est précisément parce qu'il avait une conscience aussi aiguë de l'obscurité qui nous entoure que Newton se révéla être un apôtre si efficace de la lumière mathématique. Qui d'autre que Dieu pouvait pénétrer les rouages les plus secrets de l'univers ? L'hermétisme du grand savant, sa perception du mystère sous-jacent à l'unité du monde, ne fit que croître au fil des années. Mais tout au long de sa vie, il perçut les limites de la capacité humaine à embrasser toute l'expérience ; ce qui explique, aussi, son inlassable intérêt pour la Bible et les Prophéties. Le génie expérimental et mathématique de Newton fut alourdi par un tempérament mystique et religieux. Ses copieux manuscrits sur l'alchimie (650 000 mots) et sur des sujets bibliques et théologiques (1 300 000 mots) déconcertent les spécialistes de son œuvre qui tentent de les faire entrer dans le cadre rationnel de son univers. Sans aucun doute, Newton prit les prophètes au sérieux, usant de toutes ses connaissances linguistiques pour tenter de découvrir une signification commune aux termes mystiques employés par Jean, Daniel et Isaïe. Mais il se méfiait des prétentions cléricales. « Quelle folie pousse ces interprètes à se livrer à des prédictions au moyen de la Prophétie, comme si Dieu avait voulu faire d'eux des Prophètes ? » L'intention divine, à travers les textes prophétiques, n'est pas de rendre les hommes prophètes des temps futurs, mais plutôt de démontrer, « par l'arrivée d'événements prédits il y a bien longtemps, que c'est bien la providence qui gouverne le monde ». D'où son recours aux méthodes de datation astronomique les plus sophistiquées pour trouver confirmation littérale des événements rapportés dans la Bible. Mais Newton ne devint jamais un mystique intransigeant, semblant parfaitement conscient de cette vérité exprimée par Roger Fry, selon laquelle « le mysticisme n'est qu'une tentative pour se débarrasser du mystère ». Cela, le grand savant ne le voulut et ne l'osa jamais.

Si Newton fut presque partout porté aux nues pour sa connaissance mathématique du monde, rares furent ceux qui comprirent son respect pour le mystère du monde, exprimé par la démarcation même que tracent ses mathématiques entre l'homme et Dieu. Au siècle suivant, l'idéalisation romantique que l'on fit du personnage, d'une part, et l'incapacité du bon sens ordinaire à saisir sa vision, de l'autre, furent toutes deux illustrées lors d'un brillant dîner littéraire donné en son atelier, le 28 décembre 1817, par le peintre historique officiel Benjamin Haydon (1786-1846). Il y avait là, entre autres, Charles Lamb, John Keats et William Wordsworth, qui, dit-il, m'injurièrent pour avoir représenté le visage de Newton, cet homme qui ne croyait en rien qui n'ait la clarté des trois côtés d'un triangle. Puis Keats et lui tombèrent d'accord pour considérer que le savant « en réduisant l'arc-en-ciel à ses couleurs prismatiques en avait détruit toute la poésie ». Il était impossible de lui résister, et nous bûmes tous : « A la santé de Newton et à la déconfiture des mathématiques ».

## 53

## *L'antériorité crée la valeur*

L'hommage rendu à Newton constituait un geste des plus modernes car l'Europe n'avait que depuis peu appris la valeur de la découverte. « N'est-il pas évident, demande John Dryden en 1668, que depuis un siècle que l'étude de la philosophie est devenue l'apanage de tous les virtuoses de la chrétienté, c'est presque une nouvelle nature qui nous a été révélée ?... Et qu'ont été ainsi découverts davantage de secrets touchant à l'optique, à la médecine, à l'anatomie, à l'astronomie, qu'au cours de tous ces siècles crédules qui nous séparent d'Aristote ? » En ce nouvel âge de « révélations », les honneurs devaient aller à celui qui avait, *le premier,* dévoilé une vérité de la nature. Car désormais, en répandant rapidement la nouvelle de toute découverte, la presse à imprimer rendait possible la définition d'antériorité. Et celle-ci conférait un prestige jusqu'alors inconnu.

Les anciennes institutions savantes européennes, collèges et universités, avaient été fondées non dans un but de recherche, mais de transmission d'un patrimoine culturel. A l'inverse, la *Royal Society* et les autres assemblées scientifiques, avec leurs académies implantées à Londres, Paris, Florence, Rome, Berlin, et ailleurs, visaient à accroître la connaissance. Elles témoignaient moins de l'opulence du passé de ce que l'évêque Sprat appelait « la mentalité investigatrice de ce temps ». Attitude que Robert Boyle résume bien en intitulant l'un de ses textes : *Essai relatif à la grande ignorance des hommes quant à l'usage des choses naturelles ou l'absence quasi totale d'éléments naturels dont l'usage de l'homme soit à ce jour bien compris.*

Jadis, la possession d'une idée ou d'une vérité impliquait le secret et le pouvoir d'empêcher les autres d'en prendre connaissance. Les cartes des routes aux trésors étaient gardées et les premiers services postaux furent établis au service de la sécurité de l'État. Physiciens et juristes enfermaient leurs connaissances dans un langage codé. Le gouvernement aidait les corporations à se protéger des intrus. Mais la presse à imprimer porta atteinte à la loi du secret. Plus encore, elle modifia radicalement la notion de propriété intellectuelle au point que, désormais, la publication pouvait conférer à une vérité ou à une idée nouvelle une véritable marque personnelle. La justification de la Société Royale par l'évêque Sprat ne peut nous surprendre :

> S'il est criminel d'être l'auteur d'une nouveauté, comment alors les premiers civilisateurs, juristes et fondateurs de gouvernement échapperont-ils ? Tout ce qui nous ravit dans les mécanismes de la nature, tout ce qui surpasse l'univers primitif est nouveau. Tout ce que nous voyons dans les villes, dans les maisons, hors de la sauvagerie première des champs, la pauvreté rudimentaire des huttes et la nudité de l'homme, tout cela a connu un temps où l'imputation de nouveauté aurait pu lui être faite. Il n'est donc point délictueux de prôner l'introduction des nouveautés, à moins que ce qui est introduit ne se révèle pernicieux en lui-même, ou ne puisse l'être sans extirper autre chose de meilleur.
>
> Commerçants et artisans bien établis se méfiaient, bien sûr, de la nouveauté, « car ils étaient généralement contaminés par l'étroitesse d'esprit caractéristique des Corporations, qui ont l'habitude de résister à tous les novateurs, considérés comme des ennemis patentés de leurs privilèges ».

En organisant la *Royal Society*, le sagace Henry Oldenburg avait bien saisi l'importance de la notion nouvelle d'antériorité. Pressentant que les membres pourraient hésiter à faire parvenir leurs découvertes à la société de peur de se voir souffler la paternité de leurs travaux, il proposa « qu'une personne soit spécialement chargée de découvrir les plagiaires, et de reconnaître aux auteurs la propriété de leurs inventions ».

Afin d'assurer aux recherches en cours un droit légitime d'antériorité, Oldenburg propose que « tout membre qui possède une quelconque amorce d'invention ou d'idée philosophique et désirerait voir celle-ci, en attendant qu'elle aboutisse, déposée dans un coffre, auprès de l'un des secrétaires, y soit autorisé, afin que soit mieux reconnue la paternité des inventions ». Le spectre de l'antériorité va désormais hanter la science, au point que même les scientifiques les plus éminents paraîtront se soucier davantage d'affirmer leurs droits que de prouver le bien-fondé de leurs découvertes.

Dans ce domaine comme dans bien d'autres, l'héroïque Isaac Newton incarna l'esprit de la science moderne. Peu de temps après sa mort, on idéalisa aussi bien son caractère que ses travaux, ce qui ne l'empêcha nullement de demeurer incompris. Voici comment le poète William Cowper (1731-1800) décrivit le « divin » savant :

> Aussi patient qu'un enfant dans la contradiction,
> Affable, humble, timide, et doux,
> Tel fut Sir Isaac.

Le vrai Newton ne fut rien moins qu'affable. L'étudiant qui fut son assistant pendant cinq ans, de 1685 à 1690, déclara ne l'avoir entendu rire qu'une fois, lorsque quelqu'un lui demanda sans réfléchir quel intérêt il pouvait y avoir à étudier Euclide.

Newton n'avait pas encore trente ans que déjà, sans stimulation officielle aucune, il était bien avancé dans ses découvertes. Dès 1672, il avait mis en forme sa théorie des fluxions, qui devait servir de fondement au calcul infinitésimal. Mais les éditeurs londoniens, qui perdaient habituellement de l'argent sur les traités mathématiques, ne s'empressèrent pas de le publier. Plus tard, lorsqu'il fut en position de défendre la paternité de ses découvertes, la passion de la priorité assombrit son existence : c'est son souci de revendiquer l'invention du télescope à réflexion, décrit dans la toute première lettre qui nous reste de lui, datée de février 1669, qui le fit entrer dans la communauté scientifique. Les instruments utilisés par Galilée et les autres prédécesseurs de Newton étaient tous des télescopes à réfraction utilisant des lentilles pour grossir l'image et focaliser les rayons lumineux. Mais leur longueur et leurs aberrations chromatiques les rendaient peu pratiques. L'appareil mis au point par Newton, utilisant des miroirs concaves, au lieu des lentilles, était beaucoup plus court et offrait un grossissement plus grand, sans aberration chromatique. Sans compter d'autres avantages, à long terme, qui échappèrent à Newton.

La taille d'un télescope à réfraction se limitait d'elle-même car une lentille ne peut être fixée que par les bords, et tend à se déformer sous son propre poids. Mais un miroir, lui, peut être maintenu par-derrière et donc être plus grand sans risque de déformation. De ses mains, Newton avait fabriqué et traité les miroirs de ses télescopes et les instruments nécessaires à leur fabrication. « Si j'avais attendu que d'autres me fassent mes outils et le reste, s'écrie-t-il, je n'aurais jamais rien pu faire. » Son premier télescope à réflexion, long seulement de six pouces (environ 15 cm) grossissait quarante fois, performance supérieure, se vantait-il, à celle d'un réfracteur de six pieds. Lorsque les membres de la *Royal Society* eurent vent de cette invention, ils en furent étonnés, d'où la lettre qu'Henry Oldenburg lui envoya en janvier 1672, en joignant un dessin de son télescope.

> Votre ingéniosité est à l'origine de ce message adressé par une main que vous ne connaissez pas. Vous avez montré beaucoup de générosité en communiquant à nos philosophes l'invention de vos télescopes. Celle-ci ayant fait l'objet d'un examen par certains de nos plus éminents spécialistes et praticiens en sciences optiques, ils y ont applaudi et ont pensé qu'il était nécessaire de protéger cette invention contre une éventuelle usurpation étrangère ; ils ont donc pris soin de faire un croquis du modèle que vous avez adressé et d'en faire une description détaillée, ainsi que de ses effets, comparés avec un instrument ordinaire, mais beaucoup plus grand... dans une lettre solennelle envoyée à M. Huygens, à Paris, ceci afin d'empêcher que ne se l'arrogent des étrangers qui auraient pu le voir ici, ou même peut-être chez vous, à Cambridge ; car il arrive trop fréquemment que de nouvelles inventions ou systèmes soient dérobés à leurs véritables auteurs par de prétendus spectateurs...

Avec force démonstrations d'une modestie qui irait se raréfiant avec les années, Newton répondit promptement qu'il « était surpris de voir que l'on prît tant de soin à protéger une de ses inventions, laquelle, jusqu'ici, avait eu si peu de valeur… et qui eût pu demeurer privée pendant quelques années encore, si personne n'en avait demandé communication ». Élu membre de la *Royal Society* la semaine suivante, il leur faisait parvenir au début du mois de février sa première contribution, son article sur la théorie des couleurs, dans l'espoir, dit-il, que « mes pauvres efforts solitaires puissent contribuer à l'essor de vos projets philosophiques ».

Peu à peu, Newton devint conseiller puis, en 1703, président — en fait, dictateur — de la *Royal Society,* fonction qu'il occupa pendant vingt-cinq ans, jusqu'à sa mort. Son prestige augmenta, ainsi que sa dyspepsie, son refus de reconnaître aux autres leurs mérites ou de partager la responsabilité de ses grandes découvertes. Afin d'assurer sa primauté dans les divers domaines scientifiques de sa compétence, il s'assura la haute main sur le premier « établissement » scientifique du monde moderne. Se comportant comme un véritable garde-chiourme quand il présidait les séances de la société, il ne toléra jamais le moindre signe de « légèreté ou d'inconvenance », allant jusqu'à exclure des réunions les membres qui « se comportaient mal ». L'élection dans la communauté, source d'honneur et d'argent, nécessitait son soutien. Lorsque son ancien assistant de mathématiques à Cambridge et successeur à la chaire lucasienne, William Whiston, homme à la théologie peu orthodoxe, fut proposé en 1720, Newton menaça de donner sa démission s'il était élu. En 1714, lorsque le Parlement délibéra du prix à accorder pour la découverte d'un moyen de mesurer la longitude en mer, il proclama qu'aucune horloge ne ferait l'affaire, ce qui retarda probablement l'acceptation de l'horloge de Harrisson, laquelle, nous l'avons vu, résolvait effectivement le problème. En tant que conseiller et notabilité des sciences, il distribuait certains postes gouvernementaux convoités — directeur d'observatoire, membres de commissions scientifiques — qui se multiplièrent avec les années. Lui-même démissionna de sa chaire de mathématiques au profit du poste, combien plus influent et mieux rémunéré, de gardien, puis directeur de la Monnaie, où ses appointements atteignirent parfois la somme spectaculaire de 4 000 livres par an. Il supervisa la grande refonte de la monnaie et pourchassa les faux-monnayeurs, paraissant se réjouir de la sévérité des peines infligées.

Lorsqu'en 1686, Newton envoya à la *Royal Society* le manuscrit complet du livre I des *Principes,* Robert Hooke cria aussitôt au plagiat, assurant que les idées fondamentales de l'ouvrage venaient tout droit des communications qu'il avait adressées à son collègue une douzaine d'années auparavant. Exaspéré, Newton répondit à Oldenburg que « la philosophie est une dame si impertinemment procédurière qu'il est préférable pour un homme d'être engagé dans des actions de justice plutôt que d'avoir affaire à elle. Je m'en étais depuis longtemps aperçu et il suffit aujourd'hui que je m'en approche à nouveau pour qu'elle me le rappelle ». Puis il fulmine contre Hooke : « N'est-ce pas extraordinaire ? Les mathématiciens qui découvrent, mettent au point et font tout le travail doivent se contenter de n'être que des comptables et des hommes de peine ; tandis qu'un autre qui ne fait rien, sinon prétendre saisir toutes choses, devrait s'arroger le mérite de toutes les inventions, celles de ceux qui le suivront comme de ceux qui l'ont précédé. » Loin d'admettre l'antériorité de Hooke, Newton reprit son manuscrit et en effaça toute référence à l'œuvre de ce dernier. Halley et ceux qui, timidement, prirent la défense de Hooke, irritèrent tellement Newton qu'il menaça purement et simplement de supprimer le livre III de son œuvre. Ils réussirent à le dissuader d'un tel sacrifice, mais non à calmer sa colère. Pendant les dix-sept années suivantes, Hooke resta son grand ennemi : pour exprimer sa hargne, Newton refusa de publier *L'Optique* et n'accepta plus la présidence de la société avant la mort de son rival en 1703. Dans un jugement mesuré, un admirateur français de Newton au XVIII^e^ siècle, tout en reconnaissant que les revendications de Hooke n'étaient pas totalement sans fondement, devait souligner « toute la distance qui sépare une vérité aperçue d'une vérité démontrée ».

Devenu l'idole de tout ce que Londres comptait de « philosophes », Newton partagea ses années suivantes entre les querelles acrimonieuses avec ses subordonnés et les intrigues vengeresses contre quiconque menaçait de devenir son égal. Il y eut d'abord ce sordide épisode au cours duquel il empêcha le malheureux astronome de la cour, John Flamsteed (1646-1719), de publier le fruit de toute une vie de recherche. Bien que handicapé par la maladie, Flamsteed avait inventé de nouvelles techniques d'observation, perfectionné les vis micrométriques et les techniques d'étalonnage, dépensé 2 000 livres de sa poche et finalement construit les instruments les plus fiables de son temps pour ses travaux à Greenwich. En douze ans, il fit vingt mille observations, dont la précision surpassait de loin celles de Tycho Brahé. Mais le scrupuleux Flamsteed hésitait encore à publier ses chiffres. « Je ne veux pas de vos calculs, mais de vos seules observations », répliquait impérieusement Newton. Dans un excès de dépit, Newton menaça de renoncer à sa propre « théorie lunaire » et d'en rejeter la faute sur Flamsteed, si celui-ci ne rendait pas au plus vite ses conclusions. Lorsque le pauvre Flamsteed se plaignit que les lettres de Newton (« hâtives, affectées, malveillantes et arrogantes ») avaient aggravé ses migraines, sir Isaac lui fit savoir que le meilleur moyen d'en guérir était « de se serrer la tête avec une jarretière jusqu'à l'engourdissement ». L'impatient Newton fit rassembler toutes les observations brutes faites par Flamsteed à l'observatoire de Greenwich, et les fit publier. Consterné de voir l'œuvre de sa vie ainsi dénaturée, Flamsteed adressa une pétition au gouvernement, s'arrangea pour racheter trois cents des quatre cents exemplaires originaux, détacha les quatre-vingt-dix-sept pages qu'il avait réservées à la publication et brûla le reste. Flamsteed mourut avant d'avoir achevé son œuvre. Mais deux de ses amis entreprirent de lui rendre justice, publiant en 1725 sa nomenclature des étoiles en trois volumes, la première en astronomie moderne à tirer profit du télescope.

Mais le spectacle du siècle dans le monde désormais ouvert à la science fut le duel qui opposa Newton et le baron Gottfried Wilhelm von Leibniz. L'enjeu était de taille : il s'agissait de savoir à qui revenait le mérite d'avoir découvert le premier le calcul infinitésimal. Parmi les savants eux-mêmes, peu s'y entendaient en calcul. Mais la portée de l'événement n'échappait à aucun d'entre eux. Les personnes cultivées comprirent que le calcul infinitésimal représentait une importante méthode pour la mesure des vitesses et des variations, et promettait de multiplier l'usage des instruments scientifiques et des systèmes de mesure. Nous aussi pouvons comprendre la portée de l'événement sans une connaissance spécialisée du calcul. Quoique peu édifiante, la controverse sur la priorité devait élargir l'audience de la science. Qu'était-ce donc que ce « calcul différentiel » qui faisait que de grands hommes prenaient plaisir à s'insulter publiquement ? La question même défraya la chronique lorsque le roi, sa maîtresse Henrietta Howard, la princesse Caroline et l'ensemble du corps diplomatique s'intéressèrent à l'affaire et discutèrent des moyens d'apaiser la controverse.

Rival de Newton, Leibniz (1646-1716) fut lui-même l'un des plus grands philosophes et hommes de science des temps modernes. Dès l'âge de six ans, il se plongeait dans la volumineuse bibliothèque de son père, professeur de morale à l'université de Leipzig ; et à quatorze ans, il connaissait déjà bien les classiques. Selon De Quincey, Leibniz, à la différence des grands penseurs qui fonctionnent comme des planètes tournant sur leur propre orbite, était, lui, comme une comète « reliant plusieurs systèmes ». Il n'avait pas vingt-six ans que déjà il avait imaginé un projet de réforme juridique pour le Saint Empire romain, conçu une machine à calculer, et mis au point un plan pour dissuader Louis XIV de ses agressions en Rhénanie en lui suggérant d'entreprendre le percement d'un canal à Suez. Visitant Londres, en 1673, au cours d'une mission diplomatique, il rencontra Oldenburg et fut élu à la *Royal Society*. Ses voyages à travers l'Europe lui permirent d'entrer en contact avec Huygens, Spinoza, Malpighi et Viviani, le disciple de Galilée. Il rencontra également le missionnaire jésuite Grimaldi, en partance pour Pékin où il allait devenir le mathématicien de la cour de Chine.

Frédéric le Grand a dit de Leibniz qu'il était « une académie à lui tout seul ». Pourtant, le roi de Prusse avait fondé en 1700 l'académie de Berlin. A la différence de ses homologues de Paris et de Londres, celle-ci n'était pas tant le fruit d'une demande exprimée par les scientifiques dans leur ensemble, que l'œuvre de Leibniz lui-même.

Le monopole gouvernemental de l'imprimerie et du nouveau calendrier devait servir à financer l'académie et son observatoire, et à faire de la science la propriété de toute la communauté. Naturellement, Leibniz s'opposa à l'usage du latin et se fit le fervent défenseur de la langue vernaculaire.

> Nos savants ont montré peu d'empressement à protéger la langue allemande : certains parce qu'ils ont réellement cru que la sagesse ne pouvait se draper que de latin et de grec, d'autres parce qu'ils ont craint que le monde ne découvrît leur ignorance, actuellement dissimulée sous un masque de grands mots. Or, les véritables érudits n'ont point de crainte à avoir en ce domaine, car plus leur sagesse et leur science se répandent parmi les hommes, plus ils auront de témoins de leurs mérites... Par désaffection pour la langue maternelle, les érudits se sont occupés de choses inutiles, n'écrivant qu'à seule fin de remplir les rayonnages ; la nation a été tenue à l'écart de la connaissance. Comme un miroir bien poli, une langue vernaculaire bien développée acrroît la perspicacité de l'esprit et confère à l'intellect une clarté transparente.

Lorsqu'en 1714 l'électeur de Hanovre George-Louis monta sur le trône d'Angleterre sous le nom de George Ier, Leibniz espéra que le roi ferait de lui l'historien de la cour. Mais le souverain refusa tant que Leibniz n'eut pas achevé la généalogie de la famille royale, et le grand savant passa les deux dernières années de son existence, entre deux crises de goutte, à essayer de terminer cette tâche dérisoire. Il devait mourir en 1716, abandonné de ces mêmes princes auxquels il avait passé sa vie à tenter de plaire.

Pour ce qui nous intéresse, le facteur déterminant de la vie de Leibniz fut la relation, d'abord fructueuse, mais au bout du compte fatale, qu'il entretint tout au long de son existence avec la *Royal Society*. La crise éclata en 1712, lors de la publication du rapport officiel de l'auguste commission de la *Royal Society* chargée de statuer sur la question d'antériorité opposant Leibniz et Newton. Le prétexte en fut la plainte en diffamation déposée par Leibniz contre John Keill, membre de la *Royal Society*, qui avait accusé le savant allemand de plagier Newton et de lui avoir dérobé le calcul différentiel.

Bien que simplement chargée de se prononcer sur la bienséance de la conduite de Keill, la commission avait saisi l'occasion pour défendre l'antériorité de Newton. Elle rappelait les « faits », et notamment les nombreuses conversations et l'abondante correspondance entre les membres de la Société, afin de prouver que les affirmations de Keill n'étaient pas des accusations gratuites, mais la simple reconnaissance du droit de Newton à son invention. Par l'intermédiaire d'Oldenburg, expliqua la commission, Leibniz avait d'abord été en contact avec un autre membre de la Société, John Collins (1625-1683), qui s'était voué à faciliter les échanges de découvertes mathématiques. En 1672 déjà,

Collins avait écrit à Leibniz à Paris, évoquant l'invention par Newton d'une méthode de « fluxions », celle-là même que Leibniz considérait maintenant comme sa propre invention. Selon la commission, Leibniz n'avait jamais rien fait d'autre que reprendre à son compte la méthode newtonienne qu'il tenait de la lettre de Collins, « laquelle lettre était suffisamment explicite pour toute personne intelligente ». *Commercium epicolicum* (un commerce épistolaire), tel était le titre donné par la commission à son rapport, lequel déclarait sans détour que les occasions de plagiat provenaient de la récente création d'un réseau de correspondants scientifiques. Aussi, la commission condamna-t-elle triomphalement Leibniz et accorda-t-elle à Newton le titre de « premier inventeur ».

Un siècle et demi après ce procès, en 1852, le mathématicien réputé Auguste de Morgan (1806-1871) devait établir que Leibniz n'avait jamais reçu le document incriminé, mais seulement une copie dont les passages les plus suggestifs avaient été supprimés.

Si les faits avaient été plus largement connus, l'affaire eût discrédité Newton lui-même, qui, à l'époque, était le maître incontesté de la *Royal Society*. Les manœuvres de ce dernier se déroulant dans l'ombre, il n'y eut jamais de confrontation directe entre Leibniz et lui. Un mathématicien amateur touche-à-tout et à demi fou, de nationalité helvétique, nommé Fatio de Duillier, qui avait entretenu avec Newton des relations longues et bizarres, joua, dans les coulisses, le rôle ingrat de chef d'orchestre. Newton avait été le protecteur dévoué de Fatio ; celui-ci, son cadet de vingt-deux ans, avait parfois vécu avec l'illustre savant. Lorsque le duel Newton-Leibniz occupa la scène publique, Fatio était devenu un fanatique religieux, secrétaire d'une tapageuse secte de « prophètes » qui prédisait un second incendie de Londres, ce qui valut à Fatio d'être mis au pilori à Charing Cross et à la Bourse de commerce.

Déjà en 1699, Newton en personne avait envoyé une notification à la Société Royale, accusant Leibniz de plagiat. Dans le but d'humilier ce dernier et d'affirmer sa priorité, il convoqua, en tant que président, « une nombreuse assemblée de gentilshommes de plusieurs nationalités » afin qu'elle se prononce de manière impartiale. Entièrement désigné par Newton bien sûr, cet aréopage se composait de cinq de ses partisans, assistés de l'ambassadeur de Prusse et d'un réfugié huguenot. Nous savons aujourd'hui — ce qu'à l'époque on ignorait — que ce fut Newton lui-même qui rédigea le rapport « impartial » de cette commission. Mieux : il rédigea un compte rendu anonyme du rapport de la commission, qu'il inséra par la suite dans les rééditions des *Commercium epistolicum*. Enfin, il écrivit des centaines d'autres documents « dénonçant » Leibniz et vantant l'originalité de sa propre découverte du calcul infinitésimal. Mais l'exemple le plus frappant de cet acharnement de Newton à nuire est le fait qu'il consacra l'ensemble des *Philosophical Transactions* de janvier et février 1715 (à l'exception de trois pages) à rallumer la polémique contre Leibniz

— et à faire remonter la date de sa découverte jusque dans les années 1660. Toutefois, cela n'était pas encore suffisant. Afin d'humilier davantage encore son ennemi et de rendre public le verdict de la commission, il convoqua une réunion extraordinaire à la *Royal Society,* à laquelle il invita l'ensemble du corps diplomatique. Il devait expliquer un jour « d'un ton plaisant » à l'un de ses disciples qu'il « avait brisé le cœur de Leibniz par sa contre-attaque ».

La malheureuse Académie de Berlin créée par Leibniz était loin de posséder des troupes et un arsenal comparables à ceux de la *Royal Society* de Newton. Leibniz avait pensé trouver son champion en la personne de la princesse Caroline d'Anspach, femme de caractère qui avait accompagné son beau-père George Ier de Hanovre à Londres, car elle tenait un brillant salon. Ayant suivi la sordide querelle, la princesse philosophe, qui conservait une influence sur la politique britannique par sa complicité dans les liaisons de son mari George II, conclut que « les grands hommes sont comme les femmes, qui n'abandonnent jamais leur amant qu'avec un chagrin extrême ou une mortelle fureur. Voilà, messieurs, où vous conduisent vos opinions ». Leibniz mourut en 1716, avant que Newton n'ait épuisé sa rage, mais remporta une victoire posthume : le monde des mathématiciens adopta les symboles de Leibniz — la lettre *d* comme dans *dx* ou *dy,* et le *s* long écrit S (première lettre de *summa*) — ainsi que la dénomination de *calcul intégral* (qui lui avait été suggérée par Jacob Bernoulli en 1690). Ces termes devaient dominer les textes et traités mathématiques jusqu'à nos jours.

Il y eut, bien sûr, des querelles d'antériorité avant Newton, et celles-ci devaient même par la suite devenir courantes. A l'aube des temps modernes, Galilée s'en était pris à une multitude de rivaux, l'un parce qu'il prétendait avoir inventé l'usage du télescope en astronomie, « qui m'appartient », un autre parce qu'il s'attribuait le mérite de l'avoir devancé dans l'observation des taches solaires, d'autres encore pour avoir tenté « de me dérober cette gloire qui était mienne, faisant croire qu'ils n'avaient pas vu mes écrits et se faisant passer pour les premiers découvreurs de ces merveilles » ; et un autre enfin qui, disait-il, « avait le toupet de clamer qu'il avait observé avant moi les planètes médicéennes qui gravitent autour de Jupiter » et avait imaginé « un moyen sournois pour tenter d'établir sa priorité ». Plus tard, d'autres conflits fameux opposèrent Torricelli et Pascal, Mouton et Leibniz, Hooke et Huygens. L'amertume et la fréquence des querelles de priorité ne firent qu'épouser le rythme des découvertes.

Dans l'Europe du XVIIIe siècle, ces passes d'armes prirent un tour vaudevillesque. Qui le premier avait démontré que l'eau n'était pas un corps simple mais un composé ? Était-ce Cavendish, Watt ou Lavoisier ? Tous avaient leurs farouches partisans. John Couch Adams s'opposait à

Jean Leverrier sur la question de savoir qui avait le premier calculé la position de Neptune. Qui fut le premier à découvrir le vaccin antivariolique ? Était-ce vraiment Jenner, ou Pearson ou Rabaut ? Avec le développement des moyens de diffusion, de l'instruction et de quotidiens, les enjeux parurent de plus en plus importants et les querelles se firent plus passionnées. Le mérite d'avoir introduit l'antisepsie revenait-il à Lister, ou bien à Lemaire ? Le grand Michael Faraday (1791-1867), qui avait travaillé avec sir Humphrey Davy (1778-1829) et était devenu son intime, comme nous le verrons, vit son élection à la *Royal Society* barrée par Davy (qui auparavant avait lutté pour établir sa propre priorité). Davy prétendit que William Hyde Wollaston (1766-1828) avait précédé Faraday dans la découverte de la rotation électromagnétique.

La presse à imprimer et les académies firent de chaque cas d'antériorité une victoire nationale. Les dirigeants de l'Europe moderne, qui avaient longtemps été les protecteurs des astrologues et des alchimistes, devinrent maintenant ceux des scientifiques et des techniciens. Les condottieres du Moyen Age, dans l'espoir de s'assurer le Paradis, avaient fait pénitence en fondant le collège de Balliol à Oxford ou celui de la Trinité à Cambridge. Les condottieres modernes fonderont des instituts et des prix. Alfred Nobel (1833-1896), pour se faire pardonner sa fortune acquise dans la fabrication de la dynamite au service de la guerre, créa des prix récompensant les artisans de la paix et les auteurs de grandes découvertes scientifiques. Récompense internationale la plus convoitée, le prix Nobel apporte la célébrité et l'argent aux vainqueurs, dans les sciences, de la course à la priorité. Dans ses souvenirs intitulés *The Double Helix* (1968), James Watson, lui-même prix Nobel, évoque sans détour les intrigues auxquelles se livrent les scientifiques modernes pour obtenir les honneurs de la priorité.

# DOUZIÈME PARTIE

## *Le recensement de toute la création*

*Darwin nous a appris l'histoire des techniques de la nature.*
KARL MARX, *Le capital* (1867).

### 54

### *Apprendre à regarder*

Pendant quinze cents ans, les lettrés européens qui voulaient connaître la nature se fièrent à leurs « herbiers » et à leurs « bestiaires », sources écrites d'une tyrannie égale à celle que Galien faisait régner sur la médecine et dont les délices poétiques entraînaient les lecteurs bien loin du monde réel de la faune et de la flore. Quand nous lisons ces manuels aujourd'hui, nous comprenons pourquoi les Européens du Moyen Age mirent si longtemps à apprendre à regarder. Comme œuvres d'imagination et comme anthologies des remèdes domestiques, leurs pages enluminées devaient rester inégalées.

Les herbiers, sources de la botanique médiévale, provenaient de Dioscoride, médecin grec de l'Antiquité, qui avait bourlingué avec les armées de Néron sur le pourtour de la Méditerranée. Son *De materia medica* (v. 77) étudie la botanique sous son aspect essentiellement pharmacologique. Ses successeurs du Moyen Age s'employèrent le plus gravement du monde à faire cadrer les descriptions qu'il donne des plantes méditerranéennes avec ce qu'ils trouvaient en Allemagne, en Suisse et en Écosse. Comme Galien, Dioscoride avait étudié la nature, mais ses disciples, eux, n'avaient étudié que Dioscoride. En vain avait-il espéré que ses lecteurs « prêteraient moins d'attention à la force de [ses] mots qu'au soin et à l'expérience apportés [par lui] à cette matière ». Les auteurs les plus anciens avaient, par un classement alphabétique, séparé « les variétés et les mécanismes des choses qui sont très proches les unes des autres, de telle sorte qu'il devient plus difficile de s'en souvenir ». Au contraire, lui-même prit grand soin de consigner les lieux où poussaient les plantes, le moment et la manière dont elles devaient être ramassées, et même les types de récipient dans lesquels il était souhaitable de les conserver. A l'instar d'autres auteurs classiques, il généra peu de disciples mais beaucoup d'exégètes, qui firent grand cas de ses paroles et oublièrent son exemple. Il cessa d'être un maître pour devenir un texte.

Mais il avait de quoi séduire les esprits pratiques du Moyen Age : il ne distrayait pas ses lecteurs par des développements théoriques ni par une taxinomie. Rédigé en grec, l'herbier de Dioscoride était un répertoire de plus de six cents plantes classées selon leur usage. Lesquelles donnaient de l'huile, des onguents, des matières grasses, ou des aromates ? Lesquelles soulageaient les migraines ou guérissaient les taches sur la peau ? Quels fruits, légumes, ou racines étaient comestibles ? Quelles étaient les épices locales ? Quelles plantes étaient vénéneuses et quelles en étaient les antidotes ? Quels médicaments pouvait-on tirer des plantes ?

Les innombrables manuscrits de « Dioscoride » qui nous sont parvenus attestent de l'engouement qu'il exerça tout au long du Moyen Age. Plus nous lisons les textes et moins sa popularité et l'emprise de sa nomenclature nous déconcertent. Ainsi, traduit par John Goodyer (1655), le premier article concernant ses « aromates » :

> L'iris doit son appellation à sa ressemblance avec l'arc-en-ciel... Ses racines sont noueuses, solides, de goût agréable, et doivent être séchées à l'ombre après avoir été coupées, puis rangées (traversées par un fil de lin). Mais la meilleure provient d'Illyrie et de Macédoine... Ensuite vient celle de Libye... Mais toutes ont des propriétés réchauffantes, calmantes, qui font merveille contre la toux, et les humeurs difficiles à estomper. Elles purgent les fortes colères ; quand on les boit mélangées à l'hydromel à raison de sept drachmes, elles favorisent le sommeil, provoquent les larmes, et soulagent les maux de ventre. Consommées avec du vinaigre, elles sont indiquées dans les cas de morsures par des bêtes venimeuses, d'états hypocondriaques, de convulsions, d'engourdissements par le froid et d'inappétence.

La baie du genévrier, dit-il, est « bonne pour l'estomac, et bonne en boisson pour les affections du thorax, les toux, les inflammations de l'estomac, les coliques et les poisons des animaux venimeux. Elle est aussi diurétique, ce qui fait qu'elle constitue un remède aussi bien pour les convulsions ou les hernies que les entrailles obstruées ». Le radis commun « crée aussi des vents et des chaleurs, agréables à la bouche, mais déconseillées pour l'estomac, hormis le fait qu'il provoque des renvois et qu'il est diurétique. Il est bon pour l'estomac s'il est consommé après le repas car il facilite la digestion ; avant, il coupe l'appétit ; de ce fait, il est un bon vomitif ». Quant à la racine de mandragore, elle peut s'utiliser comme anesthésique « pour celui qui doit être incisé ou cautérisé... Ainsi, les patients ne craignent pas la douleur car ils sont terrassés par un profond sommeil semblable à la mort... A trop forte dose, elle rend muet ».

Mille ans de manuscrits de « Dioscoride » nous montrent ce que signifiait d'être à la merci des copistes. Les siècles passant, les illustrations s'éloignent de plus en plus de la nature. Les copies des copies firent pousser des feuilles imaginaires pour les besoins de la symétrie, élargirent les racines et les tiges pour remplir la page. Les fantaisies des copistes devinrent la norme.

Faisant de la botanique une branche de la philologie, l'imagination des scribes s'inspira des noms autant que des propriétés des plantes. Du narcisse jaillissent de petites silhouettes humaines évoquant l'infortuné jeune homme qui s'était épris de sa propre image. Un serpent à tête de femme enlaçait « l'arbre de vie ». Le chénopode (en anglais Barnacle tree) présentait des coquilles d'où naissaient les oiseaux bernacles du nord de l'Écosse.

Lorsque la presse à imprimer fit son apparition en Europe, les anciens herbiers enrichis et « améliorés » par des générations de scribes constituaient encore la meilleure source d'information botanique. Les imprimeurs qui avaient beaucoup investi en planches de bois ou en plaques de cuivre étaient naturellement peu désireux de mettre leur matériel au rebut simplement parce que les images ne correspondaient plus au texte. Même les érudits, qui auraient pu être tentés d'examiner les plantes elles-mêmes, trouvaient plus commode de comparer les manuscrits et les gloses.

Aussi les herbiers imprimés devinrent-ils rapidement des ouvrages de base. Compilé par un moine anglais du XIIIe siècle, le *Liber de proprietatiibus rerum* (v. 1470) connut vingt-cinq éditions avant la fin du XVe siècle. Les langues vernaculaires facilitèrent la diffusion des connaissances dans toute l'Europe. Mais l'herbier avait ses limites manifestes : à chaque plante, il posait toujours la même question : Comment peux-tu me divertir, me nourrir, me sauver, ou me guérir ?

Le titulaire de la chaire de botanique de l'université de Bologne était encore connu, à la fin du XVIe siècle, comme un « lecteur de Dioscoride ». Chaque génération ayant apporté ses ajouts, rarement distincts de l'original, botanistes et pharmacologistes n'étaient plus que des commentateurs. L'herbier était un catalogue de simples médicaments formés d'une seule substance, ne provenant habituellement que d'une seule plante.

Le médecin italien Pierandrea Mattioli (1501-1577) donna la première traduction de Dioscoride dans une langue vernaculaire européenne. Avec un tirage de trente mille exemplaires, ses commentaires en italien (Venise, 1544) furent un phénomène de l'édition. Puis, en traduisant Dioscoride en latin, augmenté de synonymes des noms de plantes en plusieurs langues, il contribua à populariser son travail dans l'Europe entière. Plus de cinquante éditions en allemand, en français, en tchèque, et en d'autres langues européennes firent de l'œuvre de Dioscoride, rajeuni par Mattioli, le maître ouvrage de botanique pour tout un continent.

Les bestiaires furent à la zoologie ce que les herbiers furent à la botanique. Ils provenaient eux aussi d'un même texte ancien, enjolivé par les siècles, et durant le Moyen Age, seule la Bible les dépassa en popularité. De nos jours, les « best-sellers » traversent rapidement l'espace, mais rarement les générations, tandis qu'à l'âge du manuscrit, le moindre auteur classique accédait d'emblée à l'immortalité. L'empire des doctes était régi par une oligarchie de quelques « auteurs » caméléons. Les classiques étaient mis au service des générations ultérieures par d'innombrables et invisibles révisions, et l'auteur premier devenait un fantôme : la main du scribe surclassait l'auteur.

Le premier bestiaire connu emprunta son nom à Physiologos (« le Naturaliste »), savant grec de l'Antiquité dont nous ne savons que peu de chose. Probablement rédigée avant le milieu du IIe siècle, son œuvre semble avoir été divisée en quarante-huit sections, dont chacune est rattachée à un texte biblique. Quelques rares faits, additionnés de beaucoup de théologie, de morale, de folklore, de mythologie et d'affabulation, devaient ainsi servir de zoologie pour des générations. Au XVe siècle, il en existait, en dehors du latin, des traductions en arménien, en arabe et en éthiopien ; plus tard, cette œuvre devait être une des toutes premières à être traduite dans les langues vernaculaires européennes, y compris en vieil allemand, en anglo-saxon, en vieil anglais, en moyen anglais, en vieux français, en provençal et en islandais.

La version grecque répertorie quelque quarante animaux en un charmant désordre. Roi d'entre eux, le lion vient, bien sûr, en premier, avec trois caractéristiques saillantes : il utilise sa queue pour effacer la trace de ses pas de sorte que les chasseurs ne puissent le suivre ; il dort les yeux ouverts ; et le lionceau nouveau-né reste mort trois jours durant jusqu'à ce que son père lui insuffle la vie. Ainsi le corps du Christ, après sa mort, était-il resté éveillé, prêt pour la Résurrection au troisième jour.

Quant aux animaux restants — lézard, corbeau de nuit, phénix, huppe et une trentaine d'autres — ils sont chargés d'une forte connotation morale. Aucune n'est plus nette que celle du fourmillon, produit d'une union contre nature entre un lion et une fourmi, et qui est condamné à mourir de faim parce que sa nature de fourmi ne l'autorise pas à manger de viande, tandis que sa nature de lion l'empêche de consommer des plantes. De même, personne ne peut vivre qui sert à la fois Dieu et le Diable.

Il y eut beaucoup de « traductions » en vers, car un mauvais poème était plus facile à retenir qu'une bonne prose. Inspirés de Physiologos, les ouvrages de Pline l'Ancien et d'autres frayèrent la voie à de nouveaux bestiaires dans les nouvelles langues vernaculaires de l'Europe. Ainsi le *Bestiaire d'amour* de Richard de Fournival enchanta-t-il les lecteurs de cour par son récit d'un chevalier pressant sa dulcinée d'imiter la tourterelle. Au lieu de quoi la belle, imitant l'aspic, se bouche les oreilles afin de ne pas être séduite par les paroles mielleuses du chevalier. « Interroge les bêtes, conseille Job dans un passage favori des bestiaires, et elles t'enseigneront ; interroge les oiseaux du ciel, et ils t'enseigneront ; ou bien parle à la terre, et elle t'enseignera ; et les poissons de la mer te le raconteront. » Puisque Dieu lui-même avait nommé ses créatures, chacun de ces noms était en soi révélateur. Si A-*ves* désigne les oiseaux, nous est-il dit, c'est parce que ceux-ci ne suivent pas les routes droites *(visas),* mais errent par les chemins détournés. « *Ursus* l'ours, de la même famille que *Orsus* (un commencement), est censé tenir son nom du fait qu'il sculpte sa progéniture avec sa gueule *(ore).* »

Si nous admettons qu'il existe une divine symétrie, avait dit saint Augustin lui-même, nous ne devons point douter de l'existence de telle ou telle créature. Il doit nécessairement exister un cheval de mer puisqu'il y a un cheval sur la terre, tout comme le serpent qui rampe sur le sol laisse présumer l'existence d'une anguille dans la mer. Et parce qu'il y a un Léviathan (un monstre marin féminin), il doit aussi nécessairement exister un Béhemoth (un monstre terrestre masculin).

Au contraire des faits, les mythes n'étaient point corrigibles. Qui pourrait nous convaincre d'abandonner Narcisse, le phénix, ou les sirènes ? Les auteurs modernes, tels Lewis Carroll, E.B. White, Thurber, Chesterton, Belloc et Borges, ont su, par leur imagination, maintenir maintes des légendes du monde animé.

L'auteur et l'illustrateur des herbiers et des bestiaires étaient non seulement des personnages différents, mais ils étaient parfois séparés par plusieurs siècles. La plus ancienne copie du *De materia medica* qui nous soit parvenue, datant d'environ 512 ap. J.-C., soit quatre siècles après la mort de Dioscoride, contenait des illustrations reproduites d'après celles de Krateuas, lequel était mort un siècle avant la naissance de Dioscoride. Généralement, le scribe écrivait le texte, laissant un espace que devait combler plus tard l'illustrateur ; parfois, c'était l'inverse. Souvent, l'illustrateur ne savait pas lire la langue du texte, parfois même il ne savait pas lire du tout. A l'occasion, le maître indiquait en marge les miniatures à reproduire. Au cours des siècles différentes illustrations servaient pour un même texte, et réciproquement.

Pline l'Ancien lui-même (23-79 ap. J.-C.) avait remarqué ce type de difficultés :

> Certains auteurs grecs... adoptèrent une méthode de description très attrayante... leur plan consistait à dessiner les diverses variétés de plantes, en couleurs, puis à ajouter une description écrite de leurs propriétés. Les dessins, toutefois, ont fort tendance à induire en erreur, là où un grand nombre de teintes sont nécessaires pour représenter la réalité avec quelques chances de succès ; en outre, la diversité des copistes depuis les peintures originales,

> et leur degré de talent variable ajoutent encore considérablement aux chances de perdre le degré de ressemblance nécessaire avec les originaux... En conséquence, d'autres auteurs se sont limités à une description verbale des plantes ; il en est même qui n'ont pas poussé l'effort jusqu'à les décrire, se contentant le plus souvent d'un catalogue sommaire de leurs noms, et considérant comme suffisant d'indiquer leurs vertus et leurs propriétés à ceux qui pouvaient désirer faire des recherches ultérieures sur le sujet.

Rares furent ceux qui, réunissant les talents du naturaliste et ceux de l'artiste, pouvaient transformer une collection d'objets en spécimens (du latin *specere* : « regarder » ou « voir »), c'est-à-dire que l'on ne se contente pas de décrire, mais que l'on peut montrer le contraste entre les dessins rudimentaires des herbiers et ceux aussi vrais que la nature réalisés aux alentours de 1500 par Léonard de Vinci ou Dürer ! Vinci lui-même se souvenait d'avoir dessiné « beaucoup de fleurs d'après nature » et les botanistes modernes peuvent identifier sans risque d'erreur chacune des variétés de mûrier, d'anémone des bois, et de souci qu'il a représentées. Quant à l'éclatante prairie figurée au ras du sol par Dürer — véritable « patchwork » regroupant une douzaine de variétés d'herbes différentes — certains n'hésitent pas à y voir la première étude écologique précise de l'histoire de la botanique.

En cet âge des découvertes où toutes sortes de nouveautés en provenance des lointains nouveaux mondes envahissaient l'Europe, les botanistes se mirent à découvrir les plantes de leur jardin. En une région au moins d'Europe, dessinateurs et hommes de science entreprirent de travailler ensemble selon des méthodes nouvelles et les illustrateurs sortirent les naturalistes de leurs bibliothèques pour les entraîner sur le terrain. Dès 1485, Peter Schöffer, qui débuta comme assistant de Johann Fust, l'associé et successeur de Gutenberg, avait imprimé un herbier à Mayence, et d'autres variations populaires sur l'œuvre de Dioscoride suivirent. L'ère moderne de la botanique s'ouvrit par la publication des *Portraits vivants des plantes (Herbarum Vivae Eicones,* 1530), œuvre conjointe du médecin Otto Brunfels (1489-1534) et du dessinateur Hans Weiditz : enfin un herbier dont les illustrations étaient dessinées d'après nature. Très classiquement, Brunfels était destiné à la prêtrise mais bifurqua vers la médecine, prépara une bibliographie médicale, puis une nouvelle édition de Dioscoride adaptée à son propre environnement. Il ne put résister à la tentation d'y inclure la magnifique fleur de Pâques mais, parce qu'elle n'avait pas été authentifiée par le maître et n'avait donc pas de nom latin, il la baptisa avec condescendance, ainsi que d'autres plantes non répertoriées dans le texte sacré, du nom d'orphelines nues *(herbae nudae)*. Le texte était encore fortement traditionnel. Mais l'artiste se montra plus audacieux que le savant, et comme l'annonçait le titre, Hans Weiditz avait dessiné directement d'après nature. Ce que Léonard et Michel-Ange avaient fait pour la silhouette humaine, il le faisait, lui, pour celle des plantes. La fidélité au spécimen observé ne plaisait évidemment pas toujours : il dessinait les plantes telles qu'elles étaient, même si leurs feuilles étaient fanées, leurs tiges cassées, les racines tronquées, ou qu'elles avaient été dévorées par les insectes.

Le courage de regarder et de dessiner ce qui s'offrait vraiment au regard fut long à venir, car en cette fin de l'ère des herbiers, l'imprimerie perpétuait l'emprise des textes anciens. Tout comme Luther avait tenté de réformer le christianisme par un retour à la Bible, Leonhart Fuchs (1501-1566) pressa les médecins d'abandonner les commentaires tardifs au profit du texte original de Galien, et publia sa propre édition (Bâle, 1538). Élevé dans les Alpes de Souabe, il avait parcouru, enfant, la campagne à pied avec son grand-père, qui lui enseigna le nom des fleurs. Il eut pour maître à l'université l'humaniste Johann Reuchlin (1455-1522), dévora les ouvrages de Luther et devint professeur de médecine. Dans son herbier, *De historia stirpium* (1542 ; édition allemande, 1543), il rend longuement hommage à Dioscoride, mais s'écarte courageusement des anciens modèles visuels. Pour réaliser les magnifiques illustrations que compte l'ouvrage, il avait mis sur pied une équipe d'artistes : l'un dessinait les plantes d'après nature, l'autre copiait les dessins sur les planches, et un troisième enfin sculptait ces dernières. La jaquette du livre s'ornait du portrait de chacun de ces « simples » artisans.

Débordant de loin Dioscoride, les illustrations comprenaient les gravures sur bois de quatre cents plantes d'Allemagne et cent plantes étrangères. « Chacune d'elles, dit Fuchs dans sa préface, est authentiquement reproduite selon les traits et la ressemblance des plantes vivantes, et de plus... nous avons pris le plus grand soin de nous assurer que chaque plante fût représentée avec ses propres racines, tiges, feuilles, fleurs, graines et fruits... nous avons à dessein évité que la forme naturelle des plantes ne soit oblitérée par des ombres, ou autres choses moins nécessaires, par lesquelles les dessinateurs tentent parfois d'acquérir une renommée artistique. » Fuchs, par ailleurs, ne cache guère son enthousiasme : « Il n'est rien de plus plaisant et délicieux en cette vie que d'arpenter les bois, les montagnes et les plaines, parés de guirlandes de petites fleurs et de plantes de toutes espèces, très élégantes de surcroît, et de les scruter attentivement. » Mais il classe encore ses rubriques par ordre alphabétique.

L'herbier de Fuchs, qui devait par la suite susciter l'admiration de William Morris et John Ruskin, était déjà en fait un ouvrage de botanique, fixant les critères de la représentation des plantes pour les temps modernes. De tous ses voyages au Nouveau Monde, Fuchs rapporta des plantes américaines, notamment du maïs, et donna son nom, après sa mort, à l'une des plus belles plantes tropicales américaines, le fuchsia.

Troisième père allemand de la botanique, Jérôme Bock (1498-1554) fut, à certains égards, plus remarquable encore. Il tenta d'abord de rapporter les noms grecs et latins aux plantes poussant dans la partie de l'Allemagne qu'il habitait. Puis, dans son *Neu Kreütterbuch* (1539), il décrivit librement toutes les plantes de sa région et s'attela à la tâche encore neuve consistant à décrire celles-ci dans le dialecte local.

Tous les pères fondateurs allemands de la botanique furent des luthériens actifs en un temps où le défi à l'Église de Rome pouvait certainement coûter une chaire de professeur, sinon la vie. Leur dogme botanique fut aussi ambivalent que celui des luthériens : comme ces derniers le firent pour la Bible, et malgré un retour aux sources sacrées de Dioscoride, ils transcrivirent le savoir botanique dans la langue de tous.

Par-delà les charmes familiers de la campagne allemande, l'Europe du XVI^e siècle se délecta des descriptions de plantes et animaux en provenance des « Indes », tant orientales qu'occidentales. Les « faits » rapportés du Nouveau Monde n'enrichirent pas nécessairement les connaissances. Car les marins, comme le raconte Shakespeare, aimaient à enjoliver leurs récits par des légendes d'hommes sans tête ou dont la tête leur venait en dessous des épaules, ou qui n'avaient qu'un seul grand pied, comme les Patagons, ou encore qui possédaient une queue comme les habitants du Labrador. D'où, comme nous le rappelle l'historien Richard Lewinsohn, une véritable « renaissance de la superstition ». Hors des Amériques, des races entières de monstres et d'animaux fantastiques furent créées. Comme il est presque aussi difficile d'imaginer un nouvel animal que de le découvrir, des traits sans consistance furent surajoutés aux créatures familières des mythes et du folklore.

L'âge de la Découverte entraîna une renaissance de la fable. Jamais il n'y avait eu tant de serpents de mer mesurant cinq cents pieds de long. Avec un luxe de détails sans précédent, tritons et sirènes furent décrits comme des mâles aux yeux enfoncés dans les orbites et des femelles chevelues, se nourrissant de nègres ou d'Indiens, mais n'absorbant que les protubérances du corps : yeux, nez, doigts, orteils, organes sexuels. Colomb lui-même rapporte sa rencontre avec trois sirènes. Et, bien sûr, la corne de licorne avait des vertus si magiquement thérapeutiques que le pape Clément VII lui-même en offrit une à François I^er lors du mariage de Catherine de Médicis avec le Dauphin de France. Les légendes les plus douteuses se trouvaient maintenant authentifiées par le témoignage de missionnaires jésuites, de respectables planteurs de canne à sucre, de sobres capitaines au long cours. Aux fictions nées de l'imaginaire médiéval s'ajoutèrent les créatures réelles découvertes à chaque nouveau voyage aux Amériques permettant à ceux qui ignoraient le latin de savourer les nombreuses illustrations imprimées.

Cette situation inspira une nouvelle génération d'encyclopédistes-naturalistes. Le plus remarquable d'entre eux, Konrad Gesner (1516-1565), avait le don de greffer le neuf sur l'ancien. Possédant plusieurs langues, il était partagé entre ce qu'il lisait et ce qu'il voyait. Né en 1516 dans une famille pauvre de Zurich, vagabond autodidacte, il n'avait que vingt ans lorsqu'il rédigea un dictionnaire grec-latin. Au cours des trente années qui suivirent, il publia soixante-dix volumes, traitant de tous les sujets imaginables. Sa monumentale *Bibliotheca Universalis* (4 vol., 1545-1555) visait à dresser un catalogue de tous les écrits latins, grecs, et hébreux jamais publiés. Y sont répertoriés dix-huit cents auteurs, avec les titres de leurs œuvres manuscrites ou imprimées, accompagnés chacun d'un résumé. Ainsi Gesner devenait-il le père de la bibliographie. Celle-ci serait aux bibliothécaires ce que la cartographie était aux explorateurs maritimes ou terrestres.

Il découvrit dans la bibliothèque des Fuggers une encyclopédie grecque du IIe siècle qui l'incita à devenir un Pline moderne. Reprenant l'agencement d'Aristote, son *Historia Animalium* engloba finalement tout ce que l'on pouvait savoir ou imaginer sur tous les animaux connus. Comme celle de Pline, l'œuvre de Gesner était un vaste fourre-tout, additionné des « découvertes » accumulées au cours des quinze siècles écoulés. Légèrement plus critique que son prédécesseur romain, il ne renonce pas pour autant aux histoires à dormir debout : ainsi lorsqu'il montre un serpent de mer de trois cent pieds de long. Mais il décrit de manière très circonstanciée la chasse à la baleine, offrant la première image connue de l'écorchement de ce mammifère pour en tirer la graisse. C'est grâce à son sens du folklore et à sa puissance de description — du réel comme de l'imaginaire — que Gesner exerça une influence durable.

Moins d'un siècle plus tard, le lecteur anglais put accéder à l'encyclopédie populaire de Gesner par la traduction d'Edward Topsell intitulée *History of Four-Footed Beasts, Serpents and Insects* (Histoire des quadrupèdes, des serpents et des insectes, 1658). Au sujet de la gorgone, voici ce que nous y apprenons :

> La question se pose de savoir si le poison qu'elle projette vient de sa respiration ou de ses yeux. Le plus probable est qu'elle tue, comme le basilic, par le regard, plutôt que par le souffle de sa bouche, ce qui ne ressemble à aucun autre animal existant sur la terre. A considérer cet animal, apparaît une preuve manifeste de la divine sagesse et providence du Créateur, lequel a orienté les yeux de cette bête vers le sol, détournant ainsi son poison de l'homme, et a aussi caché ses yeux par de longs poils durs afin que leurs regards empoisonnés ne se dirigent pas vers le haut, tant que la bête n'était ni apeurée ni en danger...

Sur le témoignage irréfutable du Psaume 92, il explique que les licornes sont sacrées car « elles révèrent les vierges et les jeunes filles, et bien souvent à la vue de celles-ci elles s'apprivoisent, et viennent dormir près d'elles... A cette occasion, les chasseurs indiens et éthiopiens utilisent le stratagème suivant pour capturer l'animal. Ils choisissent un très beau jeune homme solide et fort, qu'ils habillent en femme et qu'ils entourent de diverses fleurs et plantes odoriférantes ».

Malgré les divagations de son texte, Gesner, par ses mille gravures sur bois, contribua à donner une nouvelle orientation à la biologie. A l'instar des pères fondateurs allemands de la botanique, il travailla avec des dessinateurs, livrant la meilleure représentation jusqu'alors de toutes sortes d'animaux, depuis « la vulgaire petite souris », jusqu'au satyre et au sphinx, en passant par le chat, la taupe et l'éléphant. Et c'est à Dürer qu'est due sa gravure du rhinocéros, « la seconde merveille de la nature... comme l'éléphant fut la première ». Ces incunables de la biologie illustrée contribuèrent à affranchir les lecteurs des herbiers et des bestiaires.

Réimprimée, traduite, et abrégée, l'œuvre de Gesner domina la zoologie post-aristotélicienne, jusqu'à la rupture provoquée par les exposés novateurs mais non illustrés de Ray et de Linné. Ses notes inédites devaient former, au siècle suivant, la base du premier traité exhaustif sur les insectes, et son *Opera Botanica* rassemble près de mille dessins, pour beaucoup faits de sa propre main, mais son grand travail sur les plantes, première passion de sa vie, demeura inachevé.

Gesner ne se départit jamais complètement de son obsession philologique. Dans les 158 pages de son *Mithridates, ou observations sur les différentes langues qui ont été ou sont en usage dans les différentes nations du monde* (1555), il essaya de faire pour les langues ce qu'il avait déjà fait pour les plantes et les animaux. « Toutes » les langues de la Terre — cent trente — y sont décrites et comparées au travers de ses traductions du *Notre Père*. Ajoutons enfin qu'il fournit pour la première fois un vocabulaire de la langue tzigane.

Il trouva un moyen plus typiquement suisse de découvrir la nature, en procédant à l'ascension des montagnes, lesquelles, nous l'avons vu, avaient si longtemps inspiré une sorte de terreur sacrée. L'Europe de la Renaissance connut un bref avant-goût de ce que l'on nommerait plus tard l'alpinisme. Pétrarque (1304-1374) avait ouvert la voie dès 1336 en escaladant le mont Ventoux. Parvenu au sommet, il lut, extrait des *Confessions* de saint Augustin, l'avertissement selon lequel les gens peuvent « aller admirer les hautes montagnes, l'immensité de l'océan et bien évidemment du ciel... et se négliger eux-mêmes ». Avec son regard d'artiste et de naturaliste, Léonard de Vinci explora le mont Bo en 1511. Ami de Luther et champion de Zwingli, le réformateur et humaniste suisse Joachim Vadianus (1484-1551) gravit le sommet du Gnepfstein, près de Lucerne, en 1518.

Mais Gesner fut le premier Européen à publier un péan à la gloire de l'alpinisme, et cela après l'ascension du mont Pilate, près de Lucerne, en 1555.

Si vous désirez étendre votre champ de vision, jetez un regard circulaire et fixez loin et largement toutes choses. Il ne manque pas de points d'observation ou de rochers sur lesquels vous puissiez déjà vous sentir vivre la tête dans les nuages. Si, par contre, vous préférez resserrer votre vision, vous verrez des prairies et des forêts verdoyantes, et y entrerez même ; si vous la contractez plus encore, vous observerez des vallées sombres, des rochers ombragés et de sombres cavernes... En vérité, nulle part ailleurs qu'en montagne on ne trouve une aussi grande variété de paysages à l'intérieur d'un espace aussi restreint ; dans lequel... on peut, en un seul jour, voir et connaître les quatre saisons de l'année, l'été, l'automne, le printemps et l'hiver. En outre, depuis les crêtes les plus hautes, c'est la voûte du ciel tout entière qui s'offrira à vos yeux et vous apercevrez facilement et sans obstacle le lever et le coucher des constellations ; et vous observerez que le Soleil se couche beaucoup plus tard, et de même se lève plus tôt.

Mais les terreurs ancestrales étaient si profondément ancrées que deux siècles s'écoulèrent entre les élans de Gesner et les débuts réels de l'alpinisme. Plus haut sommet d'Europe en dehors du Causase, le mont Blanc (4 807 m) devait rester invaincu jusqu'en 1786. Encore son vainqueur était-il mû par l'attrait de la récompense qu'avait offerte vingt-cinq ans plus tôt le géologue suisse Horace Bénédict de Saussure (1740-1799).

## 55

## *L'invention des espèces*

Tant que les naturalistes classèrent les plantes et les animaux par ordre alphabétique, l'étude de la nature était condamnée à demeurer livresque et provinciale. Cet ordre dépendait, bien sûr, de la langue dans laquelle l'ouvrage avait été rédigé. L'édition latine de l'encyclopédie de Gesner débutait par *Alces,* l'élan ; traduit en allemand, le livre s'ouvrait sur *Affe,* le singe, tandis que dans l'*Histoire des quadrupèdes* de Topsell, le chapitre premier décrivait « l'antilope ».

Les naturalistes avaient besoin d'une méthode précise pour nommer les plantes et les animaux par-delà les barrières linguistiques. Mais avant cela, il leur fallait déjà se mettre d'accord sur une acception commune du mot « espèce » concernant la faune et la flore. Quelles étaient, dans la nature, les unités élémentaires ? Les premiers naturalistes qui formulèrent le concept d'« espèce » allaient fournir un vocabulaire fort utile à l'inventaire de la création tout entière. Ce nouveau mode de description devait déboucher sur bien des questions sans réponse. En attendant, il élargissait la vision que l'homme pouvait avoir de la diversité de la nature. Et la recherche d'un moyen « naturel » de cataloguer la création devait donner naissance à quelques-unes des plus grandes aventures intellectuelles des temps modernes.

Dans les vieilles encyclopédies populaires du type de celle de Topsell *(Histoire des quadrupèdes)*, un brouillard impénétrable noyait toute distinction entre les divers types d'animaux. Aristote pour sa part n'en avait décrit que cint cents environ.

On ne saurait trop rappeler les problèmes que posait à l'époque la croyance largement répandue en la génération spontanée. Aristote n'avait-il pas écrit que les mouches, les vers et autres petits animaux naissaient spontanément de la matière en putréfaction ? Au XVIIe siècle l'éminent médecin et physiologiste flamand Jan Baptista Van Helmont (1577-1644 ?) déclara avoir vu des rats naître dans du son et des vieux chiffons. Si les animaux pouvaient naître spontanément, impossible alors de définir l'espèce comme un être vivant qui se reproduisit selon sa race.

Les naturalistes européens n'abandonnèrent cette notion que progressivement et à contrecœur. Comme nous l'avons vu, le mépris d'Aristote pour les animaux « inférieurs » se fondait sur l'idée qu'ils ne possédaient pas, selon lui, d'organes différenciés comme les animaux « supérieurs ». Membre de l'*Accademia del Cimento*, le Florentin Francesco Redi (1626-1697 ?), qui avait découvert le processus de fabrication du venin par les serpents, s'intéressa, lui, aux créatures « inférieures », y compris les insectes. Et une fois la complexité des petits animaux démontrée par le microscope de Leeuwenhoek, il fut plus aisé à ses collègues, tel le biologiste hollandais Swammerdam, de soutenir que ces animalcules ne naissaient pas par génération spontanée, mais possédaient bien des organes de reproduction, qu'il appartint à Redi de décrire : « La viande, les plantes et autres matières putréfiables, avance-t-il en 1688, ne jouent d'autre rôle et n'ont d'autre fonction, dans la reproduction des insectes, que de préparer un terrain ou un nid propice dans lequel, au moment de la procréation, le ver, l'œuf, ou autres semences de ver sont apportés et couvés par les animaux ; et dès leur naissance, les vers trouvent dans ce nid une nourriture suffisamment abondante pour se nourrir d'excellente façon. » Redi avait recouvert de tissu de la viande en putréfaction ou l'avait placée dans des bocaux, démontrant qu'aucun ver n'apparaissait si les mouches ne pouvaient atteindre la viande pour y déposer leurs œufs. Mais il crut trouver des cas relevant de la génération spontanée. La question devait rester ouverte pendant deux siècles encore.

La notion d'espèce devait être utilement définie, développée, et mise en application par les biologistes bien avant que la théorie de la génération spontanée n'eût été abandonnée. Et la question reste pendante parce qu'elle avait des implications théologiques : les modernistes parmi les hommes de science trouvaient cette génération spontanée utile à leur explication scientifico-naturelle des origines de la vie, qui, autrement, eût rendu superflu le rôle de Dieu dans la Création. Mais Pasteur (1822-1895), catholique traditionnel, voyait les choses différemment. Pour lui, une conception ordonnée des espèces était nécessaire à l'œuvre créatrice de Dieu dès la Genèse. Après bien des débats houleux, ses expériences très simples sur les fermentations démontrèrent l'existence de micro-organismes en suspension dans l'air, et prouvèrent que la chaleur et l'absence de particules dans l'air empêchaient l'apparition de toute végétation. L'heureuse application de ses idées à la « pasteurisation » du lait ainsi qu'à l'amélioration de la production de la bière et du vin donna le coup de grâce à la théorie de la génération spontanée.

Face à la difficulté de mettre au point un système complet de classification de l'univers, comment s'étonner que les auteurs d'herbiers et de bestiaires aient classé leurs items dans l'ordre alphabétique ou selon leur usage pour l'homme ? Les dissemblances entre animaux étant généralement plus évidentes que celles séparant les plantes, ce fut sur les animaux que portèrent les premières tentatives de classification. Les auteurs du Moyen Age firent découler leurs premiers agencements du schéma aristotélicien divisant les animaux en deux catégories : ceux possédant du sang et ceux n'en possédant pas. Les « sanguins » étaient ensuite subdivisés selon leur mode de reproduction (vivipares ou ovipares) et leur habitat, tandis que les autres étaient catalogués par leur structure générale (à écailles dures, à écailles tendres, insectes, etc.). Au bout du compte, Aristote lui-même adopta les concepts de genre (du grec *genos,* famille), et d'espèce (de *eidos,* la forme), repris, semble-t-il, de Platon. Mais ni le « genre » ni « l'espèce » n'avaient, à ses yeux, le sens pointu que lui donneraient les temps modernes. Son « genre » ou famille désignait tout groupement plus étendu que l'espèce. La classification sommaire d'Aristote rendit service aux naturalistes européens durant le Moyen Age, où l'on répertoria relativement peu de plantes et d'animaux nouveaux, les naturalistes, alors, s'employant à faire cadrer la faune et la flore de leur région avec celles décrites dans les textes antiques.

Puis, à l'âge des découvertes, la conscience européenne fut soumise à un afflux d'éléments nouveaux. Comment les intégrer ? Comment être sûr que tel animal ou telle plante étaient vraiment nouveaux ?

Dans cette confusion fleurirent les spécimens, ouvrages divers, récits de voyageurs et dessins d'après nature. Les encyclopédies comme celle de Gesner mêlèrent l'imaginaire au réel. Toutes les curiosités du monde furent allègrement confondues. Pour ne citer qu'un exemple, un ouvrage sur la faune et la flore brésiliennes dû à l'illustrateur allemand Georg Markgraf (1610-1644) fut amalgamé à celui de William Pies sur l'histoire naturelle des Indes orientales. Ces brassages faisaient les délices des lecteurs et le mot « herbarium » (jardin sec) fit son apparition pour décrire les collections de plantes soigneusement séchées et pressées qui s'entassaient dans les bibliothèques des gentilshommes et des naturalistes. Où ranger les divers spécimens ? Comment les étiqueter, les classer, les retrouver ?

Pour être en mesure de découvrir un « système » dans la nature, les naturalistes devaient commencer par trouver ou mettre au point des unités de référence. C'est à cela que servit le concept d'« espèce » ; la classification des diversités de la nature progressa davantage dans les cent années séparant le milieu du XVIIe siècle du milieu du XVIIIe siècle qu'au cours des mille ans qui avaient précédé.

Deux grands classificateurs — Ray et Linné — devaient accomplir pour les plantes et les animaux ce que Mercator et ses compagnons avaient fait pour la surface du globe terrestre. Tout comme les cartographes étaient partis des délimitations évidentes que présentent la mer, la terre, les montagnes et les déserts, les naturalistes également découvrirent des unités évidentes dans la faune et la flore. Mais, nous l'avons vu, même pour la surface de la Terre, il fut nécessaire d'inventer ces frontières artificielles que sont latitudes et longitudes afin que d'autres puissent trouver leur chemin et que tous bénéficient de l'accroissement des connaissances. De même, les naturalistes durent proposer des unités susceptibles d'aider les autres à s'y retrouver dans la jungle prolifique de la nature. A l'instar des « atomes » de la physique, ces « espèces » devaient finir par s'élargir et se dissoudre, mais en attendant, elles fournissaient un vocabulaire essentiel et commode. En cette fin du XXe siècle, la notion est devenue pour nous si familière et si utile qu'elle paraît fondamentale à notre réflexion sur la faune et la flore, consubstantielle, en quelque sorte, à la structure même de la nature.

A l'origine, la notion d'« espèce » fut controversée et laborieuse à imposer. Ce fut une chance pour la biologie que John Ray (1627 ?-1705) en ait défini le concept au moment précis où il le fit. A la différence des systèmes précédents, le sien s'appliquait aussi bien à la faune qu'à la flore et il permit à son illustre successeur de mettre au point un système de classement de la création tout entière. Ray étudia les auteurs classiques, la théologie et les sciences naturelles au Trinity College de Cambridge, puis enseigna dans cet établissement le grec et les mathématiques. Peut-être s'en serait-il tenu là si le Parlement de Charles II n'avait en 1662 voté l'Acte d'uniformité qui contraignit le clergé, les membres des collèges et les maîtres en général à prêter serment d'acceptation du rituel de l'Église anglicane. Ray s'y refusa et, plutôt que de transiger avec sa conscience, renonça à sa chaire.

La rencontre de Ray avec Francis Willughby (1635-1672), jeune membre fortuné de son collège, constitua une autre coïncidence heureuse, qui lui permit de rester toute sa vie un chercheur indépendant. Par suite d'une maladie d'enfance, Ray avait pris l'habitude de faire de la marche à pied et, devenu très ami de Willughby, on les vit souvent sillonner ensemble la campagne environnant Cambridge. Ray, pour satisfaire son goût de la science, s'employa à décrire toutes les plantes qu'il rencontrait, pour étendre ensuite ses observations à d'autres régions d'Angleterre. En 1670, il publia une nomenclature des plantes d'Angleterre et en profita pour noter les variantes des proverbes et des mots en usage dans les diverses régions du pays, rapprochant la taxinomie des mots de celle des êtres vivants. Observant les plantes, Ray et Willughby parcoururent ensemble les Pays-Bas, l'Allemagne, l'Italie, la Sicile, l'Espagne et la Suisse. En chemin, ils formèrent un projet grandiose, du genre que font souvent entre eux les jeunes gens, mais qu'ils mènent rarement à terme. Ils collaboreraient à la rédaction d'une *systema naturae* complète décrivant dans sa totalité, et d'après leurs propres observations, l'ordre de la nature. Ray prendrait en charge les plantes et Willughby les animaux. Ce projet ambitieux était déjà bien avancé, lorsque Willughby mourut, en 1672, âgé de trente-sept ans.

Pendant ce temps, les lettres de Ray adressées à Oldenburg avaient tellement impressionné la *Royal Society* que non seulement il fut élu membre, mais se vit offrir, à la mort d'Oldenburg, en 1677, le fauteuil de secrétaire de la société. Ray cependant refusa car, dans son testament, Willughby lui avait légué une rente annuelle, et plutôt que de devenir un intermédiaire pour d'autres scientifiques, il préféra rester naturaliste indépendant. Il s'installa dans le manoir de son défunt ami, y révisa les manuscrits de ce dernier et publia deux gros traités — l'un sur les oiseaux, l'autre sur les poissons — mais tous deux sous le nom de Willughby.

Puis, sous son propre nom, Ray publia son révolutionnaire travail sur les plantes. Son bref *Methodus Plantarum* (1682) donnait la première définition acceptable de la notion d'« espèce » et son *Historia Plantarum* (3 vol., 1686-1704) fournissait une description systématique de toutes les plantes connues en Europe à son époque. Quoique parti d'Aristote, il élabore une classification plus satisfaisante, groupant les plantes non plus simplement selon une seule caractéristique, comme leurs graines, mais en tenant compte de leur structure tout entière. Fidèle au vieil axiome selon lequel « la nature ne procède pas par bonds » *(natura non facit saltus)*, Ray chercha des « moyens termes », des formes intermédiaires susceptibles de combler les lacunes du système. Il améliora également la classification aristotélicienne des animaux, faisant appel ici encore aux affinités de formes. Ce classement devait s'avérer utile jusqu'à nos jours. Ray poursuivit par un recensement des quadrupèdes et des serpents, puis entreprit une description exhaustive des insectes.

Ainsi le grandiose projet de jeunesse de Ray et Willughby avait-il presque abouti. A la différence des classifications alphabétiques de Gesner et de ses prédécesseurs, l'œuvre de Ray passait sous silence les créatures mythiques tant aimées. Débarrassé de ce fardeau et s'inscrivant en faux contre la génération spontanée, Ray put définir, à l'usage de générations entières de naturalistes, les unités élémentaires du monde vivant.

La grande réalisation de Ray consista en la formulation ou plus précisément en l'invention du concept moderne d'« espèce ». Ce que Newton réalisa pour les physiciens avec ses concepts de gravitation et de force vive, Ray le fit pour les naturalistes. Il leur donna une entrée pour un système. Et comme beaucoup d'idées révolutionnaires, la sienne était merveilleusement simple. Comment elle lui vint, nous l'ignorons, mais sa rare pénétration fut sans doute aiguillonnée par ses vastes observations sur le terrain. L'existence, finalement, de tant de *spécimens* différents appelait à ses yeux le concept d'*espèce* (qui dérive également du latin *specere,* « regarder » ou « voir »). Et, au contraire de ses prédécesseurs, il élabora un système de classification valable aussi bien pour les animaux que pour les plantes.

D'autres, y compris Aristote, avaient abordé le problème en commençant par diviser les organismes en larges groupes apparemment évidents, puis en subdivisant ceux-ci en sous-groupes de plus en plus petits. Ray, lui, part d'un profond respect pour le caractère unique des individus et à la merveilleuse diversité des « espèces ». Il s'en explique ainsi dans la préface à son *Methodus Plantarum :*

> Inévitablement, le nombre et la variété des plantes produisent un sentiment de confusion dans l'esprit de l'étudiant : cependant rien ne peut fournir une meilleure aide à la compréhension, à la reconnaissance et à la mémorisation qu'un arrangement bien ordonné des diverses catégories, primaires et subordonnées. Une méthode m'a paru utile aux botanistes, surtout aux débutants ; j'avais, il y a longtemps, promis d'en rédiger et publier une ; aujourd'hui, c'est chose faite à la demande de certains amis. Pourtant, il ne faut point que mon lecteur s'attende à une œuvre parfaite ou exhaustive ; à un ouvrage qui diviserait toutes les plantes d'une façon si exacte qu'il ferait l'inventaire de toutes les espèces sans en laisser aucune en situation anormale ou bizarre ; un travail qui définirait chaque genre par ses caractéristiques propres, de sorte qu'aucune espèce ne soit laissée pour ainsi dire sans domicile ou n'apparaisse commune à bien des genres. Car la nature ne permet rien de cette sorte ; comme dit le proverbe, elle ne procède point par bonds et ne passe d'une extrême à l'autre que par un moyen terme. Elle produit toujours des espèces intermédiaires entre les types les plus hauts et les plus bas, des espèces difficiles à classer, reliant un type à un autre et partageant quelque chose avec les deux, comme par exemple ceux qu'on appelle les zoophytes, à mi-chemin entre les plantes et les animaux.
>
> En tout cas, je ne promets point une méthode aussi parfaite que l'autorise la nature — un seul homme ou une seule époque n'y suffiraient pas — mais uniquement telle que je peux l'accomplir dans les circonstances présentes ; et celles-ci ne sont pas très favorables. Je n'ai pas moi-même vu toutes les espèces de plantes connues à ce jour.

Pour Ray, « espèce » était en botanique, par exemple, une appellation désignant un *ensemble d'individus qui engendrent, par la reproduction, d'autres individus semblables à eux-mêmes.* La même définition valait également pour les animaux. Taureaux et vaches étaient membres de la même espèce car, de leur copulation naissait un animal semblable à eux-mêmes.

Le grand naturaliste croyait qu'en règle générale chaque espèce était immuable et ne variait pas au cours des générations : « Les formes qui diffèrent selon les espèces conservent toujours leur nature spécifique, et une espèce ne peut naître de la semence d'une autre espèce. » Mais à mesure que le temps passait et qu'il avançait dans ses travaux, il finit par admettre la possibilité de certaines mutations mineures. « Bien que l'unité des espèces soit une marque relativement constante, conclut-il, elle n'est cependant ni invariable ni infaillible. »

Les biologistes post-darwiniens critiquèrent peu charitablement Ray pour sa croyance en la fixité des espèces, proposition que son successeur Linné devait adopter avec plus d'enthousiasme encore. Mais à son époque, l'insistance du naturaliste anglais à affirmer cette fixité et cette continuité des espèces constituait un gigantesque pas en avant : elle permettait l'inventaire international du monde vivant. Sa thèse de la perpétuation des espèces aida Ray à se débarrasser de bien des fardeaux qui avaient encombré les biologistes depuis l'Antiquité jusqu'à l'époque de Gesner. Il contribua à libérer la littérature scientifique des êtres mythiques admis dans les belles-lettres et le folklore et qui, perpétuellement, en engendraient d'autres. Et il mit à jamais en doute l'existence d'un quelconque être vivant relevant de la « génération spontanée ». De même que, après Newton, l'univers fut perçu comme gouverné par les lois de la gravitation universelle, de même, enfin, grâce à Ray, les biologistes entrèrent-ils dans un monde soumis aux lois de la génération biologique.

Lyell et les autres pionniers de la géologie devaient introduire l'uniformitarisme dans l'histoire de la Terre. Ray, lui, le fit entrer dans l'histoire des plantes et des animaux. Ni Lyell ni Ray n'allèrent au bout de leurs découvertes, mais ils contribuèrent tous deux à ouvrir de nouveaux horizons, tout un nouvel univers pour l'évolution et ses problèmes. Ray fut parmi les premiers à avancer l'idée que les formes fossiles trouvées dans les montagnes et dans les entrailles de la Terre n'étaient pas de simples accidents, mais des restes d'êtres vivants. Et, poursuivant sa réflexion, il évoque une possible disparition de bien des espèces préhistoriques. D'où son épitaphe (traduite du latin par un inconnu) :

Ses ingénieux travaux ne révélèrent pas seulement
Les plantes qui poussaient sur toute la surface de la terre,
Mais perçant même de celle-ci les plus sombres entrailles,
Il connut tout ce qui était sage, tout ce qui était grand,
Et fit connaître aux regards de tous les tréfonds mêmes de la nature.

## 56

### *La chasse aux spécimens*

Linné hérita de la mission de Ray. Quoique plus complet et plus marquant qu'aucun de ceux qui l'avaient précédé, son système de la nature devait se construire à partir d'éléments légués par Ray. Partageant la même foi en la cohérence de la nature, Linné devait autant promouvoir la théologie naturelle que la science. Lui aussi fit de la notion d'« espèce » une indication de la sagesse du Créateur.

Cependant, par leur personnalité et leur manière de travailler, Ray et Linné avaient peu de chose en commun. Humble servant solitaire de son ami et collègue Willughby, Ray écrivait principalement d'après ses propres observations. Linné, sociable et vaniteux, était un brillant professeur, inspirateur et organisateur de légions de chasseurs de spécimens qui scrutaient le monde et lui envoyaient leurs trouvailles, pour la plus grande gloire de Dieu et de lui-même.

Comme Ray, Carl von Linné (1707-1778) était destiné au service du culte. Fils d'un pasteur appauvri du sud-est de la Suède qui éveilla en lui l'amour des plantes dans le jardin du presbytère, Linné fut élevé à Stenbrohult, « l'un des plus beaux lieux de toute la Suède, dit-il, car il s'étend sur les rives du grand lac de Möckeln... Ses eaux claires clapotent au pied de... l'église... Au sud s'étendent de très beaux bois de hêtres, au nord la haute chaîne montagneuse du Taxas... Au nord-est, on trouve des forêts de pins, et au sud-est, de ravissantes prairies et des arbres feuillus ». Autant de charmes qu'il ne devait pas oublier. « Lorsqu'on s'assoit ici en été et qu'on écoute le coucou et le chant de tous les autres oiseaux, le grésillement et le bourdonnement des insectes ; lorsqu'on regarde les fleurs aux couleurs brillantes et gaies, on reste complètement abasourdi par l'incroyable ressource du Créateur. »

A l'école, pourtant, le jeune Carl montra si peu d'intérêt pour la théologie que son père, dégoûté, fut sur le point de le mettre en apprentissage chez un cordonnier. Un maître perspicace le persuade alors de laisser son fils libre d'essayer de faire son chemin, en entamant des études médicales. A Uppsala, il remplace le professeur qui faisait les démonstrations dans le jardin botanique de l'université. C'est en 1732 que la Société des sciences d'Uppsala l'envoie en expédition dans la mystérieuse Laponie, afin de rassembler des échantillons et des informations sur les coutumes locales. Cette première rencontre ardue avec une flore inconnue et des institutions exotiques lui procurera une joie qu'il n'avait jamais ressentie avec une telle force dans les jardins botaniques bien taillés ni même dans les pages des herbiers et des bestiaires.

A son retour, il gagne les Pays-Bas, alors important centre d'études médicales, afin d'obtenir la qualification qui lui permette de gagner sa vie comme un médecin et de poursuivre également ses ambitions botaniques. Avant même d'avoir atteint la trentaine, dans les trois années qui suivront, Linné va élaborer les grandes lignes de son projet. Son petit opuscule de sept feuillets seulement, intitulé *Systema Naturae* (Leyde, 1735) — et premier de ses textes à être publié aux Pays-Bas —, préfigurait l'œuvre de sa vie ainsi que toute la biologie systématique moderne. Mais avant cela déjà, à Uppsala, âgé de vingt-deux ans à peine, il avait décrit l'essence de son système au professeur avec lequel il vivait. Et dans ses vœux de nouvel an, il s'excusait de son incapacité à offrir le couplet d'usage : « ''On naît poète, on ne le devient pas'' : je ne suis pas né poète mais botaniste, aussi offrè-je le fruit de la modeste récolte que Dieu m'a accordée. Dans ces quelques pages est traitée l'analogie que l'on trouve entre les plantes et les animaux, dans leur multiplication de semblable façon selon leur espèce, et j'adjure le lecteur de recevoir favorablement ce que j'ai ici fort simplement écrit : ''Le système de Linné était possible parce que, comme Ray, il ne considérait pas uniquement les plantes.'' » Mais dépassant Ray, il étendit à l'ensemble des êtres vivants un concept réservé jusque-là au seul monde animal.

Linné fut le Freud du monde botanique. Nous avons tendance à oublier, habitués que nous sommes aujourd'hui à discuter librement de la sexualité, quel embarras pouvait causer, dans une assemblée mixte et aux âges préfreudiens, la moindre allusion publique à un quelconque organe sexuel, fût-il celui d'une plante. Or, dans la botanique de Linné, tout comme dans la psychologie de Freud, primordial était le fait sexuel.

Depuis Ovide, les poètes avaient utilisé, à propos des plantes, des métaphores sexuelles. Mais la plupart des gens regardaient encore comme perverses, voire obscènes, de telles suggestions lorsqu'elles étaient exprimées en prose. Quelques naturalistes avaient fait allusion au phénomène et certains même avaient osé le démontrer. Le botaniste français Sébastien Vaillant (1669-1722), directeur du Jardin du roi (aujourd'hui Jardin des plantes), ayant observé le pistachier que l'on voit encore actuellement dans le jardin alpin, commença son cours public en 1717 par une démonstration de la sexualité des plantes. C'est ce qui devait éveiller l'intérêt du jeune Linné et l'inciter à examiner chaque plante pour en dénombrer les organes génitaux.

Le fait essentiel avait été révélé quelques décennies plus tôt par un botaniste allemand, Rudolph Jacob Camerarius (1665-1721), qui démontra qu'une graine ne pouvait germer sans la participation du pollen. Mais lorsque Linné était étudiant à Uppsala, la sexualité des plantes restait encore une question ouverte et très sensible. Dans le titre de son

*Sponsalia Plantarum* (1729), il utilise le langage discret de la métaphore : « Un Essai sur les fiançailles des plantes... dans lequel leur physiologie est expliquée... et leur parfaite analogie avec les animaux, démontrée. » Tout comme, au printemps, le soleil anime et stimule les corps endormis des animaux, de même les plantes, dit-il, s'éveillent alors de leur sommeil hivernal. A l'image des animaux, les plantes sont stériles pendant leur jeunesse, très fertiles dans l'âge mûr et dépérissent dans la vieillesse. Et il note que Malpighi et Nehemiah Grew (1641-1712) avaient récemment démontré, à l'aide du microscope, que les plantes tout comme les animaux, possédaient réellement des parties différenciées. N'était-il alors pas logique qu'elles aussi soient dotées d'organes de reproduction ?

Soutenant qu'aucun fruit ne pouvait jamais être produit sans l'existence d'une fleur, Vaillant avait localisé ces organes dans le corps de la fleur. Cependant, objecta le jeune Linné, les botanistes qui s'étaient concentrés sur la corolle ou les pétales n'avaient pas tout à fait raison, car certaines plantes portaient des fruits tout en ne possédant ni calice ni pétales. Les organes de reproduction, risqua Linné, qui devraient constituer la base de toute classification, étaient plutôt les étamines et les pistils, trouvés sur des plantes identiques ou différentes appartenant aux mêmes espèces. En un passage enveloppé destiné à satisfaire les esprits les plus dévots et les plus pudibonds, il nous fournit une indication sur les inhibitions de son temps. Les pétales des fleurs, explique-t-il, ne participent pas directement au processus de la génération. Mais leurs formes et leurs couleurs attrayantes, parfumées par des senteurs enivrantes, ont été mises au point par un ingénieux Créateur, afin que les « jeunes mariés » du royaume des plantes puissent célébrer leurs noces à leur manière sur une charmante « couche nuptiale ».

A son arrivée aux Pays-Bas, Linné disposait déjà des éléments — données recueillies sur le terrain, métaphore d'un « système sexuel » — lui permettant d'élaborer sa théorie. Dans les sept feuillets de son *Systema Naturae,* il s'inspirait de la notion d'espèce chère à Ray et faisait de chaque groupe de plantes autoreproductrices un élément de l'édifice. Si à la base de tout se trouvait l'espèce autoreproductrice, il était naturel que, dans le système de Linné, l'appareil reproducteur ou « sexuel » de chaque plante devînt le critère de classification.

L'argumentation de Linné nous permet de comprendre à la fois la hardiesse de sa thèse sur la sexualité des plantes et la raison pour laquelle certains de ses contemporains le trouvaient salace. Les vingt-trois *classes* de plantes à fleurs étaient distinguées d'après leurs organes « mâles » (c'est-à-dire la longueur et le nombre des étamines). La vingt-quatrième *classe (Cryptogamia),* celle des plantes de types « mousses » qui semblaient ne pas avoir de fleurs, était classée par *ordres,* sur la base de leurs organes « femelles » (styles et stigmates). Il leur donna des noms d'après des mots grecs aux connotations sexuelles évidentes, tels que *andros* (mâle), *gamos* (mariage), *gyne* (femelle). Il décrit la monandrie comme étant la classe à « un seul mari par mariage », et la diandrie, comme celle des « deux époux dans un même mariage ». Le pavot *(Papaver)* et le tilleul *(Tilia)*, appartenant à la classe polyandre, présentent, explique-t-il, « vingt mâles ou plus dans le même lit que la femelle ». Dans sa *Philosophia Botanica* (1751), il persistait à comparer le calice à un lit nuptial *(thalamus)* et la corolle à un rideau pudique *(aulaeum)*. « Le calice, dit-il, peut être considéré comme la grande lèvre ou le prépuce ; et la corolle, comme la petite lèvre. » « La terre est le ventre des plantes ; les *vasa chylifera* sont les racines, les os, les tiges, les poumons, les feuilles, le cœur, la chaleur ; c'est pourquoi les Anciens appelaient la plante un animal inversé. » Il conseillait à « ceux qui veulent pénétrer plus avant le mystère du sexe des plantes » de consulter son *Sponsalia Plantarum*.

Que ces messieurs de la Faculté aient été troublés par une telle précision, cela n'est pas étonnant. Tel ne fut cependant pas le cas d'Érasme Darwin (1731-1802), le grand-père de Charles, qui transposa bientôt le système de Linné en un grand poème épique intitulé *The Botanic Garden* (Le Jardin botanique, 1789-1791). Il y décrit « la métamorphose ovidienne des fleurs, avec leurs harems floraux », les impatientes étamines mâles (dont sont équipés les galants, amoureux, soupirants, maris et autres chevaliers servants du royaume des fleurs) poursuivant de leurs assuidités les pistils couchés (des vierges, épouses et nymphes). Dans la fleur de lis du genre *Colchicum* :

> *Trois* jeunes filles rougissantes [les pistils] servent la nymphe intrépide.
> Et *six* jeunes gens [les étamines], cortège énamouré, la défendent.

Plante tropicale de la famille du gingembre, que Linné avait distinguée par son unique étamine fertile et ses quatre autres stériles, la fleur de curcuma était le lieu où

> Courtisée avec grand soin, Curcuma, froide et timide
> Rencontre son tendre époux en détournant le regard :
> Quatre jeunes gens imberbes émeuvent la beauté inflexible
> Par les douces attentions d'un amour platonique.

Mais d'autres eurent du mal à poétiser Linné. Même un botaniste aussi accompli que le révérend Samuel Goodenough (1743-1827), qui fut vice-président des Sociétés royales linnéennes et donna son nom à une plante, la goodwinia, ne put cacher son embarras devant « la grossière lubricité de Linné... Une traduction littérale des principes de sa botanique ne peut qu'offenser la pudeur féminine. Et il se peut que maints étudiants vertueux ne comprennent rien à l'allégorie des *Clitoria* ». Et en 1820, le très iconoclaste Goethe espérait encore que les jeunes et les femmes pourraient être protégés contre le grossier « dogme sexuel » de Linné.

Les motifs de Linné ne relevaient ni de la simple convenance ni de la lubricité. La notion d'espèces autogénérées était essentielle à l'existence d'une nature perpétuée, issue d'un Créateur tout-puissant, et dont tous les éléments puissent continuer à s'harmoniser. D'Aristote, le naturaliste suédois partageait à la fois la croyance en un ordre sous-jacent intelligible et la passion du réel. Les divers mécanismes par lesquels le Créateur avait pourvu à la perpétuation du système constituaient à ses yeux un spectacle digne de respect.

Hormis sa dette envers Camerarius, Linné devait beaucoup à Andrea Cesalpino, qui avait dirigé le jardin botanique de Pise avant de devenir le médecin du pape Clément VIII en 1592. Profondément aristotélicien, Cesalpino croyait que les plantes étaient animées par une « âme » végétale qui tout à la fois les nourrissait et leur permettait de se reproduire. Leur nourriture, déclarait-il, provenait entièrement de leurs racines, puis montait dans la tige jusqu'au fruit. Cesalpino proposa d'établir une classification basée sur la structure externe de la plante : racines, tiges et fruits. Cela lui permettait d'éluder le classement des plantes « inférieures » telles que lichens et champignons, qu'il pensait être dépourvues d'organes (y compris ceux de reproduction que l'on trouvait dans les plantes supérieures), et qui, expliquait-il, naissaient par génération spontanée à partir de matière en putréfaction. Il reste que l'intérêt porté par Cesalpino à la structure générale des plantes constituait un grand pas en avant.

Comme nous l'avons vu, la tradition aristotélicienne était née de larges catégories *a priori* fondées sur des impressions grossières. La grande innovation de Ray avait été de faire de *l'espèce* l'unité élémentaire. Plus moderne, Linné, poursuivant le travail de Ray, bâtit son système à partir des espèces individuelles, qui pouvaient être examinées sous forme de spécimens. Prenant comme point de départ les étamines et les pistils, il utilisa le nombre et l'ordre des étamines pour regrouper toutes les plantes en vingt-quatre classes, puis selon le nombre des pistils, il subdivisa chaque classe en ordres. Cette méthode simple était facile à utiliser sur le terrain et quiconque sachant compter pouvait classifier une plante, même sans le secours d'une bibliothèque.

Si le système « sexuel » de Linné introduisait un type de classification simple, la nomenclature utilisée en biologie était encore peu commode, vague et changeante. Or, une communauté universelle croissante de naturalistes allait avoir besoin d'un langage commun afin d'être sûre que tous parlaient de la même chose. Ce langage, Linné devait en inventer la syntaxe. Jamais aucune tentative pour créer un langage international n'avait vraiment jusque-là eu de succès. Mais Linné réussit à mettre au point un langage international, sorte d'espéranto de la biologie. Ainsi trouva-t-il un usage universel pour le latin longtemps après que celui-ci eut cessé d'être la langue savante des Européens. Son « latin botanique » ne reposait pas sur la langue classique, mais sur celle du Moyen Age et de la Renaissance, qu'il refaçonna pour les besoins de la cause.

Rétrospectivement, la nomenclature binaire (par exemple *Homo sapiens,* pour le genre et l'espèce respectivement) paraît si simple et évidente qu'on a du mal à croire qu'il ait fallu l'inventer. Pourtant, avant que Linné ne mette son système au point, il n'existait aucun nom scientifique communément admis pour désigner quelque plante que ce soit. Les noms précédemment donnés par différents auteurs servaient indifféremment à désigner et à décrire. Lorsque davantage d'espèces vinrent à être connues et que s'étoffèrent les connaissances sur chaque plante, les noms s'allongèrent et devinrent plus confus. Prenons, par exemple, les plantes du genre *Convolvulus,* plantes grimpantes de la famille du liseron aux fleurs en forme d'entonnoir et aux feuilles triangulaires. En 1576, le botaniste français Charles de Lécluse (1526-1609) en désigna une espèce sous le nom de *Convolvulus folio Altheae.* En 1623, le botaniste suisse Gaspard Bauhin (1560-1624) nommait la même espèce *Convolvulus argenteus Altheae folio,* nom que Linné en 1738, transformait en *Convolvulus foliis ovatis divisis basi truncati : laciniis intermediis duplo longioribus,* puis, en 1753, en : *Convolvulus foliis palmatis cordatis sericeis : lobis repandis, pedunculis bifloris.* Et ainsi de suite.

En quête de noms précis utilisables sur le terrain et commodes pour l'amateur, Linné ne parvint que lentement à sa solution. Il ne demandait pas à ses étudiants, dans leur travail sur le terrain, de se rappeler la description latine complète, mais seulement le nom du genre (dans le cas ci-dessus, *Convolvulus*), puis d'inscrire dans leurs notes un nombre (par exemple « Convolvulus n° 3 ») faisant référence à la rubrique de cette espèce dans la liste complète des plantes qu'il avait publiée. Cette méthode posait les premiers jalons d'un système binominal simple : il suffisait, pour l'obtenir, de remplacer le nombre par un mot.

Mais de nouveau c'était l'obstacle : Linné fut tenté de faire servir chaque nom spécifique de plante à la fois comme une appellation et comme une description. Finalement, il décidera — suprême simplification — de séparer les deux fonctions. L'appellation serait courte et facile à mémoriser : l'étudiant pourrait s'en servir en regagnant sa bibliothèque, où elle le guiderait vers un compte rendu détaillé des traits caractéristiques de cette espèce. Dans les années 1740, il essaya la méthode pour quelques plantes, mais en stigmatisant ce qu'il appelait des « noms triviaux » *(nomina trivialia).* Utiliser côte à côte le nom du genre et celui de l'espèce c'était, dit-il, « comme mettre le battant dans la cloche ». Mais après douze mois de travail intense, il donnera, dans un texte qui fera date, son *Species*

*Plantarum* (1753), les appellations binominales des cinq mille neuf cents espèces que comprenait sa liste.

Linné fut assez avisé pour comprendre qu'il était préférable de posséder tout de suite un nom distinctif commode pour chaque espèce, plutôt que d'attendre que fût trouvé le mot parfait ou un vocabulaire tout à fait symétrique. Il lui fallait faire vite car, s'il ne donnait pas rapidement une appellation binominale à *chaque* espèce connue, les naturalistes seraient tentés d'utiliser le même nom pour plus d'une espèce, ce qui, bien entendu, eût porté un coup fatal à l'ensemble du projet. Se jetant à corps perdu dans cette tâche linguistique monumentale, il fouilla dans son latin afin d'y trouver suffisamment de matière pour façonner des milliers d'appellations, utilisant parfois un mot décrivant le mode de croissance (par exemple : *procumbens*), et d'autres fois un terme désignant l'habitat ou le premier découvreur de la plante, ou même la forme latinisée d'un mot vernaculaire. Pourvu que le mot fût distinctif et facile à retenir, Linné ne fut pas trop rigoureux dans la logique de son système.

Lorsque quelques années plus tard, dans la dixième et dernière édition de son *Systema Naturae* (1758-1759), il étendit son système aux animaux, Linné fit preuve du même sens pratique. Pour les insectes, il utilisa des noms spécifiques désignant la couleur ou la plante qui lui donnait l'hospitalité. Afin de distinguer les différentes espèces de papillons, il puisa dans son érudition classique, et ajouta des épithètes comme Hélène, Ménélas, Ulysse, Agamemnon, Patrocle, Ajax ou Nestor. Puis, par déférence à nouveau pour la langue vernaculaire, il créa le genre *Felis,* comprenant lion, tigre, léopard, jaguar, ocelot, chat et lynx, qu'il désigna par leur nom commun en latin, Leo, Tigris, Pardus, Onca, Pardalis, Catus et Lynx.

Quelle époque depuis la Création connut un tel festival de dénominations ? N'importe quel parent ayant eu à choisir un nom pour son enfant peut imaginer le travail énorme accompli par Linné en un an. En l'espace de quelques décennies — avant même sa mort en 1778 — ses noms et son système de dénomination furent adoptés par ses collègues européens. Ses choix devaient traverser les siècles et conquérir la terre entière. Il fit naître une communauté mondiale des naturalistes.

L'âge des découvertes, entre-temps, avait considérablement élargi la vision européenne de la nature. D'Asie, d'Afrique, d'Océanie et des Amériques parvenaient des descriptions de plantes étranges (tomate, maïs, pomme de terre, quinquina, tabac), ainsi que d'animaux inconnus — pingouin ou « oie de Magellan », lamantin, dodo, crabe des Moluques, raton laveur, opossum, etc.

Linné inspira à l'échelle mondiale un programme sans précédent de chasse aux spécimens. Son travail fournit à des générations de chercheurs un nouveau stimulant pour faire avancer la science, fût-ce au péril de leur vie. Leurs trouvailles, fruit de tant d'efforts, ne seraient plus reléguées dans les greniers ou enterrées dans le fouillis des « cabinets de curiosités ». Désormais, chaque nouvelle plante ou animal « identifié » selon la classification de Linné participait à un inventaire en règle de l'univers.

Lui-même avait à sa disposition des cohortes d'adeptes — ses élèves les plus brillants, « les vrais découvreurs... comme des comètes parmi les étoiles » — qui se répandirent sur toute la surface de la terre. En 1746, Christopher Tärnström, son meilleur étudiant, sollicita l'autorisation de monter sur un navire suédois pour aller collecter des spécimens aux Indes orientales pour le compte de Linné ; lorsque Tärnström mourut d'une fièvre en mer de Siam, Linné fit envers la veuve et ses enfants éplorés le geste dérisoire de donner à un genre de plante tropicale le nom de *Ternstroemia*.

Autre étudiant de Linné, Peter Kalm fut plus chanceux : le grand naturaliste obtint pour les coûteux voyages de son élève le soutien financier d'un groupe de fabricants suédois et celui des universités d'Uppsala et d'Abo. Une expédition vers des terres situées à la même latitude que la Suède devait rapporter de nouvelles plantes à introduire dans le pays et utilisables en médecine, en alimentation et dans les manufactures. Le mûrier importé, espérait-on, alimenterait les vers à soie, ce qui donnerait naissance à une industrie entièrement nouvelle. Ces espérances ne se matérialisèrent jamais ; malgré cela, l'infatigable Kalm se révéla être l'un des chasseurs de spécimens les plus féconds. En 1748, après une rude traversée de l'Atlantique, il parvenait à Philadelphie. Il rendit visite à ses compatriotes du Delaware, puis, avec l'aide de Benjamin Franklin et de deux des meilleurs correspondants de Linné, John Bartram et Cadwallader Colden, il explora la Pennsylvanie et remonta ensuite vers New York et le Canada. Linné attendait impatiemment le résultat de ses recherches, et lorsque Kalm fut de retour à Stockholm en 1750, le maître, oubliant sa goutte, bondit de son lit pour accueillir son cher élève. Trois ans plus tard, dans son *Species Plantarum*, Linné citait Kalm comme source pour quatre-vingt-dix espèces, dont soixante entièrement nouvelles, et l'immortalisa en conférant à tout un genre de lauriers de montagne le nom de *Kalmia*. Dans son journal qui prophétisait l'indépendance américaine, Kalm donne l'une des descriptions les plus vivantes de la vie coloniale dans le Nouveau Monde.

Grâce à des fonds collectés par Linné, Frédéric Hasselquist (1722-1752) fut envoyé en Égypte, en Palestine, en Syrie, à Chypre, à Rhodes et à Smyrne, toutes régions non encore explorées à l'époque des naturalistes européens. Ses dépenses ayant excédé le budget dont il disposait, Linné persuada le Sénat suédois de verser des contributions privées. Et lorsque Hasselquist, âgé de trente ans seulement, mourut près de Smyrne, ses créanciers refusèrent de remettre ses notes tant que ses dettes n'auraient pas été payées. Une fois encore, Linné vint à la rescousse, en obtenant de la reine de Suède qu'elle règle la dette. Finalement, lorsque Linné prit connaissance du journal de son élève décédé, il tomba en extase : « Il me pénètre comme les paroles de Dieu pénètrent un diacre... Que Dieu fasse que Votre Majesté le publie le plus tôt possible, afin que le monde entier puisse goûter le plaisir que j'ai éprouvé hier. » Lui-même publiera les *Iter Palaestinum* en 1757, et le monde put bientôt connaître les découvertes d'Hasselquist par des traductions en anglais, en français, en allemand et en hollandais.

En 1750, c'est en Chine qu'il envoie un autre de ses élèves, Pehr Osbeck (1723-1805), en tant qu'aumônier de marine. « A votre retour, lui écrit-il, nous tresserons des couronnes avec les fleurs que vous aurez rapportées afin d'orner la tête des prêtres du temple de Flore et les autels de la déesse. Votre nom sera gravé sur des matériaux aussi durables et indestructibles que le diamant, et nous vous dédicacerons quelque très rare *Osbeckia* qui prendra place dans l'armée de Flore. Aussi, hissez vos voiles et ramez de toutes vos forces ; mais prenez garde de ne point revenir sans un butin des plus précieux, ou bien nous invoquerons Neptune pour qu'il vous précipite, vous et votre compagnie, dans les profondeurs du Ténare. » Osbeck tint compte de l'avertissement et rapporta à son mentor un riche herbier chinois de six cents spécimens.

Plus près de chez lui, lorsque le roi d'Espagne souhaita qu'un disciple de Linné procède à l'étude botanique de son royaume, le naturaliste suédois envoya Petrus Löfling (1729-1756), « son élève le plus aimé », qui avait été le compagnon de son fils. Le travail de Löfling en Espagne suscita une expédition en Amérique du Sud espagnole, dont Löfling prit la tête, assisté de deux chirurgiens et deux dessinateurs, « dans le but de collecter des spécimens pour la cour d'Espagne, le roi de France, la reine de Suède et Linné ». Mais Löfling devait succomber à une fièvre tropicale en Guyane à l'âge de vingt-sept ans, avant de pouvoir achever sa mission. « Löfling s'est sacrifié pour Flore et ses adorateurs, se lamente Linné, et comme il leur manque ! »

Troublé cependant, le savant suédois s'interroge : « Le mort de beaucoup d'hommes que j'ai poussés vers l'aventure a rendu mes cheveux gris, et qu'ai-je gagné ? Quelques plantes séchées, et beaucoup d'anxiété, d'alarmes et de tourments. » Pourtant, au cours des trente dernières années de sa vie, il continuera d'enrôler, d'organiser et d'envoyer ses apôtres autour du monde. En 1771, il faisait ainsi le point de sa stratégie messianique :

> Mon élève Sparrman vient de cingler vers le cap de Bonne-Espérance, et un autre de mes élèves, Thunberg, doit accompagner une ambassade hollandaise au Japon ; tous deux sont de bons naturalistes. Le jeune Gmeline est encore en Perse et mon ami Falck est en Tartarie. Mutis fait de splendides découvertes botaniques au Mexique. Kœnig a trouvé quantité de nouveautés à Tranquebar

(dans le Sud des Indes). Le professeur Früs Rottböll de Copenhague publie les trouvailles florales faites au Surinam par Solander. Et les découvertes arabes de Forsskäl vont être prochainement envoyées à l'imprimerie à Copenhague.

Avec les années, le mouvement mondial impulsé par Linné prit de l'ampleur. Répondant à une demande venue d'Angleterre, il envoya dans ce pays un autre de ses élèves favoris, Daniel Solander (1736-1782), qui devint son intermédiaire avec les expéditions des siècles suivants. Par son charme, Solander fit son chemin dans la société anglaise, puis devint le bibliothécaire de sir Joseph Banks (1743-1820), qui, à la génération suivante, fut le grand mécène européen de l'histoire naturelle. Banks promut, organisa et finança personnellement diverses expéditions. Comme on l'a vu, il emmena Solander dans la voyage autour du monde entrepris par Cook à bord de l'*Endeavour* (1768-1771). Mais Linné fut déçu par Solander, qui, malgré les intrigues du maître, n'épousa jamais sa fille aînée ; de plus « l'ingrat Solander » n'envoya jamais une seule plante ou un seul insecte à Linné au cours de ses pérégrinations autour du monde. Banks, qui avait couvert les dépenses de Solander et acheté un équipement coûteux, fut également désappointé : il avait espéré que Linné viendrait en Angleterre pour aider à la nomenclature des trouvailles du voyage, soit douze cents nouvelles espèces et cent nouveaux genres de plantes, sans compter les nombreux animaux, poissons, insectes et mollusques.

Après le travail accompli par Solander pour Banks, l'habitude s'installa d'emmener, dans toute expédition par mer, un naturaliste et un dessinateur. Lors de son second voyage autour du monde, Cook choisit comme naturaliste un autre élève de Linné, le jeune Anders Sparrman (1748-1820), qui s'était déjà rendu en Chine à dix-sept ans comme chirurgien sur un bâtiment suédois de la Compagnie des Indes orientales et en avait rapporté un trésor de spécimens. Au retour du voyage de Cook, Sparrman poursuivit ses recherches botaniques au Sénégal et sur la côte occidentale de l'Afrique.

L'un des plus entreprenants disciples de Linné — et le dernier que celui-ci promut lui-même — fut Carl Peter Thunberg (1743-1828). A l'époque, les Hollandais, sur leur petit comptoir de l'île de Deshima dans la baie de Nagasaki, étaient les seuls Européens implantés en terre japonaise. Pour pouvoir faire l'inventaire de la flore de ce pays, Thunberg devait donc se donner l'apparence protectrice d'un Hollandais. A cette fin, il passa trois ans à la colonie du Cap à étudier la langue. Incidemment, il profita de son séjour pour se rendre à l'intérieur des terres et décrire trois mille plantes, dont un millier environ d'espèces nouvelles. Arrivé à Deshima en 1775, sur un vaisseau hollandais, le seul déplacement qu'on lui permit fut d'accompagner l'ambassadeur de Hollande dans sa visite officielle annuelle auprès de l'empereur à Tokyo. Par chance, les jeunes interprètes japonais de Deshima se révélèrent être des médecins avides d'apprendre la médecine européenne, dont Thunberg échangea des bribes contre des spécimens de plantes japonaises. Lorsque les domestiques nippons apportaient du fourrage de la terre ferme pour le bétail de l'île, il le passait au peigne fin dans le but d'y découvrir des spécimens pour son herbier. Thunberg rentra finalement après neuf ans d'absence ; il eut la douleur d'apprendre que son mentor était décédé un an auparavant.

Les adeptes non autorisés de Linné formèrent, à la génération suivante, une équipe énergique. Poursuivant la coutume établie par Solander, Sparrman et Thunberg, le jeune Darwin, âgé de vingt-deux ans, se fit engager en 1831 comme naturaliste à bord du H.M.S. *Beagle.* En 1846, Thomas Henry Huxley, qui avait rassemblé des spécimens en tant qu'assistant-chirurgien sur le H.M.S. *Rattlesnake,* dans les mers du Sud, créait un précédent en obtenant de la Navy trois ans de congé avec solde pour analyser ses découvertes. Enfin, le jeune et brillant Joseph Dalton Hooker (1817-1911), qui avait embarqué en tant qu'assistant-chirurgien et naturaliste, sur le H.M.S. *Erebus* (accompagnant le H.M.S. *Terror*) pour les expéditions de James Clark Ross en Antarctique (1839-1843), publia six volumes sur la flore polaire, ce qui lui valut une mission de la Marine pour aller étudier la flore de l'Himalaya et de Ceylan, et qui fit au bout du compte de Kew Gardens l'un des grands centres mondiaux de la recherche botanique.

La même foi qui avait nourri en Linné le désir de découvrir un « système » dans la nature le convainquit également de l'impossibilité pour un homme de comprendre pleinement les desseins de son Créateur. Il savait fort bien que son système « sexuel » était artificiel et ne constituait qu'une manière commode de cataloguer les spécimens. Une classificpation strictement *naturelle*devrait regrouper les plantes qui partageaient le plus grand nombre d'attributs.

Linné fit preuve de bon sens en utilisant le concept d'« espèce » élaboré par Ray comme une clé pour la Création tout entière. Mais il ne répugna pas à recourir à la théologie pour valider son vocabulaire ; témoin son aphorisme le plus souvent cité : « Nous comptons aujourd'hui autant d'espèces qu'il en fut créé à l'origine. » Car une telle entreprise de classification présupposait, bien entendu, la constance et la permanence des espèces. Pourquoi, en effet, se donner la peine de cataloguer les plantes, si à chaque instant elles risquaient de changer d'espèce ou de disparaître sans prévenir ?

Lorsque ses disciples eurent rassemblé des milliers et des milliers d'« espèces » avec de plus en plus d'exemples d'hybridation, il hasarda l'hypothèse selon laquelle *toutes* les espèces n'existaient peut-être pas à l'origine. Peut-être de nouvelles espèces étaient-elles apparues plus tard par croisement de l'espèce primordiale d'un genre avec une espèce d'un autre genre. Mais de telles idées ouvraient des abîmes et lorsque Linné, à l'occasion, spéculait sur l'origine des espèces, il devenait fou. Heureusement, sa foi et son esprit pratique l'empêchèrent de trop se poser de questions sur les origines — que Dieu seul, de toute manière, pouvait connaître. *Deus creavit, Linnaeus disposuit :* Dieu a créé, Linné a classé, proclamaient les admirateurs du savant suédois, blasphémant à peine.

## 57

## *L'extension du passé*

Il aurait été difficile de trouver, parmi les savants de l'Europe du temps, personnage plus fondamentalement différent de Linné que son contemporain Georges-Louis Leclerc, comte de Buffon (1707-1788). Rétrospectivement, ils paraissaient alliés dans la découverte de la nature, mais de leur vivant ils furent des adversaires notoires. C'est peut-être de son enfance dans un pauvre presbytère rural que vint à Linné l'idée que la nature était faite d'éléments immuables, « aussi nombreux que lors de la création ». Buffon, lui, exprimait un monde fait de sociabilité et de changement. Né dans une riche famille de robe, il fit ses études dans un collège de jésuites, puis à l'université de Dijon où, répondant aux vœux de son père, il étudie le droit. Puis, à l'université d'Angers, il se tourne vers la médecine, la botanique et les mathématiques. Contraint de quitter l'université à la suite d'un duel, il part faire son tour d'Europe en l'honorable compagnie du duc de Kingston et de son précepteur, lequel se trouvait être membre de la *Royal Society*. A son retour, Buffon découvre que sa mère est morte et que son père s'est remarié et a mis la main sur les riches domaines qui auraient dû lui revenir du côté maternel. Après une vive querelle avec son père, auquel il n'adressera plus jamais la parole, il s'arrange pour récupérer ses vastes domaines, y compris le village de Buffon, auquel il doit son nom. A vingt-cinq ans, il devient donc un nobliau de province.

Dans le même temps, il s'adonne à la science. A Paris, il se fait connaître par un rapport à la Marine sur la résistance à la traction des bois utilisés dans les navires de guerre.

Suivront une communication sur la théorie des probabilités, qui lui vaut le titre *d'adjoint-mécanicien* à l'Académie française, puis des travaux axés sur les mathématiques, la botanique et la sylviculture, la chimie et la biologie. Il utilise le microscope dans ses recherches sur les organes reproducteurs des animaux et traduit en français l'ouvrage de Stephen Hales, *Vegetable Staticks,* ainsi que les travaux de Newton sur le calcul infinitésimal. A vingt-huit ans, ses connaissances impressionnantes le le firent remarquer par le souverain, qui le nomma intendant du Jardin du roi.

Cinquante années durant, Buffon passera le printemps et l'été sur ses terres de Bourgogne ; l'automne et l'hiver, à Paris. A la campagne, il se lève à l'aube, consacrant ses matinées à la science et ses après-midi aux affaires. A Paris, au cours des soirées, il charme ses hôtesses dans les salons où, comme le note avec aigreur William Beckford, « la zoologie, la géologie et la météorologie constituaient les principaux sujets de discussion, mais où la tautologie l'emportait ». Au bout d'un demi-siècle d'une telle organisation, il s'était non seulement enrichi par l'accroissement de ses terres, mais avait doublé la superficie et élargi les bâtiments du jardin botanique royal et publié trente-six volumes de son *Histoire Naturelle* ainsi que des dizaines d'articles importants sur tous les sujets scientifiques. Louis XV le fit comte de Buffon, Catherine II l'honora, et il fut élu membre des académies scientifiques de Londres, Belin et Saint-Pétersbourg.

La renommée de Buffon atteignit l'Amérique, qui s'était jointe à la communauté scientifique européenne en pleine expansion. Nommé ambassadeur des États-Unis en France en 1785, Thomas Jefferson fit remettre à Buffon par le marquis de Chastellux un exemplaire de ses *Notes on Virginia,* à peine sorties des presses, ainsi qu'une grande peau de panthère américaine destinée à contredire les thèses du naturaliste français sur la dégénérescence des animaux dans le Nouveau Monde. Jefferson reçut en retour une invitation à venir dîner et discuter d'histoire naturelle dans les jardins de Buffon. Jefferson relate ainsi l'événement : « Buffon avait coutume de rester dans son bureau jusqu'à l'heure du dîner et de ne recevoir de visiteur sous aucun prétexte ; mais sa maison et son domaine étaient ouverts et un domestique les faisait très aimablement visiter, et invitait tous les visiteurs et amis à rester dîner. Nous vîmes Buffon dans le jardin, mais l'évitâmes avec soin ; toutefois, nous dînâmes avec lui et il se montra alors, comme toujours, un homme étonnamment brillant dans la conversation. »

A quarante-cinq ans, Buffon épousa une ravissante jeune fille de vingt-cinq ans sa cadette, qui mourut jeune. Leur fille disparut en bas âge ; leur fils unique et dorlogé (Catherine la Grande le donnait comme exemple des fils de génies qui se révèlent des imbéciles) sera guillotiné par les ennemis du naturaliste, en 1794, sous la Terreur. La seule liaison qu'eut Buffon après la mort de sa femme fut une relation platonique avec sa « sublime amie » Mme Necker, l'épouse du célèbre financier. Elle lui rendit quotidiennement visite durant la dernière année de sa vie, alors qu'il était cloué au lit. « M. Buffon, écrira-t-elle, n'a jamais évoqué devant moi les merveilles de la terre, sans m'inspirer la pensée qu'il était lui-même l'une d'entre elles. »

A une époque où les sciences se mettaient depuis peu à la portée de tous, Buffon fut un pionnier de la vulgarisation scientifique, ce qui nécessitait une nouvelle vision du langage. Il lisait, bien sûr, le latin, mais écrivait en français : acte de foi, à ses yeux — ne pas gloser sur des textes à l'usage d'une minorité d'érudits, mais exposer les faits à tous. « Le style est l'homme même », proclame-t-il dans son fameux *Discours sur le Style* (1753), prononcé lors de sa réception à l'Académie française. Il se méfiait des écrivains qui se complaisent dans la subtilité, et dont la pensée, dit-il, est « comme une feuille de métal martelée, qui acquiert de l'éclat aux dépens de la substance ». Rousseau voyait en lui le plus doué des stylistes, et le lyrisme de sa prose (il n'écrivit pas de vers) incita certains à le placer parmi les plus grands « poètes » français de son siècle.

Les trente-six volumes de l'*Histoire Naturelle* (1749-1785) qui furent publiés de son vivant, auxquels vinrent s'ajouter huit autres après sa mort, traitent de tout ce qui se trouve dans la nature, depuis l'homme jusqu'aux cétacés, en passant par les oiseaux, les poissons et les minéraux. Pour la première fois dans l'histoire de l'édition, des ouvrages de vulgarisation scientifique devinrent des best-sellers. Son œuvre rivalisa avec les trente-cinq volumes de *l'Encyclopédie* de Diderot (1751-1772), pourtant le plus gros succès d'édition européen du siècle. Mais l'œuvre de Diderot était manifestement collective ; celle de Buffon, malgré certaines aides, était incontestablement le fruit de son seul travail personnel.

Le grand naturaliste visait à conquérir une audience parmi les profanes. Ainsi, dans son fameux article sur le chameau, une seule phrase-paragraphe à la manière de Proust nous restitue le désert :

> Essayez d'imaginer un pays sans verdure et sans eau, un soleil brûlant, un ciel toujours sec, des plaines sablonneuses, des montagnes plus arides encore, que l'œil balaie en vain et sur lequel le regard se perd sans fixer une seule fois un objet vivant ; une terre morte, comme dénudée par le vent chaud, n'offrant à la vue que des restes d'ossements, des pierres éparpillées, des affleurements de rochers, levés ou couchés, un désert sans secrets dans lequel jamais aucun voyageur n'a respiré dans l'ombre, ni rencontré un compagnon, ou quoi que ce soit qui lui rappelle la nature vivante : la solitude absolue, mille fois plus terrifiante que celle des forêts profondes, car les arbres sont d'autres êtres, et constituent une autre vie pour l'homme qui se voit seul, plus isolé, plus nu, plus perdu dans ces terres vides et sans limites, il fixe l'espace de tous côtés, l'espace qui ressemble à un tombeau ; la lumière du jour, plus mélancolique que les ombres de la nuit, ne renaît que pour briller sur sa nudité et son impuissance, que pour lui permettre de voir plus clairement l'horreur de sa situation, repoussant les frontières du vide, étendant autour de lui l'abysse de l'immensité qui le sépare de la terre des hommes, une immensité qu'il tentera en vain de traverser, car la faim, la soif et la chaleur le harcèlent à tous les instants qui restent entre le désespoir et la mort.

Cependant, ses descriptions de certains animaux sont si concises qu'elles servaient à faire des livres d'enfants.

Alors que la sèche nomenclature sexuelle de Linné avait profondément choqué, Buffon, lui, trouvait de la poésie dans l'activité sexuelle de ses animaux. Ainsi lorsqu'il compare l'accouplement des moineaux et celui des pigeons.

> Peu d'oiseaux sont aussi ardents et puissants en amour que les moineaux ; ils ont été vus en train de copuler jusqu'à vingt fois de suite et toujours avec la même impatience, la même trépidation, la même expression de plaisir ; et, étrange à dire, c'est la femme qui semble perdre patience la première à un jeu qui devrait la fatiguer moins que le mâle, mais il peut également lui procurer bien moins de plaisir, car il n'existe ni préliminaires, ni caresses, ni variantes à l'acte ; beaucoup de pétulance sans tendresse, des mouvements toujours hâtifs, n'indiquant qu'un besoin d'être satisfait pour la propre finalité de l'acte. Comparez les amours des pigeons et celles des moineaux et vous verrez toutes les nuances qui s'étendent entre le physique et le moral.

Chez le pigeon, en effet, Buffon observe

> de tendres caresses, des mouvements doux, des baisers timides, qui ne deviennent intimes et pressants qu'au moment du plaisir ; ce moment lui-même, retrouvé en quelques secondes, par de nouveaux désirs, de nouvelles approches également nuancées ; une ardeur toujours durable, un goût toujours constant et encore un bénéfice plus grand : le pouvoir de les satisfaire sans fin ; pas de mauvaise humeur, de dégoût, de querelle ; une vie entière consacrée au service de l'amour et au soin de ses fruits.

Son œuvre n'avait décidément rien d'un « système », mais s'apparentait plutôt à une description, à une « histoire naturelle ».

L'unité, pour Buffon, étant dans la nature, il se méfie de toutes les nomenclatures, qu'elles viennent de Dieu ou de Linné. Il n'est pas étonnant que ce dernier soit devenu sa *bête noire ;* Buffon pensait que la taxinomie n'était qu'une technique savante servant à faire paraître le monde plus simple qu'il n'était en réalité. En utilisant les étamines pour classer les plantes, Linné, à ses yeux, avait collé le vernis d'un mot sur ce qui n'était en fait qu'une collection d'objets variés. Certes, des yeux avaient été donnés à l'homme pour distinguer les plantes les unes des autres ; mais le classement mis au point par Linné s'opérait sur des traits si ténus qu'ils n'étaient visibles qu'au microscope. Buffon en conclut que le « système » de Linné avait finalement « rendu le langage de la science plus difficile que la science elle-même ! »

Taxinomie et nomenclature, dit Buffon, ne sont que des jeux. Quant à sa méthode à lui, elle consistait simplement « en une description complète et un historique exact de chaque chose en particulier ». « Il ne faut pas oublier que ces *familles* [celles utilisées avec tant d'assurance par Linné et d'autres] sont notre création ; nous ne les avons fabriquées et mises au point que pour le confort de nos cerveaux. » Pour saisir toutes les caractéristiques d'un individu donné, il ne suffit pas de décrire ce seul individu. Il faut s'efforcer de prendre en compte tout ce que l'on peut savoir sur lui, ce qui implique d'étudier l'histoire « de l'espèce tout entière à laquelle appartient cet animal particulier... à savoir la procréation, la période de gestation, l'époque de la naissance, le nombre de rejetons, le soin apporté à ceux-ci par la mère et le père, l'éducation, les instincts, l'habitat, l'alimentation, la façon de se procurer la nourriture, les habitudes, les ruses, les méthodes de chasse ».

Sans prétendre connaître le nombre d'« espèces » créées par Dieu « au commencement », Buffon, à la suite de Ray, se satisfait d'une définition purement empirique :

> Nous considérons que deux animaux appartiennent à la même espèce si, par le moyen de la copulation, ils peuvent se perpétuer eux-mêmes et préserver les spécificités de l'espèce ; et nous considérons qu'ils appartiennent à des espèces différentes s'ils sont incapables de produire des rejetons selon les mêmes critères. Ainsi le renard sera considéré comme appartenant à une autre espèce que le chien, s'il s'avère que la copulation entre un mâle et une femelle de chacun de ces deux animaux ne produit aucun rejeton ; et même s'il en résulte un rejeton hybride, une sorte de mulet, cela suffirait à prouver que le renard et le chien n'appartiennent pas à la même espèce, dans la mesure où ce mulet serait stérile.

Les simples ressemblances extérieures ne peuvent prouver que des animaux appartiennent à la même espèce « pour la raison que le mulet ressemble davantage au cheval que l'épagneul d'eau au lévrier ».

Buffon était cependant intimidé par le concept même d'espèce et soucieux de ne pas en simplifier par trop les nuances. Manquant bien davantage d'assurance que ses prédécesseurs, il n'arrivait pas à penser que la notion d'« espèce » fournissait la clé d'un quelconque plan divin ou l'indice d'une vérité théologique.

> En général, la parenté des espèces relève de l'un de ces profonds mystères de la nature que l'homme ne sera capable de saisir qu'au moyen d'expériences longues, répétées et difficiles. Comment, si ce n'est par un millier de tentatives de croisements d'animaux de différentes espèces, pourrons-nous jamais déterminer leur degré de parenté ? L'âne est-il plus proche du cheval que du zèbre ? Le chien est-il plus proche du loup que du renard ou du chacal ? A quelle distance de l'homme placerons-nous les grands singes qui lui ressemblent tellement dans la conformation du corps ? Toutes les espèces d'animaux étaient-elles jadis ce qu'elles sont aujourd'hui ? Leur nombre n'a-t-il pas augmenté ou, au contraire, diminué ? Combien de faits il nous faudra encore connaître avant de pouvoir nous prononcer — ou simplement émettre des hypothèses

— sur ces points ! Combien faudra-t-il entreprendre d'expériences pour découvrir ces faits, les reconnaître, ou même pour les anticiper par des suppositions solides !

Toutes ces questions troublantes, la Bible, bien sûr, les avait réglées, dans les six jours où Dieu créa le Ciel et la Terre, puis « toutes les créatures vivantes qui se meuvent ». Les biologistes les plus respectables, dont Ray et Linné, avaient fait de ce texte leur point de départ. Le temps exact qui avait pu s'écouler depuis la Création avait peu de sens pour le biologiste, puisqu'un axiome posait qu'aucune espèce ne pouvait jamais être ajoutée ou retranchée. L'érudition biblique du XVIIe siècle maintenait les scientifiques focalisés sur ces six jours de la Création, et il semblait aussi absurde qu'hérétique d'insinuer que la nature eût une histoire ; ainsi les étudiants en théologie ne s'intéressaient-ils qu'à la chronologie biblique en rapport avec les événements humains.

Expert en langues sémitiques, le prélat irlandais James Ussher (1581-1656) fut le premier à établir une chronologie biblique satisfaisante, que l'on trouve encore dans bien des éditions anglaises de la Bible. Étudiant au Trinity College de Dublin, il en devint « fellow », partit en Angleterre afin d'y collecter des ouvrages pour la bibliothèque du collège, puis fut nommé professeur de théologie et archevêque d'Armagh. Malgré ses bruyantes demandes d'autonomie pour l'Église d'Irlande, il gagna le respect des protestants d'Angleterre par ses polémiques savantes contre Rome. Dans sa quête de textes bibliques authentiques, il engagea son propre argent pour rassembler des manuscrits au Moyen-Orient et constitua une bibliothèque célèbre, comprenant le fameux livre de Kells. Certaines des distinctions qu'il fait entre textes authentiques et apocryphes sont encore admises aujourd'hui par les théologiens. En 1654, il livrait les fruits d'une vie entière d'érudition en déclarant que la date de la Création remontait au 26 octobre de l'an 4004 avant J.-C. à 9 heures du matin.

La précision de cette découverte et la prestigieuse documentation de l'archevêque Ussher venaient conforter la croyance largement répandue selon laquelle la terre et tous les autres êtres vivants avaient été créés en une seule semaine quelques millénaires seulement avant l'ère chrétienne. Une telle vision confinait l'histoire de la vie sur terre à une durée relativement courte par rapport aux critères de la géologie moderne. Cette brièveté même semblait confirmer le dogme selon lequel aucune espèce n'avait pu s'ajouter ultérieurement aux autres ni aucune s'éteindre : une raison supplémentaire, donc, de croire à cette fixité des espèces sur laquelle reposait le système de Linné.

Cette brièveté supposée de la terre eut pour la géologie une conséquence supplémentaire qui fut, dans tous les sens du terme, catastrophique : elle encouragea la croyance en des mutations soudaines, doctrine connue sous le nom de « catastrophisme ». Tout le monde, naturellement, pouvait s'apercevoir que le temps et le climat étaient encore en train de modifier lentement les formes de la terre, en approfondissant les cours d'eau, en submergeant les vallées, et en érodant les montagnes. Hérodote, Strabon et Léonard de Vinci avaient décrit ces processus. Mais il était généralement admis que dans les six mille ans seulement qui s'étaient écoulés depuis la Création, l'action des eaux et l'effritement des rochers n'auraient pu produire les profondes transformations du relief actuellement visibles un peu partout. D'où la tendance pour les naturalistes orthodoxes à expliquer les transformations par des cataclysmes soudains, ou « catastrophes ».

Satisfait ni par les calculs d'Ussher ni par les explications spécieuses des catastrophistes, Buffon, avec un enthousiasme quelque peu naïf, entreprit sa propre étude du dynamisme de la terre. Pour comprendre l'histoire de la faune et de la flore, dit-il, il faut d'abord comprendre celle de la terre. Aussi Buffon se mit-il en devoir d'expliquer comment la terre avait vu le jour. Newton, dont il s'inspire souvent par ailleurs, avait affirmé que six planètes, évoluant sur le même plan, en orbites concentriques et dans la même direction, avaient dû être créées par Dieu lui-même. Buffon voulait des causes naturelles et fournit son explication personnelle. « Pour juger de ce qui est arrivé, ou même de ce qui arrivera, observe-t-il, il n'est que d'observer ce qui m'arrive. Les événements qui surviennent tous les jours, les mouvements qui se succèdent et se répètent sans interruption, les opérations constantes et constamment réitérés, c'est cela qui constitue nos causes et nos raisons. »

Pour expliquer l'origine de la Terre, Buffon part de l'observation de Newton selon laquelle « les comètes tombent parfois sur le Soleil ». Lors de l'une des collisions, dit-il, certains fragments du Soleil durent être projetés dans l'espace. Ces liquides et des gaz (1/650 de la masse du Soleil) se sont alors amalgamés pour former des sphères gravitant dans le même plan et dans la même direction. Chacune d'elles devint une planète tournant sur son axe et aplatie aux pôles ; et des satellites se constituèrent.

En quoi cette nouvelle théorie affectait-elle la durée du temps historique ? Newton, bien entendu, n'eût pu que rejeter une vision aussi impie de la Création. Mais il avait avancé dans les *Principes* quelques spéculations intéressantes sur la vitesse de refroidissement des comètes : « Un globe de fer chauffé au rouge de dimension égale à notre Terre, soit environ 4 000 000 de pieds de diamètre, refroidirait à peine en un nombre égal de jours, ou en plus de 50 000 ans. » En raison de « certaines causes latentes », la vitesse de refroidissement pourrait même bien être plus lente encore, inférieure à la proportion du diamètre, « et je serais heureux que cette proportion fût recherchée par le moyen de l'expérimentation ». La réponse à ce problème contenait, aux yeux de Buffon, le secret de l'âge de la Terre. Si seulement il pouvait découvrir le temps exact qu'il avait fallu aux planètes pour se refroidir jusqu'à être habitables ! Il allait essayer.

Il coula dans sa propre fonderie deux douzaines de sphères de chacune un pouce de diamètre qu'il retira ensuite, chauffées à blanc. Puis il mesura le temps écoulé jusqu'au moment où il put les toucher et les tenir dans sa main. Il suffisait ensuite d'extrapoler le résultat à une sphère de la taille de la Terre pour avoir la réponse à la grande question. Une expérience aussi prosaïque était pourtant de nature à enflammer l'imagination salace des contemporains du marquis de Sade. Témoin ce compte rendu de l'un des secrétaires de Buffon : « Pour déterminer l'époque de la formation des planètes et calculer le temps de refroidissement du globe terrestre, il avait recours à quatre ou cinq jolies femmes, à la peau très douce ; il chauffait au rouge plusieurs boules de matières et de densités différentes ; et elles les saisissaient dans leurs mains délicates, en lui en décrivant les degrés de chaleur et de refroidissement. » Un récit moins sensationnel nous décrit Buffon en personne tenant une montre dans une main, et l'autre glissée dans un gant testant précautionneusement la chaleur de chacune des sphères jusqu'au moment où il pouvait retirer son gant et toucher la sphère sans se brûler.

Ce que Buffon apprit ainsi sur la vitesse de refroidissement des sphères, il l'appliqua à un globe de la taille et de la composition de la Terre. Pour aboutir à une conclusion hardie, et théologiquement dangereuse : « Au lieu des 50 000 ans que donne Newton comme temps nécessaire pour refroidir la Terre jusqu'à sa présente température, il fallut sans doute 42 964 ans et 221 jours rien que pour la refroidir jusqu'au point où elle cessa de brûler. » Buffon ajoute ensuite à ce chiffre toutes les années écoulées depuis que la Terre avait atteint sa température présente, établissant l'âge total de notre planète à 72 832 ans.

A une époque férue de mathématiques, Buffon fut donc à même de présenter un résultat chiffré et expérimentalement vérifié, dont la précision rivalisait avec les pieux calculs d'Ussher. Les géologues modernes ont, bien entendu, porté ce chiffre à des milliards d'années, mais Buffon lui-même osera observer que « plus on allongera cette durée, et plus on se rapprochera de la vérité ». Il avait d'abord envisagé le chiffre de trois millions et même davantage, jusqu'à l'infini, mais réduisit prudemment ce chiffre, explique-t-il lui-même, afin de ne pas être suspecté de divagation. Son chiffre avait seulement besoin de dépasser suffisamment celui d'Ussher pour rendre plausible sa vision moderne d'un monde en lente et constante transformation.

La Terre ne semble plus être, pour Buffon, le produit d'un acte de création récent. Dans l'ancienne tradition taxinomique, Linné s'était concentré sur les produits classifiables de cette création. Buffon se concentrait sur le processus. La Terre avait sa propre histoire. Alors pourquoi pas toute la nature, y compris toute les « créatures » ?

Progressant de sa théorie de la Terre, dans le tout premier volume de son *Histoire Naturelle* (1749), jusqu'à ses *Époques de la Nature* (1779), fruit de ses trente-cinq années d'études encyclopédiques, Buffon s'aperçut que, par une heureuse coïncidence, son calendrier fortement étiré se divisait précisément en *sept* époques. Ce qui donnait au livre de la Genèse un sens métaphorique jusqu'alors insoupçonné. Les sept « jours » devenaient sept « époques ».

La nouvelle chronologie de Buffon aida à rendre compte de bien d'autres faits troublants. Selon lui, au cours de la première époque prirent forme la Terre et les planètes. Au cours de la seconde, à mesure que la Terre se solidifia, les grandes chaînes de montagnes se formèrent, avec leurs dépôts de minéraux et de « matière vitreuse primitive ». Tandis que la Terre se refroidissait, à la troisième époque, gaz et vapeur d'eau se condensèrent, submergeant la Terre entière. Les poissons et autres animaux marins se développèrent dans les eaux profondes. Des processus chimiques éloignèrent « la matière vitreuse primitive » des montagnes submergées et créèrent des dépôts sédimentaires incluant des débris organiques, tel le charbon. Ces eaux se ruèrent dans les vastes ouvertures souterraines créées par le refroidissement de la Terre, faisant baisser le niveau des flots. Durant la quatrième époque, lorsque les volcans firent éruption, la planète fut secouée par des tremblements de terre et des déferlements d'eau remodelèrent les terres. A la cinquième époque, précédant la séparation des continents, apparurent les animaux terrestres. Lorsque les continents se séparèrent, à la sixième époque, les terres prirent leur forme actuelle. Finalement, à la septième et présente époque, l'homme apparut, annonçant une nouvelle étape de l'évolution « où le pouvoir de l'homme a secondé celui de la Nature », ouvrant un avenir aux possibilités incalculables.

La chaleur résiduelle de la Terre héritée du Soleil expliquait pour Buffon bien des phénomènes dont la Bible ne rendait pas compte. Ainsi, pendant une longue période durant laquelle toute la Terre conserva une température tropicale, d'immenses créatures éléphantesques vécurent dans les régions septentrionales de l'Europe et de l'Amérique du Nord — ce qui, incidemment, expliquait les gigantesques ossements fossiles trouvés dans ces régions. Mais, lorsque la Terre se refroidit, ces animaux firent mouvement vers l'équateur. C'était cette chaleur interne de la Terre qui fut à l'origine de la transformation des matières inorganiques en molécules organiques, donnant ainsi naissance aux premiers êtres vivants. Les puissances vitales étant proportionnelles à la chaleur, les régions les plus chaudes du globe et les périodes les plus chaudes de l'histoire avaient toujours généré des animaux plus grands.

En migrant les animaux s'adaptèrent à leur environnement et produisirent ainsi de nouvelles variétés ; les grands animaux se reproduisant lentement, leurs variétés furent peu nombreuses, mais les petits mammifères, tels les rongeurs et les oiseaux, se multiplièrent. Les migrations d'animaux avant la séparation des continents expliquaient leur distribution à la surface de la Terre et le fait que seule l'Amérique du Sud possédait sa propre faune.

En ouvrant les barrières du temps, Buffon ouvrait la porte à un monde de changement et de progrès, qui deviendra plus tard le monde de l'évolution. Par ailleurs, il frayait la voie à la notion de « dérive des continents ». Plus encore que celles de Galilée, les hérésies de Buffon mettaient en cause la Création et le Créateur. Elles étaient du reste d'un type tout à fait nouveau. Si la forme de la Terre était à ce point variable, si les espèces anciennes pouvaient s'éteindre, et de nouvelles variétés apparaître, alors le monde était voué au changement. Cela n'impliquait-il pas une évolution dans les voies du salut, une évolution dans les sacrements et même une évolution dans l'Église ?

Lorsque le premier volume de l'*Histoire Naturelle* parut en 1749, une Commission de la faculté de théologie de l'Université de Paris lui demanda de clarifier par écrit certains passages pour éviter d'encourir la censure. Il obtempéra. « Je m'en suis tiré à ma grande satisfaction », confia-t-il fièrement à un ami. Par 115 voix contre 5, la Commission décida de ne pas censurer l'œuvre. « Je renonce à tout ce qui, dans mon livre, concerne la formation de la Terre et, en général, à tout ce qui pourrait être contraire au récit de Moïse, n'ayant formulé mon hypothèse sur la formation des planètes que comme une pure spéculation philosophique », avait écrit Buffon à la Commission. *L'Esprit des lois* de Montesquieu fit dans le même temps l'objet d'une démarche analogue, mais fut condamné, l'auteur ayant refusé de répondre. Trente ans plus tard, malgré l'insertion du pieux désaveu de Buffon dans ses *Époques de la Nature,* une Commission de censure se réunira à nouveau mais, sous la pression du roi, renoncera à produire son rapport.

Piété ou prudence, Buffon refusa fermement de se laisser entraîner dans une controverse théologique. « Je ne comprends pas la théologie, déclare-t-il en 1773, et je me suis toujours abstenu d'en discuter. » Scrupuleux dans son observance du rituel catholique, il érigea une chapelle sur les lieux mêmes de la fonderie où il avait fondu les sphères avec lesquelles il avait corrigé les chiffres de la Bible. Assidu à confesse, il demanda les derniers sacrements de l'Église au moment de sa mort. Mais à l'inverse du pieux Newton, Buffon refusait que sa religion puisse obnubiler sa vision du passé. Mais à l'inverse aussi de son contemporain le baron d'Holbach (1723-1789), il ne se déclara jamais « l'ennemi personnel » de Dieu, ni ne crut qu'il fallait être athée pour « détruire les chimères qui affligent la race humaine ». Finalement, si Buffon lui-même n'a pas tranché entre sa foi en Dieu et son égale foi en la science, ce n'est pas à l'historien aujourd'hui de choisir pour lui.

Par cet audacieux allongement du Temps, Buffon transformait un monde de formes perpétuellement figées en un univers fluctuant, fait de matière en mouvement, et d'individus en évolution. La nature, de produit fini d'un Créateur généreux, devenait le lieu d'une infinité de processus. L'histoire remplaçait la théologie.

Sans la rallonge de temps proposée par Buffon, il ne pouvait exister d'histoire de la nature, ainsi que l'avait révélé la carrière de son brillant précédesseur Sténon. Comme Léonard de Vinci, Nicolas Sténon (1638-1686) fut victime de sa propre universalité. Fils d'un riche orfèvre protestant de Copenhague, il étudia la médecine. Désappointé de n'avoir pu obtenir un poste à l'université, il partit pour Paris, où il publia un traité sur l'anatomie du cerveau. A Florence, le duc de Toscane patronna son travail scientifique. Il se convertit au catholicisme, lors d'une crise spirituelle survenue le jour des Morts de l'année 1667.

Lorsque l'Accademia del Cimento le désigna pour explorer les grottes des lacs de Garde et de Côme, Sténon se lança — nouveauté pour l'Europe — dans la géologie régionale. Il avait déjà expliqué que les « pierres façonnées » que les Toscans appelaient *glossopetri,* ou langues de pierre, n'étaient pas des anomalies de la nature, mais des dents de requins qui, il y a bien longtemps, avaient vécu là. A peine âgé de trente ans, Sténon publia en 1669 un petit ouvrage révolutionnaire intitulé *Prologue à une dissertation sur la manière dont un corps solide se trouve confiné par les processus de la Nature à l'intérieur d'un autre corps solide,* et plus connu, d'après son titre latin, sous le nom de *Prodromus.* L'ouvrage jetait les fondements de la théologie moderne. Extrapolant à partir de ses découvertes géologiques toscanes, Stéonon y explique pourquoi et comment les cristaux, pierres et fossiles se présentent dans le sol sous la forme de strates.

La grande idée de Sténon était que les strates racontent l'histoire de la Terre. Par quelques principes simples, il transforme les désordres apparents de la croûte terrestre en archives bien lisibles. Les strates, dit-il, sont formées de matière qui, à l'origine, s'est précipitée, puis déposée sous forme de sédiments. Par un schéma fort clair — le premier à montrer une coupe géologique — il décrit six types de strates. Les plus profondes, explique-t-il, sont normalement plus anciennes que celles trouvées plus haut, sauf lorsque des couches inférieures ont été disloquées, puis comblées par celles du dessus. Les strates issues de transformations volcaniques ou chimiques, poursuit-il, sont radicalement différentes de celles formées par des moyens mécaniques. Ainsi, Sténon fournit-il des définitions rudimentaires des roches sédimentaires, éruptives et métaphoriques. Mais lorsqu'il vient à l'histoire de la Terre, Sténon aborde un terrain glissant. La Bible semblait dire que les montagnes avaient soit été créées par Dieu au commencement, soit avaient purement et simplement surgi. Le géologue danois commence par définir prudemment les fossiles comme catégorie de « solides naturellement contenus dans des solides » et comprenant toutes les substances rocheuses d'origine organique. La fossilisation, dit-il, survient « là où les substances de la coquille ayant dépéri, une substance rocheuse a pris la place de celle-ci », ce qui signifiait qu'il pouvait exister non seulement des fossiles d'ossements ou de coquillages mais aussi de plantes et d'organismes à corps mou. Pour arriver à loger tous ces processus dans les six mille années censées s'être écoulées depuis la création, Sténon était amené à imputer à la Genèse et au Déluge plus d'événements qu'ils n'en pouvaient contenir. Et sans histoire de la Nature, il ne pouvait y avoir de préhistoire. Aussi les grands ossements fossiles trouvés dans les champs Arétins près de Florence ne pouvaient aucunement provenir d'animaux préhistoriques, mais des éléphants de guerre de l'armée d'Hannibal.

Le *Prodromus* de Sténon n'était que l'introduction à un travail plus important qui ne vit jamais le jour, un fondement sur lequel d'autres allaient pouvoir construire. A Londres, Henry Oldenburg, toujours prompt à déceler un texte majeur, traduisit Sténon en anglais dès 1671. Entre-temps, l'ouvrage pionnier de Sténon sur le cerveau avait apporté à celui-ci la renommée. Le roi du Danemark le nomma médecin de la cour et professeur d'anatomie à Copenhague. Mais son appartenance au catholicisme lui ayant valu des ennuis, il retourne à Florence et, avec l'enthousiasme propre aux convertis, renonce à la science. Ordonné prêtre en 1675, il se vouera désormais entièrement à la carrière ecclésiastique. Au bout d'un an à peine, Innocent XI le fait évêque, vicaire apostolique et organisateur de la propagation du catholicisme en Europe du Nord. Propagandiste fanatique, il écrivit même à Spinoza dans l'espoir de la convertir, mais ce dernier ne répondit jamais. Son ascétisme farouche hâta sa mort — à quarante-huit ans — et son enterrement eut lieu en grande pompe à la basilique San Lorenzo à Florence, où son imposant mausolée est encore visible.

Ce fut à Buffon que revint la gloire d'ouvrir la route de la biologie moderne en faisant entrer la Terre avec toutes ses plantes et tous ses animaux sur la grande scène de l'Histoire. Après lui, il fut plus difficile de croire que le changement ne soit pas inhérent à toute chose dans ce monde. Il avait entrevu le « mystère » des espèces ; on disposait maintenant d'assez de temps pour qu'un grand nombre d'espèces animales aient pu naître et s'éteindre, faisant du monde entier un étonnant musée de fossiles.

En étirant le calendrier, Buffon élargit le décor pour l'imagination des naturalistes. La création pouvait être perçue désormais non plus seulement comme un panorama à la façon de Linné, mais comme un déroulement continu dans le temps. « Le Temps est le grand artisan de la Nature. Il marche toujours d'un même pas, et ne procède point par bonds et par sauts, mais par degrés, gradations et enchaînements ; et les changements qu'il opère — imperceptibles au début — ne deviennent visibles que peu à peu et ne se révèlent au bout du compte que par des résultats impossibles à nier. »

## 58

## *A la recherche du chaînon manquant*

La Grande Chaîne de l'Existence : telle fut la métaphore qui domina, pervertit et bloqua les efforts des Européens cherchant à découvrir la place de l'homme au sein de la nature. L'univers tout entier, du niveau le plus élémentaire au niveau le plus complexe, expliquaient savants et philosophes, consiste en une gamme ordonnée d'êtres. A la question : « Qu'est-ce que l'homme, pour que Tu prennes garde à lui ? » le Psalmiste répondit (et avec lui les adeptes de la « philosophie naturelle ») : « Tu l'as fait de peu inférieur aux anges et tu l'as couronné de gloire et de magnificence. »

La métaphore de la chaîne de l'existence était lourde d'ambiguïtés et de contradictions. Combien de maillons comprenait cette chaîne ? Quelle différence y avait-il entre eux ? Les réponses à de telles questions présupposaient une connaissance totale de la nature, ce qui évidemment n'était possible qu'au Créateur. Une figure de rhétorique sembla inspirer à Alexandre Pope en 1734 tout ce que l'homme devait savoir de sa place dans la nature :

> Vaste chaîne de l'existence ! qui naquit de Dieu,
> Natures éthérées, ou bien humaines, angéliques ou terrestres,
> Bêtes, oiseaux, poissons, insectes, ce qu'aucun œil ne peut voir,
> Ni aucune lunette atteindre ; de l'Infini jusqu'à Toi,
> Et de Toi jusqu'au Néant. — Si nous pouvions agir sur des puissances supérieures,
> D'autres, qui nous sont inférieures, de même agiraient sur nous,
> Sans quoi il nous faudrait, dans l'échelle de la Création, laisser un vide.
> Or s'il manque un degré, tout entière elle s'écroule.
> Quel que soit le maillon que l'on frappe dans l'immense chaîne de la nature,
> Fût-il le dixième ou bien le dix-millième, pareillement elle se brise.

L'homme étant infiniment éloigné de la perfection de son Créateur, n'y avait-il pas aussi au-dessus de lui une place pour un nombre infini d'être supérieurs ? L'homme n'était-il qu'un « chaînon intermédiaire » entre le niveau le plus bas et le plus élevé ? S'il existait véritablement une chaîne ininterrompue, l'homme lui-même, alors, ne différait-il pas que d'une manière infime du chaînon non humain le plus proche de lui ? Et s'il possède à part égale les attributs matériels des êtres inférieurs à lui et les qualités immatérielles de ceux qui lui sont supérieurs, ne se trouve-t-il pas alors condamné à une perpétuelle discorde antérieure ? Comme l'exprime Pope en des vers inoubliables :

Sur l'isthme étroit de son état moyen,
Obscur en sa sagesse, grossier en sa grandeur,
Pour n'être que sceptique il a trop de savoir,
Trop de faiblesse aussi pour vivre en stoïcien.
Toujours entre deux choix il reste suspendu :
Faut-il agir ou ne rien faire ?
Au Corps ou à l'Esprit donner la préférence ?
Se croire dieu ou bête ?
S'il vient au monde ce n'est que pour mourir,
Et s'il raisonne c'est pour se fourvoyer,
Son âme est un chaos confus où la passion
Se mêle à la pensée.
Qui l'abuse sinon lui-même ?
Qui d'autre que lui-même le détrompe ?
Une part de son être fut créée pour l'essor,
Une autre pour la chute.
Maître de tout mais à tout asservi,
Seul juge du vrai, abîmé dans l'erreur,
Tout à la fois il est l'honneur, la dérision,
Et l'énigme du monde.

Aussi séduisante fût-elle pour le poète ou le métaphysicien, la chaîne de l'existence n'était pas d'une grande aide au scientifique. Les naturalistes avaient beau être diserts sur les « chaînons manquants », ils n'étaient guère encouragés à étudier l'homme d'après ses ressemblances avec les autres animaux : certes, la chaîne de l'existence plaçait l'homme dans un déroulement continu, mais elle faisait également de lui, en quelque sorte, un maillon exceptionnellement isolé des forces de la nature.

Cette chaîne se révéla être merveilleusement flexible, au point finalement de s'accomoder d'une certaine idée d'évolution. Mais au moins jusqu'au XVIIIe siècle, elle décrira le produit et non le processus de la Création, et ne constituera qu'une autre façon de louer la sagesse et la plénitude du Créateur. Elle rendait compte de la nature dans l'espace, non dans le temps. Pour découvrir sa place dans la nature, l'homme allait devoir acquérir le sens historique : quand et comment les différentes espèces étaient-elles apparues ? Il allait également avoir besoin de voir en quoi son corps ressemblait à celui des autres animaux.

Médecin anglais prospère, Edward Tyson (1651-1708) était bien placé et parfaitement qualifié pour tracer les chemins de la découverte reliant l'histoire naturelle à l'anatomie comparée. Il ne prit jamais place dans le panthéon populaire aux côtés de Vésale, Galilée, Newton ou Darwin, évita la controverse et ne rechercha jamais le pouvoir dans le nouveau parlement de la science. Mais il fut à l'anatomie comparée ce que William Harvey avait été à la physiologie. Né à Bristol dans une riche famille traditionnellement vouée au service public, Tyson suivit un itinéraire classique : diplôme de médecine à Oxford en 1677, puis ouverture d'un cabinet à Londres avec son beau-frère. Lorsqu'il commença ses expérimentations anatomiques, il se lia avec Robert Hooke, qui illustra certaines de ses communications et le fit élire à la *Royal Society* en 1679.

En tant que conservateur, il fut chargé d'organiser les démonstrations pour les assemblées régulières de la Société. Il prêcha comme celle-ci l'expansion continuelle de la science. Et il se réjouit de l'abondance des découvertes provenant du Nouveau Monde. « Chaque jour, on découvre de nouvelles pistes, de nouvelles terres, de nouvelles mers ; des descriptions nouvelles de pays inconnus nous parviennent de l'un et de l'autre monde ; aussi sommes-nous contraints de modifier nos cartes et de reprendre entièrement la géographie. Et les découvertes des Indes n'ont pas davantage enrichi le monde ancien que celles de l'anatomie n'ont maintenant amélioré et la science naturelle et la médicale. » Cependant, dit-il, les naturalistes ne doivent pas se laisser aller à des généralisations hâtives : « Bien mieux vaut en faire peu mais avec précision, que sans discernement accumuler les sottises. Malpighi, avec un ver à soie, a plus fait que Jonston dans son livre entier sur les insectes. » La lente progression des connaissances sur le monde « inférieur » du dedans doit égaler celle du monde « supérieur » du dehors, poursuit-il, en « démontrant cet automate et en examinant séparément toutes les parties, tous les rouages et ressorts qui lui donnent vie et mouvement ».

« L'anatomie d'un seul animal, insiste Tyson, servira de clé pour plusieurs autres ; et tant que cette tâche ne pourra pas être menée à bien, il sera très souhaitable de posséder le plus grand nombre possible d'espèces les plus différentes et les plus anormales. » Il se réjouit de la longue description que fait Swammerdam de l'éphémère ou mouche de mai, car, dit-il, seul « un examen *comparatif* » permet de comprendre la vie.

> L'effet du travail de Nature pourra sembler timide et peu visible en certains cas, mais en d'autres il sera bien plus clair... Une mouche parfois apporte plus de lumières quant à la structure et à l'usage de telles parties du corps humain. Nous ne devons donc point considérer la plus humble des Créatures comme vile ou inutile car, en elle, se trouvent de vivants caractères qui nous feront comprendre aussi bien la Divinité que nous-mêmes... En tout animal se trouve un monde de merveilles car chacun, en vérité, est en lui-même un monde, un microcosme...

Un jour que, en quête comme d'habitude de poissons rares à disséquer, Tyson visitait les docks de la Tour de Londres et les cuisines du lord-maire, un poissonnier lui offrit un marsouin. C'était le seul cétacé (mammifère, pisciforme dénué de membres postérieurs, comme la baleine et le dauphin) existant dans les eaux britanniques, et il fut heureux pour l'avenir de la science que ce spécimen se soit égaré dans les eaux de la Tamise.

La *Royal Society* avait manifesté un intérêt particulier pour l'anatomie de toutes les espèces rares et le marsouin n'avait jamais encore été disséqué. Ami de Tyson, Robert Hooke déboursa les sept shillings et six pence de la société pour l'acquisition de ce « poisson » de 95 livres, qu'ils transportèrent au Collège de Gresham aux fins de dissection. Embauchant Hooke pour l'aider dans ses dessins, Tyson se mit rapidement à l'œuvre. Son *Anatomie d'un marsouin* (1680) démontra les risques que l'on courait à classifier les animaux d'après leur aspect extérieur. John Ray avait encore rangé le marsouin parmi les poissons. « Si l'on observe un marsouin de l'extérieur, fait observer Tyron, il n'y a rien de plus qu'un poisson. » Mais, « si l'on regarde à l'intérieur, rien n'y ressemble moins ». Son anatomie intérieure persuada le chercheur que le marsouin était en réalité un mammifère, semblable aux quadrupèdes terrestres, « mais vivant dans la mer et ne possédant que deux nageoires antérieures ».

> La structure des *viscères* et des organes intérieurs présente une telle analogie avec celle des quadrupèdes que nous les trouvons ici presque semblables. La plus grande différence existant entre eux paraît résider dans la forme extérieure et dans l'absence de pattes. Mais là encore, nous avons observé que lorsque la peau et la chair furent retirées, les nageoires antérieures représentaient fort bien un bras : avec une *Omoplate*, un *Humérus*, un *Cubitus*, un *Radius*, un *Carpe*, le *Métacarpe* et *5 doigs* curieusement joints...

Le goût de Tyson pour les spécimens exotiques éveilla l'intérêt de ses collègues de la *Royal Society*. Ils lui achetèrent une autruche à disséquer. Finalement, il offrit à la Société ses dissections illustrées (parmi d'autres) d'un serpent à sonnettes d'Amérique, d'un cochon musqué du Mexique et d'un opposum offerts par William Byrd de Virginie.

Un autre accident offrit à Tyson l'occasion de s'aventurer en pionnier sur les chemins périlleux des origines de l'homme. Un bébé chimpanzé ramené d'Angola par un marin avait subi en cours de route une blessure qui s'était infectée et mourut peu de temps après son arrivée à Londres. Tyson, qui avait vu l'animal encore vivant, se procura le cadavre et l'emporta chez lui pour le disséquer. Ne possédant pas de chambre froide pour son spécimen, il dut se hâter. Par chance, il prit pour assistant William Cowper, l'un des meilleurs spécialistes en anatomie humaine du moment, qui l'aida dans ses dessins. Le fruit de leur travail, publié en 1699, s'intitulait : *Orang-Outang, sive Homo Sylvestris : or, The Anatomy of Pygmie compared with that of monkey, an Ape, and a Man (L'Orang-outang, sive Homo Sylvestris, ou l'anatomie d'un pygmée comparée à celle d'un singe, d'un grand singe et d'un homme)*. Tout comme l'ouvrage de Vésale avait ouvert la voie à l'anatomie humaine, ce volume de 165 pages, abondamment illustré, ouvrit une nouvelle ère dans l'anthropologie physique.

Dans la langue malaise, le terme « orang-outang » signifiait homme des bois et, en Europe, désignait d'une manière large tous les grands primates infra-humains. L'animal disséqué par Tyson n'était pas ce qu'un zoologue moderne appellerait un orang-outang, mais un chimpanzé d'Afrique. Premier anthropoïde apparu dans la littérature scientifique européenne, cet animal avait été remarqué dès 1641 par le Dr Nicolas Tulp (qui inspira à Rembrandt le personnage du maître dans son célèbre tableau : *La leçon d'anatomie*). Tyson choisit d'appeler son spécimen un « pygmée ».

Mais le nom qu'il lui donna fut moins important que ce qu'il en fit et qui allait faire date. Son anatomie de l'orang-outang plaçait l'homme dans une constellation entièrement nouvelle. De même que Copernic avait détrôné la Terre du centre de l'univers, ainsi Tyson destitue l'homme de sa position exceptionnelle au-dessus et en marge du reste de la Création, avec tout un monde de plantes et d'animaux pour être utile et agréable. Jamais encore la parenté physique entre l'homme et l'animal n'avait été démontrée de manière aussi ouverte et circonstanciée.

Vésale avait détaillé et reproduit la structure du corps humain ; Tyson détaillait maintenant l'anatomie de celui parmi les animaux qu'il montrait être le plus proche de l'homme. La portée de l'acte était claire : là se trouvait le « chaînon manquant » entre l'homme et tous les animaux « inférieurs ».

Tyson énumère simplement similitudes et différences physiques entre le chimpanzé et l'homme. Sans références à Dieu ni spéculations métaphysiques, il inscrit ses conclusions sur deux colonnes. L'une détaille en quoi « l'orang-outang ou pygmée ressemble davantage à l'homme que les singes », et l'autre, en quoi il « diffère de l'homme et ressemble davantage à un singe ». Les quarante-huit points de ressemblance avec l'homme débutent ainsi : « I. Les poils des épaules sont orientés vers le bas ; ceux des bras, vers le haut », et se poursuivent par les analogies de structure des intestins, du côlon, du foie, de la rate, du pancréas et du cœur. « 25. Le cerveau est beaucoup plus grand que celui des singes ; toutes ses parties exactement conformées dans le cerveau humain. » Puis viennent les similitudes des dents, des vertèbres, des doigts et des orteils, mais en fin de compte, déclare Tyson, « il n'a pas été possible de déterminer si tous les muscles des singes ressemblent à ceux de l'homme, faute d'un sujet à leur comparer ou d'observations faites par d'autres ». Sont également répertoriés avec précision les trente-quatre points de différence anatomique avec l'homme et les ressemblances entre le chimpanzé et les deux grands types de singe. Ayant découvert que les organes de la parole et le cerveau de son « pygmée ressemblent exactement à ceux de l'homme », Tyson plonge ses lecteurs dans la perplexité en ajoutant : « Il n'y a pas de raison de penser que les Agents exécutent telle ou telle Action parce qu'ils possèdent des organes appropriés pour ce faire ; car s'il en était ainsi notre pygmée serait un homme. » Pourquoi l'homme était-il en mesure de raisonner et non le pygmée ? Cette question, Tyson la formule dans un cadre nouveau, celui du monde physique. De la même manière que la perspective héliocentrique, une fois perçue, fut impossible à oublier, de même, après avoir lu Tyson, qui pouvait encore penser que l'homme était isolé du reste de la nature ?

Tyson conclut que le chimpanzé ressemblait davantage à l'homme qu'aux autres primates. Les différences entre l'homme et les autres animaux n'étaient plus dès lors que des nuances, qu'il fallait répertorier. La dissection experte du grand médecin donnait au discours des théologiens sur la nature « animale » de l'homme avec signification nouvelle, précise — et théologiquement dangereuse. Tyson était parvenu au seuil de l'anthropologie physique. Dans l'appendice de son *Orang-outang,* rassemblant toute son érudition classique, il explique comment cet être a suscité tant d'évocations de satyres, d'hommes à tête de chien et de sphinx ; ce n'était, dit-il, « qu'une créature issue du cerveau et produite par une imagination fiévreuse et dévoyée : ils n'ont jamais eu nulle part d'existence ni d'habitat ». Ainsi, en montrant comment les peuples différents donnent des significations variées, voire extravagantes, à un même phénomène physique — un simple chimpanzé — Tyson ouvrait-il aussi la voie à l'anthropologie culturelle.

Mais le plus étonnant peut-être chez un anthropologue aussi nettement tourné vers les phénomènes physiques fut le rôle précurseur qu'il joua dans le traitement des divagations de l'esprit humain. Dans son ascension vers le firmament médical anglais de son temps, il fut élu membre du *Royal College of Physicians* et, en 1684, nommé médecin, puis directeur du Bethlehem Hospital. Il y gagnera une place au Panthéon des défenseurs de l'homme. Ancien prieuré de l'ordre de l'Étoile de Bethléem fondé au XIII^e siècle, le Tethlehem Hospital était un asile d'aliénés, premier du genre en Angleterre, et premier aussi en Europe si l'on excepte celui de Grenade. Lorsque Tyron prit ses fonctions, « Bedlam » (prononciation populaire de Bethléem) était entré depuis longtemps dans le langage courant pour désigner tout lieu bruyant et confus. Les malades mentaux y étaient battus, entravés et enfermés dans des cellules. L'hôpital était devenu un tel spectacle public qu'il est souvent question dans les comédies anglaises de la Restauration des gens à la mode « allant voir les fous », comme s'ils allaient au cirque ou au zoo. Soit dit en passant, Bedlam était un lieu où l'on plaçait les personnes « lubriques ou déréglées » et les apprentis paresseux.

Les directeurs de l'établissement s'étaient montrés peu disposés à exclure les touristes car il arrivait que de riches oisifs s'intéressent à l'institution et fassent des dons. « C'est grâce à l'aide de tels bienfaiteurs, concède Tyson lui-même, que cet hôpital peut supporter ses lourdes charges. » Il essaya au moins de n'admettre que les spectateurs les plus convenables et interdit toute visite touristique le dimanche.

Eu égard à la dureté de l'époque, Tyson remporta un remarquable succès dans l'humanisation du traitement des malades mentaux. Afin de faire de cette prison un hôpital, il engagea des infirmières et créa un fonds spécial pour vêtir les malades pauvres. Ainsi, « Bedlam » commença à devenir un lieu de soins et non plus de châtiment. Sa grande innovation fut de « suivre » les patients après leur sortie par des visites régulières à leur domicile. Pendant les vingt années qu'il occupa le poste de médecin-chef, 890 patients sur 1 294 admis, soit une proportion de 70 %, sortirent guéris ou soulagés. Les réformes de Tyson ont traversé les siècles et laissé leur marque au Bethlehem Hospital et ailleurs. En 1708, l'auteur de son oraison funèbre pouvait écrire :

> Le grand Tyson par son pouvoir
> Nous dispensa des organes nouveaux...
> Par lui la pauvreté d'esprit
> Elle-même fut guérie
> Et l'Homme reconstruit,
> La Lumière rendue à son âme.
> A cette noble cause appliquant tout son art,
> Tyson, enfin, sut relever
> Jusqu'à l'image déchue de la Divinité.

Lorsque Linné eut à placer l'homme dans son *Système de la Nature* en 1735, il n'esquiva pas la difficulté en invoquant quelque ange déchu. Comme Tyson, il reconnut « ne pas pouvoir découvrir la différence entre l'homme et l'orang-outang », et il ne trouva jamais un seul « caractère générique » lui permettant de distinguer l'homme d'un grand singe. « Il est remarquable, conclut Linné dans sa douzième édition, avec une ironie rare chez lui, que le plus stupide des primates diffère si peu du plus intelligent des hommes qu'il reste à trouver l'arpenteur de la nature capable de tracer entre eux une ligne de partage. » « *Homo,* dit Shakespeare dans *Henri IV,* première partie, est le nom commun à tous les hommes. »

Dans son système binominal, Linné baptise l'homme *Homo sapiens,* donnant à *homo* une signification beaucoup plus large, et allant jusqu'à classer l'homme comme une « espèce », un animal parmi les autres. Sous la rubrique Mammifères dans son ordre des Primates (« incisives coupantes ; quatre supérieures, parallèles ; mamelons deux, pectoraux »), Linné place l'espèce humaine (« Diurne ; variable selon l'éducation et la situation ») et distingue les variétés suivantes :

> Quadrupède, muet, velu. *Homme Sauvage.*
>
> Teint cuivré, cholérique, debout. *Américain.*
>
> Cheveux noirs, droits, épais ; narines larges, visage dur, barbe clairsemée ; obstiné ; vide d'esprit. Se badigeonne de traits rouges et fins. Régi par des coutumes.

Teint clair, sanguin, musclé. *Européen.*
Chevelure blonde ou brune tombante ; yeux bleus ; doux, fin, inventif. Habillé de vêtements serrés. Gouverné par des lois.

Teint fuligineux, atrabilaire, rigide. *Asiatique.*
Chevelure noire ; yeux sombres ; sévère, hautain, avide. Habillé de vêtements amples. Gouverné par des opinions.

Noir, flegmatique, détendu. *Africain.*
Chevelure noire ; crépue ; peau soyeuse ; nez épaté, lèvres bouffies, habile, indolent, négligent. S'enduit de graisse. Gouverné par des caprices.

## 59

## *En route vers l'évolution*

« L'année qui s'achève, déclarait Thomas Bell, l'éminent président de la Société Linnéenne de Londres, à la fin de l'année 1858, n'a été marquée par aucune de ces découvertes frappantes qui d'un seul coup révolutionnent le domaine de la science sur lequel elles portent ; c'est seulement de loin en loin que peut venir la véritable innovation. » La très sélecte Société Linnéenne (dont Joseph Banks fut un des fondateurs) avait été créée en 1788 pour préserver la bibliothèque, l'herbier et les manuscrits laissés par Linné à son fils et qu'à la mort de ce dernier la Société avait reçus d'un botaniste anglais. Or, quoi qu'en ait dit Bell, les trois documents lus devant la société le 1^er^ juillet de cette année-là étaient plus révolutionnaires que tout ce qui avait pu être proposé à la communauté scientifique depuis l'époque de sir Isaac Newton.

Ces documents (qui tenaient en dix-sept pages dans le *Journal* de la société) s'intitulaient : « Sur la tendance des espèces à former des variétés, et sur la perpétuation des variétés et des espèces par les moyens naturels de la sélection. » Ils avaient été communiqués à la Société par deux de ses membres les plus éminents : le géologue sir Charles Lyell, et le botaniste J.D. Hooker. Ceux-ci avaient l'honneur de présenter à leurs collègues « les résultats des recherches menées par deux infatigables naturalistes, MM. Charles Darwin et Alfred Wallace. Ces deux gentlemen ayant, indépendamment et sans se connaître, conçu la même théorie fort ingénieuse pour rendre compte de l'apparition et de la perpétuation des variétés et des formes spécifiques sur notre planète, peuvent à juste titre revendiquer le mérite d'être des penseurs originaux dans cet important domaine d'étude ». Les trois textes étaient : des extraits d'un manuscrit esquissé par Darwin en 1839 et révisé en 1844 ; le résumé d'une lettre envoyée par Darwin au professeur Asa Gray de Boston (Massachusetts) en octobre 1857, réaffirmant ses conceptions au sujet des espèces telles qu'il les avait exposées dans le manuscrit antérieur ; et un essai de Wallace, rédigé à Ternate, aux Indes orientales, en février 1858 et envoyé à Darwin avec instructions de le faire parvenir à Lyell s'il le trouvait suffisamment novateur et intéressant.

Plus tard, les historiens devaient considérer le 1er juillet 1858 comme la date de la première formulation publique de la théorie moderne de l'évolution. Mais à l'époque, le dossier Darwin-Wallace passa pratiquement inaperçu. Ni Darwin ni Wallace n'étaient présents et il n'y eut aucune discussion parmi les trente membres assistant à la réunion. Il n'y eut même pas de texte contradictoire ; la lecture de ces documents ne faisait que sacrifier au rite de priorité fixé par la nouvelle étiquette du monde des sciences.

Le cheminement de l'idée d'évolution fut tout à fait caractéristique de la manière dont progresse la science moderne. Les temps modernes avaient introduit de nouveaux moyens de diffusion : presse à imprimer, sociétés savantes. De là une certaine mobilité pour des idées scientifiques et pour les chercheurs eux-mêmes. Bien sûr la progressivité nouvelle de la science ne signifiait pas la fin des révolutions dans la pensée, mais elle en modifiait la fréquence et le caractère. Les idées nouvelles pouvaient désormais être introduites de manière discrète, progressive, voire détachée. Et qui, parmi ces idées, pouvait désigner celle qui bouleverserait tout ?

En ce jour de juillet londonien, donc, la Société Linnéenne s'apprêtait à publier des observations faites par Darwin vingt ans plus tôt, lors de son voyage autour du monde sur le *Beagle,* ainsi que des observations complémentaires relevées par Wallace quelques mois auparavant à Ternate, dans les lointaines Moluques.

Lorsque le jeune Darwin, âgé de vingt-deux ans, appareille le 27 décembre 1831 pour son voyage de cinq ans sur le *Beagle,* il emportait avec lui le premier volume — à peine sorti de presse — des *Principes de Géologie* de Charles Lyell, que son professeur de botanique à Cambridge lui avait offert en guise de cadeau de départ. Lyell (1797-1875) allait profondément marquer toute la pensée de Darwin relative aux processus de la nature et permettre ainsi au courant évolutionniste moderne de porter le nom de darwinisme. La grande idée de Lyell, étayée dans son livre par de nombreuses preuves, fut de considérer que la Terre avait été façonnée dès l'origine par des forces uniformes actuellement encore en action : érosion des eaux, accumulation de sédiments, tremblements de terre et volcans. Ces forces ayant, au bout de millénaires, fait de la terre ce qu'elle était maintenant devenue, plus n'était besoin d'imaginer des catastrophes. Cette doctrine reçut du philosophe anglais William Whewell le nom d'uniformitarisme.

Lyell avait tenté d'éviter l'écueil de la théologie et de la cosmologie en refusant tout simplement de discuter des origines de la Terre. Toute spéculation sur la Création est inutile et peu scientifique, disait-il. Les implications de sa théorie pour les plantes et les animaux étaient évidentes. Si l'activité présente du Vésuve ou de l'Etna expliquait les modifications survenues à la surface du globe terrestre, d'autres forces également visibles de nos jours n'étaient-elles pas susceptibles de montrer comment étaient apparues les différentes espèces et les variétés de plantes et d'animaux. En offrant à Darwin le fameux exemplaire de Lyell, son professeur de Cambridge lui avait fortement conseillé de ne pas en prendre tout le contenu à la lettre. Outre cet ouvrage, Darwin emportait avec lui la Bible, Milton, ainsi que les récits de voyage d'Alexandre von Humboldt au Venezuela et dans le bassin de l'Orénoque.

Le voyage sur le *Beagle* fut évidemment un épisode capital dans le mystérieux cheminement de Darwin vers sa théorie de l'évolution. Un rôle important revient également, dans la chaîne des hommes et des idées, à John Steven Henslow (1796-1861), le professeur qui le premier inspira au jeune Darwin sa passion pour l'étude de la nature. A lui seul, ce bel homme à la forte présence suscita une véritable renaissance de la botanique à l'université. Il organisa des sorties pour observer les plantes dans leur milieu naturel et exigea de ses étudiants qu'ils procèdent à des observations indépendantes, formant ainsi une nouvelle génération de botanistes intéressés moins par la taxonomie linnéenne que par la répartition, l'écologie et la géographie des plantes. Le Jardin Botanique de Cambridge devint un laboratoire d'enseignement.

La grande œuvre de Henslow fut de transformer le jeune Darwin d'étudiant en théologie indolent en naturaliste passionné. A l'âge de soixante-sept ans, Darwin se souvenait encore d'une « circonstance qui, plus qu'aucune autre, avait influencé sa carrière » :

> Ce fut mon amitié avec le professeur Henslow. Avant de me rendre à Cambridge, j'avais entendu parler de lui par mon frère comme d'un homme qui connaissait tous les domaines de la science et j'étais, en conséquence, prêt à le révérer. Il tenait une fois par semaine maison ouverte, et tous les étudiants ainsi que plusieurs membres du corps professoral, attachés à la science, avaient l'habitude de s'y rencontrer le soir. Par l'intermédiaire de Fox, j'obtins bientôt une invitation et m'y rendis régulièrement. Avant longtemps, je devins très lié avec Henslow et pendant la dernière moitié de mon séjour à Cambridge, je fis presque quotidiennement des promenades avec lui ; de sorte que certains des professeurs me surnommèrent « le compagnon de marche de Henslow » ; et le soir, je fus souvent convié à dîner chez lui en famille. Ses connaissances en botanique, entomologie, chimie, minéralogie et géologie étaient grandes. Il aimait tout spécialement tirer des conclusions d'une longue série d'observations.

Lorsqu'en 1831 l'Amirauté demanda à Henslow de lui recommander un naturaliste pour servir sur le *Beagle* durant sa mission de cartographie sur les côtes de Patagonie, de la Terre de Feu, du Chili et du Pérou et d'installation de stations chronométriques, il recommanda son élève favori.

Charles brûlait d'accepter. Mais son père, déjà irrité par le faux départ des études médicales de son fils à Edimbourg, était franchement opposé à toute nouvelle incartade du même genre. « Tu ne t'intéresses qu'à la chasse, aux chiens et à la prise des rats, s'était plaint Darwin père, et tu seras bientôt la honte de ta famille. » Il était maintenant bien décidé à maintenir le garnement sur le chemin de la vie religieuse, et Charles, en fils soumis, ne pouvait rejoindre le *Beagle* sans l'autorisation de son père. Heureusement, le professeur Henslow et l'oncle de Charles, Josiah Wedgwood, réussirent à persuader le noble géniteur de laisser partir son fils. « L'étude de l'histoire naturelle, argumentait Wedgwood, quoique indigne d'une profession, sied fort bien à un clergyman. »

Henslow resta en contact étroit avec son élève durant les cinq années que dura le voyage du *Beagle*. Ils entretinrent une correspondance régulière et Henslow veilla sur les spécimens que Darwin renvoyait à Londres. A l'arrivée à Montevideo, un exemplaire du second volume de Lyell attendait Darwin, puis, à Valparaiso, de l'autre côté du continent sud-américain, il reçut le troisième volume, qui sortait tout juste de l'imprimerie. Tout au long de son expédition, Darwin mit en pratique les principes de Lyell et, observant les cratères volcaniques submergés de l'océan Indien, il conclut que l'atoll de Kelling avait mis au moins un million d'années à se former.

Le second volume de Lyell allait au-delà de la géologie physique et appliquait l'uniformitarisme à la biologie. Tout au long du temps géologique, expliquait Lyell, des espèces nouvelles avaient vu le jour et d'autres s'étaient éteintes. La survie d'une espèce dépendait de certaines conditions de son environnement, mais les phénomènes géologiques modifiaient constamment ces conditions. Telle espèce pouvait disparaître pour avoir échoué dans sa compétition avec d'autres espèces sur un même territoire. Telle autre pouvait être si prospère qu'elle finissait par éliminer toute « concurrence » et se retrouver seule. L'étude par Lyell de la répartition géographique de la faune et de la flore laissait entendre que chaque espèce était apparue en un lieu donné et un seul. Des milieux similaires sur des continents distincts semblaient produire des espèces tout à fait différentes, également adaptées à leur environnement. Milieu, espèce, tout était donc mouvement.

L'intérêt que portait Lyell à ces problèmes lui avait été inspiré par le naturaliste français Lamarck (1744-1829). Mais celui-ci, insistant sur l'hérédité des caractères acquis, avait entièrement renoncé au concept d'espèce ; pour lui, le mot « espèce » ne désignait que la succession des générations durant laquelle l'animal s'adaptait à son environnement, et si chaque espèce était malléable à l'infini, alors aucune ne devait jamais s'éteindre. Quant à Lyell, tout en conservant la notion d'espèce comme unité fondamentale dans sa théorie de la nature, il ne pouvait expliquer comment apparaît une nouvelle espèce. Les hypothèses de Lyell tourmentaient l'impressionnable Darwin, qui rencontrait partout en Amérique du Sud des plantes et des animaux qu'il n'avait jamais vus. Aux Galapagos, il fut fasciné par les variations de certaines espèces d'oiseaux rencontrés sur des îles fort éloignées les unes des autres mais situées sur la même latitude. Pendant ce temps, les lettres de Darwin avaient tellement frappé Henslow qu'il en avait lu certaines à la Société Philosophique de Cambridge et en avait même fait imprimer pour les faire circuler. Lorsque le *Beagle* fut de retour en 1836, Henslow se joignit à Lyell pour faire obtenir à Darwin une subvention de 1 000 livres sterling afin qu'il puisse compiler ses cinq volumes de notes, et s'arrangea pour le faire élire secrétaire de la Société Géologique de Londres.

Au cours des quelques années suivantes, Darwin, ainsi qu'il le dit lui-même, fréquenta tout spécialement Lyell. « Il avait un goût passionné pour la science, se souviendra Darwin, et il ressentait le plus vif intérêt pour l'avenir du genre humain. Il avait très bon cœur et était profondément libéral dans ses croyances ou plutôt ses doutes. » Pourtant, Lyell n'allait que très lentement se rallier aux théories darwiniennes. « Quelle bonne chose ce serait, s'était plaint le jeune Darwin à Lyell, voyant que les géologues les plus âgés refusaient de suivre ce dernier, quelle bonne chose ce serait, si tous les hommes de science mouraient à soixante ans, car sinon, sans nul doute, ils s'opposeraient à toute nouvelle doctrine. » C'est presque septuagénaire que le courageux Lyell, dans son *Ancienneté de l'homme prouvée par la géologie* (1863), rendra finalement les armes devant l'idée d'évolution et commencera à adopter les vues de Darwin sur l'origine des espèces. « Étant donné son âge, ses idées antérieures et sa position sociale, fera observer Darwin, je considère son acte comme héroïque. »

Lyell, parvenu au faîte de sa renommée, restera le mentor de Darwin, dont il était l'aîné de douze ans. Lorsque les Darwin se furent installés à Down dans le Kent, les Lyell vinrent passer chez eux des journées entières. Écoutons ce qu'en dit Darwin :

> Il m'apparut qu'en suivant l'exemple de Lyell en géologie et en réunissant tous les faits portant d'une manière ou d'une autre sur la variation des animaux et des plantes, domestiques ou sauvages, on pourrait peut-être jeter quelque lumière sur le sujet tout entier. C'est en juillet 1837 que j'ouvris mon premier cahier de notes. Je travaillai selon les vrais principes de Bacon et, sans aucune théorie, collectai les faits sur une grande échelle, notamment ceux relatifs aux productions acclimatées, par des enquêtes imprimées, par des conversations avec les éleveurs et les jardiniers habiles et par de nombreuses lectures. Lorsque je vois la liste des ouvrages de toutes sortes que j'ai lus et résumés, y

compris des séries entières de *Journals* et de *Transactions*[1], je m'étonne de mon propre zèle. Je m'aperçus bientôt que la sélection constituait la pierre angulaire de la capacité de l'homme à produire des races utiles d'animaux et de plantes. Mais quant à savoir comment la sélection pouvait s'appliquer aux organismes vivant dans l'état de nature, cela demeura quelque temps encore pour moi un mystère. En octobre 1838, soit quinze mois après avoir commencé mon enquête systématique, il arriva que je lus pour mon plaisir un ouvrage intitulé *Malthus et la population* ; et étant bien préparé par ma longue observation des habitudes des animaux et des plantes à comprendre la lutte pour l'existence qui partout se poursuit, je fus tout d'un coup frappé par le fait que, dans ces circonstances, les variations heureuses devaient tendre à être préservées et les malheureuses à être détruites. Le résultat en serait la formation de nouvelles espèces.

Tel était, exprimé en quelques mots, l'essentiel de l'apport de Darwin à la théorie des espèces.

Pourtant, il était « tellement désireux d'éviter tout préjudice » pouvant résulter d'un exposé prématuré de ses idées qu'il se retint de parler. En juin 1842, il crayonna, en 35 pages et pour son plaisir personnel, un court résumé de sa théorie, qu'il élargit en 1844 en un second « résumé », de 230 pages celui-là. Lorsque Lyell lui conseilla, en 1856, de développer son sujet, il s'y mit aussitôt, « sur une échelle trois ou quatre fois plus grande, explique-t-il, que celle que je devais suivre par la suite dans mon *Origine des espèces* ».

Puis, au début de l'été 1858, tous ses projets, comme il le dit lui-même, « se trouvèrent bouleversés ». Il reçut des Moluques l'essai de Wallace, « sur la tendance des variétés à s'écarter indéfiniment du type originel ». Et Wallace le priait, s'il trouvait son texte satisfaisant, de le faire parvenir à Lyell. Le scrupuleux Darwin, nous l'avons vu, fit droit à cette demande. Mais si le texte de Wallace devait paraître, alors qu'adviendrait-il du travail mené depuis vingt ans par Darwin ? Celui-ci était à la torture.

Une fois encore, Lyell, l'homme d'État du nouveau parlement de la science, joua un rôle crucial. Résolu à sauvegarder la priorité de Darwin sans pour autant léser Wallace, il insista pour que les trois documents soient promptement offerts à la Société Linnéenne. « Tout d'abord, je ne voulus pas accepter, reconnaît Darwin, car je pensais que M. Wallace pourrait trouver mon geste injustifiable, ne sachant pas alors dans quelle noble et généreuse disposition il était. L'extrait de mon manuscrit et la lettre à Asa Gray n'étaient ni l'un ni l'autre destinés à la publication et étaient mal rédigés. L'essai de M. Wallace, quant à lui, était admirablement tourné et parfaitement clair. Néanmoins, nos œuvres conjointes attirèrent très peu l'attention et le seul compte rendu qui en soit paru et dont je

1. Publications régulières des sociétés savantes. (N.d.T.)

me souvienne fut celui du professeur Haughton de Dublin, qui décréta que tout ce qu'elles contenaient de vrai était ancien. »

Alfred Russel Wallace (1823-1913), retenu par l'histoire comme le coauteur du concept de sélection naturelle, était tout le contraire de Darwin. Né dans une famille pauvre de neuf enfants dans le Monmouthshire, dans le sud du pays de Galles, il fréquente le lycée pendant quelques années puis abandonne ses études à quatorze ans et devient autodidacte. Jeune homme, en visite à Londres, il fréquente le « Hall de la Science » à Tottenham Court Road, club ouvrier pour enseignants, où il se convertit aux idées socialistes et laïques de Robert Owen.

Il subvient à ses besoins comme apprenti géomètre chez son frère, puis, à force de travail personnel, réussit à devenir instituteur à Leicester. Il a la chance d'y rencontrer Henry Walter Bates (1825-1892), qui, tout en travaillant treize heures par jour comme apprenti dans une fabrique locale de bonneterie, trouvait le temps de lire Homère et Gibbon et de pratiquer l'entomologie. Bates et Wallace vont se lier d'amitié et organiser ensemble des sorties dans la campagne à la recherche de coléoptères.

Lecteur vorace, le jeune Wallace découvre toutes sortes de livres de science, d'histoire naturelle et de voyages, dont l'ouvrage de Malthus *On Population*, le *Voyage autour du Monde* de Darwin et la *Géologie* de Lyell. Il est particulièrement impressionné par un stimulant ouvrage sur l'évolution, signé Robert Chambers (1802-1871), comme lui naturaliste amateur. Le livre de ce dernier *Vestiges of the natural History of Creation* (1844) était tellement audacieux que l'auteur avait dû le publier anonymement pour épargner des ennuis à sa maison d'édition ; mais il eut quatre éditions en sept mois et vingt-quatre mille exemplaires en furent vendus. Bien que condamné comme impie par certains savants respectables, l'ouvrage popularisait définitivement les idées d'évolution organique et cosmique ainsi que celle d'évolution des espèces.

La relation vivante et personnelle par Humboldt de ses voyages au Mexique et en Amérique du Sud encouragea Wallace à enrôler Bates dans une expédition ayant pour but de recueillir des spécimens le long de l'Amazone. Quatre années (1848-1852) de collectage dans cette région valurent au jeune Wallace une réputation de naturaliste de terrain. Durant le voyage de retour, son bâtiment prit feu et sombra avec les spécimens, mais cette mésaventure ne découragea pas le fervent collectionneur. Il repartit presque aussitôt pour la Malaisie, où il passera huit ans, ainsi qu'aux Moluques, à explorer et récolter des spécimens ; c'est là qu'il formulera la théorie de la sélection naturelle, dans l'article que Darwin reçut au début de 1858.

Si un auteur tragique grec avait voulu créer deux personnages pour montrer comment le destin peut conduire les hommes à une même fin par des chemins opposés, il n'aurait guère pu mieux faire que d'inventer Darwin et Wallace. Darwin, de quatorze ans l'aîné de Wallace, avait été destiné par sa riche famille à une carrière dans l'Église. Toute sa vie, il fit de son mieux pour suivre le conseil de Lyell de ne « jamais se trouver mêlé à une controverse, celle-ci n'apportant généralement rien de bon et causant une grave perte de temps et de sang-froid ». Ayant péniblement rassemblé pendant vingt ans spécimens et preuves, c'est presque contre son propre gré qu'il formulera sa théorie de la sélection naturelle. Quant à Wallace, homme d'origine plus que modeste, et très tôt méfiant à l'égard de la religion et de toutes les institutions, c'est sans la moindre hésitation qu'il adoptait une théorie et se jetait dans la controverse. Dès l'âge de vingt-deux ans, il avait acquis, à la lecture de *Vestiges* de Chambers, l'inébranlable conviction que les espèces sont le produit d'une évolution, ce dont son voyage en Amazonie eut ensuite pour but de réunir les preuves. Et c'est pour en établir la confirmation irréfutable qu'il se rendra ensuite en Malaisie, d'où il rapportera quelque 127 000 spécimens. Dès son arrivée sur les lieux, il tient un journal de ses découvertes, qu'il appelle son « Carnet des espèces ». Son essai intitulé : *Sur la loi qui a régi l'apparition des espèces nouvelles* (1855) sera publié trois ans avant l'article envoyé à Darwin.

Pendant les années 1860, alors même qu'étaient lancées les notions fondamentales relatives à l'évolution, Wallace déploya son énergie dans la défense des causes les plus diverses. Devenu fervent de spiritisme, il continua à s'intéresser au socialisme, il fut le premier président de la *Land Nationalization Society* (Société pour la nationalisation des terres) (1881) et se fit l'avocat déclaré de la femme. Curieusement, son goût de la controverse l'amena à prendre parti contre la vaccination antivariolique. Sa brochure intitulée *Quarante-cinq années de statistiques officielles prouvant que la vaccination est à la fois inutile et dangereuse* (1878) fut suivie par trois jours de déposition devant la Commission royale, où il prétendit que la vaccination tuait davantage que la maladie.

Cherchant toujours plus loin à assouvir sa passion de la controverse, Wallace s'intéressa ensuite au cosmos. L'éminent astronome Percival Lowell (1855-1916) soutenait dans *Mars and Its Canals* (1906) que des êtres doués d'intelligence avaient dû peupler la planète Mars, et y creuser les canaux que l'on aperçoit aujourd'hui en construisant un système d'irrigation (grâce à la fonte annuelle des calottes glaciaires), lequel avait permis la culture de larges bandes de végétation. Quoique non astronome, Wallace, alors âgé de quatre-vingt-quatre ans, entra en lice. Dans *Is Mars Habitable ?* (1907) il affirma qu'il ne pouvait y avoir de vie ailleurs que sur la Terre. Les recherches entreprises au XX^e^ siècle ont montré que le savant Lowell était sans doute plus loin de la vérité que l'amateur Wallace. Science et réforme avaient engendré ce que Wallace baptisa avec enthousiasme *The Wonderful Century* (Le siècle des merveilles) (1898).

Les mêmes vérités géographiques qui n'inspirent que des interrogations au prudent Darwin firent naître des réponses chez l'impétueux Wallace.

La sélection naturelle éloigna Darwin de la foi. A la fin de sa vie, il devait déclarer que la splendeur de la forêt brésilienne l'avait jadis renforcé dans sa « ferme conviction de l'existence de Dieu et de l'immortalité de l'âme... Mais aujourd'hui, poursuit-il, les spectacles les plus grandioses ne susciteraient plus en mon esprit de telles convictions ni de tels sentiments. Je dois à la vérité de dire que je suis comme un homme qui aurait été frappé de daltonisme [...]. Il ne semble pas qu'il y ait davantage dessein dans la variabilité des êtres organiques ou dans les mécanismes de la sélection naturelle que dans la direction où souffle le vent ».

Mais la passion de Wallace pour l'évolution l'amènera de plus en plus à croire à une « intelligence supérieure » ; il aura de plus en plus besoin d'un dieu pour expliquer ses découvertes dans la nature. « J'espère que vous n'avez pas complètement assassiné votre enfant et le mien », déclarera Darwin à Wallace lorsque celui-ci, dans sa critique des ouvrages de Lyell, en 1869, eut révélé son retour à Dieu.

Tout comme les voyages de Gama et de Magellan avaient été précédés par d'obscures traversées commerciales de la Méditerranée et une lente exploration du littoral africain, de même l'aventure de l'évolution eut-elle ses innombrables pionniers. Mais, tandis que Colomb et Gama avaient respectivement connaissance de l'existence du Japon et des Indes, les pionniers de l'évolution, eux, partaient pour une destination inconnue.

La description complète de tous les éléments qui contribuèrent à l'éclosion de la théorie darwinienne de l'évolution demanderait des volumes entiers sur la naissance de la biologie, de la géologie, de la géographie modernes. Il nous faudrait rappeler : les intuitions des Grecs de l'Antiquité ; l'hypothèse de saint Augustin selon laquelle, si toutes les espèces étaient bien l'œuvre de Dieu, certaines n'étaient au départ que des germes appelés à se développer par la suite ; la notion médiévale du monde organique ; l'évolution par Montesquieu d'une multiplication des espèces lors de la découverte des makis volants à Java ; les spéculations du mathématicien français Maupertuis sur la combinaison accidentelle des particules élémentaires ; l'hypothèse de Diderot selon laquelle les animaux supérieurs seraient issus d'un « animal primordial unique » ; la théorie de Buffon sur le développement et la « dégénérescence » des espèces ; les doutes profonds de Linné quant à l'immobilité de celles-ci ; les visions d'Érasme Darwin, le grand-père de Charles, décrivant des plantes et des animaux aiguillonnés par « le désir, la faim et le danger » jusqu'à donner naissance à des formes nouvelles ; etc.

Parmi les prédécesseurs immédiats de Darwin, il faudrait inclure Lamarck et son audacieuse exploration de la frontière incertaine séparant espèces et variétés d'une part, et « arbre » évolutif de l'autre. Sans oublier Cuvier et sa classification de l'ensemble du règne animal. « On peut considérer ces divers corps comme une sorte d'expérimentation accomplie par la nature, laquelle ajoute ou soustrait à chacune de ces parties (tout comme nous essayons de le faire dans nos laboratoires), et montre ensuite elle-même les résultats de ces ajouts et retraits », avance Cuvier en 1817. Bien d'autres, tout en niant comme Cuvier l'évolution des espèces, crurent relever les traces de modification sur les êtres découverts dans les couches de la terre.

Bête noire de Cuvier, l'indomptable Étienne Geoffroy Saint-Hilaire (1772-1844) accepta l'invitation de Bonaparte de se joindre à l'expédition scientifique d'Égypte et au péril de sa vie recueillit des spécimens dans les tombeaux. Il fera du terme d'évolution, désignant jusqu'alors le développement embryonnaire de l'individu, une notion signifiant l'apparition des espèces. Les analogies de structure de tous les vertébrés l'amenèrent à avancer l'hypothèse que les mammifères proviennent des poissons et il proclama l'évolution de tout le règne animal. Mais il ajoutait que tout novateur doit, tel le Christ, consentir à porter une couronne d'épines.

Les données qui devaient faire naître la théorie de l'évolution étaient le produit inattendu d'une expédition maritime aux objectifs par ailleurs clairement définis. Comme nous l'avons vu, l'Amirauté britannique avait envoyé le *Beagle* pour faire le relevé cartographique des côtes sud-américaines et déterminer plus précisément la longitude par une suite de calculs chronologiques encerclant le globe. Mais les modernes parlements de la science — *Royal Society*, Société Linnéenne de Londres et leurs homologues à travers l'Europe et les Amériques — avaient fait de l'histoire naturelle une tribune de réflexion sur l'inattendu.

Le triomphe de l'évolution fut une victoire, non seulement des idées, mais de l'imprimé qui, sous sa forme typographique européenne, constituait un procédé révolutionnaire pour répandre les grands mouvements de pensée jusque dans les lieux les plus inattendus.

L'*Essai sur le principe de population* (1798) de Thomas Robert Malthus (1766-1834), que Darwin avait lu en octobre 1838, devait également servir de catalyseur à Wallace. Celui-ci raconte dans son autobiographie que, lorsqu'il était instituteur à Leicester en 1844-1845, il passait de nombreuses heures à la bibliothèque municipale : « L'œuvre la plus importante que je lus, dit-il, fut sans doute les *Principles of population* de Malthus ; œuvre que j'admirais grandement pour son magistral résumé des faits et la profonde logique de son système inductif. C'était le premier livre que j'eusse jamais lu traitant des problèmes de la biologie philosophique ; ses maîtres principes ne m'abandonnèrent jamais et, vingt ans plus tard, me permirent enfin de découvrir le véritable agent de l'évolution des espèces organiques. » Et il décrit avec force comment Malthus réapparut dans son horizon intellectuel et changea sa vie. En janvier 1858, il venait d'arriver à Ternate, aux îles Moluques, pour collecter papillons et coléoptères : « J'étais mordu par la passion des espèces et de leur description et si ni

Darwin et moi-même n'avions eu l'idée de la "sélection naturelle", j'aurais pu passer les meilleures années de ma vie à ce travail relativement peu fructueux. » Il était dans l'impasse.

> Je souffrais d'une poussée aiguë de fièvre intermittente et chaque jour, durant mes accès successifs de froid et de chaluer, je devais m'allonger pendant plusieurs heures ; temps pendant lequel je n'avais nulle autre chose à faire que de penser à ce qui alors pouvait m'intéresser plus particulièrement. Quelque chose, un jour, me rappela le *Principe de population* de Malthus, que *j'avais lu* vingt ans auparavant. Je pensai à sa description des « freins évidents de la croissance » — maladie, accidents, guerre, famine — qui maintiennent la population des races sauvages à un niveau moyen tellement plus bas que celui des peuples civilisés. Il me vint alors l'idée que ces causes ou leurs équivalents sont continuellement à l'œuvre aussi dans le monde animal ; *et que,* les animaux se reproduisant généralement beaucoup plus vite que les hommes, la destruction annuelle qui résulte de ces causes doit être considérable, pour maintenir à son niveau le nombre des animaux de chaque espèce [...] sinon le monde serait depuis longtemps encombré par ceux qui se reproduisent le plus rapidement [...]. Pourquoi certains meurent-ils tandis que d'autres survivent ? La réponse était claire : dans l'ensemble, seuls les plus aptes survivent. A la maladie échappent les plus sains ; aux ennemis, les plus forts, les plus rapides ou les plus rusés ; à la famine, les meilleurs chasseurs ou ceux qui ont la meilleure digestion ; et ainsi de suite. Alors, il m'apparut soudain que ce processus autorégulateur devait nécessairement *améliorer la race,* du fait qu'à chaque génération, les éléments inférieurs devaient être inévitablement éliminés tandis que demeuraient les éléments supérieurs, c'est-à-dire que *ne survivaient que les plus aptes* [...]. J'attendis impatiemment la fin de mon accès de fièvre afin de prendre immédiatement des notes en vue d'un article sur ce sujet.

Il passa les deux soirées suivantes à rédiger l'article qu'il envoya à Darwin par le courrier suivant, avec les conséquences que nous avons vues.

Les idées de Malthus sur la démographie avaient constitué une réaction contre l'admiration paternelle pour les idées utopiques de Rousseau et de William Godwin. Quoique destiné à l'Église et effectivement ordonné pasteur, le jeune Malthus avait brillamment suivi les cours de mathématiques à Cambridge. « La population, lorsqu'elle n'est pas refrénée, s'accroît par une progression géométrique. Les subsistances, elles, ne s'accroissent que selon une progression arithmétique » : tel était le cœur de sa doctrine. Malgré sa tendance à moraliser, l'ouvrage avait l'accent d'un authentique travail de sciences sociales. Malthus avait un objectif éminemment pratique : celui de refondre la loi de l'assistance publique afin que les dirigeants de l'Angleterre « ne puissent être taxés de non-respect de nos promesses envers les pauvres ».

A long terme, il fallait influencer la pensée économique. Karl Marx s'en inspirera et John Maynard Keynes le créditera de l'idée selon laquelle la demande effective constitue un moyen d'éviter la crise. Mais son influence sur la biologie fut totalement inattendue. La lutte pour l'existence, explique Darwin dans l'*Origine des espèces,* « est la doctrine de Malthus appliquée avec force à l'ensemble du règne animal et végétal ». La rigueur du style fut pour beaucoup dans l'impact du petit livre de Malthus, qui connut six éditions du vivant de l'auteur et une influence croissante.

Encore fallait-il être publié. Que le lecteur approuvât ou non, l'essentiel, pour qu'il y ait débat, était que le livre se vende. Lorsqu'on lui proposa l'*Origine des espèces,* le pourtant sagace John Murray (qui avait publié une édition révisée du *Voyage* de Darwin ainsi que les récits des mers du Sud de Melville après que plusieurs autres maisons eurent refusé) fut loin d'être enthousiaste. Le 28 mars 1859, le prudent Darwin demande à Lyell comment aborder Murray :

> P.S. Me conseilleriez-vous de dire à Murray que mon livre n'est pas plus hétérodoxe que le sujet ne l'impose ? Que je ne discute pas l'origine de l'homme. Que je me garde de polémiquer à propos de la Genèse, etc., et me contente de produire des faits et d'en tirer les conclusions qui me paraissent justes. Ou bien vaut-il mieux ne *rien* dire à Murray et supposer qu'il ne peut rien objecter à cette hétérodoxie-là, laquelle, en fait, n'est rien de plus que n'importe quel traité de géologie qui va à l'encontre de la Genèse.

Finalement, Murray ne trouva à redire qu'aux termes « résumé » et « sélection naturelle » contenus dans le titre. Au seul vu des têtes de chapitres et sur la recommandation de Lyell, il accepta la publication accordant à Darwin les deux tiers du bénéfice net.

Le révérend Whitwell Elwin, responsable de la prestigieuse *Quarterly Review,* dans un compte rendu qui allait devenir un classique du genre, fit remarquer à Murray qu'il était prudent de publier quoi que ce soit qui se présentât seulement comme un « résumé ». Et plutôt que de s'attaquer à un sujet aussi délicat, poursuivait Elwin, Darwin ferait mieux d'écrire un livre sur les pigeons, thème sur lequel on savait qu'il avait fait des observations intéressantes. « Tout le monde s'intéresse aux pigeons, ajoutait-il. Le livre ferait l'objet d'un compte rendu dans toutes les revues du royaume et se trouverait vite dans toutes les bibliothèques. » Darwin ne fut pas convaincu.

Un avocat ami de Murray l'encouragea à publier 1 000 exemplaires au lieu des 500 prévus et le nombre fut porté à 1 250 avant la sortie du livre, le 24 novembre 1859. Jusqu'au dernier moment, Darwin craignit que Murray ne revînt sur sa décision et s'offrit même à payer la correction des épreuves. Lorsque les librairies eurent pris tous les exemplaires, 3 000 autres furent tirés ; le résultat dépassa toutes les espérances. « Seize mille exemplaires ont été vendus à ce jour [1876] en Angleterre, note Darwin dans son *Autobiographie ;* compte tenu de l'aridité du livre, c'est énorme.

Il a été traduit dans presque toutes les langues européennes, y compris l'espagnol, le bohémien, le polonais et le russe. Selon Mlle Bird, il existe également une traduction au Japon où l'ouvrage est très étudié. Il est même paru sur mon livre une étude en hébreu prouvant que la théorie en est déjà contenue dans l'Ancien Testament ! » Et il recensait fièrement plus de 265 comptes rendus ainsi que de nombreux essais. Il attribua le succès de la publication (peu important en regard des romans populaires qui atteignaient le même chiffre en une seule année) à la « masse des faits bien observés » qu'on pouvait y trouver, ainsi qu'au format du livre qu'il déclara devoir à l'essai de Wallace.

L'hostilité avec laquelle fut accueilli l'*Origine des Espèces*, et notamment la diatribe de l'évêque Wilberforce, est devenue proverbiale. Mais le mépris se changea bientôt en ovation : moins de dix ans après la publication de l'ouvrage, le concept de lutte pour l'existence avait remplacé, dans les examens de sciences naturelles à Cambridge, la traditionnelle question sur « les grands desseins » décelables dans la nature. Et même d'entendre le grincheux Wilberforce reconnaître son erreur du bout des lèvres ne devait pas satisfaire ce farouche partisan de Darwin qu'était Thomas Henry Huxley : « Une confession que n'accompagne pas la pénitence [...] ne nous donne aucune raison de modérer notre jugement ; et la bonté avec laquelle Darwin parle de son adversaire, monseigneur Wilberforce, est un exemple si frappant de sa singulière gentillesse et modestie qu'elle accroîtrait plutôt notre indignation contre l'arrogance de son critique. » Huxley considère l'ouvrage de Darwin comme « l'instrument le plus efficace de l'extension du domaine des connaissances naturelles que l'homme ait jamais eu à sa disposition depuis les *Principes* de Newton [...]. Il fut mal reçu par la génération à laquelle il s'adressait, et il est triste de songer au débordement d'inepties auquel il a donné lieu. Mais la génération actuelle se comporterait sans doute aussi mal si un autre Darwin devait apparaître et lui infliger ce que la plupart des hommes haïssent le plus, à savoir la révision de leurs convictions ».

L'influence à long terme du darwinisme et de sa fructueuse ambivalence pour la science comme pour la religion s'incarnera dans le mot « agnosticisme », forgé par Huxley pour décrire les limites et les promesses de la connaissance scientifique. Huxley s'inspirera pour cela de la rencontre entre saint Paul et les Athéniens vénérant « le Dieu inconnu ». C'est sur la demande pressante de vingt membres du Parlement britannique que Darwin, à sa mort en 1882, sera inhumé à l'abbaye de Westminster.

# Livre IV
# LA SOCIÉTÉ

*Un homme seul est en mauvaise compagnie.*
PAUL VALÉRY (1924).

Il fallut découvrir l'Histoire avant de pouvoir l'explorer. Les messages du passé parvinrent d'abord grâce aux arts de la mémoire, puis par l'écriture et, pour finir, ce fut l'explosion du livre. Les richesses insoupçonnées que recelait la terre remontèrent jusqu'aux temps préhistoriques. Le passé devint bien plus qu'un entrepôt de mythes, ou qu'un simple catalogue de choses familières. La découverte, par voie de terre ou de mer, de mondes neufs, les ressources tirées de continents lointains, les coutumes des peuples exotiques, tout cela allait ouvrir la voie au progrès, à la nouveauté. La société, c'est-à-dire la vie quotidienne de l'homme social, devint à son tour un champ mouvant de découvertes.

# TREIZIÈME PARTIE

## *L'élargissement des communautés de savoir*

*... constituer une bibliothèque qui n'ait d'autres limites que celles du monde.*

ÉRASME, *Adages* (1508).

## 60

## *L'art perdu de la mémoire*

Avant l'avènement du livre imprimé, c'était la mémoire qui régissait la vie quotidienne aussi bien que le savoir occulte. « L'art qui conserve tous les arts » *(Ars artium omnium conservatrix)*: ce titre donné plus tard à l'imprimerie aurait pu être le sien. C'était la mémoire des individus et des communautés qui véhiculait le savoir à travers l'espace et le temps. Pendant des millénaires, ce fut elle, la mémoire personnelle, qui régna sur les divertissements comme sur l'information, sur la transmission et le perfectionnement des techniques, la pratique du commerce et celle des diverses professions. C'était par elle et en elle qu'étaient engrangés, préservés, accumulés les fruits de l'éducation. Elle était une faculté impressionnante, que chacun se devait de cultiver selon des méthodes et pour des raisons que nous avons depuis longtemps oubliées. Depuis cinq siècles, nous ne voyons plus de cet empire, de ce pouvoir de la mémoire, que quelques pitoyables vestiges.

A cette réalité qui gouvernait leur vie, les Grecs donnèrent une forme mythologique. La déesse de la Mémoire (Mnémosyne), était de la race des Titans, fille d'Uranus (le ciel) et de Gaia (la Terre) ; elle était aussi la mère des neuf Muses. Celles-ci, selon la légende, étaient la poésie épique (Calliope), l'histoire (Clio), la flûte (Euterpe), la tragédie (Melpomène), la danse (Terpsichore), la lyre (Erato), le chant sacré (Polymnie), l'astronomie (Uranie) et la comédie (Thalie).

Lorsque les neuf filles du roi Piéros les défièrent, dit-on, dans un concours de chant, leur punition fut d'être changées en pies, tout juste capables de répéter inlassablement une même note.

Chacun avait besoin de la mémoire. Tout comme les autres arts, elle pouvait être cultivée et l'on connaissait d'habiles moyens de la parfaire. Elle possédait ses virtuoses que l'on admirait. Ce n'est qu'à une époque toute récente que les « exercices de mémoire » sont devenus un sujet de dérision et un refuge pour charlatans. Les arts traditionnels de la mémoire, dont Frances A. Yates a retracé l'histoire avec tant de charme, prospérèrent en Europe pendant des siècles.

L'inventeur de la mnémotechnie fut, dit-on, le poète lyrique grec Simonide de Céos (env. 556-468? av. J.-C.). Homme aux talents variés, il semble par ailleurs avoir été le premier à accepter le paiement de ses poèmes. Cicéron, lui-même connu pour l'excellence de sa mémoire, nous conte dans son ouvrage sur l'art oratoire les origines de la réputation de Simonide. Lors d'un banquet que Scopas donnait en sa maison de Thessalie, le poète avait été invité à chanter, moyennant finances, les louanges de son hôte. En fait, seule une moitié de ses vers furent dédiés à Scopas, le reste de son chant étant un éloge des divins jumeaux, Castor et Pollux. Scopas, irrité, refusa de payer davantage que la moitié de la somme promise. De nombreux invités étaient encore attablés lorsqu'on vint dire à Simonide que deux jeunes gens l'attendaient à la porte. Il sortit et ne vit personne. Bien entendu, ces mystérieux visiteurs n'étaient autres que Castor et Pollux en personne ; ils avaient trouvé ce moyen de récompenser Simonide pour leur part du panégyrique. En effet, à peine le poète avait-il quitté la salle que le toit s'écroulait, enfouissant tous les autres convives sous un monceau de décombres. Lorsque les parents des victimes vinrent chercher les cadavres pour leur rendre les derniers honneurs, il fut impossible de les identifier tant ils étaient défigurés. C'est alors que Simonide exerça sa remarquable mémoire, indiquant à chacun des parents endeuillés quel était le corps qui leur revenait. Il se souvenait parfaitement de leur place avant l'accident, et c'est ainsi qu'il put identifier les dépouilles.

Cette expérience devait lui suggérer la forme classique de l'art de la mémoire dont il est censé être l'inventeur. Cicéron, pour qui la mémoire était l'une des cinq grandes composantes de la rhétorique, explique ainsi la démarche de Simonide :

> Il déduisit que les personnes désireuses d'éduquer cette faculté devaient choisir des lieux, puis former des images mentales des choses dont elles souhaitaient se souvenir ; elles pourraient alors emmagasiner les images dans ces différents lieux, de sorte que l'ordre de ces derniers préserverait l'ordre des choses, tandis que les images évoqueraient les choses elles-mêmes ; nous utiliserions ainsi les lieux et les images de la même façon qu'une tablette de cire et les lettres qu'on y trace.

L'art de Simonide, qui domina la pensée européenne pendant tout le Moyen Age, était donc fondé sur deux principes simples, celui des lieux *(loci)* et celui des images *(imagines)* ; ces principes allaient servir de base durable aux procédés mnémotechniques des rhéteurs, des philosophes et des savants.

L'ouvrage le plus couramment utilisé fut un traité écrit vers 86-82 avant J.-C. par un maître rhétorique romain. Ce texte, connu sous le nom de *Ad Herennium*, sa dédicace, était d'autant plus estimé que certains en attribuaient la rédaction à Cicéron lui-même. L'autre grand maître latin de la rhétorique, Quintilien (env. 35-95 de notre ère), devait préciser les choses en élaborant une méthode « architecturale » destinée à graver dans la mémoire une série de lieux. Pensez, dit-il, à un grand bâtiment dont vous traverserez successivement les nombreuses salles en en mémorisant tous les ornements et le mobilier. Attribuez ensuite une image à chacune des idées dont vous désirez vous souvenir et, traversant à nouveau le bâtiment, déposez chacune de ces images selon cet ordre dans votre imagination. Si, par exemple, vous déposez mentalement une lance dans le salon et une ancre dans la salle à manger, vous saurez, plus tard, qu'il vous faut parler d'abord de la guerre et ensuite de la marine... Ce système n'a rien perdu de son efficacité.

Au Moyen Age, il s'établit tout un jargon technique distinguant entre la mémoire « naturelle », que chacun possède en naissant et qu'il utilise sans aucun entraînement particulier, et la mémoire « artificielle », que l'on peut développer. Les techniques étaient différentes selon qu'il s'agissait de mémoriser des choses ou des mots, les opinions variaient quant au lieu où on devait se trouver pour faire ses exercices, et quant aux endroits les plus appropriés pour servir d'entrepôt imaginaire aux *loci* et images de la mémoire. Certains maîtres conseillaient de choisir un endroit tranquille où l'esprit puisse procéder à son travail de fixation sans être gêné par les bruits ambiants ou le passage des gens. Bien entendu, une personne observatrice et qui avait voyagé possédait l'avantage de pouvoir s'équiper de « lieux » nombreux et variés. Il n'était pas rare à l'époque de voir les étudiants en rhétorique arpenter fébrilement l'intérieur de bâtiments déserts, notant la forme et l'ameublement de chaque pièce afin de fournir à leur imagination les moyens d'une mise en mémoire.

Sénèque le Père (v. 55 av. J.-C.-37 ap. J.-C.), célèbre professeur de rhétorique, était capable, disait-on, de reproduire fidèlement de longs passages de discours qu'il n'avait entendus qu'une seule fois, bien des années auparavant. Il impressionnait vivement ses élèves en demandant à une classe de deux cents d'entre eux de réciter chacun un vers tiré de quelque poésie, pour les répéter tous, ensuite, dans l'ordre *inverse*. Quant à saint Augustin, qui avait lui aussi, à ses débuts, enseigné la rhétorique, il cite avec admiration le cas d'un de ses amis qui pouvait réciter tout Virgile — à l'envers !

Les exploits, et surtout les acrobaties, de la mémoire « artificielle » étaient fort appréciés. « La mémoire, dit Eschyle, est la mère de toute sagesse. » Opinion partagée par Cicéron : « La mémoire est trésor et gardien de toutes choses. » A l'apogée de la mémoire, avant la diffusion de l'imprimerie, la mnémotechnie était une nécessité pour l'amuseur, le poète et le chanteur, tout comme pour le médecin, l'homme de loi ou le prêtre.

Les premières grandes œuvres épiques d'Europe naquirent de la tradition orale, ce qui revient à dire qu'elles furent préservées et récitées grâce aux arts de la mémoire. L'*Iliade* et l'*Odyssée* se transmirent d'abord de bouche à oreille. Pour désigner le poète, Homère emploie le mot « chanteur » *(aoidos)*. Et ce « chanteur », avant Homère, semble avoir été celui qui récitait un seul poème, suffisamment court pour être dit en une seule fois devant un même auditoire. Le brillant chercheur américain Milman Parry nous a décrit, en Serbie musulmane, la survivance d'une pratique similaire, sans doute proche de celle de l'antiquité homérique. Il montre qu'à l'origine la longueur du poème était fonction de la patience des auditeurs et de l'étendue du répertoire de chaque chanteur. La grandeur d'Homère quelle que soit, par ailleurs, la réalité que recouvre ce nom — homme, femme ou ensemble de personnes — est d'avoir songé à réunir divers chants d'une heure en un seul poème épique, plus ambitieux dans son propos, plus développé dans ses thèmes et de structure complexe.

Les premiers livres de la Méditerranée antique furent écrits sur des feuilles de papyrus collées à la suite les unes des autres puis roulées. Le déroulement de ces livres était peu commode, et lorsque l'opération se répétait trop souvent, elle avait pour effet d'effacer l'écriture. Comme il n'y avait pas de pages numérotées, la vérification d'une citation était si fastidieuse que les gens préféraient s'en remettre à leur mémoire.

C'est par la mémoire aussi qu'étaient conservées les lois, avant de l'être par des documents. La mémoire collective fut donc le premier registre d'archives légales. Le droit coutumier anglais était un usage « immémorial », c'est-à-dire qui remontait en fait « aussi loin que mémoire d'homme n'avait point souvenir contraire ». Sir William Blackstone pouvait écrire en 1765 : « Jadis, l'ignorance des lettres était, dans le monde occidental, aussi profonde qu'universelle. Elles étaient figées dans la tradition, et ceci pour la simple raison que les nations n'avaient qu'une faible idée de ce que pouvait être l'écriture. Ainsi, les druides celtes et gaulois s'en remettaient-ils à leur mémoire pour leurs lois comme pour leur savoir ; parlant des Saxons primitifs qui s'établirent en notre pays ou de leurs frères du continent, on a pu dire : *leges sola memoria et usu retinebant*. »

Rites et liturgie étaient également préservés par la mémoire, avec les prêtres pour gardiens. De fréquents services religieux servaient à fixer les prières et le rituel dans l'esprit des jeunes fidèles. La prépondérance des textes versifiés et de la musique en tant que procédés mnémotechniques témoigne de l'importance que pouvait avoir la mémoire en ces temps d'avant l'imprimerie. Pendant des siècles, l'ouvrage de base pour la grammaire latine fut le *Doctrinale,* écrit au XIIe siècle par Alexandre de Villedieu, et qui se composait de deux mille vers de mirliton. Ces règles en vers étaient plus faciles à retenir, même si leur grossièreté était telle qu'elle consterna Aldus Manutius lorsqu'en 1501 il eut à réimprimer l'ouvrage.

Pour les philosophes scolastiques du Moyen Age, il ne suffisait pas que la mémoire fût un procédé ; ils en firent une vertu, l'un des aspects de la prudence. Après le XIIe siècle et la réapparition, sous forme de manuscrit, du classique *Ad Herennium,* les scolastiques semblent s'être intéressés bien moins à la technique de la mémoire qu'à son aspect moral. Il s'agissait de savoir en quoi elle pouvait encourager à une vie chrétienne.

Saint Thomas d'Aquin (1225-1274), proclament ses biographes, se souvenait parfaitement de tout ce qu'on lui avait enseigné à l'école. A Cologne, Albert le Grand l'avait aidé à développer sa mémoire. Les paroles des Pères de l'Église que Thomas rassembla pour Urbain IV après avoir visité de nombreux monastères furent couchées sur le papier non pas d'après des *notes prises* de sa main, mais au *seul souvenir* des textes qu'il avait parcourus. Il lui suffisait de lire un texte pour le retenir. Dans la *Summa Theologiae* (1267-1273), il reprend la définition de Cicéron, pour qui la mémoire est un élément de la prudence, et en fait l'une des quatre vertus cardinales. Puis il propose quatre règles pour le perfectionnement de cette mémoire, qui prévaudront jusqu'au triomphe du livre imprimé et seront inlassablement reproduites. Si Lorenzetti et Giotto peignirent les vertus et les vices, ce fut surtout, comme l'explique Frances A. Yates, pour aider le public à appliquer les règles thomistes de la mémoire artificielle. La fresque de la salle capitulaire de Santa Maria Novella, à Florence, offre à la mémoire du spectateur une représentation frappante de chacune des quatre vertus cardinales de saint Thomas ainsi que de leurs différentes parties. « Nous devons nous souvenir assidûment des joies invisibles du Paradis et des tourments éternels de l'Enfer », peut-on lire dans cet ouvrage fondamental du Moyen Age qu'est le traité de Boncompagno. Pour celui-ci, la liste des vertus et des vices n'est qu'une série de « mémoratifs » dont le but est d'aider l'âme pieuse à fréquenter « les chemins de souvenance ».

Dans la *Divine Comédie* de Dante, avec son plan de l'Enfer, du Purgatoire et du Paradis, lieux et images, conformément aux préceptes de Simonide et de saint Thomas, nous sont présentés de façon prégnante et dans un ordre facile à retenir. Sans compter d'autres exemples plus humbles. Les manuscrits des moines anglais du XIVe siècle contiennent des descriptions — l'idolâtrie en prostituée, par exemple — dont le but n'est pas tant d'être perçues par l'œil du lecteur que de fournir à sa mémoire des images invisibles.

Pétrarque (1304-1374) avait lui aussi la réputation d'être une autorité quant à la mémoire et à la meilleure façon de la cultiver. Il propose ses propres règles pour le choix des « lieux » où emmagasiner les images pour un usage ultérieur. L'architecture imaginaire de la mémoire, dit-il, doit comporter des lieux de rangement d'une taille moyenne, ni trop vastes ni trop petits pour l'image qu'il s'agit d'y mettre en réserve.

Lorsque naquit l'imprimerie, d'innombrables systèmes avaient été élaborés au service des arts de la mémoire. Au début du XVIe siècle, l'ouvrage le plus connu du genre était un texte pratique, *Phœnix, sive Artificiosa Memoria* (Venise, 1491). Ce manuel connut une grande popularité, comme en témoignent les nombreuses rééditions et traductions dont il fut l'objet. L'auteur Pierre de Ravenne y assure que les meilleurs *loci* sont ceux d'une église déserte. Une fois celle-ci trouvée, dit-il, il faut en faire le tour trois ou quatre fois en fixant dans son esprit tous les endroits où l'on déposera par la suite ses images mnémotechniques. Chaque *locus* devra être distant de cinq à six pieds des autres. Pierre se vante d'avoir pu, tout jeune encore, fixer de la sorte près de 100 000 lieux mémoratifs ; par la suite, ses voyages lui permirent d'en ajouter des milliers d'autres. L'efficacité de son système, disait-il, se trouvait suffisamment démontrée par le fait qu'il était capable de reproduire mot pour mot l'ensemble du droit canon, deux cents discours de Cicéron et vingt mille points de droit civil.

Après Gutenberg, tout ce que la mémoire avait, dans la vie quotidienne, à la fois régi et servi passa désormais sous l'égide de la page imprimée. A la fin du Moyen Age, les livres manuscrits avaient été, parmi la classe restreinte des lettrés, une aide, un substitut parfois, à la mémoire. Mais le livre imprimé était infiniment plus transportable ; il était aussi plus exact, plus facile à consulter, et touchait, bien sûr, un public plus large. Ce qui s'imprimait d'un auteur était connu de l'imprimeur, du correcteur et de quiconque se trouvait avoir en main la page imprimée. On pouvait maintenant se référer aux règles grammaticales, aux discours de Cicéron, aux textes théologiques, au droit canon, à la morale sans avoir à les porter en soi.

Le livre imprimé était un nouveau dépositaire de la mémoire, supérieur de mille manières à ces réserves individuelles, intérieures et invisibles, que chacun avait pu constituer jusqu'alors. Déjà, lorsque le codex de pages manuscrites reliées avait remplacé le long rouleau des origines, il était devenu bien plus commode de faire référence à une source écrite.

Après le XIIe siècle, certains livres manuscrits comportent même des tables, des titres courants, voire des index rudimentaires, ce qui montre que la mémoire commence alors à perdre du terrain. Mais la recherche deviendra plus facile encore lorsque les livres imprimés auront des pages de titre et des pages numérotées. Et lorsqu'ils seront équipés d'un index — ce qui est le cas dès le XVIe siècle pour certains ouvrages —, le travail de la mémoire ne consistera plus qu'à connaître par cœur l'ordre alphabétique. Avant la fin du XVIIIe siècle, l'index alphabétique placé à la fin du livre était devenu chose courante. Les procédés mnémotechniques, bien qu'encore nécessaires, perdirent une bonne part de l'importance qu'ils avaient eue dans les hautes sphères de la religion, de la pensée et du savoir. Les performances spectaculaires cessèrent d'être admirées, devenant de simples curiosités.

Certaines des conséquences de cet état de choses avaient été annoncées quelque deux mille ans plus tôt. Dans son dialogue avec Phèdre, tel qu'il nous est rapporté par Platon, Socrate, en effet, regrette que le dieu égyptien Thot, inventeur de l'écriture, ait mal pesé les conséquences de son invention. Le dieu Thamos, alors roi d'Égypte, lui en fait ainsi le reproche :

> Toi, père de l'écriture, tu lui attribues une efficacité contraire à celle dont elle est capable ; car elle produira l'oubli dans les âmes en leur faisant négliger la mémoire ; confiants dans l'écriture, c'est du dehors, par des caractères étrangers, et non plus du dedans, du fond d'eux-mêmes, que ceux qui apprennent chercheront à susciter leurs souvenirs ; tu as trouvé le moyen, non pas de retenir, mais de renouveler le souvenir ; et ce que tu vas procurer à tes disciples, c'est la présomption qu'ils ont la science, non la science elle-même ; car, quand ils auront beaucoup lu sans apprendre, ils se croiront très savants, et ils ne seront le plus souvent que des ignorants de commerce incommode, parce qu'ils se croiront savants sans l'être.

Si déjà la parole écrite, selon Socrate, comportait pareils dangers, alors combien de fois ceux-ci allaient-ils être multipliés par l'introduction du texte imprimé ?

Victor Hugo nous le suggère avec bonheur dans un passage bien connu de *Notre-Dame de Paris* (1831). Le savant, tenant en main son premier livre imprimé, se détourne de ses manuscrits et, regardant la cathédrale : « Ceci, dit-il, tuera cela. » L'imprimerie allait également détruire « les cathédrales invisibles de la mémoire », dès lors qu'il n'était plus indispensable d'associer choses ou idées à des images frappantes pour les mettre dans les lieux de mémoire.

Mais l'ère qui vit décliner l'empire de la mémoire sur le quotidien fut aussi celle de l'émergence du néo-platonisme, cet empire nouveau, mystérieux, où tout était caché, secret, occulte. Ce renouveau des idées platoniciennes en pleine Renaissance redonna vie et importance à la mémoire. Platon, en effet, disait que l'âme « se souvient » des formes idéales. Or voici que toute une constellation de talentueux mystiques inventait une nouvelle technologie de la mémoire. Elle cessait d'être un simple aspect de la rhétorique, une servante du discours, pour devenir une alchimie, un lieu d'entités ineffables ; l'art hermétique découvrait les replis cachés de l'âme humaine. L'étrange théâtre de la Mémoire de

Giulio Camillo, que l'on put voir à Venise et à Paris, proposait ses « lieux » non plus comme de simples commodités destinées au classement des souvenirs, mais, disait-il, dans le but de révéler « la nature éternelle des choses en des lieux éternels ». Membres de l'Académie néo-platonicienne qu'avait fondée à Florence Cosme de Médicis, Marsile Ficin (1433-1499) et Pic de La Mirandole (1463-1494) incorporèrent à leur fameuse philosophie tout un art occulte de la mémoire.

L'explorateur le plus remarquable de ces continents obscurs fut un vagabond inspiré, Giordano Bruno (1548-1600). Dans sa jeunesse, il avait été moine, à Naples, où les dominicains l'avaient instruit dans leur art fameux de la mémorisation. Lorsqu'il quitta son ordre, les laïcs espérèrent qu'il leur révélerait quelques-uns de ses secrets. Ils ne furent pas déçus. Dans son livre *Circé, ou les Ombres des Idées* (1582), Bruno leur faisait savoir que cette habileté particulière n'était ni naturelle ni magique, mais qu'elle était le produit d'une science. L'ouvrage s'ouvre par une incantation émanant de Circé en personne, puis évoque l'étrange pouvoir que possèdent les décans du Zodiaque et les images qui les représentent. Les images sidérales, ombres des Idées, représentant des objets célestes, sont donc plus proches de la réalité que celles du monde transitoire d'ici-bas. Son système consistant à « se souvenir de ces ombres d'Idées, contractées pour l'écriture intérieure » à partir des images célestes, devait permettre ainsi à ses disciples d'accéder à un plan supérieur.

> Il s'agit de donner forme au chaos informel. [...] Pour le contrôle de la mémoire, il faut que les nombres et les éléments soient disposés dans un certain ordre [...] à l'aide de certaines formes mémorables [les images du Zodiaque]... J'affirme que, si vous méditez attentivement ces choses, vous atteindrez un art si justement figuratif que non seulement il vous aidera en votre mémoire, mais aussi, de façon merveilleuse, en tous les pouvoirs de votre âme.

Un moyen garanti d'accéder à l'Un qui se cache derrière la multiplicité des choses, de parvenir à l'Unité Divine !

Mais la mémoire au quotidien ne retrouva jamais l'importance qu'elle avait eue avant l'avènement du papier et de celui de l'imprimerie. Elle perdit son prestige. En 1580, Montaigne écrit qu'une bonne mémoire est généralement synonyme d'absence de jugement. Et les intellectuels du temps de renchérir : « Rien n'est plus commun, disaient-ils, qu'un imbécile doué de mémoire. »

Au cours des siècles qui suivirent l'invention de l'imprimerie, l'attention allait se déplacer des techniques de mémorisation à la pathologie de la mémoire. En cette fin du XX^e^ siècle, les chercheurs mettent plutôt l'accent sur l'aphasie, l'amnésie, l'hystérie, l'hypnose et, bien entendu, la psychanalyse, tandis que les pédagogues se détournent des arts de la mémoire du profit de l'art d'apprendre, conçu, de plus en plus, comme un processus social.

Dans le même temps se manifeste un regain d'intérêt pour l'art de l'oubli. Selon Cicéron, lorsque Simonide offrit à Thémistocle de lui enseigner l'art de la mémoire, l'homme d'État athénien refusa, disant : « Ne m'apprends pas à me souvenir, mais plutôt à oublier, car je me souviens de choses que je préférerais laisser dans l'oubli, tandis que je ne puis oublier ce que je souhaiterais effacer de ma mémoire. »

L'étude de l'oubli devint un des secteurs de pointe de la psychologie moderne, pour laquelle les processus mentaux devaient avant tout être examinés de façon expérimentale et mesurés. « La psychologie, déclare Hermann Ebbinghaus (1850-1909), a un long passé, mais son histoire est courte. » Ses expériences, que William James qualifie d'« héroïques », étaient aussi remarquablement simples. Décrites dans l'ouvrage intitulé *De la mémoire, contribution à la psychologie expérimentale* (1885), elles jettent les bases de toute la psychologie moderne.

Pour les expériences, Ebbinghaus utilise des syllabes dépourvues de sens. En prenant deux consonnes au hasard, et en y intercalant une voyelle, il obtient quelque deux mille trois cents phénomènes mémorisables (et oubliables), qu'il dispose ensuite en séries. Ces syllabes présentaient l'avantage d'éviter toute association. Pendant deux années, il se prit lui-même comme cobaye afin de tester les capacités de mémorisation et de reproduction de ces syllabes, prenant scrupuleusement note de chaque expérience, des temps nécessaires à la remémoration, des intervalles entre deux tentatives. Il expérimenta également les techniques de « réapprentissage ». Ses travaux auraient pu être de peu d'utilité s'il n'avait eu la passion des statistiques.

Ce livre était dédié à Gustave Fechner (1801-1887) qui avait commencé l'étude des perceptions sensorielles. Ebbinghaus espérait que ces dernières ne seraient plus seules « à faire l'objet d'un traitement expérimental et quantitatif », mais que les phénomènes proprement mentaux pourraient être abordés de la même manière. La « courbe d'Ebbinghaus » montrait l'existence d'une corrélation entre l'oubli et le temps. Les résultats de ses expériences, qui conservent aujourd'hui toute leur valeur, montraient que l'on oublie le plus souvent peu de temps après avoir « appris ».

C'est de cette manière inattendue que débuta le balisage de notre monde intérieur au moyen d'instruments offerts par les mathématiques. D'autres expérimentateurs, cependant, poursuivant la tradition néo-platonicienne, continuaient à s'intéresser aux mystères de la mémoire. Ebbinghaus lui-même avait étudié « la résurgence involontaire des images mentales, passant des ténèbres de la mémoire à la lumière de la conscience ». Quelques autres psychologues s'engouffrèrent derrière lui dans ces « ténèbres » de l'inconscient, affirmant qu'ils venaient d'inventer une « science » nouvelle.

Les fondateurs de la psychologie moderne portaient un intérêt croissant aux phénomènes d'oubli, tels qu'ils se manifestent dans la vie quotidienne. L'incomparable William James (1842-1910) écrivait ceci :

> Dans l'usage pratique de notre intellect, l'oubli possède une fonction aussi importante que la mémoire... Si nous nous souvenions de tout, nous serions, dans la plupart des cas, aussi mal lotis qu'en ne nous souvenant de rien. Pour nous rappeler une période écoulée, il nous faudrait autant de temps que cette période en a pris, et notre pensée n'avancerait pas. Toute durée remémorée implique des raccourcis et ceux-ci sont dus à l'omission d'une énorme quantité de faits qui remplissaient la durée en question. « Nous arrivons, dit M. Ribot, à ce résultat paradoxal que l'une des conditions nécessaires au souvenir est justement d'oublier. Sans l'oubli total d'une quantité prodigieuse d'états de conscience, sans l'oubli momentané d'un grand nombre d'entre eux, nous ne pourrions nous souvenir de rien... »

En un siècle où la quantité disponible de savoir humain et de mémoire collective allait être augmentée et diffusée comme elle ne l'avait jamais été, l'oubli devenait, plus que jamais, la condition première d'une certaine santé mentale.

Mais que devenaient les souvenirs « oubliés » ? Où étaient les neiges d'antan ? Au XX^e^ siècle, le monde de la mémoire allait connaître une nouvelle mutation : on allait le redécouvrir dans les vastes territoires de l'Inconscient. Dans sa *Psychopathologie de la vie quotidienne* (1904), Sigmund Freud (1856-1939) prenait pour point de départ des exemples simples tels que l'oubli des noms propres, celui des termes étrangers ou de l'ordre des mots. Le nouvel art de la mémoire qui fit la célébrité de Freud possédait à la fois les prétentions scientifiques de Simonide et de ses successeurs, et le charme occulte des néo-platoniciens. L'homme, bien sûr, s'était toujours interrogé sur le mystère des rêves. Or voilà que Freud, dans ce mystère, débusquait tout un vaste trésor de souvenirs. Son *Interprétation des rêves* (1900) montrait que la psychanalyse pouvait devenir un art et une science du souvenir.

D'autres, stimulés par Freud, poussèrent plus loin encore cette recherche. La mémoire latente, ou inconscient, devint une ressource nouvelle pour la thérapie, l'anthropologie, la sociologie. L'histoire d'Œdipe n'était-elle pas applicable à la vie intérieure de tout être humain ? Les métaphores mythologiques de Freud suggéraient que nous étions tous les héritiers d'une expérience commune et fort ancienne, mais ce fut Carl Jung (1875-1961) qui, plus proche de la tradition hermétique, popularisa la notion d'« inconscient collectif ». Ainsi Freud, ses disciples et dissidents avaient-ils, comme nous le verrons, redécouvert, et peut-être reconstruit à leur manière, les cathédrales de la Mémoire.

## 61

## *L'empire des lettrés*

L'Empire romain imprima sa marque sur toute l'Europe. Là, comme presque partout ailleurs, en effet, le droit légué par Rome servit à déterminer la propriété, les contrats, les crimes. Pendant des siècles, le souvenir de l'unité politique romaine inspira les fédéralistes européens. Et la langue de Rome survécut, alimentant la littérature écrite et donnant naissance à toute une communauté de savoir *européenne*. Mais cet héritage qui unifia la culture du Vieux Continent en divisa également les communautés ; il y eut partout deux langues fort différentes.

La communauté savante que constituaient l'Église et les universités — la seule où on lisait au Moyen Age — devait sa cohésion au latin. Aussi longtemps que celui-ci demeura la langue des facultés, il n'y eut, linguistiquement parlant tout au moins, qu'un seul système universitaire européen. Professeurs et étudiants pouvaient se déplacer de Bologne à Heidelberg, de Heidelberg à Prague, de Prague à Paris, sans jamais se sentir dépaysés en cours. Outre Vésale, Galilée et Harvey, d'innombrables étudiants ordinaires passèrent d'une communauté savante à l'autre. Pour la première et la dernière fois, le continent entier eut une seule et unique langue d'étude.

Mais ce latin trait d'union des lettrés allait aussi dresser dans chaque pays une barrière entre les élites et le reste de la population. Chez soi, au marché, lors des divertissements populaires, c'étaient d'autres langues qu'on parlait. Partout le peuple utilisait la langue « vernaculaire », c'est-à-dire le dialecte local (du latin *vernaculus,* « indigène, domestique », de *verna,* « esclave né dans la maison, autochtone ») et non le latin. Dans toute l'Europe, la langue des lettrés était donc une langue étrangère. Et le côté étrangement cosmopolite du vocabulaire utilisé par les couches sociales cultivées ne facilitait guère leurs efforts pour comprendre leurs voisins. Le bas peuple n'avait du monde qu'une vision étriquée ; les seules voix qu'il entendait étaient celles des vivants. Les lettrés, eux, avaient des vues lointaines, mais finalement aussi étroites : ils se projetaient, par-dessus la tête du peuple, vers une langue et une littérature aussi éloignées dans le temps que dans l'espace.

Rien dans la nature humaine n'exigeait pareille division ; ce fut un accident de l'histoire de l'Europe, qui pendant des siècles façonna, régenta, restreignit la pensée d'un continent. Encore au XVIe siècle, l'humaniste allemand Johannes Sturm (1507-1589), qui dirigeait un lycée modèle à Strasbourg, évoquait avec nostalgie l'énorme supériorité dont bénéficiait à ses yeux la jeunesse dans l'Antiquité : « Les Romains avaient deux avantages sur nous, le premier consistait à apprendre le latin sans aller à l'école, et le second, à voir fréquemment jouer des comédies et des tragédies latines, ainsi qu'à entendre parler des orateurs latins. Pourquoi ne ferions-nous pas en sorte que, dans nos écoles, les élèves, à force d'application, acquièrent ce que les anciens possédaient par accident ou habitude, à savoir la capacité de parler le latin à la perfection ? J'espère voir les hommes de ce temps devenir, dans leurs écrits et leurs paroles, non plus de simples adeptes des vieux maîtres, mais les émules de ceux qui ont fleuri à la grande époque d'Athènes et de Rome. » La connaissance du latin était une condition *sine qua non* pour fréquenter une université au Moyen Age ; il ne suffisait pas de savoir plus ou moins le déchiffrer car tout enseignement était donné en latin et les étudiants astreints à ne parler que cette langue en dehors des cours : des sanctions et des informateurs surnommés « les loups » veillaient à l'application de ce règlement qui constituait peut-être un moyen de décourager les bavardages. Lorsqu'un étudiant avait une quelconque requête à présenter au recteur de l'université de Paris, le règlement l'obligeait à bannir toutes paroles en français. Avant l'essor des langues vernaculaires nationales, c'était le latin qui constituait la langue véhiculaire entre étudiants de différentes régions d'un même pays. Il était indispensable à une bonne convivialité estudiantine. Pour aider à son insertion dans la vie universitaire parisienne, l'étudiant disposait d'une sorte de manuel de type Berlitz comportant des phrases usuelles. On y perçoit un peu de sa vie quotidienne et de ses besoins matériels : change d'argent, achats de bougies, de papeterie, de vin, fruits, porc, poulet ou bœuf, œufs, fromage ou pâtisserie. Un manuel de conversation à l'usage des étudiants de Heidelberg en 1480 fournit les expressions à utiliser au cas où l'on serait l'objet de brimades, où l'on inviterait à dîner un personnage d'une classe supérieure ou encore pour emprunter de l'argent et, bien sûr, pour demander de l'aide à sa famille. Qui sait si les étudiants auraient mieux compris leurs cours dans d'autres langues que le latin. Toujours est-il que, dans cette langue, la plupart d'entre eux ne se présentaient jamais à aucun examen.

Le latin des universités médiévales sut s'enrichir. Comme l'hébreu moderne, il fut adapté aux besoins quotidiens. Et à travers tout le continent, ce fut cette langue-là qui modela la pensée des classes éduquées. Les « arts libéraux » — fondement obligatoire de toute « éducation libérale », c'est-à-dire des disciplines qui convenaient le mieux aux *liberi,* les hommes libres — auraient pu s'appeler « arts littéraires ». Au programme de la licence, seul figurait le trivium — grammaire, rhétorique, dialectique — que l'on étudiait dans les œuvres en latin de l'époque romaine. L'étudiant n'était interrogé sur les matières du quadrivium — arithmétique, géométrie, astronomie et musique — que pour la seule maîtrise. On enseignait les fragments d'Aristote et d'autres auteurs grecs ou arabes à travers des traductions latines. De même pour la Bible, que les classes instruites connaissaient principalement par la Vulgate (*editio vulgata*, « édition répandue »), qui était une traduction latine (383-405) basée sur celle de saint Jérôme. L'université de Paris révisa et corrigea le travail de ce dernier au XIIIe siècle pour produire une autre traduction latine, qui servit à l'enseignement de la théologie.

La culture latine de l'Europe médiévale n'aurait guère pu prospérer sans l'enthousiasme, la passion et le bon sens de saint Benoît de Nursie (480?-543?). Père du monachisme chrétien en Europe, il fut aussi le parrain des bibliothèques : la préservation durant tout le Moyen Age des trésors littéraires de l'Antiquité et du christianisme fut l'œuvre des bénédictins. Saint Benoît lui-même, né dans une famille aisée de Nursie, près de Pérouse, en Ombrie, avait été envoyé faire ses études à Rome au moment où l'ancien pouvoir impérial déclinait et où celui des papes prenait son essor. Choqué par les mœurs dissolues de la ville, il se retire pendant trois ans dans une grotte des *Abruzzes*. Sa sainteté reconnue, on le nomme abbé d'un monastère, où il discipline les religieux ; mais un moine mécontent ayant tenté de l'empoisonner, il se retire à nouveau dans sa grotte. Mais sa vision continue de le hanter et il fonde, dans cette seule région, douze monastères de douze moines chacun, tous placés sous son autorité. Aux alentours de 529, il descend vers le sud et fonde l'abbaye du Mont-Cassin. Mise à sac par les Lombards et les Sarrasins, secouée par un tremblement de terre, elle n'en demeurera pas moins le centre spirituel du mouvement monastique en Europe, avant d'être rasée par un bombardement aérien pendant la Seconde Guerre mondiale.

La Règle *(Regula)* de saint Benoît offrait un compromis acceptable entre l'ascétisme et la faiblesse de la nature humaine. Après une année de mise à l'épreuve, le jeune moine faisait vœu d'obéissance à la Règle et de résidence à vie dans le même monastère. Les moines élisaient leur père-abbé à vie dans chaque monastère et il n'existait aucune autre hiérarchie. L'emploi du temps raisonnable fixé par Benoît pour ses moines se répandit à travers toute l'Europe, perpétuant ainsi pendant des siècles la culture littéraire latine. Le chapitre 48 de sa Règle dit ceci :

> L'oisiveté est l'ennemie de l'âme : c'est pourquoi les frères devraient, en certaines saisons, s'occuper de travaux manuels, puis, à certaines heures, de lectures saintes. Entre Pâques et les calendes d'octobre, qu'ils s'adonnent à la lecture entre la quatrième et la sixième heure... Entre les calendes d'octobre et le début du Carême, qu'ils lisent jusqu'à la deuxième heure. Pendant le Carême, qu'ils s'appliquent à la lecture depuis le matin jusqu'à la fin de la troisième heure, et pendant le temps de Carême, qu'ils reçoivent chacun un livre de la bibliothèque et le lisent d'une traite. Ces livres seront distribués au commencement du Carême.

Chaque monastère devait avoir sa bibliothèque. « Un monastère sans bibliothèque *[sine armario]*, écrivait un moine de Normandie en 1170, c'est comme un château fort sans armurerie *(sine armamentario]*. Notre bibliothèque, voilà notre armurerie. C'est d'elle que sortiront les phrases de la Loi divine comme des flèches acérées pour attaquer l'ennemi. En elle que nous trouvons l'armure de justice, le heaume du salut, le bouclier de la foi et l'épée de l'esprit, qui est la Parole de Dieu. » Dans chaque monastère, le grand chantre devait contrôler les sorties de livres et veiller à ce qu'ils soient rendus. Les monastères avaient en outre l'habitude de prêter leurs livres à d'autres monastères, ou bien même, avec de grandes précautions, à des lecteurs séculiers. Pionniers des « prêts inter-bibliothèques », les bénédictins furent à l'origine d'une sorte de bibliothèque publique de prêt destinée aux élites cultivées.

Des malédictions toutes particulières étaient prononcées contre ceux qui détérioraient ou dérobaient des livres. Cet ouvrage appartient au monastère Sainte-Marie de Robert's Bridge, prévient un manuscrit de saint Augustin et Ambroise, daté du XII^e siècle ; quiconque le volera, le vendra, le soustraira à cette maison ou le dégradera d'une quelconque manière, qu'il soit maudit à jamais. Amen. Et au-dessous de ce texte, sur le manuscrit aujourd'hui déposé à la Bodleian Library à Oxford, on peut lire ces mots écrits au XIV^e siècle : « Moi, Jean, évêque d'Exeter, je ne sais pas où se trouve la maison susnommée et n'ai pas volé ce livre, mais l'ai acquis d'une manière licite. »

Les clercs errants et les voyageurs pieux confiaient leurs manuscrits précieux aux bibliothèques des monastères et des cathédrales, qui rivalisaient pour posséder les meilleures versions des textes sacrés, et se faisaient payer cher le droit de copie. Après quarante ans passés à rassembler et à traduire en latin des traités scientifiques égyptiens, persans, chaldéens et indiens, Constantin l'Africain (v. 1020-v. 1087) s'installa finalement au Mont-Cassin, où il déposa sa magnifique collection. Lorsque la bibliothèque du monastère de Novalesa fut détruite par les Sarrasins en 905, on rapporta qu'elle avait contenu plus de six mille cinq cents volumes. Chaque exemplaire manuscrit d'une œuvre savante était précieux, mais celui qui avait été laborieusement collationné avec d'autres jouissait d'une autorité particulière.

Les bibliothèques monastiques possédaient naturellement les Saintes Écritures, les écrits des Pères de l'Église et les commentaires s'y rapportant. Certaines collections plus importantes, telles celles qu'on trouvait parfois dans les cathédrales, recelaient des chroniques comme l'*Histoire ecclésiastique* de Bède, ainsi que les écrits de saint Augustin, d'Albert le Grand, de saint Thomas et de Roger Bacon. Parmi les œuvres profanes, on trouvait généralement Virgile, Horace et Cicéron. Platon, Aristote et Galien, parmi d'autres, figuraient en traduction latine. Ces bibliothèques éparpillées dans toute l'Europe abritaient non seulement les armureries spirituelles des croisés, mais les trésors de la culture européenne. Les moines-étudiants qui avaient séjourné à Paris ou à Bologne rapportaient à la bibliothèque de leur monastère leurs notes de cours où figuraient les toutes dernières interprétations de la théologie et des classiques. C'est dans ce genre de musée de l'écrit que survécurent cinq livres des *Annales* de Tacite, la *République* de Cicéron, ainsi que d'autres monuments de la littérature antique.

Les bénédictins ne se contentèrent pas de rassembler des livres pour monter des bibliothèques : ils les créèrent. La « fabrication » de livres (c'est-à-dire la copie) devint, au même titre que la lecture, une tâche sacrée ; leurs monastères comportaient généralement une salle de copistes ou écritoire. Ils étaient d'une certaine manière plus libres de reproduire les livres que ne le seront les éditeurs à l'âge de l'imprimerie. Bien entendu, leur « catalogue » était limité par les exigences de l'orthodoxie et du dogme, mais il n'existait pas de copyright et donc pas de droits à payer à l'auteur. Tout leur stock était constitué de ce que les éditeurs appellent aujourd'hui des ouvrages de fonds. La fonction du livre n'était pas de véhiculer des idées neuves, mais de préserver et d'accroître une certaine richesse littéraire acquise : les Écritures et leurs commentateurs, les classiques de l'Antiquité grecque et romaine, et quelques textes reconnus en langue hébraïque ou arabe.

Ce n'était pas encore le temps des auteurs. Le lettré du Moyen Age qui lisait un *texte* sacré ne s'intéressait guère à l'identité de l'auteur. L'écrivain que l'on transcrivait n'avait pas toujours pris la peine de « citer » les passages empruntés à d'autres et, même à une époque où l'on enseignait aux étudiants à fonder leur argumentation sur l'« autorité », il était pratiquement impossible, à supposer qu'on l'eût souhaité, d'attribuer tel ou tel passage à tel ou tel auteur. Les auteurs de textes originaux étaient peu désireux de se voir attribuer le mérite, ou plus vraisemblablement le tort, de la nouveauté. A la grande époque des livres manuscrits, l'état de la technologie, l'orthodoxie, la prudence exigeaient l'anonymat, à tel point que même les meilleurs spécialistes actuels ne parviennent pas à établir une « bibliographie » satisfaisante de ces manuscrits ; ils sont obligés d'avoir recours à des classements non pas par auteur, mais par *incipit* ou autre. Les guillemets firent leur apparition aux XVe et XVIe siècles, dans les livres imprimés en France et en Italie ; mais ce signe de ponctuation, qui pourtant renvoie le lecteur à l'auteur d'origine, ne reçut son nom actuel et sa consécration dans l'usage qu'au cours du XVIIe siècle.

Tout monastère au Moyen Age était aussi sa propre maison d'édition et tout moine muni d'un écritoire, d'un encrier et d'un parchemin, son propre éditeur. « Vous devez toujours avoir un livre à la main ou sous les yeux », conseillait saint Jérôme. Les richesses produites par ce monde de copistes nous rappellent que bien avant de devenir une industrie, la fabrication des livres était une tâche sacrée. Saint Louis (Louis IX,

1214-1270) affirmait qu'il était préférable, pour la propagation de l'Évangile, de transcrire un livre plutôt que d'acheter l'original. Le travail effectué dans les écritoires jouissait de la même considération que celui des champs. « Celui qui ne retourne pas la terre avec la charrue, dit un moine du VIe siècle, devrait écrire de ses doigts sur un parchemin. » Or dans ces salles ou ces cellules mal chauffées, les doigts étaient souvent engourdis. Et par crainte des incendies, la lumière artificielle était généralement interdite. Bien des moines ont sacrifié leur vue pour produire ces missels enluminés que nos yeux admirent.

La tâche sacrée était aussi une pénitence. Libérés des obligations courantes, les copistes à plein temps étaient autorisés à se rendre aux cuisines pour faire fondre leur cire ou sécher leurs parchemins. « Jacob a écrit une partie de ce livre, pouvons-nous lire, non de sa propre initiative mais sous la contrainte, enchaîné, tout comme un fuyard. » L'abbé de Saint-Evroul (v. 1050) encourageait ses moines en leur racontant l'histoire d'un Frère pécheur que son zèle de copiste avait sauvé. A sa mort, le Diable était sur le point de l'emmener en enfer. Mais, lorsque le fameux Frère parut devant le trône du Jugement, Dieu vit le superbe manuscrit de textes sacrés qu'il avait transcrit. Il fut alors décidé que chaque lettre écrite dans le livre lui vaudrait le pardon d'un péché. Or, l'ouvrage étant fort volumineux, lorsque les anges eurent fait le compte de toutes ses fautes, ils s'aperçurent que même après pardon total, il restait encore une lettre à son crédit. Alors le divin Juge, dans sa clémence, ordonna que l'âme de ce moine réintègre son corps terrestre afin qu'il puisse remettre sa vie en ordre, et éviter ainsi d'aborder la vie éternelle avec un seul petit mérite à son actif ! Une autre pieuse chronique fait état d'un copiste anglais, habité d'un tel zèle que, vingt ans après sa mort, alors que tout le reste de son corps n'était plus que poussière, la main droite qui lui avait servi à écrire ses manuscrits était restée intacte, et conservée comme relique sous l'autel de son monastère.

Si saint Benoît fut le patron spirituel des moines copistes du Moyen Age, leur patron temporel fut sans doute Charlemagne (742-814). Ce fut une chance pour l'Occident que cet administrateur si efficace ait été aussi un fervent de la chose écrite. Cette vague figure de nos manuels scolaires, couronnée empereur d'Occident le 25 décembre de l'an 800, survit dans la mémoire des siècles comme le propagateur de la culture écrite, le réformateur de la langue latine et de l'alphabet romain. Charlemagne hérite le trône des Francs en 768. Rongé par une insatiable ambition, il foule aux pieds les prétentions de ses rivaux et de ses proches, soumet les Saxons, conquiert la Lombardie et finit par se constituer un empire comprenant l'Italie du Nord, la France, ainsi que la majeure partie de l'Allemagne actuelle et de l'Europe de l'Est. Allié du pape et fervent croyant, il s'indigne du déclin de l'érudition chrétienne et des tournures latines vulgaires qui émaillent son courrier, même sous la plume d'hommes de religion. La renaissance carolingienne dont il sera l'initiateur est avant tout une renaissance latine. Lorsqu'il rencontre le sémillant moine anglais Alcuin (732-804) en Italie en 781, Charlemagne le persuade de venir s'installer à Aix-la-Chapelle pour organiser une réforme de la langue et de l'enseignement. Dans son lointain Yorkshire, Alcuin avait imposé un niveau tel que l'école de sa cathédrale était renommée dans toute l'Europe. Charlemagne était d'accord pour considérer qu'une bonne connaissance des Écritures exigeait une parfaite maîtrise du latin et, dans son fameux édit de 789, rédigé par Alcuin, il ordonnait : « On enseignera les psaumes, les notes, la psalmodie, le calcul et la grammaire dans tous les évêchés et dans tous les monastères ; et l'on devra y trouver des livres soigneusement corrigés. » Dans son école de calligraphie, à Tours, Alcuin fixe ainsi les règles :

> Que s'asseyent ici les scribes qui recopient les paroles de la Loi Divine et les saints enseignements des Pères de l'Église. Qu'ils prennent garde de ne point introduire de leurs futilités personnelles dans les mots qu'ils copient ni commettre des erreurs par la précipitation d'une main frivole. Que pour les transcrire, ils s'efforcent toujours de trouver des livres correctement écrits, de sorte que la plume ailée puisse courir agilement sur le droit chemin. Qu'ils distinguent le sens véritable par l'emploi de deux points et de la virgule, et mettent les points à leur place exacte, et que celui qui leur lit les mots ne commette nulle erreur ni ne s'arrête brusquement. Copier des livres saints est une noble tâche qui doit être payée d'une juste récompense. Mieux vaut écrire des livres que planter des vignes car qui plante une vigne sert son ventre tandis que qui écrit un livre sert son âme.

La riche bibliothèque de Charlemagne à Aix-la-Chapelle devint un centre culturel attirant les jeunes chrétiens fuyant les Maures d'Espagne et même les lointaines îles d'Irlande. Il ordonna que chaque école fût dotée de son écritoire (salle des copistes).

Les moines vénéraient les textes saints en les ornant, et pas seulement dans les centres. Dans la petite île des Hébrides qui a nom Iona, les cénobites du monastère fondé par saint Colomba en 563, associés à ceux de l'abbaye de Kells en Irlande, donnèrent au monde l'un des plus beaux livres de tous les temps. Le *Livre de Kells,* aujourd'hui à la bibliothèque de Trinity College de Dublin, est un magnifique évangéliaire en onciale et demi-onciale, enluminé de vigne et de feuillage en lapis-lazuli. D'autres monastères en Allemagne, en Italie, en Bulgarie produisirent d'autres merveilleux manuscrits, réalisés par des moines, mais aussi par des laïques embauchés dans les écritoires. Parmi les meilleurs de ces artisans figurèrent des religieuses bénédictines, célèbres à l'époque pour leur délicate enluminure des textes saints.

Les disciples de saint Benoît et les érudits de la renaissance carolingienne modifièrent la forme même de nos lettres. En inventant de nouveaux graphismes, ils modernisèrent et embellirent notre alphabet. Le latin ne s'était jusqu'alors écrit qu'en lettres capitales, les seules dont se servaient les Romains. Leurs monuments ne comportent pas de minuscules. C'était le ciseau qui commandait la forme des lettres qu'ils gravaient dans la pierre, et dont la majestueuse simplicité orne toujours nos pierres angulaires ou tombales. Mais écrites à la plume sur du papyrus ou du vélin, les lettres romaines prirent une autre allure : c'étaient encore toutes des capitales et les particularités de la plume produisaient un délié dans le sens vertical des pleins dans les courbes et les boucles. Baptisées « capitales rustiques », elles devinrent la norme pour les livres et les documents officiels. Cette écriture prit le nom de « majuscule ». Il n'existait toujours pas de minuscules. Toutes les lettres étaient de la même hauteur et comprises entre deux lignes horizontales seulement. Peu à peu, moines et copistes expérimentèrent de petites lettres de formes variées, en prenant modèle sur l'écriture cursive de la correspondance d'affaires. La rareté du payrus et le coût du vélin les incitèrent à mettre au point une graphie plus compacte, de manière à utiliser moins de feuilles. Dans le même temps, le déclin de Rome entraînait une dissolution de la calligraphie comme de tout le reste. Les excentricités des monastères isolés morcelaient la culture de l'Europe latine.

Lorsque Alcuin rejoignit Charlemagne à Aix-la-Chapelle, l'un de leurs premiers soucis fut naturellement de normaliser la calligraphie. Pour garantir l'authenticité des textes sacrés, il fallait d'abord réunir le monde savant. A cette heureuse collaboration, Alcuin apportait la connaissance et le goût d'inventer des formes, Charlemagne, lui, le pouvoir administratif, l'organisation et la volonté de les imposer. Le théologien anglais enseigna la calligraphie réformée à l'école du monastère de Saint-Martin de Tours. Dans sa recherche des formes les plus élégantes, les plus lisibles et les plus faciles à reproduire, il avait étudié les monuments anciens comme les manuscrits récents. Ses lettres capitales s'inspirèrent des majestueuses inscriptions de la Rome d'Auguste. Puis, tirant parti des essais réalisés par d'autres moines et d'une longue expérience acquise à York à superviser la transcription des fameux Évangiles d'or, il mit au point une forme standardisée pour les petites lettres : le succès de la minuscule carolingienne d'Alcuin dépassa toutes ses espérances. Nette et attrayante, facile à écrire et à lire, elle envahit bientôt les écritoires et bibliothèques. Sept cents ans plus tard, lorsque le caractère mobile apparaîtra en Europe, les lettres, après un bref intermède gothique, seront façonnées sur le modèle de la minuscule carolingienne. Et longtemps après la disparition des autres monuments érigés par l'empire de Charlemagne, les pages mêmes du présent livre témoignent encore de la force du mot bien calligraphié. L'alphabet que nous appelons romain est en réalité celui d'Alcuin.

Les lettres simples et bien lisibles d'Alcuin subirent plus tard au Moyen Age une certaine concurrence. Au XIe siècle, âge de la cathédrale gothique, son alphabet fut transformé en une écriture baptisée avec mépris « gothique » par les humanistes italiens de la Renaissance. Cette écriture, aujourd'hui plus proprement appelée « lettre noire », donnait une page plus sombre et empreinte d'une certaine solennité, ce qui explique sa survivance dans la formule « attendu que » des documents juridiques et des diplômes qui, pour le reste, sont imprimés en caractères romains d'Alcuin. Gutenberg utilisa la lettre noire dans sa Bible à quarante-deux lignes. Très heureusement, la Renaissance reprendra la minuscule carolingienne, sobre et lisible, qui finira par s'imposer en Occident. La lettre noire ne survécut qu'en Allemagne et en Scandinavie, dans une nouvelle version baptisée *Fraktur*. Hitler et les nazis trouveront cette forme pseudo-teutonique à leur goût.

Lorsqu'on examine un manuscrit ou une inscription antérieure à Charlemagne, on est surpris de constater que les lettres sont toutes collées les unes aux autres sans espacement entre les mots, sans ponctuation ni division en paragraphes. Il en fut ainsi pendant la majeure partie de l'histoire de l'Occident. Jusqu'à la fin du XVIIe siècle, « ponctuer » signifiait marquer les points-repères au-dessus du texte des psaumes pour en faciliter le chant, ou insérer les points-voyelles dans l'écriture hébraïque et les autres langues sémitiques. Notre sens du verbe « ponctuer » ne date que du début du XIXe siècle.

Avec la réforme carolingienne de l'écriture, vint l'usage de séparer les mots par un espace, afin d'éviter les ambiguïtés et de préserver ainsi le sens du texte. L'espacement signifiait également que le latin s'étendait à une population de lettrés pour laquelle il constituait une langue étrangère. Les copistes irlandais, anglais et allemands se sentirent rassurés par la séparation des mots. Au XIIe siècle, les manuels universitaires introduisirent un « C » (pour *capitulum*, « chapitre ») en tête de phrase. Les pages de titre des ouvrages montrent que jusqu'aux XVIe et XVIIe siècles, même les imprimeurs les plus habiles coupaient les mots ou les poursuivaient d'une ligne à l'autre d'une manière qui nous paraît aujourd'hui étrange, survivance de l'époque où l'espacement n'était pas encore pratique courante.

Après Charlemagne, lorsque la ponctuation passa dans l'usage, elle fut une aide à la parole, ainsi qu'à la lecture à haute voix d'un texte imprimé devant un auditoire illettré. Pour permettre au lecteur de respecter les principes élémentaires de l'élocution, espacements et ponctuation indiquaient des pauses de différentes longueurs, qui, du même coup, facilitaient la compréhension de l'auditeur. A la fin du XVIIe siècle, l'imprimé était davantage destiné à une lecture silencieuse ; la ponctuation fut alors gouvernée par la syntaxe et destinée à faire ressortir la structure de la phrase. De nos jours, nous ponctuons selon la syntaxe. Mais survivent encore en anglais et dans les autres langues de l'Europe de l'Ouest quelques signes, tels les points d'exclamation et d'interrogation, servant à indiquer l'inflexion et l'intonation.

## 62

## *Le besoin de reproduire*

A l'origine, « imprimer » n'eut pas le même sens en Occident et en Orient. En Europe, comme nous allons le voir, l'essor de l'imprimerie fut synonyme de typographie, c'est-à-dire d'impression par le moyen de caractères métalliques mobiles. En Chine, et dans les autres pays d'Asie pétris de culture chinoise, ce fut la planche à imprimer qui constitua la découverte primordiale et l'essor de l'imprimerie fut celui de la xylographie ou impression sur bois. Il faut par conséquent se garder d'extrapoler à l'Orient la notion occidentale d'« imprimerie ».

Si les Chinois se lancèrent dans l'imprimerie, ce n'était pas dans le but de diffuser les connaissances, mais afin de garantir les bénéfices religieux ou magiques d'une reproduction fidèle des images et textes saints. L'impression d'images sur des tissus à partir d'une gravure sur bois était en Chine un vieil art populaire. Dès le IIIe siècle, les Chinois avaient mis au point une encre permettant des impressions nettes et durables à partir de ces planches. Ils récupéraient le noir de fumée des huiles ou bois en train de se consumer et en faisaient des bâtons qu'ils dissolvaient en ce liquide noir que les Anglo-Saxons appellent « encre d'Inde » et les Français plus fidèlement encre de Chine.

C'est sous la dynastie T'ang (618-907) que la planche à imprimer commença à se développer, la famille régnante tolérant alors toutes sortes de sectes religieuses — érudits taoïstes et confucéens, missionnaires chrétiens, prêtres de Zoroastre, et bien sûr, moines bouddhistes. Chacune de ces communautés possédait ses propres textes et images saints. Au début du VIIe siècle, la bibliothèque de l'empereur contenait quelque quarante mille rouleaux manuscrits.

Les monastères bouddhistes étaient particulièrement actifs dans l'expérimentation des procédés de reproduction des images. C'est un véritable « besoin de reproduire » qui en effet, comme le fait remarquer l'historien Thomas Francis Carter, anime cette religion. Tout comme les fidèles eux-mêmes devaient s'efforcer de devenir des répliques du Bouddha, de même le bouddhiste fervent acquérait-il des « mérites » en multipliant les reproductions de Bouddha et des textes sacrés. Les bonzes gravaient des images dans la pierre et prenaient des calques par frottement, fabriquaient des sceaux, expérimentaient des clichés sur du papier, de la soie et des murs enduits de plâtre. Ils confectionnaient de petits tampons en bois munis d'une poignée, dont ils tiraient de grossières gravures sur bois. Un jour, quelqu'un eut l'idée d'ôter la poignée afin de poser la planche bien à plat sur une table, la face gravée tournée vers le haut. Puis, vraisemblablement, au VIIe ou au début du VIIIe siècle, on posa une feuille de papier sur cette planche encrée et on frotta avec une brosse : on put alors fabriquer des gravures sur bois plus grandes. Cependant, en 845, lorsque les religions étrangères, bouddhisme compris, furent mises hors la loi en Chine, quatre mille six cents temples bouddhistes furent détruits, deux cent cinquante mille moines et nonnes expulsés, et ces premiers essais imprimés chinois disparurent.

Tandis qu'en Chine se développait la gravure sur bois, la culture du Japon se transformait sous l'influence chinoise. Au VIIe siècle, les chefs puissants comme le prince Shotoku (593-622) unifièrent les clans dirigés par des rois-prêtres pour en faire un État centralisé sur le modèle chinois. Culte de la nature aussi ancien que multiforme, le Shinto avait constitué la religion primitive de ces clans ; mais les ambassades qu'envoyèrent les dirigeants japonais en Chine utilisèrent le bouddhisme, né aux Indes, comme un moyen d'importer la culture chinoise. Les étudiants qui rentraient au pays rapportèrent aussi leurs connaissances en langue, en art et en littérature chinois. Imitant l'empereur de Chine, le prince Shotoku commençait ainsi sa correspondance à son puissant voisin : « De l'empereur du Soleil Levant à l'empereur du Soleil Couchant ». Le bouddhisme atteignit son apogée quand l'Empire japonais érigea (710-784) une splendide capitale à Nara, bâtie sur le modèle chinois de Ch'ang-an (la Hsian moderne), et qu'ornait un bouddha en bronze (735-749) de 550 tonnes et 21 mètres de haut, recouvert de 22 kg d'or et qui reste aujourd'hui encore la plus grande statue de bronze du monde.

Lorsque l'empereur nippon Shomu abdiqua en 749, ce fut sa fille, la nonne Koken (718-770), qui monta sur le trône. Ayant réussi à la charmer par son éloquence pieuse, le chef de la hiérarchie bouddhiste devint son médecin personnel et son principal conseiller. L'impératrice lui offrit la direction des affaires — et sans doute aussi son corps. Elle le para de titres autrefois réservés à l'empereur, le garda dans son palais et devint elle-même fanatiquement bouddhiste.

Afin d'éviter le retour de l'épidémie de variole qui, de 735 à 737, avait décimé la cour, l'impératrice Koken engagea un corps spécial de cent seize prêtres pour chasser les démons de la maladie. Elle tira d'un soûtra bouddhiste un texte expliquant comment un brahmane malade avait consulté un devin qui lui prédit sa mort dans les sept jours. Le brahmane se rend alors auprès du Bouddha en personne, offrant de devenir son disciple en échange de sa guérison.

> Bouddha lui dit : « Dans une certaine cité, une pagode est en ruine. Tu dois aller la restaurer, puis rédiger un *dharani* [un charme] et l'y placer. La lecture de ce charme rallongera ta vie dès maintenant et te conduira plus tard au Paradis. » Les disciples de Bouddha lui demandèrent alors en quoi résidait le pouvoir du *dharani*. Le Bouddha répondit : « Quiconque souhaite obtenir un pouvoir du *dharani* doit en rédiger soixante-dix-sept copies et les placer dans une pagode. Celle-ci doit ensuite être honorée par des offrandes. Mais l'on peut aussi bâtir soixante-dix-sept pagodes en argile pour loger les *dharani* et en mettre un dans chaque pagode. Cela sauvera la vie de celui qui construira et honorera les pagodes ; ses fautes seront pardonnées. Voici donc comment utiliser le *dharani*... »

En un élan de piété sans précédent, l'impératrice Koken ordonna la confection d'un million de charmes, constitués chacun d'une feuille d'environ vingt-cinq lignes de texte imprimé, placée dans une petite pagode en bois. Ce travail fut achevé en 770 et l'on répartit le million de pagodes entre divers temples. La plupart de ces sanctuaires miniatures comportaient trois étages ; elles mesuraient environ 11 cm de haut et 9 cm de diamètre à la base, mais une sur dix mille avait sept étages et une sur cent mille en avait treize. Les charmes qu'elles contiennent sont les plus anciens modèles connus de gravure sur cuivre reproduite sur papier. Ils n'eurent pourtant pas, semble-t-il, l'effet médical escompté, car l'année même où l'œuvre devait être achevée, l'impératrice mourait, âgée de cinquante-deux ans, des suites sans doute d'une variole.

Le vestige suivant — chronologiquement parlant — de l'art de l'impression chinois est déjà d'un type plus élaboré. Il s'agit du *Soûtra du Diamant* (868), le plus ancien « livre » imprimé qui nous soit parvenu : des fragments de textes bouddhiques sacrés imprimés sur des feuillets de 75 cm de long et 30 cm de large, collés bout à bout pour faire un rouleau de près de 5 m de longueur. Le Bouddha y disserte sur l'inexistence de toute chose, vantant le mérite de ceux qui copieront ce livre et expliquant que le seigneur Bouddha lui-même est présent partout où se trouve une copie de ce texte sacré. Ainsi la planche à imprimer devenait-elle un moyen commode de multiplier les mérites.

Outre les textes sacrés du bouddhisme, il y eut aussi sans doute, parmi les toutes premières œuvres imprimées, des ouvrages taoïstes de magie, des traités d'interprétation des rêves, et des dictionnaires. Mais en matière religieuse, on préférait encore généralement les textes écrits à la main magnifiés par la calligraphie traditionnelle, les textes imprimés venant dépanner ceux qui n'avaient pas les moyens de s'offrir mieux.

Le tirage à grande échelle par l'État allait être pendant des siècles la forme prédominante — et paralysante — de l'imprimerie chinoise. Voici ce que dit Feng Tao, Premier ministre de la dynastie de Chine centrale, qui conduit Shu en Chine occidentale, dans une requête officielle de l'an 932 :

Pendant la dynastie de Han, on honorait les érudits confucéens et les auteurs classiques furent sculptés dans la pierre [...] A l'époque T'ang également, on gravait à l'école impériale des inscriptions contenant le texte des classiques. Notre dynastie a trop de choses à faire et ne peut entreprendre de faire graver et ériger des pierres. Cependant, nous avons vu des hommes originaires de Wu et de Shu vendre des livres imprimés à partir de planches à bois. On y trouvait des textes fort divers mais aucun classique orthodoxe [du confucianisme]. Quel grand bienfait ce serait pour l'étude de la littérature si l'on pouvait réviser tous les classiques, pour les graver ainsi dans le bois et les publier.

L'impression et l'édition de ces classiques du confucianisme prirent vingt et un ans. Et lorsque, en l'an 953, le directeur de l'Académie nationale apporta enfin à l'empereur les cent trente volumes complets des classiques confucéens, c'est avec fierté qu'il déclara que désormais « la doctrine universelle devenait éternelle ».

L'objectif restait cependant l'authenticité et non la diffusion. *Yin,* le mot chinois pour l'imprimerie, signifie en fait « sceau », et donc approbation officielle. Jusqu'en 1064, toute publication privée des classiques confucéens ou de tout autre texte fut interdite, et seuls pouvaient paraître des textes officiellement autorisés.

La planche à imprimer rendit possible la floraison de la culture chinoise à l'époque de la renaissance Sung (960-1127) et l'édition des classiques permit la résurgence d'une littérature confucéenne. Avant la fin du Xe siècle apparut la première histoire des grandes dynasties chinoises, œuvre de plusieurs centaines de volumes, dont la rédaction avait demandé soixante-dix ans de labeur. Entre-temps, en 983, les bouddhistes avaient réalisé un travail encore plus spectaculaire : le Tripitaka ou canon bouddhiste intégral comprenant 5 048 volumes et totalisant 130 000 pages, chacune imprimée séparément. L'empereur de Chine en offrit une collection complète au roi de Corée, et lorsqu'un religieux bouddhiste en eut rapporté un exemplaire au Japon, on prit l'habitude dans ce pays d'utiliser le mot *suri-hon* pour désigner le livre imprimé. D'autres sectes se mirent ensuite à imprimer leurs texes saints. Le canon taoïste de 4 000 volumes parut en 1019. Le manichéisme, religion importée d'Occident, fut sanctionné par l'impression de ses textes. Quant aux nombreux musulmans présents en Chine sous la dynastie Sung, ils ne semblent pas avoir imprimé le Coran, mais on tirait spécialement à leur intention des almanachs et des calendriers. En Chine comme en Occident, l'essor de l'imprimerie sonna le glas des arts de la Mémoire. Le savant chinois Yeh Meng-Te (1077-1148) rapporte dans un écrit datant sensiblement de 1130 :

Avant la dynastie des T'ang, les livres étaient tous manuscrits, l'art de l'imprimerie n'existant pas. Les gens tenaient pour un honneur de collectionner les livres et personne n'en possédait beaucoup. Les étudiants, étant donné le labeur que représentait la transcription, prenaient vite l'habitude de les apprendre et de les réciter. A l'époque des cinq Dynasties, Feng Tao adressa le premier une requête à son souverain, demandant la création d'un établissement d'imprimerie gouvernemental. Puis, au cours des années de notre dynastie nommée Shunhua [990-994], des fonctionnaires furent chargés d'imprimer l'histoire et les annales de la seconde dynastie des Han. Depuis ce temps, les livres n'ont cessé de se multiplier [...] et comme les étudiants se les procurent facilement, la pratique de la récitation s'est perdue.

Lorsque Marco Polo visite la Chine de Koubilaï Khan (1216-1295), il n'estime pas nécessaire de signaler la reproduction des textes sacrés au moyen de la planche à imprimer. En revanche, il note avec étonnement la manière dont le « grand Sire », par une sorte d'« alchimie », fabrique sa monnaie, non point dans des métaux précieux, mais dans des feuilles de papier.

Le Khan en fait faire si grande quantité qu'il pourrait s'offrir tous les trésors du monde. Cette monnaie lui permet d'effectuer tous ses paiements dans chaque province, chaque royaume et chaque région dont il est le maître. Et nul n'ose la refuser sous peine de risquer la mort. Je puis vous assurer que tous ces peuples et groupes d'hommes sur lesquels il règne acceptent volontiers ces feuilles en paiement car, où qu'ils aillent, ils paient avec la même monnaie, pour les denrées et pour les perles, les pierres précieuses, l'or et l'argent. Avec ces papiers, ils peuvent acheter et payer absolument tout. J'ajoute que la feuille qui vaut dix besants en pèse moins qu'un seul...
Et encore vous dis autre chose qu'il fait bon conter. Lorsque toutes ces feuilles ont tant circulé qu'elles sont déchirées ou qu'elles se gâtent, alors on les porte à la Monnaie, où elles sont changées contre des feuilles neuves et nettes, moyennant trois pour cent au Trésor. Et là encore se trouve une pratique admirable qui vaut d'être mentionnée dans notre livre : si quelqu'un désire acheter de l'or ou de l'argent pour se faire vaisselle, ceinture ou autre belle chose, il se rend à la Monnaie du Khan avec quelques-unes de ces feuilles et les donne en paiement de l'or ou de l'argent qu'il achète auprès du maître-argentier. Toutes les armées du Khan sont payées de cette monnaie de papier.

Marco Polo décrit ici une vieille institution chinoise. Au XIe siècle, la pénurie de métal et le besoin d'une plus grande masse monétaire avaient amené le gouvernement à imprimer du papier-monnaie, jusqu'à quatre millions de billets en une année ; au XIIe siècle, c'est par ce moyen que les Sung financèrent leurs dépenses militaires contre les Tartares, puis, une fois vaincus, leur tribut. En 1209, les billets promettant paiement en or et en argent étaient imprimés sur du papier de soie parfumé, mais dont la douce exhalaison se révéla impuissante à stabiliser la monnaie et à freiner l'inflation galopante. L'historien des Sung, Ma Tuan-Lin, qui vécut les pires moments de cette inflation, en décrit ainsi les conséquences bien connues :

> Après des années d'effort pour soutenir et défendre ces billets, le peuple perdit confiance en eux, au point d'en avoir vraiment peur. Car les règlements des dépenses gouvernementales se faisaient en papier. Les fonds des manufactures de sel n'étaient constitués que de papier. Tous les fonctionnaires étaient payés en papier, ainsi que les militaires. Parmi les provinces et les districts, déjà en retard, il n'en était pas qui ne payait ses dettes par de la monnaie de papier. Les pièces de cuivre, rarissimes, étaient considérées comme un trésor et l'on ne parlait même plus du capital amassé jadis... Il était donc normal que le prix des denrées augmentât tandis que la valeur de la monnaie de papier chutait de plus en plus. Déjà découragés, les gens perdaient toute énergie. Les soldats vivaient dans la crainte permanente de n'avoir pas assez à manger et, dans tout l'empire, les fonctionnaires subalternes se plaignaient de ne pas avoir suffisamment de moyens pour subvenir à leurs besoins élémentaires. Tout cela résultait de la dépréciation de la monnaie de papier.

Imitant les peuples plus avancés qu'ils avaient conquis, les Tartares commencèrent à émettre leur propre papier-monnaie et lorsque, après 1260, Koubilaï Khan acheva sa conquête de la Chine, il en fit l'institution dont parle Marco Polo. A l'époque qu'il décrit, les billets conservaient encore leur valeur nominale, mais dans les dernières années de la dynastie mongole des Yüan (1260-1368), l'inflation avait repris de plus belle. Lorsque le premier empereur de la dynastie Ming (1368-1644) monta sur le trône, il réduisit la quantité de papier en circulation et réussit en fin de compte à stabiliser la monnaie.

Dès ses débuts en Chine, l'imprimerie fut victime de cette fâcheuse association avec la monnaie peu saine. Pendant des siècles, les voyageurs européens ne semblèrent connaître de cette technique que le papier-monnaie. Et une débâcle monétaire survenue dans la contrée proche de l'Occident acheva de la déconsidérer. A Tabiz, capitale de la Perse conquise par les Mongols, Venise et Gênes entretenaient des agents commerciaux au début du XIVe siècle. Or, entre 1291 et 1295, les extravagances du gouverneur mongol local Gaikhatu Khan avaient mis la trésorerie à mal ; il tenta d'y remédier par des émissions de papier. Imprimés en 1294 à la fois en chinois et en arabe, ces billets comportaient la date de l'Egire, un avertissement aux faussaires, et l'heureuse prédiction que désormais « la pauvreté disparaîtra, les marchandises seront moins chères, et les pauvres égaux aux riches ». Mais le miracle ne se produisit pas : après quelques jours seulement d'utilisation obligatoire de ce papier, le commerce s'effondra, les marchés fermèrent et on apprit que le grand argentier avait été assassiné. Tout cela n'avait pu échapper aux Vénitiens et aux Génois qui commerçaient avec Tabiz, et n'était guère de nature à leur faire adopter l'imprimerie pour résoudre leurs problèmes fiscaux.

D'autres que Marco Polo, comme Guillaume de Rubrouck, Odoric ou Pegolotti, avaient admiré la façon dont le Grand Khan utilisait l'écorce des arbres à la place des métaux précieux. Mais cela ne paraît pas avoir constitué une incitation suffisante pour introduire l'imprimerie dans le monde occidental. Et les Occidentaux ne s'étaient pas encore mis à l'étude des religions orientales, qui pourtant auraient pu les intéresser par l'usage qu'elles faisaient de l'imprimerie pour la diffusion de la littérature sacrée. En Europe, bien que des monnaies en cuir aient été signalées aux XII^e^ et XIII^e^ siècles, il n'existe aucune trace du papier-monnaie jusqu'à la date de 1648, où la première émission eut lieu en Suède.

Mais c'est par une voie plus frivole, peut-être, que la xylographie est parvenue en Occident. Il semble que les cartes à jouer, comme les dominos, soient nés en Chine. Aux époques Shung et mongole, on pratiquait dans toute la Chine des jeux de cartes compliqués à l'aide de dés. L'interdiction des jeux de hasard par le Coran explique peut-être pourquoi il n'est jamais fait mention des jeux de cartes dans la littérature arabe médiévale. Mais ceux-ci semblent avoir connu une grande vogue dans les armées mongoles en marche vers l'Ouest et auraient été introduits en Europe via « le pays des Sarrasins ». D'une manière ou d'une autre, c'est en enjambant le monde arabe que les cartes à jouer parvinrent en Italie et en Europe de l'Ouest.

Les gens aisés commandaient encore des jeux peints à la main, mais le peuple utilisait des cartes imprimées ; connues en Allemagne et en Espagne en 1377, celles-ci devinrent bientôt si populaires que le Synode de 1404, alarmé par la situation, interdit tout jeu de cartes au clergé. En 1423, saint Bernardin de Sienne, dans une diatribe prononcée sur les marches de Saint-Pierre, exhorte ses auditeurs à rentrer chez eux pour rassembler toutes leurs cartes et les brûler en place publique. Avant même Gutenberg, on imprimait des jeux de cartes à Venise, Augsbourg et Nuremberg ; en 1441, le Conseil de Venise dut promulguer une loi pour protéger ses propres imprimeurs de cartes. Le mystérieux « Maître des cartes à jouer » (v. 1430-1450) fut l'auteur d'une très belle série, dont une soixantaine nous sont parvenues, et que la finesse du dessin fait attribuer par certains à Gutenberg lui-même. Il n'est pas impossible du reste que le travail de ce dernier soit en partie l'aboutissement de ses recherches pour perfectionner l'impression des cartes.

L'imprimerie servit donc à une foule d'usages variés et quotidiens bien avant d'être utilisée à des fins supérieures d'ordre intellectuel ou religieux. L'impression sur textile est une technique ancienne. Le tissu imprimé découvert dans la tombe de l'évêque d'Arles date du VI^e^ siècle. On a retrouvé des soies imprimées dans l'un des palais de Nara au Japon (VIII^e^ siècle) et d'autres tissus imprimés, sensiblement de la même époque, ont été découverts en Chine et en Égypte. En Europe, les fabricants appliquaient simplement sur le tissu une planche gravée enduite de pigment. A la même époque, les Asiatiques utilisaient des techniques plus évoluées, les unes destinées à faire pénétrer le colorant dans la fibre ; les autres « réserves », ou « mordants », permettant d'obtenir plus rapidement des teintures dans des dessins et des couleurs variés. Quand les Européens adoptèrent la planche à imprimer les tissus au XIIIe siècle, ils utilisaient encore la méthode rudimentaire consistant à appliquer sur le tissu une presse enduite de pigments colorés.

Lorsque enfin l'impression sur papier fait son apparition en Europe, elle rappelle trop — par sa technique, ses matériaux, ses utilisations — ce qui se faisait depuis longtemps en Chine pour ne pas suggérer l'idée que c'est de là-bas qu'elle vient. L'une des plus anciennes impressions européennes sur papier qui ait été datée représente un saint Christophe (1423), destiné, à l'instar des pagodes de l'impératrice Koken, à éloigner la maladie et la mort. « Quel que soit le jour où tu verras l'image de saint Christophe, peut-on y lire, ce jour-là tu ne subiras de la mort aucun mauvais coup. » Les premiers imprimeurs européens sur bois utilisaient une encre fabriquée, comme celle de Chine, à partir du noir de fumée et dissoute dans de l'huile, et du papier d'origine chinoise.

L'avenir de l'imprimerie en Orient comme en Occident ainsi que l'élargissement des communautés de savoir dépendaient non seulement de la technologie et des matériaux employés, mais aussi du langage utilisé. L'absence d'alphabet en Chine n'allait pas cesser de poser des problèmes. Bien avant les Européens, les Chinois expérimentèrent les caractères mobiles.

Éveillés aux avantages du livre imprimé par les volumineux classiques du confucianisme, les Chinois, au Xe siècle, essayèrent les plaques de cuivre à la place des planches en bois. Une chronique du début de la dynastie Sung rapporte :

> Depuis que Feng Tao a entrepris l'impression des cinq classiques, tous les ouvrages fondamentaux ont été imprimés.
> Au cours de la période Ch'ing-li [1041-1048], un homme du peuple nommé Pi Shêng inventa le caractère mobile. Sa méthode était la suivante : il prenait de l'argile collante et la découpait en caractères aussi fins que les bords d'une pièce de cuivre. Chacun d'eux avait sa forme bien différenciée. Il les mettait ensuite au feu pour les durcir. Auparavant, il avait préparé une plaque de fer et l'avait enduite d'un mélange fait de résine de pin, de cire et de cendres de papier. Lorsqu'il voulait imprimer, il prenait un cadre en fer, le posait sur la plaque, et y disposait les caractères les uns à côté des autres. Une fois le cadre bien rempli, l'ensemble constituait un bloc de caractères solide qu'il plaçait près du feu pour le chauffer. Quand la pâte était légèrement fondue à l'arrière, il prenait une planche bien lisse et l'appliquait fortement sur la surface, de façon que le bloc de lettres fût aussi égal qu'une pierre à repasser. Si c'eût été pour n'imprimer qu'une ou deux copies seulement, cette méthode ne serait ni commode ni rapide. Mais pour des centaines ou des milliers d'exemplaires, elle était d'une célérité divine. L'homme avait toujours deux formes qui fonctionnaient : lorsque la première était en train d'imprimer, on

plaçait les lettres dans l'autre : ainsi la première ayant imprimé, la seconde était prête. Elles servaient tour à tour et l'impression y gagnait en rapidité.

Trois siècles plus tard, sous la dynastie mongole, les Chinois essayèrent de fabriquer des caractères séparés en métal et non plus en céramique. Pourtant, les imprimeurs trouvaient « à la fois plus précis et plus pratique » de graver des caractères sur une grande planche de bois que l'on « découpait ensuite en carrés avec une scie très fine, jusqu'à ce que chaque caractère forme une pièce séparée ». Mais la langue chinoise ne connaissant pas l'alphabet, il fallait au total plus de trente mille caractères. Comment les ranger pour les retrouver facilement ? Un moyen consistait à classer les caractères selon les cinq tons de la langue chinoise, puis à les subdiviser par groupes de rimes conformément au Livre des Rimes officiel. A cette fin, les imprimeurs se dotèrent de tables pivotantes d'environ deux mètres de diamètre, surmontées par un cadre rond en bois de bambou divisé en compartiments. Mais malgré ces astuces, la sélection des caractères restait laborieuse et la remise des pièces pour leur réutilisation fastidieuse.

En Corée, par contraste, certains traits de l'histoire et de la géographie locale allaient susciter des besoins et des occasions tout particuliers. Sous l'Empire mongol, l'isolement de la péninsule de Corée permit à celle-ci de conserver une grande indépendance culturelle, que renforça encore la désintégration de l'empire. Les Coréens furent, pendant un cours laps de temps, les meilleurs imprimeurs du monde. Ils utilisaient couramment au VIII^e^ siècle les techniques chinoises d'impression. Au début du XII^e^ siècle, les rois de la dynastie Koryo avaient fondé un bureau de l'imprimerie au collège national, et eux aussi collectionnaient les textes bouddhistes, non pas dans un but éducatif, mais pour établir une édition correcte. Au début du XIV^e^ siècle, une édition coréenne (1235-1251) du Tripitaka sera envoyée à la cour des empereurs mongols.

Plus l'impression fleurit en Corée, plus préoccupante devient la rareté des bois nécessaires. Riche en forêts de pins utiles à la fabrication de l'encre, le royaume est pauvre en bois durs et serrés (jujubier, poirier, bouleau) nécessaires à la confection des planches à imprimer et doit donc les importer de Chine. Pourquoi alors ne pas essayer le métal ? Ingénieusement, les Coréens vont adapter à la production des caractères la matrice qui leur servait à mouler les pièces de monnaie. Un caractère taillé dans du buis était pressé sur une cuvette contenant de l'argile. Dans l'empreinte ainsi obtenue, on introduisait du bronze fondu par un trou percé dans la plaque utilisée pour aplatir la pièce coulée. Le bronze refroidi donnait un caractère métallique plat de la taille et de l'épaisseur d'une petite pièce de monnaie, caractère qui devint courant dans l'impression coréenne au milieu du XIII^e^ siècle.

En 1392, une nouvelle dynastie, fort énergique, allait plus loin : le roi s'étant déclaré « attristé que l'on imprime si peu d'ouvrages », il fut institué un département des livres ainsi qu'une fonderie de caractères dépendant du gouvernement.

Ces caractères métalliques coréens posaient des problèmes techniques particuliers. Comment les maintenir solidement et à plat lorsqu'on en retirait les feuilles de papier ? La cire fondue et les cales de bambou ne donnaient jamais satisfaction. Malgré cela, grâce à leur technique primitive de caractères mobiles, les Coréens tirèrent nombre de livres en plusieurs centaines d'exemplaires.

Une réforme de leur langue écrite allait fournir aux Coréens une occasion exceptionnelle d'exploiter les avantages du caractère mobile. Des siècles durant, ils n'avaient utilisé que les idéogrammes chinois, lorsque le roi Sejong le Grand (1419-1450), issu d'une dynastie entreprenante et désireux de donner « une écriture au peuple », chargea ses érudits d'élaborer un alphabet. En 1446, ils proposaient un « Han'gul » de vingt-cinq lettres, qui ne s'appuyait sur aucun alphabet existant.

Si les savants et les imprimeurs coréens avaient su saisir les avantages de ce nouvel alphabet phonétique, alors l'avenir de la typographie et celui de la science et de la culture coréenne auraient peut-être été différents. Mais ils s'accrochèrent obstinément aux caractères, ou du moins au style, chinois, et transformèrent finalement leur propre alphabet en un syllabaire du même type que celui des Japonais. Résultat : ô ironie, l'impression coréenne, comme celle de Chine, continua de nécessiter des milliers de caractères différents.

A l'inverse de leurs homologues européens, qui eux-mêmes fournirent un public à leur production, les imprimeurs coréens, peut-être en raison du nombre et de la complexité des caractères de leur langue, restèrent des illettrés. La bureaucratie n'avait qu'un seul souci : l'authenticité. Les règlements étaient formels : « Le surveillant et le compositeur subiront trente coups de fouet par erreur et par chapitre ; et l'imprimeur recevra trente coups de fouet par caractère mal imprimé — trop sombre ou trop clair — et par chapitre. » Cela explique à la fois la réputation de précision acquise par les premiers imprimeurs coréens et les difficultés rencontrées pour les recruter. Au XVII^e siècle, lorsque apparaît une véritable littérature populaire en langue coréenne, elle est encore diffusée sous la forme manuscrite : par suite de la raréfaction des alliages de cuivre, l'impression typographique était réservée aux documents officiels que le gouvernement voulait ainsi authentifier.

Si le coréen était la langue du peuple, la langue idéographique chinoise demeurait celle des lettrés. Plus encore qu'en Chine, cette langue des érudits — le latin des Coréens — était coupée du langage quotidien. Aujourd'hui encore, le chinois tel qu'il s'écrit en Corée est, dit-on, particulièrement archaïque.

Pour les gouvernements, la planche à imprimer était plus pratique que les caractères mobiles : elle était moins onéreuse à fabriquer et la calligraphie pouvait être réalisée par les lettrés eux-mêmes, tandis que les caractères mobiles exigeaient plusieurs spécialités d'artisans et des techniques de moulage complexes. Autre avantage : les planches étaient immédiatement disponibles si la nécessité se faisait sentir d'imprimer quelques exemplaires supplémentaires.

Certains historiens ont émis l'hypothèse que ces lointaines expériences coréennes, un demi-siècle avant Gutenberg, ont pu inspirer sérieusement ce dernier. Mais rien ne permet vraiment d'affirmer que l'inventeur allemand ait jamais eu vent des travaux entrepris en Corée. Dans ce pays même, du reste, les expériences tentées avec des caractères métalliques mobiles furent sans lendemain. Les textes allaient à ceux qui les connaissaient déjà. La plupart des éditions se limitaient à deux cents exemplaires et aucune ne dépassait cinq cents. L'absence de circuits commerciaux n'incitait guère à étoffer les « catalogues » ni à accroître les « tirages ». Quant aux ouvrages en langue vernaculaire, la demande était inexistante.

Les caractères mobiles pénétrèrent au Japon au XVe siècle par deux voies totalement différentes. Les premiers Européens à arriver dans ce pays, comme ceux qui abordèrent l'Amérique, y débarquent par accident, vers 1543, lorsqu'un navire portugais fait naufrage près des côtes de Kyushu. Le vaillant saint François-Xavier (1506-1552) s'y rend en 1549 pour convertir les Japonais. D'autres missionnaires jésuites suivront. En 1582, le visiteur général des jésuites, Alessandro Valignano, persuade le daïmio de Kyushu d'envoyer une délégation auprès du pape Grégoire XIII, et, en 1590, ladite ambassade rentre au Japon, porteuse d'une presse à imprimer et accompagnée de quelques imprimeurs européens. Les Presses de la mission ainsi constituées fonctionneront pendant vingt ans. Les trente ouvrages qui nous sont parvenus révèlent le talent habituel des jésuites à franchir les barrières culturelles. Naturellement, la plupart sont des textes de doctrine chrétienne mais, tout à fait conscients de leurs limites dans le maniement de la langue locale, les jésuites ne s'aventurèrent pas à traduire la Bible. Ils imprimèrent une série d'ouvrage particulièrement susceptibles de plaire aux Japonais, parmi lesquels le classique *Heike monogatari* (1592), parfois appelé l'Iliade du Japon, des recueils de maximes chinoises, les fables d'Ésope (1593), des grammaires latine et portugaise, ainsi que des dictionnaires latin-portugais-japonais, et chinois-japonais. Le public concerné devait être restreint, car la moitié envion des titres sont imprimés en japonais romanisé, que peu de gens savaient lire. Mais nos jésuites utilisèrent les meilleurs caractères de l'époque : ceux de François Guyot, Claude Garamont et Robert Cranjon. Lorsque débuteront les persécutions contre les chrétiens, en 1611, les Presses de la mission se replieront sur Macao. Mais elles avaient alors renoncé aux caractères métalliques pour revenir aux caractères en bois.

Autre cause de pénétration de caractères mobiles au Japon : les ambitions de Toyotomi Hideyoshi (1536-1598), premier dirigeant nippon à vouloir établir un empire en Asie orientale. Parmi tout le butin que rapportèrent ses soldats au retour de leur invasion de la Corée en 1592 se trouvaient des jeux de caractères mobiles. Hideyoshi les remit à son empereur, lequel ordonna qu'ils servent à une nouvelle impression d'un classique chinois. De plus, il commanda un nouveau jeu de caractères mobiles en bois pour une série d'« éditions impériales » de classiques chinois (1597-1603), qui s'avérèrent être parmi les plus beaux livres jamais imprimés au Japon.

Au cours des cinquante années suivantes, avec l'aide de caractères mobiles tant en bronze qu'en bois, l'imprimerie au Japon prospéra comme jamais auparavant. Il y eut de nombreuses éditions officielles des classiques chinois, ainsi que des ouvrages de stratégie militaire et d'histoire. Le grand Iyeyasu (1542-1616), fondateur du shogounat Tokugawa, s'enthousiasma pour la nouvelle technique, et commanda des milliers de caractères mobiles en bois. En outre, pour une œuvre qui ne fut jamais publiée, il fit fabriquer quatre-vingt-dix mille caractères en bronze. Des rames entières de textes et de commentaires bouddhiques imprimés au moyen de caractères mobiles sortirent des temples de Kyoto et des monts Hiei et Koya.

Au Japon, l'impression commerciale naquit des temples ; dans la nouvelle capitale d'Edo, elle devint lucrative et certaines impressions acquirent la célébrité. Des médecins riches financèrent la publication de textes médicaux. Il y eut également de nombreuses éditions de classiques populaires tels que le *Ise monogatari* (v. 980). Utilisant le caractère mobile, peintres et calligraphes produisirent des œuvres d'une rare beauté sur du papier élégant et de couleurs variées ; certains ouvrages chinois et japonais anciens furent imprimés pour la première fois. Dès lors, les auteurs commencèrent à écrire en vue d'être publiés.

Les œuvres les plus anciennes imprimées avec des caractères mobiles furent rédigées en écriture chinoise, ce qui, pour tout loger, nécessitait de grandes pièces carrées. Lorsque davantage de textes furent imprimés dans les écritures japonaises hiragana et katakana, il fallut imaginer un nouveau caractère pour tenir compte de leurs formes cursives. Lorsque nous voyons ces volumes aujourd'hui, nous avons du mal à croire qu'une calligraphie aussi fluide ait pu être reproduite grâce à des caractères mobiles. Une seule pièce comprenait souvent deux caractères attachés ou plus.

Au milieu du XVIII^e siècle, l'artisanat du livre au Japon était à nouveau florissant. Les offices gouvernementaux, les monastères bouddhistes, les artistes travaillant pour des amis ou des mécènes, les imprimeurs commerciaux avaient suscité tout un public pour des livres imprimés dont les pages débordaient de clarté, d'élégance et de charme.

Puis survient une des plus grandes ruptures connues dans l'histoire de la technologie. Avec une soudaineté à peine imaginable, la technique du caractère mobile disparaît du Japon jusqu'au milieu du XIXe siècle, époque où elle sera réimportée d'Europe. L'économie avait triomphé de l'esthétique : graver et mouler des pièces de caractères mobiles se révélaient trop coûteux dans la langue japonaise ; simplement, il avait fallu un demi-siècle pour s'en apercevoir. Finalement, la planche à imprimer traditionnelle était moins chère et plus pratique.

Les Japonais n'inventèrent jamais une technique simple de multiplication des pièces pour les caractères mobiles. N'ayant pas de moule semblable à celui qu'inventa Gutenberg en Europe, il leur était plus facile de préparer une nouvelle planche pour chaque page de chaque volume à imprimer. Dans une société encore tournée vers ses classiques, de telles planches constituaient la manière la plus pratique de réimprimer des ouvrages constamment demandés. Au cours des siècles suivants, le nombre des parutions réalisées à l'aide de caractères mobiles fut négligeable. Après le banissement des missionnaires par Iyeyasu en 1614, le Japon resta fermé pendant plus de deux siècles. Durant cette période, la culture Tokugawa des cités naissantes développa des formes propres d'éducation, d'information et de divertissement du peuple, par la poésie haïku, ainsi que le théâtre no, bunraku et kabuki. L'expérience du caractère mobile maintenant oubliée, les Japonais produisirent des estampes et des livres illustrés jamais surpassés en Europe.

## 63

## *L'art de l'écriture artificielle*

Gutenberg est pour nous « l'homme qui inventa l'imprimerie » ou du moins l'inventeur du caractère mobile. Mais, en réduisant son œuvre à l'élégante Bible qui fut son premier ouvrage majeur et qui reste l'un des trésors de nos grandes bibliothèques, nous occultons le rôle capital qui fut le sien. Car il ne fut pas seulement le pionnier des magnifiques incunables de son temps. Il fut un prophète des nouveaux mondes où les machines allaient éclipser les scribes, où la presse à imprimer allait remplacer l'écritoire, où le savoir allait être diffusé à d'innombrables communautés invisibles.

Parmi les héros de l'histoire moderne, Johannes Gutenberg (v. 1394-1468) est l'un des plus mystérieux. Mais si sa personnalité demeure obscure, sa carrière, elle, ne l'est pas. Son œuvre fut l'aboutissement du travail de beaucoup d'autres. Il rassembla les données que ceux-ci avaient été incapables de mettre en place, et risqua tout pour y parvenir. Une grande partie de ce que nous savons de Gutenberg nous vient des procès interminables portant sur le financement de son entreprise d'imprimerie et sur les bénéfices découlant de son invention.

Certes, l'imprimerie existait en Europe bien avant Gutenberg, si, par imprimerie, on entend fabrication d'images par pression. En anglais, imprimer, *to print,* signifia d'abord marquer d'un sceau, comme dans l'estampage des monnaies, ce qui explique que Gutenberg ait débuté comme orfèvre. Son invention capitale fut moins une nouvelle méthode d'imprimerie qu'une façon originale de multiplier les caractères destinés à reproduire les lettres. D'autres, avant lui, avaient songé à graver dans du bois ou du métal une image inversée, pour l'appliquer ensuite, enduite de couleur, sur du tissu, du vélin ou du papier. Mais ils imprimaient ainsi d'ordinaire une page, un dessin entier. Gutenberg, lui, fit éclater ce procédé. Pour lui, imprimer une page, c'était imprimer successivement un certain nombre de lettres plus ou moins fréquemment répétées. Dans ces conditions, pourquoi ne pas réaliser pour chacune de ces lettres un grand nombre d'exemplaires, de manière à pouvoir les réutiliser aussi souvent que nécessaire ? Son expérience à la fois d'orfèvre et de fondeur lui permit de saisir les difficultés de l'imprimeur, différentes de celles de l'orfèvre, qui ne travaille que sur une pièce unique. Par exemple, pour faire un livre imprimé, toutes les lettres devaient avoir exactement la même hauteur. Rendre les caractères « mobiles » était la moindre des choses. Encore fallait-il qu'ils soient interchangeables.

Les autres problèmes n'apparurent que lorsque Gutenberg essaya de décomposer le bloc solide de caractère en ses différentes lettres. Si la surface de la planche était lisse et uniforme, les lettres inversées, une fois gravées et encrées, devaient normalement s'imprimer de façon correcte. Mais si on gravait chaque lettre séparément, comment les assembler en obtenant une surface bien plane ? Le génie de Gutenberg fut d'inventer un moule spécial capable de former des caractères parfaitement identiques, rapidement et en grand nombre. C'était une machine-outil à fabriquer les caractères.

L'alphabet romain, grâce à son petit nombre de lettres, allait faciliter l'introduction du caractère interchangeable et la diffusion de l'imprimerie dans l'ensemble du monde occidental. Au contraire, comme nous l'avons vu, l'écriture chinoise, aux idéogrammes innombrables, convenait mal aux possibilités du caractère interchangeable. Car, même si de multiples copies de chaque idéogramme pouvaient être réalisées, comment disposer des milliers de caractères de manière à retrouver rapidement celui dont on avait besoin ?

D'un autre côté, les idéogrammes chinois présentaient un avantage pour le graveur de caractères. Ils étaient assez grands et assez variés pour fournir des sujets intéressants à graver dans le bois. Leur grande taille même les rendait plus faciles à aligner sur la page que les lettres de l'alphabet romain, qui, par comparaison, étaient minuscules, difficiles à saisir et glissaient facilement des mains. Pour que Gutenberg puisse réaliser son invention, il fallait que soit repensée la forme même de la lettre romaine. Il lui fallait pouvoir considérer chaque lettre non plus comme une tache d'encre jetée à plat sur une page, mais comme une sorte de barrette facile à prendre en main.

Le procédé de fonte des caractères inventé par Gutenberg nous semble aujourd'hui d'une simplicité biblique. Il s'agit d'une boîte rectangulaire à charnière, ouverte aux deux extrémités. Une des extrémités va être fermée par l'insertion d'une matrice, lame de métal plate portant, gravée par un poinçon métallique, l'empreinte d'une lettre. La boîte est ensuite mise debout sur une extrémité, et par le haut, resté ouvert, est versé du métal fondu. Le métal, en refroidissant, prend, au fond de la boîte, la forme du relief de la lettre. Il suffit alors d'ouvrir la boîte pour récupérer la « barrette » typographique. En répétant l'opération, il est possible de produire autant de caractères interchangeables et identiques qu'il est nécessaire. Mais pour produire des caractères de la bonne largeur pour les différentes lettres de l'alphabet (le « w », par exemple, étant trois fois plus large que le « i »), tout en leur donnant à toutes la même hauteur, il fallait que la boîte fût ajustable. Gutenberg y parvint grâce à un système coulissant qui permettait d'élargir ou de rétrécir la boîte suivant la matrice à insérer au fond. Pour éviter de se brûler les mains, on encastrait le moule dans du bois. La matrice dans laquelle on versait le métal fondu devait être estampée avec une précision extrême et à une profondeur parfaitement égale en tout point de la lame. L'orfèvre devait faire en sorte que les caractères typographiques insérés dans la forme produisent sur la page une impression uniforme. Gutenberg avait donc besoin d'un alliage facile à fondre, qui refroidisse vite et coule de façon régulière.

Restaient deux problèmes à résoudre avant que le caractère interchangeable ne devienne un outil efficace pour l'impression d'une page. Il fallait trouver un moyen de maintenir ensemble tous ces morceaux et d'en presser la marque avec fermeté sur la surface à imprimer. Ni les Chinois ni les Européens n'avaient, jusqu'alors, pour imprimer utilisé une presse. Leur procédé consistait à encrer d'abord la planche, puis à y étaler une feuille de papier et à en frotter le revers afin d'assurer une impression uniforme. Dans la presse de Gutenberg, l'impression était réalisée grâce à une adaptation de la presse à vis en bois du relieur, laquelle, au demeurant, n'était peut-être elle-même qu'une adaptation du pressoir ou de la presse à vis domestique pour presser le linge ou extraire l'huile des olives. Il fallait ensuite une encre qui adhère uniformément aux caractères métalliques. Elle ne pouvait en rien ressembler à l'encre qu'utilisaient les scribes sur du parchemin ou du papier. Ni à celle qui servait à faire des impressions à partir d'une planche de bois. En fait, ce dont Gutenberg avait besoin, c'était d'une sorte de peinture à l'huile. Pour fabriquer son encre, il s'inspira de l'expérience des peintres flamands dont les pigments étaient broyés dans un vernis à base d'huile de lin.

Il n'est pas étonnant qu'il lui ait fallu des années pour résoudre ces difficultés et en combiner les solutions. Heureusement, un problème au moins — celui de la surface à imprimer — était déjà largement résolu : le papier fut la contribution essentielle de la Chine au progrès du livre. Patience, ingéniosité et ressources financières allaient être nécessaires à Gutenberg pour venir à bout des autres problèmes. L'idée fixe de toute son existence, telle qu'elle ressort abondamment des actes de ses nombreux procès, sera sa volonté de poursuivre son œuvre jusqu'à ce qu'elle soit achevée, et de la poursuivre dans le secret. Ses expériences seront coûteuses et il connaîtra plus d'un faux départ.

La vie de Gutenberg n'est qu'une suite de litiges. Presque toutes les informations sûres que nous avons sur son compte proviennent des procès intentés contre lui. On ne connaît même pas la date exacte de sa naissance. Sans doute est-il venu au monde entre 1394 et 1399 à Mayence, où le Main se jette dans le Rhin. Né Johannes Gensfleisch, il prend le nom de Gutenberg, tiré d'une propriété familiale, lorsque la vie de la cité est perturbée par les luttes entre familles patriciennes, comme la sienne, et corporations montantes. Le père de Gutenberg étant en relation avec l'Hôtel de la Monnaie archiépiscopal, le jeune Johannes va se familiariser avec le métier d'orfèvre. Il partage sa vie entre Mayence et Strasbourg, où il se réfugie pour fuir la vindicte des corporations. La toute première mention de Johannes dans un acte juridique nous le montre poursuivi pour rupture de promesse de mariage. La dame délaissée perdit son procès, mais l'affaire se révéla coûteuse pour Johannes : au cours du procès, il avait inconsidérément traité le cordonnier de Strasbourg qui avait témoigné contre lui de « pauvre créature menant une vie de mensonges et de fourberies » ; pour cet éclat, il fut condamné à payer quinze florins rhénans de dommages pour diffamation.

Une autre série de poursuites judiciaires fait apparaître la ténacité de Gutenberg et son désir de tenir ses inventions secrètes. Un événement marquant survient en 1439. Gutenberg l'expert en orfèvrerie avait pris trois associés, citoyens de Strasbourg, qui avaient investi leurs capitaux dans son affaire et qu'il avait accepté d'initier à sa nouvelle méthode de fabrication des miroirs à main qu'ils espéraient vendre aux pèlerins voyageant le long du Rhin. Mais s'étant trompé sur l'année du pèlerinage, ils perdirent tout espoir de vendre leurs « souvenirs ». Gutenberg passa alors un nouvel accord avec ses associés, promettant cette fois de leur enseigner un procédé secret, non précisé, dans lequel ils investiraient de grosses sommes d'argent. Leur contrat, d'une durée de cinq ans (1438-1443), précisait que, en cas de décès de l'une des parties, aucun de ses héritiers ne pourrait prétendre à occuper une place au sein de l'association. En échange, les héritiers recevraient une indemnité de 100 florins. Lorsque l'un des associés mourut en 1439, ses frères exigèrent de prendre sa place afin de partager les secrets de l'association. Gutenberg refusa. Les héritiers intentèrent une action en justice mais perdirent leur procès : les associés survivants avaient juré le secret. Durant le procès, presque rien ne filtra de l'invention de Gutenberg, mais il apparut que les associés avaient continué à investir de grosses sommes dans la poursuite des expériences tenues secrètes.

La suite de la carrière de Gutenberg nous le montre sollicitant sans cesse des capitaux supplémentaires, tout en refusant de mettre son produit sur le marché tant qu'il ne lui donnerait pas entière satisfaction. Tout son travail nécessitait un matériel coûteux. Et, lorsque des actions étaient intentées contre lui, il donnait des instructions à ses associés pour que son installation soit démontée afin que rien ne puisse être découvert de leur projet. Tout ceci se passait toujours à Strasbourg.

En 1448, Gutenberg est de retour à Mayence, toujours à la recherche de capitaux. Il finit par trouver un soutien en la personne de Johann Fust, un riche avocat, qui par deux fois investit dans le projet de Gutenberg la coquette somme de 800 florins. Mais au bout de cinq ans, Fust n'avait toujours rien touché des bénéfices escomptés. En 1455, il réclame en justice le remboursement de son capital avec intérêts composés, ainsi que la saisie de tous les biens de Gutenberg. Mais pour ce dernier, gagner de l'argent n'est pas essentiel. Ce qu'il cherche avant tout, c'est un moyen d'obtenir la finesse et l'éclat des manuscrits enluminés, et ce à grand nombre d'exemplaires. Il ne se sent nullement pressé de mettre sur le marché un produit imparfait.

Fust gagna son procès. Gutenberg fut contraint de lui verser 2 026 florins et de lui remettre tout son matériel y compris les pages et les caractères de la Bible à laquelle il travaillait depuis si longtemps. Fust poursuivra l'œuvre de son ex-associé avec l'aide de son gendre, Peter Schöffer, qui avait été le contremaître de Gutenberg et qui, de ce fait, connaissait tous ses secrets. Il avait d'ailleurs témoigné contre lui au procès de 1455. Lorsque, peu avant 1456, parut la Bible dite de Gutenberg, elle ne portait pas de *colophon*. Ce qui, pour Gutenberg, représentait tant d'années d'effort était devenu la propriété de la nouvelle firme Fust et Schöffer.

Les gros caractères gothiques utilisés par Gutenberg pour sa Bible à quarante-deux lignes ne convenaient guère à d'autres types d'ouvrages. Mais il avait également préparé, semble-t-il, deux autres fontes, que la firme Fust et Schöffer s'empressa d'utiliser pour produire un élégant Psautier latin (1457) et probablement aussi le *Catholicon* (1460), réimpression d'une encyclopédie populaire du XIIIe siècle. Le colophon du *Catholicon,* rédigé soit par Gutenberg, soit par ses successeurs de la firme Fust et Schöffer, n'hésitait pas à parler de miracle :

Grâce à l'aide du Très-Haut, qui fait parler la langue du nourrisson et souvent révèle aux humbles ce qu'il cache aux sages, ce noble ouvrage du *Catholicon* a été imprimé et réalisé sans l'aide d'aucun sceau, style ou plume, mais par une merveilleuse combinaison et harmonie de poinçons et de caractères, en l'an de grâce 1460 et dans la noble cité de Mayence appartenant à la réputée nation allemande que Dieu en son infinie bonté a choisi de distinguer par-dessus toutes autres nations sur terre par son génie si élevé et ses dons si divers.

Gutenberg devait être un homme d'une extraordinaire force de persuasion. Malgré sa faillite retentissante, une autre personnalité de Mayence lui avança de quoi racheter tout un matériel d'imprimerie. Et par la suite, le comte Adolphe de Nassau, qui s'était proclamé archevêque de Mayence et qui avait pillé la cité, allouera à Gutenberg indigent et presque aveugle une modeste pension avec allocation annuelle de blé, de vin et d'un costume de gentilhomme.

Les témoignages de l'époque confirment que l'imprimerie pour Gutenberg et sa génération était non seulement une technique, mais également un art. Les bibliophiles s'accordent à dire que le premier livre imprimé en Europe fut aussi l'un des plus beaux. L'efficacité technique du travail de Gutenberg, sa clarté d'impression, sa résistance à l'usure du temps ne devaient pas être surpassées avant le XIXe siècle.

Le désir de trouver de nouvelles méthodes de reproduction des livres n'avait rien à voir avec un quelconque rejet du travail des scribes. Le but premier était de trouver un moyen de reproduire les manuscrits en plus grande quantité et à moindres frais, en leur conservant la qualité du travail des meilleurs copistes et enlumineurs. Les premiers imprimeurs appelaient d'ailleurs leur métier l'« art de l'écriture artificielle », *ars artificialiter scribendi*.

Au cours du premier siècle qui suivit l'invention de l'imprimerie, les copistes, spécialistes de l'écriture « naturelle », et les imprimeurs, qui se consacraient au nouvel art de l'écriture « artificielle », furent des concurrents directs. La presse à imprimer ne supprima pas immédiatement le travail des scribes. Nous possédons presque autant de livres manuscrits de la seconde moitié du XVe siècle, après l'invention de l'imprimerie, que de la première moitié. Les copistes continuèrent à pourvoir au commerce de luxe, produisant des ouvrages somptueux pour ceux qui avaient les moyens de les acquérir. Certains ouvrages continuèrent d'être écrits à la main, notamment les œuvres rédigées en grec ou en latin et destinées à un nombre limité de lecteurs. En 1481, après huit éditions imprimées de l'*Histoire naturelle* de Pline, Pic de La Mirandole en commandait encore une copie manuscrite. Certains des premiers livres imprimés étaient si coûteux, même d'occasion, qu'il était plus avantageux d'en commander une copie manuscrite. De nombreux exemplaires du XVe siècle et même du XVIe siècle sont parvenus jusqu'à nous. Certains ont exactement le même nombre de lignes par page et reproduisent même le colophon de l'imprimeur.

Pendant quelque temps, et les copistes et les imprimeurs trouvèrent une clientèle. Puis, avec la baisse du prix des livres imprimés, il devint de plus en plus difficile pour les premiers de trouver du travail. Lorsqu'il s'avéra que la presse constituait une menace pour la survie du métier de calligraphe, les copistes s'organisèrent et, avec l'aide de leurs alliés traditionalistes, tentèrent de faire adopter des lois protégeant leur monopole. En 1534, François Ier, cédant à leur demande, publie un édit interdisant la presse à imprimer à Paris ; mais il ne sera jamais appliqué. Quand les copistes comprirent que le livre imprimé n'était pas une mode passagère, ils se montrèrent plus coopératifs. Ils se mirent à utiliser eux-mêmes des presses et gagnèrent du temps en insérant dans leurs manuscrits des passages imprimés. Parfois, quand un imprimeur n'avait pas tiré suffisamment d'exemplaires de certaines pages d'un livre, il faisait appel à des copistes pour combler cette lacune. Par ailleurs, les imprimeurs consultaient des calligraphes afin de faire en sorte que leurs pages imprimées ressemblent à des manuscrits.

Au début, il fallait un certain courage pour faire de cette technologie nouvelle son moyen de subsistance. Les copistes étaient les adeptes d'un art ancien, « honorable » et rémunérateur. Les imprimeurs, eux, devaient accepter de prendre des risques. Combien de temps cette nouvelle technologie durerait-elle ? Dans l'Europe du XVe siècle, l'idée même d'innovation était peu familière et suspecte. Pourtant, les plus belles réussites de l'imprimerie étaient déjà appréciées des connaisseurs de l'aristocratie. Avant la fin du XVe siècle, les Gonzague de Mantoue, les Médicis de Florence, le roi Ferdinand Ier de Naples et le pape, dans sa bibliothèque du Vatican, avaient tous ajouté des livres imprimés à leurs précieuses collections. On trouva également très vite des livres imprimés dans les grandes bibliothèques d'Allemagne et d'Espagne. Quand le fils naturel et biographe de Colomb, Don Fernando Colomb, se rend à Londres en 1522, il recherche des livres imprimés pour sa fameuse bibliothèque personnelle.

A bien des égards, la période la plus intéressante de l'histoire du livre imprimé fut le siècle qui suivit la parution de la Bible de Gutenberg : on y voit l'ambivalence de l'Europe cultivée à l'égard de la nouvelle technique. L'ancien et le nouveau restent alors en compétition ouverte. Matteo Battiferri d'Urbino, savant et poète, s'intéresse suffisamment à la presse à imprimer pour éditer la *Physica* d'Albert le Grand, imprimée à Venise en 1488 et dédiée à son père. Mais il prend aussi la peine d'enluminer sa copie personnelle sur vélin de l'*Anthologia Graeca,* imprimée à Venise en 1494. Sa passion des livres manuscrits est telle qu'il insère dans cet ouvrage un feuillet supplémentaire de sa main affirmant que ce livre avait été « écrit » et orné par lui-même. Sur le colophon de l'éditeur, il remplaça le mot « impressum » (imprimé) par le mot « scriptum » (écrit). Il ne fut pas le seul, parmi les bibliophiles, à désirer conserver à ses « livres » le prestige des manuscrits. Les retouches apportées aux ouvrages imprimés au moyen de gommes et de pinceaux pour leur donner l'aspect d'un manuscrit révèlent l'attachement profond des amoureux du livre au produit « fait main ». La prospérité que connurent aux premiers temps de l'imprimerie tous les « esthéticiens » du livre — relieurs, enlumineurs, rubricateurs — montrait bien que celui-ci ne cesserait jamais d'être prisé en tant que mobilier et qu'œuvre d'art. De cette rivalité entre le manuscrit et l'imprimé, qui pouvait prédire lequel sortirait vainqueur ? Si au début l'imprimerie semblait mériter son surnom d'« art conservateur de tous les arts », un prophète eût pu à juste titre le qualifier d'« art destiné à révolutionner tous les arts ». Et pas seulement les arts ! En 1836, moins de trois siècles après la Bible de Gutenberg, Thomas Carlyle pourra écrire : « Celui qui, le premier, abrégea le travail des copistes en inventant le caractère mobile dispersait en fait des armées de mercenaires, destituait la plupart des souverains et des sénats, et faisait naître tout un monde démocratique. »

## 64

## *Des communautés vernaculaires*

Le triomphe du livre imprimé entraîna bientôt le triomphe des langues populaires qui devinrent, à travers l'Europe, les véhicules de la culture. Et l'émergence de littératures vernaculaires orienta à son tour le développement de la pensée dans deux directions fort différentes : démocratisation d'une part, provincialisation de l'autre. Les ouvrages scientifiques apparaissant désormais non seulement en latin, mais en anglais, en français, en italien, en espagnol, en allemand et en hollandais, toute une série de communautés nouvelles eurent brusquement accès au monde de la science. Celle-ci devint plus que jamais auparavant l'affaire de tous. Mais lorsque le latin, langue véhiculaire de toute la communauté savante européenne, fut remplacé par des langues nationales ou régionales, le savoir lui-même eut tendance à devenir national ou régional. Toutes les connaissances acquises à travers le temps et l'espace étaient désormais présentées dans des emballages que seuls les gens habitant un endroit précis pouvaient ouvrir. Autre conséquence encore de la naissance de l'imprimerie : la popularisation de la chose écrite permit à la littérature de faire une part plus grande au délassement, à l'imagination, à l'aventure. Le divertissement acquit ses lettres de noblesse.

Il est difficile de dire à combien s'élevait le nombre des langues ou dialectes utilisés en Europe avant l'âge de l'imprimerie. Les chercheurs ont répertorié quelque trois mille idiomes actuellement parlés, compte non tenu des dialectes mineurs. Nombre probablement bien supérieur encore à la fin du Moyen Age. Au XIIe siècle, comme on l'a vu, lorsqu'un étudiant de Normandie se rendait à l'université de Paris, il ne pouvait comprendre un étudiant de Marseille, car il n'existait pas encore de français standard. De même pour les étudiants de Heidelberg, Bologne, Salamanque ou Oxford car il n'existait ni allemand, ni italien, ni espagnol, ni anglais standards.

A quelques exceptions près, comme le basque ou les langues ouraliennes, les langues parlées de nos jours sur le continent européen appartiennent à la famille indo-européenne et dérivent, semble-t-il, d'une langue utilisée en Europe du Nord à l'époque préhistorique et qui aurait donné naissance à sept branches différentes. A la fin du Moyen Age, la plupart des langues parlées en Europe occidentale appartenaient à deux groupes. Les langues romanes utilisées à l'intérieur des frontières de l'ancien Empire romain, c'est-à-dire de la Manche à la Méditerranée d'une part et des Alpes à l'Atlantique de l'autre, étaient issues du latin et donnèrent finalement le français, l'italien, l'espagnol et le portugais. Quant aux langues germaniques, parlées dans les régions allant de l'Atlantique à la Baltique et du Rhin et des Alpes à la mer du Nord et à l'océan Arctique, elles devaient donner l'islandais, l'anglais, le néerlandais, l'allemand, le danois, le suédois et le norvégien. Au XIIe siècle, ces langues nationales modernes étaient encore fragmentées en d'innombrables dialectes locaux.

La langue française nous aidera à illustrer l'émergence sur tout le continent des langues nationales standards. En 1200, il y avait encore dans ce qui est aujourd'hui la France cinq grands dialectes, subdivisés eux-mêmes en de nombreux idiomes mineurs. Chacun d'entre eux était enraciné dans la vie quotidienne, le folklore et les traditions de sa région d'origine. Pour qu'il existe une littérature française, il fallait une langue française, produit à la fois de l'ascension et de la chute de l'Empire romain. A l'époque de l'apogée de cet empire, seules les rares personnes cultivées connaissaient le latin classique. Ce que la plupart des gens entendaient parler en France, par les soldats et les commerçants romains, n'était qu'une version grossière du latin parlé. Avec ses variantes locales et ses emprunts au celtique et à la vieille langue franque, le latin était devenu une langue qui n'aurait certainement pas trouvé grâce auprès d'un Cicéron ou d'un Alcuin. La dissolution des liens avec l'empire entraîna un relâchement de la langue. Des restes du latin émergèrent différents parlers locaux, caractérisés par des expressions, des prononciations, des intonations locales. En l'absence de gouvernement impérial et en raison des communications réduites, ces dialectes, avec le temps, se distinguèrent de plus en plus les uns des autres.

Tandis que l'Église et les universités continuaient à préserver l'unité du latin, la langue populaire empruntait des chemins capricieux. Charlemagne le reconnut lorsqu'il ordonna que les sermons soient prêchés « dans la langue romane rustique ». Puis l'éclatement de l'Empire carolingien donna aux langues vernaculaires leurs lettres de noblesse. Le premier écrit en langue « française » est constitué par les *Serments de Strasbourg* de 842, traité d'assistance mutuelle passé entre deux des petits-fils de Charlemagne, Charles le Chauve et Louis le Germanique, et rédigé par chacun des deux signataires dans sa langue vernaculaire, proto-français pour l'un, proto-allemand pour l'autre.

En France, pendant les cinq siècles suivants, les deux dialectes les plus couramment utilisés furent, au nord, la langue d'oïl de l'Ile-de-France et de Paris, et, au sud, la langue d'oc de Provence. (Ils doivent leur nom aux deux mots utilisés pour dire « oui » dans ces deux parties du pays.) Ces deux langues régionales produisaient une littérature riche, en grande partie orale. Le dialecte du Nord, et surtout celui de Paris, le francien, devait finir par l'emporter. La langue de Paris devint ainsi la langue de la France. Par l'ordonnance de Villers-Cotterêts (1539), François Ier (1494-1547) fit du « francien » la seule langue officielle.

François Ier trouva en l'imprimerie sa meilleure alliée. Un siècle après Gutenberg, l'édition était devenue une activité florissane, non seulement à Paris, mais aussi à Lyon, Rouen, Toulouse, Poitiers, Bordeaux et Troyes. Quarante villes possédaient des presses. La vente d'ouvrages imprimés était assurée dans toute ville où se trouvait une université, une haute cour ou un parlement. Avec la multiplication des livres, le degré d'instruction s'éleva et la littérature vernaculaire s'enrichit. On trouvait parmi les acheteurs de livres non seulement des membres du clergé, des hommes de loi et des fonctionnaires, mais également des marchands prospères et même certains artisans des villes.

Dans les campagnes, c'était la tradition orale qui prédominait. Les veillées villageoises éclairaient les longs mois d'hiver : une personne lettrée, le conteur traditionnel ou le maître d'école, lisait à haute voix des récits familiers. Ce lecteur, comme l'a montré Nathalie Z. Davis, était en fait un traducteur car, en racontant les fables d'Ésope ou le *Roman de la Rose,* il passait du français imprimé au dialecte parlé par ses auditeurs. Pendant des décennies, l'interdiction par l'Église de la lecture de la Bible en langue vulgaire n'eut ainsi aucune raison d'être : très peu de gens comprenaient le français.

Dans les villes, les imprimeries elles-mêmes suscitèrent lecteurs et auteurs. Artisans, apothicaires, chirurgiens, façonneurs de métaux, etc., commencèrent à se servir de manuels imprimés. Les artisans se faisaient lire un livre tout en travaillant, les livres lus à haute voix dans les tavernes allaient de l'ouvrage pieux (livre d'heures, vie des saints) au manuel d'arithmétique ou de métallurgie. C'est sur le modèle de ces groupes de lecture que s'organiseront les réunions secrètes des protestants débouchant sur la Réforme.

La langue nationale trouve en France un défenseur éloquent en la personne de Joachim du Bellay (1522-1560), descendant pourtant d'une noble famille. A l'âge de vingt-sept ans, il rédige, en guise de manifeste au groupe littéraire de la Pléiade, une *Défense et illustration de la langue française* (1549). Il se rapproche de Pierre de Ronsard (1524-1585) avec qui il partage l'amour de la langue française, ainsi que la surdité. Trouvant naturellement difficile de faire carrière à la cour, les deux hommes vont consacrer leurs talents aux lettres. S'inspirant des sonnets italiens de Pétrarque, du Bellay écrit quelques-uns des tout premiers poèmes d'amour de la langue française. Son succès, à son tour, inspirera des poètes anglais comme Edmund Spenser.

Pour du Bellay, toutes les langues sont égales. « Elles proviennent toutes d'une seule et même source, qui est le caprice des hommes, et ont été formées à une seule fin, qui est de signifier les idées que nous avons dans l'esprit. » Si les exploits des Romains nous paraissent tellement plus grands que ceux des autres peuples, ce n'est pas parce que leur langue était meilleure, mais simplement parce qu'ils comptaient beaucoup plus d'écrivains de talent. Un âge qui avait inventé « l'imprimerie, sœur des muses et dixième d'entre elles », ainsi que l'artillerie et tant d'autres choses admirables, devait sûrement avoir les moyens de produire une grande littérature.

Pourquoi la science n'avait-elle pas fleuri en France comme elle l'avait fait dans la Grèce et la Rome antiques ? « L'étude du grec et du latin en est la cause. Car si le temps que nous consacrons à étudier lesdites langues était employé à étudier les sciences, la nature n'est certainement point devenue si stérile qu'elle ne puisse produire de nos jours des Platon et des Aristote... Mais alors même que nous regrettons d'avoir quitté le berceau pour devenir des hommes, nous retournons en enfance ; et pendant vingt ou trente ans nous ne faisons que cette seule chose, apprendre à parler qui en grec, qui en latin, qui encore en hébreu. »

Les Français, à l'imitation des Romains, devaient oser inventer des mots. « La gloire du peuple romain ne réside pas moins dans l'élargissement de sa langue que dans celui de ses frontières. » Avant la fin du XVIe siècle, la jeune langue française donnait lieu à une prodigieuse efflorescence littéraire : la poésie de Ronsard, les satires de Rabelais (1483-1553), la théologie de Calvin, les essais de Montaigne (1533-1592), la Bible intégrale en langue vulgaire.

La littérature de langue vulgaire promettait un remède à la pédanterie. Le fossoyeur des monopoles du savoir sera François Rabelais, lui-même homme d'une vaste érudition. Après un noviciat dans un monastère franciscain, il étudie le grec, le latin, le droit et la science, tâte d'un monastère bénédictin, fait sa médecine à Paris, donne un cours sur Galien et Hippocrate à Montpellier, accompagne à Rome le cardinal du Bellay, cousin du poète, publie des ouvrages de médecine, à Lyon, devient le protégé de François I^er^, est persécuté pour hérésie et voit ses œuvres condamnées par la Sorbonne. Son *Pantagruel* (1532) et son *Gargantua* (1534) dénoncent avec truculence les égarements du pédantisme grec et latin, de l'astrologie, de la nécromancie, de la médecine traditionnelle, de la théologie.

La pseudo-éducation de Gargantua est confiée au grand sophiste Tubal Holoferne qui met cinq ans et trois mois à lui apprendre à réciter l'alphabet... à l'envers. Après quoi le jeune garçon consacre treize ans, six mois et deux semaines à la grammaire latine, puis étudie les ouvrages de rhétorique latine pendant encore trente-quatre ans et un mois afin de pouvoir les réciter, eux aussi, à l'envers. Quand son professeur meurt, de la vérole, le père de Gargantua trouve « qu'il eût été préférable que son fils n'apprît rien du tout, plutôt que d'étudier de tels livres, avec de tels maîtres, car tout leur savoir n'est que bêtise, leur sagesse que fatuité uniquement destinés à abâtardir les bons et nobles esprits et à corrompre la fleur de la jeunesse ».

Si le français naquit des ruines d'un empire, l'allemand moderne, créateur de la nation allemande et d'une littérature si riche, a une histoire toute différente. Les langues romanes — français, espagnol, portugais et italien — avaient toutes eu à se dégager de la langue vernaculaire romaine et de la richesse de la littérature latine. Les langues germaniques, elles, ne devaient rien à un empire en déclin mais, au contraire, portaient en elles les germes d'une civilisation naissante. L'allemand est né du groupe proto-germanique des langues indo-européennes, profondément enracinées dans la préhistoire. Au VIII^e^ siècle, lorsque apparaissent les premiers écrits en une langue proche de l'allemand moderne, les dialectes locaux prédominent encore dans la vie courante et les différentes régions de ce qui est aujourd'hui l'Allemagne ne possèdent pas de langue commune. Les dialectes se divisent alors en deux groupes distincts : le bas allemand ou Plattdeutsch dans les plaines du Nord, et le haut allemand ou Hochdeutsch dans les hautes terres du Sud. C'est dans les chancelleries du Saint Empire que se développe, au XIV^e^ siècle, une langue écrite relativement uniforme, laquelle remplacera progressivement le latin dans les documents officiels. Lorsque Martin Luther entreprend de traduire la Bible (1522-1534), il choisit le haut allemand utilisé par la chancellerie des duchés de Saxe, établissant ainsi les normes de l'allemand moderne. Il donne à la langue vulgaire une nouvelle dignité tout en établissant une langue nationale. Pour rivaliser avec la Bible de Luther, il y eut bientôt une version catholique, elle aussi en langue vulgaire.

Les autres langues germaniques se formèrent de façon différente. L'Angleterre était, elle aussi, un pays où l'on parlait de nombreuses langues. A l'époque où Gutenberg publie sa Bible, les documents officiels du gouvernement de Londres sont encore écrits en français juridique. Mais moins d'un siècle et demi après l'adoption de l'anglais comme langue officielle, ce sera Shakespeare et le miracle de la littérature élisabéthaine.

William Caxton (1422-1491) joua, avant Shakespeare, un rôle capital dans la normalisation de l'anglais. Né dans le Kent, il a la chance de devenir, à seize ans, l'apprenti d'un prospère marchand de drap qui devient lord-maire de Londres. A la mort de son maître, Caxton, âgé seulement de dix-neuf ans, part pour Bruges, alors centre de commerce et de culture. En vingt ans, il fera fortune dans le textile et sera choisi comme gouverneur des entreprises commerciales anglaises dans tous les Pays-Bas. A cinquante ans, on le retrouve conseiller financier de la sœur d'Édouard IV, Marguerite, duchesse de Bourgogne. Mais déçu par le commerce, il se tourne vers la littérature. En 1470, la duchesse l'encourage à achever sa traduction en anglais d'un très populaire recueil français d'anecdotes sur la guerre de Troie. Il fait d'abord circuler l'ouvrage sous forme manuscrite. Mais son succès est tel que les copistes ne parviennent pas à satisfaire la demande. Caxton se rend alors à Cologne pour y apprendre le nouvel art de l'imprimerie. Il retourne ensuite à Bruges, où il installe sa propre presse. Les premiers livres qu'il fait paraître, *Recuyell of the Hystoryes of Troy* (1475) et *The Game and Playe of Chesse* (1476), ouvrage traitant du jeu d'échecs, sont les premiers livres imprimés en anglais. Désireux de publier d'autres ouvrages dans cette langue, il retourne à Londres, où, grâce à la protection du roi, il monte une imprimerie. En l'espace de quinze ans, grâce à son immense fortune, il publiera une centaine de titres. Ces livres ont contribué de façon décisive à faire de la langue littéraire — et finalement aussi de la langue parlée — de la capitale de la langue de toute l'Angleterre. Le premier livre imprimé au pays d'Albion fut son *Dictes and Sayenges of the Phylosophers* (1477), autre traduction du français.

Caxton se trouva confronté à une décision historique. Avant de traduire en « anglais », il lui fallait déterminer exactement ce que l'on entendait par là. Et la question était alors plus complexe qu'on ne l'imagine aujourd'hui. Quand Caxton commença à publier, il y avait en Angleterre presque autant de dialectes que de comtés. La langue était extraordinairement variée et changeante et les dialectes incompréhensibles entre eux. Caxton lui-même illustre ce problème dans son conte des marchands qui s'embarquent sur la Tamise pour voguer vers les Pays-Bas. Dans l'attente d'un vent favorable, ils font escale à North Forland sur la côte du Kent.

Et l'un d'eux, un mercier nommé Sheffelde, pénétra dans une maison et demanda de la viande et surtout des œufs, « egges », mais la bonne dame lui répondit qu'elle ne parlait point français. Le marchand était furieux, car lui non plus ne parlait pas français et voulait seulement des œufs. Mais la femme ne le comprit point. Enfin, un autre lui dit qu'il voulait des « eyren » et non des « egges » et alors la brave dame lui dit qu'elle le comprenait fort bien. Comment faut-il donc, aujourd'hui, demander des œufs ? En disant « egges » ou « eyren » ?

Pour une paysanne du Kent à l'époque de Caxton, l'anglais parlé par un marchand de Londres ressemblait à du français. Une confusion inimaginable un siècle plus tard, au temps de Shakespeare. Cette évolution, l'anglais la doit en grande partie au travail de Caxton.

Pour ses livres, Caxton choisit la langue de Londres et de la cour. Son « catalogue » ferait la fierté d'un éditeur du XXe siècle. Il publia au moins vingt de ses propres traductions du français, du latin ou du hollandais. Et on trouve parmi ses titres non seulement des œuvres religieuses notoires, mais presque tous les genres connus à l'époque — de chevalerie, poésie, manuels pratiques, récits historiques, théâtre, théologie, philosophie, morale. Son *English-French Vocabulary* (1480) est l'un des premiers dictionnaires bilingues. Et son encyclopédie, *Myrrour of the Worlde* (1481) fut le premier livre illustré imprimé en Angleterre.

Caxton fut l'homme qui permit l'épanouissement de la littérature anglaise. Il publia les *Contes de Canterbury* et d'autres poèmes de Chaucer, la poésie de John Gower et John Lydgate, la version en prose de la légende arthurienne de sir Thomas Malory, ainsi que des traductions de Cicéron et des Fables d'Ésope.

Avant Caxton, l'issue avait été incertaine et il n'eût pas été impossible que la langue littéraire de l'île fût en fin de compte une variante du français. Certes, les Germains qui avaient envahi les îles Britanniques au Ve siècle avaient apporté avec eux la langue frisonne, base du vieil anglais. Mais après la conquête normande, le français devint la langue officielle de la cour. Et ce ne fut que progressivement que l'anglais prit le pas sur le français. Il était déjà, bien sûr, rempli de mots d'origine latine et française. Finalement, l'instauration en Angleterre d'une langue standard prit une double signification. C'était la victoire de la langue du peuple sur le latin employé par une minorité d'érudits, et c'était en même temps la victoire d'un idiome populaire (l'anglais) sur une langue aristocratique (le français). Dès ses débuts, la littérature anglaise apparut dès lors comme le bien de tous.

Dans le processus de normalisation de la langue, la religion avait ouvert la voie et fourni de bonnes raisons. Il s'agissait de rendre compréhensible au plus grand nombre le message du Christ. La Bible de Calvin en français et celle de Luther en allemand, publiées toutes deux au début de l'imprimerie, contribuèrent à établir ces deux langues. En Angleterre aussi, la Bible avait besoin d'une langue vernaculaire. John Wycliffe (1330-1384), dans l'espoir de porter la bonne parole au peuple, avait édité une bible en anglais avant même qu'existât l'imprimerie. Mais il y en eut assez de copies pour faire de lui un personnage suspect : il fut condamné par un synode à Londres et ses œuvres furent interdites à Oxford. Elles n'eurent toutefois jamais l'audience escomptée. Il fallut attendre l'époque de Caxton pour que la consolidation de la langue anglaise et ce merveilleux instrument qu'était l'imprimerie permettent enfin l'édition d'une bible en langue vulgaire.

La traduction de la Bible dite du roi Jacques *(The King James Version)*, tout en modelant et en renforçant la langue anglaise, eut un autre mérite : celui d'être sans doute le seul chef-d'œuvre littéraire jamais produit par un comité de rédaction (preuve supplémentaire de son inspiration divine ?). Il s'agissait, pour ses initiateurs, de trouver un compromis entre les différentes tendances de l'Église d'Angleterre, de réconcilier le puritanisme et les autres écoles. Après que Jacques Ier eut accordé son soutien à cette entreprise, quarante-sept traducteurs autorisés, comprenant les plus grands érudits du temps en matière biblique, se répartirent en six groupes. Ils travaillèrent à Westminster, à Oxford et à Cambridge sur les parties de l'Ancien et du Nouveau Testament qui leur avaient respectivement été attribuées. Chacun, sa tâche terminée, critiquait le travail des autres. Un comité représentatif de six membres se réunit ensuite tous les jours pendant neuf mois au Stationer's Hall à Londres (siège de la corporation des libraires et papetiers) afin de mettre au point la publication de l'ouvrage, qui eut lieu en 1611. Ce travail s'inspirait des recherches les plus récentes, tout en suivant les versions antérieures lorsqu'elles étaient satisfaisantes. Bien que, parmi ces auteurs, ne figurât aucun talent littéraire de premier plan, le résultat de cette collaboration dépasse tout ce qui, à l'époque, avait jamais été écrit en anglais.

## 65

## *La transformation du livre*

Les langues nationales allaient permettre aux hommes de voyager à travers l'espace et le temps. Tandis que les nations allaient trouver dans ce nouvel outil un ciment à leur unité, le lecteur isolé allait grâce à lui pouvoir découvrir des continents éloignés et se transporter dans un lointain passé. De Cicéron à Gutenberg, le livre, véhicule de la magie de la langue, allait connaître une métamorphose extraordinaire. La définition moderne du livre, telle que l'entendent les bibliothécaires de l'Unesco à des fins statistiques, montre à quel point il a changé. Un livre, selon cette acception, est une « publication imprimée, non périodique, d'au moins quarante-neuf pages, couverture non comprise ». Or, pendant des siècles, le livre n'eut même pas de « pages ». Le mot « volume » (du latin *volvere,* rouler) désignait à l'origine les manuscrits en rouleau. Dans l'Égypte ancienne, les feuilles servant à écrire étaient fabriquées à partir de papyrus, roseau qui poussait dans le delta du Nil. Ce roseau fut appelé *byblos,* d'après le port du même nom, où il fut trouvé pour la première fois, d'où notre nom « Bible » pour désigner le livre sacré. On détachait de la tige de la plante des feuillets que l'on aplanissait, puis on en disposait d'autres en travers, afin de former une natte. Cette surface une fois humidifiée, battue, lissée, séchée fournissait un support convenable à l'écriture. Plusieurs feuilles collées, qualité de papyrus, de la plus fine, issue du cœur de la plante et appelée « papier auguste », aux plus grossières, provenant de l'écorce, en passant par le papyrus de seconde qualité ou « papier livien », du nom de l'époque de l'empereur. Pour prendre quelques notes, les Romains utilisaient couramment de petites tablettes de bois recouvertes parfois d'une fine couche de cire. Mais les peuples d'Occident qui y avaient accès préféraient le papyrus.

Si l'on en croit la tradition, le parchemin ou vélin fut inventé par le roi Eumène II (197-159 av. J.-C.) qui voulait faire de Pergame, en Asie Mineure, un grand centre de la culture hellénistique. Lorsque son rival Ptolémée VI, roi d'Égypte, cessa de l'approvisionner en papyrus, il conçut une nouvelle technique qui consistait à nettoyer, étirer et lisser les peaux de mouton et de chèvre, sur lesquelles on pouvait écrire des deux côtés. C'est ce que, d'après le nom de Pergame, on appela le parchemin. On baptisa vélin le parchemin particulièrement fin fabriqué avec de la peau de veau (du vieux français *veel*).

Ce fut le parchemin qui permit l'étape suivante, la plus importante dans la technologie du livre avant l'imprimerie. L'idée était si simple qu'il nous est difficile d'y voir une invention. Les pages n'étaient plus collées entre elles et roulées en « volume », elles étaient reliées en un « codex ». Le nom vient du latin *codex* ou *caudex,* planche ou tablette à écrire, et a probablement pour origine la forme du « calepin » romain, fait de plusieurs feuilles de bois recouvertes de cire.

Le rouleau, comme nous l'avons vu, avait de nombreux inconvénients. Le lecteur devait dérouler le manuscrit au fur et à mesure de la lecture et devait ensuite le réenrouler afin qu'il puisse être réutilisé, un peu comme un film doit être rembobiné après chaque projection. Au second siècle avant Jésus-Christ, à l'époque où la plupart des livres se présentaient sous cette forme, un rouleau moyen mesurait dans les douze mètres. Certains rouleaux égyptiens auraient atteint jusqu'à quarante-cinq mètres. C'est peut-être à un tel rouleau que pense l'auteur de l'Apocalypse lorsqu'il évoque les péchés de Babylone s'élevant jusqu'aux cieux. Il n'est pas étonnant que le grammairien Callimaque (305-240 av. J.-C.), responsable de la bibliothèque d'Alexandrie, ait pu dire : « Un grand livre est un grand désagrément. » Par la suite, les rouleaux devinrent plus petits. Mais chacun ne pouvait guère, dès lors, contenir plus de 750 lignes, les plus longs ne comprenaient que l'équivalent de deux cents pages, et le texte de l'*Iliade* et de l'*Odyssée,* par exemple, exigeait trente-six rouleaux ! Ajoutons que chaque fois qu'un « livre » était lu, c'est-à-dire déroulé puis réenroulé, son texte subissait des détériorations.

Il n'est donc pas surprenant que les citations que l'on trouve dans la littérature ancienne soient aussi imprécises et aussi changeantes. Nous aussi aurions préféré citer de mémoire plutôt que de dérouler un long rouleau à la recherche du passage désiré. Chaque manuscrit étant unique, il n'y avait pas de « pages » numérotées, pas d'index et rien qui ressemblât à nos titres modernes. Le nom de « l'auteur » était rarement mentionné. Celui du copiste semblait plus important et avait davantage de chances d'apparaître. Il était pénible, physiquement et intellectuellement, de retrouver tel ou tel passage d'un texte.

Au contraire, le « codex », ensemble de pages reliées, proche de ce que nous appelons maintenant un livre, était extrêmement commode. Il était plus maniable, plus durable, plus fourni et plus facile à ranger. Avec le codex allait apparaître une multitude d'informations utiles : page de titre, table des matières, pagination, index. Autant d'aides précieuses pour le lecteur désireux de vérifier un fait ou une citation.

Le parchemin devint courant en Occident au début de l'ère chrétienne. Inspiré du « carnet » romain en feuilles de bois, il fut tout d'abord utilisé bien sûr comme « calepin » ou comme livre de comptes. Et ce nouveau format fut celui des propagateurs du christianisme, comme le rouleau était celui des textes sacrés du judaïsme. Un seul livre-parchemin pouvait contenir plusieurs évangiles ou plusieurs épîtres. Le IVᵉ siècle voit apparaître en codex des manuscrits profanes. Le rouleau gardera cependant son prestige et servira longtemps encore pour les documents solennels ou officiels. Les Juifs conservent encore la Torah sous cette forme.

La fabrication d'un codex était simple : il suffisait de plier et de coudre un certain nombre de feuilles entre elles. Le papyrus ne convenait pas à ce format car il se craquelait lorsqu'on le pliait. De plus, le parchemin s'adaptait mieux à l'écriture recto verso. Il prit donc naturellement le pas sur le papyrus et les livres de valeur furent très rapidement transcrits sur vélin. Ce ne fut qu'après l'invention du papier qu'on s'aperçut de l'importance considérable qu'avait eue cette première grande transformation du livre.

Le papier, du moins sa forme primitive, naquit en Chine au début du IIᵉ siècle de notre ère. Son inventeur, Ts'ai Lun, en fabrique alors pour l'empereur, à l'aide de mûrier, de vieux filets de pêche et de chiffons. Les prisonniers de guerre chinois capturés à Samarcande par les Arabes initièrent leurs vainqueurs à ce nouvel art. En l'an 800, le brillant calife Harun al-Rashid (764?-809) se faisait faire du papier à Bagdad. Par les Arabes, le papier arriva ensuite à Byzance et traversa la Méditerranée jusqu'en Espagne, d'où il gagna l'Europe. Bien avant l'invention de l'imprimerie, les manuscrits sur papier n'étaient pas rares et il existait des moulins à papier en Espagne, en Italie, en France et en Allemagne. Le papier portait toujours le vieux nom respectable de papyrus.

Au Moyen Age, le « livre », qui, pour l'élite, perpétuait la culture latine, avait donc déjà toute une histoire. Il n'avait plus rien à voir avec celui de l'époque de Cicéron. Le premier siècle de l'imprimerie en Europe le verra encore se transformer profondément pour devenir un véhicule de savoir et de découverte infiniment plus maniable.

Le pionnier du livre portable fut le grand érudit et imprimeur vénitien Alde Manuce (1450-1515). Son « Imprimerie aldine » fut la première maison d'édition moderne. Son catalogue, rédigé en grec, en latin et en italien comprenait de la poésie et des ouvrages de référence. C'est sous son colophon — une ancre et un dauphin, symboles du vieux proverbe latin « hâte-toi lentement » *(festina lente)* — que parut la première édition imprimée de nombre des classiques grecs et latins.

Alors que Gutenberg, qui appartenait à la première génération d'imprimeurs, avait appliqué l'art de l'orfèvrerie à la conception purement technique du livre, Manuce, deux générations seulement plus tard, essaie de trouver et de conquérir un marché. Et il prouve qu'un éditeur peut prospérer en imprimant des livres élégants et bien conçus. Né dans une famille modeste des environs de Rome, c'est dans cette ville qu'il fait ses études et devient bon latiniste. Mais, très jeune, il tombe amoureux de la langue grecque. En 1490, il s'installe à Venise, dont la bibliothèque Marciana renfermait la plus importante collection européenne de manuscrits grecs, léguée à la République de Venise par un autre helléniste fervent, le cardinal Bessarion. A l'âge de quarante ans, il prend la décision d'abandonner la vie errante de l'érudit pour se lancer dans l'imprimerie. Le commerce maritime avec l'Orient faisait alors de Venise un centre tourné vers l'hellénisme mais, contrairement à Florence et Milan, la cité ne possédait toujours pas de presse en langue grecque. Manuce persuadera le riche marchand Andréa Torresiani de le financer. Il consolidera d'ailleurs son alliance avec lui en épousant sa fille.

La passion d'Alde Manuce pour la culture de la Grèce antique était devenue une véritable obsession. Il fit de sa maison une « Académie » où les érudits ne devaient employer que la langue de Platon. Au milieu des années 1490, quand il commença à expérimenter des fontes grecques, une douzaine de titres seulement existaient dans cette langue. Grâce à ses relations, Manuce prospéra. En 1508, Érasme (1466-1536) rapporte que sa maison abritait une trentaine d'ouvriers, nourris par le maître imprimeur.

Contrairement à Gutenberg, Manuce confiait à d'autres le soin de couler ses caractères ; mais il supervisait lui-même l'ensemble des opérations d'impression. Il imprima de plus en plus d'œuvres en latin, avant d'étendre ses activités à l'italien, avec les œuvres de Dante et de Pétrarque. Sa production la plus ambitieuse (1495-1497) fut la publication en quatre volumes des œuvres d'Aristote, dans la langue originale. Son catalogue grandissant montre qu'il avait choisi la bonne formule. Il ne publia que des œuvres qui avaient déjà fait leurs preuves sous forme manuscrite.

Avant 1500, quelque cent cinquante presses vénitiennes avaient édité plus de quatre mille titres, soit environ deux fois la production de Paris, son concurrent le plus sérieux. Un livre sur sept publié jusqu'alors en Europe l'était à Venise, ce qui représente une moyenne de vingt livres par habitant. Dès avant la fin du XVe siècle, les copistes, furieux, accusaient leur ville de « se laisser envahir par les livres ».

Mais l'imprimerie n'était pas uniquement un facteur de progrès. Sans les éditions « aldines » et autres, la philosophie et la science grecques n'auraient jamais pu connaître la vogue dont elles devaient jouir aux siècles suivants. L'âge des incunables diffusa beaucoup plus d'œuvres scientifiques anciennes que nouvelles. L'influence de Galien en médecine et celle de Dioscoride en botanique furent renforcées par cette nouvelle publication de leurs volumineux ouvrages. Manuce s'avéra être l'initiateur d'une véritable résurrection de la pensée grecque.

Érasme, admirateur de l'Imprimerie aldine, nous livre une profession de foi qui pourrait être celle de tout éditeur :

> Quelles que soient les couronnes que l'on puisse tresser à ceux qui, par leurs vertus, défendent ou accroissent la gloire de leur pays, leurs actes n'affectent que la prospérité du siècle, et dans les limites étroites. Mais l'homme qui fait renaître les connaissances perdues (ce qui est presque plus difficile que de leur donner vie), celui-là édifie une chose immortelle et sacrée, et sert non seulement une province mais tous les peuples et toutes les générations. Autrefois, ce fut la tâche des princes et la plus grande gloire de Ptolémée. Mais la bibliothèque de ce dernier ne dépassait pas les murs de sa propre demeure, tandis que celle qu'édifie Manuce n'a d'autres limites que le monde lui-même.

La bibliothèque aldine franchit même les limites du monde réel. Le voyageur héroïque de Thomas More, Raphaël Hythloday, transporte dans ses bagages certaines éditions de Manuce afin d'initier les Utopiens aux merveilles de la littérature grecque.

Mais c'est dans le monde réel que les deux innovations capitales de Manuce — le caractère « italique » et le format « in-octavo » — allaient bouleverser les habitudes de lecture. Si la lettre noire de Gutenberg avait conservé sa prééminence, les livres ne seraient peut-être jamais devenus compacts. Car elle ne pouvait assurer l'impression d'un grand nombre de mots sur la même page. En 1500 environ, l'imprimeur vénitien chargeait Francesco Griffo, de Bologne, de concevoir une fonte plus pratique. Son caractère, radicalement nouveau, était basé sur l'écriture cursive, alors employée par la chancellerie pontificale et qu'utilisaient les humanistes dans leur correspondance. Les lettres, étroites et élancées, sans atteindre la solennité de l'ancienne écriture gothique, convenaient bien aux capitales romaines. Le premier livre imprimé au moyen de ce nouveau caractère fut l'édition in-octavo des œuvres de Virgile en 1501. L'ouvrage étant destiné à l'Italie, le caractère prit le nom d'« italique ». Il ne comportait au début que des minuscules, et utilisait les petites capitales romaines. Manuce généralisa ce nouveau caractère dans ses éditions populaires des auteurs anciens. Tout en étant agréable à l'œil, l'italique permettait d'accroître considérablement le nombre de mots par page.

La valeur commerciale de l'italique apparaît avec éclat en 1502, lorsque le Sénat vénitien, tout en accordant à Manuce le monopole des publications en grec, lui confère également — malgré les véhémentes protestations de Francesco Griffo — le droit exclusif d'utilisation du nouveau caractère pour l'impression des ouvrages en latin. Ceci reste le premier exemple connu de l'obtention par un imprimeur du monopole d'utilisation d'un caractère. Mais l'italique était beaucoup trop utile pour qu'une telle mesure puisse être appliquée. Griffo et de nombreux autres imprimeurs continuèrent à s'en servir.

L'autre grande innovation de Manuce, le format in-octavo, plus petit, plus léger et donc portable, ne peut lui être entièrement attribuée. Avant lui, il existait déjà certains livres manuscrits ou imprimés plus petits que les encombrants volumes que l'on peut voir sur les portraits de saint Augustin et de saint Jérôme. Ces livres de petites dimensions étaient généralement des textes religieux, des méditations ou des guides pour le déroulement des services, car la prière restait, semble-t-il, la seule circonstance autorisant le transport d'un livre hors d'une église, d'un monastère ou d'une bibliothèque. Le lecteur sérieux se plongeait dans un lourd folio posé sur un lutrin solide, Manuce se faisait, lui, une idée du lecteur tout à fait différente. Pour rendre son petit format réalisable, il supprime les interminables commentaires qui souvent, dans les éditions antérieures, étouffaient le texte. L'« octavo » décrivant ce petit format désignait à l'origine la taille d'un livre obtenu en pliant une feuille de papier d'imprimeur de façon que chaque feuillet représente un huitième de la feuille. Dans le jargon actuel de l'imprimerie, le terme désigne une page d'environ quinze centimètres sur vingt-trois. De nombreux ouvrages publiés par Manuce dans ce format avaient déjà été imprimés sous forme d'énormes in-folios (obtenus en pliant la feuille d'impression en deux).

L'imprimeur vénitien, lui, fit sortir le livre de l'atmosphère confinée des cabinets d'étude.

La communauté des lettrés craignait que la popularisation du livre n'entraîne une banalisation du savoir. Dès avant 1500, un homme de lettres vénitien quelque peu sourcilleux se plaignait qu'il fût impossible de se promener le long du canal sans être harcelé par des marchands cherchant à placer des livres bon marché. Comme on achèterait des chatons dans « chat en poche ». « Quantité n'est pas qualité », entendait-on dire ; ou encore, « l'abondance du livre rend les hommes moins studieux ». Des versions tronquées, insistaient ces gens de scrupule, évinçaient progressivement les vieux textes manuscrits, seuls fiables.

> Aujourd'hui, des gueux qui ne savent pas même l'italien prétendent vous enseigner à parler de Tertullien.

L'imprimerie devenait une prostituée qu'il convenait de livrer à la justice. En 1515, le gouvernement de Venise assignait au nouveau bibliothécaire de la Marciana la tâche impossible de corriger tous les textes littéraires publiés dans la cité. Les colophons des imprimeurs indiquaient maintenant que le volume avait été imprimé *accuratissime*.

Le livre manuscrit avait été une sorte d'objet sacré, un auxiliaire des rituels religieux ou juridiques, et de la mémoire collective. La propriété littéraire était inconnue et l'« auteur » tel que nous l'entendons aujourd'hui n'existait pas. D'insurmontables problèmes de noms se posaient lorsque les livres étaient composés ou transcrits par des membres d'ordres religieux. Dans chaque maison religieuse, la tradition voulait que les moines, de génération en génération, portent des noms identiques. En prononçant ses vœux, le novice abandonnait le nom qui le désignait dans le monde séculier pour prendre celui d'un frère moine récemment décédé. Chaque maison franciscaine avait ainsi son Bonaventure. Dans ces conditions, comment savoir à qui on avait affaire ?

Tout ceci, nous l'avons vu, rendait totalement floue l'identité de « l'auteur » d'un manuscrit médiéval. Un recueil de sermons identifié sous l'appellation *Sermones Bonaventurae* pouvait devoir ce titre, comme l'a montré l'historien E. P. Goldschmidt, à une bonne dizaine de raisons différentes. L'auteur en était-il le fameux saint Bonaventure ? Ou bien existait-il un autre auteur appelé Bonaventure ? Ou bien le volume avait-il été copié par quelqu'un portant ce nom ? Ou par un moine appartenant à un monastère du même nom ? Ou encore prêché par un certain Bonaventure, bien que non composé par lui ? Ou bien ce recueil avait-il appartenu à un frère Bonaventure, ou à un monastère ainsi nommé ? Ou bien encore regroupait-il des sermons de différents prédicateurs, dont le premier était signé Bonaventure ? Ou bien enfin ces textes avaient-ils tout simplement été rédigés en l'honneur de saint Bonaventure ?

Le livre imprimé mit fin à ces ambiguïtés et donna naissance à la notion moderne d'auteur. Car, comme on l'a vu, les livres manuscrits ne possédaient pas de page de titre. Les premiers livres imprimés non plus. Pour savoir ce qu'ils contenaient, il fallait donc les feuilleter. Le livre ne proclamait pas encore le nom de son auteur. Mais bientôt vint la page qui annonçait celui-ci, ainsi que le titre, le sujet, le nom de l'éditeur et de l'imprimeur, et les lieu et date de publication. Les auteurs, dès lors, assumèrent la réputation, bonne ou mauvaise, de leurs œuvres et perçurent une part des bénéfices. La page de titre annonçait également une nouvelle ère commerciale pour l'édition : l'éditeur informait désormais le lecteur du lieu de vente de l'ouvrage. Par ailleurs, la mention d'une date récente de parution allait contribuer à faire la valeur des nouveautés.

Avant l'invention de la page de titre, on trouvait généralement en fin de volume un très discret « colophon » ( du mot grec pour « dernière main ») indiquant le nom du copiste ou de l'imprimeur ainsi que la date et le lieu de fabrication. Il y avait parfois une « marque de fabrique », comme l'ancre et le dauphin de Manuce, ainsi qu'une phrase vantant les mérites ou excusant les imperfections de la réalisation. La page de titre, en revanche, devint bientôt une page de publicité pour l'auteur et son œuvre. Il ne fut pas difficile d'ajouter une illustration. La page de titre devint ainsi de plus en plus ornée.

Ces nouvelles caractéristiques du livre imprimé permirent à la fois la standardisation et l'individualisation du produit mis sur le marché. Paradoxalement, la production de masse accentua le caractère propre de chaque livre. L'« auteur » individuel fut mis en valeur comme il ne l'avait jamais été et récompensé pour la singularité de son œuvre. L'originalité devint à la fois respectable et rentable.

Pour les millions de nouveaux lecteurs s'ouvrait un monde de possibilités nouvelles. Pour la première fois, ils disposaient d'un menu détaillé leur permettant de combler leurs aspirations intellectuelles. La standardisation du livre servait aussi les particularités de chacun, car l'imprimerie pouvait répondre aux besoins de toutes les catégories de public.

D'autres commodités rendirent la lecture plus agréable et plus facile. Par exemple, les livres manuscrits n'avaient pas de pages numérotées. Les copistes rivalisaient d'efforts pour caser le plus grand nombre de mots possible sur chaque coûteuse page de vélin. Même après le remplacement du rouleau par le codex, les « pages » ne furent toujours pas standardisées ni numérotées. L'emplacement d'un passage donné variait d'une copie à l'autre d'un même manuscrit. Et tout fut fait, on l'a vu, pour que les premiers livres imprimés ressemblent le plus possible à des manuscrits. Ce n'est qu'en 1499 que fut publié, par l'Imprimerie aldine, un livre aux pages toutes numérotées. Au milieu du XVIe siècle presque cent ans après l'invention de la typographie, de nombreux livres n'étaient toujours pas paginés ou l'étaient de façon incorrecte.

La généralisation de la pagination, innovation apparemment mineure, allait rendre le livre beaucoup plus pratique et attrayant. La table des matières apparaît pour la première fois en langue anglaise dans un volume publié par Caxton en 1481. Le plan de l'ouvrage y est exposé au début du livre. Sur le continent, au contraire, on prit l'habitude de le placer à la fin. La pagination, évidemment, facilitait le renvoi à tel ou tel passage et la vérification de faits ou de citations.

Elle permit aussi l'index, qui, lui, facilite la recherche personnelle. Ce classement alphabétique simple est un rejeton de l'imprimerie, une reconnaissance discrète de l'individualisme et de la production de masse. A l'âge du manuscrit, quelques rares tentatives avaient été faites, mais l'absence de pagination rendait les index difficiles à réaliser et peu commodes à utiliser. En 1247, était parue une concordance de la Bible, réalisée disait-on par Hugo de Saint-Caro avec l'aide de cinq cents moines. Mais il fallut attendre le XIVe siècle pour voir apparaître des manuscrits dotés d'une ébauche d'index alphabétique. Encore est-ce l'exception. Ce n'est qu'avec le livre imprimé que l'index se généralise. Tout d'abord, on le plaça au début du livre, parfois avec son propre titre. Au XVIe siècle, les livres avec index deviennent assez courants et comportent parfois non seulement les points précisément mentionnés dans l'ouvrage, mais également les sujets et les idées liés à ceux-ci. Au XVIIIe siècle, la valeur des index était largement admise et les lecteurs en avaient pris l'habitude.

En 1878, l'*Index Society,* fondée à Londres, conférait aux auteurs d'index un statut professionnel. Dans son *What is an Index,* Henry Wheatley, premier secrétaire honoraire de la Société, rappelle au lecteur l'importance de ce système de classement : « Les index ne sont pas obligatoirement arides et, dans certains cas, représentent la partie la plus intéressante du livre. L'index de l'*Historio-mastix* de Prynne [1633] est très lisible, contrairement au livre lui-même... » Et Macaulay qui « savait que les propos mêmes d'un auteur peuvent être retournés contre lui [...] écrivit à ses éditeurs : "Ne permettez à aucun de ces sacrés Tories de faire l'index de mon Histoire." »

Le dyspeptique Thomas Carlyle appelle la fureur divine contre les éditeurs de livres sans index. L'index ralliera même à sa cause un grand réformateur comme lord Campbell (1779-1861) qui proposa, presque sérieusement, que les auteurs de livres sans index paient une amende et soient privés de leurs droits d'auteur. Porte-parole de tous les lecteurs du début du XIXe siècle, Isaac Disraeli, le père de Benjamin, vénérait l'inventeur des index, ne sachant à qui accorder sa préférence, « à Hippocrate qui fut le premier grand anatomiste du corps humain, ou à cet artisan obscur qui, le premier, en littérature, mit à nu les nerfs et les artères d'un livre ».

## 66

## *Le livre dans la cité*

Les universités médiévales, malgré leur nombre croissant, possédaient peu de bibliothèques. Les professeurs pourtant avaient encore autant besoin de livres. Des colporteurs leur en procuraient, mais ce n'était pas une source sûre. La location d'ouvrages, généralement sur la base du nombre de feuilles, était un précieux avantage pour les universités, qui s'enrichissaient tout en empêchant la circulation des textes hérétiques. Le plus ancien catalogue de livres de l'université de Paris, qui date de 1286, propose cent trente-huit titres en location. A Bologne et ailleurs, il était demandé aux professeurs de fournir au bibliothécaire de l'université une copie de leurs cours afin qu'ils puissent être transcrits pour être vendus ou loués. Ce bibliothécaire devait son titre anglais de *stationer* au fait que, contrairement au colporteur, il se tenait au même endroit. Les marchands ambulants, eux, continuaient à faire circuler les livres prohibés ; ce sont eux, par exemple, qui diffusèrent la traduction interdite de la Bible en anglais par John Wycliffe. Quant au bibliothécaire, il resta longtemps la seule source de textes autorisés, textes dont il assurait la circulation.

Au milieu du XVe siècle, avant la pleine Renaissance en Italie, la fabrication des livres (c'est-à-dire leur transcription) était une florissante industrie sécularisée, concentrée dans les villes universitaires. Le libraire florentin Vespasiano da Bisticci (1421-1498), qui collectionnait les manuscrits classiques pour le compte de riches clients, alla jusqu'à employer quarante-cinq scribes pour recopier deux cents ouvrages destinés à la bibliothèque de Fiesole fondée par les Médicis. Les éditeurs utilisaient l'impression sur bois pour illustrer leurs livres. Il s'écoula un certain temps avant que les universités ne possèdent leurs propres bibliothèques, puis l'évolution fut très rapide. Au milieu du XIVe siècle, la bibliothèque de la Sorbonne comprenait près de deux mille volumes.

Grâce à l'imprimerie, le nombre de livres s'accrut de façon prodigieuse. Selon les meilleures estimations, les ouvrages manuscrits en Europe, avant Gutenberg, se comptaient encore par milliers. L'Europe avait alors sans doute moins de cent millions d'habitants et la plupart étaient analphabètes. Vers l'an 1500, il y avait probablement dix millions de livres imprimés en circulation (certains chercheurs doublent même ce chiffre), sans compter le stock toujours croissant de livres manuscrits.

Les premières décennies de l'imprimerie en Europe furent marquées par une augmentation régulière des tirages. Jusque vers 1480, certains ouvrages n'étaient tirés qu'à une centaine d'exemplaires ; en 1490, le chiffre moyen était passé à 500. A partir de 1500, avec l'organisation du marché et une forte baisse des prix, les historiens de l'imprimerie ne parlent plus d'« incunables » (mot apparu en 1639, et du latin signifiant « langes » ou « berceau »), et le tirage moyen atteignait un chiffre proche de celui de l'édition moderne. Alde Manuce effectuait des tirages de 1 000 exemplaires. Au siècle suivant, le tirage pouvait atteindre 2 000 exemplaires.

A mesure que l'imprimerie s'institutionnalisait, les imprimeurs s'organisèrent en corporation et tentèrent de limiter les tirages afin de protéger la profession. En Angleterre, un décret de la Chambre étoilée en 1587 limite les tirages, sauf rares exceptions, à 1 250 exemplaires. Vers la même époque, la corporation des libraires fixe elle-même ce chiffre à 1 500, exception faite uniquement pour les grammaires, les livres de prières, les lois et proclamations, les calendriers et les almanachs. En Europe, au cours du XVIIe et du XVIIIe siècle, seule une première édition de la Bible ou d'un ouvrage extrêmement populaire comme le *Siècle de Louis XIV* de Voltaire ou l'*Encyclopédie* de Diderot dépassait les 2 000 exemplaires.

Un nouvel élément fit son apparition dans la fabrication du livre : l'« étude du marché » pour chaque titre. Combien de personnes seraient susceptibles d'acheter une nouvelle édition des œuvres de Cicéron, un traité de droit, les poèmes de Pétrarque, une œuvre d'Érasme, un herbier, un livre de voyages ou un manuel d'astronomie ? Qui pouvait être sûr qu'une traduction de la Bible en langue vulgaire, un ouvrage sur les lentilles du très suspect Giambattista della Porta, ou les *Lettres sur les taches solaires* de Galilée trouveraient plus de quelques acheteurs ? Le seul fait qu'un livre était imprimé attestait qu'un imprimeur était prêt à risquer son argent sur la possibilité de trouver des centaines ou des milliers de lecteurs intéressés. L'acte même d'imprimer devint la reconnaissance de facto de l'existence d'un public. Naturellement, les gouvernements avaient le pouvoir d'autoriser ou non une imprimerie, ou de la contrôler d'une manière ou d'une autre. Mais le travail de l'imprimeur représentait une menace pour le Tyran ou l'inquisiteur.

A l'apogée des bibliothèques médiévales, les livres étaient des objets si précieux qu'ils étaient enchaînés à leur étagère ou à une barre horizontale placée au-dessus du pupitre où on les consultait. Le livre enchaîné était l'emblème de la bibliothèque du Moyen Age. On peut encore voir des centaines de ces volumes, captifs, ou *catenati,* alignés sur les étagères de la bibliothèque de la cathédrale de Hereford en Angleterre. Parmi les conséquences de l'imprimerie, nulle n'aura davantage d'impact que le pouvoir des presses à libérer les livres de leurs chaînes. En outre, à mesure que s'accrut leur nombre, les livres ne furent plus disposés à plat, selon la pratique médiévale, mais placés debout côte à côte, révélant titre et auteur.

La bibliothèque de l'Escorial, près de Madrid, achevée en 1584, remplaçait les anciennes travées de style monastique par des étagères couvrant les murs et offrant aux lecteurs désirant feuilleter les ouvrages un choix plus important. La disposition des livres en bibliothèque devint un art. En 1627, le bibliothécaire de Mazarin, Gabriel Naudé (1600-1653), qui servit également Richelieu et Christine de Suède, rédige le premier traité sur le métier de bibliothécaire. La bibliothèque Mazarine, groupant 40 000 volumes rassemblés et classés par Naudé, fut conçue pour un grand collectionneur privé disposé à ouvrir ses trésors à tous. C'est en suivant les conseils de Naudé que Samuel Pepys constituera l'élégante bibliothèque qui sert encore aujourd'hui aux chercheurs du Magdalene College à Cambridge.

La multiplication des livres sur tous les sujets incita les philosophes à baliser tout le champ du savoir. Le grand philosophe allemand Leibniz vivait grâce à son emploi de bibliothécaire et aida les ducs de Hanovre à classer leurs 3 000 volumes. Il organisa ensuite la bibliothèque ducale de Wolfenbüttel, qui renfermait 30 000 volumes, et la pourvut de l'un des premiers catalogues alphabétiques complets par auteur. Pour mettre les livres à l'abri du feu, il songea à disposer les galeries et les étagères autour des piliers de soutènement. Mais le duc rejeta son projet et fit construire la bibliothèque en bois. Résultat : les lecteurs grelottaient de froid en hiver car il eût été dangereux d'installer une chaudière. Pour Leibniz, une bibliothèque était comme une assemblée des connaissances ayant pour pasteur le bibliothécaire, chargé d'organiser la mise à jour et la libre communication des idées. Il fit faire des progrès considérables à l'art de la classification, du catalogue alphabétique et du résumé. La bibliothèque fut son encyclopédie.

Leibniz personnifie la transition entre les collections royales et ecclésiastiques réservées à quelques privilégiés et la bibliothèque publique ouverte à tous. Au siècle suivant, ses visions furent concrétisées par l'émigré italien sir Anthony Panizzi (1797-1879), nationaliste passionné et ardent homme d'action. Forcé de fuir sa ville natale de Brescello, dans le duché de Modène, où il avait adhéré à une société secrète conspirant contre l'occupant autrichien, il fut condamné à mort par contumace. Il trouva refuge en Angleterre où il devint le premier professeur de littérature italienne à l'université de Londres. Comme personne ne venait écouter ses cours, il abandonna son poste honorifique pour entrer au British Museum en 1831. Pendant les trente-cinq années qui suivront, il consacrera toute son énergie à faire du British Museum le modèle des bibliothèques nationales modernes, destinées à un large public.

« Si vous saviez comme je manque de bibliothèques, de livres pour mes recherches, se lamente Carlyle lorsqu'il arrive d'Écosse à Londres. Pourquoi n'y a-t-il pas une bibliothèque de Sa Majesté dans tous les chefs-lieux de comté ? Ils ont bien chacun leur prison et leur gibet. » Cette

« bibliothèque de Sa Majesté », le British Museum de Londres, était, avant l'arrivée de Panizzi, très mal équipée pour un homme comme Carlyle ou même pour des lettrés moins irritables. Statues, fossiles, peintures et cartes s'entassaient au milieu des livres et des manuscrits. L'importante bibliothèque privée que George III remit au musée en 1823 fut rattachée à l'ancienne bibliothèque royale et un nouveau bâtiment était en construction lorsque Panizzi fut engagé. En 1837, il était nommé conservateur du département des livres, et en 1856, bibliothécaire principal. Son tempérament passionné n'était pas fait pour amadouer les vieux administrateurs, qui tenaient la bride serrée.

« Je veux qu'un étudiant pauvre ait les mêmes chances de satisfaire sa curiosité intellectuelle, d'avoir accès aux grandes œuvres et aux grands mystères de la science, que l'homme le plus riche du royaume... Le gouvernement doit donc lui accorder une assistance généreuse et sans limites », déclare Panizzi devant une Commission d'enquête parlementaire en 1836. En 1849, il s'enorgueillit de n'avoir jamais fait aucune différence entre les lecteurs. Bien sûr, Carlyle, qui ne prisait guère la démocratie, se considérait comme ayant droit à un traitement de faveur. Il se trouve qu'il était également hypersensible à l'inconfort, comme à presque tout d'ailleurs. Habitant à Chelsea, il détestait faire le long trajet jusqu'à Bloomsbury pour se rendre à la bibliothèque, où les livres devaient être consultés sur place et qui fermait à cinq heures de l'après-midi. Naturellement, il devint l'ennemi juré de Panizzi.

Il profite de sa querelle avec l'émigré italien pour proposer des innovations de son cru. En 1841, il réplique à l'égalitarisme forcené de Panizzi en créant, avec l'aide d'amis nobles et fortunés, une bibliothèque rivale. La London Library ouvrit ses portes en 1841. Ses cinq cents abonnés avaient accès à une collection de 3 000 volumes — et sans avoir à passer par un dangereux étranger. Le comte de Clarendon en était le président, et le prince consort s'en était déclaré le protecteur. Quant au bibliothécaire, il s'agissait d'un Écossais tout dévoué au fondateur. Carlyle continua à régner sur la London Library, qui devint remarquable, mais resta toujours payante.

Pendant ce temps, Panizzi rénovait entièrement la bibliothèque nationale britannique. Grâce à lui, les bibliothécaires cessèrent de n'être que des employés sous-payés. Il recruta des lettrés attirés par un emploi sûr et par l'ouverture culturelle que celui-ci offrait. Il mit à la disposition des lecteurs des catalogues exhaustifs, et fit appliquer la loi du dépôt légal qui donnait au British Museum le droit d'obtenir une copie de toute nouvelle publication britannique. En dépit de l'insistance de ses protecteurs les plus en vue, il refusa de préjuger de l'avenir en ne rassemblant que des œuvres jugées « valables » et ne traitant que de sujets « importants ». Il conçut lui-même la grande salle de lecture du British Museum, qui devait par la suite servir de modèle, entre autres, à la bibliothèque du Congrès à Washington. Auteur de *« 91 règles nécessaires à l'établissement d'un catalogue »*, il exigea la constitution d'un catalogue alphabétique complet par auteurs, refusant de l'imprimer avant qu'aient été recensés tous les titres de la bibliothèque. Les administrateurs réunirent une commission royale pour tenter de lui faire abandonner son projet, mais le rapport final de cette dernière, qui date de 1850, lui donna raison.

Il n'y avait toujours pas de bibliothèque publique dans chaque chef-lieu, comme le réclamait Carlyle avec une telle insistance. Panizzi exigeait toujours de ses lecteurs une lettre d'introduction pour pénétrer dans la salle de lecture et interdisait la circulation des livres. C'est à un autre Écossais, Andrew Carnegie (1835-1919), d'un tempérament tout à fait différent de celui de Carlyle, qu'il appartiendra de propager les bibliothèques outre-Atlantique.

Il fallut attendre plus de trois siècles après l'invention de Gutenberg pour que les non-voyants commencent à avoir accès au monde des livres. Les aveugles semblaient condamnés à continuer à vivre à l'âge de la littérature orale. Et puis, à l'époque de la Révolution française, un certain Valentin Haüy, professeur de calligraphie à Paris (1745-1822), eut une idée très simple : pourquoi les aveugles ne liraient-ils pas avec leurs doigts ? Il conçut un caractère italique simplifié, aux lettres en relief, qu'il présenta aux élèves de l'Institution royale des jeunes aveugles qu'il avait lui-même fondée en 1785. Mais sa perspective était celle d'un homme qui avait toujours vu les mots écrits en caractères romains. Il pensait donc qu'il suffirait d'en graver l'alphabet en relief.

Pour familiariser les aveugles avec la langue écrite, il fallait leur donner un système qui leur permette à la fois de lire et d'écrire. La solution ne pouvait être trouvée que par une personne possédant assez d'imagination pour renoncer à l'alphabet typographique des voyants. Un Anglais, T. M. Lucas, s'inspirant de la sténographie, eut l'idée de concevoir un ensemble de symboles phonétiques en relief, dont il se servit en 1837 pour transcrire le Nouveau Testament. Puis, James H. Frere (1779-1866), surtout connu en son temps pour ses écrits sur les prophètes bibliques, trouva, lui, un moyen moins cher pour graver en relief les symboles phonétiques. Il inventa aussi le système capital de la « ligne retour » — consistant à imprimer une ligne de gauche à droite en la suivant de droite à gauche — qui permettait aux doigts du lecteur de passer rapidement et précisément d'une ligne à l'autre.

Finalement, le problème de la lecture digitale fut ingénieusement résolu par un jeune aveugle de seize ans, Louis Braille (1809-1852), élève de l'Institution d'Haüy, à Paris. A l'âge de trois ans, Braille s'était accidentellement enfoncé un couteau dans l'œil, dans l'atelier de maroquinerie de son père. Une ophtalmie sympathique l'avait ensuite rendu complètement aveugle. En dépit de son infirmité, il devint violoncelliste et organiste et, à l'âge de dix ans seulement, reçut une bourse pour l'Institution des jeunes aveugles. Haüy, avec ses lettres romaines en relief, avait obtenu quelques résultats. Lorsque Braille entra à l'Institution, quatorze livres seulement avaient été fabriqués selon la méthode de Haüy, et ils n'étaient guère utilisés. Trouvant l'alphabet romain illisible, Braille décida d'élaborer un nouveau système qui permettrait aux aveugles non seulement de lire, mais d'écrire.

L'astucieux jeune homme trouva la solution en s'inspirant d'un système utilisé par les soldats qui désiraient communiquer, la nuit, sur le champ de bataille et qui, craignant d'allumer une lumière, se trouvaient plongés dans la même obscurité que les aveugles. « L'écriture de nuit » inventée par un officier d'artillerie français, le capitaine Charles Barbier, utilisait une minuscule grille de douze points en relief. Barbier avait combiné ces points de manière à figurer les lettres et les sons. La faiblesse du système Barbier tenait à sa « cellule » de douze points, relativement simple pour un voyant mais difficile à percevoir au toucher et fort peu pratique pour écrire. Tout en étant conscient de cette faiblesse, Braille comprit le parti qu'il pouvait en tirer. Il réduisit la « cellule » à six points et conçut ensuite un poinçon et un cadre pour écrire. Le système que le jeune homme de seize ans présenta à son principal ébahi était à peu près le même que celui encore en vigueur de nos jours. L'opuscule de trente-deux pages rédigé par Braille (et publié par l'institution en 1829 selon le procédé des caractères romains en relief) montrait comment son invention pouvait être utilisée aussi bien pour les symboles mathématiques et les notes de musique que pour les lettres. Il décrivait également le poinçon et le cadre qui allaient permettre aux aveugles d'écrire en braille.

Le système de Braille était trop révolutionnaire (et trop simple) pour être admis immédiatement. Mais vingt-cinq ans plus tard, il était adopté par l'Institution nationale des jeunes aveugles, puis par un congrès international tenu à Paris en 1878, avant d'être codifié pour les pays de langue anglaise en 1932. En 1892, à l'École pour aveugles de l'Illinois, fut inventée une machine à écrire en braille. D'autres systèmes ont été expérimentés. William Moon, devenu aveugle en 1840 à l'âge de vingt-deux ans, en conçut un destiné aux personnes atteintes de cécité tardive ; il continue à être utilisé dans certains cas. Mais Braille demeure le Gutenberg des aveugles.

Les non-voyants du monde occidental continuent d'accéder à l'imprimerie grâce à l'invention du jeune Français. Au XXe siècle, l'enregistrement du son a rendu possible le « livre parlant », qui était l'un des objectifs d'Edison lorsqu'il conçut le phonographe. Pourtant, rien jusqu'ici n'est venu remplacer l'invention de Braille. De nos jours, le service spécial pour non-voyants et handicapés physiques de la Bibliothèque du Congrès à Washington propose plus de trente mille volumes sous les différentes formes existantes, et transcrit chaque année en braille quelque deux mille volumes nouveaux, ainsi qu'un millier de périodiques.

## 67

## *L'îlot de l'islam*

Les musulmans considèrent, non sans quelque raison, leur conquête du monde comme l'un des miracles d'Allah. Leur religion et son Livre, le Coran, se sont répandus, il est vrai, à travers le monde sans l'aide, ou presque, de l'imprimerie. L'islam, religion de la Parole sacrée, n'est jamais devenu une culture du livre imprimé. Le refus des dirigeants musulmans d'utiliser la presse à imprimer aide du reste à comprendre de nombreux traits du monde arabe contemporain.

L'arabe est parlé aujourd'hui par plus de 120 millions d'individus, depuis la côte atlantique de l'Afrique du Nord jusqu'au golfe Persique. Cinquième langue vernaculaire du monde, il demeure aussi la langue sacrée de 400 millions de musulmans sur tous les continents. Bien avant que n'existe une langue, et encore moins une littérature anglaise, française, allemande, espagnole ou italienne, il y avait déjà toute une littérature arabe de grande valeur, dans les domaines de la poésie, de l'histoire, de la médecine, de l'astronomie et des mathématiques. Le papier, condition *sine qua non* de l'imprimerie, fut introduit en Europe, on l'a vu, par les Arabes. Fabriqué à Bagdad en 793, sous le règne du calife Harun al-Rashid (celui des *Mille et Une Nuits*), c'est via l'Espagne musulmane qu'il fit son apparition en Italie, en France et en Allemagne au XIVe siècle.

La langue arabe étant alphabétique, on aurait pu penser qu'elle adopterait le caractère mobile. En effet, bien que certaines lettres changent de forme selon leur place dans le mot, l'écriture arabe n'utilise que vingt-huit lettres, faciles à transcrire. De plus, contrairement au chinois, elle n'est pas encombrée d'idéogrammes. Mais en dépit de ces avantages et d'une extraordinaire vénération pour la chose écrite, le monde arabe refusa de profiter des possibilités de l'imprimerie.

Ce que l'on a appelé par la suite l'arabe classique était la langue parlée par les tribus du nord de la péninsule arabe dès le VIe siècle, alors qu'elle avait déjà produit quelques-uns de ses plus beaux poèmes. A cette époque, les vertus particulières de la langue arabe — sa diversité de rimes et d'assonances, l'éloquence de l'idiome bédouin, la richesse de sa prosodie et de ses conventions poétiques — existaient déjà. Les chefs tribaux les plus frustes protégeaient et encourageaient la poésie, et les poètes célèbres étaient suivis dans le désert par de jeunes « récitateurs », qui à leur tour devenaient des poètes. Puis, le Coran investit la langue arabe. Les textes canoniques, révélés par bribes à Mahomet (570-632) pendant sa vie à La Mecque et à Médine, furent définitivement fixés en 652 à l'époque du calife Uthman, sur la base des textes rassemblés par le secrétaire du Prophète. Pour établir ce texte, Uthman fit détruire toutes les autres versions.

Désormais, l'arabe « classique » était la langue de Dieu. Aucune autre langue largement répandue n'a été ainsi dominée par un seul livre. Selon la stricte doctrine musulmane, le Coran, bien que révélé au prophète Mahomet comme étant parole divine, n'a pas été « créé » par Dieu. Le texte terrestre est censé reproduire un original éternel et « incréé » situé dans le ciel. Sa divinité et sa pérennité en font donc un livre unique entre tous. La légende rapporte que, lorsque le conquérant musulman Amr ibn al-As (mort en 663) entra à Alexandrie en 642, il demanda au calife Omar (v. 581-644) ce qu'il devait faire des livres de la bibliothèque d'Alexandrie. Le calife répondit : « Si leur contenu est en accord avec le livre sacré, ils sont inutiles. S'il est en désaccord avec lui, alors ils sont indésirables. Donc détruisez-les ! » Le conquérant, semble-t-il, ne suivit pas le pieux conseil.

La langue arabe fut fixée par le Coran. « Les peuples aiment les Arabes pour trois raisons, dit le Prophète. Je suis arabe, le Coran est écrit en arabe, et la langue du paradis est l'arabe. » Selon l'islam, l'arabe est non seulement le véhicule de la religion, mais la langue originelle de toute l'humanité, donnée à Adam, qui la transcrivit dans l'argile. L'écriture arabe fut une donnée d'emblée. Et par conséquent, quelle que fût la langue vernaculaire du croyant, la prière qu'il adressait à Dieu devait l'être dans sa propre langue, qui est l'arabe. C'est pourquoi les musulmans du monde entier utilisent l'arabe pour réciter leurs cinq prières quotidiennes. Quand un enfant naît, on lui murmure à l'oreille la formule rituelle : *« La ilah illa allah ; Muhammad rasul allah. »* Ces mots doivent être les premiers qu'apprend l'enfant et les derniers que prononce le mourant.

Il n'est donc pas étonnant qu'imiter le style du Coran soit un sacrilège. Un des axiomes de l'islam étant que le Coran est intraduisible, il est interdit même de tenter de le traduire. Une « traduction » du Coran par un croyant ne peut être qu'une sorte d'exégèse ou de paraphrase. C'est pourquoi Mohammed Marmaduke Pickthall intitule sa version en anglais *The Meaning of the Glorious Koran* (La Signification du divin Coran).

« Le plus bel acte d'adoration pour les croyants, dit le Prophète, est la récitation du Coran. Le meilleur d'entre vous est celui qui apprend et enseigne le Coran. Le peuple de Dieu et ses élus sont ceux du Coran. » La grammaire et la lexicographie arabes se développèrent comme des parties intégrantes de la pratique religieuse, comme des techniques visant à mieux comprendre le Coran et à mieux suivre les règles du discours coranique. La langue du Coran avait établi à tout jamais la grammaire, la syntaxe et jusqu'au vocabulaire de l'arabe authentique. La langue quotidienne des musulmans devait suivre celle du Coran. Les théologiens de l'Islam se firent également philologues.

L'Islam demeure un empire anachronique, un souvenir vivant du pouvoir de la mémoire tel qu'il existait partout avant l'avènement de l'imprimerie. La récitation de passages du Coran étant le premier devoir sacré du croyant, un enfant est tenu, en théorie, de connaître par cœur le livre entier. Quand Mahomet lui-même énonce le Coran pour la première fois, il glorifie cet acte : « Chaque verset du Coran est un pas vers le ciel et une lanterne dans votre demeure. » Comme les voyelles n'étaient généralement pas transcrites, il était difficile de distinguer avec certitude entre les différents sens possibles d'un ensemble de consonnes écrites. Mais la version orale était sans ambiguïté. C'est pourquoi seules la mémoire et la récitation pouvaient préserver la pureté première du texte coranique. Selon certains spécialistes, il y aurait même moins de variations significatives dans la version couramment utilisée du Coran que dans les différentes versions du Nouveau Testament.

A cause du Coran, la langue arabe elle-même devint un véhicule sacré. L'historien persan, Al-Biruni (mort en 1050?), l'une des grandes autorités du monde musulman classique dans le domaine des mathématiques, de l'astrologie et de l'astronomie, se réjouit fort de ce que toutes les tentatives de « désarabisation » de l'État aient été vaines. Elles seront vouées à l'échec, dit-il, « aussi longtemps que l'appel à la prière continuera à résonner cinq fois par jour aux oreilles des croyants, et que le Coran sera récité par des foules de fidèles prosternées derrière l'imam ».

> Notre religion et notre empire sont arabes et jumeaux... Les sciences de tous les pays ont été traduites dans la langue des Arabes et, de ce fait, embellies, et les beautés de la langue ont pénétré leurs vaisseaux, même si chaque peuple admire sa propre langue à laquelle il est habitué et qui lui sert chaque jour... Je préférerais être injurié en arabe que loué en persan.

Les peuples musulmans ont payé cher cette divinité de leur langue. Même dans les pays de langue arabe, les musulmans allaient vivre avec deux langues. L'« arabe classique » devint la seule langue littéraire, véhicule du mot écrit réglementé par le Coran. Quant à l'arabe parlé moderne, il s'est scindé en différents groupes de dialectes au sud, à l'ouest et à l'est.

L'arabe classique, don de Dieu, a conservé une pureté toute dogmatique. Le vocabulaire du Coran est essentiellement d'origine arabe, mais les orientalistes modernes y relèvent des emprunts à l'hébreu, au grec, au syriaque et à l'araméen (par exemple les mots signifiant évangile, loi, diable, croyance, prière). Pourtant, le dogme musulman soutient que le Coran ne contient aucun mot « étranger ». « Quiconque prétend qu'il y a dans le Coran autre chose que la langue arabe a gravement offensé Dieu », proclame un éminent philosophe musulman du IXe siècle. Dans cette optique, toute ressemblance avec des mots étrangers n'est que pure coïncidence. On apprend du reste aux enfants qui mémorisent le Coran à en vénérer les sons sans trop se soucier du sens des mots. Finalement, le livre sacré, comme le pèlerinage à La Mecque, est devenu un lieu translinguistique entre des populations analphabètes parlant des centaines de langues différentes.

De même que le Coran, révélation faite en langue arabe, ne pouvait décemment être traduit, il n'était pas question non plus pour le croyant de propager le texte sacré autrement que sous la forme manuscrite originale utilisée par les disciples du Prophète. Comme nous l'avons vu, les Chinois, bientôt suivis par les Coréens et les Japonais, s'empressèrent d'utiliser les techniques d'impression pour reproduire leurs écrits sacrés. En Occident, la presse à imprimer devint très vite le véhicule privilégié de la littérature et du savoir. Au sein même du christianisme, la Réforme fit largement usage du livre imprimé. Rien de tel dans l'immense monde musulman. Le principal mouvement de réforme de l'intérieur de l'islam, le chiisme, qui se répandit au XVIe siècle pour devenir la religion officielle de l'Iran et de l'Irak et regroupe des millions d'adhérents dans le monde, n'adopta jamais l'imprimerie. Et dans l'orthodoxie sunnite, les imams réussirent également à interdire l'usage de l'imprimerie aussi bien pour le Coran que pour les autres livres islamiques. Toute science, par ailleurs, n'étant qu'un commentaire du Coran, la crainte du blasphème et de l'hétérodoxie a empêché pendant des siècles l'introduction de l'imprimerie dans le monde musulman.

Quoi d'étonnant dès lors si le Coran dans sa langue originale fut imprimé en Europe bien avant de l'être en Islam. Moins d'un siècle après la Bible de Gutenberg, le grand texte arabe était publié à Venise (1530). Une victoire pour ceux qui pensaient que seuls ceux qui le connaissent peuvent combattre le Diable. Quand Pierre le Vénérable (1092?-1156), abbé de Cluny, avait visité Tolède au début du XIIe siècle, il avait décidé une guerre intellectuelle contre l'Islam. Sa première arme fut dès 1143 une traduction du Coran due à l'Anglais Robert de Ketton.

En 1541, un audacieux imprimeur de Bâle, Johannes Oporinus (1507-1568), voulut imprimer la traduction latine de Robert de Ketton. Le conseil municipal, suivant l'exemple du pape, qui avait ordonné la destruction de l'édition de Venise, s'y opposa. Se dressant contre le pontife romain, Luther proclama que la connaissance du Coran œuvrerait à « la gloire du Christ et du christianisme, à la défaite des mahométans et à la mortification du Diable ». Finalement, l'édition parut en 1542, avec des préfaces de Luther et de Mélanchthon. Dans l'Occident chrétien, l'intérêt pour le Coran s'accrut au fil des siècles. La première traduction anglaise, réalisée non à partir de l'arabe mais du français, fut l'œuvre d'un homme d'Église écossais, Alexander Ross (1591-1654), spécialiste de religion comparée. Un prêtre italien, Ludovici Marracci, publia, après quarante ans de travail, une nouvelle traduction latine en 1698. Quant à la classique traduction anglaise de George Sale (1697?-1736), faite à partir de l'arabe et publiée en 1734, précédée d'une fort utile introduction, elle est encore très lue aujourd'hui. Le XIXe siècle connut d'autres traductions ainsi que de nombreuses études sur le Coran dans les langues européennes. Des Corans imprimés se répandirent dans les pays de langue anglaise. Sur les conseils de George Bernard Shaw, le livre sacré de l'Islam figura parmi les réimpressions des éditions Everyman et connut un très vif succès.

Pendant ce temps, les musulmans continuaient à refuser l'imprimerie pour leurs propres besoins, tout en se rendant compte des avantages qu'elle offrait aux autres. Rashīd ad-Dīn (1247-1318), grand vizir de Perse sous la domination mongole, relate dans son histoire encyclopédique du monde que d'habiles calligraphes chinois avaient, sous la direction d'érudits, gravé le texte de livres importants sur des planches qui étaient conservées dans les bureaux du gouvernement. « Ainsi, quiconque désire obtenir copie de l'un de ces livres se présente devant ce comité et acquitte la taxe fixée par le gouvernement. On sort alors ces tablettes que l'on presse, comme les coins dans le monnayage de l'or, sur des feuilles de papier qu'on remet au demandeur. Comme il est impossible par ce système d'ajouter ou retrancher quoi que ce soit à leurs livres, ils leur accordent entière créance. C'est ainsi qu'ils transmettent leur histoire. » Il semble que cette description prophétique de l'impression « à la demande » soit aussi la plus ancienne description connue des livres imprimés chinois en dehors de l'Asie orientale. Chose étonnante, Rashīd ad-Dīn n'eut jamais l'idée de laisser imprimer ses propres œuvres. Au contraire, il laissa, par testament, des fonds destinés à payer des scribes chargés de faire chaque année une copie de ses œuvres complètes, en arabe et en persan, et ce jusqu'à ce que chaque mosquée des grandes villes musulmanes en possède un exemplaire.

Le reste de l'Islam ne se montra pas plus favorable à l'imprimerie que Rashīd ad-Dīn. Dans l'Empire turc, les autorités musulmanes accordèrent très tôt aux autres communautés religieuses le droit d'imprimer, à condition qu'elles ne le fassent ni en arabe ni en turc. En 1494, les juifs séfarades imprimèrent un Pentateuque accompagné de commentaires. En 1568, les Arméniens avaient eux aussi imprimé leurs textes religieux et en 1627, les Grecs publiaient un pamphlet contre les juifs. A la fin du XVIe siècle, le sultan Murad III (1546-1595) permit aux étrangers de faire le commerce des livres importés. Les citadins turcs découvrirent ainsi les produits de l'imprimerie moins d'un siècle après Gutenberg. Au début du XVIIIe siècle, plusieurs bibliothèques avaient été fondées dans l'Empire ottoman et l'exportation de livres rares était interdite.

Ce fut un étranger à l'Islam, le Hongrois d'origine Ibrahim Müteferrika (v. 1670-1745), qui installa en Turquie la première presse à imprimer du monde musulman. A l'âge de vingt ans, alors qu'il faisait ses études en Transylvanie, il fut capturé et asservi par les Turcs, partis à la conquête de l'Europe de l'Est. Une fois en Turquie, il tomba entre les mains d'un maître cruel, et, pour échapper à l'esclavage, décida de se convertir à l'islam. Il se familiarisa rapidement avec la littérature de sa terre d'adoption, entra dans le service diplomatique turc et fut nommé ambassadeur auprès des princes de l'Europe de l'Est et d'Ukraine. Intéressé par les progrès de la science, il comprit le rôle important que l'imprimerie pouvait jouer dans ce domaine et, pour le démontrer, grava en 1719 un bloc de buis afin d'imprimer une carte de la mer de Marmara.

Pendant huit ans, il tentera d'obtenir du sultan l'autorisation de monter une imprimerie. Dans son traité sur les *Moyens d'impression* (1726), il déplore la destruction de nombreuses copies du Coran et d'autres ouvrages musulmans au cours des invasions mongoles et de l'expulsion des Maures d'Espagne. Mais aujourd'hui, explique-t-il, les livres imprimés, qui ne coûtent pas cher, peuvent parfaitement, tout en préservant le texte, propager la vraie foi. L'islam sera ainsi sauvé des Européens, qui, pour l'heure, ont le monopole de l'impression des livres musulmans, et les Turcs deviendront les champions du savoir dans tout l'Islam.

Finalement, en 1727, un édit impérial accorda à Müteferrika l'autorisation d'imprimer des livres. Bien entendu, les calligraphes protestèrent. Ils déposèrent leurs encriers, leurs plumes de roseau et leurs taille-plumes dans un cercueil et défilèrent jusqu'au lieu de la future imprimerie. Mais lorsque le mufti délivra l'autorisation religieuse nécessaire pour la « composition de lettres et de mots dans des matrices, de façon à les imprimer sur des feuilles pour la reproduction à de multiples exemplaires », il interdit formellement l'impression du Coran, de tout livre d'exégèse coranique, des ouvrages portant sur la théologie ou la tradition des prophètes, ainsi que des ouvrages de droit. La presse de Müteferrika, installée à Istanbul en 1727, fut la première à voir le jour en pays musulman. Müteferrika engagea un juif comme maître imprimeur, ainsi qu'une équipe de quinze ouvriers, pour faire fonctionner quatre presses réservées à l'impression des livres et deux à celle des cartes. Il fit venir d'Europe des moules pour caractères latins. Pendant leur courte existence (dix-huit ans), ces presses produisirent quelque 12 500 exemplaires de dix-sept titres, parmi lesquels des ouvrages d'histoire, de géographie, d'astronomie, de physique et de mathématiques, des traductions du latin, du français, de l'arabe et du persan, des dictionnaires arabe-turc et persan-turc, des récits d'expéditions maritimes et un livre sur le magnétisme. Le premier livre illustré imprimé en Turquie fut son édition d'un ouvrage manuscrit de 1583 sur l'Amérique « récemment découverte ». Certains de ces ouvrages avaient la beauté typographique du meilleur caractère *naskhi* et la qualité des plus belles productions du siècle à venir. Les presses de Müteferrika apprirent avec quelque retard à la communauté musulmane l'invention du télescope et du microscope. Lorsqu'elles cessèrent leur activité à la mort de l'imprimeur en 1745, il restait en plan toute une série de traductions d'œuvres occidentales.

Des décennies s'écouleront avant que des livres soient à nouveau imprimés en Turquie. Ce n'est qu'avec les mouvements de réforme (1839-1876) du milieu du XIX^e siècle visant à séculariser l'éducation sur le modèle occidental que les livres imprimés joueront de nouveau un rôle dans la vie turque. En 1784, le gouvernement turc autorisait enfin l'impression du Coran, mais uniquement en arabe.

Dans le reste du monde islamique, l'opposition à l'imprimerie persista. Les musulmans ont donné de cette réticence des explications variées, telles que la difficulté d'utiliser l'alphabet arabe pour l'impression du turc ou des autres langues de la communauté musulmane. Sans oublier certaines craintes qui peuvent sembler risibles aux non-croyants, comme l'horreur à l'idée que le nom d'Allah puisse être effleuré par les poils de porc de la brosse utilisée pour nettoyer le bloc d'imprimerie.

L'histoire de l'imprimerie en Égypte musulmane est très similaire. Lorsque Bonaparte arriva en Égypte en 1798, il n'existait toujours dans ce pays ni livres ni journaux. C'étaient le crieur de ville ou le muezzin, du haut de son minaret, qui proclamaient les nouvelles. Des crieurs spéciaux, postés le long du Nil, alertaient les populations lorsque le fleuve commençait ses crues et en profitaient pour crier les autres informations. En traversant l'Italie, Bonaparte avait fait saisir les presses du Vatican pour les emporter en Égypte. Il avait avec lui trois typographes et trois imprimeurs italiens ainsi que dix-huit imprimeurs français. Baptisée « Imprimerie Navale », l'imprimerie et son personnel furent embarqués sur le navire amiral. Pendant la traversée, la presse imprima les ordres de Bonaparte à son armée, ainsi que des traductions arabes de ses proclamations, qui devaient être distribuées par les prisonniers maltais qu'il avait emmenés dans ce but.

Il fit installer la presse dans la maison du vice-consul de Venise à Alexandrie. Rebaptisée « Imprimerie Orientale et Française », elle imprima, en un jour, quatre cents exemplaires supplémentaires du texte arabe de la proclamation de Bonaparte. En vue d'une distribution dans la région du Caire, on tira à mille exemplaires une déclaration dans laquelle les dirigeants musulmans attestaient la bonne volonté de Bonaparte, son respect pour l'islam et son intention de protéger tous les musulmans de retour de La Mecque. Des livres de grammaire et d'exercices littéraires en arabe furent édités à l'intention de l'armée française. Bonaparte lui-même surveillait de très près la bonne marche des opérations. Un de ses vieux amis avait emporté avec lui à Alexandrie sa presse personnelle, mais la qualité du travail laissant à désirer, Bonaparte prit la relève, renvoya le propriétaire et transféra l'installation au Caire. Lorsqu'il fit du Caire le centre de ses opérations, il fit transporter sur le Nil les presses de l'armée jusqu'à sa capitale. Là, elle devint la cible des fanatiques, mais Bonaparte s'en tint à son projet et donna des ordres précis pour qu'on améliore la qualité des publications. Pour préserver ses presses de la colère de la populace, il fut obligé de les déplacer constamment.

En trois années seulement d'occupation, et avec l'aide de ses presses, Bonaparte inaugura une nouvelle ère dans la lecture égyptienne. De ses presses sortirent une masse de rapports administratifs et d'informations diverses. Le premier journal quotidien de cette partie du monde, *La Décade égyptienne,* publia en français des nouvelles d'Europe, des critiques de livres et de concerts, des annonces et de la poésie, ainsi que des articles sur les coutumes et fêtes égyptiennes et sur les crues annuelles du Nil. Et Bonaparte caressait le projet de fonder un journal similaire en langue arabe.

Avant même la parution de son quotidien, Bonaparte avait organisé son « Institut d'Égypte », version locale des académies européennes, et qui allait se révéler extrêmement efficace. Soucieux de favoriser la naissance d'une communauté de savants égyptiens, Bonaparte avait emmené avec lui un vieil ami, le mathématicien Monge (1746-1818). Quoique fils d'un rémouleur, le jeune Gaspard Monge avait réussi à être admis, sous l'Ancien Régime, à l'école du génie militaire de Mézières. Mais le brevet d'officier lui fut refusé en raison de sa basse extraction. Condamné à rester simple dessinateur, il inventa pendant ses loisirs la géométrie descriptive, fondement du dessin industriel. La Révolution transforma ses origines modestes en atout. Il fut nommé membre du comité chargé de concevoir le système métrique et devint ensuite, en 1792, ministre de la Marine et des Colonies. En 1796, Bonaparte l'envoie en Italie sélectionner les œuvres d'art qui seront confisquées et vendues pour financer ses campagnes. Deux ans plus tard, partant conquérir l'Égypte, Bonaparte fait de nouveau appel à Monge. Comme le dit un admirateur, il s'agit cette fois d'« offrir une main secourable aux peuples malheureux, [de] les libérer du joug cruel sous lequel ils gémissent depuis des siècles et [de] leur faire partager sans retard tous les bienfaits de la civilisation européenne ».

L'institut d'Égypte ouvrit ses portes au Caire le 21 août 1798. Monge en était le président et Bonaparte le vice-président. L'institut eut de nombreuses activités : comparaison des systèmes de poids et mesures français et égyptien, étude de la vigne et du dattier, recherches sur les mouvements souterrains de l'eau et l'irrigation, relevés des aqueducs égyptiens, des inscriptions et monuments anciens, ainsi que des ruines des cités antiques. L'institut examina également un ancien canal qui était censé relier la Méditerranée à la mer Rouge, ce qui donna à Bonaparte l'idée du canal de Suez.

Le personnel de l'institut (165 personnes) comprenait des médecins luttant contre la peste bubonique, des botanistes avides de jardins botaniques et de musées d'histoire naturelle, des entomologistes et des ornithologues. De leur travail naquirent les élégants volumes illustrés de la *Description d'Égypte*. Leurs réunions et leur bibliothèque étaient ouvertes au public. Bonaparte les accablait de questions : Comment améliorer les fours égyptiens pour la cuisson du pain ? Pouvait-on fabriquer la bière égyptienne à partir d'une autre source que le houblon ? Était-il possible de purifier l'eau du Nil ? Une réforme du système juridique égyptien était-elle nécessaire ? Et finalement, quels étaient les besoins les plus pressants du peuple ?

Lorsqu'il fut contraint de repartir, Bonaparte remporta son matériel d'imprimerie. L'absence de presse en Égypte allait considérablement entraver le développement de l'instruction publique. Au milieu du XIXe siècle, les manuels n'étaient toujours disponibles qu'en manuscrits. Muhammad-Ali (1769-1849), qui prit en main les destinées du pays après le départ de Bonaparte et établit définitivement son pouvoir en 1811, n'avait appris à lire et à écrire qu'à l'âge de quarante ans. Mais il envoya à l'étranger des émissaires chargés d'étudier les méthodes d'éducation occidentales, de traduire des livres européens et de s'initier à l'imprimerie. En 1820, il avait importé des presses, fait venir du papier et des caractères d'Italie, trouvé des ouvriers qualifiés et créé une imprimerie gouvernementale à Bulak, non loin du Caire. Son premier ouvrage, un dictionnaire italien-arabe, parut en 1822. Suivirent des ouvrages destinés aux académies militaires, à l'école de médecine et à celle de musique. De toutes les réformes de Muhammad-Ali, celle de l'imprimerie fut la plus importante et la plus durable.

Il s'écoulera des décennies avant que Muhammad-Ali et ses successeurs ne parviennent à vaincre la répugnance des musulmans envers l'imprimerie. Le nouveau maître de l'Égypte réussit quand même à faire imprimer une édition du Coran en 1833 ; mais, à sa mort, en 1849, les mollahs persuadèrent son successeur, Abbas Pasha, de mettre les exemplaires du livre sous séquestre et d'en interdire l'utilisation. Ce n'est que plus tard, sous le règne de Saïd Pasha (1822-1863), qu'ils furent remis en circulation. La première version officielle imprimée du Coran fut finalement publiée par le gouvernement égyptien en 1925. Mais cette dernière, et même les versions actuelles imprimées dans d'autres pays musulmans ne sont généralement pas réalisées à l'aide de caractères mobiles. Elles sont obtenues par des procédés xylo ou lithographiques, ce qui permet une reproduction fidèle des manuscrits. La toute dernière édition pakistanaise du Coran donne le texte en anglais imprimé en caractères mobiles, mais l'éditeur a pris la précaution de signaler que le texte arabe, lui, est « imprimé à partir de clichés photographiques », respectant ainsi la calligraphie « de Pir 'Abdul Hamid, avec qui, précise-t-il, j'ai été en contact et qui s'est conformé à mes désirs en écrivant en ronde et en gras ».

## 68
## *Vers une littérature mondiale*

Par intervalles, des esprits ingénieux et philanthropes ont tenté d'inventer une langue universelle. Mais aucun individu, aucun gouvernement n'a encore réussi à créer la langue d'une nation, et encore moins celle de l'univers. L'espéranto, qui constitue la tentative la plus réussie, fut élaboré en 1887 par l'oculiste polonais Ludwik Zamenhof. Désirant mettre à la disposition de tous les peuples une seconde langue simple et rationnelle, il essaya de faire de l'espéranto une langue facile à apprendre (dont la grammaire et la prononciation ne varieraient pas). Mais près d'un siècle après son invention, seules quelque cent mille personnes dispersées dans quatre-vingt-trois pays parlent cette langue artificielle. Cependant, même l'espéranto n'était pas une langue entièrement inventée puisque son vocabulaire dérive de mots européens, pris pour la plupart dans les langues romanes. Le maigre succès des langues internationales créées de toutes pièces démontre, s'il en était besoin, le mystère et les caprices du langage.

On dénombre dans le monde quelque quatre mille langues, vivantes ou mortes. Une communauté mondiale de la langue parlée, écrite et imprimée ne peut donc être réalisée que grâce à l'art de la traduction, qui permet à tout individu de découvrir la littérature du monde entier dans sa propre langue.

Dans les communautés primitives, et dans les sociétés évoluées, des individus de langues différentes arrivent à se faire comprendre par le geste, l'expression faciale et le ton de la voix. Mais la seule manière satisfaisante de remplacer le traducteur ou l'interprète est d'apprendre soi-même la langue de l'autre. Comme on l'a vu, Christophe Colomb emmena avec lui, lors de son premier voyage, un homme qui parlait l'arabe, espérant qu'il pourrait ainsi communiquer avec l'empereur de Chine.

Pendant des siècles, au temps des manuscrits, l'art de la traduction avait permis aux lecteurs de franchir les barrières linguistiques. La Vulgate, traduction latine de la Bible par saint Jérôme (340?-420), rendit un service considérable aux lettrés de la chrétienté. Les traductions de Platon, Aristote, Galien, Dioscoride, Ptolémée, et celles des manuscrits arabes de mathématiques, d'astronomie et de médecine modelèrent profondément la pensée occidentale.

Le livre imprimé élargit encore l'horizon intellectuel des lettrés européens. Avant la fin du XVe siècle, au moins vingt ouvrages traduits de l'arabe furent publiés en latin en Europe. Si l'essor des langues vernaculaires rétrécissait la vision des couches instruites en les faisant se concentrer sur les ouvrages de leur propre pays, l'imprimerie leur permit en même temps de devenir cosmopolites. Lorsque François Ier fit du français parlé la langue nationale, il paya de sa propre cassette la traduction en français des classiques de l'Antiquité, les rendant ainsi accessibles à ses sujets qui ne pouvaient lire le grec ou le latin. Les Anglais disposèrent dans leur langue, dès le milieu du XVIe siècle, de 43 éditions imprimées d'ouvrages classiques, chiffre porté à 119 avant la fin du siècle. Les auteurs classiques représentaient à l'époque l'investissement le plus sûr, à la fois pour les éditeurs et pour les acheteurs. Il y avait en Europe à la fin du XVIe siècle 263 éditions en latin de Virgile, mais également 72 traductions en italien, 27 en français, 11 en anglais, 5 en allemand, 5 en espagnol et 2 en flamand. Certains auteurs classiques furent même plus connus en traduction que dans l'original. Platon, par exemple, fut beaucoup lu dans la traduction latine de Marsile Ficin (cinq réimpressions en France avant 1550) bien avant la publication à Paris, en 1578, du texte grec intégral.

Les lecteurs s'ouvrirent également à des auteurs récents ou contemporains traduits d'autres langues vernaculaires. Les plus en vogue furent Pétrarque, Boccace, Thomas More et son *Utopie,* Brandt et sa *Nef des fous,* ainsi que Machiavel, l'Arioste, le Tasse, et *Amadis de Gaule,* suivis par les traductions des *Essais* de Montaigne et du *Don Quichotte* de Cervantes. Des ouvrages de littérature espagnole, oubliés de nos jours, se révélaient étonnamment populaires en français, en anglais, en italien, en allemand, en hollandais. Partout en Europe, il devint possible de s'intégrer à la communauté littéraire internationale sans connaître le latin. Ainsi naquit une véritable littérature européenne, accessible en traduction à tous les lecteurs.

Quels provinciaux nous serions si nos lectures devaient se limiter à des ouvrages écrits dans notre propre langue ! La traduction joue dans la civilisation un rôle incommensurable. C'est par des traductions, à l'époque élisabéthaine, que la Renaissance a pris pied en Angleterre. L'épanouissement de la littérature anglaise donna naissance aux traductions des *Essais* de Montaigne par John Florio, de *Don Quichotte* par Thomas Shelton, de Rabelais par sir Thomas Urquhart et, comme nous l'avons déjà signalé, à la version « autorisée » de la Bible. Les Anglais du XVIIIe siècle pouvaient lire les excellentes traductions de l'arabe, de l'hindi et du persan de sir William Jones, que les lointains Américains s'empressèrent, après la guerre d'Indépendance, d'inclure dans leur bibliothèque du Congrès. Les œuvres de Shakespeare firent l'objet d'une importante littérature critique, en allemand dans les œuvres de Lessing, Goethe et Schlegel, inspirèrent de nombreux auteurs, de Tchekhov à Brecht en passant par Gide et Max Frisch, et fournirent le sujet de certains opéras de Verdi, de nombreux ballets et même de comédies musicales américaines. Les acteurs et actrices européens devaient faire leurs preuves dans des rôles shakespeariens. Goethe exerça dans tout le continent une influence similaire. *Les Mille et Une Nuits* traduit par Richard Burton et l'adaptation d'Omar Khayyam par Edward Fitzgerald ouvrirent le monde aux lecteurs victoriens. Avant la fin du XIXe siècle, les Européens cultivés se familiarisèrent avec les grandes œuvres, non seulement des pays d'Europe mais de tous les continents. Désormais, l'écrivain visait une audience internationale.

Les traducteurs sont des patriotes qui enrichissent la langue de leur pays. Pourtant, on leur a rarement rendu justice. Leurs bénéficiaires même les ont trop souvent rejetés. *Traduttore, traditore* (traduction, trahison), dit un proverbe italien. Certains hommes de lettres sont même allés jusqu'à affirmer, non sans vanité ni masochisme, que les grandes œuvres sont intraduisibles. « La poésie ne peut être traduite, observe Samuel Johnson ; ce sont donc les poètes qui préservent la langue. » « Si le traducteur est bon poète, se plaint le poète irlandais George Moore, il substitue ses propres vers à ceux de l'original. Or ce ne sont pas ses vers que je veux, mais les vrais. La situation est pire encore si le traducteur est mauvais poète : il nous donne de mauvais vers, ce qui est intolérable. » Chaim Bialik est plus charitable : « Lire de la poésie en traduction, c'est comme d'embrasser une femme à travers un voile. » Lorsqu'on ne méprisait pas les traducteurs, on les ignorait ; résultat : ils sont les laissés-pour-compte du monde des lettres. Ils ne méritent pourtant pas cette injustice. Messagers indispensables d'une culture commune, ils assument une tâche linguistique plus complexe que celle de l'auteur du texte original, celle de « concilier littéral et littéraire ». On pourrait du reste, sans trop se tromper, définir le classique de la littérature mondiale comme un ouvrage qui a eu, grâce à ses traducteurs, une influence plus grande encore à l'étranger que dans son pays d'origine.

Les dictionnaires, outils modernes de découverte, furent d'abord des guides destinés à vaincre les barrières linguistiques, avant d'aider les lecteurs et les locuteurs à mieux connaître leur propre langue. Le mot « dictionnaire » vient du latin médiéval *dictionarium* ou *dictionarius*, désignant à l'origine un répertoire d'expressions ou de *dictons*. En Europe, les dictionnaires eurent pour première tâche de rendre service aux érudits. Les « dictionnaires » de l'Antiquité regroupaient généralement des mots ou des expressions extraits d'auteurs connus, pas toujours classés par ordre alphabétique. Quelques-uns apparurent en Europe aux XIIIe et XIVe siècles pour permettre aux étudiants d'apprendre le latin, indispensable à la lecture de la Vulgate.

Ces dictionnaires bilingues donnaient la signification dans une langue des mots d'une autre langue. Mais le marché était encore dominé par les latinistes qui étudiaient les textes classiques et les religieux.

Le premier de tous les dictionnaires imprimés, celui qui eut le plus de succès et d'influence, fut le volumineux dictionnaire latin-italien du moine augustin Ambrogio Calepino (1440-1510), publié à Reggio de Calabre en 1502. Au fil des éditions successives, il devint de plus en plus plurilingue. Si bien qu'en 1590, lorsque les successeurs de Calepino publièrent leur édition à Bâle, celle-ci comportait onze langues, dont le polonais et le hongrois. *Calepino* devint le mot italien pour dictionnaire. Comme « Webster » plus tard, « calepin » passa dans la langue anglaise au XVIe siècle et demeura courant pendant un siècle[1].

L'esprit de Calepino survécut jusqu'au XVIIIe siècle dans le dictionnaire en onze langues du philosophe italien Jacopo Facciolati (1718). Chose étonnante, les premiers dictionnaires furent aussi les plus polyglottes.

Le succès de Calepino poussa le Français Robert Estienne (1503-1559) à en publier une édition améliorée, grâce au généreux patronage du bibliophile François Ier. Le roi demanda à son ami Estienne, qui appartenait à une famille d'humanistes et d'imprimeurs, de remettre à la bibliothèque royale un exemplaire de chacun des livres qu'il imprimait en grec, créant ainsi ce qui fut probablement la première bibliothèque nationale de dépôt. Au début du XVIe siècle, les Estienne firent de Paris la capitale européenne du livre, à l'image de ce qu'avait été Venise. Ils popularisèrent le livre « aldin », utilisant les caractères romains et italiques pour des in-octavo portables. Robert Estienne avait eu tout d'abord l'intention de republier le dictionnaire de Calepino ; il décida finalement de le reprendre de fond en comble. N'ayant trouvé personne pour s'atteler à cette tâche gigantesque, il l'entreprit lui-même. Il tira son vocabulaire exclusivement d'auteurs classiques, cita d'autres autorités dans ses définitions et fournit de nombreuses citations illustrant les différents usages d'un mot. Son *Trésor de la langue latine* parut en 1531, suivi en 1538 par un dictionnaire latin-français. Le seul ouvrage sérieux pouvant rivaliser, même de nos jours, avec le *Trésor* d'Estienne est celui entrepris conjointement en 1894 par cinq académies allemandes mais qui, au bout de quatre-vingts ans, n'avait pas dépassé la lettre « O ».

Outre ses innovations dans le domaine de la lexicographie scientifique, Robert Estienne aida les couches cultivées d'Europe à découvrir les richesses linguistiques de leur propre langue. Il donna ses dictionnaires scolaires pratiques, en français et en latin, ainsi qu'un grand dictionnaire français-latin comportant les termes techniques. Il contribua ainsi à la création d'une langue « standard » nationale. Quant à sa méthode consistant à fonder le choix du vocabulaire sur les « bons autheurs françois », elle fut reprise par l'Académie française pour son dictionnaire

1. Sans oublier, bien sûr, la langue française, où le mot *calepino* fut longtemps synonyme de dictionnaire. *(N.d.T.)*

de 1694, et continue aujourd'hui encore à dominer et à paralyser la lexicographie française.

C'est à Venise, plaque tournante du commerce entre le nord et le sud de l'Europe, que parut en 1477 le premier dictionnaire bilingue imprimé destiné aux commerçants et aux citoyens ordinaires : le *Vocabolario Italiano-Teutonico* d'Adam von Rottweil, un marchand ambulant venu d'Allemagne. Puis Caxton publia à Londres, en 1480, un lexique français-anglais de vingt-six feuillets. Ces deux ouvrages sont les premiers exemples connus de ces petits guides pratiques qui allaient rendre tant de services, quelques siècles plus tard, au voyageur perdu dans un pays étranger.

L'utilisation par Estienne des « meilleurs auteurs » servit de modèle aux lexicographes des nouvelles langues nationales. Le premier dictionnaire unilingue complet, fruit de vingt ans de travail de l'Accademia della Crusca, parut à Venise en 1612 et servit d'exemple aux autres dictionnaires unilingues européens. Le responsable de cette entreprise, Leonardo Salviati (1540-1589), utilisa le pouvoir de l'imprimerie pour faire du dialecte toscan la langue italienne standard. Il puisa dans les grands auteurs de Florence et mit sur un piédestal Dante, Pétrarque et Boccace, donnant sa langue à cette entité italienne qui ne naîtrait que trois cents ans plus tard. Certains vont jusqu'à dire que c'est la langue italienne qui a créé la nation. La prééminence de l'idiome toscan de Salviati s'affirma de plus en plus. Manzoni, par exemple, qui à l'origine avait écrit son roman historique *Les Fiancés* (1827) en dialecte milanais, prit la peine de le réécrire dans le dialecte établi deux siècles plus tôt par l'Accademia della Crusca. Ailleurs aussi — dans le Dictionnaire de l'Académie d'Espagne (1726-1739) et dans le *Dictionnaire* du Dr. Johnson (1755) — les lexicographes par le choix de leurs exemples contribuent à établir les langues nationales standards. Ces dictionnaires, bien sûr, aidaient aussi bien les natifs que les étrangers à découvrir les ressources grandissantes des vocabulaires vernaculaires.

A l'inverse de ces langues façonnées par des académies nationales, l'anglais « standard » fut formé de manière empirique presque individuelle. Les premiers protestants anglais désirant surtout familiariser le lecteur non cultivé avec la traduction anglaise de la Bible, l'essentiel de la lexicographie dans ce pays, comme le montre Allen Walker Read, naquit des listes de mots que l'on dressait pour aider les fidèles. Une de ces premières listes fut ajoutée en 1530 à la traduction anglaise du Pentateuque par William Tyndale. Dans le même temps, maîtres d'école et réformateurs tentaient de mettre un peu d'ordre dans l'orthographe anglaise qui, selon eux, rendait vain tout espoir d'élaborer un dictionnaire ou une grammaire utilisable. « Un dictionnaire et une grammaire, proclame avec optimisme l'un d'entre eux à la fin du XVIe siècle, pourraient préserver à jamais la perfection de notre langue. »

L'exemple de l'Angleterre montra que le fait de savoir lire et écrire dans une langue parlée par des millions d'individus pouvait élever le niveau général de la nation. Dans *Le Maître d'école* (1570), l'une des premières critiques du système éducatif anglais, Roger Ascham (1515-1568), ancien précepteur d'Elisabeth Ire, passe en revue tous les malheurs que peut occasionner un voyage sans but à l'étranger (surtout en Italie) et presse les jeunes Anglais de maîtriser leur propre langue. Il préconise même l'utilisation de l'anglais pour l'enseignement des classiques.

C'est un autre réformateur élisabéthain, Richard Mulcaster (1530?-1611), qui fournira le texte de base. Trente ans d'enseignement dans les prestigieuses écoles de Merchant Taylors et de Saint-Paul le persuadèrent que les professeurs, comme les juristes et les médecins, devaient être formés à l'université. Il demanda que les écoles et les universités soient ouvertes aux femmes. Et il soutint que les enseignants devaient respecter les différences entre chaque enfant, que les programmes d'étude devaient être définis non en fonction de l'âge mais des aptitudes, et que les petites classes devaient être attribuées aux meilleurs maîtres. Toutes ses réformes passaient par l'enseignement de la langue anglaise : « J'aime Rome, mais je préfère Londres. J'apprécie l'Italie, mais plus encore l'Angleterre. Je connais le latin, mais je vénère l'anglais. » Dans son ouvrage intitulé *Première Partie de l'école primaire* (1582), il répertorie quelque huit mille mots (mais sans aucune définition), qui représentent sans doute l'ensemble du vocabulaire anglais de l'époque.

Le dictionnaire anglais devint bientôt un outil essentiel pour la propagation de l'éducation et les listes de mots servirent à l'enseignement de la lecture. Le premier livre qui ne se contentait pas de fournir une simple liste aux écoliers, mais donnait des explications, en anglais, de mots anglais, n'apparut pas avant le XVIIe siècle. On n'y trouvait encore que les mots « difficiles » et les explications de type étymologique privilégiaient toujours les autres langues. C'est le cas du premier dictionnaire purement anglais de Robert et Thomas Cawdrey (le père et le fils, tous les deux maîtres d'école), intitulé *Table alphabétique contenant et enseignant l'orthographe et le sens véritable des mots anglais usuels difficiles, empruntés à l'hébreu, au grec, au latin ou au français, etc.* (1604).

Les premières tentatives visant à produire des dictionnaires exhaustifs destinés aux lecteurs adultes émanèrent non pas de graves maîtres d'école, mais de simples amateurs ou de plumitifs. Le plus célèbre d'entre eux fut celui du neveu et protégé de John Milton, Edward Phillips (1630-1696?), dont l'ouvrage, « d'une originalité douteuse, d'une qualité médiocre, mais d'une grande popularité », parut sous le titre prophétique : *Le Nouveau Monde des mots anglais* (1658). Ce n'est qu'avec l'apparition des lexicographes professionnels que vinrent des ouvrages recensant tous les mots d'une langue. Et c'est l'imprimerie qui permit cette professionnalisation. Le *Nouveau Dictionnaire anglais* (1702), premier dictionnaire anglais pour tous, fut l'œuvre de John Kersey le Jeune, premier lexicographe anglais véritablement professionnel.

Après la publication, par Caxton, du premier livre anglais, aucune autre langue nationale ne se développa avec autant de rapidité. Ceci se passa, bien sûr, sans l'aide d'aucun dictionnaire exhaustif ou faisant autorité. En fait, il faudra attendre le milieu du XVIIIe siècle pour voir apparaître un véritable dictionnaire de toute la langue anglaise. Ce fut celui de Johnson, qui démontrait avec éclat le pouvoir de ce type d'ouvrage, car non seulement il était remarquable par sa qualité et son érudition, mais c'était aussi un monument d'héroïsme littéraire. Cinq libraires londoniens signèrent en 1746 un contrat avec le modeste Dr. Johnson, par lequel celui-ci s'engageait à rédiger un dictionnaire de la langue anglaise, qu'il espérait terminer en trois ans. Il engagea six secrétaires à temps partiel, chargés de recopier les citations qu'il leur indiquait et qu'il puisait chez les meilleurs auteurs anglais. Johnson rédigea lui-même les définitions de 43 500 mots, au-dessous desquels étaient collées les citations. « Le *Dictionnaire de la langue anglaise,* explique-t-il dans la préface, a été écrit avec bien peu d'aide des érudits et sans le soutien des grands de ce monde ; non dans la douce obscurité d'une retraite ou sous l'aile protectrice de quelque académie, mais dans le dérangement et le désordre, la maladie et le chagrin. » Affaibli par la maladie, accablé par la mort de sa femme, il n'en termina pas moins l'ouvrage, qui parut en deux volumes le 14 juin 1755, après huit ans et demi de travail. Par le pouvoir d'un dictionnaire, il donnait force de loi à l'anglais « standard », mettant du même coup à la disposition des explorateurs de la littérature anglaise un outil précieux.

Pendant au moins un siècle, les érudits avaient tout fait pour purifier, simplifier, standardiser la langue anglaise. Dès 1644, la Société Royale avait envisagé un tel projet. Dans l'*Essai sur la critique,* qu'il dirige à l'âge de vingt-trois ans (1711), Alexander Pope exprime ses craintes de voir l'anglais ainsi se figer. Car, dit-il,

> Nos fils voient la langue défectueuse de leurs pères,
> Et Dryden bientôt ne sera plus que ce que fut Chaucer.

S'appuyant sur ses 114 000 citations, le Dr. Johnson applique à l'ancien monde des mots le nouvel esprit scientifique. Pour le mot *take* (prendre), par exemple, il offre 113 sens transitifs différents et 21 sens intransitifs. Il donne 5 sens pour *genius* (génie), 11 pour *nature,* et 8 pour *wit* (esprit). « Ce que les découvertes de Newton ont produit pour les mathématiques, déclare le disciple américain de Johnson, Noah Webster (1758-1853), l'œuvre de Johnson l'a réalisé pour l'univers des mots. »

Mais Johnson ne déplore ni n'occulte la croissance organique de la langue. Dans son éloquente préface, il explique que la langue est inévitablement transformée par les conquêtes, les migrations, le commerce, par le progrès de la pensée et de la connaissance. « Libéré de la nécessité, l'esprit optera pour la commodité ; pour peu qu'il puisse spéculer, il changera d'opinion ; lorsqu'une habitude se perd, les mots qui l'exprimaient périssent avec elle ; une opinion qui se répand transforme le discours tout autant qu'elle modifie les mœurs. Aucun dictionnaire d'une langue vivante ne peut être parfait : lors même qu'on se hâte de le publier, de nouveaux mots se forment tandis que d'autres tombent en désuétude. »

Avant le Dr. Johnson, les meilleurs auteurs estimaient qu'à partir du moment où le sens d'un mot était clair pour le lecteur, son orthographe n'avait aucune importance. La difficulté pourtant était de taille : comment normaliser l'orthographe d'une langue dont l'alphabet était emprunté à une autre langue ? Car l'alphabet romain n'a jamais été prévu pour les sons de la langue anglaise. Cet alphabet, adapté du grec via l'étrusque, ne comprenait à l'origine que vingt lettres, lesquelles furent reprises par l'alphabet anglais. Mais il ne comportait pas le J, le K, le V, le W, le Y ni le Z. Par la suite, les Romains eux-mêmes ajoutèrent le K (pour les abréviations), ainsi que le Y et le Z (pour les mots empruntés au grec). Ce furent là les vingt-trois lettres du premier alphabet anglais. Plus tard, afin de répondre à la phonétique anglaise, on créa le W en joignant deux U ; le J et le V furent introduits pour les sons consonantiques du I et du U. On aboutit ainsi à l'alphabet anglais moderne de 26 lettres.

Très longtemps, chacun fit à sa guise et les meilleurs auteurs anglais orthographièrent les mots au gré de leur fantaisie. Mais vers le XVIII^e^ siècle, les listes de mots et la popularité croissante des premiers dictionnaires, aussi rudimentaires fussent-ils avaient fait naître l'idée qu'il ne pouvait ou ne devait y avoir qu'une seule façon d'écrire un mot. En 1750, lord Chesterfield (1694-1773), modèle de purisme (à qui, trois ans plus tôt, Samuel Johnson avait dédié le plan de son dictionnaire), mettait son fils en garde : « L'orthographe est une chose si indispensable pour un homme de lettres ou pour un gentilhomme qu'une seule faute suffit à le rendre ridicule pour le restant de ses jours. Et je connais un homme de qualité qui ne s'est jamais remis d'avoir écrit *Wholesome* sans W. » Les Anglais d'Amérique espéraient qu'une orthographe correcte leur conférerait l'auréole de la culture. Noah Webster, qui débuta comme maître d'école, acquit célébrité et fortune grâce à son *Manuel d'orthographe américaine* qui parut en 1783 et qui, au siècle suivant, se vendit à plus de soixante millions d'exemplaires. Mais le président Andrew Jackson aurait déclaré n'avoir aucun respect pour quiconque ne connaissait qu'une seule façon d'écrire un mot. Les complexes culturels des Américains, qui avaient ouvert un débouché au manuel de Webster, expliquent aussi le succès continu que connut son *Dictionnaire américain de la langue anglaise* (2 vol., 1828), lequel fit de son nom aux États-Unis un synonyme de dictionnaire.

Par une étrange ironie, les travaux des meilleurs lexicographes anglais et américains du XX<sup>e</sup> siècle ont contribué à libérer la langue anglaise de la tyrannie des dictionnaires et fait naître le désir de découvrir les trésors perdus du langage à travers l'évolution du sens des mots. Mais ce fut un autre lexicographe britannique émérite, James A. H. Murray (1837-1915), qui conçut le fameux *Oxford English Dictionary* comme « le plus grand trésor linguistique du monde ».

La Société philologique de Londres avait dès 1857 commencé à poser les jalons d'un dictionnaire historique. Après un certain nombre de faux départs, Murray, alors un obscur enseignant, se chargea du travail en 1879, le mit en forme et réalisa plus de la moitié du colossal projet. L'objectif était d'expliquer tous les mots qu'avait jamais connus la langue anglaise et d'en montrer les changements de sens. Des milliers de volontaires réunirent et recopièrent les exemples. A la fin du siècle, ils avaient établi plus de vingt millions de fiches. Parmi ces « volontaires » se trouvaient les onze enfants de Murray qui l'aidèrent à trier et à classer ses fiches par ordre alphabétique. La petite Rosfrith, neuvième enfant de Murray, se souvenait de son père l'attrapant par son tablier dans le hall de leur maison de Mill Hill (elle maîtrisait à peine l'alphabet) et disant : « Il est grand temps que cette jeune personne commence à gagner sa vie. » Lorsqu'il mourut (en 1915), Murray avait publié près de la moitié de son œuvre, 7 207 pages sur un total de 15 487. « Grâce à ce travail, tout le monde se sent grandi » : c'était la devise familiale. Les successeurs de Murray terminèrent l'ouvrage en 1925.

Le résultat, loin d'établir des règles fixes, comme le souhaitaient Johnson et ses prédécesseurs, fut de montrer le caractère essentiellement mouvant, insaisissable, d'une langue vivante qui évolue au cours des siècles.

Comme l'explique Murray dans son Introduction :

> Ce vaste ensemble de mots et d'expressions qui constitue le vocabulaire de l'anglophone présente, pour l'esprit qui tente de le saisir dans sa totalité, l'aspect d'une de ces masses nébuleuses familières à l'astronome, dans lesquelles un noyau clair et net produit tout autour de lui des zones de clarté décroissante, jusqu'à cette bande périphérique sombre qui semble n'avoir pas de fin, mais se perdre imperceptiblement dans l'obscurité environnante.

# QUATORZIÈME PARTIE

## *Introduction au passé*

*Le comportement humain peut tendre vers un but authentiquement défini, car seuls les hommes règlent leur conduite par la connaissance de ce qui s'est passé avant qu'ils ne fussent nés et la préconception de ce qui se passera peut-être après leur mort ; ainsi, seuls les hommes savent trouver leur chemin grâce à une lumière qui illumine davantage que la parcelle de terrain sur laquelle ils se tiennent.*

P.B. MEDAWAR et J.S. MEDAWAR
*La Science de la vie* (1977).

### 69

### *La naissance de l'histoire*

Les érudits de l'Inde s'étonnent de constater que leur culture, si riche en sculptures, en édifices, en ouvrages de littérature mythique et romanesque, est en revanche si pauvre en écrits historiques critiques. D'aucuns suggèrent que, pour des raisons encore inconnues, tous les ouvrages historiques anciens rédigés en sanscrit auraient été détruits. Il paraît plus plausible de penser qu'ils n'ont jamais existé, d'autant que la vision hindoue et brahmane du monde est susceptible d'expliquer amplement cet état de choses.

L'hindouisme est une religion de cycles. Les croyances plus tardives allaient se préoccuper de la Création, demander quand, comment et pourquoi le monde avait pris forme, ce qui les a entraînées vers des hypothèses concernant la raison d'être de la Création et la fin dernière de l'homme. Les hindous, en revanche, se sont davantage intéressés à la Re-Création. Une vision moderne de l'histoire obligerait à croire à des actes uniques, nouveaux, touchant le monde entier. L'hindouisme a eu de nombreux documents sacrés, mais jamais il n'a possédé un seul texte sacré, une bible relatant la seule authentique histoire du monde.

Le résultat de l'optique hindoue n'a été ni plus ni moins qu'une jungle de vérités merveilleusement variée et constamment enrichissante, mais où l'on ne distinguait pas le moindre chemin unique vers la Vérité. La mythologie hindoue entraînait le croyant bien loin au-delà de la ronde des saisons, du rythme de ses propres naissance, vie et mort, ou même de celle de sa génération, jusque dans un univers infini de cycles infinis, s'imbriquant à perte de vue les uns dans les autres. Le cycle fondamental, le *kalpa*, est « un jour dans la vie de Brahmâ », l'un des trois dieux suprêmes. Chaque *kalpa* dure quatre milliards trois cent vingt millions d'années terrestres. Une « nuit de Brahmâ » est d'égale durée. Une « année de Brahmâ » comprend trois cent soixante de ces jours et nuits et Brahmâ vit cent années.

Chaque *kalpa* marque une nouvelle Re-Création du monde. Durant la nuit, l'univers se trouve à nouveau rassemblé dans le corps de Brahmâ, où il devient une nouvelle et différente possibilité de Création le lendemain. Chaque *kalpa* contient quatorze cycles plus petits, les *manvantaras*, qui durent chacun trois cent six millions sept cent vingt mille ans, après quoi un nouveau Manu, ou dieu principal, est créé et recrée à son tour la race humaine. A l'intérieur de chaque *manvantara* on compte soixante et onze *mahayugas*, dont il faut mille pour faire un *kalpa*. Au sein de chaque *mahayuga*, il y a un cycle de quatre *yugas*, dont chacun représente une époque différente du monde, qui comprennent successivement, quatre mille huit cents, trois mille six cents, deux mille quatre cents et douze cents « années ». Chacun des quatre *yugas* marque un déclin dans la civilisation et la morale par rapport au *yuga* précédent, jusqu'à ce que le monde soit finalement détruit par le déluge et par le feu, afin d'être à nouveau préparé pour un autre cycle de Création. Le changement sur terre était plus lent que l'homme ne pouvait le saisir.

Dans la littérature sanscrite, un seul ouvrage historique digne d'intérêt a survécu : le très long *Râjatarangimî* (Le Fleuve des rois), du poète cachemirien du XIIe siècle, Kalhana ; il ne nous apprend rien sur les autres parties de l'Inde et sa morale est que l'homme doit se résigner à subir les forces supérieures. *La Chronique de Ceylan* est l'histoire du bouddhisme à Ceylan. Le principal centre d'intérêt des hindous, dans le passé, n'était pas la montée et la chute d'empires historiques, mais les souverains d'un mythique âge d'or. De ce fait, l'historien qui cherche à retracer l'histoire indienne avant l'avènement des rois musulmans s'expose à un véritable supplice de Tantale, car il doit rassembler sa chronologie pièce à pièce, en se fondant sur les légendes, quelques monuments dispersés et les écrits de voyageurs étrangers. Les anecdotes biographiques sont rares. Les anciens rois hindous étaient eux-mêmes si persuadés de la nature éphémère de leurs travaux qu'ils ne faisaient généralement pas noter sur leurs monuments tout ce qu'ils avaient accompli. Le manque de données historiques révèle non seulement la préoccupation des hindous envers le transcendant et l'éternel, mais aussi le sentiment largement répandu que la vie sociale était répétitive et dépourvue de changements. Étant donné que la différence entre le passé et le présent était infime, il semblait futile de se pencher sur l'histoire passée. Dans une société qui ne connaissait pas le changement, de quoi les historiens auraient-ils pu parler ? Par conséquent, lorsque des événements réels étaient consignés, ils étaient transmués en mythes, afin de leur donner une signification universelle et durable.

A partir du XIe siècle, où les musulmans arrivèrent en Inde, les chroniques du passé indien prirent une nouvelle forme. « Nous vous narrons les histoires des apôtres, déclarait le Coran, car elles raffermiront votre courage et vous apporteront ainsi la Vérité, une exhortation et un souvenir pour les croyants. » Pour les musulmans, ce qui donnait un sens aux événements, ce n'était pas ce qu'avait accompli l'homme, mais ce que Dieu avait voulu. L'histoire n'était pas une évolution, mais un aboutissement. En Inde aussi, l'histoire musulmane devint l'histoire officielle, écrite pour louer le souverain vertueux. Comme l'a noté, vers le milieu du XIVe siècle, l'un des grands historiens musulmans de l'Inde :

> L'histoire est la science des annales et des traditions des prophètes, califes, sultans et autres grands hommes de la religion et du gouvernement. La poursuite des études historiques s'attache aux grands hommes de la religion et du gouvernement fameux pour l'excellence de leurs qualités ou qui se sont illustrés parmi les hommes pour leurs hauts faits. Les êtres vils, les gredins, les personnes impropres, de souche obscure et de nature médiocre, de famille inconnue ou vile, les fainéants et les oisifs de bazar — tous ces gens n'ont rien à voir avec l'histoire.

Assez naturellement, l'histoire musulmane est devenue celle des musulmans exclusivement, des plus grands de leurs prophètes, saints hommes et dirigeants. Partout où il s'est répandu, l'Islam a imposé ce filtrage unilatéral du passé.

Un genre particulier à la culture arabe, ce qu'on a appelé la littérature « du jour de bataille », remonte à une période antérieure à celle de Mahomet. L'Islam a attaché une importance spéciale à la biographie, faisant de toutes les vies ultérieures de simples notes se référant à celle du Prophète. Les institutions musulmanes ne laissant aucune place à la nouveauté, mais uniquement à l'accomplissement du Coran, les biographies musulmanes ne pouvaient revêtir la dignité réservée aux connaissances nouvelles. L'histoire devint, pour reprendre l'expression arabe, une « science pour la conversation », utile pour la sagesse politique et le savoir-faire en société, source d'exemples mais non de démonstrations. De façon fort appropriée, l'historien se définissait comme le compilateur des croisades et triomphes musulmans.

Étant donné que Mahomet était le point culminant de l'histoire, on n'avait bien entendu que faire de la notion de progrès. « L'histoire », branche de l'eschatologie, racontait comment les hommes avaient accompli leur périple terrestre jusqu'au jour du jugement. L'accent mis sur les biographies exacerba pour les chroniqueurs officiels la tentation de sombrer dans la flatterie. Leurs récits des événements devinrent aussi sujets à caution qu'ils étaient excessifs. Les dictionnaires biographiques, création caractéristique et originale de la communauté islamique, braquaient leur objectif sur l'individu, mais sans donner d'individualité pour autant. La littérature historique de l'Islam devint un instrument de la foi et non une ouverture sur le monde.

C'est chez Ibn Khaldun (1332-1406), qui, vers la fin de l'Empire musulman d'Afrique du Nord, a étudié les sorts et opportunités divers au sein de la communauté musulmane, que l'on peut voir à son meilleur cet accent mis sur les choses sacrées. Et sa qualité de conseiller de Tamerlan sur la sociologie du monde arabe, il fournit à l'Islam une déclaration fondamentale, comparable à celle qu'avait donnée saint Augustin à la chrétienté dix siècles auparavant. A l'encontre de ce dernier, cependant, Ibn Khaldun considérait que la destinée se déroulait non pas dans le temps, mais dans l'espace. La terre n'était pas le théâtre du pèlerinage de l'homme vers la cité de Dieu, mais une arène que la foi du Prophète devait conquérir. Il cherchait à savoir comment la surface si variée de notre planète expliquait l'inégalité des résultats obtenus par l'Islam. « Le passé ressemble au futur, concluait-il, plus encore qu'une goutte d'eau ressemble à une autre. » Ibn Khaldun s'avéra être l'Hérodote et le Thucydide de l'historiographie musulmane. Ses successeurs, bien longs à venir, ne devaient pas naître dans le monde islamique.

Parmi toutes les cultures modernes, c'est celle de la Chine qui présente le passé continu le plus long, assorti des plus volumineux témoignages écrits le concernant. Il est donc d'autant plus remarquable de ne pas avoir vu se développer en Chine un esprit historique moderne. La façon dont les Chinois ont filtré le passé, quoique différente de celle des hindous, n'était guère mieux faite pour donner aux gens conscience des changements sociaux ou de la faculté qu'avait l'humanité de transformer les institutions. Le confucianisme, qui prend racine dans la vénération des ancêtres, a encouragé la tenue de registres généalogiques. Son adepte consultait le passé non pas pour y apprendre comment il serait possible de changer les institutions, mais plutôt pour y découvrir l'idéal à rétablir et des modèles de vertu à imiter. Les anecdotes recueillies au début de la période féodale furent sanctifiées par leur attribution à Confucius soi-même.

Puis, au début de l'ère impériale, au IIe siècle avant Jésus-Christ, Ssu-ma Ch'ien (145-87 av. J.-C.) fixa la forme des écrits historiques en Chine pour les deux mille années à venir. Son père était astrologue du souverain, ou grand scribe, à la cour des Han, et il était chargé de tenir à jour le calendrier et de noter les événements officiels. Lorsque Ssu-ma Ch'ien hérita de cette charge, en 108 avant Jésus-Christ, la dynastie des Han avait déjà entamé l'unification politique de la Chine entière sous sa loi. Il poursuivit le travail de son père qui s'était efforcé de réunir les documents de tous les peuples de Chine au sein d'un unique ouvrage. Une aussi grandiose compilation célébrerait la splendide réussite de l'ambitieuse nouvelle dynastie, bien décidée à imposer un Nouveau Commencement, marqué par une « réforme » du calendrier que Ssu-ma Ch'ien aida à inaugurer.

Quelques paroles imprudentes suffirent à gâcher sa vie. Un jour, après que le général Li Ling eut perdu une grande et sanglante bataille, « l'empereur ne put trouver aucune saveur à sa nourriture ni aucun plaisir aux délibérations de sa cour ». Les autres généraux se réunirent au sein d'un conseil impérial pour se lamenter sur cette défaite et rejeter le blâme sur Li Ling. Ssu-ma Ch'ien, cependant, considérait ce dernier comme un parangon de loyauté et de vertu et pensait que la bataille avait été perdu en dépit de sa bravoure. Appelé devant le conseil impérial, Ssu-ma Ch'ien (selon son propre récit) « se hasarda à parler des mérites de Li Ling... en espérant élargir les vues de Sa Majesté et mettre fin aux propos pleins d'animosité des autres hauts dignitaires ». A cause de ces remarques malavisées, il fut jeté en prison, accusé d'avoir « diffamé l'empereur », crime puni de mort. « Ma famille était pauvre, a expliqué Ssu-ma Ch'ien, et je n'avais pas les moyens d'acheter une commutation de peine. »

Il demanda un sursis, cependant, afin de pouvoir mener à bien la compilation de son histoire. L'empereur, qui répugnait à perdre un astrologue particulier aussi savant et énergique, eut la bonté d'ordonner qu'au lieu d'être exécuté, Ssu-ma Ch'ien fût châtré. Accablé de honte, le malheureux se retira du monde pour terminer son œuvre qui devint le modèle de toutes les grandes chroniques du passé chinois jusqu'à la fin de la période impériale, en 1911. Avant lui, chaque État chinois s'était fondé sur sa propre chronologie, si bien qu'il n'y avait aucun moyen de savoir quels événements étaient contemporains dans les différents États. Ch'ien les remit tous en ordre à l'intérieur d'un temps unique fondé sur la chronologie de la dynastie des Chou. Il fournit aussi un nouvel éventail de sujets divisé en cinq catégories : les Annales fondamentales ou la vie des hommes qui dirigeaient de vastes régions, les Tables chronologiques, les Traités sur des thèmes politiques, économiques, sociaux et culturels, les Maisons héréditaires et les Biographies d'hommes importants qui n'étaient pas souverains, mais donnaient des exemples d'éminence et de vertu. Le style de Ch'ien fit de lui un classique, mais au lieu de s'inspirer de l'esprit de son œuvre, ses disciples en imitèrent la forme. Son successeur immédiat, Pan Ku (32-92), figea le modèle proposé par Ch'ien dans un moule confucianiste rigide qui ne laissait aucune part à l'interprétation.

Avec la réunification de la Chine sous la dynastie T'ang, au VIIe siècle, la fabrication d'Histoires standardisées, dans le genre de celle de Ch'ien, connues sous le complaisant euphémisme de « registres véridiques », devint une des tâches permanentes de la bureaucratie nationale croissante. Toutes les versions de l'histoire nationale officielle étaient, bien sûr, propriété du gouvernement. Pendant un certain temps, elles restaient publiques, puis assez vite, elles étaient discrètement enfouies dans les archives gouvernementales auxquelles quelques rares privilégiés avaient accès. Chaque dynastie successive en vint à considérer qu'il était de son devoir de compiler une histoire de la dynastie précédente, laissant à ses successeurs le soin d'écrire la sienne.

La rédaction de ces Histoires continua à se faire sous l'influence d'idéaux contradictoires : les « registres véridiques » faisant pendant à « la dissimulation nécessaire », « l'objectivité » à « l'instruction morale ». Tout le passé chinois, incorporé à la tradition confucianiste, devient partie intégrante de l'appareil gouvernemental. Une Charge de l'Histoire fut établie sous la dynastie des T'ang et contrôla dès lors tout le passé accessible. Pendant des millénaires, l'histoire chinoise fut écrite par et pour des bureaucrates.

Il y eut une brève renaissance de l'esprit délié de Ch'ien sous la remarquable dynastie des Sung, mais la résurgence de l'orthodoxie néo-confucianiste sous les Ming (1368-1644) maintint le passé fermement figé dans le moule traditionnel. L'effondrement des Ming et la conquête du pays par les Mandchous ouvrirent bien quelques failles, mais les rares efforts de marque tentés au XVIII^e siècle pour écrire une histoire critique constituèrent de notoires exceptions. Les méthodes critiques dans la littérature et la montée de la conscience historique allaient devoir attendre l'influence occidentale.

Sous ce rapport, comme sous bien d'autres, la civilisation chinoise souffrit de son ancienneté, de sa précocité et de sa continuité. La grandeur de modèles anciens, la succession ininterrompue des registres et la précoce efficacité d'un gouvernement central vinrent toutes renforcer la révérence envers les ancêtres et étouffer dans l'œuf toutes les tentatives faites pour contempler des zones interdites du passé ou émettre des hypothèses sur ce qui aurait pu arriver.

A l'ouest, l'évolution de l'histoire fut radicalement différente. Le genre de discipline qu'on y « inventa » allait finir par remodeler les vies et les institutions des peuples de l'Inde, du Moyen-Orient, de l'Islam et de la Chine. L'exploration du passé par les Occidentaux fut aussi importante que la cartographie des continents du Nouveau Monde et la découverte des océans. L'histoire, comme beaucoup d'autres sciences, prend sa source dans le mystère de l'esprit inquisiteur des Grecs, car ces derniers ont fait du passé quelque chose de fort différent de ce qu'on y voyait en Inde ou en Chine. La mythologie grecque, l'élément de la culture hellénique qui nous est le plus familier, n'est pas l'expression la plus distinctive du regard que les Grecs portaient sur le passé.

L'une des plus grandes inventions grecques a été l'idée de l'histoire. Le mot, de même que tous ses cousins européens, vient du latin *historia*, dérivé du grec *historiê* qui signifiait « enquête » ou « savoir par enquête ».

Ce sens original a survécu dans l'expression « histoire naturelle » qui signifie « enquête sur la nature ». Et cette notion d'« enquête », caractéristique de la pensée grecque a porté ses fruits au VIe siècle avant Jésus-Christ, durant l'Age d'or ionien. Ce sont les scientifiques modernes qui passent pour les héritiers de cet esprit, mais les historiens ne le sont pas moins. Peut-être l'histoire était-elle un dérivé de l'étude de la médecine, par laquelle les Grecs observaient comment le fonctionnement du corps variait selon l'environnement, le climat et l'alimentation, ce qui put les amener à se poser des questions sur les coutumes diverses des différentes communautés. Hécatée de Milet (v. 550-489 av. J.-C.), l'un des premiers et des plus connus parmi les pionniers de l'histoire grecque écrite, a compilé des généalogies et étudié en détail les légendes des grandes familles mythiques. « Ce que j'écris ici, tint-il à préciser, est le récit de ce que j'ai considéré comme véridique. Car les histoires des Grecs sont nombreuses et, à mon avis, ridicules. » Grand voyageur, Hécatée nota la variété des coutumes et établit un rapport entre les lieux où vivaient les gens et la façon dont ils vivaient. Il contribua ainsi à développer la conscience cosmopolite de la relation entre la géographie et l'histoire, si aiguë chez les Grecs.

Comme nous l'avons vu, avant la progression de l'imprimerie typographique, la poésie — véhicule commode et plaisant pour la mémoire — était la forme habituelle pour la transmission d'innombrables faits, connaissances et traditions prosaïques, qui allaient des règles grammaticales ou de la morale aux articles de la foi religieuse et aux aventures des héros populaires. Ce fut la poésie et non la prose qui la première servit à emmagasiner les souvenirs de la communauté. Lorsque, au VIe siècle avant Jésus-Christ, les écrivains de l'Age d'or ionien se mirent à écrire sur le passé en prose, cette innovation fut très remarquée. Elle leur valut le nom de « logographes » ou écrivains en prose. Personnages de transition entre les poètes épiques et les historiens critiques, ils continuaient à retracer l'existence des dieux et des héros, ainsi que des légendaires fondateurs des diverses cités. Ils n'étaient donc encore que des protohistoriens, mais ce furent eux qui hardiment firent les premiers pas pour libérer le passé connu de la communauté du cadre encombré de traditions que lui imposaient le rythme, les vers et les chants. L'esprit historique naquit de la mise en prose de l'expérience.

A l'origine, toutes les muses étaient des déesses du chant et ce ne fut qu'assez tard qu'elles en vinrent à être identifiées avec diverses sortes de poésies, d'arts et de sciences. Homère, qui ne précise jamais clairement le nombre des muses, parlait tantôt d'une seule, tantôt de plusieurs. Il les a décrites occupées à chanter pour des dieux lors des banquets olympiens, accompagnées par la lyre d'Apollon. Hésiode, postérieur au grand aède, distinguait quant à lui neuf muses, mais leurs rôles bien particuliers ne s'affirmèrent que plus tard. « Nous savons dire des mensonges qui ressemblent à la vérité, ont-elles confié à Hésiode, et nous savons, lorsque nous le désirons, dire la vérité. » A plusieurs siècles de là, Aristote accordait toujours une plus grande dignité à la poésie qu'à l'histoire : « La chose se résume en fait à ceci : l'une décrit ce qui s'est passé, l'autre ce qui aurait pu arriver. De ce fait, la poésie est un peu plus philosophique et sérieuse que l'histoire ; car elle parle de l'universel et l'histoire du particulier. » Pour préférer le particulier à l'universel, le fait qui douche plutôt que le mythe qui enivre, il fallait à la fois du courage et de l'abnégation.

Un sens naissant de l'histoire incita très tôt les écrivains audacieux à faire descendre les dieux sur terre. Un Grec de Sicile, Évhémère (v. 300 av. J.-C.), a écrit une *Histoire sacrée* à partir d'inscriptions anciennes qu'il prétendait gravées par Zeus en personne sur la colonne en or d'un temple situé sur l'île de Panchae, dans l'océan Indien. Évhémère émettait l'idée que les dieux étaient à l'origine de simples mortels, héros ou conquérants, ultérieurement déifiés. Il assurait que Zeus et sa famille, par exemple, étaient une ancienne famille royale de Crète et il affirmait pouvoir fournir des documents attestant toute l'histoire primitive du monde depuis Uranus, grâce aux fameuses inscriptions. Cette doctrine, connue sous le nom d'évhémérisme, devait être reprise par les premiers chrétiens pour prouver que toute la mythologie païenne était une invention purement humaine, tout comme l'apothéose romaine des empereurs.

Certains éléments de l'esprit historique moderne brillaient avec éclat dans deux ouvrages distinctement grecs. Hérodote et Thucydide, qui vivaient tous deux au VI$^{e}$ siècle avant Jésus-Christ, allaient devenir les pères ou, plus précisément, les parrains des historiens modernes.

Hérodote (v. 480-v. 425 av. J.-C.), qui écrivait bien entendu en prose, appartenait à la nouvelle tradition des logographes. Natif d'Halicarnasse, une ville ionienne sur la côte sud-ouest d'Asie Mineure, gouvernée d'abord par les Lydiens, puis par les Perses, il avait l'avantage d'être issu de la périphérie de la culture grecque. Loin des centres établis d'Athènes ou de Sparte, il était en contact journalier avec des peuples non grecs. Dans le Péloponnèse, les Grecs considéraient peut-être les coutumes des « barbares » (c'est-à-dire des étrangers) avec de l'amusement ou du mépris, mais Hérodote né sous le joug barbare espérait apprendre à leur contact.

Alors que les Grecs possédaient un ample fonds de mythes pour expliquer les origines de leurs propres coutumes, ils n'en avaient aucun pour expliquer celles des Lydiens ou des Perses. Hérodote projeta donc d'étudier la géographie et les façons de vivre des peuples non grecs. Voyageant à travers l'Asie Mineure, les îles Égéennes, l'Égypte, la Syrie et la Phénicie, la Thrace, la Scythie et encore plus à l'est jusqu'à Babylone, il s'intéressa avant tout aux centres urbains. En 445 avant Jésus-Christ, alors qu'il se trouvait à Athènes, où il s'était lié d'amitié avec Périclès et Sophocle, il décida de refondre son étude ethnographique en une histoire des guerres médiques (550-449 av. J.-C.) et partit donc revisiter les sites des batailles et suivre les routes empruntées par les armées. Sans disposer de récits écrits contemporains, de mémoires des principaux généraux, de documents du ministère de la Guerre, il dut patiemment reconstruire l'histoire à partir de la tradition orale, de ses voyages et de ses observations. Il examina sans passion la variété des coutumes locales, notant que les hommes préféraient naturellement celles qu'ils pratiquaient depuis leur naissance. Lorsque Darius demanda à ses sujets grecs combien il faudrait les payer pour qu'ils consentissent à manger les corps de leurs pères au lieu de les brûler sur des bûchers funéraires, aucune somme ne parvint à les tenter. Il envoya alors chercher certains Indiens qui avaient pour coutume de dévorer les corps de leurs pères défunts et voulut savoir ce qui pourrait les inciter à les brûler, mais à aucun prix ils ne voulurent entendre parler d'un tel sacrilège. Partout, en conclut Hérodote, la coutume est reine.

Il hasardait plus librement des hypothèses sur les origines et manifestait un sens critique plus aigu que ne devaient le faire les historiens chrétiens durant les deux millénaires suivants. N'étant limité par aucun dogme concernant la création, il pouvait faire remonter indéfiniment le temps historique. « Rien n'est impossible, se hasarda-t-il à dire, dans le long écoulement des âges. » Si le Nil inversait son cours et se jetait dans la mer Rouge, « qu'est-ce qui pourrait bien l'empêcher d'être remplie par le fleuve en l'espace de vingt mille années, à l'extrême limite ? »

A la génération suivante, Thucydide (v. 460-v. 400 av. J.-C.), dans son *Histoire de la guerre du Péloponnèse*, resserra sa vision jusqu'à celle de l'histoire politique. Nous ne connaissons pratiquement rien de sa vie, sinon que son père portait un nom thrace et qu'il possédait une concession pour une mine d'or en Thrace et fut exilé d'Athènes pendant vingt ans. Lui aussi bénéficiait de certains des avantages offerts aux témoins du dehors. En 431 avant Jésus-Christ, lorsque commença la nouvelle guerre d'Athènes, qui devait être décisive, il était encore jeune et il résolut d'enregistrer l'histoire de cette lutte, tâche à laquelle il se tint durant les vingt-sept années suivantes. Dès le départ, il proposait un véritable credo valable pour tous les historiens à venir :

> Il ne doit pas se laisser détourner du droit chemin par les fantasmes exagérés des poètes ni par les récits des chroniqueurs qui cherchent davantage à flatter l'oreille qu'à dire la vérité... au fil des âges, la plupart des faits sont passés dans le domaine de la fiction. Malgré la distance temporelle, il doit être bien décidé à ne se satisfaire que de conclusions reposant sur les preuves les plus claires que l'on peut avoir... Je ne me suis pas hasardé à parler des événements de la guerre en me fondant sur des renseignements fortuits, non plus que sur des notions qui me sont propres : je n'ai rien décrit que je n'aie vu moi-même ou appris d'autres personnes auprès de qui j'ai fait des recherches tout à fait

soigneuses et détaillées. La tâche a été laborieuse, parce que les témoins des mêmes événements en faisaient des rapports différents, selon que leurs souvenirs ou leur intérêt penchaient d'un côté ou de l'autre. Et fort probablement le caractère strictement historique de mon récit risque d'être décevant pour l'oreille. Cependant, si quiconque désire avoir sous les yeux un tableau véritable des événements qui ont eu lieu, et des événements analogues dont on peut attendre ultérieurement la venue, dans l'ordre des choses humaines, juge mes écrits utiles, je serai satisfait. Mon histoire est un bien éternel et non une composition rédigée pour gagner quelque prix, oubliée sitôt qu'entendue.

Bien qu'il ait survécu à la guerre, Thucydide n'acheva jamais son œuvre. Lorsque l'ouvrage fut publié à titre posthume, de nombreux autres historiens s'efforcèrent de le terminer.

Nul autre historien grec de leur envergure ne succéda à Hérodote et Thucydide. La recherche historique au sens moderne, la quête pour savoir comment les choses se sont réellement passées, uniquement dans le but d'amplifier la connaissance du passé, n'avait pas grand attrait pour les Grecs à l'apogée de leur civilisation. L'âge d'or ionien, à l'encontre du Siècle des lumières européen, ne fut pas fertile en ouvrages historiques, bien qu'il ait produit une riche littérature de fiction et des écrits qui ont fait date en biologie, mathématiques, astronomie et médecine. La chose s'explique en partie par le phénoménal génie grec en matière de poésie, épopée et tragédie, qui paraît avoir comblé tous les besoins émotionnels, et en partie par le charme hypnotique que semblaient exercer sur ce peuple les théories philosophiques universelles, telles que les éblouissantes idées de Platon. Comme nous l'avons vu, Aristote lui-même, avec son amour de la spécificité, se refusait à accorder à l'histoire une grande dignité, précisément parce qu'elle ne racontait que « ce que faisait Alcibiade ou ce qu'on lui avait fait ».

## 70

## *Le christianisme montre la voie*

Les grandes religions de l'Orient, l'hindouisme et le bouddhisme, qui étiraient la vision humaine tout au long de grands cycles infinis, bien loin au-delà des saisons et des années d'une seule vie ou d'une génération, fournissaient à l'homme un refuge hors de ces cycles, en l'aidant à se fondre dans le Tout. La promesse hindoue était le *sansara* (qui en sanscrit signifie « migration »), la faculté d'échapper à la ronde interminable non pas grâce à la « vie éternelle », mais en laissant l'individu se fondre dans un Absolu anonyme et immuable. Le bouddhisme, lui aussi, proposait un moyen de se soustraire à la « lassante réitération » de la vie en gagnant le *nirvana* (qui veut dire « extinction » en sanscrit), la fusion du moi avec l'univers.

Les grandes religions occidentales, qui cherchaient elles aussi à fuir l'univers animal de l'encore-et-toujours, choisirent une voie diamétralement opposée. Alors que les hindous et les bouddhistes s'efforçaient de *sortir* de l'histoire, le christianisme et l'islam s'évertuaient à y *rentrer*. Au lieu de promettre un moyen d'échapper à l'expérience, ils cherchaient à y trouver leur signification. L'une et l'autre foi prenaient racine dans le judaïsme et tous trois révélaient un changement radical, passant d'un univers cyclique à un univers historique.

Les dieux grecs, trônant pour l'éternité au sommet de l'Olympe, n'avaient pas exhorté les mortels à se rappeler leur passé. Le judaïsme, en revanche, religion historique d'une façon tout à fait étrangère à l'hindouisme, au bouddhisme ou au confucianisme, était orienté vers lui. « Bienheureuse est la nation, chantait le psaume, dont le dieu est le Seigneur, et le peuple qu'il a choisi pour lui donner son héritage. » Pour les juifs, les desseins de Dieu étaient révélés dans le passé, lui-même consigné dans les Saintes Écritures. En se remémorant les faveurs et les tribulations qu'ils devaient pareillement à Dieu, les juifs découvraient et se rappelaient leur mission en tant que peuple élu. Évoquer leur passé, c'était évoquer Dieu. Les Écritures racontaient l'histoire du monde depuis sa création et les fêtes juives célébraient ou reconstituaient le passé. Chaque semaine, le sabbat venait rappeler les six jours de la Création et le septième jour de repos octroyé par Dieu. La Pâque juive commémorait l'exode d'Égypte, marqué tous les ans par le Haggadah, le récit de l'histoire. Tandis que le fils prodigue de la liturgie de la Pâque ne voyait dans le Haggadah qu'une histoire arrivée à d'autres hommes en d'autres temps, le fils sage comprenait bien qu'il faisait lui-même partie de ceux que le Seigneur avait menés hors d'Égypte. En ce sens, le judaïsme était résolument tourné vers le passé et, qui plus est, anti-historique. On lisait les Écritures pour renforcer ce que les juifs savaient déjà.

Les juifs faisaient, et font d'ailleurs toujours, commencer leur calendrier à la date traditionnellement fixée pour la Création. La mission historique d'Israël, en sa qualité de peuple élu, était déterminée par un événement particulier, l'alliance de Dieu avec Abraham, par laquelle le Seigneur s'était engagé à être le Dieu d'Abraham et de toute sa postérité et leur avait promis la terre de Canaan, tandis que le peuple d'Israël acceptait de n'adorer que Lui et Lui seul et de respecter Ses commandements.

Le *Pentateuque*, qui regroupe les cinq premiers livres de l'Ancien Testament, fait la chronique de cette alliance historique et de son aboutissement : la remise des tables de la Loi à Moïse sur le Sinaï. Les théologiens chrétiens l'appelaient l'Ancienne alliance, parce qu'ils croyaient que Jésus était venu forger une nouvelle et meilleure alliance entre Dieu et l'humanité. Cela explique les termes « Ancien Testament » et « Nouveau Testament » pour désigner les deux parties de la Bible, car le mot « testament » est dérivé d'une mauvaise traduction en latin d'un mot grec signifiant « alliance », utilisé dans la traduction des Saintes Écritures rédigées à l'origine en hébreu.

La Création et l'Alliance relevaient davantage de la tradition que de l'histoire. Bien que le Dieu d'Israël fût un dieu universel, la religion du peuple élu n'en restait pas moins tribale. Ses lois et coutumes étaient en majeure partie restreintes aux peuples censés descendre d'un ancêtre commun.

Le christianisme était une religion historique dans une nouvelle acception du terme. Son essence et sa signification étaient issues d'un événement unique, la naissance et la vie de Jésus. Solidement enraciné dans la tradition juive, Jésus (forme grecque du nom hébreu Josué qui signifie « sauveur ») a été circoncis et confirmé selon la coutume juive ; il a prêché et enseigné exactement comme un rabbin itinérant. Le texte fondamental du christianisme — les évangiles de Matthieu, Marc, Luc et Jean — propose des biographies chronologiques de Jésus, qui nous rendent compte de sa vie, sa mort et sa résurrection.

Le seul nom d'« évangile » (du bas latin *evangelium*, dérivé du grec *euaggelion* qui signifie « bonne nouvelle ») proclame qu'il s'agit d'une religion qui prend résolument souche dans l'histoire, en se fondant sur un événement sans précédent, affectant le monde entier. La venue de Jésus a été la première et la plus importante des bonnes nouvelles. Le calendrier chrétien commémore donc les événements de la naissance et de la vie de Jésus — depuis l'Annonciation (25 mars) jusqu'à Noël (25 décembre), puis à la Circoncision (1er janvier), l'Épiphanie (6 janvier, qui commémore le baptême de Jésus, la visite des Rois mages à Bethléem et le miracle de Cana), la Chandeleur (2 février, en l'honneur de la purification de la Sainte Vierge et de la présentation de Jésus au temple), et la Transfiguration (6 août). De même, les fêtes de Pâques commémorent les événements qui ont entouré la résurrection du Messie. Le chrétien qui croit au caractère unique de ces faits compte, assez naturellement, les années à partir de la naissance de son sauveur, Jésus-Christ.

La promesse de ce dernier, qui n'est autre que le moyen grâce auquel les chrétiens échappent aux cycles, n'était pas quelque fuite vers l'universel, mais, au contraire, l'extension éternelle de l'individualité de la personne. Les Évangiles promettent à maintes reprises que « quiconque croit en lui ne périra pas, mais jouira de la vie éternelle ». Donc, l'idéal chrétien n'était pas de se soustraire à une nouvelle naissance, mais au contraire de renaître et de vivre ainsi à jamais d'une vie éternelle dans les cieux. « Quiconque n'a pas été régénéré ne verra pas le royaume de Dieu. »

La découverte chrétienne de l'histoire, qui a sa source dans les Évangiles, était le produit de la révélation et de la raison, de la crise et de la catastrophe.

Edward Gibbon a relaté comment, la nuit du 24 août 410, les Goths, « guidés par l'audacieux et rusé génie d'Alaric », ont pénétré dans Rome. « A minuit, la porte salarienne fut silencieusement ouverte et les habitants de la ville furent éveillés en sursaut par le bruit terrifiant de la trompette gothique. Onze cent soixante-trois ans après la fondation de Rome, la ville impériale, qui avait soumis et civilisé une si considérable partie de l'humanité, fut livrée à la furie licencieuse des hordes d'Allemagne et de Scythie. » Gibbon retrace le sac de Rome dans quelques-unes de ses pages les plus vivantes et les plus convaincantes — qui comptent aussi parmi les plus sensuelles.

A cette époque, l'évêque chrétien d'Hippone, un poste colonial romain en Afrique du Nord, n'était autre que le prodigieux Aurelius Augustinus (354-430), écrivain énergique et fécond, mieux connu de la postérité sous le nom de saint Augustin. Il devait avoir sur la pensée chrétienne plus d'influence que quiconque entre saint Paul et Luther.

Augustin nous a laissé un récit coloré de sa jeunesse dans ses *Confessions*, qui, pour le psychologue William James, représentaient encore au XX$^{e}$ siècle le récit classique d'une expérience de conversion. La mère d'Augustin l'avait élevé dans la foi chrétienne, mais lorsqu'à seize ans il partit à Carthage pour y parfaire son éducation, il délaissa la religion pour s'adonner à l'étude de la rhétorique. Il se lança accessoirement dans l'astrologie, dont les faciles prophéties le tentaient. Avant d'avoir vingt ans, Augustin avait déjà pris une concubine qui lui avait donné un fils. Attiré par la capitale de l'empire, il les emmena avec lui à Rome, où il espérait trouver un emploi de maître de rhétorique. Ayant échoué dans ce projet, il accepta d'aller enseigner à Milan, où il subit l'influence de l'éloquent évêque de la ville, saint Ambroise. Cela marqua le début de sa conversion. Tout comme Bouddha avait, dans sa quête de l'édification, abandonné sa femme et son fils, Augustin renvoya sa maîtresse, mère de son enfant, qui le quitta à contrecœur, en proie au plus profond chagrin. Après son départ, Augustin, de nouveau persuadé que la continence lui était impossible, prit une autre concubine, tout en priant Dieu : « Donnez-moi la chasteté et la continence — mais pas tout de suite ».

Et puis, un jour, dans un jardin de Milan où il expliquait à son élève Alypius la lutte intérieure qui le déchirait, il fut frappé par la grâce :

> Ainsi parlai-je en pleurant, tant était amère la contrition de mon cœur, lorsque soudain j'entendis, venant d'une demeure voisine, une voix, de jeune garçon ou de fille, je ne sais, qui répétait souvent en chantonnant : « Prends et lis, prends et lis. » Tout aussitôt, ma contenance se modifia, je me mis à réfléchir intensément et à me demander s'il existait un jeu quelconque durant lequel les enfants chantaient les paroles que je venais d'entendre ; je ne parvins pas à me rappeler les avoir jamais entendues. Alors, refoulant le torrent de mes pleurs, je me levai ; interprétant ce chant comme un commandement de Dieu,

qui m'ordonnait d'ouvrir le livre et de lire le premier chapitre que je trouverais... je le saisis, l'ouvris et, en silence, lus le passage (de l'épître de saint Paul) sur lequel mes yeux se posèrent tout d'abord : Ne vous livrez pas à la débauche et à l'ivresse, à la luxure et au libertinage, à la lutte et à la convoitise, mais fiez-vous à Notre Seigneur Jésus-Christ et ne faites aucun projet pour la chair dans la concupiscence. Je ne lus pas plus avant et n'en avais d'ailleurs nul besoin ; car dès la fin de cette phrase, sous l'effet d'une lueur de sérénité, pourrait-on dire, qui s'infusa dans mon âme, toutes les ténèbres du doute s'évanouirent.

Il se retira dans un monastère, puis, après avoir été baptisé en 387 par Ambroise en personne, il regagna l'Afrique, où il devint le défenseur de l'orthodoxie chrétienne. Dans une centaine de livres et au moyen d'innombrables lettres et sermons, il s'en prit aux principaux hérétiques de son temps — les manichéens, les donatistes, les pélagiens, les ariens. En 395, alors qu'il n'avait encore que quarante ans, il fut sacré évêque d'Hippone et il y passa le reste de sa vie car un règlement ecclésiastique interdisait le transfert des évêques.

Lorsque Augustin apprit le sac de Rome, il était pleinement préparé, à la fois par son génie et par son expérience, à expliquer la signification du christianisme dans l'histoire et celle de l'histoire pour le christianisme. Bien qu'il ne connût qu'imparfaitement le grec, il maniait le latin en véritable maître. Selon les théologiens chrétiens, « même s'il n'est pas le plus grand des écrivains latins, il est certainement le plus grand des hommes qui ont jamais écrit en latin ». Saint Augustin s'inspira du cataclysme qui s'était abattu sur Rome en cette nuit du 24 août 410. L'Église avait bien besoin d'être défendue. Nombreux étaient ceux qui imputaient la chute de Rome à la montée du christianisme. On disait que la foi de Jésus-Christ, que venaient d'embrasser tout récemment Constantin et ses partisans, était le cancer de l'Empire romain. La ville éternelle serait-elle jamais tombée si l'empire n'avait pas été « affaibli » par le christianisme ? Que présageait tout ceci pour l'humanité ?

Dans *La Cité de Dieu*, Augustin entreprit de répondre à ces questions. Il se lança dans la rédaction de cet ouvrage peu après avoir appris le sac de Rome et s'y tint pendant les quinze années suivantes. Il choisit de s'opposer à la théorie cyclique de *La République* de Platon, selon laquelle le monde ne durerait que soixante-douze mille années solaires. Les trente-six mille premières années devaient être un âge d'or, mais les trente-six mille autres, durant lesquelles le Créateur aurait relâché le contrôle qu'il exerçait sur le monde, seraient une ère de désordre, s'achevant dans le chaos. Alors la déité interviendrait pour renouveler le cycle. Par contraste, la république d'Augustin existait non pas de façon hypothétique, mais dans l'histoire ; et il choisit comme point de départ les événements historiques de son temps.

Augustin commença son volumineux ouvrage par les circonstances mêmes de la chute de Rome qui devaient plus tard captiver Gibbon, « afin de justifier les voies de la Providence, en ce qui concerne la destruction de la grandeur romaine ». Il se disait frappé par la modération des envahisseurs barbares. Jamais auparavant on n'avait vu les sanctuaires, d'un peuple conquis épargnés par le vainqueur. Étant donné que les Romains, pour leur part, ne laissaient jamais debout les temples de leurs adversaires, l'histoire prouvait que les dieux païens étaient incapables de protéger leurs adorateurs. Lorsque les Grecs avaient envahi Troie (il cite *L'Énéide* de Virgile, II, 761-767), ils s'étaient servis du temple de Junon pour y entreposer le trésor de la ville jusqu'à ce qu'il fût temps de répartir le butin et pour y parquer les prisonniers troyens destinés à l'esclavage. Or, la déesse païenne était restée totalement impuissante ! Bien qu'elle ne fût pas « quelque vulgaire déité, de l'espèce commune, mais la sœur de Jupiter, reine de tous les autres dieux, (Junon) n'en fut pas moins incapable d'offrir un refuge à ses fidèles ». Combien différente était l'expérience de Rome, où les églises étaient des monuments consacrés au souvenir des apôtres de Jésus-Christ ! « Là-bas (à Troie), la liberté fut perdue, ici (à Rome), préservée ; là-bas, la servitude pénétra à l'intérieur du temple, ici elle fut refoulée à l'extérieur ; là-bas, les hommes y furent traînés par leurs fiers ennemis pour être soumis à l'esclavage ; ici, ils furent poussés par leurs pitoyables ennemis pour en être protégés. »

Ce seul épisode, Alaric épargnant les églises romaines, dressa le décor pour la grandiose interprétation chrétienne du passé par saint Augustin, laquelle donnait à l'histoire une direction nouvelle. L'évêque d'Hippone recueillit d'autres exemples susceptibles de réfuter toute hypothèse selon laquelle c'était parce que les Romains avaient récemment abandonné leurs dieux païens que les invasions barbares et le sac de Rome avaient eu lieu. Si ces dieux n'étaient même pas capables d'assurer la sécurité de leurs fidèles en ce monde, comment pouvaient-ils leur garantir la félicité dans l'autre ? Il était impossible que la vie éternelle fût de leur ressort. Ayant ainsi disposé des vestiges de la foi païenne, Augustin établit sa grande distinction entre les deux « cités ». Celle de Dieu, communauté universelle des vertueux, où séjournent Dieu, ses anges et tous les saints du ciel, en plus de tous les hommes intègres sur terre, « recrute ses citoyens parmi toutes les tribus et rassemble la confrérie de ses pèlerins quelle que soit leur langue, sans tenir compte de ce qui diffère dans les coutumes, les lois ou les institutions ». L'autre cité, celle, familière, de ce bas monde, englobe tous les habitants de la terre et tout ce qui s'y passe.

Dans le restant de son ouvrage, Augustin décrit sa vision « des commencements et des fins » de ces deux cités, « les deux cours contraires suivis par la race humaine depuis ses origines, celui des fils de la chair et celui des fils de la promesse » ; il termine en dépeignant « la fin qui leur est assurée ». Tout s'achève par la perfection, la glorification et l'apothéose de la cité de Dieu, qui n'est pas de ce monde. Cette notion allait dominer la pensée chrétienne concernant l'histoire tout au long du Moyen Age.

Augustin n'exposait pas encore une doctrine du progrès, au sens moderne du terme. Il ne laissait pas de place à la nouveauté, au bonheur inattendu. Il annonçait, cependant, une idée de progrès, d'espoir d'une vie meilleure sur la terre. L'Empire romain, déclarait-il, avait réuni le monde pour que Jésus-Christ pût y naître et fournir à l'Église l'occasion de dominer l'univers.

Pour saint Augustin, une théorie cyclique de l'histoire était inconcevable, voire abominable, car elle niait le caractère unique de Jésus-Christ et la promesse de son évangile. Dans ses *Confessions*, il a noté sa propre lutte contre « les divinations mensongères et les radotages impies des astrologues », qui enseignaient que les événements suivaient un modèle répétitif, déterminé par les cycles réitérés de l'agencement céleste. Certains des passages les plus éloquents de *La Cité de Dieu* attaquaient la théorie païenne des cycles *(circuitus temporum)* — « ces argumentations par lesquelles l'infidèle cherche à miner la simplicité de notre foi, en nous entraînant hors du droit chemin et en nous obligeant à marcher avec lui sur la route ».

Il nous avertit qu'il ne faut pas interpréter à tort la sagesse du roi Salomon dans l'Écclésiaste : « Ce qui a été est ce qui sera ; et ce qui est fait est ce qui sera fait ; car il n'y a rien de nouveau sous le soleil. »

> Nous serions bien éloignés de la vraie foi, si ces paroles de Salomon nous incitaient à croire qu'il s'agit de ces cycles au moyen desquels ils (les philosophes païens) supposent que les mêmes révolutions du temps et des choses temporelles se répètent, en sorte que tout comme à notre époque le philosophe Platon s'est tenu dans la ville d'Athènes et dans la prétendue Académie où il enseignait à ses élèves, de même à travers les siècles innombrables du passé, ce même Platon et cette même ville et cette même école et ces mêmes élèves se sont répétés et ils sont destinés à le faire à travers les siècles innombrables du futur. A Dieu ne plaise, dis-je, que nous gobions de telles fadaises ! Le Christ est mort, une fois pour toutes, pour nos péchés.

Les autres Pères de l'Église, eux aussi, interprétaient les prophéties de l'Ancien Testament non pas comme une vision cyclique de l'univers, mais comme une prédiction de la nature unique de Jésus-Christ. La prophétie que l'on trouve dans la Genèse, sur la venue d'un messie qui « sera l'espoir des nations », ne pouvait se référer qu'à Jésus. « Il était manifestement le seul, a écrit Origène d'Alexandrie quelque deux siècles avant Augustin, parmi tous ses prédécesseurs et... aussi parmi la postérité, à porter l'espoir des nations. » Jésus-Christ avait permis à l'humanité de descendre de la « roue ». La « finalité de Jésus », à partir de laquelle

Augustin avait élaboré une théorie de l'histoire, allait gouverner la pensée chrétienne en Europe pendant les mille années à venir.

Tant que le christianisme serait justifié dans l'histoire, ses vérités ne pourraient croître, mais seraient simplement réalisées. A l'optique juive du passé, les chrétiens ajoutèrent leurs propres textes sacrés. Selon eux, le Nouveau Testament accomplissait les prédictions de l'Ancien. Les deux ensemble constituaient les révélations du seul et unique Dieu, non seulement pour un peuple élu, mais pour toute l'humanité. Les Évangiles, tout en apportant leurs bonnes nouvelles au monde entier, n'étaient pas de l'histoire au sens grec d'enquête, mais des vérifications de la foi. Ils étaient à la fois la fin et le commencement. Pour les chrétiens, la grande épreuve était d'être prêts à croire uniquement à Jésus-Christ et à son message de salut éternel. Ce qu'on leur réclamait, ce n'était pas l'esprit critique, mais la crédulité. Les Pères de l'Église notèrent que, dans le royaume de la pensée, seule l'hérésie avait une histoire.

Dans leurs écrits, les chefs du christianisme ne se préoccupaient pas d'enquête. Ils n'avaient aucun besoin de chercher des réponses ; il leur fallait uniquement des documents pour étayer celles qu'ils avaient déjà. Durant les siècles où le christianisme domina l'Europe, les grands esprits de l'Église mirent au point leurs propres techniques pour utiliser au mieux le passé. Origène (185 ?-254), précoce Grec d'Alexandrie, prit à l'âge de dix-huit ans la tête de la principale école théologique chrétienne de cette ville et aurait, dit-on, écrit quelque huit cents ouvrages. Étant donné qu'il s'était émasculé pour être sûr de rester chaste, il lui était impossible d'être ordonné prêtre, mais ses enseignements firent de lui le théologien le plus influent avant saint Augustin. Véritable génie de l'allégorie, il parvint même à distinguer les grandes lignes du christianisme dans les écrits des Grecs, conférant ainsi à la nouvelle religion une aura d'antiquité, sans pour autant exposer la foi au danger du scepticisme historique. « Si la loi de Moïse n'avait rien contenu dont il fallait comprendre que le sens était sacré, fit-il observer, le prophète n'aurait pas dit, dans sa prière à Dieu : Ouvre mes yeux et je contemplerai des choses merveilleuses issues de Ta loi. »

A mesure que le monde méditerranéen commençait à adhérer à cette nouvelle religion et que les événements de la vie de Jésus s'éloignaient dans le passé, il devint nécessaire non seulement de prévoir Jésus dans les Saintes Écritures des juifs, mais de replacer tous les événements de la Bible et les actes des premiers chrétiens dans le contexte universel. Ce qui fut fait par le brillant successeur d'Origène, Eusèbe de Césarée (v. 260-340) ; ce dernier, assis à la droite de l'empereur Constantin, prononça l'éloge de ce souverain, qui inaugurait le concile de Nicée (325). Pour la première fois, sa chronologie agençait et embrassait tous les événements du passé chaldéen, grec et romain au sein du cadre biblique.

Eusèbe provincialisa l'histoire du monde pour en faire une histoire du christianisme. Son calendrier des événements mondiaux réussissait ce tour de force d'incorporer et d'excommunier tout à la fois le passé non chrétien :

> D'autres spécialistes de l'histoire notent les victoires de la guerre et les trophées pris à l'ennemi, l'habileté des généraux et le courage viril des soldats, ternis par le sang et par d'innombrables massacres au nom des enfants et de la patrie et d'autres possessions. Notre récit du gouvernement de Dieu en revanche enregistrera en lettres indélébiles les guerres les plus paisibles livrées au nom de la quiétude de l'âme ; il racontera les hauts faits accomplis par les hommes pour défendre la vérité plutôt que la patrie et la piété plutôt que les plus chers amis. Il transmettra par un souvenir impérissable la discipline et la fortitude maintes fois éprouvées des athlètes de la religion, les trophées arrachés aux démons, les victoires sur des ennemis invisibles, et les couronnes placées sur toutes leurs têtes.

Les siècles suivants produisirent quelques grandes ouvrages de théologie, une copieuse hagiographie des « athlètes de la religion », mais pendant mille ans l'esprit d'enquête historique dont Hérodote et Thucydide avaient été les précurseurs allait sommeiller. Les érudits chrétiens partageaient la foi d'Eusèbe dans « les paroles incontestables du Maître à ses disciples : Il ne vous appartient pas de connaître les temps ni les saisons que le Père a placés en son propre pouvoir ».

La vision chrétienne du passé nimbait les documents anciens d'un fin brouillard d'allégories et les récents acteurs d'une auréole de sainteté. L'histoire devint un appendice de l'orthodoxie. En Europe, tout au long des dix siècles suivants, il y eut des tentatives dispersées pour chercher des utilisations chrétiennes du passé, mais il ne se créa aucune tradition d'enquête historique. Saint Augustin se servit effectivement de données fournies par l'histoire pour illustrer sa *Cité de Dieu*. Les sept livres de l'*Histoire contre les païens*, de son disciple Orose (Ve siècle), démontraient que l'on ne pouvait imputer les maux des temps postchrétiens à la religion du Christ, car dans les temps plus anciens, les hommes avaient subi de pires calamités. Parmi les fugitifs qui se faufilaient à l'occasion hors des geôles de l'orthodoxie chrétienne, figurent des hommes tels que le Vénérable Bède (673-735), qui nous ont rendu le service d'incorporer longuement à leurs écrits les documents de leur époque. Pendant ce temps, les compilateurs d'annales comme la Chronique anglo-saxonne notaient les actes des rois et la carrière des églises et des monastères. Cependant, la matière première de l'histoire n'était pas de l'histoire.

Les premières tentatives de créer un passé « national » pour des nations rudimentaires suivaient parfois le modèle de *L'Énéide*. Tels les fondateurs de Rome dépeints par Virgile, d'autres fondateurs avaient été guidés par une providence divine. L'*History of the Kings of Britain* (v. 1150) de

Geoffrey de Monmouth faisait remonter les souverains de Grande-Bretagne aux Troyens.

On trouve quelques lueurs des techniques historiques modernes dans certaines œuvres écrites par des hommes d'État. Eginhard, compagnon et conseiller de Charlemagne, a brossé un portrait très vivant de l'empereur. Otton, évêque de Freising et petit-fils de l'empereur Henri IV, était suffisamment proche du trône pour nous donner un aperçu intime de son neveu, Frédéric Barberousse. Néanmoins, une exploration pleine et libre du passé restait impossible, tant que les registres écrits échappaient à toute étude critique. Les « auteurs » sacrés faisaient « autorité » et les chroniqueurs médiévaux préféraient cette « autorité » à l'expérience. Lorsque le vénérable Bède décrivait le mur d'Hadrien, qui se dressait toujours en vue du lieu qu'il habitait et devant lequel il passait tous les jours, il préférait citer un écrivain romain, plutôt que de décrire ce qu'il voyait.

## 71

## *La révision des textes*

De même que la « géographie » chrétienne, l'« histoire » chrétienne tendait à valider l'Église et l'État. Les souverains étaient fort satisfaits d'être légitimés par le fait qu'ils descendaient des Troyens ou des dieux. Une révision des anciennes notions concernant la planète promettait d'être très profitable. Les monarques européens étaient prêts à, voire désireux de financer les Christophe Colomb, Vasco de Gama, Magellan et autres John Cabot, afin de pouvoir faire valoir leurs droits sur les contrées et les océans. En réévaluant le passé, en revanche, ils ne pouvaient que perdre, si bien qu'ils préféraient conserver le statu quo. Pourquoi aller substituer des faits incertains à une légende solidement établie ?

Le passé, qui se trouvait partout et nulle part, était encore un traître no man's land, dépourvu de directives papales pour séparer les empires rivaux. Le souverain avisé était ravi de voir ses origines enveloppées dans les brumes rassurantes du mythe. Que n'iraient pas découvrir des érudits qui ne redoutaient rien ? Et l'imprimerie accroissait encore les périls. On ne s'étonnera donc pas de savoir que Côme de Médicis exerçait une censure spéciale (1537-1574) sur les écrits historiques ni que la reine Elisabeth causa bien des ennuis (1599) à l'auteur qui décrivit un peu trop librement la façon dont son prédécesseur Richard II avait été détrôné. Une vision kaléidoscopique du passé risquait d'évoquer les perspectives de bouleversements à venir.

En Europe, l'Italie de la Renaissance allait être le premier grand centre d'exploration du passé. Le rôle joué par le Portugal auprès des aventuriers sur le plan géographique, l'Italie le joua sur le plan historique et Florence en fut la Sagres. Alors que saint Augustin avait tracé les grandes lignes de l'avenir chrétien, le poète humaniste italien Pétrarque (1304-1374), à l'avant-garde de la Renaissance, fut un explorateur et un pionnier du passé. Ce furent justement les ruines spectaculaires de l'Empire romain, qui devaient inspirer Gibbon quatre siècles plus tard, qui éveillèrent chez lui un sens moderne de l'histoire. Tout au long du Moyen Age, ces reliques monumentales n'avaient excité chez les autochtones, les érudits et les voyageurs qu'une faible curiosité. On se posait fort peu de questions sur l'identité de ceux qui avaient construit ces édifices et sur la façon dont vivaient les peuples de l'Antiquité. Ces ruines restaient tout simplement les *Merveilles de la ville de Rome*, pour reprendre la description d'un auteur anonyme du milieu du XII^e siècle, et n'étaient connues que comme sites du mythe païen et de la légende sacrée. « Il y a, à Saint-Marc, un arc que l'on appelle la Main de Chair, rapportaient les *Merveilles*, car, à l'époque où dans cette ville de Rome, Lucie, une sainte femme, fut martyrisée pour la foi du Christ par l'empereur Dioclétien, il ordonna qu'elle fût couchée sur le sol et battue à mort ; or, celui qui la frappait fut transformé en pierre, mais sa main resta de chair, jusqu'au septième jour ; et c'est pour cela qu'aujourd'hui encore cet endroit s'appelle la Main de Chair. » Les édifices anciens étaient eux-mêmes des espèces de saintes écritures.

Lorsque Pétrarque se rendit pour la première fois à Rome, en 1337, il passa bien des heures fort plaisantes à vagabonder parmi les ruines, avec pour guide un frère franciscain de la famille des Colonna. Très vite, ces vestiges lui livrèrent de multiples indices concernant des modes de vie révolus, qu'il reconstitua dans une longue lettre au moine et dans un poème sur Scipion l'Africain, où il décrivait Rome au faîte de sa gloire. Les inscriptions que l'on pouvait lire sur les pierres devinrent des messages explicites en provenance du passé et il examina d'anciens manuscrits pour y découvrir d'autres traces. En 1345, à Vérone, Pétrarque retrouva de nombreuses lettres de Cicéron à ses collègues politiciens, qui transformèrent le personnage figé des salles de classe en un homme public débordant d'énergie, dont les observations émanaient directement de sa vie quotidienne de citoyen romain. Pour le poète, les pièces de monnaie anciennes représentaient une source historique qui lui permit de comprendre un passage obscur de Suétone. A chaque fois que l'on déterrait un nouveau trésor, on le lui apportait pour avoir son interprétation. Il considérait son importante collection de pièces romaines comme une galerie de portraits des empereurs romains et avec générosité il en offrit une sélection à l'empereur Charles IV (1316-1378), afin de lui faire voir les visages des César romains qu'il devait imiter.

Lorsque ce souverain s'inquiéta de l'existence d'un fort vieux document qui prétendait exclure « l'Autriche » de son empire, il fit appel à Pétrarque qui ne mit pas longtemps à prouver que le prétendu acte de donation était un faux. « Je ne sais qui l'a écrit, fit savoir l'Italien en 1355, mais je doute fort qu'il s'agisse d'un homme érudit ; c'est plutôt quelque écolier, quelque écrivain ignorant, animé par le désir de mentir, mais dépourvu de l'adresse nécessaire pour le faire correctement ; autrement, jamais il n'aurait fait des erreurs aussi sottes. » Pétrarque faisait remarquer que, dans le document fabriqué, César disait « nous » en parlant de lui-même (alors qu'il a toujours utilisé le singulier), qu'il s'appelait « Auguste » (alors que ce furent ses successeurs qui utilisèrent ce terme) et qu'il datait son document : « Vendredi de la première année de notre règne » (sans la moindre référence ni au mois ni au jour).

La fabrication de faux était d'ailleurs un art tout à fait prospère au Moyen Age. Les seigneurs féodaux en lutte les uns contre les autres et les rois de fraîche date, désireux de justifier l'ancienneté de la coutume, recherchaient avidement l'autorité tangible d'un document. L'utilisation croissante d'archives écrites accentuait le besoin de donations « authentiques » et le délit de faux, reconnu par le droit romain, était limité aux cas de propriété ou d'héritage. La falsification de documents pour soutenir une autorité reconnue était généralement considérée comme un acte de piété ou de patriotisme. Avant de pouvoir appliquer à un document trafiqué le terme honteux de « faux », il fallait bien croire que le passé historique n'était pas un tissu impalpable de mythe et de légende, mais revêtait au contraire une réalité solide et définissable. Le courage de jeter le discrédit sur un passé mensonger allait être un des symptômes de la montée de la conscience historique.

Le pionnier de l'histoire critique moderne fut un personnage mal embouché, plus doué pour poser des questions gênantes que pour fournir des réponses réconfortantes. Lorenzo Valla (1407-1457), enfant terrible du monde savant, était un apôtre de la vérité historique. On pourrait le dépeindre de façon plus parlante comme le Paracelse du savoir littéraire, comme un profane professionnel, comme l'ennemi du pédantisme, de l'apriorisme et de l'argutie. Né à Rome, où son père était avocat à la cour pontificale, il parvint à scandaliser les milieux érudits avant d'avoir trente ans. Il attaqua le stoïcisme, défendit Épicure et tourna en ridicule le latin barbare utilisé par Bartolus (1314-1357), le docteur révéré qui faisait autorité en matière de droit romain. Chassé de l'université de Pavie, il trouva un refuge temporaire à Milan, puis à Gênes, avant de partir s'installer dans le sud du pays, en qualité de secrétaire et historien royal d'Alphonse d'Aragon, qui s'évertuait alors à faire valoir ses droits au trône de Naples.

Les besoins politiques du roi Alphonse fournirent à Valla l'occasion d'accomplir son plus célèbre exploit de critique historique. Face au roi d'Aragon se dressait le pape Eugène IV qui revendiquait une autorité séculière sur l'Italie tout entière. Le pontife fondait sa cause sur la prétendue Donation de Constantin, contenue dans un document ancien par lequel l'empereur Constantin le Grand (280 ?-337) était censé faire don au pape Sylvestre Iᵉʳ (314-335) et à ses successeurs du gouvernement temporel de Rome et de tout le Saint Empire. Il voulait ainsi, disait-on, récompenser Sylvestre de l'avoir miraculeusement guéri de la lèpre et converti au christianisme. Durant le Moyen Age, ce document que nul ne songeait à contester était devenu l'arme la plus puissante de l'arsenal utilisé par les papes successifs contre les rois et les empereurs. Valla bénéficiait à présent d'une occasion de servir à la fois son protecteur et la cause de l'histoire, comparable à celle qu'avait saisie Pétrarque un siècle auparavant. Elle semblait faite sur mesure pour un homme doué d'un tempérament aussi iconoclaste que le sien. Son *Traité sur la Donation de Constantin*, publié en 1440, prouvait de manière si décisive que le document était une vulgaire contrefaçon que bien peu de champions de la suprématie papale osèrent dès lors s'en prévaloir. Puisant dans sa profonde connaissance des changements survenus dans l'usage du latin, Valla démontra que le document en question ne pouvait en aucun cas être authentique. Le faussaire était ignare au point de ne même pas savoir qu'à l'époque de Constantin un « diadème » n'était nullement une couronne en or mais une grossière étoffe ni que le mot « tiare » n'était pas encore utilisé. A chaque ligne, Valla signalait de flagrants anachronismes — « pourpre », « sceptre », « étendard », « bannière » et même le mot employé pour la conjonction « ou » — à côté de mots empruntés à l'hébreu, que les secrétaires de Constantin n'auraient jamais pu connaître.

Cette attaque contre une des citadelles de l'orthodoxie fut loin d'être la seule lancée par Valla. Il contesta le philosophe stoïcien Boèce et révisa l'interprétation des philosophes scolastiques en réduisant à trois les neuf catégories d'Aristote. Il critiqua le style de Cicéron et démontra qu'*Ad Herrenium*, le célèbre manuel de rhétorique et de mémoire, couramment attribué au grand orateur, n'était absolument pas de lui. De façon caractéristique, il déclara ensuite avec insistance que le « Credo des Apôtres » n'avait pu être composé par les douze disciples de Jésus. L'Inquisition l'ayant convaincu d'hérésie pour huit offenses différentes, notamment sa tentative de réviser Aristote, il aurait fini sur le bûcher si le roi Alphonse, son protecteur, n'était pas venu à son secours.

Valla prit le risque suprême en appliquant ses nouvelles techniques d'analyse critique de l'histoire à la Bible elle-même. Il s'en prit à la Vulgate publiée par saint Jérôme au ɪvᵉ siècle, qui avait fait autorité pendant tout le Moyen Age. Enfin, sur les instances du cardinal Bessarion qui avait fait don de sa superbe bibliothèque à la ville de Venise, il fournit des

*Annotations sur le Nouveau Testament* suffisamment dangereuses pour que l'ouvrage fût aussitôt mis à l'index par l'Église.

L'attaque de Valla contre les documents sur lesquels s'appuyait la suprématie papale n'empêcha pourtant pas le nouveau pontife, Nicolas V (1397 ?-1455), généreux mécène des arts et des lettres, de le nommer secrétaire pontifical. Le pape soutenait ses écrits historiques et lui commanda des traductions d'Hérodote et de Thucydide. Valla tira ses dernières cartouches en 1457, lorsqu'il fut prié de faire l'éloge anniversaire de saint Thomas d'Aquin pour les dominicains, à Santa Maria Sopra Minerva, à Rome. Devant une assistance ébahie il attaqua le saint sur sa manie d'ergoter et sur la « corruption » de son style, plaidant ensuite la cause de la simplicité théologique des Pères de l'Église.

La vie privée de Valla était aussi peu orthodoxe que son érudition. En dépit des nombreuses positions ecclésiastiques qu'il occupa, il ne fut sans doute jamais ordonné. On n'a retrouvé aucune trace officielle de son mariage, mais il avait à Rome une maîtresse qui lui donna trois enfants. Rien d'étonnant à ce que le mérite d'avoir ouvert la boîte de Pandore de l'histoire fût revenu à ce personnage si turbulent. L'imprimerie fit de ses écrits une véritable bombe à retardement. Lorsqu'elles furent enfin imprimées, ses *Annotations sur le Nouveau Testament* (1505) et son attaque contre la Donation de Constantin (1517, l'année où Luther afficha ses quatre-vingt-quinze thèses à la porte de l'église de Wittenberg) portèrent leur message explosif auprès d'un vaste public. Érasme et bien d'autres, s'inspirant de son exemple, s'empressèrent d'inclure l'histoire dans l'arsenal de la Réforme.

L'esprit critique servit aussi à tous les chrétiens dans leur lutte contre l'islam. La traduction du Coran, par Jean de Ségovie, séparait le texte le plus ancien des rajouts occidentaux plus tardifs. Dans un ouvrage sur le Coran (1460), l'éclectique Nicolas de Cues (1401-1464) analysait les différents éléments historiques qui constituaient le livre sacré, afin de prouver que le texte qui avait survécu était le résultat non pas de l'inspiration divine, mais des événements humains.

La guerre de Trente Ans (1618-1648) engendra d'innombrables controverses dans l'Europe entière entre princes catholiques et protestants revendiquant des juridictions fondées sur des documents anciens. En France, les nobles, soucieux de consolider légalement la cause de leur puissance locale contre les menaces de monarchie absolue, commencèrent ce que l'on appela ensuite les guerres diplomatiques. La science de la « diplomatique », essentielle aux fouineurs modernes de l'histoire, se développa en réponse à ces besoins. La « diplomatique » n'a pas grand-chose à voir avec la diplomatie ; le mot est dérivé du grec *diploma* (« doublé » ou « plié ») utilisé pour décrire des documents d'ordinaire pliés. Dans la Rome antique, les documents d'importance, lorsqu'ils étaient gravés sur un diptyque en bronze, étaient généralement pliés en deux et cachetés d'un sceau, non seulement parce qu'ils étaient ainsi plus commodes à ranger, mais afin d'en tenir le contenu secret. Au Moyen Age, le terme « diploma » n'était pas très courant, mais les écrivains de la Renaissance, en revanche, s'en servaient pour désigner tous les documents anciens, et particulièrement ceux qui établissaient des droits à une propriété ou à une autorité politique. Ce ne fut qu'au XVIIIe siècle qu'on l'utilisa en anglais pour désigner les certificats décernés par les académies.

En 1607, un jésuite hollandais plein d'initiative, Heribert Rosweyde, d'Utrecht (1569-1629), élabora un projet ambitieux pour réunir et publier les récits authentiques de la vie des saints chrétiens. Il comptait utiliser les toutes dernières techniques de la philologie et de l'étude critique des textes pour séparer la vérité de la légende, purifier la tradition religieuse et faire de l'hagiographie une science. Les pères jésuites, qui prenaient leur mission très au sérieux, horrifièrent les dévots d'Angleterre en anéantissant par leurs recherches la légende de saint Georges. L'un de ces pionniers de la critique historique, l'énergique Daniel Papebroech (1628-1714) à qui l'ont doit dix-huit de ces volumes, mit au point certaines règles pour la détection des faux documents qu'il appliqua ensuite aux chartes bénédictines, afin de prouver qu'elles étaient apocryphes. Il affirma qu'il n'existait aucune charte authentique antérieure à l'an 700. Or, si l'on parvenait à prouver que les droits revendiqués par les bénédictins sur les monastères français de Saint-Denis et de Corbie n'étaient pas valides, ces deux établissements reviendraient probablement aux jésuites.

Le brillant Jean Mabillon (1632-1707), récemment reçu dans l'ordre des bénédictins, était providentiellement qualifié pour défendre sa confrérie et pour élaborer en même temps les techniques de l'étude critique des textes. Issu d'une famille de paysans de Champagne, il fut tonsuré à l'âge de dix-neuf ans et passa ses années de jeunesse à voyager de monastère en monastère. A Reims, il visita l'église Saint-Rémi où les rois de France avaient été sacrés pendant des siècles et en traversant les cimetières où les premiers chrétiens de Gaule étaient inhumés, il se prit d'intérêt pour le témoignage qu'apportaient les pierres tombales. Au cours de ses recherches, il se montra même si diligent qu'il fut signalé pour s'être rendu coupable d'avoir « dépavé presque toute l'église ».

En réponse à Papebroech, Mabillon écrivit son *De Re Diplomatica* (« Sur l'étude des chartes médiévales », 1681, 1704), qui faisait de la diplomatique une technique subtile et complète pour authentifier les anciens documents. Le jésuite avait contesté les documents mérovingiens en raison de leur écriture très particulière. Mabillon rétorqua, au nom des bénédictins, en expliquant qu'au cours des siècles les graphismes avaient changé au moins autant que les événements qu'ils relataient. Il donnait des exemples d'écritures anciennes, depuis les lettres capitales de la Rome antique jusqu'aux graphismes du XVIIe siècle. Étudiant tout l'éventail des indices, il inaugura les sciences annexes de l'écriture (paléographie), du matériel utilisé pour écrire, des sceaux (sigillographie), des dates (chronologie) et du vocabulaire (philologie). Conjointement à ses principes sur le tri des témoignages et preuves historiques, il affirma de façon fort raisonnable que l'authenticité d'un document dépendait de la cohérence de tous les indices s'y rattachant. Papebroech lui-même dut bien finir par reconnaître que les principes de Mabillon étaient corrects et l'ouvrage du bénédictin devint un volume de référence pour les historiens du futur. Cependant, lorsqu'il fit porter ses critiques sur les légendes des saints les plus populaires, Mabillon courut le risque d'être poursuivi par les autorités ecclésiastiques. Vers la fin de sa vie, ayant mis à mal l'authenticité de prétendues reliques de saints, à Rome, il dut être défendu par le pape Clément XI en personne. La menace de l'Index elle-même ne suffit pas à le contraindre à se rétracter de façon substantielle, ce qui fit dire de lui à lord Acton : « Comme historien (il est) éminemment solide et digne de confiance, comme critique, le premier du monde. »

L'histoire moderne ne prit pas seulement son essor sous ses formes négatives, mais fut aussi le fruit d'un enthousiasme positif. La gloire naissante des cités italiennes et une florissante littérature vernaculaire en italien allaient fournir aux épopées des sujets séculiers. Les premiers hymnes nationaux allaient s'écrire sous forme d'histoire.

Les ouvrages sur Florence et l'Italie inaugurèrent un nouveau chapitre dans l'histoire de l'histoire. Les cités-États qui commençaient à éclore engagèrent des historiens officiels chargés de faire le récit de leur lutte pour la grandeur, de célébrer leurs modèles de *virtù*, hommes et femmes, et d'indiquer la voie de l'avenir. Leonardo Bruni (1368-1444) publia une *Histoire du peuple florentin* (Venise, 1476), qui démêlait l'histoire de la ville de son passé légendaire. La grandeur de Florence, expliquait-il, était issue de la République florentine et de son esprit de liberté. Rome aussi avait prospéré lorsqu'elle n'était que république et « l'Empire romain fut voué à la ruine à partir du moment où le nom de César s'abattit sur la ville comme une calamité ». L'Empire romain d'Occident avait, en réalité, pris fin au moment des invasions barbares, car celui de Charlemagne était artificiel. La fortune des cités italiennes avait repris son essor dès qu'elles eurent refait surface en tant que républiques libres. Flavio Biondo, de Forli (1392-1463), tout en célébrant Florence et l'Italie, fournit un schéma qui allait dominer et tyranniser la pensée historique européenne pendant des siècles. Séparant la grandeur de l'Antiquité des promesses de l'Italie moderne, il considérait les dix siècles qui avaient suivi la prise de Rome par Alaric comme une seule période « moyenne ». Flavio Biondo, que l'on a parfois appelé le premier historien médiéval, serait plutôt le premier conscient d'être moderne, car il semble avoir été l'inventeur du cadre tripartite : ancien, moyen et moderne. Bien qu'il n'ait jamais, pour sa part, utilisé l'expression « Moyen Age » (*medium aevum*), c'est lui qui a donné une nouvelle cohérence historique au millénaire consécutif à la chute de Rome. Jamais la pensée occidentale n'allait se remettre de la façon dont il avait découpé le passé européen en une période de gloire ancienne et de renaissance moderne, séparées par une période moyenne de désintégration et de déclin. Les historiens du vieux continent ont préservé ces catégories contraignantes et les ont même exportées vers l'Asie où certains de leurs collègues ont imprudemment fait référence à une « période médiévale » en Inde ou en Chine.

Parmi ces ouvrages florentins d'histoires proto-moderne, l'un de ceux qui continuent à nous distraire et à nous émouvoir est *L'Histoire de Florence et des affaires d'Italie* de Niccolo Machiavel (1469-1527). Le cardinal Jules de Médicis lui ayant commandé une histoire de Florence, en 1520, Machiavel emprunta sa matière première à Bruni, Flavio Biondo et d'autres pour un ouvrage qu'il remit en 1525 à son protecteur, devenu entre-temps le pape Clément VII. *Le Prince* que l'écrivain avait commencé quelques années auparavant était une miniature de l'histoire contemporaine, fondue dans un moule inhabituel. Dans l'*Histoire* de Machiavel, d'après Bruni, la moitié de l'ouvrage était consacrée à la période qui séparait les invasions barbares de l'accession des Médicis en 1434. La seconde partie retraçait les intrigues et les luttes de l'Italie florentine jusqu'à la mort de Laurent le Magnifique en 1492. Suivant l'exemple de Thucydide et de Tite-Live, Machiavel replaçait dans la bouche de ses personnages les propos qu'il jugeait appropriés à leur personnalité et aux événements qu'il rapportait ; la montée et le déclin de la république florentine, la corruption et la cruauté impitoyable des Borgio devinrent la matière d'une tragédie politique qui connut son apogée du vivant même de l'auteur. La façon dont il combinait l'esprit critique et la forme épique laissait présager les grands ouvrages de l'histoire moderne.

## 72

## *Des explorateurs parmi les ruines*

Un sous-produit fort rentable, mais peu évoqué de la grandeur de la Rome antique, a été le commerce médiéval des matériaux de construction. Pendant dix siècles, au moins, les marbriers romains se sont ingéniés à déterrer les ruines, à démanteler les anciens édifices et à dégager les pavages antiques afin de trouver des modèles pour leur propre travail et des matériaux pour les constructions nouvelles. Vers 1150, un groupe d'entre eux, l'École de Cosmati, créa même un nouveau style de mosaïque en utilisant les fragments retrouvés. A leur façon, les marbriers poursuivirent, en moins violent et en moins remarqué, le sac de Rome commencé par les Goths en 410, auxquels avaient succédé les Vandales en 455, les Sarrasins en 846 et les Normands en 1084. Le pillage des ouvriers romains fut continu, paisible et tout à fait autorisé.

Les minces plaques où figuraient les épitaphes étaient facilement incorporées à des bordures et des panneaux ou insérées dans les pavages, ce qui explique pourquoi les églises de Rome présentent un peu partout une telle foison d'inscriptions quelque peu décousues. Il était plus aisé d'extirper un bloc de marbre d'une ruine croulante ou de l'extraire de la terre romaine que d'aller le chercher péniblement au fond des carrières des collines de Carrare. A travers toute l'Italie, les villes médiévales en pleine expansion créèrent, par leurs ambitions rivales, une importante demande, apparemment inépuisable. Les *duomi* et les campaniles nécessitaient de massives fondations de pierre, d'épaisses murailles et des voûtes monumentales.

A mesure que l'industrie prenait de l'ampleur et que le butin récolté par les marbriers romains excédait la demande sur le marché total, ils se mirent à expédier leurs marchandises de plus en plus loin de la capitale, sur de légères embarcations côtières ; elles furent utilisées, entre autres, pour les nouvelles cathédrales de Pise, Lucques, Salerne, Orvieto et Amalfi. On reconnaît des morceaux de marbre romain dans la cathédrale de Charlemagne à Aix-la-Chapelle, dans l'abbaye de Westminster et dans plusieurs églises de Constantinople.

Les chaufourniers romains du Moyen Age prospérèrent en fabriquant du ciment à partir des fragments de temples, de thermes, de théâtres et de palais démolis, ainsi que d'ornements et de statues de marbre mis en pièces. Les chaufours de Sant'Adriano étaient spécialisés dans la cuisson des marbres du Forum impérial voisin, ceux de l'Agosta recevaient des morceaux du mausolée d'Auguste, tandis que ceux de La Pigna étaient alimentés au moyen de fragments arrachés aux thermes d'Agrippa et au temple d'Isis. Des fours temporaires furent édifiés aux thermes de Dioclétien, près de la maison de Livie, à la basilique Julia et au temple de Vénus et de Rome ; ils y restèrent jusqu'à l'épuisement des matériaux tout proches. Au cirque Flaminius, la zone entière avait été surnommée la carrière de pierres à chaux. Un document du Vatican, à la date du 1er juillet 1426, autorisait une compagnie de chaufourniers à démolir la basilique Julia, sur la Voie Sacrée, afin d'alimenter leurs fours avec des morceaux de travertin, à la seule condition que les autorités papales percevraient la moitié des profits.

Les papes de la Renaissance, qui se piquaient d'enthousiasme pour la culture classique, ne firent pas grand-chose pour défendre les vestiges de l'Antiquité. D'ailleurs la démolition des temples païens et de leurs idoles sculptées apparaissait comme un pieux devoir. Ce fut sous Nicolas IV (1397 ?-1455), protecteur de Valla et d'autres humanistes, que beaucoup des restes architecturaux les plus importants — autour du Capitole, sur l'Aventin, dans le Forum et jusqu'au Colisée lui-même — furent dénudés. Sous Pie II, qui émit une bulle (28 avril 1462) protégeant les ruines de Rome et écrivit même une élégie en leur honneur, certains des plus beaux monuments qui restaient furent transformés en matériaux de construction pour les nouveaux projets au Vatican. Finalement, lorsque le pape Paul III (1468-1549) s'aperçut que l'on précipitait en vrac dans les fours à chaux toutes les statues anciennes déterrées en ouvrant les rues de la ville, il remit en vigueur la peine de mort de la Rome antique contre quiconque détruirait de tels trésors. Cette mesure servit, dit-on, à accroître les collections particulières, mais sans vraiment mettre un frein à la vaste entreprise de démolition.

Pourquoi s'encombrer des vestiges d'un passé mort ? On ne s'intéressait guère à la vie quotidienne des païens et l'on soupçonnait à peine à quel point tout avait pu être différent. Les peintures médiévales représentaient les soldats de la Rome antique vêtus d'armures contemporaines. Ce ne fut que très progressivement que les peintres se rendirent compte que les costumes s'étaient modifiés au cours des siècles. Comme nous l'avons vu, Pétrarque lui-même s'était intéressé à ces changements et il s'appuya même sur les particularités de l'habillement grec pour expliquer un passage peu clair de *L'Iliade*. Mantegna (1431-1506) fit preuve d'un grand modernisme en s'efforçant de peindre le culte de Cybèle dans son décor authentique. « Le peintre prudent, fit valoir Gilio da Fabriano, dans son livre *Les Erreurs des peintres*, devrait savoir peindre ce qui convient à l'individu, au lieu et au temps choisis... N'est-ce point une erreur que de peindre saint Jérôme coiffé d'un chapeau rouge semblable à ceux que portent les cardinaux d'aujourd'hui ? Certes, il était cardinal, mais il n'a jamais porté un tel costume puisque c'est le pape Innocent IV qui, plus de sept cents ans après, a doté les cardinaux de robes et barrettes rouges... Tout cela provient de l'ignorance des peintres. »

On pouvait encore voir et toucher les vestiges, statues et ruines d'édifices publics en marbre. Ils rendaient donc l'histoire visible à la populace « illettrée », aux *non litteratissimi cittadini* d'Alberti, à l'intention de qui il dut écrire en italien. Durant les siècles qui allaient suivre, l'Acropole et le Parthénon, le Forum et le Colisée, les Pyramides et les temples de Karnak devaient cesser d'être de simples éléments d'un paysage pour devenir de véritables décors de théâtre où se déroulait le drame du passé. Alors, les millions d'individus qui ne savaient ou ne voulaient pas *lire* l'histoire furent en mesure de la *voir*.

Les pionniers de l'archéologie romaine suivirent des voies fort différentes. Au XIVe siècle, Pétrarque dénonça comme héritiers des Goths et des Vandales tous ceux qui participaient au démembrement de la grandeur ancienne. L'un des premiers à être fascinés par la magie de l'archéologie, Cyriacus d'Ancône (1391-1452), marchand itinérant, faisait des croquis de monuments et recopia des centaines d'inscriptions en Italie méridionale, en Grèce et au Moyen-Orient. « Notre art nous permet non seulement de faire ressortir des profondeurs des monuments que l'on a détruits, mais aussi de ramener à la lumière du jour le nom de villes anciennes. O quel grand, quel divin pouvoir est celui de notre art ! » Pour Poggio Bracciolini (1380-1459), une étude des ruines romaines fournissait l'introduction évidente à son œuvre, *Sur les revers de fortune* (1431-1448). Les enceintes successives de Rome marquaient clairement la croissance de la ville et illustraient la *Rome restaurée* de Flavio Biondo (1440-1446), qui montrait que Rome avait toujours été une ville en proie aux changements.

Certains des plus beaux talents de la Renaissance s'intéressèrent à l'exploration de l'Antiquité. Leon Battista Alberti (1404-1472), modèle de l'« homme universel » de Jacob Burckhardt, appliqua sa nouvelle science de la perspective aux relevés topographiques et à la cartographie des villes. Utilisant les principes géométriques de la perspective, il collabora avec un autre Florentin, Toscanelli (1397-1482), dont la carte du monde avait inspiré Colomb lors de son premier voyage, pour mettre au point le premier plan moderne de Rome. Les progrès qu'il réalisa rendirent possible une amélioration notable des plans des villes européennes au siècle suivant. Raphaël (1483-1520) voulait consacrer tout son talent à saisir une vision de la gloire ancienne. Lorsqu'il vint vivre à Rome, en 1509, il fut charmé par les ruines et scandalisé par les ravages quotidiens que leur faisaient subir les chaufourniers. Avec le soutien du pape Léon X, il avait déjà commencé à dessiner sa version idéale de la Rome classique lorsque sa mort prématurée, à l'âge de trente-sept ans, vint interrompre le projet.

A l'occasion de spectaculaires entreprises de « rénovation urbaine », les papes de la Renaissance, avec l'aide d'artistes, d'architectes, de condottieri, de marbriers et de chaufourniers, érigèrent d'élégantes nouvelles églises et de luxueux *palazzi*. Avec une ironie inconsciente, lorsque le pape Nicolas V, célèbre pour sa passion de la culture classique, commença à moderniser la ville en élargissant les vieilles artères et en ouvrant de nouvelles avenues, il démolit tout ce qui se dressait sur son passage.

Le sens croissant de l'histoire allait progressivement transformer la carrière de marbre romaine en un vaste musée à ciel ouvert, où les touristes incultes allaient pouvoir découvrir le passé. Dans l'Angleterre du XVIII$^e$ siècle, le mot « classical », qui à l'origine signifiait tout simplement « de première classe » ou de la meilleure qualité en vint à désigner spécifiquement ce qui émanait de la Grèce ou de la Rome antiques. La colonne romaine devint un symbole d'élégance architecturale et l'Antiquité « classique » fixa un critère de beauté valable sur tout le continent.

Le prophète et héros fondateur de l'archéologie moderne, qui annonçait l'irrésistible montée de cette discipline, fut Johann Joachim Winckelmann (1717-1768). Fils d'un pauvre cordonnier de Stendal, en Prusse, il refusa de suivre la carrière paternelle, préférant fréquenter une école voisine où l'instituteur était en train de devenir aveugle ; le jeune Winckelmann lui prêta ses yeux. Jamais il n'oublia sa dette envers ce maître qui éveilla son intérêt pour les livres. Très tôt, il conçut une passion, qui confinait à la manie, pour tout ce qui était grec. A cette époque, les érudits allemands qui connaissaient le grec s'en servaient principalement pour étudier le Nouveau Testament. A l'âge de dix-sept ans, Winckelmann partit pour Berlin afin d'y devenir l'élève d'un des rares lettrés allemands connus pour leur amour de la littérature grecque. A vingt et un ans, il se rendit à Hambourg, en vivant d'aumônes, dans le but de s'assurer la possession des textes classiques d'une célèbre bibliothèque dont on allait disperser le contenu. Ses errances estudiantines le menèrent de son école berlinoise à Halle pour y étudier la théologie, puis à Iéna où il suivit des cours de médecine. Tout en faisant semblant d'écouter les longs exposés des professeurs, il lisait en secret ses chers textes grecs.

Élevé dans le plus complet dénuement, il passa une grande partie de sa vie à rechercher la protection des riches et des puissants. Entré comme précepteur chez les Lambrecht, une famille fortunée, la beauté de son jeune élève excita chez lui « une passion qui a troublé la paix de mon âme ». Ce ne fut, cependant, que la première d'une longue série de passions non partagées. L'intérêt que portait Winckelmann au corps masculin renforça son admiration pour la sculpture grecque.

A cette époque, le poste séculier idéal pour un érudit sans fortune était celui de bibliothécaire d'un noble féru d'art, car le titulaire pouvait savourer une agréable routine qui consistait à réunir et arranger des livres, manuscrits et œuvres d'art dans une grande demeure de campagne. En 1748, à l'âge de trente ans, Winckelmann trouva un emploi de ce genre au château du comte von Bünau, près de Dresde, en Saxe. Il y passa sept ans, occupé à aider le comte à élaborer une histoire de l'Empire allemand. Dans la ville voisine de Dresde, que l'on appelait alors la Florence sur l'Elbe, on trouvait dans les différents musées et palais une des meilleures sélections de sculptures et de peintures anciennes et modernes que l'on pût espérer trouver en dehors de Rome et Paris. La ville elle-même offrait un spectacle renommé d'architecture baroque et rococo. Le palais filigrané de Zwinger, bâti pour abriter les cortèges et les réjouissances publiques, le Grosser Garten avec son foisonnement d'œuvres en marbre, dues aux imitateurs du Bernin, et enfin les nombreuses collections privées montraient bien ce que d'extravagants artistes modernes avaient fait subir aux motifs anciens. Winckelmann soupirait après la pure simplicité des originaux classiques.

La cour de Saxe, à Dresde, était alors un des centres du renouveau catholique. Winckelmann céda à cette influence et ne se le pardonna d'ailleurs jamais tout à fait. Pour lui, cependant, Rome ne pouvait être qu'une halte sur la voie du retour à la Grèce. Son livre *Réflexions sur l'imitation des œuvres des Grecs en peinture et en sculpture* (1755) prônait les mérites des œuvres antiques par rapport au classicisme imitateur de la Dresde berninienne. Grâce à la maigre pension que lui avait allouée l'Électeur de Saxe, il partit étudier à Rome. Une fois sur place, une liaison avec un peintre fortuné résolut le problème du logement et de la table et il parvint en outre à s'assurer la protection de divers cardinaux. Ayant commencé en qualité de bibliothécaire compagnon du cardinal Albani, il devint d'abord bibliothécaire, puis conservateur des antiquités romaines au Vatican. Il se fit gloire de la protection du « cardinal Passionei, un jovial vieillard de soixante-dix-huit ans ». Ce dernier l'emmenait « me promener en voiture... et il me reconduit toujours chez moi en personne. Lorsque je l'accompagne à Frascati, nous passons à table en pantoufles et bonnet de nuit ; et même, si je choisis de céder à ses caprices, en chemise de nuit. Cela peut paraître incroyable, mais je dis la stricte vérité ».

En dépit de telles distractions, la passion de Winckelmann pour l'art grec ne perdit jamais de son ardeur et il conserva son ambition de « produire un ouvrage en langue allemande, dont le pareil n'existe pas encore sous le soleil. L'histoire de l'Art antique, que j'ai entrepris d'écrire, expliqua-t-il, n'est pas une simple chronique des âges successifs et des changements qui y sont survenus. J'emploie le terme histoire au sens plus large que lui donne la langue grecque ; et mon intention est de tenter de présenter un système... de montrer l'origine, la progression, le changement et la chute de l'art, en même temps que les différents styles des nations, périodes et artistes, et de prouver le tout, dans la mesure du possible à partir des monuments anciens actuellement en existence ». Cherchant, pour reprendre l'expression d'Herder, à retracer « la genèse de la beauté dans l'art de l'Antiquité », il allait montrer que même chez les peuples anciens moins connus — Égyptiens, Phéniciens, Perses et Étrusques — l'art avait une histoire. Ce fut toutefois grâce au style si vivant dont il usa pour chanter les louanges de l'art grec de la haute période, en prenant des exemples si convaincants, qu'il fit de cet art la référence « classique ». Non sans ironie, les « originaux » auxquels il se référait n'étaient eux-mêmes que des copies, car les sculptures remontant à l'époque de Phidias n'avaient pas encore été découvertes ; cependant, les copies qu'il avait sous les yeux n'avaient pas été identifiées comme telles par les experts.

Ce « père de l'archéologie scientifique » fondait, et il n'était pas le premier, toute une « science » sur l'intuition.

« Aucun peuple, affirma Winckelmann, n'a prisé la beauté autant que les Grecs. » Les prêtres qui portaient les agneaux dans la procession en l'honneur d'Hermès étaient ceux à qui l'on avait accordé le prix de beauté. « Chaque personne douée de beauté cherchait à se faire connaître du peuple tout entier grâce à cette distinction, et par-dessus tout à gagner l'approbation des artistes, car c'étaient eux qui décernaient le prix... La beauté donnait même droit à la gloire et dans les histoires grecques ce sont souvent les plus beaux que nous voyons distingués. Certains étaient célèbres pour la beauté d'une seule partie de leur anatomie ; ainsi Demetrius Phalerus pour ses beaux sourcils. » « L'art allait encore plus loin ; il unissait les beautés et les attributs des deux sexes dans le personnage de l'hermaphrodite. Le grand nombre d'hermaphrodites, différant par leur taille et leur posture, montre que les artistes s'efforçaient d'exprimer par le mélange des deux sexes l'image d'une beauté supérieure ; cette image était l'idéal. » « La beauté est l'un des grands mystères de la nature, dont nous voyons et sentons tous l'influence ; mais il faut ranger parmi les vérités qui n'ont pas encore été découvertes une idée générale et distincte de ses éléments essentiels. » Dans son imagination, il assemblait toutes les beautés séparées qu'il avait pu observer, « les réunissant en une seule entité... une Beauté poétique ».

Winckelmann partageait l'amour des Grecs pour la forme humaine, qui faisait de la sculpture leur grand art. Tandis qu'il dénigrait moqueusement les statues tarabiscotées qui l'avaient environné à Dresde, son éloge du Laocoon étouffé par les serpents de mer avec ses deux fils devint le credo du néo-classicisme. « La caractéristique universelle, dominante des chefs-d'œuvre grecs, enfin, est la noble simplicité et la grandeur sereine dans la pose tout autant que dans l'expression. Les profondeurs de la mer sont toujours calmes, pour déchaînée et orageuse qu'en soit la surface ; et, de la même façon, l'expression des statues grecques révèle la grandeur et le calme de l'âme en proie aux passions quelles qu'elles soient... Laocoon souffre ; mais il souffre comme le Philoctète de Sophocle ; sa détresse nous perce jusqu'à l'âme, mais nous aimerions être capables de supporter la douleur à la manière de ce grand homme. »

A cette époque, on venait tout juste de mettre au jour, en dehors de Naples, les vestiges saisissants de Pompéi et d'Herculanum, deux villes brusquement ensevelies sous des cendres et laves volcaniques crachées par le Vésuve, au milieu du mois d'août de l'an 79. Ils fournissaient un aperçu providentiel de la vie de la Rome antique, mais les fouilles, financées par le roi des Deux-Siciles, étaient devenues une opération secrète et il était strictement interdit de faire des croquis de ce qu'on avait découvert. En sa qualité de conservateur des antiquités romaines, Winckelmann parvint à avoir accès au musée où était logé le produit des fouilles. Il écrivit alors ses Lettres ouvertes, décrivant les objets déterrés et affirmant le droit de tout le monde érudit à recevoir les messages que de tels objets lui apportaient du passé.

Avec la publication de son *Histoire de l'art de l'Antiquité* en 1764, dans laquelle il fit figurer ces trouvailles, Winckelmann accéda au rang d'éminent homme de lettres, dont le renom s'étendait d'un bout à l'autre de l'Europe. Ce fut l'une des premières œuvres en langue allemande qui devint un grand classique de la littérature européenne. L'année suivante, Frédéric le Grand lui offrit une place de Bibliothécaire royal. Entre-temps, il avait été fort tenté par des invitations à se rendre en Grèce. En avril 1768, il décida finalement de regagner l'Allemagne et, lors de son passage à Vienne, fut reçu par l'impératrice d'Autriche. Incapable, cependant, de se résoudre à quitter Rome, il reprit impulsivement le chemin de la Ville éternelle, via Trieste. Ce fut là, à l'auberge où il passa la nuit du 1er juin 1768, qu'il eut pour voisin de chambre « un laquais énervé et lascif », Francesco Arcangeli, qui venait d'être condamné à mort pour vol en Autriche, mais avait été gracié à condition de quitter aussitôt le pays. Tandis qu'ils soupaient ensemble, Winckelmann, prompt à la vantardise, fit miroiter aux yeux de son compagnon les médailles d'or qu'il avait reçues en cadeau de l'impératrice. Tard dans la soirée, Arcangeli revint dans la chambre où Winckelmann était occupé à corriger les épreuves d'une seconde édition de son *Histoire de l'art de l'Antiquité* et l'étrangla avec une cordelette avant de le poignarder. Condamné au supplice de la roue, Arcangeli accusa, alors même qu'on lui rompait les os, Winckelmann de l'avoir séduit au moyen de son or.

« Winckelmann est comme Colomb, s'exclama Goethe qui l'idolâtrait, n'ayant pas encore découvert le Nouveau Monde, mais inspiré par la prémonition de ce qui l'attend. On n'apprend rien de nouveau en le lisant, mais on devient un nouvel homme ! » Ce que le disparu légua à la postérité, ce fut un mouvement populaire, incorporant l'histoire de l'art à la vie de l'art. Plus qu'à toute autre personne, c'est à lui que revient le mérite d'avoir fait de l'Antiquité grecque et romaine le synonyme du mot « classique ».

Le grand architecte anglais Robert Adam (1728-1792) avait fait la connaissance de Winckelmann durant sa visite à Rome, mais il n'avait pas réussi à le persuader de l'accompagner jusqu'en Grèce. Le « néo-classique » allait venir à ma mode avant même que l'on eût une bonne connaissance documentaire du classique. Adam acquit la gloire en donnant vie à l'idéal néo-classique dans les plans qu'il proposa pour les grandes demeures anglaises, où l'on trouvait des détails de ce style jusque dans les dessus de cheminée, les encadrements de fenêtre et les poignées de porte. L'entreprenant Josiah Wedgwood (1730-1795) bâtit en 1782 une fabrique qu'il baptisa Étruria et qui fut, soit dit en passant, la première fabrique anglaise à utiliser la machine à vapeur. Il en sortait des assiettes, des tasses et des vases qui allaient mettre l'idéal de Winckelmann sur d'innombrables tables bourgeoises. On a appelé le charme posthume exercé par Winckelmann sur Lessing, Herder, Goethe, Schiller, Hölderlin, Heine, Nietzsche, George et Spengler « la tyrannie de la Grèce sur l'Allemagne ».

En ouvrant ainsi les portes du passé, Winckelmann fut moins un explorateur qu'un découvreur. Il éveilla l'Europe aux charmes des civilisations anciennes, qu'il ne faisait pourtant qu'à peine entrevoir. Il allait inciter d'autres hommes à se charger de l'exploration proprement dite. « C'est un monde entièrement nouveau et insoupçonné que je suis en train de découvrir pour l'archéologie. »

## 73

## *« Réveiller les morts »*

Un siècle entier s'écoula avant que Winckelmann ne trouvât le Vespucci qui allait révéler et expliquer au monde la nature réelle de sa découverte, Heinrich Schliemann (1822-1890), quoiqu'il ait dû, lui aussi, s'arracher à la pauvreté pour accéder à la célébrité, était, sous tous les autres rapports ou presque, à l'opposé de Winckelmann. Il finança de sa poche toutes ses entreprises et n'avait d'autre protecteur que lui-même. Il appliqua à l'archéologie l'esprit d'initiative et le goût de l'action, qui lui avaient permis de faire fortune dans le commerce. Pour lui l'exploration du passé devint un mélange d'exploits athlétiques et d'aventures diplomatiques, que l'on donnait en pâture à un public depuis peu avide de nouvelles. Ajoutons à cela que son amour pour une ravissante femme contribua à tenir l'intérêt du public braqué sur ses activités.

Fils du pauvre pasteur protestant d'un village du nord de l'Allemagne, Heinrich Schliemann, poussé par sa « disposition naturelle pour le mystérieux et le merveilleux », fut très tôt gagné par la ferveur paternelle envers l'histoire ancienne.

> Il m'entretenait souvent avec un chaleureux enthousiasme du sort tragique d'Herculanum et de Pompéi et semblait tenir pour le plus heureux des hommes quiconque avait les moyens et le temps de visiter les fouilles qui s'y poursuivaient alors. Il me narrait aussi avec admiration les exploits des héros d'Homère et les événements de la guerre de Troie, trouvant toujours chez moi un ardent défenseur de la cause troyenne. Ce fut avec un profond chagrin que j'appris de lui que Troie avait été si complètement détruite qu'elle avait disparu sans laisser la moindre trace de son existence. On imaginera donc sans peine quelle joie fut la mienne lorsqu'en 1829, âgé de bientôt huit ans, je reçus de lui, pour

la Noël, l'*Histoire universelle* du Dr Georg Ludwig Jerrer, ornée d'une gravure représentant Troie en flammes, avec ses énormes murailles et la porte Scée, par laquelle on voit s'enfuir Énée, portant sur son dos son père Anchise et tenant par la main son fils Ascagne ; je m'écriai : « Père, vous vous êtes trompé : Jerrer a dû voir Troie, sans quoi il n'aurait pu la représenter ici. » « Mon fils, répondit-il, ce n'est qu'une vision imaginaire. » Cependant, lorsque je lui demandai si la Troie antique avait été ceinte de murailles aussi colossales que celles que l'on voyait dans le livre, il me fit signe que oui. « Père, répliquai-je aussitôt, si de telles murailles ont jadis existé, il est impossible qu'elles aient été entièrement détruites : il doit en rester quelque part d'énormes ruines, mais qui sont aujourd'hui cachées par la poussière des siècles. » Il me soutint le contraire, tandis que je me cramponnais fermement à mon opinion ; pour finir, nous tombâmes tous deux d'accord pour dire qu'un jour, je mettrais à nu les ruines de Troie.

Il avait neuf ans, lorsque sa mère mourut. Le dénuement dans lequel se trouvait son père ne lui laissait guère d'espoir d'être en mesure de fréquenter plus tard l'université, si bien qu'il quitta le Gymnase, où il aurait pu poursuivre des études classiques, pour entrer à la *Realschule* où l'on préparait plutôt les élèves à exercer un métier. A quatorze ans, Schliemann fut mis en apprentissage chez un épicier et il passa les cinq années suivantes à travailler de cinq heures du matin à vingt-trois heures, râpant des pommes de terre pour l'alambic où l'on distillait de l'alcool, empaquetant les harengs, le sucre, l'huile et les chandelles. Pour échapper à cette existence, il s'embarqua comme mousse à bord d'un bateau à destination du Venezuela. L'embarcation fit naufrage en mer du Nord et le jeune homme, rescapé, échoua à Amsterdam où il trouva une place de courtier, puis de comptable auprès d'une firme commerciale.

Tout au long de ces années de vache enragée, jamais Heinrich ne renonça à ses ambitions romanesques. Bien décidé à être un jour l'homme qui ferait sortir de terre la véritable Troie, il consacra chacun de ses instants de loisirs, et même ceux qu'il passait en course ou à faire la queue à la poste, à lire pour se cultiver. Grâce à un système qu'il avait mis au point, il parvint à maîtriser plusieurs langues, ne laissant jamais passer la moindre occasion d'apprendre ni de mettre en pratique ce qu'il avait appris. « Cette méthode consiste à lire beaucoup tout haut, sans faire de traduction ; à consacrer une heure chaque jour à écrire des compositions sur des sujets qui vous intéressent, à les corriger sous la surveillance d'un professeur, à les apprendre par cœur et à répéter la leçon suivante ce qui a été corrigé la veille. » En l'espace de six mois, rapporte-t-il, il avait acquis « une excellente connaissance de la langue anglaise », grâce à un procédé fort simple qui consistait à « retenir par cœur tout *Le Vicaire de Wakefield* de Goldsmith et *Ivanhoé* de sir Walter Scott ». Ensuite, en ne consacrant à chaque langue que six semaines d'études, il apprit à écrire et à « parler couramment » le français, le hollandais, l'espagnol, l'italien, le portugais et quelques autres. Durant ses voyages à travers le Moyen-Orient, il acquit une bonne connaissance pratique de l'arabe.

C'était la langue parlée qui l'intéressait le plus. Jamais il n'oublia la cadence du grec qu'il entendit pour la première fois lorsqu'un meunier ivrogne, ancien élève du Gymnase, entra dans l'épicerie où il travaillait et se mit à réciter mélodieusement des vers d'Homère. Il attendit, cependant, d'avoir atteint l'âge mûr pour se consacrer à cet idiome tant admiré. « Pour vif que fût mon désir d'apprendre le grec, je ne me hasardai pas à commencer avant d'avoir amassé une modeste fortune, car je redoutais que cette langue n'exerçât sur moi une trop grande fascination et ne m'éloignât de mes affaires. »

Schliemann suivit une voie pénible et détournée vers la fortune. Jeune homme, à Amsterdam, il eut l'occasion de côtoyer des marchands russes qui y venaient pour les ventes aux enchères d'indigo. En dehors du vice-consul de Russie, Heinrich ne trouva dans la ville hollandaise personne qui parlât russe ; lorsque le diplomate eut refusé de lui donner des leçons, il eut recours à son système habituel et suivit un programme intensif pour apprendre tout seul cette langue. Il engagea les services d'un vieux bonhomme qui, pendant deux heures chaque soir, lui servait de public, tandis qu'il déclamait de longues tirades en russe. Lorsque les autres locataires de la pension où il logeait commencèrent à se plaindre de ses éclats de voix, plutôt que de changer de méthode, le jeune homme préféra changer de logement et il dut déménager deux fois avant d'être satisfait de ses progrès linguistiques.

La firme pour laquelle il travaillait avait des affaires à Saint-Pétersbourg et il y fut bientôt envoyé en qualité de correspondant. Une fois sur place, s'étant lancé dans le commerce de l'indigo, des bois de teinture et du matériel de guerre tel que le salpêtre, le soufre et le plomb, il ne tarda pas à faire fortune, ce dont il fut le premier surpris. Il ne redouta plus alors la merveilleuse distraction que représentait la langue grecque. En six semaines, il apprit le grec moderne, puis au bout de trois mois supplémentaires se plongea dans les auteurs anciens. Après la guerre de Crimée, il voyagea de par le monde pour satisfaire ses intérêts historiques. Tout jeune, il avait été amoureux d'une petite camarade de jeux, Minna Meincke, avec qui il avait partagé son rêve de se mettre en quête de Troie. Une fois solidement établi dans les affaires, il partit à sa recherche. Il la retrouva, mais déjà mariée, hélas ! En 1852, il commit l'erreur d'épouser une beauté russe qui n'en voulait qu'à son argent. Elle refusa même de partager son foyer, sans parler de ses intérêts archéologiques. Devenu, entre-temps, citoyen américain par accident, puisqu'il voyageait tout simplement en Californie lorsque cette région devint un des États de l'Union, il se rendit dans l'Indiana et profita des lois assez souples sur le divorce pour se débarrasser de son épouse.

Sérieusement échaudé par ce fiasco, il demanda à un vieil ami, son ancien professeur de grec, qui était devenu depuis archevêque d'Athènes, de lui trouver une jeune épouse grecque qui lui convînt. L'archevêque s'empressa de satisfaire ce désir en lui proposant la main d'une de ses jeunes parentes, Sophia Engastromenos, intelligente et belle écolière de dix-sept ans. Avant de se décider à convoler, Schliemann se rendit incognito dans la salle de classe de la jeune fille, à Athènes, pour l'écouter réciter Homère. Les sonorités musicales qui tombaient de ses lèvres firent venir les larmes aux yeux du voyageur allemand et le confortèrent dans sa décision de la prendre pour femme. A quarante-sept ans, Heinrich le polyglotte fit de Sophia la disciple de toute son existence. A l'époque de leur mariage, elle ne connaissait que le grec ancien et moderne, mais il se jura qu'elle apprendrait quatre autres langues dans les deux années à venir. Il la traîna dans les capitales d'Europe et du Proche-Orient, l'entretenant d'histoire et d'archéologie, sondant l'étendue de son savoir, la pressant de ne pas prendre de retard sur le programme fixé. Après une période troublée par des migraines, des nausées et des fièvres, elle prit le dessus pour devenir l'associée de son mari lorsqu'il commença enfin ses fouilles à Hissarlik, en 1871. Elle descendit dans les tranchées archéologiques, ce qui à l'époque était fort étonnant pour une femme, et parvint même à diriger une équipe d'ouvriers turcs durant les excavations.

A l'encontre de Winckelmann, Schliemann croyait fermement que sa vocation était de creuser. Son véritable domaine, ce n'étaient pas les mots, mais les objets. Cependant, le travail qu'il aimait l'obligeait à surveiller les évolutions de manœuvres parlant des idiomes inhabituels. Ce fut sa bosse des langues qui l'aida à venir à bout de ses fouilles, à convertir les sceptiques et à faire mousser ses trouvailles.

Un archéologue idéaliste, nanti d'une ravissante épouse, occupé à diriger cent cinquante ouvriers turcs indisciplinés, sur l'exotique toile de fond d'un paysage ottoman, ne pouvait guère manquer d'attirer l'attention du public, même à cette époque déjà ancienne où la presse à sensation faisait ses premières dents. L'archéologue, pelle en main, allait devenir la propriété du grand public lecteur de journaux. Désormais, l'explorateur du passé allait devoir délaisser la bibliothèque et le musée, se rendre dans les endroits les plus reculés et hisser à la sueur de son front de lourds objets hors de terre pour les présenter au monde. Son succès serait jugé non seulement par des académiciens, mais par des millions d'amateurs impatients.

Rien ne pouvait dissuader Schliemann de sa conviction que la Troie d'Homère était située dans l'obscur village moderne d'Hissarlik, dans le nord-ouest de la Turquie, du côté asiatique, à six kilomètres à peine du détroit des Dardanelles. Lorsqu'il comparait ce site à celui de Bunar-Baschi, à plusieurs kilomètres au sud, où d'autres spécialistes plaçaient

Troie, il était plus convaincu que jamais d'avoir raison. Malheureusement le site choisi par Schliemann était sur une propriété privée. Les fonctionnaires turcs, qui se distinguaient par leur sens de la bureaucratie, leur autoritarisme et leur corruption, cherchèrent d'abord à faire obstruction à ses projets, puis se livrèrent à un véritable chantage avant de lui accorder le permis dont il avait besoin pour commencer ses fouilles. Les travaux sur le site présumé de Troie seraient entièrement payés par Schliemann pour qui c'était un privilège que d'être autorisé à dépenser ainsi sa fortune. Jamais il ne protesta contre les dépenses encourues, mais il se montra néanmoins prudent et avisé.

En septembre 1871, après avoir engagé une équipe de quatre-vingts ouvriers, il commença à creuser le tumulus d'Hissarlik. Exactement selon le plan qu'il avait établi, il découvrit par couches successives plusieurs villes et fortifications, entassées les unes sur les autres. Il savait bien qu'en continuant à creuser, il détruisait les monuments d'une époque plus récente, mais sa destination finale, c'était Troie ! A sept mètres de profondeur, s'étendant jusqu'à onze mètres environ, il rencontra les ruines d'une ville en laquelle il crut reconnaître la cité de Priam. Impulsivement il identifia tout ce qu'il avait espéré trouver : les vestiges du temple d'Athéna, le grand autel réservé aux sacrifices, la citadelle, les maisons et les rues, tout à fait tels qu'ils étaient décrits dans *l'Iliade*.

Au début de mai 1873, alors que ses ouvriers étaient occupés à dégager le haut de la muraille, Schliemann repéra personnellement un objet d'or qui brillait. Reportons-nous au récit mélodramatique qu'il nous a laissé de la scène, sept ans plus tard :

> Afin de protéger ce trésor de mes ouvriers et de le préserver pour l'archéologie, il était important de ne pas perdre de temps ; donc, bien qu'il ne fût pas encore l'heure du petit déjeuner, je fis aussitôt sonner le *païdos* (la pause)... Tandis que les hommes se restauraient et se reposaient, j'extirpai moi-même le trésor avec un grand couteau. Je dus faire un effort considérable et prendre de gros risques, car le mur des fortifications, sous lequel je devais creuser, menaçait à tout moment de s'abattre sur moi ; mais la vue de tant d'objets, dont chacun était d'une valeur inestimable pour l'archéologie, me rendit intrépide et pas un instant je ne songeai au danger. Il m'eût, toutefois, été impossible de mettre ce trésor en sûreté sans l'aide de ma chère femme qui, debout à mes côtés, se tenait prête à recueillir les objets que je dégageais dans son châle pour les emporter un peu plus loin.

Gardant momentanément le secret, il parvint à évacuer subrepticement le trésor en or (neuf mille objets en tout) hors de Turquie. Ses précautions s'avérèrent justifiées, car l'ouvrier qui, un peu plus tard en poursuivant les fouilles, trouva un objet en or, s'empressa de l'emporter chez un orfèvre du voisinage pour le faire fondre. C'était d'ailleurs cet or, et non pas la Troie d'Homère, qui intéressait les autorités turques. Elles empêchèrent

Schliemann de poursuivre les excavations et lui intentèrent un procès pour obtenir le retour du trésor.

Bien que le récit qu'a fait l'archéologue de ses fouilles soit en substance correct, les historiens contemporains font la moue devant certains épisodes qui indiquent à quel point il laissait parfois son instinct dramatique prendre le pas sur la stricte vérité. Ainsi, sa « chère femme », qui à l'en croire recueillait le trésor dans son châle, se trouvait, semble-t-il, à ce moment précis non pas à Hissarlik, mais à Athènes. Cela dit, ces fioritures sans importance accroissaient l'intérêt public pour la nouvelle romance de l'archéologie.

Schliemann regagna la Grèce où, sur l'intervention du Premier ministre britannique, Gladstone, et de l'ambassadeur de Sa Gracieuse Majesté, il avait obtenu la permission d'entreprendre d'autres fouilles, et il se lança dans une autre aventure rocambolesque. Cette fois-ci, il se fiait à son intuition concernant le trésor qui restait à découvrir sur le site fabuleux de l'ancienne Mycènes. C'était là, soutenait-il, qu'était enseveli le trésor d'Agamemnon. Dans ce cas aussi, ses lectures l'avaient incité à faire dissidence vis-à-vis de la thèse généralement acceptée par les érudits. Ces derniers étaient à peu près d'accord pour déclarer que les tombes d'Agamemnon et de Clytemnestre se trouvaient en dehors de la citadelle. Schliemann, cependant, confident des anciens, attachait foi aux déclarations de Pausanias, le célèbre voyageur du IIe siècle, qui avait décrit « les tombeaux des héros... au milieu de la place publique ». Pour l'archéologue allemand, cela signifiait indubitablement à l'intérieur des murs de la ville. A Mycènes, lorsqu'il découvrit des stèles disposées à l'intérieur d'un cercle qui évoquait l'ancienne agora, il se mit à creuser. En décembre 1876, il mit au jour le premier de cinq puits de sépulture. Pendant quarante-cinq jours Schliemann et Sophia, les mains engourdies par le froid, car ils n'osaient se servir que de leurs doigts, d'un canif et d'une petite pelle, creusèrent à l'intérieur du cercle des tombes.

Leur récompense — le plus riche trésor que l'on eût encore arraché au passé — fut la découverte de dépouilles « littéralement constellées d'or et de bijoux ». Leurs visages, dont on distinguait les traits lors de l'exhumation, ne tardèrent pas à se désintégrer au contact de l'air, mais chacun des masques d'or conservait son caractère propre. A force d'intuition, d'érudition, de connaissances spécialisées et de chance, les Schliemann avaient mis la main sur ce butin fabuleux : « le masque d'Agamemnon », des diadèmes en or, des statuettes en or et en argent, des poignées d'épée en or, des colliers et bracelets précieux, des vases de pierre, d'or et d'albâtre, des gobelets d'or et d'argent et encore plusieurs dizaines de joyaux éblouissants. N'étant pas homme à hésiter dans les moments de crise, Schliemann adressa un télégramme au roi Georges de Grèce : « C'est avec un plaisir extraordinaire que j'annonce à Votre

Majesté ma découverte des tombeaux qui, selon la tradition, sont ceux d'Agamemnon, de Cassandre, d'Eurymédon et de leurs compagnons, tous occis, durant le banquet par Clytemnestre et son amant Égisthe. » Il proclamait qu'aucun trésor comparable n'avait encore été déterré. « Tous les musées du monde ensemble, se vantait-il, n'en possèdent pas le cinquième. »

En dépit de son enthousiasme, de sa foi et de son savoir, les découvertes d'Heinrich Schliemann n'étaient pas précisément celles qu'il croyait. Il ne s'égarait certes pas autant que l'ancien explorateur qui, après s'être mis en route pour atteindre le Japon et avoir cru débarquer à Cathay, avait en réalité découvert l'Amérique. Cependant, nous savons à présent que la ville dans laquelle il crut reconnaître la Troie d'Homère, parmi les couches superposées des « cinq cités préhistoriques », n'était pas la bonne. La découverte extraordinaire qu'il appelait les trésors de Priam, récupérée dans les deuxième et troisième couches à partir du fond, datait en fait d'un millier d'années avant Priam. Grâce aux fonds laissés par Schliemann par testament, son héritier, Wilhelm Dörpfeld (1853-1940), prouva que la Troie homérique se situait au sixième niveau à partir du fond, que, dans sa hâte, Schliemann avait traversé sans s'y attarder. A Mycènes aussi, ses conclusions étaient erronées. Il n'avait pas, comme il proclamait, découvert le tombeau d'Agamemnon, car sa trouvaille était antérieure de plusieurs siècles.

Lorsque les spécialistes des civilisations classiques tournèrent en ridicule son identification du roi Priam avec la Troie qu'il avait découverte, Schliemann ne se laissa nullement intimider, « parce que c'est le nom qu'on lui donne dans la tradition dont Homère est l'écho ; dès qu'on m'aura prouvé qu'Homère et la tradition se trompaient, et que le dernier souverain de Troie s'appelait Smith, je m'empresserai de le désigner ainsi ». Son instinct pour le spectaculaire, ses références mélodramatiques aux héros de l'Antiquité éveillèrent la curiosité historique de millions d'hommes. Même lorsqu'ils se fourvoyaient, Heinrich et Sophia firent considérablement progresser les connaissances du grand public. Partout, celui-ci était fasciné par le courage et la détermination de ce couple. Tous les admirateurs qui suivaient leurs exploits, en vinrent à croire que la terre contenait des vestiges et des messages émanant de ceux qui l'avaient peuplée en des temps reculés.

La contribution d'Heinrich aux techniques de la fouille archéologique ne fut pas négligeable. Lorsque les archéologues du XXe siècle s'en prennent à lui pour avoir détruit au passage les reliques qu'il n'avait pas envisagé de découvrir, ils oublient qu'à son époque, leur science commune n'en était encore qu'à ses balbutiements. Il fut un des pionniers de la stratigraphie, en appliquant aux restes humains les principes que d'autres avaient déjà utilisés pour la géologie. *L'Iliade* d'Homère n'était pas simplement « des mythes solaires humanisés », comme le soutenaient alors les érudits allemands péchant par un excès de subtilité. Par ses erreurs mêmes, Schliemann prouva la réalité d'une civilisation homérique, en ramenant à la lumière la civilisation préhomérique dont elle était issue. Aux quatre civilisations canoniques : Babylone, l'Égypte, la Grèce et Rome, il en ajouta deux autres appartenant à la « préhistoire ». Or, si ces deux-là existaient, pourquoi pas de nombreuses autres ?

Le successeur de Schliemann, sir Arthur Evans, qui se pencha sur les indices qu'il avait laissés pour découvrir encore une éblouissante civilisation à Cnossos, en Crète, en 1900, a reconnu sa dette :

> Il y a moins d'une génération, l'origine de la civilisation grecque, et avec elle la source de toutes les grandes cultures ayant jamais existé étaient enveloppées dans un brouillard impénétrable. Ce monde ancien était encore enfermé à l'intérieur de ses étroites limites par le « Fleuve de l'Océan » qui l'encerclait. Y avait-il quoi que ce fût au-delà ? Les rois et héros mythiques de l'époque homérique, avec leurs citadelles et leurs places fortes, étaient-ils, en fin de compte, autre chose que des mythes solaires plus ou moins humanisés ? Un homme avait la foi, qu'il accompagna de travaux, et chez le Dr Schliemann, la science de l'Antiquité classique a trouvé son Christophe Colomb. Armé de sa pelle, il a sorti de sous les monticules entassés par les siècles une Troie réelle ; à Tirynthe et à Mycènes, il a dénudé le palais, les tombeaux et les trésors des rois d'Homère. Un monde nouveau s'est ouvert aux fouilles et les découvertes de son premier explorateur ont été poursuivies avec succès par le Dr Tsountas et d'autres sur le sol grec. Les yeux des observateurs se sont dessillés et les traces de ces civilisations préhistoriques ont commencé à faire leur apparition bien au-delà des limites de la Grèce elle-même.

Cependant la jalousie des érudits rivaux et les besoins de la presse à sensation firent apparaître l'éclat d'or troyen et mycénien comme une accusation. Schliemann n'était-il donc qu'un mercenaire chasseur de trésors, comme tant d'autres moins célèbres que lui ? Se souciait-il moins d'enrichir le savoir humain que de remplir ses propres coffres ? Ces accusations elles-mêmes eurent le mérite de concentrer l'intérêt du public sur les nouveaux univers de l'archéologie. Elles n'étaient pas fondées, cependant. Si Schlieman ne s'était pas hâté de sortir le trésor troyen de Turquie, il n'en serait pas resté grand-chose à livrer à l'étude des historiens. Ce fut à la nation grecque qu'il donna tous les trésors qu'il avait déterrés à Mycènes et ailleurs ; ils sont aujourd'hui superbement exposés au musée d'Athènes. Il n'eut pour tout salaire de ses efforts, qu'il avait financés de ses propres deniers, pour tout dédommagement des risques encourus, que la célébrité et la satisfaction d'avoir éveillé l'enthousiasme du monde entier pour sa Grèce bien-aimée.

Dans le nouvel univers de la publicité, d'autres firent le travail de Schliemann à sa place. Du temps de Winckelmann, pour être transporté par son amour pour la Grèce antique, il fallait lire ses livres, mais à présent, avec l'aide avisée de Schliemann lui-même, chaque nouveau coup de pelle devenait de l'actualité. Le public n'avait pas besoin d'attendre la parution de lourds volumes pour savourer les aventures des fouilles. Les lecteurs des journaux guettaient chaque jour, en retenant leur souffle, les dépêches qu'envoyait le vaillant archéologue au *Times*, au *Daily Telegrah* et au *New York Times*. Le refus d'un permis par le gouvernement turc ou l'arrogance d'un petit fonctionnaire vous prenaient aussitôt des allures de cause célèbre, révélée dans les lettres de Schliemann lui-même ou bien dans des articles signés d'autres noms, mais dont on apprit plus tard qu'il était aussi l'auteur. Il fut bien sûr élu membre de sociétés honoraires et savantes et il n'y eut pas jusqu'à l'Association des Épiciers de Londres, qui ne l'invitât à venir faire des conférences après l'avoir admis dans ses rangs. Son portrait par un artiste de l'*Illustrated London News* fut reproduit dans le monde entier, transformant en image de marque son large front et son épaisse moustache ; les reporters faisaient l'inventaire de sa garde-robe de dandy, qui comptait cinquante costumes, vingt couvre-chefs, quarante-deux paires de chaussures, trente cannes et quinze cravaches.

Lorsque Dom Pedro, empereur du Brésil, épris de classicisme, vint visiter la Turquie avec son épouse, Schliemann, qui parlait couramment le portugais, lui fit faire le tour de son camp de fouilles à Hissarlik, après quoi le souverain se déclara intimement persuadé qu'il s'agissait bien du site véritable de la Troie d'Homère. A Mycènes, l'empereur et sa suite furent invités à un extraordinaire déjeuner dans les profondeurs du célèbre Trésor d'Atrée, pour le plus grand ravissement d'une presse avide de sensationnel. Il va sans dire que Sophia ajoutait une note romanesque que l'on trouvait rarement sur les sites de fouilles préhistoriques. Heinrich et elle devinrent la famille royale de l'archéologie. La jeune beauté grecque formait un agréable contraste avec le type de la femme fragile en vogue à l'époque victorienne. « La part que j'ai prise à ces découvertes est bien faible, avouait-elle modestement, tant à Troie qu'à Mycènes. Je n'avais sous mes ordres qu'une trentaine d'ouvriers. » Une fois que l'on eut ôté la première couche de cailloux qui couvrait les tombeaux à Mycènes, « à partir de là tout devint très difficile, car, à genoux dans la boue, mon mari et moi dûmes dégager les cailloux pour pouvoir découper la couche d'argile et sortir, un par un, les précieux joyaux ».

A Londres, le 8 juin 1877, le *Royal Archaeological Institute* tint une réunion spéciale, en l'honneur d'Heinrich et Sophia. Ce fut cette dernière qui eut la vedette, lorsqu'elle fit son entrée dans la salle, aux bras du président, lord Talbot, d'un côté, et de William Gladstone, de l'autre, qui avait tout spécialement réclamé ce privilège. Ce fut elle aussi qui prononça le discours. Lord Talbot avait fait son éloge, précisant qu'il s'agissait de « la première dame qui se soit jamais identifiée à un travail si ardu et prodigieux ; vous avez acquis une réputation que beaucoup vous envieront, dont certaines s'inspireront, mais que personne jamais ne pourra surpasser ». Le discours de Sophia, qui n'avait encore que vingt-cinq ans, éblouit l'assistance par son érudition et son éloquence. Dans son admiration pour la Grande-Bretagne, elle avoua malicieusement que le grand travers des anciens Grecs était « l'envie ». Puis elle lut un péan à la gloire du ciel grec et de l'esprit grec et rappela que sa langue natale était si belle que « le simple fait de l'entendre remplit mon mari d'un enthousiasme débridé à une époque où il ne connaissait pas encore un mot de grec ». En guise de conclusion, elle suppliait « les dames anglaises d'apprendre à leurs enfants l'idiome sonore de mes ancêtres, afin qu'ils puissent ainsi lire Homère et tous nos autres immortels classiques dans le texte original ». Lorsqu'elle se tut, l'assistance entière se leva pour l'acclamer. « En entendant et en voyant l'ovation accordée à ma Sophithion par une aussi remarquable assemblée, a écrit Heinrich, je ne pus m'empêcher de me demander pourquoi les puissants dieux de l'Olympe m'avaient donné cette femme pour épouse, amie, collègue et amante. Mes yeux étaient si pleins de larmes que j'y voyais à peine. »

Les journalistes qui partout suivaient les Schliemann avaient eux aussi leurs exigences. Si par hasard les fouilles s'accomplissaient avec lenteur, comme ce fut le cas à Tirynthe, le correspondant du *New York Times* annonçait aussitôt que la chance d'Heinrich l'avait abandonné... quelques jours seulement avant l'une de ses découvertes les plus sensationnelles, les vestiges d'un palais qui ne le cédait en rien à ceux de Troie ou de Mycènes. Durant ces premières décennies de la presse quotidienne, les appareils de photographie étaient encore bien encombrants et tout juste portables. Lorsque Schliemann déterra les dépouilles remarquablement préservées des tombeaux de Mycènes, il n'avait pas de photographe sous la main et il envoya en catastrophe chercher un artiste pour faire leur portrait avant qu'elles ne se désintégrassent. Ses livres sur les fouilles qu'il avait menées à bien ne comportaient toujours pas de photographies, bien que certaines illustrations fussent des dessins copiés sur des clichés. Le premier rapport sur des fouilles archéologiques qui comportât des photographies n'était pas dû à Schliemann, mais à son collègue et compatriote Alexander Conze, rendant compte de son travail à Samothrace (1873). Lorsque nous comparons ces clichés aux grossiers dessins au trait des rapports plus anciens, nous voyons à quel point l'appareil photographique a contribué à donner vie à l'histoire et à rendre des millions de lecteurs désireux d'en voir plus.

## 74

### *Les latitudes du temps*

Pour acquérir un sens moderne de l'histoire, il ne suffisait pas de quelques aperçus, aussi vivants fussent-ils, de la « sereine grandeur » de Laocoon ou de l'éclat doré du masque d'Agamemnon. Il fallait une autre dimension, ce que j'appellerai les latitudes du temps, une vision de la contemporanéité, une notion de ce qui se passait dans le monde entier au même moment. C'était une découverte beaucoup plus compliquée, qui ne fut atteinte que par des chemins détournés et surprenants.

Pendant des millénaires, les peuples datèrent les événements qui survenaient chez eux selon les années de règne de leurs propres rois ou quelque autre facteur d'intérêt local. Pour les Chinois, par exemple, l'année 1900 était la vingt-sixième année du règne de Kuang-Hsü, la « brillante Succession », tandis qu'au Japon on l'appelait la trente-troisième année du Meiji, le « gouvernement éclairé ». En Inde, les hindous se fondaient sur les périodes dynastiques, alors que les bouddhistes avaient pour point de départ la mort et le Nirvana de Bouddha, en 544 avant Jésus-Christ. Les hindous utilisaient aussi la période « Kali », subdivision du mahayuga canonique de quatre millions trois cent vingt mille années sidérales et du yuga de quatre cent trente-deux mille années. D'autres schémas indiens, utilisés à l'occasion, partent de la date d'une bataille ou d'une réforme du calendrier. Le tout étant compliqué par les variations locales entre les années lunaire et solaire. Chaque civilisation ancienne — Rome, la Grèce, l'Égypte, Babylone et la Syrie — avait son propre modèle. La façon dont les Romains dataient à partir de la fondation de leur ville était en vogue ailleurs aussi. Le calendrier musulman, qui comme nous l'avons vu, allait partir de l'hégire, le 16 juillet 622, ne fut inauguré que dix-sept ans après l'événement et utilisait encore l'année lunaire.

En Europe chrétienne, la méthode moderne — avant ou après Jésus-Christ — exprimait la foi chrétienne originelle en un événement unique, la venue du Christ sur terre, qui donnait à l'histoire entière une signification et une direction. Ce modèle, cependant, ne fut élaboré que progressivement. Les juifs, eux aussi, avaient trouvé leur événement unique avec la Création, et l'année chrétienne 1900 était pour eux l'*Anno mundi* 5661.

Ce ne fut que bien des siècles après la naissance de Jésus que le système actuel fut mis en vigueur. Durant les premiers siècles, certains chrétiens partaient de « l'Indiction », c'est-à-dire des multiples de la période de quinze ans fixée pour les assiettes impériales des impôts, en commençant à l'avènement de Constantin en 312 ; d'autres de l'Ère de l'Espagne (le cycle pascal partant de la conquête de l'Ibérie par les Romains en 38 av. J.-C.) ou bien de l'Ère de la Passion (trente-trois ans après la Nativité.) L'inventeur de la formule « Anno domini » fut Denys le Petit (v. 500-560), moine, mathématicien et astronome, qui s'efforçait de déterminer comment calculer avec précision la date de Pâques, qui tombait, de l'avis général, le premier dimanche après la pleine lune ou après l'équinoxe vernal du 21 mars. Cela signifiait que, pour la chrétienté occidentale, Pâques était susceptible de tomber à n'importe quelle date entre le 21 mars et le 25 avril. Cette fête a toujours dominé l'année chrétienne, parce que c'est à partir d'elle que sont calculées toutes les autres fêtes mobiles et que commence l'année liturgique.

Cependant, la méthode à utiliser pour prévoir la date de Pâques dans les décennies à venir était fort complexe et faisait d'ailleurs l'objet d'interminables controverses. Beaucoup de chrétiens d'Europe se servaient d'une table de quatre-vingt-quinze ans, lorsque le pape Hilaire (461-468) conçut un autre système. Il coordonna le cycle de dix-neuf ans selon lequel la nouvelle lune tombait à la même date, et celui de vingt-huit ans qui voyait revenir dans le même ordre les jours de la semaine et du mois, ce qui lui donna une période de cinq cent trente-deux ans. Denys le Petit entreprit de peaufiner les chiffres du pontife et pour ce faire, il rejeta le point de départ habituellement choisi, à savoir l'avènement de l'empereur Dioclétien, en 284. Plutôt que de « perpétuer le nom du Grand Persécuteur », il voulait « compter les années à partir de l'incarnation de Notre Seigneur Jésus-Christ ».

En dépit de toutes les tentatives de compromis, la date de Pâques allait continuer à semer la dissension entre chrétiens d'Occident et d'Orient. Pourtant, le calendrier chrétien, qui comptait les années à partir de la date de naissance supposée de Jésus, allait en venir à dominer la plus grande partie du monde non chrétien, à l'exception de l'Islam. L'erreur commise par Denys le Petit n'était qu'un point de détail. Il avait calculé que la naissance du Christ avait eu lieu durant l'année 753 après la fondation de Rome. Récemment, les spécialistes de la Bible, se fondant sur les Évangiles, sont tombés d'accord pour dire que la Nativité devait être antérieure à la mort d'Hérode, c'est-à-dire qu'elle remonterait au moins à l'an 4 « avant Jésus-Christ ».

En 525, Denys le Petit proposa au pape l'utilisation de l'expression « A.D. » (*Anno Domini* ou l'année du Seigneur) pour la datation courante. Lui-même était si peu impressionné par sa propre invention qu'il continua à dater ses lettres en se référant à l'« Indiction ». Peu à peu, à mesure que l'utilisation des Tables de Pâques de Denys le Petit se répandait en Europe chrétienne, la formule *Anno Domini*, dénotant l'écoulement continu des années depuis la naissance du Christ, délogea toutes les autres. Cependant, quoique le système fût déjà bien établi dans le monde savant, puisque dans son *Ecclesiastical History* (731) le Vénérable Bède donnait des dates suivies des lettres « A.D. », il fallut attendre plusieurs siècles avant de le voir généralement adopté par la société européenne. Ce ne fut qu'au XVIIe siècle que l'on commença à utiliser l'expression « avant J.-C. » et à compter en sens inverse les années antérieures à la Nativité qui restait l'unique point de départ.

Bien des ambiguïtés subsistaient pour empoisonner la vie des historiens. Ainsi, à quel moment « l'année » commençait-elle ? Parmi les nombreuses possibilités figuraient le jour de Noël, l'Annonciation (25 mars), Pâques (fête mobile) et le 1er janvier. Nos manuels d'histoire portent encore les traces de ce désordre. En Angleterre, par exemple, la Glorieuse Révolution que l'on appelle parfois la révolution de 1688 deviendrait selon notre actuelle façon de compter la révolution de 1689, car elle eut lieu le 13 février de cette année-là ; seulement, à l'époque, les Anglais ne commençaient la « nouvelle » année qu'à partir du 25 mars. Au fil des siècles, la date à laquelle débutait la nouvelle année s'est déplacée. Au VIIIe siècle, le 1er de l'an tombait le jour de Noël, mais aux siècles suivants on a préféré le jour de l'Annonciation ou celui de Pâques, avant d'adopter la pratique moderne du 1er janvier.

Dans l'Europe médiévale, il était très commun de dater les documents officiels ou légaux non pas grâce à la formule *Anno Domini*, mais à partir de l'avènement du souverain, pape ou évêque régnant, ce qui ne simplifiait pas les choses. Le roi Jean d'Angleterre étant monté sur le trône le jour de l'Ascension (quarantième jour après la résurrection, c'est-à-dire après Pâques), qui était une fête mobile, il prit l'habitude de célébrer l'anniversaire de son règne le jour de cette fête, qui variait d'une année sur l'autre. De ce fait, certaines années de son règne furent plus longues et d'autres plus courtes que nos années actuelles. Henri V d'Angleterre, pour sa part, devint roi le 21 mars 1413 ; l'année nouvelle commençant alors le 25 mars, chacune de ses années de règne comportait un peu de deux « années du Seigneur ».

L'habitude moderne de faire commencer l'année le 1er janvier marque un retour aux pratiques païennes, car c'était le jour où commençait l'année romaine, ce qui explique, bien sûr, pourquoi l'Église s'opposait à ce qu'on conservât cette datte. Néanmoins, en raison de l'utilisation croissante d'almanachs dont les calculs partaient du 1er janvier et de l'étude de plus en plus répandue du droit romain, dès la fin du XVIe siècle, cette date était acceptée comme point de repère dans l'Europe entière. Lorsqu'en 1582, le pape Grégoire XIII proposa sa réforme du calendrier, lui aussi céda à la coutume païenne. Sa nouvelle façon de calculer le temps créa d'autres complications pour l'historien moderne, car les pays catholiques ne tardèrent pas à adopter les réformes grégoriennes, éminemment sensées, mais les protestants et les chrétiens d'Orient orthodoxes se refusaient à suivre la voie que leur indiquait un pape. Aussi, pendant près de deux siècles, les Britanniques préférèrent-ils se compliquer la vie plutôt que de respecter un calendrier papiste, même si les saisons étaient depuis bien longtemps décalées par rapport aux mois de l'année.

Finalement, en 1751, Philip Dormer Stanhope, quatrième comte de Chesterfield (1694-1773), célèbre pour ses lettres à son fils, soumit au Parlement un projet de loi proposant d'adopter le nouveau calendrier (que l'on se gardait bien d'appeler « grégorien »). Conformément à cette loi, le début de l'année passa du 25 mars au 1^er^ janvier et le jour qui suivit le 31 décembre 1751 devint le 1^er^ janvier 1752 (au lieu de 1751). Afin de corriger les erreurs accumulées par l'ancien calendrier julien, il fut décidé que le lendemain du 2 septembre 1752 serait le 14 septembre de la même année, inutile de dire que les historiens ont bien du mal à s'y reconnaître. A partir de 1782, où les calendriers ancien et nouveau se trouvèrent en rivalité, les colonies britanniques en Amérique suivirent généralement les habitudes de datation non réformées de la mère patrie, et les ambiguïtés qui en découlaient.

Il ne fallut pas moins d'une révolution communiste pour persuader les Russes d'abandonner le calendrier julien, mesure adoptée en 1919. Au Japon, l'empereur Meiji, dans le cadre de son programme d'occidentalisation, se décida finalement, le 1^er^ janvier 1873, à adopter le calendrier grégorien, qui fut utilisé parallèlement à l'ancien système des années de règne. En Chine, jusqu'à la fondation de la république en 1911, une méthode fort complexe combinait les titres des années de règne aux années lunaires. Après quoi, on se décida à passer enfin à l'année solaire, mais les dates étaient encore calculées à partir du début de la république. Ce ne fut qu'en 1949 que le gouvernement chinois adopta le calendrier grégorien.

Un dénominateur temporel commun pour les événements mondiaux faciliterait la définition des latitudes de l'histoire et permettrait donc de découvrir plus aisément quels événements sont survenus au même moment dans les différentes parties du monde, ainsi bien sûr que leur ordre d'antériorité ou de postériorité. Or, pendant la majeure partie de l'histoire humaine, il n'y a pas eu, même au sein de la chrétienté occidentale, nous venons de le voir, de schéma uniforme — à vrai dire il n'y a pas eu de schéma du tout — pour dater les événements survenus en un lieu par rapport à ceux survenus en un autre lieu.

Nous avons bien du mal à imaginer à quel point le passé était étroit d'esprit et fragmentaire avant que les savants, de par le monde, ne fussent parvenus à établir des grandes lignes universelles de contemporanéité. Les chrétiens orthodoxes, en ne mettant en lumière que les événements relatés par la Bible, laissaient le reste du monde dans les ténèbres. Pour rassembler les événements enregistrés par les Juifs, les Perses, les Babyloniens, les Égyptiens, les Grecs et les Romains, au sein d'une unique chronologie, il fallait une érudition surhumaine et une aptitude à poser des questions gênantes. L'un des premiers à faire la tentative fut l'ambitieux cartographe Gerardus Mercator (1512-1594), qui trouva également le moyen de représenter notre planète sphérique sur une surface plane, pour la commodité des marins qui se hasardaient au loin. Il comprit le besoin d'une chronologie universelle pour permettre à ceux qui s'embarquaient à la découverte du passé de se repérer. En quatre cent cinquante pages, il présenta une ingénieuse *Chronologie... depuis le commencement du monde jusqu'à l'année 1568, réalisée à partir d'éclipses et d'observations astronomiques*. Les événements notés parmi les Assyriens, les Perses, les Grecs et les Romains étaient synchronisés grâce aux références contemporaines aux éclipses du soleil et de la lune. Ce n'était là, toutefois, que la première partie du grand projet inachevé de Mercator, dont l'ambition était de dépeindre le monde entier depuis la Création, sur un plan aussi bien spatial que temporel.

On ne s'étonnera pas d'apprendre qu'à l'époque de Copernic, d'autres que lui se servaient de la nouvelle astronomie pour éclairer l'histoire. Le plus célèbre d'entre eux, et celui qui connut le plus de réussite, fut le phénoménal érudit italien, Joseph Juste Scaliger (1540-1609), que l'on révérait comme un véritable prodige et qui avait la réputation d'être, après Aristote, l'homme le plus savant de son temps. A en croire ses admirateurs, il avait « appris tout Homère en vingt et un jours ». Étudiant à Paris à l'époque du terrible massacre de la Saint-Barthélemy (1572), « il était si complètement absorbé dans son étude de l'hébreu, a rapporté un de ses condisciples, que, pendant un certain temps, il n'entendit ni le fracas des armes, ni les gémissements des enfants, ni les lamentations des femmes, ni les cris des hommes. Séduit par la merveilleuse douceur de ces idiomes, il acquit successivement le chaldéen, l'arabe, le phénicien, l'éthiopien, le perse et tout spécialement le syriaque ».

« Phénix de l'Europe », « insondable puits d'érudition », « lumière du monde », Scaliger puisa aux sources de la philologie, des mathématiques, de l'astronomie et de la numismatique pour établir son Système correct de Chronologie qui réunit enfin les événements de toute l'Antiquité alors connue en une succession unique. Tandis que le pape Grégoire annonçait sa réforme du calendrier courant, Scaliger, lui aussi, se servait de l'astronomie copernicienne pour coordonner les nombreux calendriers anciens. Inutile de dire qu'il s'attira les foudres de tous les fidèles qui pensaient que « l'histoire sainte » devait rester ésotérique. Grâce à cette nouvelle science qu'était la chronologie, il devint pour la première fois possible de rassembler dans le cadre d'un récit cohérent tout le passé européen.

Le pieux sir Isaac Newton (1642-1727) consacra les dernières années de sa vie à trouver des moyens de confirmer l'histoire biblique par le biais de l'astronomie. A mesure que sa célébrité grandissait, il se tournait de plus en plus vers la religion et, comme nous l'avons vu, il laissa à sa mort des milliers de pages manuscrites sur la théologie et la chronologie. Même si certaines de ses hypothèses ont par la suite incité Buffon à reculer dans le temps les origines du monde, Newton lui-même se refusait à prendre au sérieux la possibilité que la planète fût de beaucoup antérieure à la date biblique (4004 avant J.-C.) fixée par l'archevêque Ussher. Il espérait simplement confirmer le texte biblique, en synchronisant les événements des Écritures et ceux enregistrés dans les chroniques d'Égypte, d'Assyrie, de Babylone, de Perse, de Grèce et de Rome. Les pays plus orientaux et exotiques, tels que la Chine, dont les chroniques venaient à peine d'être introduites en Europe par les missionnaires jésuites, ne figuraient pas encore dans le tableau.

Alors que les données brutes de Newton sur le passé humain consistaient en bribes fortuites empruntées à des sources douteuses, sa pratique de l'astronomie était aussi brillante que perfectionnée. Quant à sa manière de se servir de l'astronomie pour dater l'histoire, elle s'avéra être un progrès vers l'établissement de « latitudes » chronologiques plus distinctement définies, de façon à pouvoir éventuellement appliquer la même échelle chronologique aux événements du monde entier. Newton, cependant, n'était nullement le premier à comprendre que la chose était possible. Un siècle et demi auparavant, comme nous venons de le voir, Mercator et Scaliger, eux aussi, avaient commencé à utiliser les données astronomiques pour mettre au point une chronologie mondiale unique. L'éminent astronome polonais, Johannes Hevelius, avait calculé la position exacte du Soleil dans le Paradis terrestre, lors de la Création, qu'il fixait à dix-huit heures, le 24 octobre 3963 avant J.-C. Un contemporain de Newton, William Whiston, tenta d'établir la date de la comète qui avait causé le Déluge.

Comme point de départ de sa chronologie, Newton choisit, curieusement, le voyage fabuleux des Argonautes. L'illustre savant bâtit la grandiose structure de sa chronologie mondiale sur la fondation la plus ténue qui fût — la date de l'expédition mythique en Colchide pour en ramener la Toison d'Or, dont Jason avait pris la tête. L'*Argos*, le vaisseau de Jason, contenait, disait-on, un bau taillé dans l'arbre divin de Dodone, capable de prédire l'avenir. La Toison était gardée par le célèbre dragon qui ne dormait jamais et dont les dents, lorsqu'elles étaient semées, se transformaient en hommes d'armes. D'innombrables merveilles attendaient jason et les cinquante braves qui l'accompagnaient durant leur voyage fameux, et la moins étonnante d'entre elles n'est pas la théorie qu'en a tirée Newton.

Ce dernier ne voyait rien de paradoxal à choisir un mythe comme point de départ de sa chronologie scientifique. Il savait que dans l'Antiquité on tenait le voyage de l'*Argos* pour un fait avéré ; c'était ce navire qui, le premier, avait ouvert la mer Noire au commerce grec. Comme tous les autres bons chrétiens qui suivaient la doctrine d'Évhémère, Newton croyait que les dieux de la mythologie ancienne étaient d'authentiques héros, que l'on avait ensuite déifiés. Si les vieux mythes n'étaient autres que des faits romancés, il s'ensuivait que le voyage des Argonautes avait effectivement eu lieu et il s'estimait capable d'en fixer la date en se fondant sur les phénomènes astronomiques.

La date du voyage des Argonautes était cruciale, parce qu'elle fixait aussi celle de la chute de Troie et, par voie de conséquence, celle de la fondation de Rome, censée avoir été fondée par Énée, rescapé de Troie. Newton attachait beaucoup d'importance aux propos du redoutable Hérodote, selon lesquels une seule génération séparait l'aventure des Argonautes de la chute de Troie. Si l'on parvenait à dater l'expédition de Jason, déclarait Newton, il ne restait plus qu'à définir le nombre d'années qui constituaient une « génération » pour fournir un point de départ précis à toute la chronologie gréco-romaine, car un grand nombre de personnages postérieurs dans le mythe et dans l'histoire faisaient remonter leurs origines à l'un ou l'autre des passagers de l'*Argos*.

« Les arguments les plus sûrs pour déterminer les événements passés, a écrit Newton, sont ceux empruntés à l'astronomie. » Il a noté que quelques événements historiques — notamment la guerre du Péloponnèse — pouvaient aisément être datés grâce aux éclipses signalées à l'époque où ils se déroulaient. Les éclipses sont rares, cependant, et les Argonautes ne semblent pas en avoir été témoins. Newton élabora, par conséquent, une technique astronomique plus recherchée qu'il appliqua avec une opiniâtreté théologique. En partant des données sur la précession annuelle des équinoxes, expliqua-t-il, dont il avait calculé dans ses *Principia* qu'elles étaient d'« environ cinquante » par an, il serait possible de savoir exactement combien d'années avant la période actuelle le firmament présentait un aspect bien particulier.

Newton avait lu beaucoup d'ouvrages anciens d'astronomie et il éprouvait un profond respect pour Hipparque, l'astronome grec qui le premier avait noté (vers 130 avant J.-C.) la précession des équinoxes. Toutefois, précisait-il, Hipparque s'était tompé dans son calcul de la vitesse de précession. Si l'on considérait ses observations sur les cieux, il serait possible de fixer la date précise de l'expédition des Argonautes.

> Hipparque, le grand astronome, comparant ses propres observations avec celles d'astronomes antérieurs a été le premier homme à conclure que les équinoxes subissaient un mouvement rétrograde par rapport aux étoiles fixes : il était d'avis qu'ils reculaient d'un degré en l'espace de cent ans. Il a fait ses observations des équinoxes entre les années 589 et 618 du règne de Nobonassar : l'année médiane est 602 qui se situe deux cent quatre-vingt-six ans après l'observation ci-dessus de Meton et Euctemon… Mais, en réalité, il reculait

d'un degré tous les soixante-douze ans et de onze degrés en l'espace de sept cent quatre-vingt-douze ans... et cette façon de calculer placera l'expédition des Argonautes environ quarante-trois ans après la mort de Salomon. Donc, les Grecs ont situé le voyage des Argonautes environ trois cents ans avant sa date véritable, donnant ainsi naissance à l'opinion du grand Hipparque, selon laquelle l'équinoxe reculait à la vitesse d'un degré seulement tous les cent ans.

Ce fut ainsi que Newton édifia son Nouveau Système de Chronologie, grâce auquel il data les principaux événements des civilisations grecque, perse et égyptienne, par rapport aux dates de David et Salomon dans la Bible. La chronologie de Newton donna naissance à une vive controverse internationale. « Les grands événements de l'Antiquité, s'exclama un de ses défenseurs, gisaient depuis longtemps comme les ruines de quelque colossal édifice, démoli par les outrages du temps et caché par les décombres, en dépit de tous les efforts tentés pour le remettre en état. Mais nous voyons enfin, à présent, se relever la noble structure, dans toute sa symétrie, sa force et sa beauté originales, chacun des matériaux étant remis à la place ancienne qui lui appartenait par la main magistrale de sir Isaac Newton ! » D'autres en revanche assuraient que son modèle ne valait « pas mieux qu'un roman bien conçu ». Le jeune Edward Gibbon, cependant, traitait avec le plus grand respect la chronologie de Newton : « Le nom de Newton évoque l'image d'un profond génie, lumineux et original, écrivit-il dans son recueil de 1758. Son système de Chronologie suffirait à lui seul à lui assurer l'immortalité... Expérience et Astronomie, tel est le fil conducteur de l'argument de Newton. »

Ce dernier, qui croyait passionnément aux prophéties bibliques, indiquait toujours la voie d'une chronologie mondiale pratique fondée sur des événements objectifs, survenus à travers toute la planète. En fin de compte, le genre de date fondamentale que recommandait l'astronomie de Newton allait présenter des lignes de contemporanéité tout à fait utilisables tout autour du monde. Les hommes ne s'entendraient peut-être jamais sur la date de la Création — beaucoup d'entre eux se refuseraient à croire à la Nativité — mais tous pouvaient partager une syntaxe de l'histoire, et ils le feraient.

La chronologie moderne a fait son apparition lorsque les vieux schémas limités qui consistaient à baptiser les années et les époques selon les monarques ou les dynasties régnants, ou encore selon les prodiges magiques, ont été remplacés par un modèle numéral commun. Ce n'est que fort tard dans l'histoire de notre planète que le siècle est devenu une mesure de temps largement acceptée. En anglais, par exemple, le mot « century », qui signifie « siècle » (du latin *centuria* qui désignait une compagnie de cent hommes), était utilisé à l'origine pour n'importe quel groupe de cent entités identiques ; ainsi dans *Cymbeline*, Shakespeare fait dire à Imogen qu'elle espère réciter « a century of prayers » (une centaine de prières). Les gens parlaient encore d'un « century of years » (une centaine d'années). Ce ne fut qu'au XVIIe siècle que le mot « century », pris absolument, en vint à désigner l'une des périodes de cent ans qui se sont succédé depuis le début de l'ère chrétienne. Ce petit indice marquait un changement important.

## 75

### *La découverte de la préhistoire*

Au XVIIIe siècle, lorsque Buffon prolongea le calendrier de la nature sur de séduisants millénaires, les chrétiens dévots n'en trouvaient pas moins la chronologie biblique, qui avait permis à monseigneur Ussher de fixer la date de la Création à l'an 4004 avant J.-C., beaucoup trop rassurante pour l'abandonner à la légère. Pour eux, le cours de l'histoire humaine à ses débuts se résumait bel et bien au passage du Paradis terrestre à Jérusalem et la Bible en faisait la chronique détaillée. Tous les événements anciens qui concernaient les chrétiens ayant eu lieu exclusivement autour du bassin méditerranéen, l'héritage humain était forcément celui de la Grèce et de Rome. En choisissant, comme point de départ de sa chronologie, le voyage des Argonautes, Newton faisait néanmoins aussi aux événements bibliques une place de premier plan.

Que s'était-il passé, cependant, avant les temps bibliques ? Aujourd'hui, on peut s'étonner que si peu de chrétiens se soient posé la question, mais c'est oublier que, pour les véritables croyants, elle n'avait pas de sens : que s'était-il passé *avant* l'histoire ? Avant qu'il se fût effectivement passé quelque chose ? Il fallut attendre le milieu du XIXe siècle pour voir apparaître, dans les vocabulaires européens, le mot « préhistoire ». Entre-temps, les Européens qui se piquaient de réflexion s'étaient arrangés comme ils pouvaient pour éliminer de leur savoir historique la majeure partie du passé très ancien.

En même temps que des plantes, animaux et minéraux, les missionnaires, marchands, explorateurs et naturalistes avaient rapporté en Europe des objets fabriqués par l'homme, destinés aux « cabinets de curiosités », éléments familiers dans les demeures des riches et des puissants. Au Moyen Age déjà, on avait exposé de ces objets curieux, anciens et précieux, dans les églises, les monastères, les collèges et les universités. Durant la Renaissance, de somptueuses collections, dans lesquelles figuraient le butin de guerre, les présents des ambassadeurs et les œuvres des artistes de la cour ornaient les palais des papes et des Médicis. Ce fut ainsi que naquirent les grandes collections du Vatican à Rome, des Offices et du palais Pitti à

Florence, du Louvre à Paris, de l'Escorial près de Madrid et de diverses villes ducales telles que Dresde, où Winckelmann ressentit les premiers souffles de l'inspiration. Elles faisaient les délices de quelques rares privilégiés.

En Europe, le XVIII^e siècle vit apparaître une nouvelle espèce de collection, une institution inédite, le musée *public*. Le gouvernement britannique fut ici le pionnier, en se portant, en 1753, acquéreur des collections de sir Hans Sloane, pour les exposer au public à partir de 1759. Certaines collections privées, comme celles des musées du Vatican, furent volontairement ouvertes au public. D'autres, comme celle du Louvre, furent saisies par les révolutionnaires afin d'en faire profiter tous les citoyens. A travers l'Europe entière, un public nouveau se pressait dans les musées, pour y trouver tout à la fois instruction, émerveillement et distraction. Après 1800, le mot « touristes » fut adopté, pour désigner la masse itinérante de ces spectateurs de passage. Les espoirs des explorateurs de musée, qui arrivaient haletants d'impatience, étaient exacerbés par la distance parcourue.

Aux États-Unis et partout où n'avaient existé ni palais ni collections royales, le public dut partir de zéro, mais le Nouveau Monde eut très vite ses premiers musées : le Peale Museum à Philadelphie (1784), le Smithsonian Institute à Washington (1846), et d'autres aussi en Amérique du Sud. En Asie — en Inde, au Siam, en Chine, au Japon — les grandes collections restèrent généralement l'apanage des cours princières, quand elles n'étaient pas enfouies au fond des sanctuaires intérieurs des temples. Il faudrait des révolutions pour que tous ces trésors parussent enfin aux yeux du grand public. Des pays conquis — l'Égypte, la Grèce, Rome et la Perse — des peintures et des sculptures, voire des édifices entiers, furent transportés jusque dans les grands musées de Londres, Paris, Amsterdam ou Berlin. Les musées européens subirent une lente transformation ; on n'y vit d'abord que des objets comme les aristocrates amateurs d'art en amassaient pour des raisons de prestige ou de curiosité. C'étaient donc les belles choses qui avaient la vedette, ainsi parfois que les objets dont la valeur historique était reconnue, par exemple les couronnes, sceptres et globes des anciens rois, ou encore des instruments scientifiques d'une grande rareté, tels qu'un planétaire. Les objets qui n'étaient ni visiblement beaux ni manifestement étranges n'éveillaient guère d'intérêt, et pourtant, en fin de compte, ce furent justement ces objets grossiers et anonymes qui permirent la découverte des grands continents préhistoriques et renouvelèrent entièrement le vocabulaire historique. Comme nous l'avons vu, les *objets* qui survivaient possédaient un pouvoir spécial lorsqu'il s'agissait d'aider les gens à mieux saisir le passé. Toutefois, les vestiges déterrés à Rome ou en Grèce apportaient un simple témoignage sur un passé rendu familier par la littérature sacrée ou classique. La découverte de la préhistoire à travers les objets allait remonter bien loin au-delà de la parole écrite et accroître considérablement les dimensions de l'histoire humaine.

Par une bizarre succession de coïncidences, le rôle principal, dans l'aventure, échut à un homme d'affaires danois, Christian Jürgensen Thomsen (1788-1865). Cet homme qui ne possédait ni l'érudition d'un Scaliger ni le génie mathématique d'un Newton avait en revanche du bon sens à revendre et il était doué des vertus propres au fervent amateur. Sa passion pour les objets curieux n'avait d'égal que son talent pour éveiller l'intérêt du nouveau public qui hantait les musées. Né à Copenhague, l'aîné des six fils d'un prospère armateur de navires, il fut formé à l'école des affaires. Il se lia avec la famille d'un consul danois qui, en poste à Paris durant la Révolution, en avait rapporté des collections achetées à l'aristocratie saisie par la panique. Lorsque le jeune Christian, qui n'avait encore que quinze ans, aida ses amis à déballer tous ces trésors, il reçut pour sa peine quelques pièces de monnaie anciennes pour lui mettre le pied à l'étrier ; quatre ans plus tard, il était déjà un numismate respecté. En 1807, lorsque les navires britanniques bombardèrent Copenhague pour soustraire la flotte danoise à Napoléon, de nombreuses maisons furent incendiées et Christian se porta volontaire pour lutter contre le sinistre. Il y passa la nuit et parvint à arracher aux flammes la collection d'un des principaux numismates de la ville, dont la demeure avait été touchée ; il alla la mettre en sûreté chez le conservateur du Cabinet royal des antiquités.

La Commission royale pour la préservation des antiquités danoises, qui venait de s'établir à Copenhague, était inondée d'un incroyable fouillis de vieux objets qu'envoyaient des citoyens débordant d'esprit civique. Le vieillard qui faisait office de secrétaire était incapable de faire face au tas qui s'accumulait. Il était temps qu'un homme plus jeune prît la relève ; le poste semblait fait sur mesure pour Thomsen, alors âgé de vingt-sept ans et déjà renommé pour sa collection de pièces de monnaie merveilleusement organisée. « Certes, M. Thomsen n'est qu'un dilettante, reconnut l'évêque qui faisait partie de la Commission, mais il possède un savoir très étendu. Il n'est titulaire d'aucun diplôme universitaire, mais dans l'état actuel des connaissances scientifiques, il ne me semble pas que cette carence soit de nature à le desservir. » Le jeune homme eut donc l'honneur de se voir confier la tâche de secrétaire bénévole, ne participant pas aux votes. En fait, son absence de formation académique lui permit d'envisager les choses d'un œil neuf, ce dont l'archéologie avait justement besoin à ce moment précis.

Les étagères poussiéreuses des réserves de la Commission croulaient sous les vieux paquets sans étiquettes. Comment Thomsen allait-il pouvoir y mettre bon ordre ? « Je n'avais pas d'exemple à suivre pour le classement d'une telle collection », devait avouer le responsable ; il n'avait pas non plus d'argent pour engager les services d'un professeur susceptible de ranger tous les objets par catégories scientifiques. Force lui fut donc d'avoir recours aux méthodes pleines de bon sens apprises dans les entrepôts paternels. Chaque paquet fut ouvert et son contenu trié en objets de pierre, de métal ou de poterie. Après quoi, chacune de ces grandes catégories fut subdivisée selon la fonction apparente des objets : armes, outils, récipients ou objets du culte. Ne disposant d'aucun texte pour le guider dans ses choix, Thomsen se contentait d'examiner chaque objet, puis de se demander quelles questions poseraient des visiteurs de musée qui le verraient pour la première fois.

Lorsqu'il ouvrit son musée au public, en 1819, les visiteurs purent contempler les objets parmi les trois vitrines. La première contenait des objets de pierre ; la seconde des objets de bronze ; la troisième des objets de fer. Cet apprentissage empirique dans l'art et la manière de tenir un musée incita Thomsen à se demander si les objets façonnés dans le même matériau n'étaient pas des vestiges d'une même époque. Il semblait à son œil de profane que les objets de pierre étaient plus anciens que leurs pendants en métal et que ceux de bronze étaient antérieus à ceux de fer. Il fit part de cette intuition élémentaire à d'érudits spécialistes de l'Antiquité, à qui il attribua modestement, par la suite, tout le mérite de cette idée.

Cette notion n'était pas entièrement neuve, mais celles du même ordre que l'on trouvait chez les auteurs classiques étaient fantaisistes et trompeuses. Selon Hésiode, au commencement, Chronos avait créé les hommes de l'âge d'or, qui ne devaient jamais vieillir. Le travail, la guerre et l'injustice étaient inconnus. Ils devinrent éventuellement des esprits protecteurs sur terre. Puis, à l'âge d'argent, durant lequel les hommes perdirent leur révérence envers les dieux, Zeus les punit et les ensevelit parmi les morts. L'âge du bronze qui suivit (au cour duquel les demeures elles-mêmes étaient de bronze) fut une période de luttes incessantes. Après le bref intermède d'un âge héroïque dominé par des demi-dieux, dans leurs îles des Bienheureux, survint le triste âge du fer, où vivait Hésiode lui-même. Et pourtant, une époque pire encore attendait le genre humain, un futur durant lequel les hommes naîtraient séniles et où la décadence serait universelle.

Thomsen n'était pas suffisamment instruit pour tenter de faire correspondre le contenu de son musée à ce séduisant modèle littéraire. Il s'intéressait davantage aux objets qu'aux mots. Il n'y avait déjà que « trop de livres », à son gré, et l'envie d'y ajouter le sien ne le démangeait nullement. En 1836, pourtant, il finit par publier son *Guide des antiquités scandinaves*, dans lequel il traçait les grandes lignes de son fameux système des trois âges. Cet ouvrage, le seul qu'il ait écrit, traduit en anglais, français et allemand, se répandit à travers l'Europe entière et devint une véritable invention à la « préhistoire ».

A cette époque, les érudits européens avaient bien du mal à se figurer que l'expérience humaine antérieure à l'écriture ait pu être divisée parmi les trois époques suggérées par Thomsen. Il semblait plus logique de supposer que les objets en pierre étaient toujours utilisés par les pauvres, tandis que leurs supérieurs sociaux se servaient du bronze ou du fer. Le modèle éminemment sensé que proposait le Danois n'avait pas l'heur de plaire aux pédants. Si l'on se mettait à croire à un âge de pierre, ricanaient-ils, pourquoi pas aussi à l'âge de la faïence, à l'âge du verre et l'âge de l'os ? Au siècle suivant, il s'avéra que la théorie de Thomsen, améliorée mais non délaissée par les savants, était bien autre chose qu'un simple exercice dans l'art et la manière de gérer un musée. Elle nous disait très clairement que l'histoire humaine avait, sans qu'on sût trop comment, suivi un développement par étapes homogènes, qui s'étendait au monde entier. Thomsen disposa les objets de son musée selon son « principe de culture progressive ».

Il montra bien quelle infinité de choses on pouvait apprendre non seulement en contemplant les sculptures antiques qui incarnaient pour Winckelmann la beauté idéale, mais aussi en examinant les outils forts simples et les armes grossières façonnés par quelque homme préhistorique anonyme. Offrant à tout le monde libre accès à ses collections, Thomsen proposait aux visiteurs des conférences fort vivantes concernant l'expérience quotidienne de ces peuplades des temps très reculés. Avec un art consommé, il cachait dans les pans de sa redingote un objet de petite taille, particulièrement intéressant — souvent un ustensile en bronze ou une arme en fer — pour l'en sortir soudain lorsqu'il le mentionnait pour la première fois dans son récit.

Poursuivant les indices relevés par Thomsen, des archéologues découvrirent et explorèrent les tas d'ordures du passé. Leur chemin le long de l'histoire ne s'enfonçait plus seulement au milieu des sépultures gorgées d'or des anciens rois, mais aussi à travers les *kjoekken-moedding*, ou déchets de cuisine, ensevelis depuis des siècles (« moedding » était un mot utilisé par les anciens Scandinaves pour désigner les saletés ou tas de fumier). Les premières fouilles de ces sources inattendues furent entreprises principalement par un disciple de Thomsen, Jens Jacob Worsaae (1821-1885). A l'âge de quinze ans, il était devenu l'assistant de Thomsen au musée et pendant les quatre années suivantes, il passa toutes ses vacances à faire des fouilles dans les anciens tumulus du Jutland, avec l'aide de deux manœuvres payés par ses parents. Ce garçon de tempérament athlétique, épris de plein air, était le complément idéal de Thomsen, plus intéressé par son musée. Il n'avait que dix-neuf ans lorsqu'il publia, en 1840, en se fondant sur la stratigraphie et les premiers témoignages recueillis dans les tumulus et tourbières danois, un article confirmant la théorie des trois âges de Thomsen et répartissant les objets préhistoriques entre un âge de pierre, un âge du bronze et un âge du fer. Lui aussi penchait en faveur des latitudes du temps, à travers tout le Danemark, et même au-delà. Une douzaine d'années plus tard, en 1853, l'archéologue, suisse Ferdinand Keller (1800-1881), occupé à explorer les demeures lacustres du lac de Zurich, en vint à la conclusion qu'« en Suisse, les trois âges de la pierre, du bronze et du fer sont aussi bien représentés qu'en Scandinavie ».

Certaines difficultés évidentes posaient de sérieux problèmes à ces prophètes de la préhistoire. Comment était-il possible d'allonger suffisamment l'expérience de l'homme pour remplir les millénaires passés révélés par Buffon et les géologues ? Ne serait-il pas autrement plus propre de faire tenir toute l'histoire préchrétienne dans les confortables quatre mille quatre années fixées par Monseigneur Ussher ? Sans compter les autres problèmes posés par les géologues qui annonçaient à présent que le nord de l'Europe avait été recouvert par les glaces à l'époque où les hommes de l'âge de pierre habitaient des cavernes dans le midi de la France. Pour établir une corrélation entre tous ces faits, il fallait une approche encore plus fouillée de l'aube de l'humanité. Si les peuplades de l'âge de pierre du sud de l'Europe ne s'étaient déplacées vers le nord qu'après le retrait des grands glaciers, alors les trois étapes universelles avaient été atteintes à des moments différents dans les divers endroits.

Il n'était pas facile d'adapter la théorie des trois âges au passé de l'homme en Europe. Dans le musée de Thomsen, l'âge dit de pierre était représenté par des objets en pierre polie que ses concitoyens avaient été tentés de lui envoyer comme curiosités. Entre-temps Worsaae, qui évoluait sur le terrain, laissa entendre que l'âge de pierre était beaucoup plus étendu et plus ancien que le suggéraient tous ces instruments habilement polis. Sur les sites de ses fouilles, il était possible d'étudier chacun des objets qu'il déterrait non pas comme une curiosité isolée, mais parmi tous les autres vestiges d'une communauté de l'âge de pierrre, lesquels pouvaient d'ailleurs fournir des indices concernant d'autres communautés analogues dans le monde entier.

Worsaae eut l'occasion de se distinguer en 1849, lorsqu'un riche Danois du nom d'Olsen décida d'apporter certaines améliorations à son grand domaine, Meilgaard, sur la côte septentrionale du Jutland. Ayant décidé de faire construire une route, il envoya ses ouvriers à la recherche de gravier à disposer en surface. S'étant mis à creuser un talus à huit cents mètres environ de la côte, ceux-ci eurent la chance de tomber non pas sur du gravier mais sur une couche de coquilles d'huîtres, épaisse de deux mètres cinquante, ce qui, de leur point de vue, était encore préférable. Mêlés à ces coquilles ils découvrirent des morceaux de silex et d'os. Un petit objet en os d'environ six centimètres de long retint particulièrement leur attention. Il avait la forme d'une main à quatre doigts et avait visiblement été façonné par l'homme. Avait-on voulu fabriquer un peigne ?

Olsen, le propriétaire, partageait l'intérêt populaire pour les antiquités qu'avait stimulé Thomsen, si bien qu'il expédia l'objet au musée de Copenhague, où il éveilla la curiosité de Worsaae. Des tas de coquillages récemment examinés au Danemark avaient permis de retrouver des éclats de silex, divers fragments de poterie et de grossiers objets en pierre, semblables au peigne de Meilgaard. Peut-être ce monticule de coquilles d'huîtres « avait-il été une espèce de réfectoire pour les gens du voisinage au début des temps préhistoriques. Cela expliquerait les cendres, les ossements d'animaux, les silex et les tessons ». Peut-être l'homme moderne allait-il enfin pouvoir visiter une authentique communauté de l'âge de pierre et imaginer des hommes et des femmes de ces temps reculés en train de manger leurs repas quotidiens. Worsaae remarqua que toutes les coquilles avaient été ouvertes, ce qui n'eût pas été le cas, si elles avaient simplement été rejetées sur la côte.

Lorsque d'autres spécialistes contestèrent son explication, avançant chacun sa propre théorie, l'Académie danoise des sciences nomma une commission. Worsaae, assisté d'un zoologue et d'un géologue, fut chargé d'interpréter les tas de coquilles trouvés tout au long de l'ancien littoral danois. La commission émit la conclusion suivante : ces « *moedding* de coquillages » étaient en réalité des *kjoekken-moedding*, ce qui signifiait que l'historien était pour la première fois en mesure de pénétrer au plus intime de la vie quotidienne de ces anciennes peuplades. Les tas d'ordures allaient peut-être se révéler la porte ouverte sur la préhistoire. Cette découverte n'était pas de celles que l'on pouvait faire à l'intérieur d'un musée ; il fallait évoluer sur le terrain. Étant donné que les ustensiles façonnés de manière très rudimentaire que l'on trouvait dans les déchets de cuisine n'étaient jamais polis, à l'encontre des objets de pierre d'une époque plus tardive, ils n'étaient pas de nature à être remarqués par un profane et envoyés au musée le plus proche. Les déchets de cuisine annonçaient donc une autre grande ère de la préhistoire humaine : un premier âge de pierre, qui remontait bien au-delà de celui de la pierre polie.

Thomsen et ses collaborateurs du musée de Copenhague avaient si bien su éveiller l'intérêt général envers l'archéologie que la question qui se posait à présent — fallait-il vraiment diviser l'âge de pierre en deux périodes bien distinctes ? — n'était plus du tout une de ces énigmes ésotériques réservées aux savants des universités. Elle était débattue avec ardeur lors des séances publiques de l'Académie danoise. Les adversaires de Worsaae soutenaient que les tas de coquillages n'étaient rien de plus que les sites de pique-niques de visiteurs de l'âge de pierre qui avaient laissé ailleurs leurs instruments plus raffinés. Le roi du Danemark, Frédéric VII, qui partageait l'intérêt croissant pour les antiquités, avait fouillé des *moedding* sur ses propres terres et même écrit une monographie exposant sa propre interprétation. En 1861, pour « régler » la question, il convoqua à Meilgaard les principaux spécialistes pour une réunion publique en grand apparat, qu'il avait l'intention de présider en personne. Ce conclave royal, qui n'avait rien d'une réunion routinière de l'Académie, devait être célébré avec toute la pompe d'un couronnement. Outre le débat auquel ils assisteraient, les invités auraient l'occasion d'être témoins de l'excavation rituelle d'une nouvelle section du monticule. Par une chaleur quasi estivale, puisqu'on était à la mi-juin, les archéologues retournèrent le célèbre talus de huit heures à dix-huit heures, vêtus, par respect pour leur souverain, de leur « uniforme » officiel. Ce dernier, en effet, lorsqu'il avait nommé Worsaae conservateur de sa collection privée d'antiquités, en 1858, avait dessiné pour rire cet uniforme d'archéologue (col montant et redingote ajustée, surmontés d'une calotte), qui était à présent de rigueur lors des fouilles.

Les seigneurs des propriétés avoisinantes reçurent le roi et sa suite, faisant assaut des banquets, et l'on dansa tous les soirs au son des orchestres. Toute la région érigea des arcs de triomphe en l'honneur de l'éminent visiteur et partout le monarque paraissait escorté de sa garde à cheval en grande tenue. C'était un accueil vraiment royal qu'il avait réservé à l'âge de pierre !

Il fut convenu assez vite que Worsaae avait suffisamment démontré la validité de sa thèse et qu'on allait pouvoir présentement la proclamer devant le roi et à la face de la nation entière. « J'ai eu la satisfaction toute particulière, écrivit le vainqueur, de constater que, parmi les plusieurs centaines d'ustensiles en pierre découverts au milieu des huîtres, pas un seul spécimen ne portait la moindre trace de polissage ni d'une culture supérieure. » Et de rapporter, en s'en délectant, la note humaine qui vint tempérer la solennelle splendeur du moment. « Ce ne fut qu'à la toute dernière minute, alors que nous avions fréquemment fait remarquer la chose, que nous vîmes apparaître deux haches polies d'un type radicalement différent, qu'un farceur anonyme avait subrepticement cachées dans le tas pour nous donner le démenti. » Chacun soupçonnait fort le farceur en question de n'être autre que Frédéric VII en personne.

Il n'était pas banal de voir une aussi terne époque de l'histoire humaine inaugurée avec un tel faste. A présent, cependant, à l'aval du souverain danois s'ajoutait l'accord quasi unanime des érudits de l'Europe entière. On s'aperçut progressivement que ce que l'on en vint à appeler la Culture des *Kjoekken-Moedding* (v. 4000-v. 2000 avant J.-C.) avait existé tout le long du littoral du nord de l'Europe, ainsi qu'en Espagne, au Portugal, en Italie et en Afrique du Nord. Dans le sud de l'Afrique, le nord du Japon, les îles du Pacifique, et les régions côtières des deux Amériques, ces cultures semblaient en effet avoir persisté jusqu'à une ère plus tardive. Une fois identifiés et situés dans la chronique de l'évolution humaine, les *moedding* fournirent des latitudes de temps surprenantes et une vision inhabituellement vivante du passé préhistorique.

On appelle souvent Worsaae, qui devint professeur d'archéologie à Copenhague avant de succéder à Thomsen au poste de directeur du musée d'archéologie, le « premier archéologue professionnel ». Thomsen, son mentor, disait qu'il était de ceux qui « prennent le ciel d'assaut ». Worsaae fit un éloge précis de la théorie des trois âges lorsqu'il dit qu'il s'agissait de « la première véritable lueur... qui ait percé les ténèbres préhistoriques des pays nordiques et du monde en général ». Ce n'était pas dans les royaumes abondamment documentés de l'histoire récente, mais dans les obscurs recoins des temps les plus reculés que l'humanité allait découvrir l'« universalité » de l'histoire. Ce fut lorsqu'on scinda la « préhistoire » en trois grands âges, de la pierre, du bronze et du fer, que l'on découvrit pour la première fois la communauté de toute l'expérience humaine au cours des différentes ères et périodes et les phénomènes universels de l'histoire humaine. Worsaae, à mesure qu'il explorait les frontières qui séparaient ces trois âges, commença à soulever quelques profondes questions qui, pour les chrétiens fondamentalistes, étaient véritablement explosives. L'une d'entre elles était le problème sur lequel se penchent encore les anthropologues d'aujourd'hui : inventions indépendantes ou diffusion culturelle ?

La communauté scientifique commençait à accepter la notion troublante avancée par certains penseurs audacieux, de Buffon à Darwin, à savoir que l'homme avait existé longtemps avant la date de la Création biblique, en l'an 4004 avant J.-C. Cependant, ce qui contribua à vulgariser les très anciennes origines de l'homme, ce ne fut pas tant la théorie que la découverte d'une matière étendue et incontestable, un nouveau continent temporel, la préhistoire.

De façon bien plus convaincante que n'importe quelle théorie, les objets façonnés par ces ancêtres lointains semblaient être les vivants témoignages d'une chronologie de la préhistoire, qui plaidait en faveur de l'évolution de la culture humaine.

Peu à peu, à mesure que le mot « préhistoire » passait dans le vocabulaire courant des langues européennes, l'idée s'introduisit dans la conscience populaire. L'exposition qui eut lieu à Hyde Park, à Londres, en 1851, et qui prétendait présenter tous les travaux de l'humanité entière, ne donnait pas encore le moindre aperçu de la préhistoire. En 1867, en revanche, lors de l'Exposition universelle tenue à Paris, le pavillon de l'histoire du travail contenait une collection importante d'outils humains venus de tous les pays d'Europe et d'Égypte. Le guide officiel des Promenades préhistoriques de l'Exposition proposait trois leçons sur la science nouvelle : la loi du progrès de l'humanité ; la loi de l'évolution similaire ; et la haute antiquité de l'homme. La même année, l'annonce du premier Congrès international préhistorique à Paris marqua la première utilisation officielle du mot « préhistorique ».

La préhistoire fit son entrée dans les programmes d'instruction publique, en même temps que les idées de l'évolution. Le disciple et principal vulgarisateur de Charles Darwin, John Lubbock (lord Avebury, 1834-1913), se forgea une réputation dans l'Europe entière en faisant cadrer la préhistoire avec la théorie de l'évolution. Son ouvrage *Pre-Historic Times* (*L'Homme avant l'histoire*, 1865), où l'on trouvait des néologismes tels que « paléolithique » et « néolithique » pour « l'Age de la Pierre polie », fut largement lu par des profanes qui pouvaient ainsi s'imprégner doublement de préhistoire et d'évolution grâce à la même passionnante lecture. *The Origin of Civilization* (*L'Origine de la civilisation*, 1871) s'appuyait sur les preuves de l'existence de centres des trois Ages très éloignés les uns des autres pour faire valoir que les inventions cruciales avaient surgi indépendamment. Tout ceci semblait corroborer la thèse d'Herbert Spencer, selon laquelle « le progrès n'est pas un accident mais une nécessité. C'est une réalité de la nature ».

Lorsque Schliemann se rendit à Londres, en 1875, William Gladstone le salua en rappelant que lorsqu'ils étaient enfants « les temps préhistoriques s'étendaient sous nos yeux comme un nuage argenté couvrant entièrement des contrées qui, à différentes périodes de l'histoire, étaient devenues illustres et intéressantes... A présent, nous commençons à y voir clair, à travers cet épais brouillard et le nuage devient transparent ; les formes d'endroits, d'hommes et de faits réels commencent à nous révéler leurs contours ». En 1871, le pionnier de l'anthropologie, Edward B. Tylor, annonça avec optimisme que la préhistoire avait finalement « pris sa place dans le schéma général du savoir », agrandissant au centuple les visions de l'histoire humaine.

Les trois âges, grandes ères universelles de la préhistoire, permettaient de s'imaginer plus facilement d'autres périodes analogues, transcendant ville, région et nation. En définissant les latitudes de l'histoire, l'homme avait agrandi sa vision du passé et du présent de sa planète. L'invention de grandes « ères », « périodes » ou « âges », passant par-dessus les limites politiques allait fournir des réceptacles temporels suffisamment vastes pour y loger toutes les données des communautés culturelles passées, mais néanmoins assez réduites pour permettre une définition persuasive. Peu d'autres concepts ont fait autant que celui-là pour donner de l'ampleur à la pensée humaine. Les âges de l'histoire allaient dominer (et même parfois tyranniser) l'historien moderne, braquant sa vision sur des agglomérats d'expérience passée — l'âge d'or de la Grèce, le Moyen Age, la féodalité, la Renaissance, le siècle des lumières, l'industrialisation, la montée du capitalisme, etc.

Ces notions étaient au temps ce que les « espèces » étaient à la nature, un moyen de classifier l'expérience afin de la rendre utile. C'était la taxonomie de l'histoire. Évidemment, tout comme dans le cas des

« espèces », il y avait le danger de prendre l'étiquette pour la chose elle-même ; le simple nom d'une « ère » pouvait, sans qu'on sût comment, devenir une force régissant l'interprétation des événements. Toutefois, les avantages d'une façon de penser ainsi structurée étaient largement supérieures aux risques encourus. Les regroupements si commodes d'hommes, d'événements, de progrès et d'institutions contribuaient à mettre de l'ordre dans le capharnaüm déroutant du passé. Les six « périodes du monde » (*aetates*), selon lesquelles les premiers Pères de l'Église avaient divisé tout le temps écoulé avant la venue du Christ, n'étaient pas historiques mais prophétiques et théologiques. Elles ne caractérisaient pas le passé ; c'étaient des catégories de prophétie, des étapes vers l'Incarnation.

« L'"Esprit de l'époque", a expliqué, en 1831, John Stuart Mill (1806-1873), est, dans une certaine mesure, une expression nouvelle. Je ne crois pas qu'on la rencontre dans un ouvrage datant de plus de cinquante ans. L'idée de comparer sa propre époque avec d'autres plus anciennes, ou avec la notion que nous avons des époques à venir, était venue aux philosophes ; mais jamais elle n'avait été l'idée dominante d'une période. Avant que les hommes ne commencent à réfléchir beaucoup et longtemps sur les particularités de leurs propres temps, ils doivent avoir conscience que ces temps se distinguent d'une façon très remarquable de ceux qui les ont précédés ou sont destinés à le faire. » L'idée de périodes homogènes au sein de l'histoire, ajoutait-il, pouvait aussi bien convenir à une notion cyclique qu'à « l'idée d'une trajectoire ou d'une progression ». Mill, pour sa part, penchait vers « la progression de la race humaine... les fondations sur lesquelles une méthode permettant de philosopher dans le domaine de la science sociale a dernièrement été édifiée ». Comment imaginer « le progrès » sans une notion quelconque de la cohérence des événements durant chaque période ?

Désormais, toute une armée d'influences nouvelles — musées, fouilles archéologiques, expositions internationales, auxquels s'ajoutait la presse quotidienne et périodique — diffusait une conscience de l'histoire bien au-delà des milieux académiques, préparant les hommes à croire qu'ils vivaient à l'ère du progrès. « Il y a un changement progressif, concluait John Stuart Mill en se fondant sur son étude de l'histoire, à la fois dans le caractère de la race humaine et dans les circonstances extérieures dans la mesure où elle les façonne elle-même... à chacune des époques successives les principaux phénomènes de société sont différents de ce qu'ils étaient à l'époque précédente et plus encore de ceux des périodes plus anciennes. »

L'invention, au milieu du XIXe siècle, de « la Renaissance » pour décrire une période de l'histoire européenne s'étendant à peu près du XIVe au XVIIe siècle vient nous rappeler de façon très vivante l'établissement de ces nouvelles latitudes du temps. L'historien français Jules Michelet avait intitulé le septième volume de son Histoire de France

*La Renaissance* (1855) et considérait cette époque comme dominée par « la découverte du monde et la découverte de l'homme ». Puis l'historien suisse Jakob Burckhardt, dans sa *Civilisation de l'Italie au temps de la Renaissance* (1860), proposait le tableau classique des hommes et des institutions qui ont donné à cette période son caractère propre et en ont fait la « mère » de la civilisation européenne moderne. C'est ainsi qu'un étudiant, utilisant avec assurance le jargon des périodes historiques, pouvait décrire Dante comme « un homme ayant un pied dans le Moyen Age et saluant de l'autre l'étoile montante de la Renaissance ». Au XX^e^ siècle, les discussions académiques concernant la nature de la Renaissance ont beaucoup porté sur les latitudes du temps : quand la Renaissance a-t-elle commencé ? S'agissait-il du même phénomène dans les différentes parties de l'Europe ?

Deux grandes présuppositions, qui se cachaient derrière les débats concernant la Renaissance, ont façonné la pensée future sur le rôle de l'homme dans l'histoire. D'abord, la croyance qu'il émanait, mystérieusement, de chaque époque, un esprit dominant — ce que les spécialistes allemands appelaient le *Zeitgeist*, ce que Carl Becker a baptisé le « Climat de l'Opinion » — qui favorisait certaines notions et institutions. Ensuite, qu'à l'intérieur de ces limites, les hommes étaient capables de faire l'histoire. C'étaient les hommes de la Renaissance qui avaient fait celle-ci. Si, comme l'expliquait Burckhardt, ils avaient fait de l'État « une œuvre d'art », plus tard aussi, des hommes pourraient accomplir ce qui n'avait encore jamais été réalisé.

## 76

## *Les dimensions cachées : l'Histoire en tant que thérapeutique*

La découverte de la préhistoire était issue de la simple tentative de regrouper selon un ordre logique les objets fabriqués par les hommes d'une époque très ancienne. Quant à savoir quand et par qui avait été fabriquée telle hache de pierre, le mystère restait impénétrable : il ne semblait pas, en revanche, y avoir d'incertitude analogue concernant la pensée humaine. On croyait les idées universelles et immuables. Descartes, dans son *Discours de la méthode* (1637), avait insisté sur l'universalité, l'uniformité et la constance de la raison humaine, qu'il avait exprimées par l'axiome bien connu : « Je pense, donc je suis. » L'univers de l'esprit était éternellement distinct du monde physique de l'expérience et de l'histoire. Locke, dans son *Essay concerning Human Understanding* (*Essai sur l'entendement humain*, 1690), fut le premier à établir un rapport entre l'intelligence et l'histoire, en faisant de l'expérience la source des idées, et du savoir la perception de l'accord ou du désaccord des idées. Selon lui aussi, cependant, la raison et les sens opéraient constamment et uniformément et les processus de la pensée étaient la preuve d'un esprit universel et éternel. Selon ces divers points de vue, les idées de l'homme restaient le produit d'un processus homogène.

Une nouvelle découverte révolutionnaire, ou tout du moins une féconde suggestion, fut que les idées de l'homme n'étaient peut-être rien d'autre que des objets qu'il fabriquait, de simples symptômes d'une expérience changeante. Dans ce cas, le processus grâce auquel les hommes acquéraient ce qui passait pour du savoir ne serait plus uniformément rationnel, de même que le savoir en question ne serait pas universel ni immuable. Peut-être des forces autres que la raison étaient-elles à l'œuvre. Les idées avaient-elles aussi une histoire ?

L'un des pionniers dans l'exploration de cette question fut l'infortuné philosophe italien, Giambattista Vico (1668-1744). Fils d'un libraire peu argenté, il fut victime à l'âge de sept ans d'une chute sur la tête qui faillit lui être fatale et les médecins prédirent qu'il risquait d'en rester idiot. Vico lui-même expliquait par cet accident la mélancolie qui le hanta toute sa vie. Pourtant, en dépit de sa pauvreté, de ses dépressions chroniques et d'une violente attaque de typhus, il parvint, grâce à ses émoluments de professeur de rhétorique à l'université de Naples, à financer la publication de ses écrits. Ignoré de ses propres contemporains, il fut reconnu à sa juste valeur à la fin du XVIIIe siècle, lorsque Goethe fonda sur les « aperçus prophétiques » de Vico sa propre philosophie de l'histoire. Au XIXe siècle, l'éloquent et romantique Michelet voyait en lui « son Prométhée » et Marx aussi lui était grandement redevable.

Vico, qui appartenait à la génération immédiatement postérieure à celle de Newton, toute bouillonnante des promesses des sciences naturelles, déclara, dans ses *Principes d'une science nouvelle... concernant la nature commune des nations* (1725), « que le monde de la société civilisée a certainement été créé par l'homme et qu'il faudra donc en trouver les principes dans les modifications de notre propre esprit. Quiconque réfléchit là-dessus ne peut qu'être stupéfait de voir que les philosophes ont consacré toute leur énergie à l'étude du monde de la nature, que Dieu, étant donné que c'est lui qui l'a fait, est le seul à connaître ; et qu'ils ont négligé l'étude du monde des nations... que les hommes eussent pu apprendre à connaître, puisque ce sont eux qui l'ont créé ». Selon le philosophe, les rapports changeants entre les peuples des temps passés et les forces de la nature expliquaient leur façon de penser. Au stade le plus primitif, l'âge des dieux, les hommes craintifs étaient régis par la religion et gouvernés par des prêtres-rois. Puis, à l'âge des héros, afin d'échapper à leur lutte bestiale pour la survie, ils s'étaient placés sous la protection des hommes forts. « Cette loi de la force est la loi d'Achille, qui référait toute question de droit à la pointe de son javelot. » Finalement, à l'âge des hommes, les plébéiens qui avaient accumulé des biens s'affirmèrent par « une loi humaine entièrement dictée par la raison humaine dans son plein épanouissement ».

Chaque étape engendra sa littérature caractéristique. Les poèmes homériques, par exemple, n'étaient pas le fruit du talent d'un seul aède de génie, mais l'expression inconsciente de l'âge des héros tout entier. « Homère était une idée ou une représentation héroïque de tous les Grecs dans la mesure où ils racontaient leurs histoires par des chants. » Lorsque la poésie s'effaça devant la prose, à l'âge des hommes, les rites de la religion furent remplacés par des codes écrits qui définissaient les droits et les privilèges. Les classes sociales n'étaient nullement prescrites par Dieu ; elles étaient issues de cette évolution progressive et apportaient de nouvelles façons de penser. Le dernier stade du cycle, marqué par l'aise et par le luxe, se terminait toujours dans la décadence. La société retombait alors, mais jamais tout à fait aussi bas qu'elle ne l'avait été au stade précédent. La progression de l'humanité décrivait donc une spirale ascendante, qui lui permettait de s'élever grâce à la bienfaisance d'une providence divine.

La nouveauté cruciale de la *Science nouvelle* de Vico était sa façon de traiter les idées et les institutions (à l'exception du christianisme) comme de simples symptômes de l'expérience sociale. La raison de l'homme était, elle aussi, le produit d'une évolution progressive. Si Vico disait vrai, alors, bien sûr, ses propres idées n'avaient point non plus de validité absolue et n'étaient qu'un sous-produit de l'Age des Hommes. Il s'efforça de se soustraire à cette conséquence logique de son raisonnement en déclarant tout simplement que le christianisme était l'unique vraie religion pour toutes les sociétés. Sa *Science nouvelle* allait libérer l'humanité de ses craintes en donnant à tous conscience de la façon dont leurs pensées étaient formées. Ils pourraient alors prendre leur destin en charge et modeler leurs institutions afin d'atteindre les buts recherchés.

Karl Marx (1818-1883) grandit à la fin du siècle d'Adam Smith, James Watt et Thomas Jefferson, le siècle de la montée des sentiments nationaux, de l'expansion des empires coloniaux, de l'agrandissement des fabriques et de la maturation du capitalisme. Il allait découvrir les dimensions cachées du passé dans les forces de production qui explosaient alors de façon spectaculaire en Europe occidentale.

Comme celle de Vico, sa vie personnelle fut une succession presque ininterrompue de frustrations, de fuites et de tragédies. Né à Trèves, en Prusse, il descendait des deux côtés de longues lignées de rabbins, héritage auquel ses biographes imputent d'ailleurs son goût de la dialectique et de la discussion philosophique. Son père était un avocat fort brillant, grand admirateur de Voltaire et défenseur acharné d'un régime constitutionnel pour la Prusse. Par considération pratique, car la chose était nécessaire pour faire une carrière juridique, il s'était converti au christianisme avant la naissance de Karl. La mère de celui-ci, Hollandaise de naissance, n'avait rien d'une intellectuelle et parla toute sa vie l'allemand avec un fort accent. Elle fut baptisée alors que Karl avait déjà sept ans et l'enfant le fut lui aussi vers cette époque, l'année même où Heinrich Heine, s'étant résolu à prendre une mesure analogue, déclara qu'il s'agissait « de son billet d'entrée pour la communauté culturelle européenne ». En ce qui concerne sa formation universitaire, Marx suivit le modèle allemand classique, passant d'un établissement à l'autre, selon l'attrait de différents professeurs ou de la vie estudiantine. Ce fut à Bonn qu'il fit ses frasques, allant jusqu'à passer vingt-quatre heures à la prison de l'université pour désordre en état d'ivresse ; ce fut là l'unique incarcération de sa vie. Son père insista pour qu'il fît transférer son inscription à Berlin, afin d'y étudier le droit et la philosophie. Malgré la présence dans le corps enseignant de deux célèbres historiens allemands, von Ranke et von Savigny, ce fut la philosophie d'Hegel, prêchée à l'époque par un jeune *dozent* plein de charisme, Bruno Bauer, qui eut sur le nouveau venu la plus grande influence. Il devint membre du Club des jeunes Hégéliens, qui se réunissaient pour débattre les implications sociales des doctrines idéalistes d'Hegel, que Marx ne devait plus abandonner de sa vie. Il semblait d'ailleurs incapable d'oublier la moindre théorie, une fois qu'il avait appris à la connaître, et il possédait un véritable don pour en faire soit le soutien, soit le faire-valoir de ses incessantes réflexions philosophiques. Friedrich Engels (1820-1895) a composé, en fort méchants vers, une description au demeurant très vivante de ce Marx dont il n'avait pas encore fait la connaissance, mais dont il avait entendu parler :

> Qui vous poursuit de ses folles rodomontades ?
> Un natif de Trèves, noir de poil, monstre vigoureux.
> Il ne marche, ni ne sautille, mais bondit sur ses talons
> Et il tempête, rageur, comme s'il voulait saisir
> Le vaste dais du ciel et le tirer sur terre,
> Les bras grands ouverts et levés bien haut.
> Serrant ses poings furieux, il délire sans cesse,
> Comme si dix mille diables étaient à ses trousses.

Sa thèse de doctorat, sur un sujet alambiqué : « La différence entre la philosophie de la nature chez Démocrite et chez Épicure », permit à Marx de sortir en 1841 diplômé de l'université d'Iéna. « La glorification du corps céleste, expliqua-t-il, est un culte que célèbrent tous les philosophes grecs... C'est le système solaire intellectuel. D'où il découle que les philosophes grecs, en adorant les corps célestes, adoraient leur propre intellect. »

A Cologne, devenu rédacteur en chef d'un nouveau journal libéral, le *Rheinische Zeitung*, financé par les entreprenants milieux commerçants de la ville, Marx prit la défense de diverses causes sociales, s'opposa à la censure et se fit le champion de la liberté de la presse, y compris celle d'examiner des notions aussi neuves que le communisme. En l'espace d'un an, il fut forcé de démissionner ; le journal fut interdit par le gouvernement prussien et Marx se retrouva en route pour Paris. En 1843, après sept années de fiançailles, il épousa Jenny von Westphalen qui devait être l'inaltérable rayon de bonheur de son existence.

A Paris, Marx étudia de fort près les mouvements fondés par les ouvriers français et allemands, occupés à organiser une Ligue des communistes et une société baptisée la Ligue des justes. Il commença à collaborer avec Engels, alors âgé de vingt-quatre ans, écrivit ses premiers ouvrages sur la politique et l'économie françaises, ainsi qu'un article encourageant le « soulèvement du prolétariat ». Il entama aussi sa polémique contre la religion en général, qu'il dénonça, par une expression inoubliable, comme étant « l'opium du peuple ». Heinrich Heine, qui à l'époque se trouvait lui aussi à Paris, s'amusait fort à observer son « opiniâtre ami Marx... et tous ces autres dieux sans Dieu qui se déifient eux-mêmes ». Expulsé par le gouvernement français, Marx se réfugia à Bruxelles, où, s'étant inscrit comme apatride, il prit impétueusement les mesures légales nécessaires pour renoncer à sa nationalité prussienne et, à l'âge de vingt-huit ans, se condamna de lui-même à une vie d'exil.

Durant son séjour à Bruxelles, qui dura trois ans, il écrivit avec Engels le *Manifeste du parti communiste* pour la Ligue des communistes réunie à Londres. A l'ancienne devise de la ligue, « Tous les hommes sont frères », Marx substitua son appel exaltant : « Prolétaires de tous les pays, unissez-vous ! » Lorsque les révolutions libérales de 1848 éclatèrent un peu partout en Europe occidentale, il reprit en toute hâte le chemin de Cologne, où il ressuscita le *Rheinische Zeitung* et s'en prit à la fois aux partisans de la démocratie représentative et à leurs adversaires radicaux. A nouveau banni, il regagna brièvement Paris. Expulsé encore une fois en 1849, il débarqua à Londres où il allait habiter pendant la majeure partie des trente-quatre années qui lui restaient à vivre. On pourrait même dire que, s'il eut un foyer durant toute cette période de son existence, ce fut la bibliothèque du British Museum.

Avant son arrivée à Londres, Marx avait produit tout un florilège de pamphlets polémiques, s'efforçant de prendre ses repères tout à la fois dans les domaines de la philosophie, de l'histoire et de la politique orageuse de son époque. Son attitude envers l'action révolutionnaire violente était hésitante. Bien qu'il eût exhorté les ouvriers de tous les pays à s'unir, il s'élevait en général contre la rébellion armée. Une fois au moins, Engels et lui réclamèrent publiquement l'abandon de leur *Manifeste du parti communiste*. Marx finit par s'habituer à être la cible aussi bien des conservateurs, qui voyaient en lui un agitateur favorable à l'anarchie, que des socialistes militants qui lui reprochaient d'être à la botte du capitalisme. Un courant resta constant dans sa pensée : sa foi dans sa théorie évolutive de l'histoire et sa conviction ironique que les idées et les mouvements politiques étaient en réalité impuissants à changer le cours des événements.

En dépit de sa pauvreté et de la mort tragique de ses enfants, Marx poursuivit au British Museum les recherches acharnées qui allaient produire les trois volumes de son œuvre monumentale, *Das Kapital*. Il se refusa à chercher un emploi stable, parce qu'il ne voulait pas permettre à la société bourgeoise de le transformer en « machine à fabriquer de l'argent ». Tout au long de ces années, son principal soutien financier fut la générosité d'Engels, propriétaire de filatures de coton à Manchester, à laquelle s'ajoutait un modeste héritage. Les faibles sommes qu'il parvint à gagner lui-même provenaient des articles vendus de temps à autre au *New York Herald Tribune*.

On s'accorde généralement à dire que la théorie économique de Marx est une application et une critique de la théorie économique « classique » d'Adam Smith et de David Ricardo. Toutefois, il a aussi émis, en se fondant sur ses recherches au British Museum et son expérience des révolutions de son temps, une théorie originale de l'histoire. Au lieu d'expliquer le progrès social en disant qu'il s'agissait de la collaboration consciente et inconsciente des classes sociales, Marx a envisagé le conflit des classes économiques comme la force dynamique. « L'histoire de toute la société ayant existé jusqu'à présent, proclamait le *Manifeste du parti communiste*, est l'histoire des luttes de classes... A travers les grandes époques historiques antérieures à la nôtre, nous trouvons presque partout une répartition compliquée de la société entre divers ordres... Dans la Rome antique, nous avons les patriciens, les chevaliers, les plébéiens, les esclaves ; au Moyen Age, les seigneurs féodaux, les vassaux, les maîtres des guildes, les compagnons, les apprentis, les serfs... Notre époque — l'âge de la bourgeoisie — a simplifié les antagonismes de classe. La société dans son ensemble se scinde de plus en plus nettement en deux grands camps hostiles... la bourgeoisie et le prolétariat. »

Sous-jacente à la théorie de la lutte des classes, on trouvait sa foi « matérialiste » dans le fait que les idées étaient une réaction aux changements dans le système de production. Avant lui, à l'exception de quelques esprits indépendants tels que Voltaire et Montesquieu, les historiens les plus influents s'étaient concentrés sur les érudits, les puissants et les riches, sur les chanceliers, les princes et les rois, sur les successions royales et les intrigues de cour, sur les chancelleries et les parlements, et bien entendu sur les champs de bataille. Ils voyaient la Vérité lutter contre l'Erreur, la Vertu contre le Vice, l'Orthodoxie contre l'Hérésie. La raison humaine faisait figure de faculté universelle et autonome maniant la pure monnaie des Idées immuables. Marx tourna son regard vers des scènes peu familières aux lettrés qui avaient écrit l'histoire.

*Le Capital* (1867) est un ouvrage difficile, parfois pédant. Néanmoins, le premier des trois volumes, le seul qui fut publié du vivant de Marx, est beaucoup lu. Lorsque parut la première traduction, en langue russe, en 1872, la censure du tzar la laissa passer, parce que, fit-on observer, « il n'y aura que bien peu de gens en Russie pour la lire et encore moins pour la comprendre ». Pourtant, la première édition tirée à trois mille exemplaires y fut très vite épuisée. Le journaliste condescendant qui fit la critique de la première traduction en anglais (1887), dans l'*Athenaeum*, revue littéraire de Londres, remarqua que, « sous couvert d'une analyse critique du capital, l'œuvre de Karl Marx est avant tout une attaque contre les capitalistes et leur mode de production, et c'est ce ton polémique qui en fait tout le charme ».

Pour le profane qui ne connaît guère l'économie, les passages les plus intelligibles du livre sont les petits tableaux d'histoire sociale et économique brossés par l'auteur. Par exemple :

> L'une des besognes les plus honteuses, les plus sales et les plus mal payées, pour laquelle on emploie de préférence des femmes et des jeunes filles, est le tri des vieux chiffons. Nul n'ignore que la Grande-Bretagne, outre ses propres réserves de chiffons, qui sont immenses, est le centre mondial de leur commerce. Ils arrivent à flots du Japon, des États les plus reculés d'Amérique du Sud, et des Canaries. Toutefois, les principales sources de cet article sont l'Allemagne, la France, la Russie, l'Italie, l'Égypte, la Turquie, la Belgique et la Hollande. Ils servent à faire du fumier, de la bourre pour les matelas, de l'effilochure et sont aussi utilisés comme matière première dans la fabrication du papier. Les chiffonniers sont l'intermédiaire par lequel se propagent la variole et d'autres maladies infectieuses, et ils en sont eux-mêmes les premières victimes.

Il décrivait aussi une tuilerie, où une jeune femme de vingt-quatre ans fabriquait deux mille tuiles par jour, avec l'aide de deux petites filles qui transportaient quotidiennement dix tonnes de tuiles jusqu'en haut des pentes glissantes des glaisières, partant d'une profondeur de dix mètres environ pour couvrir une distance de soixante-dix mètres. Il emprunte aux rapports parlementaires des passages marquants :

> « Il est impossible pour des enfants de franchir le purgatoire de la tuilerie sans subir une profonde dégradation morale... Les propos infâmes qu'elles sont habituées à entendre dès l'âge le plus tendre, les habitudes immondes, indécentes et impudiques au milieu desquelles elles grandissent, ignorantes et à demi sauvages, font d'elles par la suite des êtres sans foi ni loi, abandonnés, dissolus... Elles deviennent des garçons brutaux, au langage ordurier, avant même que la nature ne leur ait enseigné qu'elles sont des femmes. Vêtues de quelques haillons malpropres, les jambes nues bien au-dessus des genoux, les cheveux et le visage souillés de saleté, elles apprennent à traiter par le mépris tout sentiment de décence ou de honte. Aux heures des repas, elles s'étendent de tout leur long dans les champs ou regardent les garçons se baigner dans un

canal voisin. Ayant enfin achevé leur lourde journée de travail, elles enfilent des vêtements un peu meilleurs pour accompagner les hommes dans les cabarets... Le pire de tout, c'est que ces briquetières désespèrent d'elles-mêmes. Vous pourriez aussi bien, monsieur, a déclaré l'une des meilleures d'entre elles à un chapelain de Southallfield, essayer d'élever et d'améliorer le Diable qu'une briquetière ! »

Partant des doutes exprimés par John Stuart Mill, qui se demandait si « toutes les inventions mécaniques déjà existantes ont soulagé le labeur quotidien d'un seul être humain », Marx démontre comment les appareils modernes et la machine à vapeur ont au contraire rallongé la journée de travail, rendant les conditions encore plus insupportables. Dans une note en bas de page, il fait remarquer que les machines ont en fait « grandement accru le nombre de bourgeois oisifs et aisés », puis il dresse une liste détaillée des misères endurées par les ouvriers dans les filatures de coton et les mines. Il peint les souffrances des enfants privés de toute possibilité de s'instruire, explique comment les femmes sont condamnées à des travaux « dégradants pour leur sexe », à quel point les enquêtes judiciaires sur les causes de décès dans les mines sont trompeuses, décrit la corruption qui règne dans les milieux officiels d'« inspection » ; autant de phénomènes qui « en faisant mûrir les conditions matérielles et la combinaison sur un plan social des processus de production... font aussi mûrir les contradictions et les antagonismes du modèle de production capitaliste, et fournissent par là, en même temps que les éléments nécessaires à la formation d'une société nouvelle, les forces requises pour faire exploser l'ancienne ». Ces faits, puisés aux sources gouvernementales, étaient bien difficiles à contredire.

Quoi que l'on pensât des prophéties révolutionnaires de Marx, il était impossible de fermer les yeux sur les réalités de l'existence qu'il avait révélées, en braquant sur elles le projecteur de sa prose épigrammatique. Sa mise en relief des conditions infligées aux classes ouvrières à travers l'histoire n'était que la plus superficielle de ses influences. Beaucoup plus fondamentale était sa nouvelle version de l'histoire entière et tout spécialement de la naissance et de la vie des idées.

Avant Marx, les principaux moteurs avaient été les grands dirigeants et les grandes idées qui façonnaient les conditions de vie. Pour Marx, cependant, comme il l'a expliqué dans un passage souvent cité :

> Dans la production sociale de leurs moyens d'existence, les hommes nouent des relations définies, nécessaires, qui sont indépendantes de leur volonté, des relations productives qui correspondent à un stade défini du développement de leurs forces productives matérielles. L'agrégat de ces relations productives constitue la structure économique de la société, la base réelle sur laquelle s'élève une superstructure juridique et politique et à laquelle correspondent des formes définies de conscience sociale. Le mode de production des moyens d'existence

conditionne tout le processus de la vie sociale, politique et intellectuelle. Ce n'est pas la conscience des hommes qui détermine leur existence, mais, au contraire, leur existence sociale qui détermine leur conscience.

En 1859, l'année même où il écrivait ces mots, *De l'origine des espèces* de Darwin vint lui fournir, à ce qu'il pensait, une illustration doublement bienvenue. La lutte darwinienne pour la vie ne semblait être qu'une transposition dans le royaume de l'histoire naturelle des luttes de classes de toute l'histoire passée de l'humanité. Et l'apparition des idées de Darwin à cette époque, à l'apogée du capitalisme anglais, montrait que les idées étaient des symptômes et non des causes. Tandis que certains, nous l'avons vu, saluaient en Darwin un prophète de la vérité scientifique et que d'autres l'accusaient de blasphème, Marx, lui, envisageait ses idées sous un tout autre jour. « Pour la première fois, un coup mortel est porté à la "téléologie" dans les sciences naturelles, exultait Marx ; c'est très important... en tant que fondation scientifique pour la lutte des classes dans l'histoire. » « Il est remarquable de constater comment Darwin reconnaît parmi les bêtes et les plantes la société anglaise avec sa division du travail, son esprit de compétition, l'ouverture de ses nouveaux marchés, ses "inventions" et la "lutte pour la vie" malthusienne. C'est le *Bellum omnium contra omnes* de Hobbes et cela fait penser à la Phénoménologie de Hegel, où la société civilisée est décrite comme un "royaume animal spirituel", tandis que chez Darwin, c'est le royaume animal qui représente la société civilisée. »

Fort heureusement, avec les théories historiques d'Hegel, Marx avait trouvé le repoussoir idéal pour sa propre façon de voir les choses. De même que l'on peut se demander si Copernic aurait trouvé un cadre pour sa théorie si le système de Ptolémée n'avait pas été là, tout prêt, pour que l'héliocentrisme vînt remplacer le géocentrisme, on pourrait aussi se demander ce qu'aurait été inventer Marx si le schéma antithétique d'Hegel n'avait pas existé. Car Marx, dialecticien par tradition et par formation, se nourrissait d'oppositions. Il n'y a pas de meilleur exemple du processus dialectique en train de fonctionner que la réaction de Marx face à Hegel et à d'autres. Ses écrits regorgent de citations empruntées à ses antagonistes spirituels, lesquels sont d'habitude ses anciens amis, professeurs ou camarades, contre qui il trouve facilement ses repères : *La Sainte Famille* contre Bruno Bauer, *Misère de la philosophie* contre Proudhon, ses *Thèses sur Feuerbach*, et (avec Engels) *L'Anti-Dühring*. Alors que sa pensée avait été formée de façon décisive par Hegel, il fit de ce dernier, comme il l'expliqua dans sa préface du *Capital*, son anti-Marx :

Ma méthode dialectique n'est pas seulement différente de celle d'Hegel, elle lui est diamétralement opposée. Pour Hegel, le processus vital du cerveau humain, c'est-à-dire le processus de la pensée que, sous le nom de « l'idée », il transforme même en sujet indépendant, est le démiurge du monde réel et le monde réel n'est que la forme externe, phénoménale de « l'idée ». Pour moi, au contraire, l'idéal n'est rien d'autre que le monde matériel réfléchi par l'intellect humain et traduit sous forme de pensée.

Pourtant les propres écrits de Marx et l'influence de ses idées dans les parties du monde les moins industrialisées allaient montrer les limitations d'une vision « matérialiste » de l'histoire. Les pages de Marx sont souvent un patchwork de passages empruntés à ses plus récents ennemis philosophiques. Il est difficile de saisir ce qu'il veut dire, sans lire les ouvrages de ceux qu'il contredit, lesquels ne sont que rarement des géants dans l'histoire de la pensée.

En dépit de son style hyperphilosophique et hyperpolémique, la façon dont Marx envisage l'histoire a quelque chose de grandiose, de spirituel et de poignant. « Le socialisme chrétien, dit-il, n'est que l'eau bénite avec laquelle le prêtre consacre les maux d'estomac de l'aristocrate. » Par sa manière de questionner, il nous donne conscience d'une ignorance que nous n'avions jamais reconnue. Il se croyait en train d'établir une carte définitive de tout le passé humain. Il était en réalité un découvreur de *terra incognita*, seulement c'était un Christophe Colomb que ses disciples aimaient à considérer comme un Vespucci. Se gaussant des clichés sacro-saints utilisés par ses prédécesseurs historiens, il était un nouveau Paracelse. Tout en scandalisant par ses questions, il n'était pas capable de satisfaire par ses réponses. « La machine actionnée à la main donne une société dominée par le seigneur féodal ; la machine à vapeur, une société dominée par l'industriel capitaliste. » Et tant d'autres relations plus incongrues, trop simplifiées, mais toujours lumineuses. Ses questions dévoilèrent certaines dimensions cachées de l'histoire. Après Marx, il ne fut plus possible, même aux historiens non marxistes, de se contenter de toutes les vieilles réponses.

Les marxistes en vinrent à appeler cette découverte de dimensions cachées leur Science de la Société, qu'ils proposaient comme une sorte de thérapeutique. En comprenant une vérité fort simple, à savoir que « les idées dominantes de chaque époque ont toujours été les idées de la classe dominante », expliquait Marx, le prolétariat moderne pourrait se libérer des idées de sa propre classe dirigeante et de l'illusion qu'il s'agissait de vérités éternelles. Comprendre l'histoire n'était pas simplement une voie vers le savoir, c'était la seule. De même que quiconque s'était converti à la foi de Jésus était délivré des dieux païens, quiconque s'était converti à celle de Marx serait délivré de l'esclavage des idoles fabriquées par ceux qui contrôlaient les mécanismes de production. Saint Augustin avait fait du christianisme un credo historique, qui partait d'un événement unique et avançait vers une fin divine. « Et vous connaîtrez la vérité, et la vérité vous rendra libres. » Les marxistes n'allaient pas dévier de cet axiome de saint Jean, car Marx, comme saint Augustin et Vico, croyait que le remède qui guérirait l'homme de son sentiment d'impuissance était de connaître le cours véritable de l'histoire. Celle-ci, encore une fois, était devenue thérapeutique.

Ce furent des dimensions cachées tout à fait différentes que découvrit Sigmund Freud (1856-1939), dans son étude du passé. N'ayant rien ni d'un vagabond ni d'un organisateur politique, il mena à Vienne, où il vécut à partir de l'âge de trois ans, une paisible vie de savant. Son père, marchand de laine, aux idées politiques de libéral libre penseur, avait du mal à subvenir aux besoins de la famille. Comme Marx, Freud était juif, mais à l'encontre de celui-ci, jamais il ne devint antisémite. Il était membre actif de la Société B'nai B'rith et appréciait les histoires juives. Dans une ville aussi antisémite que Vienne, les origines de Freud limitèrent toujours ses possibilités et ne cessèrent jamais d'affecter sa pensée. Étudiant travailleur et brillant, il songea d'abord à faire du droit. Il s'est rappelé ce qui l'intéressait lors de son entrée à l'université, en 1873 :

> Ni à cette époque ni d'ailleurs plus tard dans ma vie, je n'ai éprouvé de prédilection particulière pour la carrière de médecin. J'étais plutôt animé par une sorte de curiosité, laquelle était, cependant, tournée davantage vers ce qui concernait l'homme que vers les objets naturels ; et je n'avais point encore saisi combien l'observation pouvait avoir d'importance pour parvenir à la satisfaire. Ayant été tout jeune familiarisé avec l'histoire de la Bible (presque avant d'avoir maîtrisé l'art de la lecture), cela eut, comme je m'en aperçus plus tard, un effet durable sur l'orientation de mon intérêt… En même temps, les théories de Darwin, qui étaient alors d'actualité, me séduisaient fort, car elles apportaient l'espoir de progrès extraordinaires dans notre compréhension du monde ; et ce fut en entendant lire tout haut, lors d'une conférence publique, le superbe essai de Goethe sur la nature… juste avant de quitter l'école, que je me décidai à étudier la médecine.

Ce fut un vaste intérêt humaniste qui fit de Freud, comme de Marx, un pionnier aux frontières de la science.

Ce qui intriguait Freud et qui finit par capter toute son énergie, comme l'a noté Bruno Bettelheim, c'était le caractère mystérieux de toute l'expérience humaine. Cela expliquait aussi pourquoi il passa du traitement du corps de l'homme à celui de son âme. Freud commença sa carrière dans un laboratoire de physiologie, en s'efforçant de confirmer l'axiome d'Hermann Helmholtz, selon lequel « aucune force autre que les forces communes physiques et chimiques n'est active à l'intérieur de l'organisme ». Freud a décrit cette expérience dans son *Autobiographie* comme « un détour par les sciences naturelles, la médecine et la psychothérapie », à partir « des problèmes culturels qui avaient naguère captivé le jeune garçon que j'étais, à peine éveillé à la réflexion profonde ».

L'œuvre de sa vie allait s'accomplir moins dans l'esprit d'Helmholtz que dans celui de Goethe.

Les études suivies par le petit Freud au gymnase Sperl, à Vienne, de neuf à dix-sept ans, étaient très fortement orientées vers le grec et le latin et toute sa vie il resta passionnément épris de ces sujets. Ses écrits les plus influents abondent en termes et connotations grecs : Éros, Œdipe et Psyché (qui en grec veut dire « âme »), parmi tant d'autres. Dès sa jeunesse et malgré ses difficultés financières, Freud eut le goût de collectionner les statues antiques qui, outre ses vingt cigares par jour, étaient son unique luxe. S'étant acheté un exemplaire de la *Troie* de Schliemann, il fut enchanté d'apprendre que l'auteur avait nourri depuis l'enfance l'espoir de découvrir la cité ensevelie. A partir de cet exemple, il généralisa de façon à en tirer un enseignement pour sa propre vie et pour les fondations mêmes de la psychanalyse. « Cet homme fut heureux lorsqu'il retrouva les trésors de Priam, étant donné que le seul bonheur est l'assouvissement d'un désir d'enfance. » Sa propre définition du bonheur était « l'accomplissement ultérieur d'un souhait préhistorique. C'est pourquoi la richesse apporte si peu de bonheur : enfant, je n'avais aucun désir d'être riche ». Le charme de l'Antiquité classique fut l'un des leitmotive de son existence, comme le montre le ravissement avec lequel il a noté, en 1898, l'acquisition d'une statue romaine à Innsbruck, ou encore le plaisir de lire l'*Histoire de la culture grecque* de Burckhardt.

Les grands voyages de sa vie furent des visites à Rome et à Athènes, autre centre important pour son intérêt omnivore concernant les origines. Freud, s'identifiant au sémite Hannibal, compara les difficultés éprouvées pour atteindre Rome à l'antisémitisme clérical qui lui avait dénié une chaire à l'université de Vienne. Lorsqu'en 1901 il arriva enfin à Rome pour le premier de ses nombreux séjours dans la Ville éternelle, la vue des antiquités réunies au musée du Vatican le plongea dans l'extase, tout spécialement celle du Laocoon et de l'Apollon du Belvédère. A Athènes, sa visite à l'Acropole le laissa ébloui, à peine capable de croire qu'il pût exister quelque chose d'aussi beau, un sentiment qui ne devait jamais le quitter. Lorsqu'il partit pour l'Amérique, ce qui l'intéressait le plus, semble-t-il, en dehors des chutes du Niagara, était d'aller contempler la célèbre collection de vestiges chypriotes à New York. Au Metropolitan Museum, ce fut encore vers les antiquités grecques que le porta son intérêt. A Vienne, son cabinet de consultation et son fameux bureau étaient tapissés de vitrines contenant sa collection personnelle. Il n'y avait pas juqu'à l'étroite table sur laquelle il écrivait, qui ne fût encombrée de statuettes, égyptiennes pour la plupart, qu'il remplaçait de temps en temps par des articles pris dans l'une ou l'autre de ses vitrines.

L'intérêt de Freud pour l'archéologie, qui était davantage qu'un simple passe-temps, exprimait sa quête de tout l'héritage non identifié du passé. Lorsque, ayant franchi le cap de la quarantaine, il se détourna de l'univers d'Helmholtz et de la neurologie vers celui de la culture et de l'histoire, il se voua à l'archéologie de l'âme, la « psyché ». Les couches de l'expérience, tant celle de la société que de l'individu, que nul n'avait encore examinées, devinrent le terrain de ses fouilles. « Chaque stade antérieur du développement, observa-t-il, persiste à côté du stade ultérieur qui en est issu. » Pour lui, les souvenirs que nous n'avions pas fouillés étaient les objets de l'archéologie humaine. Ce qui était, bien sûr, l'une des raisons pour lesquelles il attachait tant d'importance au fait de retrouver les expériences de l'enfance.

Selon Freud, les problèmes centraux de la vie humaine résident dans ses dimensions cachées. « Dans la vie mentale, rien de ce qui s'est formé un jour ne peut périr... tout est préservé, d'une façon ou d'une autre. » Freud estimait que les frustrations et les conflits des hommes émanaient non pas de ce qu'ils avaient oublié, mais des souvenirs enfouis dont ils n'avaient même pas conscience. Les arts anciens de la Mémoire pouvaient-ils à présent être mis au service de l'autodécouverte de l'homme ? L'exploration du passé serait non seulement une expérience enchanteresse, mais une voie vers la libération. La psychanalyse serait un moyen de guérir le moi en ravivant les vieux souvenirs et en se rappelant qu'ils ne sont que des souvenirs. Les malades affligés d'hystérie « ne peuvent se libérer du passé et à cause de lui, ils négligent ce qui est réel et immédiat ». Le problème de tous les névrosés, c'était d'être « ancrés quelque part dans leur passé ». Pour Freud, connaître sa propre histoire intérieure devint une thérapeutique.

Aucune équation « psychique-chimique » n'avait jamais pu expliquer la vie humaine, car la mémoire était l'ingrédient propre à l'homme et, tant que les couches de l'expérience n'auraient pas été mises à nu, ni la société ni l'individu ne se connaîtraient.

A sa façon, aussi, Freud serait un Paracelse. Il devait exister un remède contre les maladies « incurables » de l'esprit. Les professionnels allaient être choqués par l'espèce d'amateurisme qui caractérisait l'analyse de la *psyché* mise au point par Freud. Jusqu'au milieu des éprouvettes, ce dernier restait un humaniste et un homme de lettres. Imprégné de littérature classique, il connaissait parfaitement la bien-aimée d'Éros, Psyché, la mythique jeune Grecque, si belle que la jalouse Vénus l'avait plongée dans un profond sommeil. Jamais il ne devait éliminer de son langage ni de sa méthode leur fécond flou littéraire et leurs ambivalences. Lorsque des médecins américains voulurent restreindre la pratique de la psychanalyse aux seuls docteurs en médecine, Freud éleva de vives objections contre « la tendance manifeste des Américains à transformer la psychanalyse en simple femme de chambre de la psychiatrie ». Il semble avoir choisi ses termes préférés en raison de leur essence littéraire. En plus d'une occasion, il protesta contre ceux qui voulaient traduire son *Ich* (le « je ») et son *Es* (le « ça ») et la psychanalyse elle-même (l'analyse de l'âme) dans un jargon faussement précis d'Ego, d'Id et de Superego. « ''Psyché'', fit-il remarquer, est un mot grec et son équivalent allemand est âme (*Seele*). Par conséquent le traitement psychique signifie le ''traitement de l'âme''. » (*Psyche ist ein griechisches Wort lautet in deutscher Ubersetzung Seele. Psychische Benhandlung heißt demnach Seelenbehandlung.*) Non sans ironie, aux États-Unis, où Freud connut son premier grand succès public, ses idées devinrent très vite l'apanage de la science médicale et se trouvèrent donc vidées du mystère du passé préhistorique qu'il avait découvert chez chacun.

# QUINZIÈME PARTIE

## *L'étude du présent*

*Ce qui est connu est fini ; ce qui est inconnu, infini ; intellectuellement, nous nous trouvons sur un îlot au milieu d'un océan illimité de matière inexplicable. C'est l'affaire de chaque génération que d'arracher aux flots un petit bout de terre en plus, d'ajouter quelque chose à l'étendue et à la solidité de nos possessions.*

THOMAS HENRY HUXLEY, en recevant *De l'origine des espèces* (1887).

*Le mystère éternel du monde, c'est son intelligibilité.*

ALBERT EINSTEIN (1936).

### 77

### « *L'humanité ne fait qu'un* »

En 1537, le grand cartographe portugais, Pedro Nunes, occupé à tracer les contours de ce monde inattendu qu'on venait de découvrir à l'ouest, se réjouissait à l'idée des « nouvelles îles, nouvelles terres, nouvelles mers, nouveaux peuples ; et qui plus est, un nouveau ciel et de nouvelles étoiles ». La découverte de l'Amérique confronta les Européens à la variété de la race humaine. Au début, ils furent tentés de faire des suprenants continents américains l'habitat des légendaires et « monstrueuses » races décrites en détail dans l'*Histoire naturelle* de Pline l'Ancien, qui n'avaient cessé, depuis, de fasciner les voyageurs, bien qu'elles restassent insaisissables. Lorsque les Européens baptisèrent « Indiens » les habitants du Nouveau Monde, ils commettaient une erreur géographique, mais surtout ils proclamaient leur espoir de trouver enfin des créatures fantastiques. Colomb rapporta, avec une surprise qui n'était pas exempte de déception, que « dans ces îles, je n'ai point jusqu'à présent trouvé de monstruosités humaines, comme beaucoup s'y attendaient ; au contraire, parmi tous ces peuples, la beauté corporelle est estimée... Ainsi, je n'ai trouvé ni monstres ni trace de leur existence, sauf... un peuple... qui mange de la chair humaine... ils ne sont pas plus mal formés que les autres ». Ces Indiens, écrivait-il aux souverains espagnols pour les rassurer, étaient « très bien bâtis, avec des corps superbes et de très beaux visages ».

Quoique ces prosaïques et rassurantes paroles privassent les nouvelles contrées d'un charme légendaire, les « races monstrueuses » n'en subsistaient pas moins. La poésie, le folklore, les romans ressassaient les vieux contes où il était question d'*Anthropophages* (« mangeurs d'hommes »), de guerrières *Amazones* (« sans poitrine », des femmes qui vivaient sans hommes et devaient leur nom au fait qu'elles se faisaient amputer du sein droit pour pouvoir tirer à l'arc avec plus de puissance), de *Cyclopes* (« yeux ronds », les géants avec un seul œil au milieu du front dont parlent Homère et Virgile), de *Cynocéphales* (« têtes de chien », qui communiquaient en aboyant, possédaient d'énormes crocs et crachaient des flammes), de *Pygmées* (qui tressaient leurs longs cheveux pour s'en faire des vêtements et faisaient la guerre aux grues qui leur volaient leurs récoltes), d'*Antipodes* (« pieds à l'opposé », qui vivaient au fond du monde et marchaient sur la tête), d'*Astomes* (« sans bouche », qui ne pouvaient ni manger ni boire et qu'une mauvaise odeur pouvait tuer, car ils devaient pour vivre humer leur nourriture composée principalement de pommes), de *Blemmyes* (que Shakespeare a dépeints comme des « hommes dont la tête/Pousse au-dessous des épaules »), de *Panotes* (« tout-oreille », à qui leurs grandes oreilles servaient de couverture ou pouvaient, comme celles de Dumbo l'éléphant, se déplier pour leur permettre de voler), de *Sciopodes* (« ombre-pied », qui n'avaient qu'un grand pied, lequel leur servait de parasol lorsqu'ils étaient étendus sur le dos).

Ces peuples et d'autres, tout aussi monstrueux, habitaient des limbes à mi-chemin entre la théologie et la fiction. Si, comme l'expliquait la Bible, tous les hommes descendaient d'Adam, peut-être alors ces difformités étaient-elles le châtiment infligé à certains des fils d'Adam pour leurs péchés ou pour avoir mangé des herbes défendues. « On pouvait voir sur le corps des descendants tout ce que les ancêtres s'étaient attiré par leurs mauvaises actions, précisait un poète allemand du XIIe siècle. Tels avaient été les pères intérieurement, tels étaient les fils extérieurement. »

Rappelant les instructions de Jésus à ses apôtres — « Allez donc et apprenez à *toutes* les nations, en les baptisant au nom du Père, du Fils et du Saint-Esprit » —, on racontait qu'en Parthie des missionnaires avaient converti des cannibales aux oreilles de chien. Saint Augustin ne refusa pas à ces races monstrueuses une place dans sa *Cité de Dieu :*

> Quiconque est né, où que ce soit, sous la forme d'un être humain, c'est-à-dire d'une créature mortelle douée de raison, quelque étrange qu'il puisse nous paraître par la forme de son corps, sa couleur, ses gestes, sa façon de parler, ou par quelque faculté, partie ou qualité que ce soit, qu'aucun vrai croyant ne doute qu'un tel individu descend du premier homme.

Si ces créatures étaient véritablement humaines, alors elles pouvaient et devaient être baptisées.

Dieu, cependant, n'avait rien fait en vain. Les races « monstrueuses » devaient leur nom au latin *monstrum* (du verbe *monere,* avertir), qui désignait un présage divin. Quant à savoir ce que signifiait ce présage, tout le monde semblait d'accord : étant donné que l'humanité entière descendait d'Adam, toute déviation physique de la norme existant en Europe ne pouvait s'expliquer que par la dégénérescence, la décadence ou la punition des péchés. Il n'y avait pas de place, dans la pensée chrétienne médiévale, pour l'évolution des institutions, puisque toute l'humanité avait commencé en même temps et que tout l'éventail des institutions humaines avait été révélé et accompli dans la Bible. Seulement, certains peuples s'en étaient écartés.

Après le Déluge, alors que la terre était peuplée par les fils de Noé, les descendants maudits de Caïn ou du fils de Noé, Ham, méritaient l'exil et le châtiment, qui souillaient encore leurs corps et leurs institutions. Il y avait du « meilleur » ou du « pire » chez les peuples et leurs institutions, mais pas de stade antérieur ou ultérieur de l'évolution sociale. Depuis le Paradis terrestre, l'histoire des institutions était une voie à sens unique vers laquelle convergeaient toutes les autres routes. Depuis la chute, la situation avait eu amplement l'occasion de se dégrader, mais qui pouvait prétendre améliorer le modèle tracé dans la Bible ?

Par trois fois, la culture, à l'origine uniforme, de l'humanité avait été corrompue pour laisser place à la diversité. Caïn, puni pour avoir tué Abel, avait été exilé au pays de Nod, à l'est d'Eden, où lui-même et sa postérité trouvèrent de bien étranges coutumes. Plus tard, les fils de Noé furent dispersés sur la terre pour suivre des voies séparées. A Babel, enfin, le caractère unique de l'humanité avait éclaté une dernière fois. La diversité dans le domaine de la religion, du langage ou de quoi que ce fût, était le signe de Caïn. Au Moyen Age, où les Européens ne connaissaient qu'un mince échantillonnage de diversité culturelle, la foi dans la norme biblique était renforcée par l'expérience.

Une révolution s'opéra plus tard dans la pensée occidentale, avec la double révélation que les institutions étaient capables à la fois de changements qui n'étaient ni décrits ni annoncés dans la Bible, et d'une évolution selon laquelle une sorte d'institution était issue d'une autre. Ces notions, et l'idée de progrès qui les accompagna, étaient des dérivés de l'exploration. L'événement crucial fut la découverte de continents insoupçonnés que l'on en vint à appeler Nouveau Monde. De même qu'au Moyen Age, l'Europe chrétienne faisait découler l'unicité de la race humaine de l'uniformité du Paradis terrestre, les savants modernes allaient trouver de nouveaux indices de l'unité de l'espèce dans la diversité des coutumes humaines.

Lorsque Christophe Colomb rapporta que les peuples qu'il avait rencontrés n'étaient nullement des monstres, mais simplement des sauvages, il montra sans s'en douter la voie d'une science nouvelle de la culture. Et celle d'une idée de progrès. Les extrêmes de la diversité humaine n'étaient plus désormais exilés dans des royaumes imaginaires, car on pouvait les étudier de tout près. Pour médiévale qu'ait été la géographie de Colomb, qui décrivait en détail les fleuves du Paradis, lorsqu'il se mettait en devoir de dépeindre les autochtones, il trouvait brusquement les accents d'un anthropologue. Ainsi mentionnait-il leurs « corps superbes et leurs très beaux visages ; les cheveux presque aussi rudes que les crins d'un cheval et courts ; ils les portent au-dessus des sourcils, en dehors d'une touffe, derrière, qu'ils portent longue et ne coupent jamais. Certains d'entre eux se peignent en noir (ils sont de la couleur des habitants des Canaries, ni noirs ni blancs) et certains se peignent en blanc, et d'autres en rouge, et d'autres encore avec ce qu'ils ont. » Dans sa lettre à ses souverains, qui circula très vite à travers toute l'Europe, comme nous l'avons vu, Colomb décrit sa rencontre avec les indigènes.

> Ils sont si ingénus et si généreux de tout ce qu'ils possèdent qu'on ne saurait le croire à moins de l'avoir vu ; tout ce qu'ils ont, si on le leur demande, ils ne disent jamais non ; au contraire, ils vous invitent à le partager et montrent autant d'amour que s'ils y mettaient vraiment tout leur cœur ; ils se contentent de la moindre babiole qu'on leur donne, qu'il s'agisse d'un objet de valeur ou de rien du tout. J'ai interdit qu'on leur donnât des objets aussi insignifiants que des morceaux de vaisselle cassée ou de verroterie et de dentelle, en dépit du fait que, lorsqu'ils parvenaient à s'en procurer, ils pensaient avoir les plus beaux joyaux du monde.

Lorsque les indigènes vinrent à la rencontre de son navire, ils arrivèrent « dans des pirogues creusées en forme de long bateau dans le tronc d'un arbre, tout d'une pièce, et merveilleusement faites (si l'on songe dans quel pays on se trouve), si grandes que certaines contenaient quarante ou quarante-cinq hommes... Ils rament avec un objet qui ressemble à une pelle de boulanger (ceux-ci s'en servaient pour enfourner les miches et les sortir du four) et avancent incroyablement vite et s'ils se retournent, tous se mettent à nager, redressent leur bateau et le vident avec des calebasses qu'ils portent ». « Je leur ai montré des épées et ils les ont attrapées par la lame, se tailladant les doigts par ignorance ; ils n'ont pas de fer. Leurs flèches sont des espèces de baguettes sans fer ; certaines ont au bout une dent de poisson et certaines d'autres choses. »

Les Européens n'avaient pas encore associé la « race » ni les niveaux d'humanité avec la couleur de la peau. De façon assez naturelle, ils considéraient leur propre couleur comme la couleur « normale », originelle de la peau humaine. L'épiderme sombre des Africains s'expliquait par les brûlures que lui infligeait le soleil dans les pays chauds, ce qui confirmait, bien sûr, l'humanité des peuples d'Afrique. L'expérience européenne était encore trop limitée pour soulever des questions gênantes concernant la relation entre la couleur de peau et le climat. La Bible était suffisamment explicite sur l'origine unique et la descendance homogène de toute la race humaine. Puisque tous les hommes descendaient d'Adam et Ève, il n'y avait aucune place pour une infériorité de l'héritage génétique. Les différences vraiment intéressantes étaient celles du langage et de la religion.

La découverte de l'Amérique ouvrit de nouvelles possibilités d'abord curieuses, puis révolutionnaires. Dès le XVIIIe siècle, il était évident qu'il existait de nombreuses espèces de plantes et d'animaux « particulières à ces régions du monde ». Jefferson lui-même a noté, en 1789, qu'il n'y avait pas une seule espèce d'oiseau terrestre ni, soupçonnait-il, de quadrupède commune à l'Europe et à l'Amérique. Comment expliquer la présence en Amérique du raton laveur, de l'opossum, de la marmotte d'Amérique, de l'alpaga et du bison ? S'ils s'étaient trouvés dans l'arche de Noé, ne les verrait-on pas aussi dans d'autres régions du globe ? Certains naturalistes audacieux hasardèrent une hypothèse : au lieu d'une Création unique, au commencement du monde, dans le Paradis terrestre, peut-être Dieu avait-il créé des plantes et des espèces animales particulièrement adaptées à l'habitat de chaque continent. Pourquoi, dans ce cas, ne pas supposer aussi des « créations séparées » pour les hommes ?

Les problèmes nouveaux causés à l'Église romaine par la réforme protestante donnaient à la question de l'égalité entre les hommes une importance nouvelle. Vingt-cinq ans seulement après que Colomb eut débarqué en Amérique, Martin Luther affichait ses quatre-vingt-quinze thèses sur la porte de l'église de Wittenberg. Dès le milieu du XVIe siècle, l'Église romaine perdait, en Europe, des millions d'âmes au profit des hérésies protestantes qui se multipliaient. Au même instant, par une intervention de la providence divine, le Nouveau Monde lui offrait soudain ses innombrables païens pour une vaste récolte de nouveaux croyants. Et les missionnaires espagnols étaient encouragés par leurs succès initiaux. « D'ordinaire, les missionnaires apprenaient aux Indiens à lire, à écrire et respecter les bonnes mœurs, fit savoir Alonso de Zorita au Conseil espagnol des Indes en 1584. Beaucoup d'entre eux ont appris à jouer d'un instrument de musique, afin de pouvoir en jouer à l'église, tandis que d'autres ont reçu des leçons de grammaire et de rhétorique. Certains sont devenus d'excellents latinistes et ils ont composé des oraisons et de la poésie fort élégantes. » En 1540, une estimation quelque peu optimiste situait le nombre d'Indiens d'Amérique baptisés aux alentours de six millions.

Cependant, la nature humaine de ces Indiens — leur égalité potentielle devant Dieu — était de plus en plus contestée. Les conquistadores espagnols avaient de bonnes raisons pour insister sur l'infériorité naturelle de ces indigènes, laquelle signifiait que Dieu les avait fort opportunément destinés à l'esclavage. Il y eut des débats fort animés sur les capacités des Indiens du Nouveau Monde. En 1520, lorsqu'il vit les joyaux et les objets en plumes que Cortez avait envoyés à l'empereur Charles Quint pour être exposés à Bruxelles, Albrecht Dürer fut stupéfait par leur sens artistique. Cortez, fort désireux de persuader le pape de légitimer les enfants qu'il avait eus de diverses Indiennes, appuya sa requête en envoyant à Rome une troupe de jongleurs aztèques. Dès le moment où le Conseil espagnol des Indes fut établi, en 1524, l'humanité des Indiens fut mise en cause.

Le dernier des papes de la Renaissance, le célèbre Paul III (1468-1549), se fit le champion des tentatives missionnaires au Nouveau Monde. Jeune homme, il avait été une véritable caricature de la sensualité de son temps. Ayant profité des relations de sa famille, les Farnèse, pour se faire nommer trésorier de l'Église romaine, il se complaisait à chasser à courre, fit construire le grandiose Palais Farnèse à Rome et donna quatre enfants à sa maîtresse. Son protecteur, Alexandre VI, Borgia de naissance, le créa cardinal en 1493, mais il ne fut ordonné qu'en 1519, à cinquante ans passés. Il renonça alors à ses frasques. Élu pape à l'âge de soixante-sept ans, il devint le prophète et l'organisateur inattendu d'une réforme catholique. Dans son portrait par le Titien, à l'âge de soixante-quinze ans, on discerne la vigueur qui allait lui permettre de gouverner l'Église pendant encore six ans. Lorsque le débat concernant l'humanité des Indiens d'Amérique atteignit Rome, Paul III s'efforça de régler la question par son éloquente bulle, *Sublimis Deus* (1537) :

> Le Dieu sublime aimait tant la race humaine qu'Il a non seulement créé l'homme de telle façon qu'il eût sa part des biens dont jouissent toutes les autres créatures, mais l'a doué de la capacité d'atteindre le Bien Suprême inaccessible et invisible et de le contempler face à face... Et il n'est point croyable que quiconque soit à ce point dénué d'intelligence qu'il puisse désirer la foi, tout en étant privé de la faculté nécessaire qui lui permettra de la recevoir. Par conséquent, le Christ a dit à ceux qui ont prêché la foi et qu'il a choisis pour cet office : « Allez et enseignez à toutes les nations. » Il a dit toutes sans exception, car toutes sont capables de recevoir les doctrines de la foi.

Contre cette mission, Satan avait « inventé un moyen encore inconnu, grâce auquel il pourrait empêcher de prêcher les paroles que Dieu adressait aux hommes pour leur salut ; il a inspiré ses acolytes... afin qu'ils proclamassent partout que les Indiens de l'ouest et du sud, et d'autres peuples que nous ne connaissons que depuis peu fussent traités comme des bêtes brutes créées pour notre service et prétendissent qu'ils étaient incapables de recevoir la foi catholique. Les Indiens sont vraiment des hommes ».

Dès avant le décret du pape, moins de vingt ans après l'arrivée de Colomb au Nouveau Monde, des colons espagnols avaient été troublés par des voix prophétiques qui élevaient des protestations. Le dernier dimanche de l'avent 1511, lorsque les colons d'Hispaniola, la première ville espagnole du Nouveau Monde, se réunirent pour la messe dans l'église couverte de chaume, ils eurent la surprise d'y être accueillis par des doléances :

« C'est pour vous faire connaître vos péchés contre les Indiens, tonna le dominicain Antonio de Montesinos, que je suis monté ici en chaire, moi qui suis la voix du Christ prêchant dans le désert de cette île... Cette voix dit que vous êtes en état de péché mortel, que vous vivez et mourrez dans cet état, par la faute de la cruauté et de la tyrannie dont vous usez avec ce peuple innocent. Dites-moi donc de quel droit, au nom de quelle justice vous maintenez ces Indiens dans une servitude aussi cruelle et atroce ? Au nom de quelle autorité avez-vous livré une guerre détestable contre ces gens, qui vivaient tranquilles et paisibles sur leurs propres terres ? »

L'héroïque défenseur des Indiens fut sans doute aussi le premier homme à prendre les ordres en Amérique. Né à Séville, Bartolomé de Las Casas (1474-1566) était présent lorsque Colomb rentra, en 1493, de son premier voyage. A l'âge de dix-neuf ans, il eut donc son premier aperçu des Indiens que l'explorateur avait fièrement fait parader dans les rues, avec des perroquets du Nouveau Monde au merveilleux plumage. Lorsque son père revint de ces régions lointaines, où il avait accompagné Colomb pour son second voyage, il donna, dit-on, à Bartolomé, qui était alors étudiant à l'université de Salamanque, un esclave indien. S'étant rendu à son tour en Amérique, en 1502, le jeune homme goûta à la vie de conquistador, fit l'acquisition d'esclaves indiens qu'il faisait travailler dans des mines, et se constitua un vaste domaine. En récompense de la part qu'il avait prise à la sanglante conquête de Cuba, il reçut de nouvelles terres sur lesquelles vivaient d'autres serfs indiens. Lorsque Montesinos prononça son sermon, à Hispaniola, Las Casas resta de marbre, même après s'être vu refuser les sacrements parce qu'il possédait des esclaves.

Étant entré dans les ordres, vers 1512, Las Casas demeura aveugle au sort cruel infligé aux Indiens. Et puis un jour de 1514, dans son domaine de Cuba où il préparait, pour la Pentecôte, le sermon qu'il devait prêcher dans la ville nouvelle de Sancti Espiritus, il eut une soudaine illumination. « Celui qui sacrifie un bien mal acquis, lut-il dans l'Ecclésiaste, son offrande est ridicule et les dons des injustes ne sont pas acceptés. » En l'espace de quelques jours, reprenant à son compte l'expérience de saint Paul, il subit une profonde transformation. Désormais intimement persuadé « que tout ce que l'on a fait aux Indiens jusqu'à présent était injuste et tyrannique », il décida, à l'âge de quarante ans, de consacrer sa vie à « la justice de ces peuples indiens et à condamner le vol, le mal et les iniquités commises contre eux ».

Dans son sermon du 15 août 1514, il renvoya publiquement au gouverneur tous ses esclaves indiens et durant les cinquante années suivantes il fut le défenseur le plus efficace des peuples indigènes. A son retour en Espagne, il prit leur parti devant le Parlement de Barcelone, puis il persuada Charles Quint de financer son projet utopique de construire des villes où des « Indiens libres » collaboreraient avec des fermiers espagnols soigneusement choisis. Il suggéra de les bâtir dans le golfe de Paria, entre l'actuelle Trinidad et le Venezuela, afin de servir de modèle à une nouvelle civilisation combinant les ressources humaines de l'ancien et du nouveau mondes. Ce projet ayant échoué, il se retira dans un monastère dominicain, à Saint-Domingue, où il commença à écrire sa version du comportement espagnol aux Indes, pour l'édification des générations futures qu'il espérait faire profiter de la sagesse que sa propre époque avait refusée. Il voulait avec ce manuscrit faire œuvre de prophète.

En 1537, lorsque la bulle papale *Sublimis Deus* proclama son grand principe, Las Casas avait déjà passé vingt pénibles années à appliquer ses propres idéaux à la vie quotidienne en Amérique. Il s'efforçait de prouver qu'il était possible de convertir les Indiens uniquement par des méthodes pacifiques, mais ses idées n'étaient pas à l'honneur dans les Indes espagnoles. Son « Unique méthode pour attirer tous les peuples vers la vraie foi » exigeait que l'on rendît aux Indiens tout ce qu'on leur avait pris, y compris l'or, l'argent et les terres. Il tenta une seconde fois de faire la preuve du bien-fondé de cette façon si peu orthodoxe de voir les choses, avec un nouveau parlement au Guatemala, qui fait aujourd'hui partie du Costa Rica. Ayant regagné l'Espagne, Las Casas persuada Charles Quint de signer les Nouvelles Lois décrétant que les dons d'esclaves indiens n'étaient pas héréditaires et ordonnant aux *encomenderos* espagnols de libérer les leurs au bout d'une génération. Dans le cadre d'un projet papal rédigé par Las Casas lui-même, il fut fait évêque de Chiapa tout exprès pour protéger les Indiens et promouvoir des villes modèles de fermiers espagnols et d'Indiens libres. Les colons espagnols ne mirent pas deux ans à saboter ce plan et forcèrent l'évêque à regagner l'Espagne.

Le point culminant de la lutte menée par Las Casas fournit un spectacle unique dans les annales de la colonisation. Le 16 avril 1550, Charles Quint, poussé par les doutes et les accusations de Las Casas, ordonna de suspendre les conquêtes dans le Nouveau Monde, lesquelles ne devraient pas reprendre tant que ses théologiens ne seraient pas tombés d'accord sur une juste façon de procéder. « Afin que tout fût fait d'une manière chrétienne », aucune nouvelle conquête ne serait autorisée tant que le souverain n'aurait pas été informé de la façon dont ladite conquête serait effectuée. Pendant quelque temps, cet ordre fut strictement appliqué à la Nouvelle Grenade, au Chaco et au Costa Rica, sous la surveillance des moines qui se dressaient face aux colons impatientés et à leurs protestations. La grandeur morale de cette tentative — le maître d'un vaste empire se refusant à utiliser sa puissance tant qu'il n'était pas entièrement convaincu de l'équité de sa cause — allait être éclipsée par la brutalité des conquistadores.

Charles Quint proclamait bien sûr sa foi dans le jugement moral de ses théologiens. Ceux-ci ne devaient pourtant pas lui fournir une réponse claire et rapide, mais ils ne lui firent pas non plus entièrement défaut. Son pointilleux respect de la justice ne fut pas sans effet sur l'avenir du monde.

Les colons espagnols, le parti des conquistadores et tous les autres adversaires des Nouvelles Lois avaient retenu les services d'un défenseur de poids. Le Dr Juan Ginés de Sepúlveda (1490-1573), humaniste érudit et disciple d'Aristote, n'avait jamais visité le Nouveau Monde, mais il avait des opinions arrêtées, que soutenait un pesant traité, par lequel il faisait valoir qu'il était juste de se battre contre les Indiens et d'en faire des esclaves. En s'attaquant à Sepúlveda, dont le protecteur était le puissant président du Conseil des Indes, le cardinal Garcia de Loaysa, de Séville, Las Casas s'en prenait du même coup à Aristote, dont son adversaire venait de traduire en espagnol *La Politique*. Sepúlveda fondait son argumentation sur une proposition du penseur grec, à savoir que certains hommes sont esclaves de nature. De même que les enfants sont naturellement inférieurs aux adultes, les femmes aux hommes et les singes aux êtres humains, les Indiens, assurait-il, étaient naturellement inférieurs aux Espagnols. « Comment pourrions-nous douter que ces gens — si peu civilisés, si barbares, contaminés par tant d'impiétés et d'obscénités — ont été justement conquis par un roi aussi excellent, pieux et juste que l'était Ferdinand le Catholique et que l'est à présent l'empereur Charles, et par une nation aussi pleine d'humanité et excellant dans toutes les sortes de vertus ? »

Afin de trancher entre Sepúlveda et Las Casas et de faire « les règlements qui seront les plus commodes pour que les conquêtes, découvertes et peuplements se fassent selon la justice et la raison », le 7 juillet 1550, Charles Quint annonça qu'une assemblée spéciale de théologiens et de conseillers allait se réunir à Valladolid, capitale de la Castille, au mois d'août suivant. Las Casas avait déjà préparé une *Histoire apologétique* des Indiens, longue de huit cent soixante-dix pages, afin de prouver que les Indigènes d'Amérique étaient des parangons de raison et de vertu. Il confronta sa longue expérience, embellie par la légende et l'imagination, aux critères de rationalité et de bien-vivre établis par Aristote. Sous presque tous les rapports, fit-il valoir, les Indiens étaient supérieurs aux Grecs et aux Romains de l'Antiquité et sous certains, même, supérieurs aux Espagnols. Il ne contredit point brutalement la doctrine aristotélicienne d'esclavage naturel, mais il soutint que les « esclaves naturels » étaient des espèces de monstres, parmi lesquels les Indiens à coup sûr ne figuraient pas.

Le conseil de quatorze membres, composé de certains des hommes les plus savants et les plus puissants de l'époque, prit sa mission très au sérieux. Le débat entre les deux adversaires fut marqué par la solennité et l'indécision. Le premier jour, Sepúlveda ouvrit le feu par un discours de trois heures qui était un véritable résumé de son livre sur l'infériorité des Indiens. Las Casas lui succéda et lut, mot à mot, certains passages du traité de cinq cent cinquante pages qu'il avait préparé tout spécialement pour l'occasion et que le conseil supporta patiemment pendant cinq jours. Les délibérations durèrent de la mi-août à la mi-septembre, après quoi les membres du Conseil quelque peu troublés demandèrent à l'un d'entre eux, juriste éminent, de leur venir en aide en résumant les problèmes. Lorsqu'ils se réunirent, en janvier 1551, censément pour voter, bien peu d'entre eux étaient prêts à se prononcer. Les avocats dirent qu'ils avaient besoin d'un peu plus de temps pour examiner l'affaire, les hommes d'Église prétendirent qu'ils avaient besoin de se préparer pour le Carême et deux membres avaient, fort opportunément, été envoyés par l'empereur au concile de Trente. La seule de leurs opinions qui ait survécu déclarait prudemment que les expéditions de conquête étaient désirables, pourvu qu'elles fussent confiées à des capitaines « zélés dans le service de Dieu et du roi, qui agiraient en sorte de donner un bon exemple aux Indiens et participeraient à ces missions pour le bien des Indiens et non pour l'or ».

Le conseil ne parvint jamais à s'entendre, si bien qu'il ne soumit jamais la moindre opinion au souverain. Les deux partis en présence revendiquèrent la victoire. Selon tous les critères pragmatiques, Sepúlveda allait s'affirmer, dans la vaste arène américaine, comme le porte-parole de la politique espagnole. Les conquistadores l'adoraient, lui envoyaient des présents et brandissaient ses œuvres pour leur défense. Il n'avait point, cependant, remporté la bataille de Valladolid. De son vivant, il n'eut pas l'autorisation de faire diffuser ses œuvres en Espagne et elles ne furent publiées nulle part avant la fin du XVIIIe siècle. Sa grande attaque contre l'humanité des Indiens ne fut finalement éditée qu'en 1892.

Las Casas, la voix de la conscience, que rien ne put jamais faire taire tout à fait, resta le porte-parole de la doctrine officielle de l'Église romaine. Certes, il fut incapable de convertir les conquistadores au pacifisme, mais il avait frappé l'humanité des Indiens du sceau de l'Église. En 1566, alors que le roi accordait à nouveau la permission de découvrir et de conquérir, il se sentit tenu d'exhorter tous ses sujets à obéir aux lois d'une juste guerre. La conquête relativement paisible des Philippines, après 1570, est parfois attribuée à la survie de l'esprit de Las Casas. Lorsque le 13 juillet 1573, Philippe II proclama la loi qui allait gouverner les futures découvertes et conquêtes de l'Espagne et qui resta en vigueur aussi longtemps que ce pays posséda des colonies américaines, il ne s'en tint pas aux règles sévères de la conversion pacifique définies par Las Casas. Il ordonna, cependant, aux conquérants espagnols de toujours rappeler aux indigènes

> que le roi a envoyé des ecclésiastiques qui ont enseigné aux Indiens la doctrine et la foi chrétiennes capables d'assurer leur salut... Il les a libérés des fardeaux et de la servitude ; il leur a fait connaître l'usage du pain, du vin, de l'huile et de nombreux autres aliments, de l'étoffe de laine, de la soie, du lin, des

chevaux, des vaches, des outils, des armes et de nombreuses autres choses venues d'Espagne ; il leur a enseigné des métiers et des commerces grâce auxquels ils vivent excellemment. Tous ces avantages, les Indiens qui embrasseront notre sainte foi et obéiront à notre roi en profiteront.

Si les colons espagnols éprouvaient la nécessité d'employer la force contre les indigènes, ils ne devaient pas en abuser. Sous aucun prétexte, ils ne devaient réduire les Indiens à l'esclavage. Par déférence envers Las Casas, le roi interdit le mot « conquête » qui à l'avenir serait remplacé par le mot « pacification ».

Lorsque Las Casas mourut en 1566, à l'âge de quatre-vingt-douze ans, il laissa des instructions pour la publication de son histoire complète des Indes, qui ne devait paraître qu'au bout de quarante ans, « en sorte que, si Dieu a décidé de détruire l'Espagne, l'on puisse voir que c'est à cause des ravages que nous avons causés aux Indes et que Sa juste raison d'agir ainsi devienne clairement évidente ». Ce ne furent pas seulement les Espagnols, mais tous les peuples d'Europe, sur tous les continents, qui devaient être hantés pendant des siècles par la question débattue à Valladolid.

Cette occasion de réfléchir sur la variété et l'unicité de la race humaine, que la découverte de l'Amérique et des colonies situées au-delà imposa à l'Occident, ne s'offrit pas aux peuples des autres parties du monde. L'Islam s'étendit en agrandissant son empire, plutôt que par l'acquisition de distantes colonies ; par la conquête et l'occupation, plutôt que par de lointaines missions. Bien entendu, l'Islam avait hérité de la thèse biblique de la dispersion et du péché originel, et, tout comme le christianisme, ne voyait dans la variété qu'un mal. Cependant, la théologie musulmane et les hasards de l'histoire vaccinèrent fort heureusement cette religion contre le virus du racisme. Le dogme inébranlable de l'égalité de tous les croyants, l'expansion de l'islam à travers l'Afrique noire, les mariages fréquents avec des esclaves et des concubines, tous ces facteurs empêchèrent les musulmans de croire à des niveaux raciaux d'humanité. Pour les musulmans, qui se refusaient à séparer la vie séculaire de la vie religieuse, la distinction la plus importante se situait entre croyants et non-croyants. La simple variété dans les coutumes sociales, dans la mesure où elle ne violait pas le Coran, paraissait insignifiante.

Pour des raisons diamétralement opposées, le problème de l'égalité humaine ne se posait pas de façon aiguë en Chine. Dans ce pays, où régnaient la tradition et la coutume, les meilleures qualités de la vie humaine étaient considérées comme des produits de la tradition et des coutumes chinoises. La tradition isolationniste de cette nation repliée sur elle-même interdisait aux Chinois de rencontrer des peuples lointains et différents. Et nulle part ailleurs en Asie, que ce soit au Japon ou en Corée, on ne trouve rien de comparable au racisme occidental.

Ce n'est qu'en Inde, parmi les cultures évoluées, que les castes raciales devinrent partie intégrante de la religion. Bien que l'origine des castes disparaisse dans les brumes préhistoriques, le système hindou est peut-être issu des différences entre les conquérants aryens et leurs sujets dravidiens, lesquelles se résumaient principalement à des différences de couleur. *Varna,* qui en hindou signifie « caste », veut dire aussi « couleur », mais peut-être à l'origine le terme s'appliquait-il à autre chose qu'à la couleur de la peau.

## 78

## *Le choc du primitif*

Durant les siècles qui suivirent Las Casas, le débat européen sur les niveaux d'humanité passa du domaine théologique au domaine biologique. En regroupant tout le genre humain à l'intérieur d'une unique espèce, *Homo sapiens,* Linné parut rejoindre, au milieu du XVIIIe siècle, le camp de Las Casas. Il fournit sa propre réponse, fort claire, à la question évoquée à Valladolid en 1550, mais il ne fit qu'obscurcir les débats pour les colons européens installés dans les contrées éloignées, lorsqu'il dressa une liste de cinq sortes d'*Homo sapiens :* le sauvage, l'Américain, l'Européen, l'Asiatique et l'Africain, « qui varient par leur éducation et leur situation ». S'agissait-il de différentes « variétés » d'une unique espèce humaine ? Et dans l'affirmative, que signifiait exactement le mot « variété » ?

Lorsque l'évaluation des capacités de l'homme quitta le domaine religieux pour le scientifique, les questions passèrent du gros au détail. De même que le mouvement antérieur de la cosmologie vers la géographie, il s'agissait là aussi d'un pas vers le progressisme. Au lieu de poser les grandes questions monolithiques débattues par Las Casas et Sepúlveda, quant à la « nature » de l'homme et à sa destinée dans ce monde et dans l'autre, on allait à présent poser d'innombrables questions concernant les détails futiles de la vie quotidienne. A l'encontre des textes de théologie, écrits dans une langue savante, les données anthropologiques participaient de l'expérience de tout un chacun. Plutôt que de mettre l'accent sur la nature humaine, on le mit sur les cultures de l'homme ; on passa de la métaphysique au tout-venant. On allait poser des questions d'anthropologie et y répondre non pas dans la bibliothèque, mais dans le monde. Chaque société humaine devint un laboratoire.

Et le Nouveau Monde allait être le premier, pour cette nouvelle science du genre humain. Là des multitudes d'émigrés européens côtoyaient des communautés de l'âge de pierre. A l'instar de Las Casas qui avait suivi la théologie chrétienne dans ses rencontres avec les peuples inconnus du

Nouveau Monde, au début du XIXe siècle, des observateurs, aidés par de nouvelles institutions pour échanger les données scientifiques, se mirent à étudier les indigènes américains. L'une des forces de cette entreprise, c'était justement sa nouveauté. Tous ces chercheurs possédaient la naïveté de l'amateur et certains en avaient aussi l'audace.

Les occasions et les tentations furent portées à leur point culminant dans la carrière d'un amateur passionné, Lewis Henry Morgan (1818-1881). Fils de fermier, originaire d'un village du centre de l'État de New York, sur la route du canal Érié qui venait tout juste d'être construit, c'était un jeune homme éminemment sociable. Encore écolier, il fonda une société pour « l'amélioration mutuelle par des connaissances utiles », l'Erodephecin Society. Ayant obtenu son diplôme de fin d'études à l'Union College de Schenectady, en 1840, il retourna étudier le droit à Aurora.

Jeune avocat sans clients, dans le marasme de la dépression qui avait commencé en 1837, il avait amplement le temps de laisser libre cours à son naturel grégaire. Il créa donc une loge secrète pour la sociabilité et l'amélioration de soi-même, qui se réunissait dans un bâtiment abandonné ayant naguère appartenu à une loge maçonnique. Morgan baptisa son club l'Ordre du Nœud gordien, car on traversait une période de néoclassicisme. La Grèce et la Rome antiques offraient leurs modèles architecturaux et l'on commémora les merveilles de ces civilisations en baptisant des villes américaines Ithaca, Troy, Delphi, Hannibal, Marcellus, Brutus, Cato, Syracuse, Utica ou Aurora. A mesure que les membres du club de Morgan quittaient Aurora, ils formaient d'autres branches et en l'espace de quelques années, l'Ordre comptait plus de cinq cents membres répartis entre une douzaine de ville. En 1843, Morgan décida d'abandonner la panoplie de l'Antiquité classique pour un style plus nettement américain. « Gordius a conçu la colossale entreprise de guider ses enfants phrygiens jusqu'à cet hémisphère occidental, expliqua-t-il, il les a conduits jusqu'au détroit de Béring et de là tout droit à travers le monde occidental. » L'Ordre du Nœud gordien devint le Grand Ordre des Iroquois, dont Morgan était le chef, sous le nom de Skenandoah, d'après un Iroquois qui s'était rangé aux côtés des Américains durant la guerre d'Indépendance.

On ne sait pas exactement pourquoi Morgan commença à se passionner pour les Indiens. Peut-être fut-ce d'abord par pur caprice. Très vite, cependant, il fit la preuve de son sincère désir de capturer l'esprit des Iroquois, dont les cinq tribus avaient fait commerce avec les premiers émigrés européens qui s'étaient avancés vers l'ouest, avant de résister farouchement à leur invasion. La majeure partie des Iroquois avaient pris le parti des Britanniques durant la guerre d'Indépendance, à la fin de laquelle ils furent forcés de céder leurs terres en échange de paiements fictifs, avant d'être confinés dans des réserves. La ferme de trois cents hectares acquise par le grand-père de Morgan avait été prélevée sur des terres iroquoises, en récompense de ses services durant la guerre. En 1843, lorsque Morgan décida de commémorer la cause perdue des Indiens au sein de son ordre secret, il ne connaissait pas grand-chose à la façon dont fonctionnait de l'intérieur la société de ce peuple, mais cela ne l'empêcha nullement d'improviser des rites « iroquois » fort compliqués. Durant la cérémonie d'initiation, fort solennelle, qu'il appelait « inindianation », le candidat, à qui on avait bandé les yeux, était mis en garde : « Si, dans un moment d'oisiveté ou avec une insouciante légèreté, il vous arrivait de soulever le voile du secret qui entoure notre Ordre et de l'exposer aux Visages Pâles, un châtiment dont la seule pensée vous ferait frémir, même dans la tombe, suivra instantanément votre faute. » Pour leurs réunions, les « guerriers » de Morgan portaient des jambières et des coiffures dans le style iroquois, se munissaient de tomahawks et, affichant un souverain mépris pour quiconque parlait « avec une langue fourchue », ils s'exprimaient par ce qu'ils croyaient être des figures de style indiennes.

Pour instruire sa confrérie, Morgan eut le culot d'inviter Henry Schoolcraft (1793-1864), le plus grand spécialiste indien du pays, dont les travaux allaient pénétrer dans le folklore américain en servant de base au poème de Longfellow, *Hiawatha*. Schoolcraft avait épousé une femme d'origine Ojibwa, négocié le traité par lequel les Ojibwas cédaient une grande partie du nord du Michigan et était devenu ensuite responsable des affaires indiennes dans cet État. Lorsqu'il s'adressa au Grand Ordre des Iroquois, Schoolcraft pressa les « guerriers » d'Aurora de ne pas se contenter d'étudier uniquement leur héritage européen. Ils devraient également s'intéresser à « l'histoire, aux antiquités et aux institutions de la libre, audacieuse, sauvage et indépendante race indigène des chasseurs... Toutes proportions gardées, ils sont pour nous ce que les anciens Pictes et Celtes étaient à la Grande-Bretagne, ou les Teutons, Goths et Magyars aux habitants d'Europe centrale ».

Morgan avait, pour sa part, déjà décidé d'aller étudier les Indiens de visu. Ce fut un fort beau jeune Iroquois, de la tribu des Senecas, rencontré en flânant dans une librairie d'Albany, qui l'introduisit parmi ses frères de race. Ely Parker, fils d'un chef indien, avait fréquenté une école de la mission baptiste, avant d'être envoyé à la faculté de droit par sa tribu, afin de pouvoir les défendre contre une nouvelle déportation. Cette fois-ci, on menaçait de les repousser au-delà du Mississippi. Le Grand Ordre de Morgan se rallia à la cause iroquoise, réunit des fonds, organisa des réunions et signa des pétitions. Morgan et Parker se rendirent à Washington pour persuader le comité du Sénat sur les Affaires indiennes de dédommager les Indiens d'un « traité » au moyen duquel on avait confisqué des terres indiennes valant quatre cents dollars l'hectare pour la somme dérisoire de cinq dollars l'hectare. Le traité avait été signé par une majorité des chefs et sachems de la tribu. Appliquant, pour l'une des toutes premières fois, l'anthropologie aux affaires indiennes, Parker et Schoolcraft témoignèrent que les Indiens vivaient selon la règle de l'unanimité et ne connaissaient pas celle de la majorité. En dépit des preuves flagrantes d'escroquerie, le Sénat refusa d'abroger le traité. Il fallut encore une décennie de protestations pour que l'illustre assemblée autorisât les Iroquois à racheter leurs terres et votât des fonds pour ce faire.

Le voyage de Morgan à Washington le persuada que les coutumes iroquoises ne pourraient survivre longtemps, mais il lui avait aussi permis de gagner la confiance des Indiens. A son retour, en octobre 1846, il assista à la fête de la moisson dans la réserve de Tonawanda et fut adopté par le clan Hawk de la tribu des Senecas. Baptisé Ta-ya-do-o-wuh-kuh (« Celui qui s'étend en travers »), il allait servir de tampon entre les Indiens et les Blancs. Saisissant l'occasion, il commença, animé par une nostalgie passionnée, par un sens poignant de l'injustice et par une curiosité omnivore, à réunir des données à partir, comme il l'expliqua, de « ces tablettes humaines sur lesquelles sont inscrits les derniers événements de la carrière et du destin des anciens Iroquois ». Après ses modestes débuts de petit provincial, Morgan se lançait dans une entreprise de découverte universelle.

La carrière de l'ami indien de Morgan, Ely Parker, fut à elle seule une véritable épopée. A Washington, lors du fameux voyage pour défendre son peuple, le jeune homme avait subjugué par son charme le président Polk qui était son voisin de table. Bien qu'il eût obtenu ses diplômes d'avocat, Parker, n'étant pas citoyen américain, n'avait pas été admis au barreau. Sans se laisser décourager, il s'inscrivit au Rensselaer Polytechnic Institute où il reçut une formation d'ingénieur et il fut engagé pour surveiller les travaux dans les chantiers gouvernementaux de Galena, dans l'Illinois. Il eut la bonne fortune d'y rencontrer et d'y impressionner par son savoir-faire un bon à rien de vétéran qui avait passé dix ans dans l'armée, Ulysses S. Grant, reconverti en petit gratte-papier dans une peausserie que possédaient ses frères.

Lorsque la guerre de Sécession éclata, en avril 1861, Grant eut bien du mal à se faire réintégrer dans l'armée à des conditions satisfaisantes. Parker chercha lui aussi à s'enrôler, mais le ministre de la Guerre, Sewar, lui fit savoir que les Blancs pouvaient facilement gagner la guerre tout seuls, sans l'aide des Indiens. L'indomptable jeune homme parvint néanmoins à se faire nommer capitaine dans le génie et devint assez vite le secrétaire militaire de Grant. Au tribunal d'Appomattox, où l'on négociait la reddition avec le général Lee, l'adjudant-major était si ému qu'il ne parvenait pas à en rédiger les termes. Grant ordonna à Parker de réviser l'original qu'il avait écrit lui-même au crayon avant d'en faire plusieurs copies au propre ; celles-ci devinrent les documents officiels de reddition que le général Lee signa pour mettre fin au conflit. Grant fit nommer Parker général pour son comportement courageux et méritoire et plus tard, devenu président des États-Unis, il fit de lui son commissaire aux Affaires indiennes.

Lorsque Morgan commença à étudier sérieusement la vie tribale des Iroquois, il fut de plus en plus troublé par le « manque de sérieux et l'inconséquence » de son Grand Ordre. En 1846, il renonça à le diriger et la société s'effondra elle-même. Morgan, cependant, était déjà devenu la plus grande autorité américaine sur les Iroquois. Il envoya sa collection d'objets indiens — des mortiers et pilons, des ciseaux, couteaux, tomahawks, bouilloires, colliers, calumets et tam-tams — à Albany, pour y ouvrir un nouveau Musée indien. *La ligue des Ho-de-no-sau-ne, ou Iroquois,* de Morgan, publiée en 1851, fut accueillie par les spécialistes de l'époque comme « le premier rapport scientifique sur une tribu indienne jamais offert au monde ». Rétrospectivement, il est évident que Morgan fut le pionnier d'une nouvelle science humaine.

Avant lui, on avait toujours vu les Indiens d'Amérique sous un angle étroitement chrétien et axé sur l'Europe. Pour les conquistadores espagnols, les missionnaires jésuites et protestants, les Indiens étaient des suppôts de Satan. Avec une subtilité caractéristique, les puritains de la Nouvelle Angleterre avaient supposé que Dieu s'était adjoint les services de ces sauvages pour garder le Nouveau Monde libre de l'emprise de la papauté jusqu'à ce qu'un christianisme purifié fût en mesure d'occuper ces terres. Les contemporains de Morgan eux-mêmes, beaucoup plus amicaux envers les Indiens, n'avaient pourtant pas rompu les liens de la théologie chrétienne. L'histoire biblique leur imposait de croire que les « sauvages » du monde entier avaient été déchus, par la faute de leurs péchés, d'un stade antérieur de civilisation. Schoolcraft lui-même plaignait les Indiens de leur « déclin d'un type élevé » de société jusqu'à un type inférieur. Morgan, en revanche, fut le premier à voir comment le gouvernement, les outils, l'architecture, les vêtements et la langue des Iroquois s'imbriquaient les uns dans les autres pour former un mode de vie bien particulier. Il n'y voyait aucune trace de Satan ni d'une civilisation antérieure plus élevée d'où ils seraient tombés.

Nous pouvons suivre les étapes de la libération de Morgan à mesure qu'il aiguisait son appétit pour les indices banals marquant toutes les variétés de la vie communautaire humaine. *La ligue des Iroquois,* encore viciée par le vocabulaire propre à la culture de Morgan, s'efforçait de ranger les coutumes iroquoises dans les catégories d'Aristote et de Montesquieu, mais pour Morgan même la rudimentaire organisation de ces Indiens en « tribus » semblait marquer un progrès, « un moyen de créer de nouveaux rapports pour lier les gens ensemble plus étroitement ».

Le secret de la puissance intellectuelle de Morgan était sa passion pour le spécifique. A l'encontre de Las Casas, l'Américain pontifiait rarement sur l'excellence des institutions iroquoises en général, préférant se concentrer sur les réalités de leur organisation sociale. En 1856, lorsqu'il devint membre d'un parlement américain de la science, nouvellement fondé, l'American Association for the Advancement of Science, à Boston, cela l'encouragea à étudier en détail les lois iroquoises de la consanguinité et de la filiation, afin de les présenter à la savante assemblée.

L'AAAS avait été fondée en 1848 par des géologues et des naturalistes tout exprès pour favoriser l'esprit progressiste, la démocratie des faits contre la tradition distinguée de la « philosophie de la nature », de la science générale et de la recherche de panacées scientifiques ; contre cette « variante du charlatanisme, qui fait du mérite dans une discipline une excuse pour revendiquer l'autorité dans d'autres ». « C'est de l'absence de minutieuses subdivisions dans la poursuite de la science, de la prévalence des conférences générales sur les diverses branches, de la culture d'une littérature scientifique plutôt que de la science proprement dite que sont issues bien des difficultés dans lesquelles la science américaine s'est débattue et qui sont à présent en voie de disparition. » Fidèles à leur amour de la spécificité, les fondateurs avaient refusé de consacrer le legs de James Smithson à une bibliothèque générale de « culture supérieure » et ordonné qu'il fût destiné à « l'accroissement et la diffusion du savoir », ce qui dans leur idée consistait à rassembler tous les progrès possibles du savoir. Comme premier directeur de la Smithsonian Library, ils s'assurèrent les services de Joseph Henry, réputé pour sa conception améliorée des électro-aimants. Il allait amplement combler leurs espoirs, en organisant, par exemple, les nombreux observateurs volontaires des conditions météorologiques pour en faire le premier service scientifique de prédictions météorologiques de la nation.

Le rapport technique de Morgan sur les « Lois de la filiation chez les Iroquois », présenté à l'AAAS en 1856, exposait de façon détaillée le système de famille, de consanguinité et d'organisation tribale en vigueur chez ce peuple. Ce qui le rendait particulièrement intéressant pour les Européens, c'était que le mari et la femme iroquois appartenaient toujours à des tribus différentes. Cela résultait, expliquait Morgan, d'un système fort complexe d'exogamie et de tabous, selon lequel les enfants étaient toujours confiés à la tribu de la mère. Étant donné que l'héritage iroquois était transmis par la tribu, la ligne mâle était ainsi perpétuellement déshéritée. Un fils ne pouvait même pas hériter du tomahawk de son père, mais il recevait en revanche tous les biens de sa mère. Dans la nomenclature iroquoise, un fils appelait toutes les sœurs de sa mère « mère » et celles-ci l'appelaient leur « fils ». L'auditoire de l'AAAS, trouvant cette habitude bizarre, en déduisit qu'elle était propre aux Iroquois. Morgan, quant à lui, croyait bien avoir trouvé un faisceau de preuves, mais de preuves de quoi ?

Lorsqu'il fut obligé, à cause de la panique de 1857, de se rendre dans le Michigan pour préserver ses investissements dans les chemins de fer, il y rencontra un trappeur marié à une Indienne de la tribu des Ojibwas. Il apprit de lui, à son profond ravissement, que le système familial des Ojibwas était fort semblable à celui des Iroquois. Comme il l'avait subodoré, celui-ci n'avait rien d'unique. Allumé par les bizarreries des classifications familiales, une lueur commença alors à poindre. Morgan se rappela que certains rapports de missionnaires faisaient allusion à des pratiques analogues chez les lointains habitants des îles micronésiennes.

Si les coutumes familiales des Iroquois étaient communes à tous les Indiens d'Amérique, cela n'indiquerait-il pas une origine unique ? Et si l'on retrouvait ces mêmes coutumes en Orient, cela ne laisserait-il pas supposer que ces Indiens étaient en fait de souche asiatique ? Cela faisait longtemps que les linguistes s'efforçaient de prouver un tel rapport. La raison pour laquelle ils avaient échoué, hasarda Morgan, c'était qu'ils s'étaient concentrés sur la langue, qui changeait rapidement, en réponse aux besoins locaux, alors que les institutions « primaires » comme celles de la consanguinité étaient plus stables. C'était là que l'on aurait pu trouver un lien fiable avec le passé éloigné, ou peut-être « l'empreinte d'un esprit commun ».

Morgan disposait déjà d'un nombre suffisant de preuves pour corriger la terminologie que les historiens les plus respectés avaient importée d'Europe pour l'appliquer aux événements américains. Pourquoi Prescott, dans son ouvrage fort prisé, *Conquest of Mexico,* était-il si perplexe en constatant que Moctezuma avait eu comme successeurs sur le trône aztèque non pas un fils, mais d'abord un frère, puis un neveu ? Morgan comprit comment la découverte de l'Amérique avait ouvert des horizons inattendus sur toute la race humaine. Selon un admirateur contemporain, lui-même était d'ailleurs occupé à « dresser la carte d'un nouveau continent du savoir ».

Pour réunir toutes ses données, Morgan utilisa un procédé merveilleusement adapté au nouvel univers de la science progressiste. Il s'agissait du questionnaire. Les organismes de perception des impôts et de recensement avaient déjà tenté l'expérience de la circulaire ou de la liste de questions, mais Morgan semble avoir été le premier à mettre sur pied, à l'échelle mondiale, une vaste tentative de rassembler des données détaillées à des fins scientifiques. Le mot « questionnaire » ne parut dans les imprimés en langue anglaise qu'en 1901.

Un siècle auparavant, le mot « statistics » avait fait son entrée dans cette même langue par le biais de l'étude en vingt et un volumes de sir John Sinclair sur les milieux ruraux ; il l'avait intitulée *The Statistical Account of Scotland* (1791-1799). Sinclair avait demandé au clergé de chacune des quatre-vingt-huit paroisses écossaises de répondre à une liste de plus de cent questions. Il avait ensuite fait le siège de tous ceux qui n'avaient pas répondu en leur adressant vingt-trois lettres de rappel successives, dans le but de mener à bien « une enquête sur l'état d'un pays, afin d'estimer la part de bonheur dont jouissent ses habitants et les moyens de l'améliorer à l'avenir ». Il s'efforça de persuader les gouvernements européens de suivre son exemple et de mettre sur pied chez eux un recensement décennal. En dépit de son intérêt pour les données quantitatives, les préoccupations de Sinclair étaient principalement d'ordre politique et moral. « Les gens sont-ils disposés à accomplir des actions humanitaires et généreuses ? » demandait une des questions. La réponse devait indiquer si les gens « protègent et soulagent les naufragés, etc. »

Parmi les premières tentatives faites en Grande-Bretagne et dans d'autres pays d'Europe pour réunir des faits sociaux sur une grande échelle, la plupart visaient un but réformateur et restaient au niveau local. Leur intention était d'horrifier les lecteurs afin d'obtenir que les prisonniers, les malades mentaux ou les pauvres fussent traités avec davantage d'humanité, ou bien d'améliorer l'hygiène et la santé publique. Lorsque la National Association for the Promotion of Social Science fut fondée en Angleterre en 1857, son but était encore d'obtenir des réformes de l'éducation, de l'hygiène et de la société. En France et en Allemagne, les études statistiques qui jouèrent, au XIXe siècle, le rôle de pionniers des sciences sociales étaient des tentatives locales de faire progresser l'hygiène et la morale, de combattre les méfaits de la prostitution et d'améliorer le sort des pauvres, des ouvriers et des travailleurs agricoles.

Morgan était parti dans une tout autre direction. Ses recherches avaient des prétentions scientifiques et concernaient le monde entier. Ses questions n'avaient pas de fonction pratique immédiatement évidente. Lorsqu'il rentra de son voyage d'affaires dans le Michigan, il composa un questionnaire imprimé, long de sept pages et comprenant plus de deux cents questions, sur chaque aspect de l'organisation tribale, des coutumes et des us de parenté, depuis le nom utilisé pour désigner le père d'une personne jusqu'à celui « de la fille de la fille d'un frère au fils du fils de la sœur de ce frère ». Profitant du privilège d'affranchissement postal du député d'Aurora, Morgan adressa ces documents aux missions et aux agences fédérales de l'Ouest américain. La lettre qui les accompagnait expliquait que les réponses contribueraient à « décider si nos Indiens sont d'origine asiatique ». Certains de ses correspondants étaient trop occupés. D'autres n'étaient pas intéressés parce qu'ils estimaient déjà que « Mister Louis Agassiz a raison de les décréter, comme le buffle et l'ours grizzly, indigènes ». Néanmoins, des dizaines d'entre eux envoyèrent des rapports détaillés sur les Dakotas, les Shawnees, les Omahas et les Pueblos. De son propre voyage d'étude dans le Kansas et le Nebraska, Morgan rapporta onze modèles en onze idiomes différents, présentant presque tous de nettes ressemblances avec le système iroquois.

Un jour, Morgan reçut d'un missionnaire dans le sud de l'Inde un tableau du système de parenté tamil identique à celui des Iroquois. Il se précipita chez un savant ami, pour lui annoncer la grande nouvelle ; ce dernier a raconté que Morgan en avait le visage tout empourpré d'animation. A présent, déclara-t-il, il était « impératif d'inclure la famille humaine tout entière dans le cadre de nos recherches ».

Ainsi fut fait, avec la collaboration de Joseph Henry, de la Smithsonian Institution et du ministère des Affaires étrangères. Henry imprima les tableaux de Morgan, sur un papier à en-tête de la Smithsonian, et profita de la dispense d'affranchissement de cette institution pour les envoyer dans le monde entier. Le ministre des Affaires étrangères demanda à tous ses diplomates de collaborer à cette étude. En janvier 1860, la circulaire de Morgan partit vers tous les continents et le printemps venu, il avait reçu deux cents questionnaires remplis. En 1870, après d'innombrables révisions et coupures, pour permettre au circonspect Joseph Henry de s'assurer « que sa valeur serait pleinement établie » dès avant sa publication, la Smithsonian Institution fit paraître le livre de Morgan, long de six cents pages, qui s'intitulait *Systems of Consanguinity and Affinity of the Human Family (Systèmes de consanguinité et d'affinité de la famille humaine).*

La conclusion de Morgan, étayée par des faits glanés un peu partout dans le monde, était que l'on trouvait sur terre deux modes radicalement différents d'estimer la parenté et que la plupart des habitants de la planète suivaient l'un ou l'autre. Les linguistes n'étaient jamais parvenus à établir d'aussi vastes catégories, mais Morgan pouvait démontrer que les nations indo-européennes et sémites avaient adopté un système de parenté, alors que les autres peuples avaient opté pour l'autre. Il faisait ensuite valoir que les ressemblances entre les systèmes que pratiquaient les Indiens d'Amérique et les Asiatiques laissaient penser qu'ils avaient une origine commune. « Lorsque ceux qui découvrirent le Nouveau Monde donnèrent à ses habitants le nom d'Indiens, parce qu'ils croyaient avoir atteint les Indes, ils étaient bien loin de se douter qu'ils avaient devant eux des rejetons de la même souche, quoique sur un continent différent. Par une singulière coïncidence, l'erreur était juste. » Beaucoup d'anthropologues ne se rallient plus désormais à la thèse de Morgan, ce qui ne les empêche pas de continuer à puiser à la source précieuse des données qu'il a su réunir sur des sociétés qui n'allaient pas tarder à disparaître.

La tentative sans précédent de Morgan ne fournissait qu'un échantillon de la matière première disponible dans le monde entier pour cette nouvelle science humaine, mais un échantillon ô combien séduisant. Alors que Las Casas soutenait que l'humanité n'était qu'une et que tous étaient égaux devant Dieu, Morgan avait découvert l'expérience commune de tous les hommes. Les peuples primitifs n'étaient plus désormais ni des vestiges du péché ni des symboles de décadence ; ils devenaient des indices de tout ce que l'humanité avait été jadis. Lorsque Morgan lut Darwin, il résista tout d'abord à l'idée d'espèces issues de l'évolution, mais « après avoir calculé les résultats de la consanguinité, j'ai été obligé... de me rendre à la conclusion que l'homme avait commencé tout en bas de l'échelle et s'était hissé jusqu'à son état actuel ». Telle était sa version de l'évolution.

La façon dont l'homme « s'était hissé » ainsi était encore le thème d'un autre de ses ouvrages, *Ancient Society; or Researches in the Lines of Human Progress, from Savagery through Barbarism into Civilization* (1877, *La Société ancienne ; ou Recherches sur les voies du progrès humain, du sauvage à l'homme civilisé en passant par le barbare).* Il aurait pu l'intituler « Traité sur le progrès humain », car il montrait que partout la civilisation avait progressé par étapes similaires. « La croissance de l'intelligence à travers les inventions et les découvertes », « la croissance de l'idée de gouvernement », « la croissance de l'idée de famille », et « la croissance de l'idée de propriété », tels étaient les moyens de progression de la race humaine. Tout comme Thomsen avait analysé la préhistoire, Morgan se chargea de décrire les trois grands stades de toute l'évolution humaine, que l'on pouvait encore observer dans le développement arrêté de certaines sociétés. Il les voyait tous dans le miroir américain. « Les dernières recherches concernant la condition première de la race humaine mènent à la conclusion que l'humanité a commencé sa carrière en bas de l'échelle et s'est hissée de l'état sauvage à l'état civilisé à travers la lente accumulation du savoir expérimental... certaines portions de la famille humaine ont existé à l'état sauvage, d'autres à l'état barbare, d'autres encore à l'état civilisé... en sorte que... ces trois conditions distinctes sont liées au sein d'une séquence naturelle aussi bien que nécessaire de progression. »

La technologie et les « arts de la subsistance » caractérisaient chaque période et marquaient les progrès de l'humanité. A l'état *sauvage,* l'homme vivait de la récolte des fruits et des noix, apprenait à pêcher et à se servir du feu, inventait l'arc et la flèche. A l'état *barbare,* il inventait l'art de la poterie, apprenait à domestiquer les animaux et à cultiver les plantes, commençait à utiliser l'adobe et la pierre pour construire des maisons et maîtrisait finalement la fonte du fer et le maniement des outils métalliques. L'état *civilisé* commençait par l'invention de l'alphabet phonétique pour connaître son apogée avec toutes les merveilles du XIXe siècle.

> Les principales contributions de la civilisation moderne sont le télégraphe électrique ; le gaz de houille ; le métier à filer ; le métier à tisser ; la machine à vapeur avec ses nombreux dérivés, dont la locomotive, le train et le bateau à vapeur ; le télescope ; la découverte de la pesanteur de l'atmosphère et du système solaire ; l'art de l'imprimerie ; l'écluse de canal ; la boussole des marins ; et la poudre à canon. La masse des autres inventions, comme par exemple l'hélice d'Ericsson, provient, on s'en apercevra, de l'une ou l'autre de celles que l'on vient d'énumérer, mais il y a des exceptions, comme la photographie... En plus de celles-ci, il faudrait aussi retrancher les sciences modernes ; la liberté religieuse et les écoles communales ; la démocratie représentative ; la monarchie

constitutionnelle avec des parlements ; le royaume féodal ; les classes privilégiées modernes ; le droit national et international.
La civilisation moderne a recouvert et absorbé tout ce que les civilisations anciennes comportaient de valable.

L'expérience fort colorée que Morgan avait du progrès avait nourri son optimisme et fait de lui un prophète et le fondateur d'une science du progrès. « La théorie de la dégradation humaine pour expliquer l'existence des sauvages n'est plus défendable, assura-t-il. Elle s'est imposée en tant que corollaire de la cosmogonie mosaïque et a reçu l'approbation au nom d'une prétendue nécessité qui n'existe plus… elle n'est absolument pas étayée par les réalités de l'expérience humaine. » A l'époque de Morgan, cependant, ce n'était pas seulement le dogme biblique qui sous-tendait la conviction de la décadence des sociétés humaines. Un fouillis de dogmes séculiers antichrétiens, dont Rousseau s'était fait le chantre, avait prospéré au XVIIIe siècle et créé le culte du « noble sauvage ». Défiant le dogme biblique, ces primitivistes romantiques déclaraient que l'homme, vertueux à « l'état naturel », avait été corrompu par les institutions. A mesure que Morgan et ses collègues anthropologues réunissaient leurs données sur les véritables sauvages, les notions romantiques de Rousseau devenaient de plus en plus difficiles à avaler.

Depuis la Renaissance, les Européens férus de science avaient soutenu l'*idée* de progrès. Du projet de Francis Bacon pour *The Advancement of Learning* (1605, *Les Progrès du savoir*) jusqu'aux *Observations sur le progrès continu de la raison universelle* de l'abbé de Saint-Pierre (1737) et à la monumentale *Encyclopédie* de Diderot (1751-1772), les érudits avaient proclamé l'élargissement inévitable des connaissances humaines et l'amélioration concomitante du sort des hommes. Les discussions sur les vertus relatives des « Anciens » et des « Modernes » excitaient les passions des lettrés et des pédants, mais le poids du savoir penchait de plus en plus du côté des modernes. Le classique de Condorcet, *Esquisse d'un tableau des progrès de l'esprit humain* (1793), annonçait l'avancée certaine de la liberté, de la justice et de l'égalité.

Morgan trouva un moyen de tirer parti des faits que l'on venait de recueillir d'un peu partout pour cataloguer les réalités du progrès. On pouvait encore trouver quelque part dans le monde des exemples de tous les stades traversés, à l'exception du « niveau le plus bas de la sauvagerie, qui fut la petite enfance de la race humaine ». L'Amérique n'offrait qu'un premier choix. En rassemblant ses données tout autour du monde, la nouvelle science de l'anthropologie serait à même de montrer comment « l'humanité a commencé sa carrière tout en bas de l'échelle et s'est hissée jusqu'au sommet ». Cette science nouvelle allait débuter en tant que science du progrès.

De ses propres yeux, Morgan pouvait voir le contraste entre la technologie du « barbarisme » et celle de la civilisation, entre la propriété communale et l'individuelle. Karl Marx mourut avant d'avoir pu écrire le livre qu'il avait projeté au sujet de Morgan, mais Engels fit entrer l'Américain dans le canon de la littérature marxiste. Selon lui, Morgan avait bel et bien anticipé l'interprétation matérialiste de Marx et son *Ancient Society* était aussi « nécessaire » que *Le Capital* pour comprendre l'histoire de la civilisation. Engels, en conclusion de son propre ouvrage sur *L'origine de la famille, de la propriété privée et de l'État,* citait Morgan :

> La démocratie dans le gouvernement, la fraternité dans la société, l'égalité des droits et privilèges et l'instruction universelle préfigurent le niveau de société immédiatement supérieur, vers lequel l'expérience, l'intelligence et le savoir tendent de façon régulière. Ce sera une renaissance, sous une forme plus haute, de la liberté, égalité, fraternité des *gentes* anciens.

Ces couronnes que lui tressaient Marx et Engels dissuadèrent les érudits occidentaux de reconnaître en Morgan l'un des fondateurs de l'anthropologie, mais les Européens cultivés transcendaient enfin les traditions « classique » et « judéo-chrétienne » pour commencer à admettre le monde entier dans la famille de la civilisation.

## 79

## *Une science de la culture*

La grande percée suivante, pour la vision européenne de la civilisation, fut le fait d'un autre amateur, qui trouva également ses premiers indices dans le Nouveau Monde. Edward Burnett Tylor (1832-1917) se situait d'ailleurs sous bien d'autres rapports en dehors des grands courants. Fils d'un fondeur de cuivre quaker, à Londres, le jeune Tylor, au lieu de fréquenter une « public school » fut envoyé dans une école quaker. A seize ans, il entra dans l'affaire de famille. De toute façon, en raison de son appartenance à une secte dissidente, il n'aurait pas été admis à l'université. De ce fait, son héritage quaker lui évita de définir automatiquement la « culture » comme le produit bien particulier des classiques grecs et romains et de l'Église établie. En outre, la méfiance des quakers envers les beaux-arts lui évita aussi de restreindre la « culture » au modèle victorien de Matthew Arnold. Lorsqu'il devint le premier professeur d'anthropologie de l'université d'Oxford, en 1896, il put se vanter de n'avoir jamais passé un seul examen de sa vie.

A l'âge de vingt-trois ans, il manifesta des symptômes de tuberculose et sa famille l'envoya voyager pour sa santé. Au lieu de faire l'habituelle tournée des capitales européennes, comme il était de mise pour un jeune fils de famille en 1835, il partit pour l'Amérique. Vagabondant à Cuba, il lia conversation, dans un omnibus de La Havane, avec un autre voyageur, Henry Christy, prospère banquier anglais d'une cinquantaine d'années, qui se trouvait être lui aussi quaker. Ce dernier avait déjà été jusqu'en Orient et en Scandinavie, pour y assouvir sa passion de l'Antiquité, et il commençait tout juste son périple américain. Pour les quakers, « l'ethnologie » et les us et coutumes des peuples éloignés revêtaient une signification éthique, fournissant en quelque sorte une documentation sur la fraternité humaine et soutenant le mouvement anti-esclavagiste. Ils espéraient rallier l'anthropologie à la cause de Las Casas.

Ce n'était pas une tâche facile. Dans l'Ouest européen, les mots et les idées décrivant les progrès sociaux de l'homme avaient pris un sens élogieux et égocentrique. Le mot « culture » (du latin *cultus,* culte) désignait à l'origine un hommage plein de révérence. Il fut ensuite appliqué au travail du sol et plus tard étendu au développement et au raffinement de l'esprit et des manières. Finalement, avec le XIXe siècle, c'était devenu le nom de l'aspect esthétique et intellectuel de la civilisation. Ainsi, Wordsworth déplorait-il toute vie « où la grâce de la culture a été totalement inconnue ».

Pour reprendre la phrase bien connue de Matthew Arnold, « la culture » était « le fait d'apprendre à connaître tout ce qui a été dit et fait de meilleur dans le monde ». C'était un nom fort peu prometteur pour une étude scientifique sans concessions de toutes les sociétés humaines. Tylor, cependant, s'empara du mot et fit des merveilles pour le vider de ses connotations chauvines et bornées. C'est en raison de son succès dans cette entreprise et dans celle de faire de « la culture » un terme neutre et le centre d'une nouvelle science sociale qu'on le considère généralement aujourd'hui comme le fondateur de l'anthropologie culturelle moderne. De son temps, on disait « la science de Mr Tylor ».

Tylor, quant à lui, baptisa le travail de toute sa vie la science de la culture, « afin d'échapper aux royaumes de la philosophie transcendantale et de la théologie, de me lancer dans une expédition plus prometteuse sur un terrain plus praticable ». Il avait besoin de courage pour ses incursions dans certains bois sacrés, par exemple son livre *Primitive Culture (La Culture primitive),* un ouvrage qui fit date. « Le monde dans son ensemble n'est guère prêt à accepter l'étude générale de la vie humaine comme une branche des sciences naturelles et de se plier, au sens large du terme, au commandement du poète : Rends compte des choses morales autant que naturelles. Pour beaucoup d'esprits instruits, il semble y avoir quelque chose de présomptueux et de repoussant dans la notion que l'histoire de l'humanité fait partie intégrante de l'histoire de la nature, que nos pensées, volontés et actions obéissent à des lois aussi définies que celles qui gouvernent le mouvement des vagues, la combinaison des acides et des bases et la croissance des plantes et des animaux. » Le sujet de cette histoire naturelle de la société serait la culture, redéfinie comme étant « ce tout complexe qui inclut le savoir, la foi, l'art, la morale, le droit, les coutumes et toutes les autres facultés et habitudes acquises par l'homme en tant que membre d'une société ».

Tylor nota que de nombreux penseurs éminents avaient « amené l'histoire jusqu'au seuil de la science seulement ». « Si l'on réduit le terrain des recherches de l'histoire dans son ensemble à la branche de cette discipline que l'on appelle ici Culture, l'histoire, non point des tribus ou des nations, mais de la condition du savoir, de la religion, de l'art des us et coutumes et ainsi de suite parmi elles, il apparaîtra que la tâche de l'enquêteur couvre une zone beaucoup plus modeste. » Le premier indice fortuit qui le mit sur la voie d'une telle entreprise lui vint tout jeune homme, au Mexique, lorsque Christy l'emmena visiter les très anciennes mines d'obsidienne. On avait cru, jusque-là, que les prismes d'obsidienne travaillés à la main qu'on y trouvait étaient des massues ou des poignées d'armes ; Tylor, cependant, démontra qu'il s'agissait en fait du nucleus de masses d'obsidienne dans lesquelles on avait taillé de longs copeaux assez semblables à des couteaux afin de s'en servir comme armes. Intrigué par cette technologie remarquable et inhabituelle, il eut l'idée de passer par l'étude de la technologie pour arriver à celle de la société.

Adoptant le proverbe italien : Le monde entier n'est qu'un pays, le jeune Anglais se délectait de constater les « correspondances » qui existaient entre les coutumes de peuples très éloignés les uns des autres. Il évitait d'employer le pluriel « cultures » auquel il préférait le singulier « Culture » avec un grand C. Ainsi ne voyait-il « qu'une différence infime » entre un laboureur anglais, se servant de sa serpe et de sa houe, faisant mijoter ses repas sur un feu de bois, écoutant les histoires du fantôme qui hantait une des demeures voisines et les habitudes fort analogues du Noir d'Afrique centrale. Suivant l'exemple de Linné, il dressa une taxonomie de la société.

> Pour l'ethnographe l'arc et la flèche sont une espèce, l'habitude d'aplatir le crâne des enfants est une espèce, celle de compter les nombres par dizaines est une espèce.
> La distribution géographique de toutes ces coutumes et leur transmission d'une région à l'autre doivent être étudiées exactement comme le naturaliste étudie la géographie de ses espèces botaniques et zoologiques... Tout comme le catalogue de toutes les espèces de plantes et d'animaux d'un district représente sa flore et sa faune, la liste de tous les articles de la vie générale d'un peuple représente cet ensemble que nous appelons sa culture.

Au lieu de creuser, comme Winckelmann et Schliemann, au milieu des ruines antiques, ou de passer au crible des *kjoekken-moedding*, comme

Thomsen et Worsaae, les adeptes de cette nouvelle science de la culture allaient découvrir le passé dans les coutumes de peuples vivants. L'invention de Tylor était d'une merveilleuse simplicité. Pour nous aider à « tracer le cours qu'a effectivement suivi la civilisation mondiale », il créa, grâce à sa notion des « survivances », une nouvelle archéologie de la société. « Il s'agit de procédés, de coutumes, d'opinions et ainsi de suite, prolongés par la force de l'habitude jusqu'à un nouvel état de la société, différent de celui dont ils étaient originaires, et qui subsistent ainsi pour nous donner des preuves et des exemples d'une condition plus ancienne de la culture d'où est issue la condition nouvelle. »

La vieille femme du Somerset qui utilisait encore un métier à tisser hérité d'une époque antérieure à la navette volante et lançait la sienne d'une main à l'autre n'avait pas « un siècle de retard sur son époque » ; elle était tout simplement un exemple de survivance. On avait là « des points de repère le long du cours de la culture ». « Lorsqu'une coutume, un art ou une opinion a pris un bon départ dans le monde, pendant longtemps les influences perturbatrices l'affecteront peut-être si légèrement qu'il suivra son cours d'une génération à la suivante, tout comme un fleuve une fois bien installé dans son lit y coulera pendant des siècles. Il s'agit là d'une simple permanence de la culture ; et ce qui est si merveilleux, c'est que le changement et la révolution des affaires humaines aient laissé un tel nombre de ses plus faibles ruisselets couler pendant si longtemps. » Parfois, la survivance devenait renaissance, comme dans le cas du spiritualisme moderne. Selon Tylor, la civilisation progressait au moins autant par l'abandon du vieux que par l'adoption du neuf.

Les coutumes anciennes sous-tendent encore toute la vie moderne. « Il faut continuellement avoir recours au passé, a écrit Tylor, pour expliquer le présent, et au tout pour expliquer les parties. » « Il ne semble pas qu'il existe une pensée humaine si primitive qu'elle en ait perdu tout rapport avec la nôtre, ni si ancienne qu'elle ait rompu tout lien avec notre propre vie. » Suivant les indices de la nouvelle géologie de Lyell, Tylor introduisit l'idée uniformitariste dans la science sociale, faisant de la vie présente une avenue ininterrompue jusqu'à la vie passée.

Pour mettre à l'épreuve sa doctrine de la survivance, Tylor pénétra hardiment dans l'arène la plus controversée, la plus échauffée par les passions qu'il pût trouver : la religion. Il trouva le mot « animisme » pour caractériser la forme minimale de la religion. Il le définissait comme une croyance dans les Etres Spirituels. Il ne semblait pas exister, nota-t-il, une seule tribu humaine qui n'eût « aucune conception religieuse, quelle qu'elle soit ».

Les sauvages voyaient des êtres spirituels dans les plantes, les animaux et les particularités du paysage et c'était à partir de ces notions élémentaires que s'étaient élaborées toutes les religions, passant par une croyance en un état futur pour atteindre ensuite une identification avec les éléments moraux avant d'arriver jusqu'au monothéisme. Ce fut à cette idée que Tylor consacra plus de la moitié de son travail sur la Culture primitive et sut incorporer ainsi les notions les plus délicates, les plus sacrées de son temps à sa nouvelle science. Était-il donc possible que les semences de la civilisation victorienne fussent en ce moment précis en train de germer dans toutes les tribus sauvages du monde ? « L'animisme » était son plus puissant antidote contre le chauvinisme borné et content de soi des Britanniques et il était en outre un indice menant à d'innombrables autres chemins qui partaient de l'Angleterre victorienne pour remonter jusqu'à ces tribus sauvages tant méprisées. Alors que Darwin avait risqué une attaque par le flanc contre l'orthodoxie chrétienne, Tylor livra, pour sa part, un assaut frontal. Sa façon « évolutionnelle » d'envisager l'humanité était un coup très menaçant et peut-être fatal contre les dogmes du Paradis terrestre, des soudaines révélations de l'Évangile chrétien et d'un sauveur. Se pouvait-il que les grandes vérités du monothéisme et du christianisme se fussent élaborées petit à petit à partir de toute l'expérience humaine dans le monde entier ?

Cette science de la Culture si choquante, qu'avait inventée Tylor, insuffla une vigueur nouvelle aux défenseurs du dogme chrétien de la dégénérescence humaine, qui s'étaient à leur tour lancés dans la bataille. Richard Whateley (1787-1863), archevêque anglican de Dublin, réformateur et apôtre des Irlandais miséreux, se posa en défenseur fort spirituel de la foi avec son premier livre, *Historic Doubts Relative to Napoleon Buonaparte (Doutes historiques concernant Napoléon Bonaparte,* 1819). Il y tournait en ridicule David Hume et son application de la stricte logique aux miracles bibliques en montrant comment le même raisonnement soulèverait des doutes concernant l'existence de Napoléon. Dans son pamphlet fort apprécié, *On the Origin of Civilization (Sur l'origine de la civilisation,* 1855), Whateley prit pour cible Adam Smith et les autres partisans du progrès. Ayant décrit avec dégoût le sauvage polygame et cannibale qu'avaient rencontré les missionnaires, il demandait : « Cette créature sans foi ni loi serait-elle donc capable de nourrir les moindres éléments de la noblesse ? » Si ces peuples sauvages se montraient habiles artisans, cela devait être un vestige d'une civilisation plus avancée dont ils étaient déchus. Quelqu'un pouvait-il fournir l'exemple d'un seul peuple primitif ayant su s'élever jusqu'à un niveau civilisé, sinon avec l'aide extérieure d'autres peuples qui, eux, n'avaient pas dégénéré ?

La théorie de la dégénérescence prônée par Whateley était le principal ennemi de la méthode comparative de Tylor et aussi, par conséquent, d'une science de la culture. La « théorie du progrès » de Tylor considérait audacieusement toute l'histoire humaine comme « l'évolution de la culture » et demandait « si nous trouvons un seul exemple consigné dans les annales d'un peuple civilisé retombant indépendamment à l'état sauvage ». Seule une science de la culture saurait préserver l'homme des pièges de la piété et de la tradition. « Lorsqu'on aborde des problèmes aussi complexes que ceux de l'évolution de la civilisation, il ne suffit pas d'avancer des théories, accompagnées de quelques exemples en guise d'illustrations. L'énoncé des faits doit former la substance de l'argument et l'on n'atteint la limite des détails nécessaires que lorsque chaque groupe expose à tel point sa loi générale que les nouveaux exemples viennent s'insérer dans la niche qui leur convient comme autant de nouveaux témoignages d'une règle déjà établie. » Tylor accueillait volontiers des questions auxquelles il était incapable de fournir la moindre réponse, mais que ses adversaires étaient quant à eux incapables de commencer à formuler. A ses yeux, dominé comme il l'était par l'idée surgie assez tard dans l'ère victorienne de « l'évolution » (à savoir que toutes les sociétés avaient suivi une évolution unique, certaines plus lentement que d'autres), une vision unilinéaire du progrès humain était particulièrement tentante. Elle jetait un reflet rose sur l'avenir de tous les peuples et faisait, au passage, de toutes les cultures « primitives » encore en existence une source riche et accessible pour les historiens. Tout comme Schliemann avait des raisons fort personnelles de croire qu'il avait retrouvé la véritable Troie et les vestiges du festin d'Agamemnon, Tylor et ses collègues évolutionnistes étaient désireux de voir les sauvages contemporains reproduire la « petite enfance » de leur propre civilisation.

Néanmoins, Tylor se croyait sinon le prophète d'un dogme du moins le créateur d'une science. Il était enchanté de se dire qu'il ouvrait le chemin à des questions auxquelles il n'était pas en mesure de répondre. Il consacra les vingt-cinq dernières années de sa longue existence à organiser et promouvoir sa science de la culture sous le nom d'anthropologie. Le Royal Anthropological Institute devint, sous son égide, le parlement fort animé de la nouvelle science.

Dans les éditions successives de *Notes and Queries on Anthropology (Notes et questions sur l'anthropologie)* à « l'usage des voyageurs et résidents dans les pays non civilisés », Tylor recueillit personnellement d'innombrables données et encouragea les autres à en faire autant, dans le but de faire évoluer sa science. Lorsqu'il sentit qu'une évolution unilinéaire ne saurait expliquer la diversité des cultures, il se demanda comment des caractéristiques culturelles pourraient être « diffusées » d'un peuple à l'autre.

Dans l'espoir de faire la lumière sur ces questions, Tylor persuada la British Association for the Advancement of Science d'entreprendre, en 1881, une étude à long terme des tribus peu connues de la côte nord-ouest du Canada. Cette étude sur le terrain, qui prit douze ans à Franz Boas (1858-1942), se fit sous le contrôle de Tylor en personne et prépara Boas à entreprendre sa grande révision de la science de son maître. Comme le lui écrivit ce dernier, en 1895, le moment d'une « réforme » de l'anthropologie était venu.

Frêle et précoce enfant, originaire de Westphalie, Boas absorba très tôt le libéralisme de ses parents juifs libres penseurs, restés loyaux à l'esprit de la révolution de 1848. Jeune homme, il étudia les sciences naturelles dans plusieurs universités allemandes, puis il passa un an à explorer la terre de Baffin et à vivre avec des Indiens, dans le nord-ouest du Canada, ce qui éveilla son intérêt pour une science de la culture. A l'âge de vingt-huit ans, il émigra aux États-Unis où il commença une carrière fulgurante dans les universités, les musées et les sociétés savantes, qui fit de lui, avant sa cinquantième année, l'esprit directeur de cette nouvelle profession en Amérique. Il participa à la fondation de l'American Anthropological Association, écrivit un ouvrage, *Mind of Primitive Man (L'intellect de l'homme primitif,* 1911), qui devint vite un classique, donna des conférences pleines de brio, s'attira une cohorte dévouée d'étudiants et, en tant que citoyen porte-parole, fut l'un des pionniers de l'application de sa doctrine antiraciste à la politique d'immigration américaine.

Boas combla les espoirs de Tylor de façon encore plus grandiose que ce dernier n'aurait pu l'imaginer, car il fit plus que quiconque pour libérer la science de la culture des préjugés chauvins qui régnaient en Grande-Bretagne, patrie de Tylor. Durant sa première phase, « la science de Mr Tylor » avait déjà fait des miracles pour élargir la vision de la société humaine. La doctrine de l'évolution aiguisait l'appétit pour les données concernant tous les peuples du monde. Le cours unilinéaire du progrès semblait destiner tous les peuples primitifs à connaître l'heureux apogée de l'Angleterre victorienne. Boas, cependant, ne parvenait pas à croire qu'il n'y avait qu'une seule destination culturelle pour toute la race humaine.

Si « l'humanité entière ne fait qu'un », si, comme le soutenait Tylor, l'humanité entière possédait une égale faculté de faire évoluer les formes culturelles, le progrès humain devrait forcément avoir suivi des chemins et des destinations fort différents, aussi nombreux en fait que les circonstances géographiques, climatiques, linguistiques et historiques. Plus encore que Tylor lui-même, Boas voyait triompher la Culture. L'histoire culturelle de chaque peuple était unique. Tous les groupes humains survivants, fit valoir Boas, étaient également développés, mais il y avait autant de manières diverses que de groupes. Convaincu, lui aussi, de la primauté des faits, Boas était encore plus progressiste que son mentor. Peut-être la nature humaine était-elle trop complexe, les cultures humaines trop variées, pour permettre une solution globale simple, même s'il s'agissait d'une solution aussi grandiose que « l'évolution ». Peut-être la science de la culture serait-elle réduite à croître non pas globalement et vite — grâce à de vastes idées organisatrices, telles que « l'animisme » —, mais de façon détaillée, lente et hétéroclite, en retraçant les rapports entre les éléments d'une culture et en observant la présence de rapports similaires dans les autres. Alors que Tylor avait dévoilé la vision d'un univers de la culture, Boas, lui, allait mettre à nu celle de la merveilleuse subtilité à l'intérieur de chaque culture, ainsi que des rapports entre chaque culture et tout son environnement — sa géographie, son alimentation, ses maladies et ses rencontres accidentelles.

Tylor, en tant que premier professeur d'anthropologie à l'université d'Oxford, croyait avoir aidé à libérer ses disciples d'une alliance fort peu saine entre la théologie, les études classiques et les sciences naturelles à l'ancienne mode. La théologie, qui n'enseignait que le vrai Dieu, s'élevait contre toute mention des faux dieux ; les études classiques ne sortaient point de la culture gréco-romaine ; les sciences naturelles redoutaient, non sans raison, que les nouvelles sciences sociales ne vidassent leurs amphithéâtres. Grâce aux indices que lui avait fort heureusement fournis sa rencontre fortuite avec le Nouveau Monde, Tylor avait conçu une science qui s'étendait bien au-delà des orthodoxies académiques anglaises. « La science de Mr Boas » fit de la culture de chaque peuple un autre nouveau monde.

## 80

## *La richesse : univers en expansion*

Pour les anciens Grecs, le mot « économie » désignait la gestion d'une maison ou d'une cité. Grand classique du Moyen Age, *La Politique* d'Aristote explique que « la quantité de biens mobiliers suffisant à assurer une bonne vie n'est pas illimitée ». Il existait effectivement une limite, insistait-il, aux besoins d'une maisonnée ou d'un État et le nom donné à cet ensemble bien défini était « la richesse ». Cette vision du bien-être économique, qui domina pendant longtemps l'Europe occidentale, s'accompagnait de certains dogmes fort restrictifs. Le « juste prix » était fixé non pas par ce que pouvait absorber la circulation des biens, mais par ce que devait demander le vendeur. « L'usure », nom que l'on donnait à tout intérêt réclamé, était mal vue, étant donné que l'argent était de par sa nature censé être stérile. En fait, il y avait une antipathie morale généralisée envers l'accumulation illimitée des richesses. Il n'y avait pas cependant d'économie au sens moderne du terme, pas de « science » des prix, de l'offre ni de la demande, du revenu national ou du commerce international. Au lieu de cela, des ouvrages de philosophie morale, qui enseignaient aux gens comment se comporter sur le marché, discutaient et imposaient des sujets tels que les étroites limites du « juste » prix. Ces façons de penser gouvernaient encore l'Europe occidentale à l'ère des grandes découvertes géographiques.

En même temps, l'or et l'argent, les deux trésors qui permettaient d'obtenir tous les autres, semblaient la meilleure mesure universelle de la richesse et furent l'appât vers lequel se précipitèrent tous les audacieux explorateurs maritimes. Ce furent des rumeurs assurant que quelque part au-delà du cap Bojador un fleuve d'or venait se jeter dans l'océan qui incitèrent les marins d'Henri le Navigateur à tenter de le doubler. Ils espéraient pour le moins découvrir une voie maritime vers les mines d'or d'Afrique.

En préparant son premier voyage, Christophe Colomb souligna dans son exemplaire de l'*Imago Mundi* de D'Ailly les passages décrivant l'or et l'argent, les perles et les pierres précieuses que l'on pouvait trouver sur les côtes asiatiques qu'il comptait gagner. Les conquistadores espagnols eurent la chance de découvrir des métaux précieux en grandes quantités. Ce fut d'abord de l'or, mais vers le milieu du XVIe siècle de nouvelles mines d'argent, au Mexique et au Pérou, commencèrent à déverser leurs trésors jusqu'à Séville dont la prospérité éblouit un temps l'Europe entière. Le mythe de l'El Dorado (le [pays] doré) ensorcela l'imagination des Espagnols qui refusaient de croire qu'on ne parviendrait pas à le découvrir quelque part en Amérique du Sud. Lorsqu'ils capturaient des Indiens, ils en choisissaient quelques-uns qu'ils faisaient déchirer par les chiens et d'autres qu'ils brûlaient vifs, afin de forcer les témoins terrifiés de ces atrocités à révéler l'emplacement de la contrée fabuleuse. Les malheureux préféraient les satisfaire en inventant des récits qui maintenaient le mythe en vie.

Les ressources aurifères et argentifères du Nouveau Monde étaient limitées, mais il n'en allait pas de même de la convoitise espagnole. Les métaux précieux qui inondaient l'Europe contribuèrent à entraîner une inflation massive que les historiens ont appelée la révolution des prix. En 1600, les prix en Espagne étaient près de quatre fois supérieurs à ce qu'ils avaient été cent ans auparavant. L'inflation qui gagna tout le continent européen bouleversa l'économie de l'Empire espagnol et précipita son déclin.

L'Europe occidentale était alors à l'aube de l'État national moderne. On voyait s'affirmer de jeunes puissances européennes, qui s'affrontaient dans le monde entier pour s'approprier une plus grande part des trésors de la planète. La reine Élisabeth consolida l'Angleterre, défit l'Invincible Armada en 1588 et envoya ses pirates s'emparer des trésors espagnols partout où ils se trouvaient. Les nations qui allaient dominer l'histoire moderne de l'Europe fondèrent leur politique sur les idées fort simples qui avaient atrophié la pensée économique depuis les premiers temps de l'histoire : la richesse était limitée ; ce que gagnait une nation, une autre le perdait forcément, car la richesse de l'une ne pouvait s'accroître qu'aux dépens de celle de l'autre ; plus la part d'une nation était grande, plus celle des autres serait petite. Ces notions, que l'on tenait pour acquises, gouvernèrent l'Europe occidentale du XV^e au XVIII^e siècle. Avec des armées plus puissantes et des marines plus fortes, chaque nation pourrait s'approprier une portion de plus en plus importante du trésor mondial.

« L'économie nationale », notion qui prit racine en Angleterre et en France au XVII^e siècle, visait à unifier la nation. En faisant voler en éclats les enclaves provinciales, en abolissant les péages et douanes locaux, le gouvernement national accroîtrait sa puissance pour lutter contre les nations rivales sur le théâtre mondial. La doctrine classique, connue plus tard sous le nom de « mercantilisme », fut formulée par un homme d'affaires britanniques, sir Thomas Mun (1571-1641), directeur de l'East India Company.

Les Britanniques imputaient la dépression de 1620 au fait que cette compagnie exportait tous les ans trente mille livres de lingots d'or pour financer son commerce. Mun, prenant la défense de sa firme devant le Conseil permanent du commerce, écrivit quelques tracts fort convaincants : *A Discourse of Trade, from England unto the East Indies (Discours sur le commerce, depuis l'Angleterre jusqu'aux Indes orientales,* 1621) et *England's Treasure by Forraign Trade ; or, the Ballance of our Forraign Trade in the Rule of our Treasure (Le Trésor de l'Angleterre grâce au commerce étranger ; ou, la Balance de notre commerce extérieur dans le gouvernement de notre trésor,* 1630, publié en 1664), dans le but de renforcer l'idée d'une économie nationale et le concept hypnotique de la « balance du commerce ». Il faisait valoir que la question cruciale n'était pas de savoir si telle ou telle compagnie exportait des lingots, mais si la valeur des exportations de la nation, *dans leur ensemble,* était supérieure à celle des importations. Une balance commerciale « favorable » signifiait que les lingots entraient à flots dans le pays, si bien que la nation devenait progressivement plus riche.

A mesure que les nations modernes de l'Europe étendaient leur emprise sur le monde, à la recherche d'avant-postes et de colonies dans les pays éloignés, elles conservaient encore, Dieu sait comment, cette vision étriquée, s'obstinant dans leur quête myope de trésors. Et ce faisant, à peine s'apercevaient-elles des extraordinaires bénéfices que leur offraient les nouvelles communautés en pleine expansion d'Amérique, d'Asie, d'Afrique et d'Océanie. En 1760, après que Wolfe eut pris Québec et que tout le Canada fut passé sous le contrôle des Britanniques, Londres se pencha sur les termes à imposer aux Français. Les vastes étendues non peuplées du Canada inexploré semblaient tout à fait inutiles en comparaison des minuscules îles, riches en sucre, de la Guadeloupe, dont les denrées tropicales pouvaient être exportées dans le monde entier pour améliorer « la balance commerciale » de l'Angleterre. Benjamin Franklin, qui se trouvait alors dans la capitale anglaise et qui avait l'avantage de voir les choses de l'œil d'un habitant du Nouveau Monde, fit valoir que le Canada prendrait incomparablement plus de valeur à long terme. Il fit remarquer qu'à l'avenir la population canadienne fournirait, en s'accroissant, un marché plus grand aux denrées de la mère patrie, renforcerait la marine britannique en réclamant davantage de navires et augmenterait ainsi la puissance et le bien-être du Royaume-Uni. Ce fut en se détournant volontairement de cette optique moins bornée que les Britanniques perdirent les treize colonies américaines.

Par une heureuse coïncidence, 1776, l'année de l'indépendance américaine, fut aussi celle de la publication de *La Richesse des nations* d'Adam Smith, qui était d'ailleurs à sa façon une proclamation d'émancipation. Tout comme le document rédigé par Jefferson annonçait un nouveau départ pour la politique occidentale, l'ouvrage de Smith préludait à un renouveau, à une vision plus ample, pour les économies nationales. Parmi les idées qu'il exposait, un grand nombre étaient déjà apparues dans les écrits d'autres auteurs au cours des cent années précédentes, ce qui était aussi le cas pour celles de Jefferson. Smith s'inspirait des théories de sir William Petty et de John Locke, était redevable d'autres notions à Beccaria et Turgot, aux physiocrates et tout spécialement à ses contemporains et compatriotes, David Hume, Dugald Stewart et Francis Hutcheson. Il avait fait des emprunts à Grotius et Pufendorf et même suivi quelques enseignements des moralistes scolastiques du Moyen Age. A l'encontre des ouvrages de Newton et de Darwin, celui d'Adam Smith n'avait rien de remarquablement original. Toute sa matière première intellectuelle était déjà disponible : les idées, les exemples historiques et même un grand nombre de ses formules les plus mémorables. Passé maître dans l'art du détail plein de vie, il puisait les exemples dont il se servait pour illustrer ses idées aux sources de l'Antiquité grecque et romaine, du Moyen Age européen, de la Pologne, de la Chine contemporaine et même de l'Amérique. Il décrivait les politiques de ceux qui n'avaient pas tenu compte des réalités de la vie économique.

Le Nouveau Monde élargit les visions de l'Europe. De prospères nouveaux peuplements, sur un continent qui n'était encore ni exploité ni exploré, augmentaient inévitablement les notions européennes de la richesse et du bien-être matériel. Les définitions héritées de l'époque de Crésus ne correspondaient plus aux nations de l'ère de Franklin et de Jefferson. L'ouvrage d'Adam Smith proclamait que l'Europe était délivrée des anciennes entraves de sa pensée économique. L'Europe en pleine expansion avait besoin d'une notion plus vaste de la richesse des nations. La cible évidente et bien visible de Smith était ce qu'il appelait le système mercantile. Il faisait glisser le centre d'intérêt de la nation au monde entier, de la nation à la richesse des nations.

> Ce n'est pas par les importations d'or et d'argent que la découverte de l'Amérique a enrichi l'Europe... En ouvrant un marché nouveau et inépuisable

> à toutes les denrées de l'Europe, elle a permis de nouvelles divisions du travail, de nouvelles améliorations des arts, qui, dans le cercle étroit de l'ancien commerce, n'auraient jamais pu avoir lieu, parce qu'elles n'auraient pas eu de marché pour écouler la majeure partie de leur production. La puissance de travail de la main-d'œuvre a été améliorée et sa production augmentée dans tous les pays d'Europe, ce qui a entraîné l'accroissement du revenu réel et de la richesse de leurs habitants. Les denrées européennes étaient presque toutes nouvelles en Amérique, de même que les américaines étaient inconnues des Européens. Un nouvel ensemble d'échanges a donc commencé à s'opérer, auquel on n'avait jamais pensé auparavant et qui aurait naturellement dû s'avérer aussi avantageux pour le nouveau continent qu'il l'a très certainement été pour l'ancien.

Dans son panorama mondial, peu d'autres sujets éveillèrent son intérêt et retinrent son imagination autant que l'Amérique. Cependant, la découverte et le peuplement du Nouveau Monde n'étaient qu'une étape dans l'ouverture encore plus vaste sur la planète entière. Ce serait la plus pure sottise que d'essayer de bâtir un grand empire uniquement pour le profit des marchands et de la « balance des paiements » britanniques.

Avec une intuition presque surnaturelle, Adam Smith proposait un projet d'union fédérale. Les coloniaux devraient avoir des représentants au Parlement, « proportionnellement au produit de la taxation américaine ». Ils n'avaient d'ailleurs pas à redouter que le siège du gouvernement restât toujours du même côté de l'Atlantique. « La rapide progression de ce pays en richesse, population et améliorations a été telle jusqu'ici qu'en l'espace d'un peu plus d'un siècle peut-être le produit de la taxation américaine sera supérieur à celui de la mère patrie. Le siège de l'empire se transporterait alors tout naturellement dans celle de ses parties qui contribuerait le plus à la défense et au soutien de l'ensemble. »

Adam Smith se voit communément admis au panthéon des penseurs économiques en qualité de défenseur de ce qu'il appelait la « liberté parfaite », une économie de la libre concurrence. Avec le recul du temps, toutefois, nous nous apercevons qu'il a fait plus que d'épouser une doctrine économique. Il a hissé la vision de l'Européen jusqu'à un nouveau plan. Il considérait le bien-être économique non pas comme la possession de trésors, mais comme un processus. Tout comme Copernic et Galilée avaient contribué à élever leur prochain au-dessus du fait raisonné que le soleil faisait le tour de la terre. Adam Smith contribua à élever sa génération au-dessus de la proposition fallacieuse que la richesse d'une nation consistait en or et en argent. Et tout comme Copernic et Galilée, il voyait le monde entier et la société en mouvement permanent. De même que Lewis Henry Morgan et Edward B. Tylor allaient élargir les visions de la « culture », de façon à englober toute l'humanité, Adam Smith quant à lui élargit celles de la « richesse ».

*La Richesse des nations* commence par l'exemple banal et familier d'une fabrique d'épingles où la division du travail permettait à dix personnes de produire quarante-huit mille épingles en un seul jour. « La plus grande amélioration de la puissance de travail de la main-d'œuvre », expliquait l'auteur, en introduisant dans son discours une nouvelle expression extrêmement parlante, était l'effet de la « division du travail ». Celle-ci était « la conséquence nécessaire, quoique fort lente et progressive, d'un certain penchant de la nature humaine qui ne vise nullement une aussi vaste utilité ; le penchant à troquer, marchander et échanger une chose contre une autre ». La « division du travail », cependant, clef de l'amélioration humaine, était limitée par « l'étendue du marché ». Sans instruction, il ne pouvait y avoir de division du travail et sans cette dernière, aucune amélioration sociale n'était possible.

Adam Smith, homme d'un tempérament d'universitaire sédentaire, fut le premier guide moderne pour les politiques économiques des hommes d'État et d'affaires de la planète entière. Né en 1723, seul enfant d'une famille aisée de Kirkcaldy, petit village côtier sur la rive septentrionale du Firth of Forth, il perdit son père, percepteur des douanes, alors qu'il n'avait que quelques mois. Il resta toute sa vie très proche de sa mère. Pour autant que l'on sache, aucune autre femme ne compta pour lui et (comme l'a rappelé Joseph Schumpeter) « sous ce rapport et sous bien d'autres, l'éclat et les passions de la vie ne furent pour lui que pure littérature ». Il n'avait pas encore quatre ans, lorsqu'à l'occasion d'une visite chez son grand-père, au bord de la Leven, il fut volé par une troupe de Gitans et ne fut retrouvé qu'au bout d'un certain temps. Adam Smith aurait-il fait un bon romanichel ?

A la Burgh School de Kirkcaldy, l'une des meilleures d'Écosse, il étudia le grec et le latin pendant quatre ans. Tout près de là, se dressait la fonderie de Glasgow, connue sous le nom de « clouterie », où il avait plaisir à se rendre et qui allait figurer dans les premières pages de *La Richesse des nations*. En 1737, il entra au Glasgow College, où il perfectionna son latin et son grec et subit l'influence de « l'inoubliable et inoublié » Francis Hutcheson (1694-1746), le premier professeur de cet établissement à faire ses cours en anglais et non point en latin et à défier les calvinistes écossais en enseignant l'existence d'un Dieu jovial et bienfaisant qui gouvernait le monde pour ce qu'il appelait « le plus grand bien du plus grand nombre ».

L'université d'Oxford, où Smith devint étudiant au Balliol College en 1740, grâce à une bourse, était « imprégnée de porto et de préjugés ». Des professeurs confortablement nantis recevaient leurs salaires « d'un fonds radicalement indépendant de leur réussite et de leur réputation dans leurs carrières respectives ». Les différents collèges permettaient de voir comment « les maîtres… feront vraisemblablement cause commune, seront tous fort indulgents les uns envers les autres, chacun consentant à ce que son voisin néglige ses devoirs pourvu que lui-même soit autorisé à en faire autant. A l'université d'Oxford, la majeure partie du corps enseignant a, depuis un certain nombre d'années, renoncé entièrement à faire ne fût-ce que semblant de professer ». On lui enseigna en tout cas une leçon qu'il n'oublia jamais : le sort qui attendait une institution qui ne dépendait pas de la faveur de sa clientèle. Il eut le temps de lire beaucoup et de réfléchir et se détourna de son intérêt croissant pour les mathématiques afin d'en revenir aux classiques grecs et latins qui dominaient la bibliothèque de Balliol. L'unique ingérence des autorités universitaires dans son éducation eut lieu lorsqu'il fut surpris en train de lire le *Traité de la nature humaine* récemment publié (1739) par David Hume ; heureusement, il s'en sortit avec une simple réprimande et la confiscation du livre. Sa famille espérait le voir rester à Oxford pour y poursuivre une carrière universitaire, mais il refusa d'entrer dans les ordres, ce qui était alors obligatoire.

De retour en Écosse, il poursuivit ses intérêts académiques dans une plus grande liberté. Il donna à Édimbourg une série de conférences publiques sur la littérature anglaise, sujet nouveau, à une centaine de ses concitoyens qui payèrent chacun une guinée le privilège de l'écouter. En 1750-1751, il proposa des cours publics d'économie, un sujet dont on n'avait encore jamais entendu parler dans les sacro-saints amphithéâtres oxfordiens. Le succès de toutes ces entreprises lui valut une chaire à l'université de Glasgow, d'abord comme professeur de logique, puis de morale. Il prêchait la liberté du commerce, idée qui à l'époque agitait fort l'Écosse, et l'on disait que ses conférences avaient converti la ville entière à son évangile du libre-échange.

Vers le milieu du XVIIIe siècle, Glasgow, ancienne cité écossaisse de quelque vingt-cinq mille âmes, était baignée par les grands courants du futur. Située de part et d'autre de la Clyde, elle était depuis fort longtemps un centre religieux et universitaire, et l'une des plaques tournantes du commerce avec l'Europe du Nord. Après l'union de l'Écosse et de l'Angleterre, en 1707, Glasgow s'enrichit aussi du commerce avec l'Amérique. Andrew Cochrane, prévôt de la ville, venait tout juste de fonder un Club d'économie politique, lorsque Adam Smith obtint sa chaire à l'université, et il l'enrôla immédiatement parmi les membres de son association.

Les marchands de Glasgow, que l'on appelait sur place les « seigneurs du tabac », avaient fait fortune grâce à la suppression des restrictions dans leur commerce avec les colonies et ils s'activaient à présent contre les droits d'importation sur le fer américain destiné aux fonderies de leur ville. A cette époque, l'usine de Cochrane importait chaque année quatre cents tonnes de fer. La suspension du commerce du tabac par les colonies américaines allait être un désastre pour les marchands écossais. En attendant, Adam Smith fit corps avec les membres de son club « pour examiner la nature et les principes du commerce dans toutes ses branches, et pour communiquer leur savoir et leurs idées à ce sujet les uns avec les autres ». Adam Smith reconnut volontiers qu'il devait de nombreux faits exposés dans *La Richesse des nations* à l'esprit pratique de Cochrane.

Le premier ouvrage de Smith, *Théorie des sentiments moraux* (1759), montrait déjà son talent pour expliquer simplement des problèmes complexes. Il décrivait le sentiment moral par une simple figure de style, un « homme intérieur », un spectateur impartial au-dedans de chacun de nous qui juge tout ce que nous faisons selon le point de vue d'autrui : « Je considère ce que j'endurerais si j'étais vraiment toi. » Ceci, faisait-il valoir, était fort différent de l'égoïsme. Il avait déjà remarqué que pour servir la société nous sommes « menés par une main invisible ».

Le compatriote de Smith, David Hume, rapportait depuis Londres, sur le mode facétieux :

> Rien ne peut, véritablement, laisser plus fortement présager du mensonge que l'approbation de la multitude ; et Phocion, vous le savez, se soupçonnait toujours d'avoir commis quelque faux pas lorsqu'il était salué par les applaudissements de la populace.
> Supposant que toutes ces réflexions vous auront permis de vous préparer au pire, je continue en vous annonçant la fâcheuse nouvelle que votre livre a connu un sort fort heureux car le public semble disposé à l'applaudir extrêmement. Les sots l'ont recherché non sans impatience ; et la cohue des lettrés commence déjà à se montrer fort bruyante dans ses louanges.

Outre ces fâcheuses nouvelles du succès de l'ouvrage, Hume notait qu'il l'avait « entendu prôner par-dessus tous les livres du monde » et que les gros pontes avaient déjà rangé Adam Smith parmi « les gloires de la littérature anglaise ».

De façon assez inattendue, cette œuvre fut la seule par laquelle Smith chercha à atteindre l'univers plus vaste de la pensée européenne. Précisons au passage qu'elle lui valut une rente annuelle qui lui donna tout loisir d'écrire son œuvre maîtresse. Parmi les admirateurs de ce premier livre de Smith, il faut en effet citer Charles Townshend (1725-1767) qui, fit savoir Hume depuis Londres, « passe pour le garçon le plus intelligent d'Angleterre ». Splendide ironie du sort que de voir la bonne opinion du père des lois Townshend (1767), si notoirement répressives, contribuer à subventionner Smith pour la rédaction de la bible du libre-échange. Les lois Townshend, violant la tradition de l'autogouvernement colonial, poussèrent irréversiblement les Américains dans la voie de la révolution. Townshend, qui venait d'épouser la veuve du fils aîné du duc de Buccleuch, cherchait un précepteur pour accompagner son beau-fils, le jeune duc, lors de son grand tour du continent européen. Ayant lu la *Théorie des sentiments moraux* d'Adam Smith, il décida aussitôt que l'auteur était l'homme qu'il lui fallait et se rendit tout droit à Glasgow, afin de persuader son candidat de renoncer à sa chaire de professeur en faveur de cette autre mission pédagogique. D'aucuns auraient pu penser que le distrait savant n'était guère capable de guider un jeune homme à travers l'Europe, car en faisant visiter Glasgow à son illustre visiteur, il tomba accidentellement dans la fosse à tan de la grande tannerie où il l'avait entraîné. Townshend, cependant, était bien décidé et il offrit à Smith un salaire annuel de trois cents livres, plus tous ses frais de voyage, assorti d'une pension à vie de trois cents livres par an. C'était une offre fort alléchante pour un professeur de Glasgow dont les revenus se montaient en tout et pour tout à cent soixante-dix livres annuelles. D'autant plus que les enseignants à la retraite n'avaient pas de pension et devaient se contenter de la somme que leur versait leur successeur pour racheter leur chaire.

Adam Smith donna sa démission de l'université de Glasgow et en 1764 partit avec son élève faire le tour de l'Europe. Ils allaient passer deux ans et demi à l'étranger, dont dix-huit mois à Toulouse — où le cousin de Hume était vicaire général du diocèse —, deux mois à Genève et près d'une année à Paris. Toulouse était alors une des villes de prédilection des Anglais, comme le serait Florence au siècle suivant, et on y trouvait la société la plus cultivée de France en dehors de Paris. Loin des distractions de la capitale, Smith eut tout loisir de commencer la rédaction de son grand œuvre. Durant un intermède de deux mois à Genève, il eut le plaisir de s'entretenir à plusieurs reprises avec Voltaire. Il se rendit ensuite à Paris, où Hume lui-même occupait les fonctions de secrétaire à l'ambassade britannique. Smith et son élève fréquentèrent les théâtres, eurent un aperçu des salons à la mode et se trouvèrent confrontés à quelques idées fécondes. Le brillant François Quesnay (1694-1774), physicien ordinaire du roi Louis XV, installé à Versailles sous la protection de Mme de Pompadour, fit entrer Smith dans la version française d'un club d'économie politique. A soixante ans, Quesnay s'était mis à écrire sur l'économie et possédait dans ce domaine l'oreille du monarque.

Le *Tableau économique* de Quesnay (1758) visait à accomplir pour les forces sociales ce que Newton avait fait pour les forces physiques et inventait tout un vocabulaire pour la science nouvelle. Quesnay lança la notion des classes économiques, chacune avec son propre flot de produits et de recettes, il proposa l'idée d'un équilibre économique et sema les idées de capital, d'épargne et d'investissement, qui, au cours des siècles suivants, allaient faire fleurir une vaste littérature d'analyse économique. Son ouvrage fut d'abord publié dans une édition réduite sur la presse privée du souverain, puis, Mme de Pompadour l'ayant averti du déplaisir certain du roi devant des notions aussi frivoles, il le laissa atteindre le grand public sous le nom du marquis de Mirabeau.

Les disciples de Quesnay, connus tout d'abord sous le simple nom d'*économistes,* devinrent ensuite célèbres sous celui de physiocrates et fournirent le premier modèle économique des temps modernes. Leurs grandes idées étaient fort simples. Une loi naturelle, semblable à celle qui régissait l'univers physique, gouvernait la croissance et la circulation des biens. La richesse d'une société, ce n'était pas ses réserves d'or et d'argent, mais son stock total de marchandises et le meilleur moyen d'accroître ce stock était de permettre la libre circulation des produits sur le marché, sans monopoles et sans restrictions fiscales. Ces pionniers de l'économie étaient horrifiés par la misère des paysans français, qui formait un si pénible contraste avec le luxe dans lequel vivaient la noblesse, les fermiers généraux et les autres monopolistes. « Paysans pauvres, pauvre royaume », proclamaient-ils volontiers ; « pauvre royaume, pauvre roi ». Leur remède aux maux de la nation était axé sur le triste sort des paysans. Il fallait améliorer les techniques agricoles, ôter tous les obstacles à la libre circulation des marchandises, abolir tous les impôts existants et tous les fermiers généraux pour établir à leur place un impôt unique sur le produit du sol, que percevraient des employés du gouvernement réputés pour leur honnêteté. Lorsque Quesnay se vit offrir pour son fils une charge de fermier général, il la déclina : « Non, dit-il, que le bien-être de mes enfants soit lié à la prospérité publique. » Et il fit de son fils un agriculteur. Si seulement Louis XV avait écouté son physicien, il aurait épargné à son pays bien des souffrances et sauvé son propre petit-fils de l'échafaud.

Les beaux esprits des salons raillaient les studieux calculs des physiocrates, mais Adam Smith n'y trouvait rien à redire. Étant lui-même, nous l'avons vu, libre penseur économique, il avait prêché, chez lui à Glasgow, bien des notions analogues et avait déjà commencé à rédiger, durant ses heures de loisir à Toulouse, son livre sur la liberté économique. Il s'occupait à relever à présent les moindres traces de ce que l'Ancien Régime avait fait à la France. Même par rapport aux pauvres paysans écossais, les Français portaient encore des sabots de bois ou allaient nu-pieds. « En France, observa-t-il, la condition des rangs inférieurs du peuple est rarement aussi heureuse qu'elle l'est souvent en Angleterre et vous n'y trouverez guère fût-ce des pyramides ou des obélisques d'ifs dans le jardin d'un fabricant de chandelles. De tels ornements, n'ayant pas encore été dans ce pays avilis par leur vulgarité, n'y ont pas été exclus des parcs des princes et des grands seigneurs. » Tout en constatant que les habitants de la France étaient « beaucoup plus opprimés par la taxation que ceux de Grande-Bretagne », il ne prévoyait pourtant pas les violences à venir. Comme Quesnay, cependant, il insistait sur le fait que la liberté économique était essentielle pour améliorer la condition du peuple. Il précisait d'ailleurs que, si Quesnay n'était pas mort deux ans avant la publication de *La Richesse des nations,* il lui aurait dédié l'œuvre.

Nullement séduit par les charmes des salons, des théâtres et par la stimulante compagnie de Quesnay à Versailles, Adam Smith était « passionnément » désireux de rentrer auprès de ses vieux amis en Écosse. Son départ fut plus soudain qu'il ne l'avait prévu, en raison de l'atroce assassinat, dans les rues de Paris, du frère cadet du jeune duc, également placé sous sa surveillance. Après une brève étape à Londres, où il fut élu membre de la Royal Society, il retourna s'installer avec sa mère dans le décor familier de Kirkcaldy, sa ville natale. Il y passa les six années suivantes, très occupé à écrire *La Richesse des nations,* avec pour seules distractions des promenades quotidiennes dans les brises marines du Firth of Forth et d'occasionnels voyages à Édimbourg.

Au printemps de 1773, Adam Smith partit pour Londres avec ce qu'il croyait être un manuscrit quasiment achevé, ce qui se révéla moins vrai qu'il ne se l'était imaginé, car les trois années suivantes, passées à Londres, portèrent à sa connaissance un déluge de faits nouveaux et de nouvelles idées. Il dînait de temps à autre avec le Dr William Hunter, anatomiste, avec l'architecte Robert Adam, avec le linguiste sir William Jones, avec Oliver Goldsmith, sir Joshua Reynolds, David Garrick, Edward Gibbon, Edmund Burke et le Dr Johnson. Il n'était pas toujours considéré comme leur égal, toutefois. « Smith fait à présent partie de notre club, rapporta Boswell. Cette assemblée n'a plus le mérite d'être aussi choisie. »

La grande question du moment était, bien sûr, la révolte américaine. La chose était providentielle pour Adam Smith, qui voyait dans l'Amérique une sorte de laboratoire pour la nature et les causes de la richesse des nations. Benjamin Franklin, qui représentait alors la Pennsylvanie à Londres et s'efforçait vainement d'éviter la rupture, s'est vanté par la suite du fait que « le célèbre Adam Smith, lorsqu'il écrivait sa *Richesse des nations,* avait pris l'habitude d'apporter ses chapitres, l'un après l'autre, à mesure qu'il les composait, à lui-même, au Dr Price et à certains autres lettrés ; puis patiemment, il écoutait leurs observations et tirait profit de leurs discussions et de leurs critiques, s'imposant parfois de récrire entièrement certains chapitres et même de modifier radicalement certaines de ses propositions ». La rébellion américaine dramatisa la cause que Smith avait défendue pendant treize ans à Glasgow, parmi les marchands qui commerçaient avec l'Amérique et les planteurs qui en étaient revenus. Pour *La Richesse des nations,* les colonies américaines — leur peuplement, leurs épreuves et leurs promesses — étaient une source inépuisable d'exemples. Le Nouveau Monde, terre d'avenir, offrait une occasion unique de mettre à l'épreuve les vertus de la liberté économique.

Fruit de douze années de rédaction et, auparavant, d'une autre douzaine d'années au moins de pensée concentrée sur ce vaste sujet, *La Richesse des nations* fut finalement publiée en deux volumes le 19 mars 1776. L'éditeur, qui avait versé cinq cents livres à Smith pour son manuscrit, ne perdit pas au change. L'ouvrage se vendit bien dès sa parution et la première édition était épuisée au bout de six mois. Il fut à peine remarqué par la critique, mais les amis de l'auteur, parmi lesquels figurait la fleur des milieux littéraires londoniens, ne lui ménagèrent pas leurs éloges dans l'intimité. Ils comparèrent son ouvrage au premier tome du *Déclin et chute de l'Empire romain* de Gibbon, paru tout juste trois semaines auparavant, le 17 février précédent. David Hume, loyal Écossais, fit l'éloge du livre de Gibbon depuis Édimbourg, allant jusqu'à s'exclamer : « Jamais je ne me serais attendu à voir un ouvrage aussi excellent sortir de la plume d'un Anglais. » Celui de Smith, disait-il, exigeait trop de réflexion pour être tout de suite aussi populaire, mais il ne lui en prédisait pas moins un grand avenir. « Quel excellent ouvrage, s'exclamait de son côté Gibbon lui-même, que celui dont notre ami mutuel, Mr Adam Smith, vient d'enrichir le public ! Une vaste science en un seul volume et les idées les plus profondes exprimées dans la prose la plus lucide. » Lorsqu'un critique jaloux se plaignit que ce livre ne pouvait pas être bon parce que l'auteur n'avait jamais été « dans les affaires », le Dr Johnson répliqua sentencieusement qu'« il n'y a rien qui exige autant d'être illustré par la philosophie que les affaires... Un marchand pense rarement à autre chose qu'à ses affaires particulières. Pour écrire un bon livre à ce sujet, il faut posséder une grande ampleur de vue ». L'ampleur de celle d'Adam Smith doua son œuvre d'une puissance qu'aucun autre ouvrage moderne n'a surpassée. Ce fut lui qui découvrit véritablement la science moderne de l'économie.

Cette science prospéra, ouvrant de nouvelles voies issues de toutes les autres sciences à une science de la richesse et du bien-être économique. Cependant, comme on aurait pu le prévoir, le livre d'Adam Smith en faveur d'une exploration de la richesse des nations devint le modèle de l'orthodoxie. Sa description du corps économique exerçait en grande partie la même fascination que celle de Galène concernant le corps humain pour les hommes des siècles passés. De brillants interprètes et continuateurs — notamment David Ricardo et John Stuart Mill — poursuivirent les idées de Smith et les érigèrent en vérités établies. Les *Principes d'économie politique* de l'ambitieux Mill avaient pour apogée un chapitre intitulé « Des fondements et limites du principe du laisser-faire ou de la non-intervention ». Il y proposait une liste des quelques exceptions — la plus notable étant les entreprises de colonisation — à la règle suivante : « Le laisser-faire... devrait être la pratique générale ; il ne peut être que néfaste de s'en éloigner, à moins que quelque grand bienfait ne l'exige. » Cette période « classique », qui dura un bon siècle, fut suivie d'une autre dite « néoclassique » dont le pionnier fut l'économiste de Cambridge Alfred Marshall (1842-1924) ; ses *Principes d'économie* (1890) proposaient une version révisée d'Adam Smith, douée d'un nouveau pouvoir de persuasion.

L'économie classique fournit un cadre et un vocabulaire même aux critiques les plus amers de la société qu'elle se targuait de décrire. Karl Marx qui était à la fois « beaucoup plus (et beaucoup moins) qu'un économiste », se situe, d'après les historiens de l'économie, fermement dans la tradition classique. A la grande époque de l'économie classique, les plupart des grands auteurs n'étaient pas des économistes professionnels à plein temps, mais plutôt des hommes d'affaires (comme Ricardo ou Engels), des fonctionnaires (comme J.S. Mill) ou des journalistes (comme Marx). Le terme « economics » (à la place de « political economy ») ne fit son entrée dans la langue anglaise pour décrire le sujet d'une nouvelle profession qu'au XIXe siècle et les associations professionnelles ne firent leur apparition qu'avec l'American Economic Association (1885) et la British Economic Association (1890).

Vers le milieu du XXe siècle, exactement comme on pouvait dire de la physique « classique » qu'elle était dépassée, l'économie classique fut rangée parmi les doctrines du temps passé. Car il y avait aussi eu une révolution dans ce domaine, dont le principal responsable était l'un des plus remarquables phénomènes intellectuels des temps modernes et, proportionnellement à l'influence qu'il a exercée, l'un des moins reconnus. John Maynard Keynes (1883-1946), fils d'un professeur de science morale et d'économie qui fut l'un des administrateurs académiques de l'université de Cambridge, n'était pas précisément issu d'un milieu propice à la formation d'un révolutionnaire. Éduqué à Eton, il y reçut une instruction traditionnelle dans le domaine des mathématiques et des langues mortes et s'épanouit au milieu de la discipline ésotérique de ce curieux endroit. Il fit même l'éloge de la version étonnienne du football, « l'actuelle forme de banditisme légalisé... les meilleures conditions dans lesquelles il soit possible de pratiquer ce jeu merveilleux ». Au King's College de Cambridge, il fut élu président de la société des débats des étudiants et devint le disciple d'Alfred Marshall.

Il n'avait pas encore quitté l'université qu'il avait déjà pénétré dans le demi-monde libre penseur du prétendu groupe de Bloomsbury, dont la tête pensante était Lytton Strachey ; son esprit mordant et son irrévérence envers les vaches sacrées de l'époque victorienne donnèrent le ton aux propres saillies de Keynes. Parmi les membres du groupe figuraient E.M. Forster, Virginia Woolf, et certains des principaux critiques et artistes qui, pour l'époque, faisaient preuve d'une tolérance choquante envers l'homosexualité, le pacifisme et la vie de bohème. S'étant présenté à l'examen de la fonction publique, Keynes fut reçu second de tout le pays et, après deux ans à l'Indian Office, regagna Cambridge où son brillant *Traité sur la probabilité* lui valut une bourse au King's College. Ses goûts fort catholiques dans le domaine des arts et des idées excitaient la verve des mauvaises langues de Cambridge, surtout lorsqu'il épousa la ballerine Lydia Lopokova (dont certains disaient qu'elle était « danseuse de revue »), qui avait effectivement dansé le cancan sous la férule de Massine. Leur union fut longue et heureuse.

Tout comme la scène coloniale à l'époque de la guerre d'Indépendance américaine avait laissé entrevoir à Adam Smith une nouvelle époque dans sa réflexion sur la richesse des nations, le tableau tragique que présentait l'Europe au lendemain de la Première Guerre mondiale stimula la pensée de Keynes. En sa qualité de conseiller économique de Lloyd George à la conférence pour la paix de Versailles, en 1919, il eut l'occasion de voir de près les « Trois Grands » se chamailler. Il put constater que l'étroit nationalisme de Lloyd George, l'esprit revanchard de Georges Clemenceau et le ton moralisateur de Woodrow Wilson étaient tous trois aussi menaçants pour la prospérité de l'Europe. Il prévoyait que les exigences peu réalistes des vainqueurs concernant les réparations dues par les vaincus entraîneraient assez vite un désastre. Il écrivit de Paris à son ami, le peintre Duncan Grant, le 14 mai 1919 :

> Depuis deux ou trois semaines, je suis aussi malheureux qu'il est possible de l'être. La paix est scandaleuse... En attendant, on ne trouve nulle part ni nourriture ni emplois ; les Français et les Italiens déversent leurs munitions en Europe centrale, pour y armer chacun contre tous les autres. Je reste dans mon bureau pendant des heures à recevoir les délégations des nouveaux pays. Tous réclament non pas des aliments ou des matières premières, mais avant tout des engins de guerre contre leurs voisins... Ils ont eu l'occasion d'adopter sur le monde un point de vue d'une certaine ampleur, ou en tout cas marqué par une certaine humanité, mais ils l'ont refusé sans hésiter. Wilson, que j'ai fréquenté beaucoup plus ces temps derniers, est le plus grand faux jeton de la terre... Écris-moi, je t'en prie, pour me rappeler qu'il existe encore quelques gens bien de par le monde. Ici, j'ai envie de pleurer toute la sainte journée de rage et de contrariété. Le monde ne peut pas être tout à fait aussi mauvais qu'il en a l'air.

Ayant démissionné, en signe de protestation, Keynes s'extirpa de ce « cauchemar », où ceux qui étaient chargés de faire la paix « se délectent de la dévastation de l'Europe », et rentra en Angleterre.

Au cours des deux mois suivants, il écrivit son ouvrage *Economic consequences of the Peace (Conséquences économiques de la paix),* qui parut avant la Noël et le rendit célèbre à travers tout le continent et jusqu'en Amérique. Les lecteurs étaient enchantés par ses inoubliables caricatures. Clemenceau, disait-il, « éprouvait pour la France ce que Périclès éprouvait pour Athènes — valeur unique, rien d'autre ne compte ; mais sa théorie politique était celle de Bismarck. Il avait une illusion : la France ; et une désillusion : l'humanité, y compris les Français et notamment ses collègues ». Quant à Wilson, sa « tête et ses traits étaient finement ciselés et tout à fait semblables à ses photographies. Comme Ulysse, cependant, le président semblait plus sage assis ; et ses mains, quoique capables et passablement fortes, manquaient de sensibilité et de finesse... il était non seulement insensible à ce qui l'entourait extérieurement, il n'était absolument pas sensible à son environnement. Quelle chance pouvait avoir un tel homme contre Mr Lloyd George et sa sensibilité infaillible, quasi médiumnique, envers tous les membres de son entourage immédiat ?... le Don Quichotte aveugle et sourd pénétrait dans une grotte où la lame rapide et étincelante, se trouvait entre les mains de son adversaire ».

Le fond de son éloquence c'était que l'économie de l'Europe entière — ainsi d'ailleurs que celle du monde — était une et indivisible. L'héritage d'un Versailles marqué par l'esprit de revanche ne pourrait être qu'une épidémie d'émeutes, de révolutions et de dictatures. « Jamais de mémoire d'homme aujourd'hui en vie, concluait-il, l'élément universel de l'âme humaine n'a lui aussi faiblement. »

Les amères prédictions de Keynes n'allaient s'accomplir que trop tôt. En attendant, il reprit le chemin de Cambridge où il resta momentanément le disciple vedette d'Alfred Marshall. Sa grande force, cependant, était un sens de l'histoire, une faculté prophétique « de considérer le monde d'un œil neuf... les courants cachés, qui évoluent continuellement sous la surface de l'histoire politique... Nous ne pouvons influer sur ces courants cachés que d'une seule façon — en mettant en branle les forces de l'instruction et de l'imagination qui changent l'*opinion*. L'affirmation de la vérité, la mise à nu des illusions, la dissipation de la haine, l'élargissement et l'instruction des cœurs et des esprits des hommes devront en être les moyens ».

Véritable capitaine Cook de l'univers économique, Keynes allait lui aussi endurer les ardeurs de la découverte négative. Tandis qu'Adam Smith et ses disciples classiques concentraient leur intérêt sur la « richesse » et ses causes sur le « marché », un nouveau phénomène social, un spectre, une réalité plus négative dans l'univers des théoriciens orientés vers la richesse, était né. Il avait nom *chômage*. Et ce fut lui qui se trouva bientôt au centre des préoccupations de Keynes. Dès 1924, lorsque le chômage dans les mines, chantiers navals et usines britanniques frappa un million de travailleurs, Keynes commença à rendre certains des dogmes néoclassiques un peu plus élastiques, afin d'englober ce fléau grandissant.

Il joignit sa voix à celle de Lloyd George (qui n'avait rien d'un économiste) pour réclamer un vaste programme de travaux publics. *Le chômage nécessite-t-il un remède draconien ?* demanda Keynes en mai 1924. Sa réponse, emphatique, était de se servir de la caisse d'amortissement du trésor public « pour consacrer jusqu'à cent millions de livres par an à la construction d'ouvrages capitaux chez nous, à engager de diverses façons l'aide du génie, du tempérament et du talent privés ». Aux objections de ses collègues partisans de la doctrine néo-classique, il répondait :

> Notre structure économique est loin d'être élastique et ne le sera peut-être pas de longtemps, ce qui entraînera de lourdes pertes indirectes, à cause des pressions ainsi causées et des ruptures encourues. En attendant, les ressources risquent de rester inexploitées et la main-d'œuvre de se trouver au chômage... Nous voici donc arrivés à mon hérésie — si c'en est une. J'introduis l'État ;

> j'abandonne le *laisser-faire* — non pas avec enthousiasme, non pas par mépris de cette bonne vieille doctrine, mais parce que, que cela nous plaise ou non, les conditions de sa réussite ont disparu. C'était une doctrine double, car elle confiait le bien-être public à l'entreprise privée *sans contrôle* et *sans aide.* L'entreprise privée n'est plus dégagée de tout contrôle ; elle est au contraire surveillée et menacée de nombreuses façons différentes. Sur ce point, il est impossible de revenir en arrière. Les forces qui nous pressent sont peut-être aveugles, mais elles existent et elles sont puissantes. Or, si l'entreprise privée n'est pas incontrôlée, il nous est impossible de ne pas l'aider.

La grande crise qui commença dans les années trente, et fut marquée aux États-Unis par la défaite retentissante d'Herbert Hoover et l'élection du jovial empiriste Franklin D. Roosevelt, fut un phénomène mondial. En 1932, il y avait dix millions de chômeurs aux seuls États-Unis. Aux yeux de Keynes, la crise était caractérisée moins par l'ancien fléau qu'était la pauvreté (c'est-à-dire le manque de « richesse ») que par celui plus moderne du chômage. Il fallait faire glisser le centre d'intérêt de la théorie économique des mécanismes impersonnels du marché vers le spectacle d'êtres humains qui dépérissaient dans le désespoir.

Dès 1936, Keynes avait élaboré une théorie adaptée à sa nouvelle optique. Étant donné son tempérament humaniste, on reste stupéfait de constater qu'il a pu écrire un livre inintelligible au grand public. L'ouvrage d'Adam Smith était destiné au lecteur cultivé, à celui qui prenait plaisir à se plonger dans la lecture du *Déclin et chute* de Gibbon, car la profession d'économiste n'existait pas encore. Par contraste, *General Theory of Employment, Interest and Money (Théorie générale de l'emploi, de l'intérêt et de l'argent)* de Keynes était uniquement destiné aux spécialistes de la nouvelle science et il est impossible d'en résumer la substance en un seul paragraphe. Pourtant, son impact, à travers les économistes, sur la façon générale d'aborder les questions économiques était évident et cet ouvrage est devenu le plus influent de tous ceux que la science économique a produits au XXe siècle. Ce qu'il avait de plus radical et de plus révolutionnaire, c'était cet intérêt central pour un fléau moderne qui jusqu'à une époque récente n'avait pas semblé être un phénomène social important.

Le mot « unemployment » (« chômage ») n'est entré dans la langue anglaise courante que vers 1895 et, en l'espace de quarante ans, Keynes fut le premier à placer ce problème au centre de toute une théorie économique. Comme l'a expliqué son disciple le plus fécond, qui fut aussi son meilleur biographe, R.F. Harrod, ce livre si influent était « à la base une analyse des causes du chômage, selon les termes du principe économique fondamental ». La conclusion de Keynes était qu'on ne pouvait préserver une société de libre marché et assurer le plein emploi de façon régulière que grâce à l'intervention judicieuse de l'État par des travaux publics ou d'autres expédients. Ce qui l'amenait à une telle conclusion, c'étaient deux propositions fort simples mais subtilement discutées, qui étaient toutes deux des révisions radicales du dogme du laisser-faire. Aucun salaire, expliquait-il, n'était assez bas pour entraîner le plein emploi. Au contraire, les diminutions répétées des salaires accroîtraient en fait le chômage. Au lieu de la demande individuelle sur le marché, il proposait la notion cruciale de la « demande collective », qui était le produit non seulement des consommateurs particuliers, mais des dépenses consenties par tous les investisseurs privés et les agences gouvernementales. Il donnait aux espérances humaines un rôle nouveau et de premier plan dans la théorie économique. En d'autres termes, les processus du marché n'étaient ni aussi automatiques ni aussi doucement autorégulateurs que l'avaient imaginé les économistes classiques. Pour maintenir le plein emploi au sein d'une communauté capitaliste, la « main invisible » devait devenir visible et un gouvernement bienfaisant devait contrôler la circulation des investissements, en accroissant ceux qui touchaient les travaux publics, afin de s'assurer que la demande collective fournirait le plein emploi.

On a rarement vu un ouvrage scientifique modeler aussi rapidement les politiques officielles ou persuader aussi largement les conseillers gouvernementaux d'abandonner l'orthodoxie dont ils avaient hérité. Aux États-Unis, les idées de Keynes guidèrent le New Deal de Franklin D. Roosevelt, donnèrent forme à l'Employment Act (loi sur l'emploi) de 1946, obligeant le gouvernement fédéral à prendre des mesures pour maintenir l'emploi à un certain niveau ; la politique keynésienne fut poursuivie par le président John F. Kennedy et ses successeurs. A la conférence de Bretton Woods, en 1944, par sa contribution à la création du Fonds monétaire international et de la Banque mondiale, Keynes visait à incarner ses théories dans des institutions universelles afin d'empêcher un renouvellement de la crise. La puissance naissante de Keynes, tout comme celle des féconds penseurs spécialisés dans d'autres disciplines scientifiques, n'était pas limitée à ceux qui comprenaient ou acceptaient sa doctrine. Sa notion de la demande collective et ses propositions d'intervention gouvernementale dans l'économie entraînèrent la compilation de statistiques plus complètes et plus exactes sur le revenu national en Grande-Bretagne et ailleurs. Ce qui est plus important, cependant, c'est que son esprit lumineux et infatigable et sa sensibilité envers le rôle humain dans l'univers économique ont su sauver la nouvelle science économique de sa première orthodoxie.

## 81

## *A l'école des chiffres*

Le pionnier de la démographie moderne, et certains diraient aussi de la statistique, fut un prospère négociant londonien, John Graunt (1620-1674), qui s'intéressait en amateur à l'univers mathématique. Il ne reçut aucune espèce de formation dans cette matière, puisqu'il fut mis en apprentissage chez un mercier et réussit ensuite fort bien dans les affaires. Cet homme « ingénieux et studieux », connu pour sa « faculté habile et incomparable » de noter les sermons dans une espèce de sténographie avant la lettre, était profondément pieux, aventureux en matière de religion et conciliant dans le Londres de la guerre civile, déchiré par les luttes de factions. Quoique élevé dans une optique puritaine, il se convertit d'abord à l'anti-trinitarisme, puis au catholicisme. Il essuya des pertes désastreuses lors du grand incendie de 1666 et ne parvint jamais à rétablir sa fortune. Homme d'affaires très terre à terre, Graunt ne s'intéressait pas aux grandioses estimations de la richesse nationale qui occupaient les « arithméticiens politiques » de son temps. Il était toutefois fort préoccupé du bien-être de sa communauté londonienne. Il remplit d'ailleurs de nombreuses fonctions municipales, dont celle de conseiller.

Ce fut le très lourd bilan des années de peste, dont il pouvait voir les effets tout autour de lui, qui fut à la base de l'intérêt de Graunt pour la démographie et la statistique. La réalité la plus évidemment désolante concernant la population anglaise était son taux de mortalité atrocement élevé lors des années où la peste faisait rage ; il y en eut plusieurs du vivant de Graunt. En 1625, par exemple, on vit disparaître environ un quart de la population du pays. Dès 1527, des « Bills of Mortality » ou listes des morts avaient été épisodiquement dressés à Londres et, en 1592, ils mentionnaient régulièrement la cause des décès. Durant l'épouvantable épidémie de 1603, des Bills of Mortality hebdomadaires publiaient des renseignements réunis par des « chercheuses », en l'occurrence « des femmes âgées » chargées d'aller examiner les cadavres, pour consigner la cause du décès, et de veiller à l'application de la quarantaine. Armées de bâtons rouges fort voyants, qui signalaient leur charge, ces vénérables matrones étaient renommées pour leur ignorance de la médecine, leur goût des boissons alcoolisées et l'obligeance avec laquelle elles étaient prêtes à dissimuler, moyennant finances, les réalités peu agréables, comme par exemple les décès dus à la syphilis. Tous les jeudis à dix heures, les employés municipaux vendaient leurs rapports à quiconque en faisait la demande, au tarif d'un penny la page ; on pouvait aussi s'y abonner pour quatre shillings par an.

Graunt « ne savait pas par quel hasard » sa pensée fut attirée par les Bills of Mortality. En homme pratique, il s'étonnait de constater que tant de faits si régulièrement collationnés eussent été si piètrement utilisés. Son ami William Petty (1623-1687), pionnier de l'économie, encouragea sans doute sa curiosité. Le 5 février 1662, lors d'une réunion de la Royal Society, le Dr Daniel Whistler, médecin, distribua cinquante exemplaires d'un opuscule de cinquante pages, dû à John Graunt, qui n'était sorti des presses que depuis deux semaines. Il proposait que l'auteur fût élu membre de l'auguste société, honneur qui lui fut promptement accordé, ce qui ne s'était encore jamais vu pour un simple homme d'affaires. Le roi Charles II, après avoir entériné la chose, pressa la Royal Society « de ne pas hésiter, s'ils trouvaient d'autres négociants de sa trempe, à les admettre parmi eux sans plus de façon ».

La nouvelle communauté scientifique internationale ouvrait tout juste ses portes. Graunt espérait, avec modestie, que son petit pamphlet au long titre — *Natural and Political Observations mentioned in a following Index, and made upon the Bills of Mortality... With Reference to the Government, Religion, Trade, Growth, Ayre, Diseases, and the several Changes of the said City (Observations naturelles et politiques, mentionnées dans un index postérieur, sur les Bills of Mortality... Se référant au gouvernement, à la religion, au commerce, à la croissance, à l'air, aux maladies et aux divers changements de ladite cité)* — serait susceptible de lui valoir de figurer dans ce qu'il appelait le « Parlement de la nature ». Son ouvrage n'avait aucune prétention cosmique. Il s'était borné à « réduire plusieurs gros volumes confus (de *Bills of Mortality*) sous forme de quelques tables bien nettes et de regrouper les observations qui en découlaient en quelques paragraphes succincts, en évitant les longues séries de déductions multiloques ». A partir de « ces pauvres *Bills of Mortality* si décriées... cette terre qui est restée stérile depuis quatre-vingts ans », Graunt tira « beaucoup de plaisir à déduire tant de conclusions obscures et inattendues... il y a du plaisir à faire quelque chose de nouveau, même si ce n'est presque rien, sans assommer le monde à coups de volumineuses transcriptions ».

Graunt ne se laissa nullement intimider par la grossièreté rudimentaire des données disponibles et, dès le départ, il proposa cent six observations numérotées. Refusant d'admettre que l'incapacité des « chercheuses » avait rendu inutile le résultat de leurs enquêtes, il fit preuve d'une grande ingéniosité dans la façon dont il parvint à en tirer toutes sortes d'hypothèses. Ainsi, chaque fois que les bonnes femmes s'étaient manifestement laissé tenter, « dans les brumes d'une chope de bière, soudoyées par l'offre de huit pence au lieu de quatre », à ranger ce qui était en réalité un décès dû à la « vérole » parmi ceux dus à la « consomption », il tirait parti de ce fait pour rehausser l'intérêt de ses listes.

Après avoir regroupé tous les événements analogues que l'on retrouvait tout au long des soixante-dix années d'existence des Bills of Mortality, il comparait les résultats obtenus pour les différents groupes. Il nota, par exemple, que deux personnes sur neuf, seulement, mouraient de maladies aiguës, soixante-dix sur deux cent vingt-neuf de maladies chroniques et quatre seulement sur deux cent vingt-neuf de « maux extérieurs » (cancers, plaies, fractures, lèpres, etc.). Sept pour cent étaient morts de vieillesse, tandis que certaines maladies et blessures conservaient des proportions constantes. Moins d'une personne sur deux mille était assassinée à Londres et il n'y avait pas plus d'une personne sur quatre mille qui mourût de faim. « Le rachitisme est une nouvelle maladie, à la fois quant au nom et quant à la chose... de quatorze personnes mortes de cette maladie en l'an 1634, le nombre a progressivement augmenté pour atteindre cinq cents en l'an 1660. » Il ne se rendait sans doute pas compte qu'à l'époque les médecins se penchaient à nouveau sur ce mal. Il y avait en Angleterre plus d'hommes que de femmes et bien que « les médecins aient deux fois plus de femmes que d'hommes parmi leurs patients... pourtant il meurt plus d'hommes que de femmes ». L'automne était la saison où l'on se portait le plus mal, mais certaines maladies — le typhus, la variole et la dysenterie ou « peste des entrailles » — étaient toujours aussi menaçantes tout au long de l'année. Londres n'était plus aussi salubre que jadis. Alors que la population de la campagne anglaise doublait par la procréation tous les deux cent quatre-vingts ans, celle de Londres doublait tous les soixante-dix ans, « la raison à cela étant que les procréateurs quittent la campagne et que ceux de Londres viennent de toutes les régions du pays, les personnes qui procréent à la campagne y étant presque toujours nées, alors qu'à Londres il y en a une multitude d'autres ». Il réfutait la superstition selon laquelle la peste accompagnait le couronnement d'un souverain, car en 1660, année de celui de Charles II, il n'y avait pas eu d'épidémie.

Son invention la plus originale était sa nouvelle manière de présenter la population et la mortalité en calculant la survie grâce à des « tables de vie ». Avec pour point de départ deux faits tout simples — le nombre de personnes dépassant l'âge de six ans (soixante-quatre sur cent) et celui de soixante-seize ans (une sur cent) — il composait une table montrant le nombre de personnes dépassant les âges intermédiaires, en progressant par périodes de dix ans :

| | | | |
|---|---|---|---|
| Seize ans | 40 | Cinquante-six ans | 6 |
| Vingt-six ans | 25 | Soixante-six ans | 3 |
| Trente-six ans | 15 | Soixante-seize ans | 1 |
| Quarante-six ans | 10 | Quatre-vingts ans | 0 |

Même si les actuaires modernes n'acceptent pas les chiffres de Graunt, ses tables de survie ont ouvert la voie à l'ère moderne dans le domaine de la démographie.

Graunt concluait son opuscule par un plaidoyer prophétique en faveur de la statistique. « Au demeurant, si toutes les choses (que je n'ai fait que deviner) étaient clairement et véridiquement connues, l'on verrait bien quelle petite partie de la population accomplit des travaux et occupations nécessaires, à savoir combien de femmes et d'enfants ne font rien et n'apprennent qu'à dépenser ce que d'autres ont gagné. Combien sont de simples sybarites et pour ainsi dire de simples joueurs de leur métier. Combien vivent en confondant les pauvres gens par des notions inintelligibles de théologie et de philosophie. Combien en persuadant les personnes crédules, délicates et litigieuses que leurs corps ou leurs biens sont en mauvaise santé et en danger. Combien en se battant comme soldats. Combien en faisant commerce de simples plaisirs ou d'ornements. Et combien en s'attachant aux pas des autres, etc., dans l'oisiveté. Et en revanche, combien peu s'emploient à gagner par leur travail la nourriture et l'abri nécessaires. Et sur le nombre d'hommes qui réfléchissent, quelle petite quantité étudie véritablement la nature et les choses. »

On n'a gardé aucune trace du moindre recensement national avant le XVIII<sup>e</sup> siècle. Tous les chiffres alors susceptibles de dévoiler la puissance militaire et économique d'une nation étaient en effet jalousement tenus secrets, de même que les cartes des passages nouvellement découverts à travers des eaux dangereuses vers des ports lointains. Il semble que les anciens recensements de population parmi les Égyptiens, Grecs, Hébreux, Perses, Romains et Japonais avaient pour cibles les citoyens et biens imposables (« foyers et maisonnées ») et les hommes en âge d'être soldats. Le plus ancien recensement complet d'une population et de ses réserves alimentaires que l'on connaisse a été fait à Nuremberg en 1449, alors que la ville était menacée de siège. Le conseil municipal avait ordonné de compter sans exception toutes les bouches à nourrir et de faire l'inventaire des réserves alimentaires, mais les résultats furent tenus secrets et ne furent présentés au public que deux siècles plus tard.

Les chiffres *publics* sont un sous-produit moderne de nouvelles façons d'envisager le gouvernement, la richesse et, bien entendu, la science. Les gouvernements représentatifs ont exigé périodiquement des recensements publics de la population. Les hommes qui ont élaboré la Constitution des États-Unis ont fait office de pionniers en stipulant (article 1er, 2e section) qu'un recensement national devrait avoir lieu tous les dix ans. Le recensement des États-Unis de 1790 a été le premier de la plus longue série ininterrompue de recensements nationaux et a servi de modèle aux autres pays. Dès avant cette date, cependant, en 1776, la Constitution de Pennsylvanie avait prévu des recensements réguliers. Durant la guerre d'Indépendance, le comité du Congrès continental, chargé en 1776 de rédiger les articles de la Confédération, avait réclamé un recensement tous les trois ans. Bien que chaque colonie, indépendamment de sa population, ait droit à un vote au Congrès de la Confédération, chacun des États devait être taxé proportionnellement à ses biens. Le nombre d'habitants semblait, pour reprendre l'expression de John Adams, « un bon indice de richesse ». Le compromis bien connu, à Philadelphie, en 1787, entre les grands et les petits États, eut pour résultat un Congrès bicamériste avec un Sénat, où chaque État disposait de deux voix, et une Chambre des représentants, où la représentation était proportionnelle au nombre de citoyens. Le pays connaissait un accroissement rapide par le biais de l'immigration et les gens bougeaient beaucoup. Sans l'aide de recensements soigneusement tenus à jour, comment auraient-ils su qu'ils étaient équitablement représentés ?

Au Moyen Age, les raisons de sécurité nationale n'avaient pas été le seul obstacle à la publication des données sur les naissances, les décès et la longévité. On crut longtemps que la longueur des différentes vies humaines ne regardait que Dieu. Il fallut attendre le milieu du XVIIe siècle pour voir le mot anglais « insurance » (« assurance ») prendre son sens moderne. En 1783 encore, un auteur français se vantait du fait que l'assurance sur la vie, bien qu'autorisée à Naples, à Florence et en Angleterre, ne l'était pas en France où l'on considérait que la vie d'un homme était trop sacrée pour en faire l'objet d'un pari.

Cependant, d'ingénieux théologiens trouvèrent moyen de contourner la difficulté. John Ray lui-même avait déjà fourni quelques indices dans son populaire ouvrage, *Wisdom of God (La Sagesse de Dieu,* 1691). A sa suite, un autre membre de la Royal Society, William Derham (1657-1735), spécialiste des horloges, qui avait déjà prouvé que la nature devait être l'œuvre d'un divin horloger, poursuivit sa thèse en expliquant, dans sa *Physico-Theology* (1713), comment les faits de population confirmaient la conception divine. « Comment serait-il possible par les simples lois et les actes aveugles de la nature, demandait-il, qu'il y ait une proportion acceptable, par exemple, entre mâles et femelles ? » Le « surplus de mâles », qu'il fixait d'après ses calculs aux environs de quatorze contre treize, était si « grandement utile pour les ressources de la guerre », pour la marine et d'autres besoins qu'il devait manifestement être « l'œuvre de celui qui gouverne le monde ». « C'est par un acte fort remarquable de la providence divine que les créatures utiles sont produites en grande profusion et les autres en moindre quantité. » Il notait avec satisfaction que les reptiles venimeux étaient particulièrement nombreux dans les pays peuplés d'infidèles. « Ainsi l'équilibre du monde animal est-il maintenu à travers les âges par une curieuse harmonie et, par la juste proportion entre l'accroissement de tous les animaux et la longueur de leur vie, le monde est-il bien peuplé, mais pas trop ; une génération s'éteint et une autre arrive. » Pour éviter la surpopulation, Dieu avait judicieusement réduit l'âge biblique de l'homme, qu'il avait fait descendre d'abord à cent vingt ans, puis à soixante-dix. « Par ce moyen, la population du monde se maintient à un niveau commode, ni trop nombreuse ni trop rare. »

Un autre avocat, encore mieux connu, « de cet ordre que le maître suprême a choisi et établi pour le peuplement de la terre » fut J.P. Süssmilch (1707-1767), chapelain des armées de Frédéric le Grand. Son ouvrage fort prisé, *L'Ordre divin dans les changements de la race humaine montré par sa naissance, sa mort et sa propagation* (1741), saluait en Graunt « un Christophe Colomb » qui avait découvert le nouveau monde de la démographie.

> Nous pénétrons dans le pays des vivants pas à pas et sans cohue, et conformément à certains nombres fixés d'avance, établissant une certaine proportion fixée, elle aussi, par rapport à l'armée des vivants et à celle des mourants... Notez aussi que, dans ce passage du néant à l'existence, il vient toujours vingt et un fils pour vingt filles, et aussi que toute la masse de ceux qui viennent à la lumière du jour est toujours un peu supérieure à celle de ceux qui retournent à la poussière, et que l'armée de la race humaine croît toujours selon des proportions fixées d'avance.

Les gouvernements avaient donc intérêt à façonner leur politique afin d'assurer l'accroissement, car « Dieu Lui-même s'est prononcé en faveur d'une vaste population ».

Un demi-siècle plus tard, Malthus critiqua Süssmilch pour ses naïves généralisations concernant les différences entre ville et campagne et pour n'avoir pas inclus les années d'épidémies. Cependant, les défenseurs de la théologie naturelle supprimèrent le caractère sacrilège de l'étude de la mortalité humaine et un recensement officiel eut finalement lieu en Grande-Bretagne en 1801. Les chiffres obtenus, neuf millions pour l'Angleterre et le pays de Galles, plus d'un million et demi pour l'Écosse, semblaient prouver que Dieu voulait voir s'accroître le nombre des humains. Cependant, l'incroyable taux d'accroissement par rapport à l'estimation de Gregory King, qui fixait la population britannique à cinq millions et demi en 1688, allait apporter de l'eau aux moulins de Malthus et des évolutionnistes.

Les recensements et la science statistique ont grandi ensemble, fournissant le vocabulaire moderne des sciences sociales, de l'économie nationale et des relations internationales. Adolphe Quetelet (1796-1864), natif de Gand, devint professeur de mathématiques dès l'âge de dix-sept ans. Jeune homme, il écrivit des poèmes, collabora à la composition d'un opéra, fut élève dans un studio d'artiste et peignit d'ailleurs quelques toiles fort intéressantes. Il fut le premier à obtenir son doctorat à la toute nouvelle université de Gand pour une thèse de géométrie analytique, qui le rendit célèbre et lui valut d'être élu à l'Académie belge. A vingt-trois ans, il fut nommé professeur de mathématiques et ne tarda pas à attirer les foules à ses brillants cours magistraux sur toutes sortes de sujets scientifiques ésotériques. Lorsqu'il proposa de fonder un observatoire national, son gouvernement l'envoya à Paris afin d'y profiter de l'expérience française. Là, le dynamique Laplace braqua son intérêt sur l'étude des probabilités. A son retour en Belgique, il fut nommé astronome du nouvel Observatoire royal de Bruxelles. Tandis que l'observatoire était en construction, l'infatigable Quetelet entreprit d'étudier la société et se mit en devoir de recueillir des données sociales pour la science nouvelle des statistiques.

Tout en partageant les hypothèses des mathématiciens et astronomes français à Paris, il avait éprouvé « le besoin de joindre à l'étude des phénomènes célestes celle des phénomènes terrestres, ce qui n'avait pas été possible jusqu'à présent ». Il n'avait pas non plus perdu son intérêt d'artiste pour la forme et les mensurations du corps humain. A Bruxelles, il entreprit de recueillir ce qu'il appelait des « statistiques morales ». Sur cette masse de chiffres non digérés, il isola toutes les statistiques concernant les êtres humains. Parmi celles-ci figuraient des chiffres censément anodins sur les mensurations physiques du corps humain, ainsi que des faits sur les crimes et les criminels. « Tout ce qui se rapporte à l'espèce humaine, considérée en masse, supposa-t-il, est de l'ordre des données physiques. » Ainsi, il remarqua que le nombre de crimes commis chaque année par des personnes appartenant aux différents groupes d'âge était étonnamment constant. Se pouvait-il qu'il y eût une sorte de « budget » pour de tels actes, établi par des lois de « physique sociale » ? Les trois ensembles de chiffres qu'il choisit — pour les crimes, les suicides et les mariages, chacun étant classifié selon les groupes d'âge — furent baptisés « statistiques morales », car il s'agissait toujours de cas où l'individu avait eu un choix quant à ses actes. Pourtant, là aussi, il découvrait une impressionnante régularité statistique.

Quetelet élargit le sens du mot « statistique » pour englober toutes les données concernant l'humanité. Dans son premier usage connu, le mot (dérivé de l'allemand *Statistik*, synonyme de *Staatswissenschaft*, 1672) avait simplement signifié science de l'État et au cours du XVIIIe siècle, il décrivait l'étude des constitutions, des ressources nationales et des politiques des États. Sir John Sinclair, nous l'avons vu, utilisait le mot « statistics » pour l'estimation de « la part de bonheur » dont jouissait la population d'un pays et des moyens d'« améliorations futures ». Quetelet aborda le sujet non pas via la politique, ou l'économie, mais par le biais de son intérêt pour les mathématiques, pour les probabilités et pour les normes humaines. Dans son *Traité sur l'homme et le développement de ses facultés. Un essai sur la physique sociale* (1835), qui le rendit fameux dans l'Europe entière, il exposait sa notion originale de « l'homme moyen ».

Partant des données quantitatives qu'il avait rassemblées sur le corps humain, Quetelet concluait que, « concernant la taille des hommes d'une nation, les valeurs individuelles se groupent symétriquement de part et d'autre de la moyenne selon... la loi des causes accidentelles ». Cela confirmait sa notion de « l'homme moyen » qui, pour n'importe quelle nation, « constitue le type ou la norme et... les autres hommes n'en diffèrent, plus ou moins, que par l'influence de causes accidentelles dont les effets deviennent calculables lorsque le nombre d'échantillons est suffisamment grand ». Il appelait sa loi des causes accidentelles « une loi générale qui s'applique aux individus aussi bien qu'aux peuples et qui gouverne nos qualités morales et intellectuelles tout autant que physiques ». La taille moyenne des hommes d'âge voisin dans une nation donnée était la norme autour de laquelle les variations allaient « osciller » symétriquement, selon un modèle de distribution binomiale ou « normale ». D'autres caractéristiques physiques, suggéra-t-il, pourraient suivre la même règle et sa prédiction théorique correspondait de façon impressionnante aux chiffres portant sur les poids et les tours de poitrine.

En 1844, Quetelet étonna les sceptiques en appliquant ses notions pour découvrir l'étendue de l'insoumission qui sévissait dans l'armée française. En comparant les chiffres portant sur la probable distribution d'hommes de différentes tailles avec la distribution existant effectivement parmi cent mille jeunes Français ayant répondu à l'appel, il émit l'hypothèse qu'environ deux mille hommes s'étaient soustraits au service militaire en prétendant être d'une taille inférieure à la taille minimale requise.

En se fondant sur des statistiques (1826-1831) concernant les tribunaux français, il concluait :

> La constance avec laquelle les mêmes crimes se répètent chaque année avec la même fréquence, et provoquent le même châtiment dans les mêmes proportions, est l'un des faits les plus curieux... Et chaque année les chiffres ont confirmé ma prévision d'une façon qui me permet même de dire : voici un tribut que l'homme paie plus régulièrement que ceux qu'il doit à la nature ou au Trésor ; le tribut payé au crime ! Triste condition que celle de la race humaine ! Nous pouvons dire d'avance combien souilleront leurs mains du sang de leurs congénères, combien seront des faussaires, combien des empoisonneurs ; on pourrait presque prévoir le nombre de naissances et de décès. La société contient en germe tous les crimes qui seront commis, ainsi que les conditions dans lesquelles ils peuvent se développer. C'est une société qui, dans un certain sens, leur prépare la voie et le criminel est l'instrument...

Quetelet fut évidemment critiqué pour avoir utilisé sa « physique sociale » afin de nier le pouvoir de l'individu à choisir entre le bien et le mal. Il rétorqua , cependant, que les statistiques révélaient enfin les forces déjà à l'œuvre au sein de la société et créaient ainsi « la possibilité d'améliorer les gens en modifiant leurs institutions, leurs habitudes, leur instruction et tout ce qui influe sur leur comportement ».

La pieuse Florence Nightingale (1820-1910), que la voix de Dieu avait personnellement appelée à accomplir le travail qu'elle avait choisi, fut l'inattendue avocate de cette nouvelle science. Elle fit de Quetelet son héros, considérait sa *Physique sociale* comme une seconde bible et annota chacune des pages de l'exemplaire qu'on lui avait offert. Étant donné que les statistiques étaient la mesure des desseins de Dieu, leur étude devenait un autre des devoirs religieux qu'elle s'imposait.

« Appliquons aux sciences politique et morale, disait la devise de Laplace sur la page de garde du traité de Quetelet, la méthode fondée sur l'observation et les mathématiques, qui nous a si bien servis dans le domaine des sciences naturelles. » Pour Quetelet, la nouvelle science statistique n'offrait rien de moins qu'un lexique international pour une science destinée à améliorer la société. « Plus les sciences ont progressé, ajoutait-il, plus elles ont eu tendance à pénétrer dans le domaine des mathématiques, qui est une sorte de centre vers lequel elles convergent. Nous pouvons juger du degré de perfection atteint par une science en observant la facilité, plus ou moins grande, avec laquelle on peut l'aborder par la voie du calcul. »

Énergique homme d'État au sein du nouveau parlement scientifique, Quetelet adressait souvent ses découvertes progressistes aux académies et publiait des fragments dans leurs procès-verbaux. Sa prodigieuse correspondance avec deux mille cinq cents savants, politiciens et hommes de lettres (parmi lesquels Gauss, Ampère, Faraday, Alexandre de Humboldt, Goethe, James A. Garfield, Lemuel Shattuck, Joseph Henry, le prince Albert et le roi des Belges Léopold Ier) était un de ses moyens de faire du prosélytisme pour la nouvelle science statistique.

Quetelet mit sur pied, en Europe et en Amérique, des équipes de gens chargés de recueillir, grâce aux recensements, des données susceptibles de servir de « statistiques morales ». Il pressa Charles Babbage (1792-1871) de fonder la Statistical Society of London (1834). Puis il fit de l'exposition du Crystal Palace à Londres en 1851 un forum de la coopération internationale qui, trois ans plus tard, à peine, eut pour fruit le premier Congrès statistique international (1854) à Bruxelles. En sa qualité de président, Quetelet fit valoir la nécessité d'adopter des méthodes et une terminologie uniformes. Son influence fut cruciale durant ces années de formation des sciences sociales. La statistique internationale fut, selon certains, la superbe création du Belge. Sur elle, les Occidentaux allaient fonder d'extravagants espoirs concernant les leçons des données quantitatives dans le domaine de la santé publique, de la politique et de l'instruction. Entre-temps, les gouvernements totalitaires allaient retomber dans l'ère du secret d'État.

Au XXᵉ siècle, les chiffres publics allaient dominer les discussions sur le bien-être national et les relations internationales. Des notions telles que le revenu national par habitant, le produit national brut, les taux de croissance et de développement, les nations développées et sous-développées, la croissance de la population, ont toutes été héritées de Quetelet et de ses disciples. En 1900, l'Institut statistique international qui avait prôné la publication de tous les recensements, rapporta qu'à ce moment précis, quelque soixante-huit recensements couvraient environ 43 % de la population mondiale. Le recensement mondial qu'il proposait reste à l'état de projet.

## 82

## *L'infini et l'infinitésimal*

Le 6 août 1945, le monde entier reçut, en provenance d'Hiroshima, la terrible nouvelle que l'homme avait pris pied sur l'obscur continent de l'atome. Ses mystères allaient hanter le XXᵉ siècle. Depuis deux mille ans, cependant, l'« atome » avait été la plus mystérieuse préoccupation des philosophes. Le mot grec *atomos* désignait la plus petite unité de la matière, supposée indestructible. « Atome » allait désormais devenir un mot familier, une menace et une promesse sans précédent.

Le premier philosophe atomiste fut un Grec légendaire, Leucippe, qui avait vécu, à ce qu'on pensait, au Vᵉ siècle avant Jésus-Christ. Démocrite, son élève, qui donna à l'atomisme sa forme classique en tant que philosophie, était si bien diverti par les sottises humaines qu'on l'appelait « le philosophe qui rit ». Pourtant, il fut l'un des premiers à s'élever contre la décadence de l'homme depuis un mythique âge d'or et à prôner l'évangile du progrès. Si l'univers entier consistait uniquement en atomes et en néant, il n'était pas infiniment complexe, mais compréhensible, d'une façon ou d'une autre, et peut-être n'y avait-il aucune limite à la puissance de l'homme.

Dans l'un des plus grands poèmes latins, *De natura rerum,* Lucrèce (v. 95 av. J.-C.-55 av. J.-C.) perpétuait la doctrine ancienne de l'atomisme. Visant à libérer les gens de la crainte des dieux, il montrait que le monde entier était composé de néant et d'atomes qui évoluaient selon leurs propres lois, que l'âme mourait avec le corps et qu'il n'y avait donc aucune raison de redouter la mort ou les puissances surnaturelles. Comprendre la nature, disait-il, était le seul chemin vers la paix intérieure. Les Pères de l'Église, voués à l'au-delà chrétien, attaquèrent Lucrèce qui fut passé sous silence et oublié tout au long du Moyen-Age, mais devint l'un des auteurs les plus influents de la Renaissance.

Ainsi, l'atomisme pénétra pour la première fois le monde moderne en tant que système philosophique. De même que la symétrie phytagoricienne fournit un cadre à Copernic, que la géométrie séduisit Kepler et que le cercle parfait d'Aristote charma Harvey, ainsi les atomes « indestructibles » des philosophes firent-ils la conquête des chimistes et des physiciens. « La théorie de Démocrite relativement aux atomes, fit observer Francis Bacon, est, sinon vraie, du moins applicable avec d'excellents effets à l'exposition de la nature. » Descartes (1596-1650) inventa sa propre notion de particules infiniment petites évoluant à travers un milieu qu'il appelait l'éther. Un autre philosophe français, Pierre Gassendi (1592-1655), semblait confirmer Démocrite et proposait encore une autre version de l'atomisme, que Robert Boyle (1627-1691) adapta à la chimie, en prouvant que les « éléments » proverbiaux — la terre, l'air, le feu et l'eau — n'avaient rien d'élémentaire.

Les aperçus prophétiques d'un jésuite mathématicien, R.G. Boscovich (1711-1787), ouvrirent la voie à une nouvelle science : la physique atomique. Son audacieuse notion des « points-centres » abandonnait l'ancien concept d'un assortiment de différents atomes solides. Les particules fondamentales de la matière, suggérait-il, étaient toutes identiques ; et la matière était les relations spatiales entre ces points-centres. Boscovich, qui était arrivé à ces notions par le biais des mathématiques et de l'astronomie, préludait aux rapports de plus en plus intimes entre la structure de l'atome et celle de l'univers, entre l'infinitésimal et l'infini.

La voie expérimentale vers l'atome fut tracée par John Dalton (1766-1844), un quaker autodidacte, qui avait emprunté une notion fort stimulante à Lavoisier (1743-1794). Ce dernier, un des fondateurs de la chimie moderne, ramena la théorie atomique sur terre en parvenant enfin à faire de l'atome un concept utile en laboratoire grâce à sa définition d'un « élément » comme une substance que l'on ne pouvait décomposer en d'autres substances par les méthodes connues. Fils d'une famille de tisserands du Cumberland, Dalton garda toute sa vie la marque de ses origines modestes. A douze ans, il s'était retrouvé responsable de l'école quaker de son village. Lorsqu'il partit enseigner dans la ville voisine de Kendal, il découvrit dans la bibliothèque de l'établissement des exemplaires des *Principia* de Newton, des *Œuvres* de Boyle et de l'*Histoire naturelle* de Buffon, ainsi qu'une longue-vue de soixante centimètres et un double microscope. Il y tomba en outre sous le charme d'un extraordinaire philosophe de la nature, frappé de cécité ; cet homme, John Gough « comprend, écrivit Dalton à un ami, fort bien toutes les différentes branches des mathématiques... Il connaît par le toucher, le goût et l'odeur presque toutes les plantes qui croissent à moins de vingt miles de la ville ». Il devait être célébré par Wordsworth dans son *Excursion*. Ce fut lui qui enseigna à Dalton le latin, le grec et le français, qui le fit pénétrer dans l'univers des mathématiques, de l'astronomie et de toute la science d'observation. Suivant l'exemple de Gough, le jeune homme se mit à tenir un registre météorologique qu'il ne devait plus jamais abandonner.

Lorsque les dissidents religieux établirent leur propre université, New College, à Manchester, Dalton y devint professeur de mathématiques et de science de la nature. A la Manchester Literary and Philosophical Society, il trouva pour ses expériences un public enthousiaste, à qui il offrit son traité *Faits extraordinaires relatifs à la vision des couleurs,* lequel était probablement le premier ouvrage systématique sur le daltonisme, mal dont il était affligé, ainsi que son frère Jonathan. « Ayant été si souvent trompé, dans ma progression, parce que j'avais pris pour argent comptant les résultats obtenus par d'autres, je suis bien décidé à écrire le moins possible sur ce que je ne puis attester par ma propre expérience. » Il observa les aurores boréales, suggéra les origines des alizés, les causes des nuages et de la pluie, et apporta au passage certaines améliorations au pluviographe, au baromètre, au thermomètre et à l'hygromètre. L'intérêt de Dalton pour l'atmosphère l'aiguilla vers la chimie qui devait lui ouvrir la voie de l'atome.

Newton avait escompté que les corps invisibles les plus petits suivraient les lois quantitatives gouvernant les corps célestes les plus grands. La chimie devait reproduire l'astronomie. Comment, toutefois, l'homme allait-il pouvoir saisir et mesurer les mouvements et attractions mutuelles de ces particules invisibles ? Dans ses *Principia,* Newton avait émis l'hypothèse que les phénomènes de la nature qui n'étaient pas décrits dans son livre « dépendent peut-être tous de certaines forces par lesquelles les particules des corps, pour des causes inconnues jusqu'à présent, sont soit mutuellement attirées les unes vers les autres et s'agglomèrent en figures régulières, ou sont repoussées et s'éloignent les unes des autres ».

Dalton se mit en quête de « ces particules primitives », cherchant quelque moyen expérimental de les englober dans un schéma quantitatif. Les gaz étant la forme la plus lâche, la plus mobile de la matière, Dalton se concentra sur l'atmosphère, le mélange des gaz qui composait l'air, ce qui servit de point de départ à toutes ses réflexions sur les atomes. « Pourquoi l'eau n'admet-elle pas pareillement sa masse de chacun des gaz ? » demanda-t-il à ses collègues en 1803, lors d'une séance de la Manchester Literary and Philosophical Society. « Je suis quasiment persuadé que les circonstances dépendent du poids et du nombre de particules élémentaires des différents gaz — ceux dont les particules sont les plus légères et simples étant les moins faciles à absorber, et les autres l'étant davantage, selon qu'ils augmentent en poids et en complexité. » Dalton avait découvert que, contrairement à l'opinion qui prévalait, l'air n'était pas un unique et vaste solvant chimique, mais un mélange de gaz, dont chacun restait distinct et agissait indépendamment.

Le résultat de ses expériences fut un ouvrage qui fit date : son *Tableau des poids relatifs des particules élémentaires des corps gazeux et autres.*

Prenant l'hydrogène comme numéro un, il dressa une liste de vingt et une substances. Décrivant les « particules élémentaires » invisibles comme de minuscules boules solides, assez semblables à de la mitraille, mais infiniment plus petites, il proposait de leur appliquer les lois newtoniennes des forces d'attraction de la matière. Il cherchait à obtenir « une nouvelle vision des premiers principes des éléments des corps et de leurs combinaisons », qui « je n'en doute pas... produira... en temps voulu... les changements les plus importants dans le système de la chimie et réduira l'ensemble à une science d'une grande simplicité, compréhensible pour la plus faible des intelligences ». Lorsqu'il montra une « particule d'air reposant sur quatre particules d'eau » comme « une pile de mitraille carrée », chacun des minuscules globes touchant les globes voisins, il fournit à la chimie organique du siècle à venir son modèle rudimentaire.

Pour ses conférences publiques, Dalton inventa ses propres « marques arbitraires, comme signes choisis pour représenter les divers éléments chimiques ou particules élémentaires », regroupées dans un tableau des poids atomiques. Il n'était pas le premier, bien entendu, à utiliser un système d'abréviations pour les substances chimiques ; les alchimistes avaient les leurs. Il fut en revanche le premier à se servir de ce genre de symbolisme dans un système quantitatif de « particules élémentaires ». Prenant comme unité l'atome d'hydrogène, il calcula le poids des molécules comme étant la somme des poids des atomes qui les composaient et fournit ainsi une syntaxe moderne à la chimie. Les abréviations proprement dites, utilisant la première lettre du nom latin de chaque élément ($H_2O$, etc.), furent conçues par le chimiste suédois Berzelius (1779-1848).

Au début, la théorie atomique de Dalton fut reçue de façon rien moins qu'enthousiaste. Le grand sir Humphry Davy s'empressa de rejeter ces notions qu'il décréta « nettement plus ingénieuses qu'importantes ». Pourtant les idées de Dalton, développées dans *A New System of Chemical Philosophy (Un nouveau système de philosophie chimique,* 1808), étaient si persuasives qu'il se vit attribuer la Royal Medal en 1826. Cependant, n'ayant jamais oublié ses origines plébéiennes, il se tint à l'écart de la Royal Society, ce qui ne l'empêcha pas d'y être élu sans son consentement en 1822. Se méfiant du ton aristocrate et dilettante de cette auguste assemblée, il se sentait plus à l'aise à Manchester, où il accomplissait la majeure partie de son travail, et il associa ses efforts à ceux de Charles Babbage, pour l'aider à fonder la British Association for the Advancement of Science (Association britannique pour l'avancement de la science) dont le but était de mettre la science à la portée de tous. Les newtoniens, orthodoxes sur le plan théologique, se refusaient à croire que Dieu avait nécessairement rendu Ses invisibles « particules élémentaires » invariables ou indestructibles. Ils partageaient l'opinion de Newton, lequel soupçonnait fort que Dieu avait utilisé son pouvoir « pour varier les lois de la nature et créer des mondes de différentes sortes dans diverses parties de l'univers ».

L'atome indestructible de Dalton servit de base à une science naissante de la chimie, lui fournissant ses principes fondamentaux : ses lois de composition constante et de multiples proportions, ses combinaisons des éléments chimiques selon le simple rapport de leurs poids atomiques. « L'analyse et la synthèse chimique ne vont pas au-delà de la séparation des particules les unes d'avec les autres, et de leur réunion, insistait-il. Aucune nouvelle création ou destruction de la matière n'est à la portée des agents chimiques. Autant vaudrait s'efforcer d'introduire une nouvelle planète dans le système solaire ou d'annihiler une de celles qui existent déjà que de créer ou de détruire une particule d'hydrogène. » Il continua à utiliser les lois gouvernant les corps célestes visibles pour l'aider à comprendre l'univers infinitésimal. Le prophétique sir Humphry Davy ne se laissa pas convaincre pour autant. « Il n'y a aucune raison de supposer, dit-il, que l'on a jusqu'à présent découvert un véritable principe indestructible. »

Dalton n'était qu'un Christophe Colomb. Les Vespucci étaient encore à venir et à leur arrivée, ils allaient causer quelques divines surprises et quelques chocs terrifiants. En attendant, pendant un demi-siècle, l'atome solide indestructible de Dalton fut fort utile aux chimistes et servit de point de départ à de fertiles élaborations. Le Français Gay-Lussac démontra que, lorsque les atomes se combinaient, ce n'était pas nécessairement selon le rapport un-pour-un indiqué par Dalton, mais pouvait se faire selon d'autres agencements de nombres entiers. Un chimiste italien, Avogadro (1776-1856), démontra que des volumes égaux de gaz à la même température et à la même pression contenaient des nombres égaux de molécules. Et un chimiste russe, Mendeleïev, proposa une « loi périodique » fort stimulante des éléments. Si ceux-ci étaient rangés dans un ordre de poids atomiques croissants, des groupes d'éléments aux caractéristiques similaires reviendraient périodiquement.

La dissolution de l'atome solide indestructible allait venir de deux sources, l'une familière, l'autre tout à fait nouvelle, à savoir de l'étude de la lumière et de la découverte de l'électricité. Einstein lui-même a décrit ce mouvement comme le déclin d'une vision « mécanique » du monde physique, assorti de l'essor d'une vision « pratique », qui avait contribué à le mettre, lui, sur la voie de la relativité, de nouvelles explications et de nouveaux mystères.

Au mur de son bureau, Einstein avait accroché un portrait de Michael Faraday (1791-1867) et rien n'aurait pu être plus approprié, car ce savant fut le pionnier et le prophète de la grande révision qui allait rendre possible les travaux d'Einstein. Après lui, le monde cessa d'être un univers newtonien de « forces maintenues à distance », d'objets subissant l'attraction mutuelle d'une force de gravité inversement proportionnelle au carré de la distance les séparant. Le monde matériel allait devenir un tableau tentateur de « champs de force » subtils et omniprésents. Tout cela était tout aussi radical que la révolution newtonienne et encore plus difficile à saisir pour l'esprit profane.

Comme la révolution copernicienne dans le domaine de l'astronomie, la révolution « des champs » en matière de science physique allait défier le bon sens et emporter une fois de plus les pionniers de la science dans les « brouillards du paradoxe ». Si Michael Faraday avait reçu une formation de mathématicien, peut-être n'aurait-il pas été si prompt à adopter sa surprenante nouvelle vision des choses. Fils d'un pauvre ferronnier des faubourgs de Londres, il dut gagner sa vie très jeune et en 1801, la guerre ayant fait sérieusement monter les prix, il vécut, dit-on, d'une demi-miche de pain par semaine. Ses parents étaient membres de l'Église sandemanienne, une petite secte écossaise protestante, fondamentaliste et ascétique, qui, comme les quakers, croyait à un clergé laïc et s'opposait à l'accumulation des richesses. Il assistait régulièrement aux offices du dimanche et resta un des anciens de la congrégation presque jusqu'à la fin de sa vie. Dans sa bible, qu'il semble avoir feuilletée avec assiduité, les passages les plus marqués faisaient partie du livre de Job. Il ne reçut presque aucune instruction scolaire, « à peine plus que les rudiments de la lecture, de l'écriture et de l'arithmétique à l'école communale », mais à l'âge de treize ans, il trouva fort heureusement un emploi chez un brave homme d'émigré français, M. Riebau, imprimeur et relieur. Son premier travail fut de livrer les journaux que Riebau prêtait, puis d'aller les rechercher pour les livrer à d'autres clients.

Parmi les livres qui passèrent par l'atelier de Riebau pour y être reliés figurait *The Improvement of the Mind (Le Perfectionnement de l'intelligence)* d'un faiseur de cantiques, Isaac Watts, dont Faraday adopta le système de perfectionnement de soi-même en tenant l'agenda qui allait par la suite devenir son célèbre carnet de laboratoire. Un jour, il reçut à relier un volume de l'*Encyclopaedia Britannica* (3ᵉ éd., 1797), qui comportait un article de cent vingt-sept pages, sur deux colonnes, concernant l'électricité, rédigé par un auteur quelque peu brouillon, un certain « Mr James Tytler, chimiste ». Après avoir démoli les théories mono-fluide et bi-fluide de l'électricité, qui faisaient alors autorité, Tytler déclarait que l'électricité n'était pas du tout une espèce de flot matériel mais une sorte de vibration, semblable à la lumière et à la chaleur. Ce fut cette suggestion fort alléchante qui incita Faraday à se lancer à la poursuite de la science.

En 1810, il commença à assister à des conférences publiques offertes par la City Philosophical Society, puis aux conférences de sir Humphry Davy à la Royal Institution. En décembre 1811, Faraday se signala à l'attention de Davy, en lui adressant les notes soigneusement reliées et merveilleusement écrites, prises lors de ces conférences, accompagnées de la demande d'un poste d'assistant. Au mois d'octobre précédent, Davy avait été frappé de cécité temporaire, à la suite d'une explosion dans son laboratoire, et il avait donc besoin d'un factotum. Il engagea Faraday, aux termes d'une guinée par semaine, plus un logement de deux pièces, situé tout en haut du siège de l'institution, son combustible et ses chandelles, ses tabliers de laboratoire et le droit de se servir de tout le matériel. A l'âge de vingt ans, Faraday se retrouva donc installé dans le laboratoire d'un des plus grands chimistes de l'époque, libre d'y faire toutes les expériences qu'il voulait. Le rêve était devenu réalité !

Sir Humphry et lady Davy parachevèrent l'éducation de leur jeune protégé en l'emmenant faire avec eux, en 1813-1814, un long voyage à travers l'Europe, séjournant principalement en France et en Italie, rendant visite à des savants et lui donnant ainsi l'occasion de partager les espoirs et les doutes de son volubile protecteur. Lorsque le jeune homme regagna l'Angleterre, en avril 1815, Davy l'avait vacciné contre les généralisations trop faciles et avait ranimé sa passion pour les expériences. De retour au laboratoire, il testa les huiles de chauffage et d'éclairage et finit par découvrir le benzène. Il fabriqua le premier composé connu du chlore et du carbone, qui devint l'éthylène, résultat de la première substitution-réaction connue. Il fut l'un des pionniers des alliages d'acier. Une commande de la Royal Society allait se révéler cruciale pour la suite de son existence ; on lui demanda de produire un nouveau verre optique « lourd », possédant un indice de réfraction fort élevé, qui serait particulièrement utile pour les expériences en lumière polarisée.

Le tempérament optimiste de Faraday fut renforcé par une union heureuse avec la sœur d'un homme qu'il avait rencontré à la City Philosophical Society. Sarah Bernard ne partagea jamais l'intérêt scientifique qui empêchait, la nuit, son mari de dormir, mais elle se disait heureuse de servir « d'oreiller à son esprit ».

Ses précoces succès éveillèrent même la jalousie de son mentor. En 1824, lorsque l'on proposa d'élire Faraday membre de la Royal Society, pour sa tentative réussie de faire passer le chlore à l'état liquide, Davy s'opposa à son élection et revendiqua lui-même tout le mérite de cette opération. Faraday fut néanmoins élu.

Davy avait été intrigué par de récentes tentatives théoriques d'adapter les idées de Newton aux besoins du chimiste dans son laboratoire. La plus séduisante d'entre elles était la théorie des « points-centres » de Boscovich, qui avait décrit l'atome non pas comme une minuscule boule de billard de matière impénétrable, mais comme un centre de forces. Si les « particules élémentaires » de matière étaient d'une nature analogue, peut-être serait-il possible d'expliquer ainsi l'interaction des éléments chimiques, leurs « affinités » et les façons de fabriquer des composés stables.

Boscovich avait limité sa suggestion radicale aux éléments chimiques. Lorsque, par hasard, la passion de Faraday pour les expériences se porta sur le terrain vierge de l'électricité, il fut à nouveau attiré par la théorie de

Boscovich. En 1821, un ami lui demanda d'écrire, pour le *Philosophical Magazine,* un article détaillé expliquant l'électromagnétisme au grand public. L'intérêt des gens avait été éveillé l'été précédent, lorsque le savant danois Hans Christian Oersted (1777-1851) avait montré, durant la démonstration qui accompagnait une de ses conférences vespérales, qu'un fil chargé de courant permettait de faire bouger une aiguille magnétique. Se fiant au témoignage d'Oersted, Faraday conçut un appareil fort simple, consistant en deux vases remplis de mercure, un fil chargé de courant et deux aimants cylindriques. Par son intermédiaire, il fit une élégante démonstration de la rotation électromagnétique, prouvant du même coup qu'un fil chargé du courant tournait autour du pôle d'un aimant et vice versa. Peut-être Faraday commençait-il à se douter que, Dieu sait comment, tout autour d'un fil chargé de courant se trouvaient des lignes de force circulaires. Peut-être aussi était-il possible de convertir les forces du magnétisme et de l'électricité. Il fut sans doute fort heureux que Faraday, en étant arrivé là de ses réflexions, ne fût pas un mathématicien très chevronné, sans quoi il aurait fort bien pu emprunter la voie traditionnelle suivie par le prodige français, André Marie Ampère (1775-1836), et tenter d'expliquer l'électromagnétisme tout simplement au moyen d'une formulation mathématique des centres de force newtoniens. La vision naïve que Faraday avait de ces problèmes lui permit d'adopter un autre point de vue.

Sans le vouloir, il avait déjà effectué la première conversion jamais enregistrée d'énergie mécanique en énergie électrique. C'était, bien sûr, le pas crucial en direction du moteur et du générateur électriques, avec toutes les transformations qu'ils allaient entraîner pour la vie quotidienne. Encore une fois, une révolution scientifique allait dépendre d'un véritable défi au bon sens. Aussi surprenant que cela pût paraître, la puissance d'un aimant, à l'encontre de la force de gravitation newtonienne, n'était pas concentrée dans un objet massif d'où émanaient des lignes droites de force à distance. Tout au long de nombreuses expériences postérieures à 1821, Faraday commença à discerner un phénomène bizarre, à entrevoir la possibilité que l'aimant et le courant électrique créaient, d'une façon ou d'une autre, un « champ de force ».

Jouissant de la vision naïve de l'amateur, il ne se laissa pas séduire par les formules mathématiques de ce Newton tant adulé. Les expériences qu'il fit au cours des vingt-cinq années suivantes — depuis ses premiers fils et aimants décrivant des rotations dans des vases de mercure jusqu'aux grandes lignes prophétiques d'une théorie moderne des champs — allaient finalement ouvrir la voie à une vision nouvelle de l'univers. Durant tout ce temps, Faraday allait être mû tout simplement par sa foi sandemanienne dans l'unité et la cohérence de la création divine.

En 1831, lorsqu'il apprit qu'à Albany, dans l'État de New York, Joseph Henry avait inversé la polarité d'électroaimants en inversant la direction du courant électrique, il se lança dans ses propres expériences. Il voulait montrer comment un aimant mobile était capable de fabriquer du courant électrique. Grâce à une expérience étonnamment simple, qui faisait passer une décharge électrostatique à travers une ficelle mouillée, il parvint à démontrer que l'électricité statique n'était pas essentiellement différente des autres sortes, et par conséquent que toutes les formes d'électricité connues étaient identiques. Puis, au moyen de ses expériences d'électrochimie, il démontra que le pouvoir décomposant de l'électricité était directement proportionnel à la quantité d'électricité en solution, et par conséquent que l'électricité devait être d'une façon ou d'une autre la force de l'affinité chimique. Au moyen d'un morceau de buvard imbibé d'iodure de potassium, il effectua une décharge électrostatique dans l'air, portant ainsi un coup fatal à la théorie, fondée sur les principes de Newton, selon laquelle l'électricité, tout comme la gravitation, était une force qui s'exerçait d'un « pôle » à un autre. Il tenait là autant d'indices prouvant l'existence de particules et de champs électriques, lesquels ouvraient la voie vers des champs de force et laissaient entrevoir la possibilité de convertir les forces et l'unité de tous les phénomènes.

En 1838, Faraday possédait suffisamment d'éléments pour fonder une nouvelle théorie de l'électricité. Il mit au point tout un vocabulaire nouveau où l'on trouvait des mots tels qu'« électrode », « cathode » et « électrolyse ». Peut-être, hasarda-t-il, les forces électriques étaient-elles intermoléculaires et l'électricité transférait-elle d'une façon quelconque l'énergie sans pour autant transférer la matière. Répugnant à utiliser le terme « courant », en raison de ses connotations mécaniques, il décrivit ce transfert comme un processus durant lequel de minuscules particules étaient mises sous pression, laquelle était alors transmise de particule en particule.

Après un pénible intervalle de cinq ans, durant lequel il sembla que son esprit avait été irrémédiablement épuisé par ces années de travaux ininterrompus, Faraday reprit le dessus pour accomplir le pas crucial dans la suite de ses expériences. A cette époque, le jeune William Thomson (1824-1907), qui devait devenir célèbre sous le nom de lord Kelvin, était fort occupé à se poser des questions sur la nature de l'électricité et la difficulté de l'incorporer au modèle newtonien. En août 1845, il écrivit à Faraday, pour lui expliquer qu'il était parvenu à donner une forme mathématique à sa notion des lignes de force et lui suggérer de nouvelles expériences. Aucun des éminents physiciens de l'époque n'avait voulu se laisser persuader par Faraday.

Thomson, cependant, qui n'avait encore que vingt et un ans, restait ouvert à des possibilités encore plus vastes. S'il existait réellement des lignes et des champs de force, ne pouvait-on concevoir des expériences prouvant une parenté entre l'électricité et la lumière ? Faraday décida de poursuivre cette hypothèse saugrenue. Au début, les difficultés parurent insurmontables. « Seule la plus inébranlable conviction que la lumière, le magnétisme et l'électricité devaient être liés... me poussa à reprendre le sujet et à persévérer. »

Le 13 septembre 1845, Faraday tenta de faire passer un rayon lumineux à travers un morceau de « verre lourd » possédant un indice de réfraction très élevé, qu'il avait fabriqué quelque quinze jours auparavant, et jusque dans le champ d'un puissant électroaimant. « Un effet fut produit sur le rayon polarisé, nota-t-il avec satisfaction, ce qui prouve que la force magnétique et la lumière ont un rapport mutuel. Ce fait s'avérera vraisemblablement très fertile. » Il fut rassuré de découvrir que l'angle de rotation du rayon lumineux était directement proportionnel à la puissance de la force électromagnétique.

Faraday trouvait à présent son ancienne métaphore de « pression » interparticulaire insuffisante et il proposa le terme « flot de puissance », l'électroaimant étant une « demeure des lignes de force ». En comparant l'action de différentes substances sur le passage de la force magnétique, il établit un contraste entre les « paramagnétiques », bons conducteurs de force, et les « diamagnétiques », mauvais conducteurs. Il démontra ensuite que ses « lignes de force » n'étaient pas polaires (dirigées vers le pôle le plus proche) comme l'auraient suggéré les anciennes théories newtoniennes, mais revêtaient la forme de courbes continues. Son importante conclusion, axiome de la théorie moderne « des champs » en physique, fut que l'énergie de l'aimant ne résidait pas dans l'aimant lui-même mais dans le champ magnétique.

Faraday avait tracé les grandes lignes d'un nouveau monde invisible tout à fait surprenant. Parmi ces infinitésimaux champs de forces exercées par de mystérieuses et minuscules entités, les physiciens modernes allaient découvrir leur nouveau monde et leurs obscurs continents, ainsi que les secrets d'une unité et d'un mystère de phénomènes encore plus vastes. « Je nourris depuis longtemps l'opinion, laquelle équivaut presque à une conviction, écrivit Faraday à la Royal Society en 1845, que je partage d'ailleurs, à ce que je crois, avec de nombreux autres amoureux de la science de la nature, que les diverses formes sous lesquelles les forces de la matière sont rendues manifestes ont une origine commune ; ou, en d'autres termes, sont si directement liées et mutuellement dépendantes qu'il est possible de les convertir, pour ainsi dire, l'une dans l'autre, et possèdent des équivalences de puissance dans leur action. Au cours des temps modernes, on a accumulé dans une très grande mesure des preuves de cette convertibilité et on a commencé à déterminer leurs forces équivalentes. »

La succession de preuves prédite par Faraday fut mise en branle et subit un mouvement d'accélération croissant au siècle suivant. Les communications entre scientifiques étaient plus régulières et leurs réussites plus collectives qu'elles ne l'avaient jamais été. Parfois, c'était par pur hasard que l'un ou l'autre revendiquait (ou se voyait attribuer) le mérite d'avoir fait le pas décisif. Les découvertes de Faraday avaient été le produit d'un esprit non mathématique, mais ce ne fut cependant qu'en recevant une forme mathématique que la théorie des champs devint si persuasive. Cette forme lui fut donnée par un admirateur de Faraday, James Clerk Maxwell (1831-1879), qui transforma les « lignes » ou « tubes » de force de son idole en description mathématique d'un champ continu. Tout comme Newton avait su donner une forme mathématique aux géniales intuitions de Galilée, Maxwell sut par ses équations, comme le nota Einstein, en faire autant pour Faraday. La formulation de ces équations fut, selon Einstein et son collaborateur Leopold Infeld, « l'événement le plus important dans le domaine de la science physique depuis l'époque de Newton, non seulement à cause de la richesse de leur contenu, mais aussi parce qu'elles fournissent un modèle pour un nouveau type de loi ». Les caractéristiques de ces équations allaient apparaître « dans toutes les autres équations de la physique moderne ». Elles allaient aussi servir de base à la propre théorie de la relativité d'Einstein.

Dans la révision de la physique newtonienne et la dissolution de l'atome « indestructible », la prochaine grande étape après Faraday vint avec la découverte des rayons cathodiques, des rayons X et de la radioactivité. Les indices menant à l'électron furent suivis par J.J. Thomson (1856-1940), qui découvrit de minuscules particules invisibles de masse uniforme, n'équivalant qu'à dix-huit centièmes de celle de l'atome d'hydrogène, laquelle était encore à l'époque la masse la plus légère dont on eût connaissance.

En 1911, Ernest Rutherford (1871-1937) découvrit un noyau atomique qu'il livra aux explorations de la génération suivante, tout comme sa génération avait exploré l'électron.

Les mystères de l'atome se multipliaient avec chaque nouvelle découverte. Les limites des mathématiques étaient révélées de plus en plus nettement. Dans l'esprit d'Einstein, l'unité des phénomènes — le but recherché par Dalton et Faraday — entraînait des problèmes et paradoxes « scientifiques » situés au-delà de la connaissance antérieure de quiconque hormis les philosophes hermétiques. De même que les physiciens illustraient leur atome par des systèmes planétaires et célestes, l'infinitésimal offrait certains indices concernant l'infini. Le temps et l'espace se réunirent pour former une seule énigme fascinante, ce qui amena Einstein à conclure que « le mystère éternel du monde, c'est son intelligibilité ».

# QUELQUES RÉFÉRENCES

Ces notes aideront le lecteur à remonter quelques-uns des chemins de la découverte, que j'ai trouvés particulièrement gratifiants. J'en profiterai pour indiquer mes dettes les plus importantes vis-à-vis d'autres chercheurs. J'ai fait une sélection d'ouvrages que l'on pourra, pour la plupart, trouver dans de bonnes bibliothèques, municipales ou universitaires. J'ai volontairement omis nombre de monographies spécialisées et d'articles publiés dans des revues savantes. On trouvera plus de détails sur les sources et références dans l'exemplaire de mon manuscrit déposé à la bibliothèque du Congrès à Washington D.C. Après une partie générale, les sujets ci-après sont traités par chapitre dans l'ordre du livre.

## GÉNÉRALITÉS

En écrivant ce livre, j'étais entouré de dictionnaires et d'encyclopédies qui m'ont aidé pour les sujets que j'avais choisis et m'ont entraîné vers d'autres sujets et personnes que je n'avais pas songé à explorer. L'*Encyclopaedia Britannica,* que j'ai eue assez tard dans mes recherches, a été une véritable bénédiction et m'a délicieusement ouvert les yeux grâce à une bibliographie parfaitement à jour que je n'ai cessé de consulter. Moi qui suis un vieil aficionado des dictionnaires, ouvrages de référence et autres traités généraux, je n'ai jamais trouvé mieux pour repérer les ouvrages essentiels. Et puis il n'y a aucune excuse à ne pas poursuivre une pensée fugitive ou à ne pas vérifier un fait étonnant ou incertain. Parmi les ouvrages spécialisés indispensables, j'ai tout particulièrement apprécié : l'énorme *Dictionary of Scientific Biography* (C.C. Gillispie éd., 16 vol., 1970-1980) ; *A History of Technology* (Charles Singer, etc., 5 vol., 1967 ; et Trevor L. Williams, éd., sur le XX^e siècle, 2 vol., 1978) ; *The International Encyclopaedia of Social Sciences* (Edwin R.A. Seligman, 15 vol., 1930-1934) ; *Encyclopaedia of Religion and Ethics* (James Hastings, 12 vol.). Pour qui lit l'anglais, il existe une source inépuisable, c'est l'*Oxford English Dictionary* (James A.H. Murray, etc., 13 vol., 1930) et son supplément (R.W. Burchfield, 1972).

Je dois beaucoup au colossal Joseph Needham pour toute son œuvre, mais tout spécialement son inégalée *Science and Civilization in China* (8 vol., et d'autres à venir, 1954) (voir *La Science et l'Occident, Le Grand Tirage,* 1977, Seuil), sans compter ses ouvrages plus courts, référencés ci-après. On ne saurait montrer le plus petit intérêt pour l'Histoire ou pour la Chine et manquer de goûter les délices de Needham, qui a mené à bien une très grande entreprise des temps modernes sur le plan diplomatique et intellectuel.

On trouvera nombre des principaux textes des découvreurs dont je traite dans les beaux et remarquables volumes des *Great Books of the Western World* (publiés par *Encyclopaedia Britannica,* Robert Maynard Hutchins, 54 vol., 1952).

On trouvera des chronologies très pratiques dans : *An Encyclopaedia of World History* (William L. Langer, 5e éd., 1968) ; *Chronology of the Modern World* (Neville Williams, 1967) ; *The Timetables of History* (Bernard Grun, 1975). Pour la géographie : *Le Grand Atlas de l'histoire mondiale* (Geoffrey Barraclough), 1981, Albin Michel.

Des revues spécialisées telles qu'*Isis*, dans le domaine de l'histoire de la science, *Speculum,* pour le Moyen Age, le *Journal of the History of Ideas,* et l'*American Historical Review,* des documents que l'on trouvera en bibliothèque aideront à trouver des éléments sur des sujets et des personnes précis.

## LIVRE I : LE TEMPS

S'il a hanté les philosophes et produit certains de leurs écrits les plus mystérieux et les plus abscons, le temps n'a guère intéressé les grands historiens en tant que concept ; ils se sont satisfaits d'en relater les symptômes. Les ouvrages les plus intéressants et les plus compréhensibles comprennent : James T. Fraser, *The Voices of Time* (1966), qui fait le bilan des significations du temps selon les différentes disciplines, et *Of Time, Passions and Knowledge* (1975) ; Harold A. Innis, *Changing Concepts of Time* (1952), le point de vue d'un historien ; l'étonnant *Time and Western Man* (1957) de Wyndham Lewis, une perspective littéraire ; Richard M. Gale, *The Philosophy of Time* (1968) ; R.G. Collingwood, *The Idea of History* (1946), à la frontière entre le temps philosophique et le temps historique.

### PREMIÈRE PARTIE : L'EMPIRE CÉLESTE

On trouvera un agréable point de départ avec O. Neugebauer, *The Exact Sciences in Antiquity* (2e éd., 1969), avec le très vivant essai de George Sarton, *Ancient Science and Modern Civilization* (1954). Inégalée et fort détaillée, l'étude en deux volumes de George Sarton *A History of Science* (1952 ; 1959) conduit l'histoire de l'ancienne Égypte et de la Mésopotamie jusqu'à l'ère chrétienne. D'autres ouvrages plus spécialisés sont ceux de F.H. Colson, *The Week* (1974) ; Martin P. Nilsson, *Primitime Time-Reckoning* (1920) ; F.A. B. Ward, *Time Measurement* (1958) ; Lawrence Wright, *Clockwork Man* (1969) ; Peter Hood, *How Time Is Measured* (1969) ; Kenneth G. Irwin, *The 365 Days* (1963).

Sur l'astrologie, il n'est guère aisé de distinguer les écrits des partisans de ceux des historiens. Parmi les ouvrages utiles d'ordre général, on peut consulter : Jack Lindsay, *Origins of Astrology* (1971) ; Ellen McCaffery, *Astrology, Its History and Influence in the Western World* (1970) ; Christopher MacIntosh, *L'Astrologie dévoilée*, 1974, Fayard ; Eric Russel, *Astrology and Prediction* (1972) ; Mark Graubard, *Astrology and Alchemy* (1953) ; on aura peut-être une meilleure approche du sujet à travers le pouvoir impressionnant de l'astrologie dans des lieux et places déterminés, par exemple : le petit classique de Franz Cumont, *Astrology and Religion among the Greeks and Romans* (1912) ; Theodore O. Weden, *The Medieval Attitude toward Astrology, Particularly in England* (1974) ; Eustace F. Bosanquet, *English Printed Almanacs and Prognostications* (1917) ; Don Cameron Allen, *The Star-Crossed Renaissance* (1966). Le phénomène Nostradamus, difficile à croire mais sur lequel on a beaucoup écrit, peut être suivi dans *Nostradamus : Life and Literature* d'Edgar Leoni (1961) ; son influence sur Hitler et les nazis dans : Louis de Wohl, *Je suis mon étoile* (1937) et *Sterne, Krieg und Frieden* (1951) ; Wilhelm Wulff, *Zodiac und Swastika* (1973) ; Ellic Howe, *Astrology and Psychological Warfare During World War II* (1972). Dans *Cette nuit la liberté*, 1983, Laffont, Dominique Lapierre et Larry Collins décrivent comment l'astrologie a contribué à décider du jour et de l'heure de l'indépendance de l'Inde en août 1947. Pour d'autres aspects de l'influence de l'astrologie sur les événements, voir : Harold Spencer Jones, *The Earth as a Clock* (1939) ; Theodor Gaster, *New Year : Its History, Customs, and Superstitions* (1955) ; Ruth S. Freitag, *The Star of Bethlehem : A List of References* (Library of Congress, 1979).

### DEUXIÈME PARTIE : DU TEMPS SOLAIRE AU TEMPS DE L'HORLOGE

Le cadran solaire a inspiré des écrits plus sentimentaux que scientifiques, mais on trouvera quelques faits sérieux dans : Alice Morse Earle, *Sun Dials and Roses of Yesterday* (1902) ; Winthrop W. Dolan, *A Choice of Sundials* (1975) ; Roy K. Marshall, *Sundials* (1963).

L'histoire des horloges et de leur fabrication a intéressé fanatiques et collectionneurs, mais elle a aussi passionné et inspiré les meilleurs historiens de la science. On ne saurait lire *Horloges et Culture : 1300-1700* (1967) de Carlo M. Cipolla sans avoir envie de consulter les ouvrages suivants : H. Alan Lloyd, *The Collector's Dictionary of Clocks* (1964) ; Roger Burlingame, *Dictator Clock : 5 000 Years of Telling Time* (1966) ; E.J. Tyler, *The Craft of the Clockmaker* (1972) ; Enrico Morpurgo, *Gli Orologi* (1966) et *L'Origine dell'Orologio Tascabile* (1954). On trouvera un plaisir sans fin dans le détail, que l'on explorera dans : G.H. Baillie, *Clocks and Watches, 1400-1900* (1967) ; Donald de Carle, *British Time* (1947) ; Herbert Cescinsky, *The Old English Master Clock-makers and their Clocks, 1670-1820* (1938) ; Maurice Daumas, *Les Grandes étapes du progrès technique*, 5 vol. (1960, P.U.F.) ; Ernest L. Edwardes, *Weight-driven Chamber Clocks of the Middle Ages and Renaissance* (1965) ; Robert Silverberg, *Clocks for the Ages : How Scientists Date the Past* (1971) ; Robert S. Woodbury, *History of the Gear-Cutting Machine* (1958). Les monographies et articles scientifiques de Silvio A. Bedini publiés par l'American Philosophical Society nous entraînent dans des épisodes négligés de l'histoire de la mesure du temps, par exemple : *The Scent of Time : A Study of the Use of Fire and Incense for Time Measurement in Oriental Countries* (1963) et (avec Francis Maddison) *Mechanical Universe : The Astrarium of Giovanni de' Dondi* (1966).

Pour le rôle de la mesure du temps dans les temps anciens, le lecteur aura plaisir à lire les chercheurs des dernières décennies : Henri Frankfort, *The Birth of Civilization in the Near East* (1956) et (en collaboration) *The Intellectual Adventure of Ancient Man* (1946) ; Samuel N. Kramer, *L'Histoire commence à Sumer*, 1961,

Arthaud ; Georges Contenau, *La Vie quotidienne à Babylone et en Assyrie* (1954) ; Svend Pallis, *The Babylonian Akitu Festival* (1926) ; James H. Breasted, *Development of Religion and Thought in Ancient Egypt* (1912) ; John A. Wilson, *The Culture of Ancient Egypt* (1951) et *The Burden of Egypt* (1973) ; Jon M. White, *Everyday Life on Ancient Egypt* (1973) ; C.M. Bowra, *L'Expérience grecque*, 1970, Fayard ; Jerome Carcopino, *La Vie quotidienne à Rome à l'apogée de l'Empire*, 1975, Hachette, 1983, L.G.F. ; Seyyed Hossein Nasr, *An Introduction to Islamic Cosmological Doctrines* (1978) ; Jacques Le Goff, *La Civilisation de l'Occident médiéval*, 1972, Arthaud, 1981, Flammarion ; H.S. Bennett, *Life on the English Manor* (1974) ; Victor W. von Hagen, *The Ancient Sun Kingdoms* (1973) ; Miguel Leon-Portilla, *Time and Reality in the Thought of the Maya* (1973).

Sur les calendriers et les almanachs en général, voir : James C. MacDonald, *Chronologies and Calendars* (1897) ; Broughton Richmond, *Time Measurement and Calendar Construction* (1956) ; W.M. O'Neil, *Time and the Calendars* (1975) ; P.W. Wilson, *The Romance of the Calendar* (1937). Sur des périodes spécifiques : Richard A. Parker, *The Calendars of Ancient Egypt* (1950) ; Benjamin D. Meritt, *The Athenian Year* (1961) ; Agnes K. Michels, *The Calendar of the Roman Republic* (1967) ; Arnold Palmer, *Movable Feasts* (1952).

Pour les débuts de la montre portable et de la mesure du temps en mer, commencer avec Derek Howse, *Greenwich Time and the Discovery of the Longitude* (1980). Pour voir comment le capitaine Cook a démontré l'utilité de la pendule de Harrison, consulter le passionnant ouvrage de J.C. Beaglehole, *Life of Captain James Cook* (1974), ainsi que d'autres livres mentionnés ci-après, huitième partie.

### TROISIÈME PARTIE : L'HORLOGE MISSIONNAIRE

On pourra lire à ce sujet le journal du remarquable père Matteo Ricci, *La Chine au XVIe siècle : Journal de Matteo Ricci : 1583-1610,* et Vincent Cronin, *Le Sage venu de l'Occident*, 1957, Albin Michel. Les ouvrages qui font aujourd'hui autorité sur Ricci sont : Pasquale d'Elia, *Documenti Originali Concernanti Matteo Ricci* et *La Storia delle Prime Relazioni tra l'Europa e la Cina* (1949) et *Storia dell'Introduzione des Cristianesimo in Cina* (3 vol., 1949). Il existe une introduction très accessible au monde oriental dans lequel est entré Ricci ; il s'agit de *Barbarians and Mandarins* (1976) de Nigel Cameron. Pour une documentation spécifique sur la Chine, commencer par Joseph Needham, Wang Ling et Derek J. Price, *Heavenly Clockwork : the Great Astronomical Clocks of Medieval China — a Missing Link in Horological History* (1960), et Joseph Needham, *Clerks and Craftsmen in China and the West* (1970) et *La Science chinoise et l'Occident*, 1973, Seuil ; puis Dennis Bloodworth, *The Chinese Looking Glass* (1980) ; Derek Bodde, *Essays on Chinese Civilization* (1981) ; Nigel Cameron et Brian Brake, *Peking : A Tale of Three Cities* (1965) ; C.P. Fitzgerald, *China : A Short Cultural History* (1976) ; Jacques Gernet, *La Vie quotidienne en Chine à la veille de l'invasion mongole,* 1978, Hachette ; Dun J. Li, *The Ageless Chinese* (1965) ; Shigeru Nakayama et Nathan Sivin, *Chinese Science* (1973) ; Jonathan D. Spence, *To Change China : Western Advisers in China 1620-1960* (1969). Sur les missionnaires chrétiens, voir : Kenneth Scott Latourette, *A History of Christian Missions in China* (1929) et Columba Cary-Elwes, *China and the Cross* (1956). Pour un contexte chinois plus vaste, voir : Haline Nakamura, *Ways of Thinking of Eastern Peoples : India-China-Tibet-Japan* (1964) et Donald F. Lach et Carol Flaumenhaft, *Asia on the Ere of Europe's Expansion* (1965).

## LIVRE II : LA TERRE ET LES MERS

### QUATRIÈME PARTIE : UNE GÉOGRAPHIE DE L'IMAGINAIRE

Les géographes nous ont donné quelques histoires à la fois remarquables et parfaitement lisibles sur leur sujet, notamment : Lloyd A. Brown, *The Story of Maps* (1949) ; Leo Bagrow, *History of Cartography* (1974) ; John Kirtland Wright, *Human Nature in Geography* (1966) ; E.G.R. Taylor, *Ideas on the Shape, Size and Movements of the Earth* (1943). Pour ces chapitres et ceux qui suivent immédiatement, nous avons la chance d'avoir *Dawn of Modern Geography* de Raymond Beazley (3 vol., 1949), plein d'anecdotes et de citations des sources. Pour les croyances géographiques et les mythes de l'Antiquité, commencer avec John F. Blake, *Astronomical Myths* (1877), fondé sur l'*Histoire du ciel* de l'astronome Camille Flammarion (1842-1925) ; puis C.J. Bleeker, *Egyptian Festivals : Enactments of Religious Festivals* (1967) ; Jean-Pierre Babard, *La Symbolique du monde souterrain* (1973) ; E.H. Bunbury, *A History of Ancient Geography* (2 vol., 1879) ; Richard J. Clifford, *The Cosmic Mountain in Canaan and the Old Testament* (1972) ; Franz Cumont, *After Life in Roman Paganism* (1922) ; sir James G. Frazer, *Le Rameau d'or* (4 vol., 1981-1984, Laffont, « Bouquins ») ; William A. Heidel, *The Frame of Ancient Greek Maps* (1976) ; Edna Kenton, *The Book of Earths* (1928), une anthologie très maniable des différentes vues de la terre ; John H. Rose, *The Mediterranean in the Ancient World* (1969) ; J. Oliver Thomson, *History of Ancient Geography* (1965) ; E.H. Warmington, *Greek Geography* (1973). Sur la géographie médiévale et postmédiévale : Ernest Brehaupt, *An Encyclopedist of the Dark Ages, Isidore of Seville* (1964) ; Georges Duby, *Le Temps des cathédrales, l'Art et la société*, 1978, Gallimard ; George H.T. Kimble, *Geography in the Middle Ages* (1938) ; David C. Lindberg (éd.), *Science in the Middle Ages* (1978) ; Henry Osborn Taylor, *The Mediaeval Mind* (2 vol., 1930) ; Paget Toynbee, *Dante Alighieri* (1924) ; John Kirtland Wright, *The Geographical Lore of the Time of the Crusades* (1965). Sur la Chine, parallèlement aux ouvrages de Joseph Needham mentionnés ci-dessus, voir Karl A. Wittfogel, *Despotisme Oriental* (1957) et Ulrich Libbrecht, *Mathématiques chinoises au XIII^e^ siècle* (1973). Pour des articles concernant la plupart de ces sujets, consulter l'index d'Imago Mundi : *A Review of Early Cartography* (fondé par Leo Bagrow en 1935 à Gravenhage, Pays-Bas).

Au sujet de la Montagne Sacrée et de la route du ciel : André Parrot, *La Tour de Babel*, 1970, Labor-Fides ; Raphael Patai, *Man and Temple in Ancient Jewish Myth and Ritual* (1967) : I.E.S. Edwards, *Les Pyramides d'Égypte*, 1981, Tallandier ; Debala Mitra, *Monuments bouddhistes* (1971) ; Elizabeth B. Moynihan, *Paradise as a Garden : In Persia and Mughal India* (1979) ; Evrard de Rouvre, *Grands Sanctuaires*, 1960.

### CINQUIÈME PARTIE : LES ROUTES DE L'ORIENT

La meilleure introduction au phénomène humain universel qu'est le pèlerinage est le brillant et élégant ouvrage de Diana L. Eck, *Banaras : City of Light* (1982). Sur les pèlerins et pèlerinages en Europe : William C. Barck, *Origins of the Medieval*

*World* (1960) ; William Boulting, *Four Pilgrims* (1920) ; John Gardner, *The Life and Times of Chaucer* (1977) ; Vera et Helmut Hall, *Le grand pèlerinage du Moyen Age : la route de Saint-Jacques-de-Compostelle* (1966) ; J.J. Jusserand, *English Wayfaring Life in the Middle Ages* (1950) ; Alan Kendall, *Medieval Pilgrims* (1970) ; Thomas D. Kendrick, *St James in Spain* (1960) ; Herbert N. Wethered, *The Four Paths of Pilgrimage* (1968), ainsi que les publications de la Palestine Pilgrims' Text Society. Pour avoir une idée de ce qu'étaient les pèlerins, voir, en dehors de Eck : Pierre Cabanne, *Les longs cheminements : les pèlerins de tous les temps et de toutes les croyances* (1958) ; Samuel Beal, *Voyages de Fah-hian et Sung-yun, pèlerins bouddhistes, de Chine en Inde* (400 apr. J.-C. et 518 apr. J.-C.) ; Maurice Gaudefroy-Demombynes, *Le Pèlerinage à La Mecque* (1923) ; Oliver Statler, *Japanese Pilgrimage* (1983).

Les croisades ont suscité le talent narratif et analytique des historiens modernes, par exemple dans la passionnante *History of the Crusades* (3 vol., 1971) de Steven Runciman, qui met en scène les croisés sans pour autant faire du roman. On trouvera une étude condensée des différentes attitudes face aux croisades dans *The Crusades : Motives and Achievements* (1964) (James A. Brundage, ed.) ; étude poussée plus avant dans Ernest Baker : *The Crusades* (1971) ; les ouvrages très toniques de Aziz S. Atiya *Crusades, Commerce and Culture* (1962) et *The Crusade in Later Middle Ages* (1970) ; Kenneth M. Setton (ed.) *History of the Crusades* (1969-) en plusieurs volumes. *Les Mémoires des croisades* de Villehardouin et du sire de Joinville sont parfaitement accessibles. On trouvera dans « The Speech of Pope Urban II at Clermont, 1095 », de Dana C. Munro, publié par *The American Review*, vol. II (1906) pp. 231-242, une étude sur le problème de l'appréhension du langage parlé dans le passé reculé.

Sur l'histoire des Mongols, la littérature est peu abondante, mais vivante encore que, somme toute, plutôt indifférente : Walter J. Fischel, *Ibn Khaldun and Tamerlane* (1952) ; René Grousset, *Le Conquérant du monde*, 1983, Albin Michel ; Walther Heissig, *Les Mongols, un peuple à la recherche de son histoire*, 1982, Lattès ; Harold Lamb, *Tamerlane* (1928) ; Bertold Spuler, *Les Mongols dans l'histoire*, 1981, Payot ; Leonardo Olschki, *Guillaume Boucher : A French Artist at the Court of the Khans* (1946) ; John Ure, *The Trail of Tamerlane* (1980).

Afin de suivre les voyageurs vers l'Est, le lecteur trouvera d'authentiques récits plus inaccessibles que les imaginaires. On trouvera le récit de William de Rubruck dans un volume de la Haklyut Society (2e série, n° IV, 1900) réimprimé par Kraus (1967), comme les *Mandeville's Travels* (2e série, n° I, 1953) réimprimé par Kraus (1967). Voir aussi : Sir John Mandeville, *The Voiage and Travayle of Syr John Mandeville Knight, with The Journall of Frier Odoricus* (Dutton, 1928). Puis suivre la carrière des mystérieux faussaires et charlatans dans : Josephine W. Bennett, *The Rediscovery of Sir John Mandeville* (1954) ; Robert Silverberg, *The Realm of Prester John* (1972) ; Vsevolod Slessarev, *Prester John : The Letter and the Legend* (1959).

Quant à Marco Polo, on pourra lire *Le Devisement du monde. Le Livre des merveilles* (2 vol., 1980, La Découverte) ; *Le Livre de Marco Polo, citoyen de Venise, conseiller privé et commissaire impérial de Khoubilaï-Khaân. Rédigé en français sous sa dictée en 1298 par Rusticien de Pise*. Paris, 1865, 2 vol. en 1. Fac-similé, Statkine ; *Le Million*, 1965, Del Duca ; *Véridiques mémoires de Marco Polo*, 1983, J'ai Lu ; *Le Voyage de Marco Polo*, 1979, Lito. On trouvera par ailleurs un récit très vivant d'un voyageur du XXe siècle sur les traces de Marco Polo avec Jean Bowie Shor, *After You Marco Polo* (1955).

Pour une vue plus large, on pourra se référer à l'énorme et passionnant ouvrage de Donald F. Lach, *Asia in the Making of Europe* (5 vol., 1965-1977).

SIXIÈME PARTIE : DOUBLER LE MONDE

Les historiens de la mer ont souvent été eux-mêmes des marins acharnés, grâce à quoi l'histoire de la mer est souvent une littérature particulièrement vivante. Leurs écrits constituèrent aussi, de ce fait, une arme puissante dans la bataille mondiale pour la suprématie maritime. Voir, par exemple, Emily M. Beck, *Sailor Historian : The Best of Samuel Eliot Morison* (1977). Le plaidoyer éloquent et partisan de Morison en faveur de Christophe Colomb et des marins espagnols n'a d'égal que celui d'Armando Cortesão en faveur des Portugais, comme dans *The Mystery of Vasco de Gama* (1973). Pour un champ plus vaste, voir Lionel Casson, *Ships and Seamanship in the Ancient World* (1971) et Vincent H. Cassidy, *The Sea Around Them : The Atlantic Ocean, A.D. 1250* (1968). On trouvera avec *Bateau,* de Björn Landström (1963, Compas), une excellente introduction remarquablement illustrée à l'architecture nautique. Remercions ici *Dover Publications* de nous avoir procuré une copie du primordial *Fac-simile Atlas : to The Early History of Cartography with Reproductions of the Most Important Maps Printed in the* XV *and* XVI *Centuries* (1973).

On connaît si peu de choses sur Ptolémée qu'il n'existe aucune biographie ; mais on pourra consulter *La Géographie de Claudius Ptolémée.* Pour des sources possibles sur ses idées et ce que sont devenues ses cartes, voir : Peter M. Fraser, *Ptolemaic Alexandria* (1972) et R. Walzer, *Arabic Transmission of Greek Thought in Medieval Europe* (1945).

Pour un contexte plus vaste au sujet du Portugal, voir : C.R. Boxer, *The Portuguese Seaborne Empire, 1415-1825* ; Jaime Cortesão, *A Expansão Dos Portogueses No Periodo Henriquino* ; H.V. Livermore, *A New History of Portugal* (1969) ; Edgar Prestage, *The Portuguese Pioneers* (1967). Sur le prince Henri, voir : C. Raymond Beazley, *Prince Henry the Navigator* (1895) ; E.D.S. Bradford, *A Wind from the North : The Life of Henry the Navigator* (1960) ; Richard H. Major, *The Life of Prince Henry of Portugal* (1868 ; 1967). Une des sources classiques est l'ouvrage de Gomes Eannes de Zurara, *Chroniques de la découverte et de la conquête de la Guinée.* Pour Vasco de Gama : Henry H. Hart, *Sea Route to the Indies* (1950) ; K.G. Jayne, *Vasco de Gama and his Successors, 1460-1580* (1910) ; les publications de la Haklyut Society, *Journal du premier voyage de Vasco de Gama, 1497-1499* ; Gaspar Correa, *Les Trois Voyages de Vasco de Gama et sa vice-royauté.*

On percevra l'orgueil et la gloire des Portugais pendant l'âge d'or de leurs découvertes dans *Les Lusiades,* 1981, Belles Lettres, de Luis de Camoëns (1524-1580), l'Homère portugais.

On trouvera une passionnante introduction au rôle (positif et négatif) des Arabes dans cette histoire avec Henri Pirenne, *Mohammed et Charlemagne,* 1970, P.U.F., qui donne à la culture musulmane de la Méditerranée un rôle décisif mais controversé au début de l'histoire moderne ; et avec le brillant ouvrage de George F. Hourani, *Arab Seafaring in the Indian Ocean in Ancient and Early Medieval Times* (1951). Pour une vision plus élargie, voir : Jacques Berque, *Les Arabes,* 1979, Sinbad ; Bernard Lewis, *The Arabs in History* (1964) ; I.A. Mayer, *Islamic Astrolabists and Their Works* (1956).

Pour le rôle de la Chine sur les mers, voir, en plus des ouvrages cités plus haut : Joseph Needham, *La Tradition scientifique chinoise,* 1974, Hermann et *Within the Four Seas : The Dialogue of East and West* (1969) ; Hajime Nakalura, *Ways of Thinking if Eastern Peoples : India-China-Tibet-Japan* (1964) ; C.P. Fitzgerald, *China : A Short Cultural History* (1976) et *The Chinese View of Their Place in the World* (1971) ; L. Carrington Goodrich, *A Short History of the Chinese People* (1958) ; Marcel Granet, *La Civilisation chinoise. La vie publique et privée, 1949-1950*, 1979, 44e éd., Albin Michel ; René Grousset, *De la Chine au Japon*, 1951, Georges Chaix et *L'Empire du Levant*, 1946, Payot ; G.F. Hudson, *Europe and China : A Survey of their Relations from the Earliest Times to 1800* (1931) ; et l'admirable collection de documents, Joseph R. Levenson éd., *European Expansion and the Counter-Example of Asia, 1300-1600* (1967).

D'un intérêt tout particulier, l'ouvrage de J.J.L. Duyvendak, *China's Discovery of Africa* (1949). Pour la place des eunuques dans l'histoire de la Chine, voir Marcel Granet, *Études sociologiques sur la Chine* (1953), et Taisuke Mitamura, *Eunuques chinois* (1970).

### SEPTIÈME PARTIE : LA SURPRISE AMÉRICAINE

Commencer par l'ouvrage succinct de J.H. Elliott, *The Old World and the New, 1492-1650* ou la délicieuse *European Discovery of America : The Northern Voyages, A.D. 500-1600* (1971) de Samuel Eliot Morison et P.H. Sawyer, *The Age of the Vikings* (2e éd., 1972). A propos des Vikings en Amérique, voir : James R. Enterline, *Vikings America* (1974) ; Joseph Fischer, *The Discoveries of the Norsemen in America... their Early Cartographical Representation* (1970) ; G.M. Gathorne-Hardy, *The Norse Discoveries of America : The Wineland Sagas* (1921) ; Gwyn Jones, *The Norse Atlantic Saga... the Norse Voyages of Discovery and Settlement to Iceland* (1964). Sur les Vikings, voir aussi Johannes Brønsted, *Les Vikings* (1973) ; Gwyn Jones, *A History of the Vikings* (1973) ; Ole Klindt-Jensen, *Le Monde des Vikings* (1970) ; T.C. Lethbridge, *Herdsmen and Hermits : Celtic Seafarers in the Northern Sea* (1950) ; David M. Wilson et Peter G. Foote, *The Viking Achievement* (1970) ; Julius E. Olson (éd.) *The Northmen, Columbus and Cabot, 985-1503* (1906), particulièrement les pp. 14-66 sur Éric le Rouge ; Thorleif Sjøvold, *La Découverte Oseberg et les autres découvertes vikings en bateau* (1976). On trouvera beaucoup d'autres articles intéressants dans l'index du *Mariner's Mirror : The Quarterly Journal of the Society for Nautical Research*.

On trouvera les sagas scandinaves dans : Snorri Sturluson, *Heimskringla : Sagas des rois scandinaves* (1961) et dans Gudbrund Vigfusson et F. York Powell, *Corpus Poeticum Boreale : the Poetry of the Old Northern Tongue* (2 vol., 1883) ; et, véritable régal, *Edda le vieux* (en anglais *The Elder Edda*, traduit par Paul Taylor et W.H. Auden, 1969). On suivra le rôle des Normands dans le Vieux Monde dans deux brillants essais de Charles Homer Haskins, *Norman Institutions* (1967) et *The Normans in European History* (1959).

Le profane verra une excellente introduction à l'histoire des arts et des sciences de la navigation dans E.G.R. Taylor, *The Haven-Finding Art : A History of Navigation from Odysseus to Captain Cook* (1956), à quoi peut s'ajouter : David W. Waters, *The Art of Navigation in England in Elizabethan and Early Stuart Times* (1958) ; H.L. Hitchins et W.E. May, *From Lodestone to Gyro-Compass* (1953) ; l'inestimable article de Frederic C. Lane, « The Economic Meaning of the Invention of the Compass », dans *American Historical Review*, vol. 68 (1963), pp. 605-617. *East Is a Big Bird : Navigation and Logic on Puluwat Atoll* (1970) de Thomas Gladwin éclaire de façon révélatrice la façon dont certains navigateurs trouvent encore leur chemin sur l'Océan sans compas.

La vie de Christophe Colomb a été relatée de façon très vivante par Samuel Eliot Morison (1887-1976), l'historien de la marine de la Seconde Guerre mondiale, qui prit la peine de gréer, équiper et faire naviguer un vaisseau semblable à celui de Christophe Colomb pour retrouver ce qu'il avait éprouvé en traversant l'Océan. L'histoire d'amour de Morison avec la mer a duré sa vie entière ; son récit est donc plein d'authenticité et sa défense de Christophe Colomb prend un tour scientifique. Voir son *Admiral of the Ocean Sea* (2 vol., 1942). Son *European Discovery of America* est un trésor de petits côtés amusants ; voir également ses *Portuguese Voyages to America in the Fifteenth Century* (1965). Sur Christophe Colomb (dont chaque nation et chaque religion se sont réclamées) on pourra aussi consulter : Salvador de Madariaga, *Christophe Colomb* (1967) ; Fernando Colomb, *Christophe Colomb raconté par son fils,* 1968, Librairie Académique Perrin ; dans un champ plus vaste, on pourra lire Américo Castro, *La Structure de l'histoire espagnole* (1954). Sur les connaissances géographiques de Christophe Colomb, voir : George E. Nunn, *The Geographical Conceptions of Colombus* (1977) ; Pierre d'Ailly, *Ymago Mundi* (3 vol., 1930) ; Peter Martyr D'Anghera, *De Orbe Novo* (1912).

Sur Amerigo Vespucci et les noms des continents, voir : Germán Arciniegas, *Amerigo et le Nouveau Monde : la Vie et l'époque d'Amerigo Vespucci* (1955) ; Frederick J. Pohl, *Amerigo Vespucci, pilote en chef* (1966) ; John B. Thatcher, *The Continent of America : Its Discovery and Baptism* (1896) ; Louis-André Vigneras, *Découverte de l'Amérique du Sud et voyages andalous* (1976) ; Arthur P. Whitaker, *The Western Hemisphere Idea : Its Rise and Decline* (1954) ; Martin Waldseemüller, *The Cosmographiae Introduction : Followed by the Four Voyages of Amerigo Vespucci, and their translation into English : to which are added Waldseemüller's Two World Maps of 1507* (U.S. Catholic Historical Society, 1907). On trouvera quelque lumière sur ce que Vespucci et d'autres ont vu (ou sont censés avoir vu) et quelques-unes des conséquences dans : Fredi Chiapelli (éd.), *Premières images d'Amérique : l'impact du Nouveau Monde sur le vieux monde* (2 vol., 1976) ; W. Arens, *The Man-Eating Myths* (1979) ; Iris H.W. Engstrand, *Spanish Scientists in the New World, the Eighteenth-Century Expeditions* (1981).

### HUITIÈME PARTIE : LA GRANDE ROUTE DES MERS

On ne saurait trouver de meilleure introduction à ce sujet que J.H. Parry, *The Discovery of the Sea* (1974), suivie par la lecture de Antonio Pigafetta, *Le Voyage de Magellan, ou le premier tour du monde,* 1984, Tallandier. Sur Magellan, voir : H.H. Guillemard, *La Vie de Magellan et la première circumnavigation du globe* (1890 ; 1971) ; E.F. Benson, *Ferdinand Magellan* (1929) ; Charles Mck. Parr, *Ferdinand Magellan, Circumnavigator* (1964).

Il existe nombre d'ouvrages accessibles sur l'âge des découvertes et ses conséquences : J.H. Parry (éd.), *The European Reconnaissance : Selected Documents* (1968) et *Trade and Dominion : The European Overseas Empires in the Eighteenth Century* (1971) ; Carlo M. Cipolla, *Voiles et canons dans la première phase de l'expansion européenne, 1400-1700* (1965) ; John F. Meigs *The Story of the Seaman* (1924) ; Arthur P. Newton (éd.), *The Great Age of Discovery in the Renaissance 1420-1620* (1962) ; G.V. Scammell, *The World Encompassed : The First European Maritime Empires, c. 800-1650* (1981) ; sir Percy Sykes, *A History of Exploration* (1961) ; Louis B. Wright, *Gold, Glory, and the Gospel : The*

*Adventurous Lives and Times of the Renaissance Explorers* (1970). Pour une introduction à la littérature de l'époque, abondante au demeurant, des navigateurs, voir George B. Parks, *Richard Haklyut and the English Voyages* (1930).

Derek Wilson a écrit une biographie très vivante de sir Francis Drake : *The World Encompassed : Francis Drake and His Great Voyage* (1977). Voir aussi : sir Francis Drake, *The World Encompassed, and analogous contemporary documents* (Richard C. Temple, éd., 1969) ; Christopher Lloyd, *Sir Francis Drake* (1957) ; James A. Williamson, *The Age of Drake* (1960). Comme l'a révélé la carrière de Francis Drake, la frontière entre le commerce, la piraterie et l'exploration était mal définie. Voir : Henry A. Ormerod, *Piracy in the Ancient World* (1967) ; Robert Carse, *The Age of Piracy* (1965) ; Philip Gosse, *Histoire de la piraterie*, 1978, Payot ; Pitman B. Potter, *The Freedom of the Seas in History. Law and Politics* (1924).

L'histoire de la cartographie est riche en volumes qui attireront le profane au croisement de la science et de l'art. Commencer avec John N. Wilford, *The Mapmakers* (1981) ou J.C.C. Crone, *Maps and Their Makers* (1968) ou encore Norman J.W. Thrower, *Maps and Man... Cartography in Relation to Culture and Civilization* (1972) et suivre l'admirable *Guide to the History of Cartography* (1973) de Walter W. Ristow. Voir aussi, pour les techniques de l'élaboration d'une carte, David Greenwood, *Mapping* (1951) ; Walter W. Ristow, *A la Carte : Selected Papers on Maps and Atlases* (1972) ; R.A. Skelton, *Maps : A Historical Survey of their Study and Collecting* (1975) ; David Woodward (éd.), *Five Centuries of Map Printing* (1975) ; Edward L. Stevenson, *Portolan Charts* (1911) ; A.E. Nordenskiöld, *Periplus* (1897). Pour un aperçu de la façon dont l'avion a révisé le point de vue des cartographes, et ses implications dans la Seconde Guerre mondiale, voir Richard Edes Harrison, *Look at the World* (1944). On lira avec intérêt, en plus du *Facsimile Atlas* de Nordenskiöld (Dover reprint, 1973) : Gail Roberts, *Atlas of Discovery* (1973) ; Erwin Raisz, *Atlas of Global Geography* (1944) ; et Edward L. Stevenson, son indispensable *Terrestrial and Celestial Globes* (2 vol., 1921). On trouvera de nombreux articles dans les index des travaux du Congreso International de Historia dos Descobrimentos et de Terrae Incognitae, annales de la Society for the History of Discoveries.

L'historien néo-zélandais J.C. Beaglehole nous a donné une remarquable *Life of Captain James Cook* (1974), qu'aucun amateur de biographie ou de navigation ne saurait manquer. On pourra lire également *Voyage autour du monde du capitaine Cook* (1777) et *Voyage dans l'océan Pacifique* (1784) ; ainsi que *Le Journal de l'Endeavour de Joseph Banks*, 1768-1771 (2 vol., 1962). Il existe une courte biographie de Cook *Captain James Cook* (1967) par Alan J. Villiers, qui a « navigué sur un trois-mâts carré guère différent de son *Endeavour*, autour du monde suivant les traces de Cook autant que j'ai osé ». Pour la place de Cook dans l'épopée de l'exploration du Pacifique et de l'implantation à l'Ouest, voir : J.C. Beaglehole, *The Exploration of the Pacific* (3e éd., 1966) ; Alan Moorehead, *The Fatal Impact : The Invasion of the South Pacific, 1767-1840* (1966) ; Daniel Conner et Lorainne Miller, Marter Mariner : *Capt. James Cook and the Peoples of the Pacific* (1978). *Captain James Cook and His Times* (1979), édité par Robin Fisher et Jugh Johnston, suggère de façon tout à fait nouvelle que Cook était un agent de l'« impérialisme », cela entre autres maux. On trouvera dans l'*Atlas of Discovery* (1973), chapitre X, de Gail Roberts, une description cartographique fort utile de l'illusion de la *Terra Australis*.

## LIVRE TROIS : LA NATURE

### NEUVIÈME PARTIE : VOIR L'INVISIBLE

Le novice en matière d'astronomie ferait bien de commencer par une histoire à la fois claire et condensée, telle que celle de J.L. Dreyer, *A History of Astronomy from Thales to Kepler* (2e éd., 1963) ou Arthur Berry, *A Short History of Astronomy* (1898, 1961), que l'on trouve en reprints. On ne saurait aller loin dans l'histoire de la science sans lire l'audacieux et remarquable ouvrage de Thomas S. Kuhn, *Structure of Scientific Revolution* (1962), à quoi s'ajoute *Essential Tension : Selected Studies in Scientific Tradition and Change* (1977). Je dois beaucoup, et il devrait en être de même pour tous les lecteurs, à son *Copernican Revolution : Planetary Astronomy in the Development of Western Thought* (Vintage Paperback, 1959). D'autres ouvrages d'ordre général comprennent : E.J. Dijksterhuis, *The Mechanization of the World Picture* (1961), ouvrage très dense inestimable pour ses références ; Pierre Duhem, *Histoire des doctrines cosmologiques de Platon à Copernic,* 1971, Hermann et *Le Système du monde* (vol. 1, 1971, Hermann) ; Camille Flammarion, *Histoire du Ciel* (1877) ; Martin Harwit, *Progrès et découvertes en astronomie,* 1984, Masson ; Fred Hoyle, *Au plus profond de l'espace*, 1977, Denoël, *Aux frontières de l'astronomie,* Buchet-Chastel, *Les Origines de la vie dans l'univers,* 1980, Albin Michel ; Antonie Pannekoek, *Histoire de l'astronomie* (1961) ; H.T. Pledge, *Science Since 1500 : A Short History of Mathematics, Physics, Chemistry, and Biology* (1959), qui ne lésine pas sur les techniques ; Charles Singer et C. Rabin, *A Prelude to Modern Science* (1946) ; A. Wulf, *History of Science, Technology and Philosophy in the 16th and 17th Centuries* (2 vol., 2e éd., 1959) et... *in the 17th Century* (1939). On trouvera des sources plus anciennes dans : Harlow Shapley et Helen E. Howarth, *A Source Book in Astronomy* (1929) ; et Thomas Wright (éd.), *Popular Treatises on Science written during the Middle Ages* (1891), qui reprend un manuel anglo-saxon d'astronomie particulièrement intéressant, abrégé de ce qu'avait fait Bède le Vénérable au VIIIe siècle. On trouvera une élégante et pratique réimpression, dans *Great Books of the Western World,* vol. 16, de quelques-uns des principaux textes dont il est question dans ces chapitres : *Almageste ou traité complet d'astronomie,* de Ptolémée ; *Des révolutions des orbes célestes,* de Copernic ; et *Épitomé de l'astronomie copernicienne* et *Harmonie du monde*, de Kepler.

Sur Copernic, voir : Angus Armitage, *Sund, Stand Thou Still* (1947) ; Josef Rudnicki, *Nicholas Copernicus* (1938) ; Edward Rosen, *Introduction à l'astronomie de Copernic,* 1975, Blanchard ; J. Neyman (éd.), *The Heritage of Copernicus : Theories « Pleasing to the Mind »* (1975). On lira la vie d'un copernicien héroïque dans Dorothea W. Singer, *Giordano Bruno, his Life and Thought* (1968), qui comprend une traduction annotée du texte de Bruno « Sur l'infinité de l'univers et du monde ». Pour Brahe, lire J.L.E. Dreyer, *Tycho Brahe* (1890) et consulter J.A. Gade, *The Life and Times of Tycho Brahe* (1947) auquel s'ajoute une bibliographie. Faites connaissance du magnifique et tenace Kepler dans l'ouvrage de Max Caspar, *Kepler* (1939).

Galilée est une source inépuisable de mélodrame scientifique et de controverse savante. Parmi la littérature plutôt vaste qui lui est consacrée, ce que j'ai trouvé de plus utile comprend : Stillman Drake, *Galileo at Work : His Scientific Biography*

(1978) et *Operations of Geometric and Military Compass, 1606* (1978) ; Ludovico Geymonat, *Galilée*, 1983, Complexe ; Arthur Koestler, *The Sleepwalkers* (1959), passionnant ; Jerome L. Langford, *Galileo, Science and the Church* (éd. rev. 1971) et G. de Santillana, *The Crime of Galileo* (1955). Lire aussi les *Discours sur les sciences nouvelles*, de Galilée.

Peu de sujets en histoire de la science fleurent davantage le mysticisme et la religion que l'optique et la nature de la lumière. On trouvera un point de départ à la fois fiable et parfaitement accessible avec Vasco Ronchi, *Histoire de la nature de la lumière* (1970).

D'autres travaux sont tout à fait indiqués : David C. Lindberg et Nicholas H. Steneck, « The Sense of Vision and the Origins of Modern Science », dans *Science, Medicine and Society in the Renaissance* (Allen G. Debus, éd., vol. 1, 1972) ; Henry C. King, *The History of the Telescope* (1947) ; et de nombreux articles de Silvio A. Bedini, en particulier « The Tube of Long Vision (The Physical Characteristics of the early 17th Century Telescope) », *Physis*, vol. 13 (1971), pp. 149-204.

Moins directement liée à la cosmologie ou au ciel, l'histoire du microscope n'a pas déchaîné les mêmes passions que Galilée et le télescope. Il sera très agréable de commencer par Leeuwenhoek lui-même, que l'on peut suivre jour après jour grâce à Clifford Dobell, *Antony van Leeuwenhoek and His « Little Animals »* (1932 ; 1960), qui reprend nombre de lettres et notes de Leeuwenhoek et que l'on trouve en Dover Reprint (1960). Voir également S. Bradbury et G.L.E. Turner (eds.), *Historical Aspects of Microscopy* (1967) ; S. Bradbury, *The Evolution of Microscope* (1967) ; Reginald S. Clay et Thomas H. Court, *The History of the Microscope, as Illustrated by Catalogues of the Instruments and Accessories in the Collection of the Royal Microscopical Society* (1928) ; A. Schierbeen, *Measuring the Invisible World, the Life and Works of Antoni van Leeuwenhoek... with a biographical chapter by Maria Roosenboom* (1959), et *Jan Swammerdam, 1637-1680. His Life and Works* (1967)...

En plus des ouvrages cités ci-dessus, on pourra lire au sujet du télescope et du microscope en Chine et au Japon : Pasquale M. D'Elia, *Galilée en Chine : Relations entre Galilée et les missionnaires savants jésuites par l'intermédiaire du Collège romain (1610-1640)* ; John R. Levendon, *Modern China* (1971) ; Nathan Sivin (éd.), *Science and Technology in East Asia* (1977) et *Chinese Alchemy : Preliminary Studies* (1968) ; Donald Keene, *The Japanese Discovery of Europe, 1720-1830* (1969) ; G.B. Sansom, *The Western World and Japan* (1951), pour une vision plus élargie.

### DIXIÈME PARTIE : L'INTÉRIEUR DU CORPS

L'histoire de la médecine est indissociable de l'histoire de la profession médicale. Mais il est malaisé de faire la chronique d'une profession en ce que ceux qui en font partie se posent en défenseurs tandis que les autres possèdent rarement les connaissances et le jargon nécessaire pour maîtriser le sujet. On trouvera une introduction intéressante à tous les problèmes qui affligent les sujets professionnels dans l'article de Talcott Parsons « Professions », dans l'*International Encyclopaedia of Social Sciences* (vol. 12, pp. 536-547 ; avec bibliographie), qui souffre malheureusement du propre jargon sociologique de l'auteur. Pour un contexte plus vaste, voir : Vern L. Bullough, *The Development of Medicine as a Profession* (1966), sur la contribution de l'université médiévale à la médecine moderne ; Mircea Eliade, *Forgerons et alchimistes*, 1977, Flammarion et *Le Sacré et le profane*, 1965, Gallimard ; K.J. Franklin, *A Short History of Physiology* (1933) ; Kenneth B. Keele, *The Evolution of Clinical Methods in Medicine* (1963) ; Charles Singer, *The Evolution of Anatomy*, sur les découvertes anatomiques et physiologiques jusqu'à Harvey (1925). Pour en savoir plus sur les obstacles de la profession et les techniques de la recherche médicale moderne, voir Claude Bernard et sa classique *Introduction à l'étude de la médecine expérimentale*, 1966, Dunod.

On pourra consulter les œuvres de Paracelse : *Grimoires*, 1976, Bersez, *Œuvres médicales*, 1968, P.U.F., *Œuvres médico-chimiques ou Paradoxes*, 1975, Arche, *Les sept livres de l'archidoxe magique*, 1960, Bussière et *Traité des trois essences premières, le trésor des trésors des alchimistes, discours de l'Alchimie et autres écrits*, 1981, Arche. La meilleure introduction est l'article de Walter Pagel « Paracelsus », dans le *Dictionary of Scientific Biography*, vol. 10, pp. 304-313, ainsi que son *Paracelsus* (1958). Voir également : Basilio de Telepnef, *Paracelsus : A Genius Amidst a Troubled World* (1945) ; Henry M. Pachter, *Paracelsus : Magic into Science* (1951) ; et Allen G. Debus, *The English Paracelsians* (1965), qui décrit son influence posthume en Angleterre.

On trouvera des extraits des écrits de Galien dans *Great Books of the Western World*, vol. 10. Autre bonne introduction, l'article de Leonard G. Wilson dans le *Dictionary of Scientific Biography*, vol. 5, pp. 227-237. On pourra lire, de Galien, *De l'utilité des parties du corps*, à quoi peut s'ajouter *Galenism : Rise and Decline of a Medical Philosophy* (1973) de Owsei Temkin. On ne saurait trouver de meilleure introduction au mélange de philosophie, alchimie, psychologie, astrologie, science et théologie que l'on appela médecine avant l'ère moderne, que le classique ouvrage de Robert Burton, *L'Anatomie de la mélancolie* (1624-1651).

Sur Léonard de Vinci anatomiste, voir : Jean Paul Rochter (éd.), *Science, Medicine and Society of the Renaissance* (2 vol., 1972) ; Paul O. Kristeller, *Huit philosophes de la Renaissance italienne*, 1975, Droz ; George Sarton, *Six Wings : Men of Science in the Renaissance* (1957).

Sur André Vésale, nous avons la chance de posséder une excellente biographie, très agréable à lire, de C.D. O'Malley, *Andreas Vesalius of Brussels, 1514-1564* (1964). Consulter le remarquable ouvrage, unique dans sa conception, du pionnier américain de la médecine, Harvey W. Cushing, *A Bio-Bibliography of Andreas Vesalius* (1962). Voir : André Vésale, *Fabrique du corps humain* (1543) ; L.R. Lind, *L'Épitomé d'André Vésale* (1949) ; et le témoignage oculaire d'un étudiant, Baldasar Heseler, *Andreas Vesalius' First Public Anatomy in Bologna*, 1540 (Ruben Eriksson, éd., 1959).

Geoffrey Keynes nous a donné une agréable et monumentale *Life of William Harvey* (1966). Voir aussi : Kenneth D. Keele, *William Harvey, the Man, the Physician, and the Scientist* (1965) ; Walter Pagen, *William Harvey's Biological Ideas* (1967) ; Gweneth Whiteridge, *William Harvey and the Circulation of the Blood* (1971). On pourra lire, de Harvey, *Étude anatomique du mouvement du cœur et du sang chez les animaux* (1628).

Sur Santorio, dit Sanctorius, on pourra lire l'article que lui a consacré M.C. Grmek dans le *Dictionary of Scientific Biography*, vol. 12, pp. 101-104. Voir également l'excellent résumé de Ralph H. Major « Santorio Santorio », dans *Annals of Medical History*, vol. 10 (1938), pp. 369-381, et E.T. Renbourn, « The Natural History of Insensible Perspiration : A Forgotten Doctrine of Health and Disease », *Medical History*, vol. 4 (1960), pp. 135-152 ; W.E. Knowles Middleton, *A History of the Thermometer* (1966) ; S. Weir Mitchell, *The Early History of Instrumental Precision in Medicine* (1891). Et, de Santorio, *Traité de médecine statique* (1614).

On trouvera une bonne introduction à Malpighi dans l'article que lui a consacré Luigi Belloni dans le *Dictionary of Scientific Biography* (vol. 9, pp. 62-66), ainsi que dans *History of Embryology* de Joseph Needham (1934). Mais rien ne saurait égaler le monumental ouvrage de Howard B. Adelmann, *Marcello Malpighi and the Evolution of Embryology* (5 vol., 1966), qui reprend nombre de ses écrits.

## ONZIÈME PARTIE : LA PROPAGATION DE LA SCIENCE

Les vivifiants essais de J.M. Ziman, *Public Knowledge* (1968) et *The Force of Knowledge* (1976), auxquels je dois beaucoup, ouvrent la voie de l'histoire de la science jusqu'à l'organisation moderne de la science, tout à fait caractéristique. Bien sûr, l'histoire de la science en général offre une vaste littérature et il n'est guère aisé de savoir où commencer. Le philosophe et mathématicien Alfred North Whitehead nous offre une introduction lucide et élaborée aux aventures de la pensée scientifique, en particulier avec *Science and the Modern World* (1931) et *Adventures of Ideas* (1933). D'autres ouvrages accessibles à tous comprennent : H. Butterfield, *The Origins of Modern Science* (1957) ; Owen Gingerich (éd.), *The Nature of Scientific Discovery* (1975), colloque commémorant le 500e anniversaire de la naissance de Copernic ; Loren R. Graham, *Between Science and the Values* (1981) ; A.R. Hall, *The Scientific Revolution, 1500-1800* (1954) ; F.A. Hayek, *The Counter-Revolution in Science* (1979) ; Andrei S. Markovits et Karl W. Deutsch (eds.), *Fear of Science — Trust of Science* (1980), avec des essais où domine la polémique sur quelques-uns des plus grands historiens de la science ; Robert K. Merton, *Éléments de théorie et de méthode sociologique,* 1983, Monfort ; Joseph Needham, *The Grand Titration : Science and Society in East and West* (1969) ; Karl Pearson, *The Grammar of Science* (1957) ; H.T. Pledge, *Science since 1500* (1959) ; Derek J. de Solla Price, *Science since Babylon* (1961) ; Cyril S. Smith, *A Search for Structure* (1981), quelques essais ouvrant des horizons sur la science, l'art et l'histoire ; Lynn Thorndike, *A History of Magic and Experimental Science* (8 vol., 1923-1958), riche en documentation sur le XVIIe siècle.

Sur l'idéal européen et la tradition universitaire, voir sir Francis Bacon, *De la dignité et de l'accroissement des sciences* (1605), *La Nouvelle Atlantide* (1621) et *Novum Organum ou Éléments d'interprétation de la nature* (1620).

Il existe de nombreux ouvrages à la fois savants et accessibles sur la montée de ce que j'appelle les parlements de la science : Frances A. Yates, *The French Academies of the Sixteenth Century* (1947) ; Martha Ornstein, *The Role of Scientific Societies in the Seventeenth Century* (3e éd., 1938) ; Diana Crane, *Invisible Colleges : Diffusion of Knowledge in Scientific Communities* (1972) ; Harcourt Brown, *Scientific Organization in Seventeenth Century France (1620-1680)* (1934). Pour des contreparties récentes, voir les publications émanant du service de recherche de la Bibliothèque du Congrès et les audiences et rapports sur les migrations et mouvements des savants : *The Evolution of International Technology* (1970) et *Toward a New Diplomacy in a Scientific Age* (1970).

Pour l'abbé Marin Mersenne, commencer avec l'article d'A.C. Crombie dans le *Dictionary of Scientific Biography*, vol. 9, pp. 316-322. On trouvera l'analyse de ce qu'a fait Mersenne dans R. Lenoble, *Mersenne ou la naissance du mécanisme* (1943). Bien évidemment, le cœur de Mersenne réside dans sa *Correspondance*. Voir également : R.H. Popkin, *History of Scepticism from Erasmus to Descartes* (1964) ; Frances A. Yates, *Giordano Bruno and the Hermetic Tradition* (1964) ; et l'ouvrage promis par A.C. Crombie et A. Carugo, *Galileo and Mersenne: Science, Nature and the Senses in the Sixteenth and Early Seventeenth Centuries.*

On percevra la passion des enthousiastes et la suspicion des adversaires dans l'ouvrage de l'évêque Thomas Sprat, *History of the Royal Society,* Sprat y formule des exigences extravagantes pour cette organisation qui, alors vieille de sept ans seulement, commence tout juste à montrer son pouvoir. A l'instar de Galilée et de Harvey, il se drape du manteau des anciens, parlant de lui comme de « l'auteur le plus ancien de tous, Nature comprise » ; mais il se revendique disciple de Francis Bacon et ardent défenseur de la novation, ce qui montre qu'il va dans de nouvelles directions. On trouvera dans l'article de Hans Arleff du *Dictionary of Scientific Biography,* vol. 12, pp. 580-587, une admirable introduction à Sprat. Dans le même dictionnaire, vol. 10, pp. 200-203, A. Rupert Hall a publié la meilleure introduction à Oldenburg. C'est dans *The Correspondence of Henry Oldenburg* (12 vol., 1965), éditée par A. Rupert Hall et Marie Boas, qu'on sentira le mieux l'atmosphère, les passions et les espoirs des premiers temps du parlement de la Science. Ces éditeurs ont publié de nombreux articles dans des revues d'histoire de la science sur Oldenburg et sa place dans les controverses scientifiques de son époque.

Quelques-uns des meilleurs mathématiciens furent aussi les meilleurs vulgarisateurs. On trouvera une agréable introduction avec *An Introduction to Mathematics* de Alfred North Whitehead. Home University Library (1911). D'autres volumes parfaits pour le profane comprennent : WW. Rouse Ball, *A Short Account of the History of Mathematics* (1960) ; E.T. Bell, *Men of Mathematics* (1937), remarquable humanisation de l'histoire par l'intermédiaire de la biographie des mathématiciens ; Tobias Dantzig, *Langage de la science*, 1974, Blanchard ; Morris Kline, *Mathematical Thought from Ancient to Modern Times* (1972) ; David Eugene Smith, *A Source Book in Mathematics* (2 vol, 1929) ; Lancelot Hogben, *Mathematics of the Million* (1937), véritable tour de force d'interprétation économique, toujours passionnant ; James R. Newman, *World of Mathematics* (4 vol., 1956), anthologie aventureuse et spirituelle, et (avec Edward Kasner), *Les Mathématiques et l'imagination,* 1970, Payot ; et David Eugene Smith et Yoshio Mikami, *A History of Japanese Mathematics* (1914).

Pour Simon Stevin, un bon début consiste à lire l'article de M.G.J. Minnaert du *Dictionary of Scientific Biography,* vol. 13, pp. 47-51, et D.J. Dijksterhuis, *Simon Stevin : la science aux Pays-Bas vers 1600* (1970). De Stevin lire *Disme* (1585) et *Mémoires mathématiques* (1605-1608). Sur l'extension du système décimal, lire les très utiles articles de George Sarton dans *Isis,* vol. 21 (1934), pp. 241-303, et vol. 23 (1935), pp. 153-244 ; et de Dirk Struik, vol. 25 (1936), pp. 46-56.

On pourra suivre avec grand intérêt dans les ouvrages suivants la montée des mathématiques jusqu'à l'instrumentation scientifique et la fabrication des instruments : William Cunningham, *Alien Immigrants to England* (1969), Maurice Daumas, *Histoire générale des techniques,* tome 1, 1962, P.U.F. ; E.J. Dijksterhuis, *The Mechanization of the World Picture* (1969) ; Derek Howse, *Greenwich Observatory : the Buildings and Instruments* (1975) ; Rupert Hall, « The Scholar and the Crafstman in the Scientific Revolution », dans *Critical Problems in the History of Science* (Institute for the History of Science, Proceedings, 1959), pp. 3-23 ; Henri Michel, *Les Instruments de sciences,* 1975, De Visscher ; les indispensables guides de W.E. Knowles Middleton, *The History of Barometer* (1964) et *A History of the Thermometer* (1966) ; S. Weir Mitchell, *The Early History of Instrumental Precision in Medicine* (1891).

Les problèmes de discussions et d'entente sur l'étalon des poids et mesures ont soulevé des passions tant sur le plan politique, économique et patriotique que sur le plan scientifique. Les partisans du système métrique en tant que panacée sociale mineure sont encore acharnés de nos jours. Pour son histoire dans l'Ouest, voir : George Sarton, *A History of Science* (2 vol., 1970) pour l'Antiquité ; William Hallock et Herbert T. Wade, *Outlines of the Evolution of Weights and Measures and the Metric System* (1906) ; Henri Moreau, *Le Système métrique : des anciennes mesures au système international d'unité* (1975) ; Edward Nicholson, *Men and Measures : A History of Weights and Measures Ancient and Modern* (1912) ; U.S. National Bureau of Standards Special Publications, U.S. Metric Study Interim Report, « A History of the Metric System Controversy in the United States » (1971), et *A Metric America : A Decision Whose Time has Come* (1971) ; Ronald E. Zupko, *French Weights and Measures Before the Revolution* (1978).

Pour écrire une biographie digne de ce nom du contradictoire et intriguant Newton, l'historien se doit de posséder lui-même un talent newtonien. *Never at Rest : A Biography of Isaac Newton* (1980), de Richard S. Westfall, réussit à merveille à utiliser les faits de la vie de Newton pour éclairer ses théories, et réciproquement. Les meilleures études de la pensée de Newton pour un profane sont les ouvrages de I. Bernard Cohen. On pourra commencer avec *Franklin and Newton : an Enquiry into Speculative Newtonian Experimental Science and Franklin's Work in Electricity as an Example Thereof* (1956). Cohen a également écrit l'admirable article fort complet dans le *Dictionary of Scientific Biography,* vol. 10, pp. 42-101 (auquel est annexée l'intéressante étude de A.P. Youschkevitch sur Newton). On pourra aussi consulter l'*Introduction to Newton's Principia* (1971) de Cohen. Lire aussi, de Newton, *Optique ou Des réflexions, réfractions, inflexions et couleurs de la lumière* (1704).

La bibliographie de Newton est importante et largement reprise dans l'article mentionné ci-dessus. Alexandre Koyré nous a donné quelques essais fort élégants nous conduisant de Newton au vaste monde de la philosophie : *Du monde clos à l'univers infini*, 1973, Gallimard ; *Études newtoniennes,* 1968, Gallimard ; *Études de l'histoire de la pensée scientifique*, 1966, P.U.F. et 1973, Gallimard. Pour une vision nouvelle sur certains aspects négligés de Newton, voir Frank E. Manuel, *Isaac Newton, Historian* (1963), qui explore les applications qu'a faites Newton de l'astronomie et des prophéties bibliques à l'histoire, avec ses implications dans sa science ; et *A Portrait of Isaac Newton* (1968) qui met l'accent sur les premières années de la vie de Newton et les problèmes psychologiques, offrant ainsi un portrait encore moins sympathique qu'à l'ordinaire. Parmi les nombreux travaux de Henry Guerlac, je dois beaucoup à son brillant article : « Where the Statue Stood : Divergent Loyalties to Newton in the Eighteenth Century », dans Earl R. Wasserman (éd.), *Aspects of the Eighteenth Century* (1965). Pour d'autres aspects, voir : A. Rupert Hall, *Philosophers at War : The Quarrel Between Newton and Leibniz* (1980), qui élargit le contexte de la controverse de la pensée scientifique de cette époque ; sir John Craig, *Newton at the Mint* (1946) ; Majorie Hope Nicolson, *Newton Demands the Muse : Newton's « Optics » and the Eighteenth Century Poets* (1946), que tous ceux qui s'intéressent aux racines du romantisme anglais doivent lire impérativement ; J.D. North, *Isaac Newton* (1967) ; Richard S. Westfall, *Science and Religion in Seventeenth Century England* (1958).

Sur la signification croissante des priorités dans les découvertes scientifiques, voir : les écrits sociologiques de Robert K. Merton, particulièrement « Priorities in Scientific Discovery », dans *The Sociology of Science* (1973) ; Lyman R.

Patterson, *Copyright in Historical Perspective* (1968) ; James D. Watson, *The Double Helix : A Personal Account of the Discovery of the Structure of DNA* (1968).

DOUZIÈME PARTIE : LE RECENSEMENT DE TOUTE LA CRÉATION

L'étude la plus accessible sur les débuts de la pensée biologique reste celle d'Erik Norkenskiöld, *Histoire de la biologie* (1928) ; pour des développements plus récents, on peut y ajouter Url Langham, *Origins of Modern Biology* (1968) ; P.B. et J.S. Medawar, *The Life Science : Current Ideas of Biology* (1977), vivante et convaincante ; Ernst Mayr, *La Biologie de l'évolution*, 1981, Hermann, interprétation globale et stimulante de l'histoire de toute la biologie à travers l'histoire de l'idée d'évolution. Pour un point de vue philosophique, voir R.G. Collingwood, *The Idea of Nature* (1960). On trouvera des histoires plus conventionnelles de la botanique avec : le pionnier Richard Pulteney, *Sketches on the Progress of Botany in England from its Origins to the Introduction of the Linnean System* (1790) : Julius von Sachs, *Histoire de la botanique* (1890) ; Ellison Hawke, *Pioneers of Plant Study* (1969) ; Howard S. Reed, *A Short History of the Plant Sciences* (1952). L'amoureux des jardins et des fleurs trouvera avec les ouvrages joliment et abondamment illustrés d'Alice M. Coats, *Flowers and their Histories* (1968) et *The Plant Hunters* (1969), une introduction riche d'enseignement à l'histoire de la botanique et des pionniers de l'horticulture depuis la Renaissance. Lucile H. Brockway, *Science and Colonial Expansion* (1979), établit un lien entre l'histoire de la botanique, les jardins botaniques royaux, les colonies et l'empire ; voir aussi E.H.M. Cox, *Plant-Hunting in China* (1945). Pour un récit de l'histoire de l'imprimerie, voir le catalogue de l'exposition *Le Livre Illustré en Occident* (Bruxelles, 1977).

Sur la biologie dans l'Antiquité et au Moyen Age, voir : Richard Lewinsohn, *Animals, Men and Myths* (1954) ; Willy Ley, *Dawn of Zoology* (1968) ; Herbert H. Wethered, *The Mind of the Ancient World... Pliny's Natural History* (1968). Lire aussi *L'Histoire naturelle* de Pline.

Sur les herbiers, commencer avec : Agnes Arber, *Herbals, Their Origin and Evolution... the History of Botany, 1470-1670* (2e éd., 1970) ; Frank J. Anderson, *An Illustrated History of the Herbals* (1977) ; Wilfrid Blunt, *The Art of Botanical Illustration* (1950). Et pour Dioscoride, voir : Robert T. Gunther (éd.), *The Greek Herbal of Dioscorides* (1959), et Ben C. Harris, *The Compleat Herbal* (1972). On découvrira les bestiaires dans de nombreuses versions qui toutes attestent de leur aspect de caméléon : l'évêque Thebald, *Physiologus... un bestiaire métrique imprimé à Cologne en 1492* ; Edward Topsell, *History of Four-Footed Beasts and Serpents and Insects* ; Jesse L. Weston (éd.), « Physiologus », dans *The Chief Middle English Poets* (1914), pp. 325-334 ; Edward Topsell, *The Elizabethan Zoo*. On trouvera une esquisse de la vie de Gesner dans le *Dictionary of Scientific Biography*, vol. 5, pp. 385 et sqq. Voir également : J. Monroe Thorington, *On Conrad Gesner and the Mountaineering in the Alps, an Historical Survey* et Engel (éd.), *Le Mont Blanc, vu par les écrivains et les alpinistes* (1965).

Le livre de base sur John Ray est celui de C.R. Raven, *John Ray, His Life and Works* (2e éd., 1950). Les œuvres complètes de John Ray sont répertoriées dans G.L. Keynes, *John Ray, A Bibliography* (1951). On peut trouver en reprint (1974) *Wisdom of God, manifested in the Works of the Creation*, John Ray (1961).

La meilleure introduction à Linné est l'article que lui a consacré Sten Lindroth dans le *Dictionary of Scientific Biography*, vol. 8, pp. 374-381. On trouvera une biographie de référence avec celle de Benjamin D. Jackson, *Linnaeus : The Story of His Life* (1923), abrégé de l'ouvrage suédois de T.M. Fries ; voir aussi Wilfrid Blunt, *The Compleat Naturalist : A Life of Linnaeus* (1971), ouvrage à la fois bref et remarquablement illustré. Parmi la copieuse et diverse littérature consacrée à Linné, j'ai trouvé particulièrement utile : James L. Larson, *Reason and Experience : The Representation of Natural Order in the Work of Carl von Linné* (1971) ; Frans A. Stafleu, *Linné et les linnéens, la propagation de leurs idées en botanique systématique*, 1735-1789 (1971) ; A.T. Gage, *A History of the Linnean Society of London* ; W.T. Stearn, *Three Prefaces on Linnaeus and Robert Brown* (1962) et « The Background of Linnaeus' Contributions to the Nomenclature and Methods of Systematic Biology », dans *Systematic Zoology*, vol. 8 (1959), pp. 4-22, auquel je dois beaucoup. Pour un contexte plus vaste, voir : D. Mornet, *Les Sciences de la nature en France au XVIII^e siècle* (1911) ; Helmut de Terra, *Humboldt : The Life and Times of Alexander von Humboldt, 1769-1859* (1955) ; Douglas Bottong, *Humboldt and the Cosmos* (1973).

On lira une bonne approche de Buffon dans l'article de Jacques Roger du *Dictionary of Scientific Biography*, vol. 2, pp. 576-582 et le *Buffon* de Otis E. Fellow et Stephen F. Milliken (1972). On trouvera un intérêt tout particulier à lire l'article de Arthur O. Lovejoy, « Buffon and the Problem of Species », dans *Popular Science Monthly*, vol. 79 (1911), pp. 464-473, 554-567. La meilleure édition des écrits de Buffon est celle des *Œuvres complètes* (J.L. Lanessan, éd., 14 vol., Paris, 1884-1885). *Les Époques de la nature* (Jacques Roger, éd.) offrent un excellent outil critique. On suivra la place de la géologie dans la découverte avec : Ruth Moore, *The Earth We Live On : The Story of Geological Discovery* (1956) et Cecil J. Schneer (éd.) *Toward a History of Geology* (1969). Une étude stimulante est celle de Charles C. Gillispie, *Genesis and Geology... Scientific Thought, Natural Theology, and Social Opinion in Great Britain, 1790-1850* (1951). Le lecteur passionné pourra s'aventurer dans le remarquable mais difficile *Traces on the Rhodian Shore* (1976) de Clarence J. Glacken, étude de la nature et de la culture dans la pensée occidentale jusqu'à la fin du XVIII^e siècle, qui suit le changement de relations parmi l'idée d'une terre désignée, l'idée de l'influence de l'environnement et l'idée que l'homme est un agent géographique.

Les biographies de Louis Pasteur offrent l'occasion de comparer les explications des motifs d'un grand découvreur. Pasteur aurait-il pu devenir le Newton de la biologie s'il n'avait abandonné ses premières recherches théoriques ? La gloire et l'espoir d'un soutien de la part du gouvernement ne l'ont-ils pas éloigné de ses travaux scientifiques les plus importants ? Commencer par l'article de Gerald L. Geison, admirable, du *Dictionary of Scientific Biography*, vol. 10, pp. 350-416, et le merveilleux ouvrage de René J. Dubois, *Louis Pasteur : franc-tireur de la science*, 1955, P.U.F., qui, dans le chapitre VI, place la question de la génération spontanée dans le vaste contexte des événements et des passions de l'époque, ou l'ouvrage plus technique d'Émile Duclaux, *Pasteur : histoire d'un cerveau* (1920). La meilleure, et brève, biographie est celle du petit-fils, Pasteur Vallery-Radot, *La Vie de Pasteur*, Flammarion, 1946. Tous ces ouvrages se sont fondés sur le livre de son gendre et secrétaire, d'abord publié sous le titre pour le moins désarmant de *Pasteur, histoire d'un savant par un ignorant*, Paris, 1883.

*The Great Chain of Being* (1936) d'Arthur P. Lovejoy a ouvert de nouvelles voies à l'histoire intellectuelle et à l'histoire de la science, voies que l'on suivra avec *The Journal of the History of Ideas*. L'œuvre de base sur Tyson est l'admirable *Edward Tyson, 1650-1708, and the Rise of Human and Comparative Anatomy in England* (1943), de M.F. Ashley-Montagu. On trouvera en fac-similé le

*Orang-Outang, sive Homo Sylvestris: or the Anatomy of a Pygmie,* de Tyson. Pour l'anatomie comparée, voir : F.J. Cole, *A History of Comparative Anatomy* (1944) ; William R. Coleman, *Georges Cuvier, Zoologist* (1964) ; Stanley M. Garn, *Human Races* (3ᵉ éd., 1971) et *Readings on Race* (2ᵉ éd., 1968).

Il n'est pas de meilleure introduction à Darwin que l'article de Gavin de Beer, à la fois concis et bourré de faits, dans le *Dictionary of Scientific Biography,* vol. 3, pp. 565-577. De Darwin, on pourra lire : *La Descendance de l'homme et la sélection sexuelle,* 1981, Complexe ; *L'Expression des émotions chez l'homme et les animaux,* 1981, P.U.F. ; *Voyage d'un naturaliste autour du monde,* 1982, La Découverte et Découverte Poche.

Alfred Russel Wallace est supplanté dans l'esprit populaire par Charles Darwin. Cet homme généreux, capricieux et courageux commence à recevoir son dû dans l'article de H. Lewis McKinney du *Dictionary of Scientific Biography,* vol. 14, pp. 133-140. Lire également Lancelot T. Hogben, *Alfred Russel Wallace, the Story of a Great Discoverer* (1918) ; on pourra le lire dans *My Life, A Record of Events and Opinions* (2 vol., 1905).

Parmi l'immense littérature consacrée au darwinisme, à l'évolution et à l'évolutionnisme, une bonne introduction logique et chronologique : Thomas H. Huxley, *Evidence as to Man's Place in Nature* (1863). Lire également : Philip Appleman (éd.), *Darwin* (1970) ; J.W. Burrow, *Evolution and Society, a Study in Victorian Social Theory* (1966) ; Loren Eisley, *Darwin's Century* (1961), récit brillant des interrelations des darwiniens avant et après Darwin ; Neal C. Gillespie, *Charles Darwin and the Problem of Creation* (1979) ; Stephen Jay Gould, *Darwin et les grandes énigmes de la vie,* 1979, Pygmalion ; Gertrude Himmelfarb, *Darwin et la révolution darwinienne* ; Michale Ruse, *The Darwinian Revolution : Science Red in Tooth and Claw* (1979), chroniques de la transformation du concept de nature ; Sol Tax et Charles Callender, *Evolution after Darwin* (3 vol., 1960) ; Scientific American, *Evolution,* essais parus dans le numéro de septembre 1978 explorant les importantes conséquences de la biologie moléculaire et les autres développements récents pour le concept darwinien de l'évolution.

## LIVRE QUATRE : LA SOCIÉTÉ

### TREIZIÈME PARTIE : L'ÉLARGISSEMENT DES COMMUNAUTÉS DE SAVOIR

Les ouvrages de Frances A. Yates sur la mémoire et son rôle dans la civilisation occidentale sont un régal, ne serait-ce que par leur esprit novateur, dont on ne saurait se priver si l'on s'intéresse à l'histoire. Et cela nous rappelle incidemment qu'un chercheur audacieux et imaginatif a encore beaucoup à découvrir, même dans les royaumes les plus conventionnels du passé. Commencer avec *The Art of Memory* (University of Chicago Press Paperback, 1966), puis poursuivre avec *Giordano Bruno and the Hermetic Tradition* (1964) et *The Rosicrucian Enlightenment* (1972). Et sur la mémoire : Frederick C. Bartlett, *Remembering* (1932), étude sur la psychologie sociale et expérimentale ; *Études de psychologie,* 1947, Manwelaerts ; M.T. Clanchy, *From Memory to Written Record : England, 1063-1307* (1979) ; Hermann Ebinghaus, *Memory : A Contribution to Experimental Psychology* (Dover Paperback, 1964) ; Mircea Eliade, *Histoire des croyances et des idées religieuses,* t. 2 (de Gantama Bouddha au triomphe du christianisme), Payot ; Jean Piaget et Bärbel Inhelder, *La Mémoire et l'intelligence,* 1968,

Presses universitaires. On trouvera ci-après, quatorzième partie, les références concernant Sigmund Freud.

Sur la culture du mot écrit (et non imprimé), si difficile à imaginer pour nous qui vivons dans un monde noyé sous la chose imprimée, il existe nombre d'ouvrages passionnants riches en détails éloquents. On peut commencer utilement avec Charles Homer Haskins, *Rise of Universities* (1923) et *Renaissance of the 12th Century* (1957). Parmi les volumineux ouvrages agréables à consulter : Hastings Rashdall, *The Universities of Europe in the Middle Ages* (3 vol., 1936) ; George Haven Putnam, *Authors and their Public in Ancient Times* (1894) et *Books and their Makers during the Middle Ages* (2 vol., 1897, rééd. 1962). Pour une perspective plus vaste, voir : I.J. Gelb, *Pour une théorie de l'écriture,* 1973, Flammarion ; Edward Chiera, *They Wrote on Clay* (1938). Également : Stanley Morison, *Politics and Scripts* (1972), essai joliment illustré sur l'émergence de nouvelles écritures et leurs origines sociales ; Edward Alexander Parsons, *The Alexandrian Library : Glory of the Hellenic World* (1952), avec des détails surprenants sur la plus grande bibliothèque ancienne de livres calligraphiés du monde occidental ; L.D. Reynolds et N.G. Wilson, *D'Homère à Érasme, la transmission des classiques grecs et latins,* 1984, C.N.R.S., qui nous éclaire sur ce qu'un savant de l'âge de l'écriture pouvait savoir, et pourquoi ; G.B. Sansom, *The Western World and Japan... the Interaction of European and Asiatic Cultures* (1951) ; Tsuen-Hsuin, *Written of Bamboo and Silk : The Beginnings of Chinese Books and Inscriptions* (1962) ; Joyce Irene Whalley, *Writing Implements and Accessories : From the Roman Stylus to the Typewriter* (1975).

On trouvera des études à la fois pratiques et concises avec S.H. Steinberg, *Five Hundred Years of Printing* (Penguin Paperback, 1974) et Lucien Febvre et H.J. Martin, *L'Apparition du livre,* 1971, Albin Michel. Avec *The Printing Press as an Agent of Change... in Early-Modern Europe* (2 vol., 1979), d'Elizabeth L. Eisenstein, on lira une remarquable et très complète étude de la littérature. Pour la terminologie et les références générales, voir Geoffrey A. Glaister, *An Encyclopaedia of the Book* (2e éd., 1980, illustré). Des études sur les différents effets de l'imprimerie dans les divers domaines de la connaissance sont : William M. Ivins, Jr., *Prints and Visual Communication* (1973), pour la biologie et les arts ; et Stillman Drake, « Early Science and the Printed Book : The Spread of Science beyond the Universities », *Renaissance and Reformation,* vol. 6 (1970), pp. 43-52. John Carter et Percy H. Muir (eds.) nous ont donné une vivante étude de l'intensité et de l'extension de l'impact du livre avec *Printing and the Mind of Man : The Impact of Printing on Five Centuries of Western Civilization* (1967), avec des essais succincts sur quelques ouvrages cataclysmiques, comment ils se trouvèrent publiés et ceux qu'ils ont atteints.

On ne saurait mieux mesurer l'effet qu'a eu (ou pas) le livre imprimé sur la vie rurale en Europe qu'en lisant Natalie Zenon Davis, *Les Cultures du peuple,* 1980, Aubier-Montaigne, modèle d'éloquente érudition et d'imagination. J'ai trouvé particulièrement utiles les ouvrages suivants concernant les débuts du livre imprimé : Curt F. Bühler, *Le Livre du XVe siècle : les scribes, les imprimeurs, les enlumineurs* (1960) ; Henry J. Chaytor, *From Script to Print... Medieval Vernacular Literature* (1974) ; E.P. Goldschmidt, *Medieval Texts and Their First Appearance in Print* (1943) ; Sandra Hindman (éd.), *The Early Illustrated Book : Essays in Honor of Lessing J. Rosenwald* (1982), et, avec James D. Farquhar, *Pen to Press : Illustrated Manuscripts and Printed Books in the First Century of Printing* (1977) ; Rudolf Hirsch, *Impression, vente et lecture, 1450-1550* (2e éd., 1974) ; Henri-Jean Martin, *Le Livre et la civilisation écrite* (1970) ; Oliver H. Prior (éd.), *Caxton's*

*Mirrour of the World* (1913). Pour d'autres points de vue sur les dernières années de l'histoire de l'imprimerie : Helmut Lehman-Haupt, *Le Livre en Amérique* (1952) ; F.H. Muir, *Book-Collecting as a Hobby* (1947) ; Frank A. Mumby, *Publishing and Bookselling... from the Earliest Times to the Present Day* (1954) ; Noël Perrin, *Dr Bowdler's Legacy, a History of expurgated Books* (1969) ; Alfred W. Pollard, *Shakespeare's Fight with the Pirates and the Problems of the Transmission of His Texts* (1974) ; Anthony Smith, *Goobye Gutenberg, the Newspaper Revolution of the 1980's* (1980) ; S.H. Steinberg, « Book Production and Distribution », dans *Literature and Western Civilization*, vol. 5, 1972, pp. 509-528 ; Herbert S. Bailey Jr., *The Traditional Book in the Electronic Age* (Bowker lecture, 1978).

La meilleure introduction à l'histoire du papier et de sa fabrication est celle de Dard Hunter, *Paperaking : The History and Technique of an ancient Craft* (1947). Voir aussi : Library of Congress, *Paper making Art and Craft* (1968) ; John Grand-Carteret, *Papeterie et papetiers de l'ancien temps* (1915) ; Kiyofusa Narita, *Vie de Ts'ai Luing et fabrication du papier japonais* (1956).

Pour une histoire des techniques d'imprimerie, une bonne introduction est celle de Warren Chapell, *A Short History of the Printed World* (1970). Voir aussi Colin Clair, *A History of European Printing* (1976) ; James Moran, *Printing Presses... From the Fifteenth Century to Modern Times* (1978) ; R.A. Peddie (éd.), *Printing : A Short History of the Art* (1927) ; Ralph W. Polk, *The Practice of Printing* (1952).

Une excellente introduction à l'histoire des caractères et de leur conception est celle de Daniel B. Updike, *Printing Types : Their History, Forms and Use* (2 vol., 1920). Et pour une connaissance plus approfondie de la carrière d'un éminent inventeur de caractères, voir : Peter Beilenson, *A Story of Frederic W. Gaudy* (1965) et Frederic W. Gaudy, *Typologia, Studies in Type Design and Type Making* (1977). Sur l'histoire de l'imprimerie en Europe occidentale, voir Wynar Liubomyr, *Histoire des débuts de l'imprimerie en Ukraine* (1962) ; George D. Painter and Dalibor B. Chrastek, *L'imprimerie en Tchécoslovaquie au XV^e^ siècle* (1969) ; Eugene V. Prostov, *Les Origines de l'imprimerie en Russie* (1931). On pourra trouver des études utiles sur l'histoire du livre et de l'imprimerie dans le monde entier dans le *Quarterly Journal* de la bibliothèque du Congrès.

Pour les origines de l'imprimerie en Chine, l'ouvrage classique est celui de Thomas F. Carter, définitif, *Invention of Printing in China and its Spread Westward* (2^e^ éd. 1955) auquel je dois beaucoup. Parmi les autres ouvrages : C.R. Bower, *The Christian Century in Japan, 1549-1650* (1951) ; David Chibbet, *The history of Japanese Printing and Book Illustration* (1977), ouvrage riche de détails et abondamment illustré ; Kim Won-Yong, *Les Premiers caractères mobiles en Corée* (1964) ; Donald Keene, *The Japanese Discovery of Europe*, 1720-1830 (1969) ; Noël Perrin, *Giving up the Gun : Japan's Reversion to the Sword, 1543-1879*, qui relate un rare exemple de « non invention » et d'abandon d'une avance technologique dont l'abandon par le Japon du caractère mobile au XVII^e^ siècle est un parallèle. Pour le besoin de reproduire, ailleurs dans le monde, et les effets que les formes d'écriture ont eus sur lui, voir J. Eric S. Thompson, *Grandeur et décadence de la civilisation maya*, Payot, 1983.

La bibliographie de Gutenberg est énorme, mais pas aussi riche que nous la souhaiterions en ce qui concerne l'homme et sa carrière. La plupart des textes tiennent de la spéculation. Une bonne introduction est celle de Victor Scholderer, *Johannes Gutenberg, The Inventor of Printing* (1970) avec celle de Douglas McMurtie (éd.) *The Gutenberg Documents* (1931) et *The Invention of Printing. A Bibliography* (1942). Un ouvrage de référence est celui d'Aloys Ruppel, *Johannes Gutenberg,*

*Sein Leben und Sein Werk* (3e éd., 1967). Pour une meilleure compréhension des tâtonnements du début de l'imprimerie, voir : Helmut Lehmann-Haupt, *Gutenberg Master of the Playing Card* (1966), qui suggère un rapport étroit entre la gravure des plaques de cuivre et les origines des caractères mobiles. Et pour quelques brillantes perspectives d'avenir sur l'imprimerie, voir Marshall McLuhan, *La Galaxie Gutenberg*, Hurtebise, 1967. Pour l'extension des langues vernaculaires, une bonne introduction est celle de Mario Pei, *L'Histoire du langage*. Voir aussi H. Munroe Chadwick et N. Kershaw Chadwick, *The Growth of Literature* (3 vol., 1932-1940) ; David Daiches et Anthony Thorlby (éd.) *Literature and Western Civilization* (6 vol., 1972-1976) ; F.O. Matthissen, *Un art élisabéthain* (1965) ; Edward Sapir, *Anthropologie, culture et personnalité* (2 vol., éd. de Minuit, 1967) ; le toujours passionnant livre de George Sarton, *Ancient Science and Modern Civilization* (1954) et *The Appreciation of Ancient and Medieval Science During the Renaissance, 1450-1600* (1955). En français, voir Claude Fauchet, *Recueil de l'origine de la langue et poésie française*, 1938 ; Joachim du Bellay, *Défense et illustration de la langue française* (1549). Pour l'essor de la littérature populaire allemande et d'une littérature mondiale, les frères Grimm sont particulièrement intéressants ; Murray B. Peppard, *Paths through the Forest, A Biography of the Brothers Grimm* (1971) et Ruth Michaelis-Iena, *The Brothers Grimm* (1970).

Pour se rendre compte des effets du développement de l'imprimerie sur l'éducation et sur les méthodes pédagogiques, commencer par un rapide coup d'œil sur les Anciens esquissé dans les propos de Quintilien sur l'éducation. Puis, les ouvrages consacrés à John Amos Comenius, 1592-1670, le premier à avoir conçu le livre pédagogique illustré ; Will S. Monroe, *Comenius and the Beginning of Educational Reform* (1971) ; John E. Sadler, *J.A. Comenius, The Concept of Universal Education* (1966) ; Matthew Spinka, *John Amos Comenius, That Incomparable Moravian* (1943) ; G.H. Turnbull, *Hartlieb Dury and Comenius* (1947).

Pour Aldo Manuce, voir Martin Lowry, *The World of Aldus Manucius, Business and Scholarship in Renaissance Venice* (1979) et, pour les questions d'index, le premier guide est celui de Henry D. Wheatley, *What is an Index* (1978).

Une passionnante introduction à l'univers nouveau des auteurs, imprimeurs, éditeurs, libraires et amateurs de livres tel qu'il fut révélé par le livre imprimé est l'ouvrage de Robert Darnton, *L'Aventure de l'encyclopédie, Best-seller au siècle des Lumières*, 1982, Librairie académique Perrin ; *Bohème littérature et révolution, Le monde des livres au XVIIIe siècle*, Seuil, 1983. Parmi d'autres ouvrages riches en détails sur ce nouvel univers : Richard D. Altick, *The English Common Reader : A Social History of the Mass Reading Public, 1800-1900* (1957) ; R.R. Bowker Company, *Bowker Lectures on Book Publishing* (1957) ; Asa Briggs (éd.), *Essays in the History of Publishing* (1974) ; G. Lough (éd.), *Diderot and D'Alembert the Encyclopedy* (1954) ; Robert Escarpit, *La Révolution du livre*, 1970, Presses universitaires et *Le Littéraire et le social*, 1977, Flammarion ; Jack Goody (éd.), *Sociologie de la littérature*, 1978, P.U.F. ; John J. Ross, *The Rise and Fall of the Man of Letters* (1959) ; Mitford M. Mathews, *Teaching to Read, Historically Considered* (1966) ; Edward Muller, *Prince of Librarians, The Life and Times of Antonio Panizzi* (1967) ; Jess H. Shera, *Libraries and the Organization of Knowledge* (1965) et *Foundations of the Public Library* (1965) ; Siegfried Unseld, *L'auteur et son éditeur*, 1983, Gallimard et *ALA World Encyclopaedia of Library of Information Services* (1980).

Sur le contexte culturel et historique de l'attitude musulmane vis-à-vis de l'imprimerie, voir : Anwar G. Chejne, *The Arabic Language : Its Role in History*

(1969) ; Gustave E. von Grunebaum, *Islam médiéval,* introduction subtile et élégante ; Ibn Hisham Abd al Malak, *La Vie de Mahomet* (1955) ; H.A.R. Gibb, *Arabic Literature* (1963) et *Mohammedism* (1953) ; Philip K. Hitti, *Islam, a Way of Life* (1971) ; Marshall G. S. Hodgson, *The Venture of Islam* (3 vol., 1974) ; Reuben Lévy, *Introduction à la littérature persane,* 1973, Maisonneuve Larose ; Bernard Lewis, *Comment l'Islam a découvert l'Europe*, 1984, La Découverte ; Katharina Otto-Dorn, *L'Art de l'Islam* (1967); F.E. Peters, *Allah's Commonwealth : A History of Islam in the Near East, 600-1100 A.D.* (1974) ; Maxime Rodinson, *Mahomet,* 1968, Seuil. On trouvera aisément des éditions françaises du Coran. Lire, W. Montgomery Watt, *Mahomet,* 1980, Payot. Pour quelques lumières sur la Turquie et l'Égypte, voir : Niyazi Berkes, *Le Développement du sécularisme en Turquie,* 1964 ; J. Christopher Herold, *Bonaparte in Egypt* (1962).

Parmi la vaste littérature sur les dictionnaires et la lexicographie, je suggère au lecteur de commencer avec Mitford M. Mathews, *Survey of English Dictionaries* (1966). Des nombreuses introductions au Dr Samuel Johnson, maître lexicographe, on notera avec surprise que celle de Boswell est moins bonne que les autres, parmi lesquelles, John Wain, *Samuel Johnson,* ou James H. Sledd et Gwin J. Kolb, *Dr Johnson's Dictionary : Essays in the Biography of a Book* (1955). La saga de l'*Oxford English Dictionary* est un véritable suspense. Voir William A. Craigie, « Historical Introduction », dans l'édition de 1933, vol. 1, et surtout K.M. Elisabeth Murray, *Caught in the Web of Words : James A.H. Murray and the Oxford English Dictionary* (1977), biographie d'un charme et d'un esprit incomparables, par la petite-fille de Murray.

### QUATORZIÈME PARTIE : INTRODUCTION AU PASSÉ

On trouvera une excellente introduction à l'interprétation cyclique de l'expérience dans *Le Mythe de l'éternel retour, archétypes et répétition*, 1969, Gallimard, de Mircea Eliade, qui nous aide à percevoir la signification croissante des idées religieuses ; voir aussi du même auteur, *Patterns in Comparative Religion* (1958), *Histoire des croyances et des idées religieuses,* 1974, Payot, *Traité d'histoire des religions,* 1983, Payot.

Pour une vue globale de l'attitude non occidentale vis-à-vis du passé, voir : Roland H. Bainton, etc., *The Idea of History in the Near East* (1966) ; John K. Fairbank et Edwin O. Reischauer, *East Asia, The Great Tradition (1960)* et, avec Albert M. Craig, *East Asia, The Modern Transformation* (1965) ; Nancy Wilson Ross, *Three Ways of Ancient Wisdom* (1966).

Sur chaque historien, on pourra consulter les publications de la London University School of Oriental and African Studies, *Historical Writings on the Peoples of Asia* (3 vol., 1961-1962) ; vol. 1, C.H. Philips (éd.), *India, Pakistan and Ceylan* ; vol. 2, D.G.E. Hall (éd.), *South-East Asia* ; vol. 3, W.G. Beasley et E.G. Pulleyblank (éd.), *China and Japan* ; vol. 4, Bernard Lewis et P.M. Hold (éd.), *The Middle East.*

L'admirable *Banaras : City of Light* (1982) de Diana L. Eck révèle les visions indiennes du passé dans le contexte pittoresque de la géographie et de la vie quotidienne indiennes. Voir aussi le vivant et abondamment illustré *The Wonder That Was India* (Penguin paperback, 1954) de A.I. Basham. On trouvera des textes sur l'attitude indienne vis-à-vis du passé dans l'excellente sélection de Theodore de Bary, etc., *Sources of Indian Tradition.* Voir également : Sunuti K. Chatterji, *Languages and Literature of Modern India* (1963) ; William H.

McNeill et Jean W. Sedlar, *Classical India* (1969) ; Edward Sachau, *L'Inde d'Alberunt* (1964) ; *Introduction à la littérature indienne* (1974).

On pourra lire une excellente introduction à la vision bouddhiste avec Edward Conze, *Bouddhisme : essence et développement* (1953), et les *Écrits bouddhistes* (1953), ou avec Christmas Humphrey, *Buddhism* (Penguin paperback, 1955). Voir également : H. Fielding-Hall, *The Soul of a People* (1903) sur les particularités du bouddhisme birman ; Maurice Percheron, *Bouddha et le bouddhisme*, 1974, Seuil ; Melford E. Spiro, *Buddhism and Society : A great Tradition and Its Burmese Vicissitudes* (1970) ; William Geiger, *Le Mahavamsa, ou la grande chronique de Ceylan* (1912).

En Chine, la culture dans son ensemble est directement et intimement liée aux diverses attitudes vis-à-vis du passé. Quelques-uns des meilleurs chercheurs nous ont donné des essais à la fois passionnant et accessibles sur ce sujet. Par exemple : Arthur Waley, *Three Ways of Thought in Ancient China* (1956) et *The Way and Its Power... the Tao Te Ching and its Place in Chinese Thought* (1934) ; Herrlee G. Creel, *Confucius and the Chinese Way* (1960) et *What Is Taoism ?* (1970). Pour plus de détails, voir : Mark Elvin, *The Pattern of the Chinese Past* (1973) ; Joseph R. Levenson, *Confucian China and Its Modern Fate* (1968). *Sources of Chinese Tradition* (2 vol., 1964) rassemble fort utilement des textes, sous l'égide de Mark Elvin. De Confucius, on trouvera : *Entretiens avec ses disciples*, 1975, Gonthier ; *L'invariable milieu, Cahiers astrologiques, Maximes et pensées,* Silvaire ; *Le Ta Hio ou la grande étude*, réimpression de l'édition de 1837 ? 1979 fac-similé, Rouyat. Sur les écrits historiques chinois, on pourra lire : Charles S. Gardner, *Chinese Traditional Historiography* (1938) ; Ku Chiehkang, *Autobiographie d'un historien chinois... préface à un symposium sur l'histoire ancienne de la Chine* (1931) ; Burton Watson, *Ssu-Ma Ch'ien, Grand Historian of China* (1958). Sur la relation de l'attitude historique de la Chine sur la politique, voir : Charles O. Hucker, *The Traditional Chinese State in Ming-Times, 1368-1644* (1961) ; Arthur W. Hummel, « What Chinese Historians are Doing in Their Own History », *American Historical Review*, vol. 34 (1929), pp. 715-724 ; Jonathan D. Spence, *The Gate of Heavenly Peace : The Chinese and Their Revolution*, 1895-1980 (1981).

Pour l'attitude musulmane vis-à-vis du passé, voir l'excellente introduction de Franz Rosenthal, *A History of Muslim Historiography* (1968). Sur Ibn Khaldun voir : Ibn Khaldun, *The Mukaddimah : Une introduction à l'histoire* ; Muhsin Mahdi, *La Philosophie de l'histoire d'Ibn Khaldun* (1957) ; Walter J. Fischel, *Ibn Khaldun in Egypt : Hist. Public Fonctions and his Historical Research, 1382-1406* (1967).

Parmi les ouvrages de référence sur la montée de l'historiographie en Occident : James Westfall Thomson, *A History of Historical Writing* (2 vol., 1942) ; C.V. Langlois et C. Seignobos, *Introduction à l'étude de l'histoire* (1898) ; James T. Shotwell, *The History of History* ; J.B. Bury, *Selected Essays* (1930) et *The Idea of Progress* (1932) ; Carl Becker, *Heavenly City of the Eighteenth-Century Philosophers* (1932) et *Everyman His own Historian* (1935). A la fois passionnante et très différente de Bury : Robert Nisbet, *History of the Idea of Progress* (1980). Si l'on veut avoir le point de vue d'un philosophe, lire R.G. Collingood, *The Idea of History* (1961), qui explore la thèse selon laquelle la vision moderne de l'histoire exige que l'historien recherche « la connaissance de l'homme par lui-même » et s'intéresse aux « questions dont l'écrivain commence par ignorer la réponse ». Si l'on est attiré par le chemin qui conduit de l'histoire à toute philosophie sociale, voir Frank E. et Fritzie P. Manuel, *Utopian Thought in the Western World* (1979), particulièrement le chapitre 18, « Freedom from the Wheel ».

On pourra consulter les textes d'Hérodote et de Thucydide. Une excellente introduction à cela est M.I. Finley, *Greek Historians : The Essence of Herodotus, Thucydides, Xenophon, Polybius* (1959) ; *Les premiers temps de la Grèce*, 1980, Flammarion ; C.M. Bowra, *l'Expérience grecque*, 1970, Fayard, chapitre 9. Pour un coup d'œil aux subtilités de l'interprétation, voir Francis M. Cornford, et son lumineux *Thucydides Mythistoricus* (1907, 1971). Lire, les *Confessions* de saint Augustin, et sa *Cité de Dieu*. Pour la place de l'histoire et de la pensée historique dans la chrétienté, voir le remarquable *Growth of the Christian Tradition* (5 vol., 1971, 1983) de Jaroslav Pelikan. Pour mieux comprendre la pensée de saint Augustin, on pourra consulter : John N. Figgin, *The Political Aspects of Saint Augustine's City of God* (1963) ; Eugène Portalié, S.J., *Guide pour la pensée de saint Augustin* ; voir aussi Edward A. Synan, « Augustine of Hippo », et « Augustinism », dans le *Dictionary of the Middle Ages* (vol. 1, 1982). Sur l'extension du sens de l'histoire en Occident, j'ai trouvé particulièrement utile : George Boas, *Essays on Primitivism and Related Ideas in the Middle Ages* (1966), *The Happy Beast : in French Thought of the Seventeenth Century* (1966) et A.O. Lovejoy, *Primitivism and Related Ideas in Antiquity* (1965) ; Marc Bloch, *Apologie pour l'histoire ou métier d'historien* (Colin, 1980) ; Jacob Burckhardt, *La Civilisation de la Renaissance en Italie*, tomes 1 et 2 (1964, 1974 Gonthier), *The Age of Constantine the Great* (1949) ; Norman Cohn, *Les Fanatiques de l'Apocalypse* (Millénaristes révolutionnaires et anarchistes mystiques au Moyen Age) 1953, Payot ; Alexander Heidel, *The Babylonian Genesis : The Story of the Creation* (1951) ; J. Huizinga, *Le Déclin du Moyen Age* (1979) et *Dutch Civilization in the Seventeenth Century and Other Essays* (1968), spécialement « Two Wrestlers with the Angel », pp. 158-218 sur Oswald Spengler et H.G. Wells et « My Path to History », pp. 244-276 ; Kenneth S. Latourette, *A History of the Extension of Christianity* (7 vol., 1937-1970) ; Beryl Smalley, *English Friars and Antiquity in the Early Forteenth Century* (1960) ; Lois Whitney, *Primitivism and the Idea of Progress* (1934).

Pour lire quelque chose de piquant sur l'écriture historique le lecteur peut se pencher sur Voltaire, *Le siècle de Louis XIV* (1739-1768) et Edward Gibbon, *Histoire du déclin et de la chute de l'Empire romain* (1776-1788), « Bouquins », 1984 (Laffont). Pour des récentes critiques sur Gibbon lire le symposium dans *Dedalus*, vol. 105 (1976).

Deux admirables essais de Peter Burke analysent la montée du sens historique et de la critique historique : *The Renaissance Sense of the Past* (1967) et *Tradition and Innovation in Renaissance Italy* (1974) ; je dois aussi beaucoup à Ricardo J. Quinones, *The Renaissance Discovery of Time* (1972). Voir également : Bernard Berenson, *Les Peintres italiens de la Renaissance* (1930) ; Ernst Cassirer, en collaboration, *Individu et cosmos dans la philosophie de la Renaissance*, 1983, Minuit ; Eric Cochrane, *Historians and Historiography in the Italian Renaissance* (1981) ; Wallace K. Fergusson, *The Renaissance in Historical Thought : Five Interpretations* (1948) ; Felix Gilbert, *Machiavelli and Guicciardini : Politics and History in Sixteenth-Century Florence* (1965) ; Denys Hay, « Flavio Biondi and the Middle Ages », Proc. British Academy, vol. 45 (1959), pp. 97-128 et *L'Europe aux XIVᵉ et XVᵉ siècles*, 1972, Sirey ; Erwin Panofsky, *La Renaissance et ses avant-courriers dans l'art d'Occident*, 1976, Flammarion ; Orest Ranum (éd.), *National Consciousness, History and Political Culture in Early Modern Europe* (1975) ; J.H. Whitfield, *Petrarch and the Renaissance* (1943). *La Vie de Cellini* (1558-1566) illumine toute la scène.

A tous les autres mystères de l'histoire la pratique de l'archéologie ajoute le suspense de la chasse au trésor perceptible dans de nombreux ouvrages de vulgarisation scientifique. *Gods, Graves and Scholars* (1952) de C.W. Ceram a acquis une popularité internationale tout à fait méritée et c'est l'idéal pour commencer. Voir aussi : Geoffrey Bibby, *The Testimony of the Spade* (1962) ; Glyn E. Daniel, *A Hundred Years of Archaeology* (1950) et *The Origins and Growth of Archaeology* (1971) ; Leonard Wooley, *History Unearthed* (1963) et *Digging up the Past* (1954). Sur la destruction et le sauvetage des monuments romains, voir deux essais particulièrement riches en faits : Rodolfo Lanciani, *La Destruction de la Rome antique : esquisse de l'histoire des monuments* (1967) et Roberto Weiss, *The Renaissance Discovery of Classical Antiquity* (1969).

Sur Winckelmann, commencer par goûter sa délicieuse et enthousiaste *Histoire de l'art antique* (1969). Pour un commentaire : Irwin Babbitt, *The New Laokoon, An Essay on the Confusion of the Arts* (1934) ; Hedwig Weilguny, *Winckelmann et Goethe* (1968). Johann Wolfgang Goethe, *Winckelmann et son siècle*. La meilleure approche de Schliemann est à travers ses propres écrits : *Troie et ses vestiges, récits des recherches et découvertes* (1875) et *Ilios : La vie et le pays des Troyens, résultats des recherches et découvertes* (1880), riches en détails autobiographiques. La vie de Schliemann n'a pas besoin d'être embellie, mais Schliemann lui-même n'a pas hésité à broder autour des faits. Résister au trop sensationnel *Schliemann de Troie* (1947), éditions latines, d'Émile Ludwig et se tourner vers l'ouvrage plus fiable et pourtant émouvant de Lynn et Gray Poole, *One Passion, Two Loves : The Story of Heinrich and Sofia Schliemann* (1966). Voir également : E.M. Buttler, *The Tyrany of Greece over Germany* qui étudie l'influence de l'art grec et de la poésie grecque sur la littérature allemande ; John Myres, *The Cretan Labyrinth : A Retrospect of Aegean Research* (1933). L'ouvrage de Joseph Alsop, *The Rare Art Tradition* (1982), offre une étude à la fois originale et dérangeante des relations mondiales entre la collection d'art et la découverte de l'histoire de l'art, la multiplication des musées, le développement du faux, etc.

Pour la naissance de l'idée de la préhistoire, commencer avec Glyn Daniel, *The Idea of Prehistory* (Penguin paperback, 1971). Et voir : Graham Clark, *Aspects of Prehistory* (1970) et *Archaeology and Society* (1965) qui esquissent pour nous les implications surprenantes de ce sujet ; Colin Renfew, *Les origines de l'Europe : la révolution du radiocarbone* (1984), Flammarion.

On aura une idée des latitudes du temps dans les notes ci-dessus pour les première, deuxième et troisième parties. Pour Scaliger voir son *Autobiographie* et Charles Nisar, *Juste Lipse, Joseph Scaliger et Isaac Casauson* (1899). Et pour Newton, voir en particulier Frank Manuel, Isaac Newton, Historian (1963). Voir aussi : G.S.P. Freeman-Grenville, *The Muslim and Christian Calendars... Tables for the Conversion of... dates* (1963) ; John Stewart Mill, *The Spirit of the Age* (1942) ; Jerome H. Buckley, *The Triumph of Time... The Victorian Concept of Time, History, Progress, and Decadence* (1966).

Vico, personnage négligé et sous-estimé, nous a offert une vision prophétique des découvertes de l'anthropologie et du rôle universel du mythe et de la technologie que l'on trouvera dans l'ouvrage de Thomas G. Bergin et Max Harold Fisch, *La nouvelle science de Giambatista Vico*. Voir sa *Nouvelle science* et son *Autobiographie* ; dans *International Encyclopaedia of the Social Sciences*, vol. 16, pp. 313-316, Hayden V. White nous donne un excellent et bref portrait de Vico.

On a beaucoup écrit sur Marx et Freud. Je mentionne donc ici seulement les ouvrages qui m'ont le plus aidé pour l'aspect limité de leurs idées dont je parle dans mon livre. On trouvera une intéressante discussion de leurs idées dans Stanley

Edgar Hyman, *The Tangled Bank : Darwin, Marx, Fraser, and Freud as Imaginative Writers* (1962) et dans Henry F. Ellengberger, *A la découverte de l'inconscient, Histoire de la psychiatrie dynamique* (1974) SIMEP.

Pour la vie de Marx je me suis beaucoup inspiré du *Karl Marx : An intimate Biography* (1978) de Saül K. Padover. On trouvera les œuvres de Marx aux Éditions Gallimard, à la Découverte et chez Aubier-Montaigne. L'article de Robert S. Cohen dans le *Dictionary of Scientific Biography*, vol. 15 : Supplément 1, pp. 403-417, est intéressant à de nombreux titres dont le moindre n'est pas qu'il apparaît que ce seul « chercheur social » (avec Engels) a dû être ajouté en supplément afin que ce dictionnaire soit acceptable pour une traduction en Union soviétique. On notera que les gouvernements occidentaux n'ont exercé aucune pression pour que soient inclus Moïse ou Jésus ! Pour avoir la vision de Marx sur l'histoire il serait bon de lire Georg W.F. Hegel, *Leçon sur la philosophie de l'histoire* (posthume, 1832) et les brillants essais de Karl Popper s'attaquant au déterminisme historique, *The Poverty of Historicism* (1957) et *The Open Society and its Enemys* (2 vol., 1971), virulente diatribe contre Marx et ses disciples.

Sur Freud on commencera par Ernest Jones, *La Vie et l'œuvre de Sigmund Freud* (vol. 1, 2, 3, 1975, 1979, 1982, P.U.F.). Lire le merveilleux et très humain *Freud et l'âme humaine*, 1985, Laffont, de Bruno Bettelheim. Les nombreux écrits de Paul Roazen m'ont été précieux au-delà de toute mesure, particulièrement *Freud and his Followers* (1976) et *Freud, Political and Social Thought* (1968). Voir aussi Jacques Barzun, *Clio et les médecins : Psycho-histoire, Quanto-histoire et histoire* (1974) ; Ronald W. Clarck, *Freud : the Man and the Cause* (1980), riche d'enseignement sur le contexte social ; O. Mannoni, *Freud* (1971), récit à la fois court et très vivant ; Franck J. Sulloway, *Freud, Biologics of the Mind* (1979) ; on trouvera les œuvres de Freud chez Gallimard et aux P.U.F.

### QUINZIÈME PARTIE : L'ÉTUDE DU PRÉSENT

Au sujet de Las Casas, on pourra consulter les pertinents et essentiels ouvrages de Lewis Hanke, particulièrement *The Spanish Struggle for Justice in the Conquest of America* (1965) et *All Mankind is One... the Disputation Between Bartholomé de Las Casas et Juan Ginès de Sepúlveda* (1974) ; et voir son *Do the Americas Have a Common History ? A Critique of the Bolton Theory* (1964). Une publication de la bibliothèque du Congrès met à notre disposition un superbe fac-similé, *Las Casas as a Bishop* (1980), Helen Rand Parish (éd.). Pour la pensée anthropologique précolombienne et ses récents courants, voir : John B. Friedman, *The Monstrous Races in Medieval Art and Thought* (1981) et Margaret T. Hogden, *Early Anthropology in the Sixteenth and Seventeenth Centuries* (1964). Et pour les tendances modernes : Stanley Diamond (éd.), *Culture in History* (1960) ; Theodosius Dobzhansky, *Génétique du processus évolutif*, 1977, Flammarion ; Pierre L. van den Berghe, *Race and Racism* (1967) et son excellent article, « Racism » dans l'*Encyclopaedia Britannica* (15ᵉ éd.), vol. 15, pp. 360-366 ; Timothy Raison (éd.), *The Founding Fathers of Social Science* (1969).

La vie de Morgan est résumée dans deux brèves biographies : Carl Resek, *Lewis Henry Morgan, American Scholar* (1960), et Bernhard J. Stern, *Lewis Henry Morgan, Social Evolutionist* (1931). On lit encore avec plaisir et intérêt son *Ancient Society* (1877). Pour suivre l'influence de Morgan, lire Engels, *Origine de la famille, de la propriété privée et de l'État* (1884).

Une bonne introduction à Tylor est fournie par le livre de R.R. Marett, *Tylor* (Modern Sociologists series, 1936). Les œuvres de Tylor, comme celles de Morgan, sont toujours parfaitement lisibles et riches en leçons. Par exemple : *Primitive Culture* (2 vol., 1971, rééd. 1929) et *Anthropology, An Introduction to the Study of Man and Civilization* (1896, éd. abrégée avec une introduction de Leslie A. White, 1960). Voir aussi, Margaret T. Hoggen, *The Doctor of Survivals* (1936) et les articles de George W. Stocking Jr., « Matthew Arnold, E.B. Tylor and the Uses of Invention », *American Anthropologists,* vol. 65 (1963), pp. 783-799 et « Franz Boas and the Culture Concept », vol. 68, 1966, pp. 867-882.

*Wordly Philosophers* (5e éd. 1980) de Robert L. Heilbroner est un chef-d'œuvre de vulgarisation qui peut concurrencer tous les autres historiens des idées par sa clarté et son érudition. Le livre magistral est la monumentale *Histoire de l'analyse économique* (3 vol., Gallimard, 1983) de Joseph A. Schumpeter, éditée d'après le manuscrit par Elisabeth S. Schumpeter, riche de détails et nuancé dans ses jugements. Pour une étude plus approfondie, voir l'ouvrage définitif de Eli Heckscher, *Mercantilism* (2 vol., 1933). Entre autres ouvrages accessibles, citons ; Robert Lekachman, *A History of Economic Ideas* ; Erich Roll, *A History of Economic Thought* (éd. revue 1954). La biographie de base d'Adam Smith est celle de John Rae, *Life of Adam Smith* (1895) rééditée avec une bonne introduction de Jacob Weiner (1965). Voir aussi : Otto Mayr, « Adam Smith of the Feedback system », *Technology and Culture*, vol. 12, 1971, à laquelle je dois beaucoup ; William R. Scott, *Adam Smith as a Student and Professor* (1937). Les écrits d'Adam Smith ont souvent été réédités ; on pourra consulter les *Recherches sur la nature et les causes de la richesse des nations* (1776).

Pour John Maynard Keynes, il y aurait lieu de commencer par l'ouvrage parfaitement accessible de Robert Lekachman, *Age of Keynes* (1969) ou par la biographie de R.F. Harrod (1951). Keynes écrit avec la même intuition qu'Adam Smith, et avec davantage d'acuité. Ceux qui pourraient trouver difficile de lire sa *Théorie générale de l'emploi, de l'intérêt et de la monnaie* (1936) ou son *Traité de la monnaie* (2 vol., 1930) pourront se reporter à *The Economic Consequence of the Peace* (1920). *Essays in Persuasion* (1931) et *Essays in Biography* (1933).

Pour l'étude de la démographie et des données quantitatives de la société, voir James Bonar, *Theories of Population from Raleigh to Arthur Young* (1931) ; F.N. David, *Games, Gods and Gambling* (1962) ; Ian Hacking, *The Emergence of Probability... Early Ideas About Probability : Induction and Statistical Inference* (1975) ; John Koren, *The History of Statistics* (1918) ; American Economic Association, *The Federal Census* (1899) ; Carol D. Wright, *The History and Growth of the United States Census* ; John Graunt, *Observations naturelles et politiques sur les bulletins de mortalité,* Institut national des études démographiques (1977). Voir aussi : Robert Cargon, « John Graunt, Francis Bacon and the Royal Society : the Reception of Statistics », *Journal of the History of Medicine and Allied Sciences* (vol. 18, 1953, pp. 337-348) ; Charles F. Mullett, *The Bubonic Plague and England* (1958). En ce qui concerne Quetelet, voir Frank H. Henkins, *Adolphe Quetelet as Statician* (1968) et de Quetelet lui-même, *Sur l'homme et le développement de ses facultés, ou essai de physique sociale* (1836).

Parmi la vaste littérature consacrée à l'histoire de la physique et de la chimie, j'ai été passionné par le livre d'Edwin A. Burtt, *Metaphysical Foundations of Modern Physical Science* (1927) toujours utile et fascinant, par les écrits d'Alfred North Whitehead (voir ci-dessus, onzième partie). L'*Essay on Atomism from Democritus to 1960* (1961) de Lancelot Law Whyte est un guide indispensable en ces matières. Pour une introduction pertinente au problème de la relativité, particulièrement pour le lecteur profane, voir George Gamow, *Mister Tompkins in Paperback* (1967), que nous devons à l'imagination de C.P. Snow. Parmi les autres ouvrages éminemment recommandables, Andrew G. van Melsen, *From Atomos to Atom, The History of the Concept Atom* (1952) ; Zelig Hecht, *Explaining the Atom* (1954) ; Leonard K. Nash, *The Atomic Molecular Theory* (Cas 4, Harvard Case in Experimental Science, 1950) ; Banesh Hoffman, *The Strange Story of the Quantum* (1959), Arnold Thakray, *Atoms and Powers... Newtonian Matter-Theory and the Development of Chemistry* (1970) ; Lucrèce, *De natura rerum* ; à quoi il faut ajouter une collection des œuvres de Lavoisier.

Pour une étude approfondie, citons les écrits de Gerald Holton, spécialement intéressants par la précision de ses exemples et son rapprochement constant avec les thèmes essentiels : *L'Invention scientifique : thémata et interprétation de Kepler à Einstein,* 1982, P.U.F., *L'Imagination scientifique,* Gallimard, 1981, Case Studies, 1978, et encore le *Harvard Project Physics Readers* (1975) et *Albert Einstein, Historical and Cultural Perspectives* (1982). Le profane partagera mon plaisir en lisant le *Physicists* de C.P. Snow (1981) qui a tout l'attrait d'un roman et aussi *The Cosmic Cold, A Quantum Physics as the Language of Nature,* Heinz R. Pagel (1982).

Sur la vie et l'œuvre de Dalton, il existe une masse d'ouvrages accessibles : Frank Greenaway, *John Dalton and the Atom* (1966) ; Elizabeth C. Patterson, *The Atomic Theory* (1970) ; Henry E. Roscoe, *John Dalton and the Rise of Modern Chemistry* (1895) ; Henry E. Roscoe et Arthur Harden, *A New View of the Origin of Dalton's Atomic Theory,* avec une introduction d'Arnold Thackray (1970), C.S.L. Cardwell (éd.) ; John Dalton, *The Progress of Science* (1970) ; la biographie de référence est celle de Pearce Williams, *Michael Faraday* (1954), un immense plaisir de lecture. Voir aussi John Tyndall, *Faraday as a Discoverer* (1961). On trouvera un bon choix des écrits de Faraday (avec des écrits de Lavoisier) dans *Great Books of the Western World,* vol. 5. Parmi les autres biographies remarquables concernant l'histoire de la physique et de la chimie, citons Lewis Campbell et William Garnett, *The Life of James Clerk Maxwell* (1882) qui contient un choix de ses écrits. Dorothy Michaelson Livingston *The Master of Light : A Biography of Albert A. Michaelson* (1973) ; Robert J.S. Railey, *The Life of Sir J.J. Thomson* (1942) ; Robert Redi, *Marie Curie derrière la légende,* 1979, Seuil ; George P. Thomson, *S.J. Thomson and the Cavendish Laboratory in His Day* (1964) ; J.J. Thomson, *Recollections and Reflections* (1936).

Pour une bonne introduction à Einstein, j'ai particulièrement apprécié Jeremy Bernstein, *Einstein* (1973) ; Ronald W. Clark, *Einstein Life and Times* (1971) ; Albert Einstein et Leopold Infeld, *L'Évolution des idées en physique* (1938). Voir aussi : Harry Woolf (éd.), *Some Strangeness in the Proportion* (1980), colloque consacré à Einstein. Et pour une connaissance plus récente de l'influence d'Einstein dépassant le domaine propre de la physique, Gerald Holton Yehuda Elkana (éd.), *Albert Einstein, Historical and Cultural Perspective* (1982), actes du colloque de Jérusalem.

Parmi les ouvrages plus généraux qui m'ont personnellement intéressé : Ginestra Amaldi, *La Nature de la matière, théorie physique de Thalès à Fermi* (1966) ; Max Born, *The Restless Universe* (1951) et *La Responsabilité du savant dans le monde moderne* (1967) ; Fritjof Capra, *Le Tao de la physique* (1979), Sand ; Freeman Dyson, *Disturbing the Universe* (1979) ; A.S. Eddington, *The Nature of the Physical World* (1928) ; Herbert Friedman, *The Amazing Universe* (1975) ; Starley L. Jaki, *The Relevance of Physics* (1966) et *Et sur ce roc, le témoignage d'une terre et de deux testaments* (1978) ; Robert Jastrow, *Red Giants and White Dwarfs* (1967) et *Until the Sun Dies* (1977) ; Daniel J. Kevles, *The Physicists, the History of a Scientific Community in Modern America* (1978).

# INDEX

## A

## B

## C

## D

## E

## F

## G

## H

## I

## J

## M

## N

## O



## P

## Q



## R

## S

## X



## Y



## Z

## REMERCIEMENTS

Aussi loin que je puisse m'en souvenir, mes dettes pour ce livre remontent à la première visite que j'ai effectuée à Florence il y a un demi-siècle, et à ma découverte des œuvres d'Oswald Spengler et d'Edouard Gibbon. Au cours des quinze dernières années, la rédaction de ce livre a été l'agrément de mes heures de loisirs. A la différence de la plupart de mes précédents ouvrages, il n'a pas subi le banc d'essai des salles de conférence et n'est pas le fruit d'une collaboration avec des collègues, des étudiants ou des assistants de recherche. Toutefois, de nombreux amis m'ont donné leur point de vue, leurs suggestions ou bien encore, ont lu certaines parties du manuscrit. Ils m'ont évité des erreurs dans le déroulement des faits, mais bien souvent, n'ont pas partagé mes interprétations ou mes accentuations. Il m'est agréable d'adresser mes remerciements à Silvio A. Bedini, du National Museum of American History, The Smithsonian Institution, Washington, D.C. ; Simon Michael Bessie de Harper and Row, Éditeurs ; Dr. Charles A. Blitzer, président et directeur du National Humanities Center, Research Triangle Park, North Carolina ; Subrahmanyan Chandrasekhar, Morton D. Hull, distingué maître assistant en astrophysique, Université de Chicago ; Dr. Elisabeth Eisenstein, Alice Freeman Palmer, professeur d'Histoire, Université de Michigan ; Dr. Ivan P. Hall de la Commission d'Amitié américano-japonaise, Tokyo ; Dr. O.B. Hardison, directeur de la Bibliothèque Folger Shakespeare, Washington, D.C. ; Dr. Chauncy D. Harris, Samuel N. Harper, distingués maîtres assistants en Géographie, Université de Chicago ; Professeur Sandra Hindman, département d'histoire de l'Art, Université John Hopkins ; Dr. Gerald Holton, Mallinkrodt, Professeur de Physique et Professeur d'Histoire des Sciences, Université Harvard ; Sol Linowitz, de Washington D.C. ; Dr. Edmund S. Morgan, excellent professeur d'Histoire des États-Unis, Université de Yale ; Dr. Jaroslav Pelikan, excellent professeur d'Histoire et d'Études religieuses, Université de Yale ; Dr. Edmund D. Pellegrino, John Carroll, Professeur de médecine, Université de Georgetown ; William Safire du *New York Times* ; Dr. Emily Vermeule, The Zemurray-Stone-Radcliffe Professor, Département des Classiques, Université Harvard ; Dr. Paul E.

Walker, directeur du Centre de Recherche américain en Égypte ; et mes fils, Paul Boorstin, Jonathan Boorstin et David Boorstin. Je dois le titre de ce livre à Paul Boorstin.

La précision scrupuleuse, l'aide et le discernement de Geneviève Grémillion ont été essentiels à chaque étape de la préparation du manuscrit. Sa chaleureuse amitié et son entrain pour l'ouvrage ont constitué mes rares moments de bonne fortune et ont immensément contribué à la réalisation de ce livre.

Dès les premiers temps, le vice-président et directeur de Random House, Robert D. Loomis, a intuitivement compris les espoirs que je plaçais dans cet ouvrage ; sa patience, son intelligence critique, sa compréhension de ce que devait tenter d'être (ou de ne pas être) ce livre, son enthousiasme et ses encouragements m'ont aidé pendant bien des années. Il est devenu pour moi le guide modèle qu'un auteur est en droit d'attendre de son directeur de publication.

Mais ce livre n'aurait pas vu le jour sans la réconfortante compagnie, la collaboration intime, la stimulation intellectuelle, la critique minutieuse et la vision poétique de mon épouse, Ruth F. Boorstin. Comme toujours, elle a été pour moi le premier et le plus pénétrant des critiques. Son rôle créateur, catalytique et vivifiant a été crucial dans la réalisation de cet ouvrage plus personnel qu'aucun de ceux dont j'ai été précédemment l'auteur. Il est singulièrement insuffisant de lui dédier ce livre, car ma dette envers elle dépasse les mots. Une fois de plus, elle a été l'indispensable compagne de la découverte et demeure pour moi la plus belle découverte de toutes.

# TABLE DES MATIÈRES

## LIVRE I

### LE TEMPS

*Première partie*

L'EMPIRE CÉLESTE



*Deuxième partie*

DU TEMPS SOLAIRE AU TEMPS DE L'HORLOGE



*Troisième partie*

L'HORLOGE MISSIONNAIRE

## LIVRE II

### LA TERRE ET LES MERS

*Quatrième partie*

UNE GÉOGRAPHIE DE L'IMAGINAIRE



*Cinquième partie*

LES ROUTES DE L'ORIENT



*Sixième partie*

DOUBLER LE MONDE



*Septième partie*

LA SURPRISE AMÉRICAINE

*Huitième partie*

LA GRAND-ROUTE DES MERS



## LIVRE III

**LA NATURE**

*Neuvième partie*

VOIR L'INVISIBLE



*Dixième partie*

L'INTÉRIEUR DU CORPS

*Onzième partie*

LA PROPAGATION DE LA SCIENCE



*Douzième partie*

LE RECENSEMENT DE TOUTE LA CRÉATION



## LIVRE IV

**LA SOCIÉTÉ**

*Treizième partie*

L'ÉLARGISSEMENT DES COMMUNAUTÉS DE SAVOIR



*Quatorzième partie*

INTRODUCTION AU PASSÉ

## *Quinzième partie*

## L'ÉTUDE DU PRÉSENT

# DANS LA MÊME COLLECTION

## HISTOIRE ET ESSAIS

BENOIST-MÉCHIN, Jacques
Soixante jours qui ébranlèrent l'Occident (10 mai – 10 juillet 1940) *(1 volume)*
Histoire de l'armée allemande *(2 volumes)* : Tome 1, 1918-1937 – Tome 2, 1937-1939

BOORSTIN, Daniel
Les Découvreurs *(1 volume)*

FRAZER, James George
Le Rameau d'Or – Tome 1 : Le roi magicien dans la société primitive – Tabou ou les périls de l'âme
Le Rameau d'Or – Tome 2 : Le dieu qui meurt, Adonis, Atys et Osiris
Le Rameau d'Or – Tome 3 : Esprits des blés et des bois, Le bouc émissaire
Le Rameau d'Or – Tome 4 : Balder le Magnifique, Bibliographie générale

GIBBON, Edward
Histoire du déclin et de la chute de l'Empire romain *(2 volumes)* : Tome 1, Rome (de 96 à 582) – Tome 2, Byzance (de 455 à 1 500)

LA RÉVOLUTION FRANÇAISE (1789-1799)
Histoire et dictionnaire par Jean Tulard, Jean-François Fayard, Alfred Fierro *(1 volume)*

LE MONDE ET SON HISTOIRE, collection dirigée par Maurice Meuleau
Le monde antique et les débuts du Moyen Age par Maurice Meuleau et Luce Pietri *(1 volume)*
La fin du Moyen Age et les débuts du monde moderne par Luce Pietri et Marc Venard *(1 volume)*
Les révolutions européennes et le partage du monde ; le monde contemporain de 1914 à 1938 par Louis Bergeron et Marcel Roncayolo *(1 volume)*
Le monde contemporain de la Seconde Guerre mondiale à nos jours par Marcel Roncayolo *(1 volume)*

LE VOYAGE EN ORIENT de Jean-Claude Berchet
Anthologie des voyageurs français dans le Levant au XIXe siècle *(1 volume)*

MICHELET, Jules
Histoire de la Révolution française *(2 volumes sous coffret)*
Le Moyen Age *(1 volume)*
Renaissance et Réforme : Histoire de France au XVIe siècle *(1 volume)*

MOMMSEN, Theodor
Histoire romaine *(2 volumes)* : Tome 1, Des commencements de Rome jusqu'aux guerres civiles – Tome 2, La Monarchie militaire

NAPOLÉON A SAINTE-HÉLÈNE
Par les quatre Évangélistes : Las Cases, Gourgaud, Montholon, Bertrand. Textes préfacés, choisis et commentés par Jean Tulard *(1 volume)*

RANKE, Léopold
Histoire de la Papauté pendant les seizième et dix-septième siècles *(1 volume)*

REVEL, Jean-François
Ni Marx ni Jésus – La tentation totalitaire – La grâce de l'état – Comment les démocraties finissent *(1 volume)*

RIASANOVSKY, Nicholas V.
Histoire de la Russie (des origines à 1984) *(1 volume)*

ROSTOVTSEFF, Michel
Histoire économique et sociale de l'Empire romain *(1 volume)*

SAINTYVES, Pierre
Les contes de Perrault et les récits parallèles – En marge de la Légende dorée – Les reliques et les images légendaires *(1 volume)*

TAINE, Hippolyte
Les origines de la France contemporaine *(2 volumes)* : Tome 1 : L'Ancien Régime – La Révolution. Tome 2 : La Révolution – Le Régime moderne

THOMAS, Hugh
La guerre d'Espagne (juillet 1936-mars 1939) *(1 volume)*

TOCQUEVILLE, Alexis de
De la démocratie en Amérique – Souvenirs – L'Ancien Régime et la Révolution *(1 volume)*

TOLAND, John
Adolf Hitler *(1 volume)*

VIANSSON-PONTÉ, Pierre
Histoire de la République gaullienne (mai 1958-avril 1969) *(1 volume)*

WALLON, Henri
Histoire de l'esclavage dans l'Antiquité *(1 volume)*

WILSON, Arthur M.
Diderot – Sa vie et son œuvre *(1 volume)*

## LITTÉRATURE

BALZAC, Honoré de
Le Père Goriot – Les Illusions perdues – Splendeurs et misères des courtisanes *(1 volume)*

BARBEY D'AUREVILLY, Jules
Une Vieille Maîtresse – Un prêtre marié – L'Ensorcelée – Les Diaboliques – Une page d'histoire *(1 volume)*

BOILEAU-NARCEJAC
Quarante ans de suspense, tome 1 : L'ombre et la proie – Celle qui n'était plus – Les visages de l'ombre – L'ange gardien – D'entre les morts – Les louves – Le dernier mot – Le mauvais œil – Au bois dormant – Meurtre au ralenti – Les magiciennes – L'ingénieur aimait trop les chiffres – Le grand secret – Le retour – A cœur perdu *(1 volume)*

Quarante ans de suspense, tome 2 : Sylvestre à qui je dois la vie – Maléfices – Maldonne – Les victimes – 6 – 1 = 6 – Le mystère de Sutton Place – ... Et mon tout est un homme – Le Train bleu s'arrête treize fois... – Les apprenties détectives – La mort a dit : peut-être – Télé-crime – La bête noire – La porte du large – La clef *(1 volume)*.

Quarante ans de suspense, tome 3 : Delirium – L'île – Les veufs – Récital pour une blonde – Sans Atout et le cheval fantôme – Sans Atout contre l'homme à la

dague – Trois indispensables alibis – Manigances – La vie en miettes – Trois nouvelles pour le Journal du Dimanche – Les pistolets de Sans Atout – Opération Primevère – Nouvelles 1973-74 – Frère Judas *(1 volume)*
Quarante ans de suspense, tome 4 : L'Étrange Traversée – La Tenaille – Nouvelles 1975-76 – La Lèpre – Nouvelles 1977 – Les Apprenties détectives – L'Âge bête – Impunité – Carte Vermeil – Les Intouchables – Terminus – À une heure près – Box-office – Mamie – Un cas unique – Les Eaux dormantes – Dans la gueule du loup *(1 volume)*

COLETTE *(3 volumes sous coffret)*
Romans, récits, souvenirs (1900-1919), tome 1 : Claudine à l'école – Claudine à Paris – Claudine en ménage – Claudine s'en va – La Retraite sentimentale – Les Vrilles de la vigne – L'Ingénue libertine – La Vagabonde – L'Envers du music-hall – L'Entrave – La Paix chez les bêtes – Les Heures longues – Dans la foule – Mitsou *(1 volume)*
Romans, récits, souvenirs (1920-1940), tome 2 : Chéri – La Chambre éclairée – Le Voyage égoïste – La Maison de Claudine – Le Blé en herbe – La Femme cachée – Aventures quotidiennes – La Fin de Chéri – La Naissance du jour – La Seconde – Sido – Douze Dialogues de bêtes – Le Pur et l'Impur – Prisons et paradis – La Chatte – Duo – Mes apprentissages – Bella-Vista – Le Toutounier – Chambre d'hôtel *(1 volume)*
Romans, récits, souvenirs (1941-1949), critique dramatique (1934-1938), tome 3 : Journal à rebours – Julie de Carneilhan – De ma fenêtre – Le Képi – Trois...Six...Neuf... – Gigi – Belles saisons – L'Étoile Vesper – Pour un herbier – Le Fanal bleu – Autres bêtes – En pays connu – La Jumelle noire *(1 volume)*

DICKENS, Charles
Les Grandes Espérances – Le Mystère d'Edwin Drood – Récits pour Noël *(1 volume)*

DOYLE, Conan
Sherlock Holmes, tome 1 : Une étude en rouge – Le signe des quatre – Les aventures de Sherlock Holmes – Les mémoires de Sherlock Holmes – Le retour de Sherlock Holmes *(1 volume)*
Sherlock Holmes, tome 2 : La vallée de la peur – Le chien des Baskerville – Les archives de Sherlock Holmes – Son dernier coup d'archet – Les exploits de Sherlock Holmes *(1 volume)*
Les Exploits du Pr Challenger et autres aventures étranges : Le Monde perdu – La Ceinture empoisonnée – La Machine à désintégrer – Quand la terre hurla – Au pays des brumes – Le Monde perdu sous la mer – Contes de terreur – Contes de crépuscule – Contes d'aventures – La Tragédie du « Korosko » – Contes de l'eau bleue – Contes de pirates *(1 volume)*

DUMAS, Alexandre
Les Trois Mousquetaires – Vingt ans après *(1 volume)*

FLAUBERT, Gustave
Madame Bovary – L'Éducation sentimentale – Bouvard et Pécuchet suivi du Dictionnaire des idées reçues – Trois Contes *(1 volume)*

FLEMING, Ian
James Bond 007, tome 1 : Casino Royal – Vivre et laisser mourir – Entourloupe dans l'azimut – Les diamants sont éternels – Les contrebandiers du diamant – Bons baisers de Russie – Docteur No *(1 volume)*
James Bond 007, tome 2 : Goldfinger – Bons baisers de Paris – Opération tonnerre – Motel 007 ou l'espion qui m'aimait – Au service secret de Sa Majesté – On ne vit que deux fois – L'homme au pistolet d'or – Meilleurs vœux de la Jamaïque *(1 volume)*

FÉVAL, Paul
Les Habits Noirs, tome 1 : Les Habits Noirs – Cœur d'acier – La rue de Jérusalem – L'arme invisible *(1 volume)*

Les Habits Noirs, tome 2 : Maman Léo – L'avaleur de sabres – Les compagnons du trésor – La bande cadet *(1 volume)*

FONTANE, Theodor

Errements et tourments – Jours disparus – Frau Jenny Treibel – Effi Briest *(1 volume)*

GREENE, Graham

La Puissance et la Gloire – Le Fond du problème – La Fin d'une liaison *(1 volume)*
Un Américain bien tranquille – Notre agent à la Havane – Le Facteur humain *(1 volume)*

ITALIES de Yves Hersant

Anthologie des voyageurs français aux XVIII^e et XIX^e siècles *(1 volume)*

JAMES, Henry

Daisy Miller – Les Ailes de la Colombe – Les Ambassadeurs *(1 volume)*

KIPLING, Rudyard

Le livre de la jungle – Le second livre de la jungle – La première apparition de Mowgli – Kim – Simples contes des collines – Fantômes et prodiges de l'Inde – Capitaines courageux *(1 volume)*

Au hasard de la vie – Histoires en noir et blanc – Trois soldats – Le Nauhlaka – Sous les cèdres de l'Himalaya – Wee Willie Winkie – L'administration Smith – Le Rickshaw fantôme et autres contes étranges – Monseigneur l'éléphant *(1 volume)*

LEBLANC, Maurice

Arsène Lupin, tome 1 : La comtesse de Cagliostro – Arsène Lupin, gentleman cambrioleur – Les confidences d'Arsène Lupin – Le retour d'Arsène Lupin – Arsène Lupin – Le bouchon de cristal – Arsène Lupin contre Herlock Sholmès – L'aiguille creuse *(1 volume)*

Arsène Lupin, tome 2 : La demoiselle aux yeux verts – Les huit coups de l'horloge – « 813 » – L'éclat d'obus – Le triangle d'or – L'île aux trente cercueils *(1 volume)*

Arsène Lupin, tome 3 : Les dents du tigre – L'homme à la peau de bique – L'agence Barnett et Cie – Le cabochon d'émeraude – La demeure mystérieuse – La barre-y-va – La femme aux deux sourires – Victor de la brigade mondaine – La Cagliostro se venge *(1 volume)*

Arsène Lupin, tome 4 : Boileau-Narcejac : Le secret d'Eunerville – La poudrière – Le second visage d'Arsène Lupin – La justice d'Arsène Lupin – Le serment d'Arsène Lupin – L'affaire Oliveira. Maurice Leblanc : Dorothée danseuse de corde – Le prince de Jéricho – Les milliards d'Arsène Lupin. Valérie Catogan : Le secret des rois de France *(1 volume)*

Les rivaux d'Arsène Lupin, tome 5 : La dent d'Hercule Petitgris – De minuit à sept heures – La vie extravagante de Balthazar – Le chapelet rouge – Le cercle rouge – La frontière – La forêt des aventures – Le formidable événement – Les trois yeux – Un gentleman *(1 volume)*

LE CARRÉ, John

La Taupe – Comme un collégien – Les Gens de Smiley *(1 volume)*

LE ROUGE, Gustave

Le mystérieux Docteur Cornélius – Le prisonnier de la planète Mars – La guerre des vampires – L'espionne du grand Lama – Cinq nouvelles retrouvées – Les poèmes du Docteur Cornélius *(1 volume)*

LEROUX, Gaston

Le Fantôme de l'Opéra – La Reine du sabbat – Les Ténébreuses – La Mansarde en Or *(1 volume)*

Les aventures extraordinaires de Rouletabille, reporter, tome 1 : Le Mystère de la chambre jaune – Le Parfum de la dame en noir – Rouletabille chez le tsar – Le château noir – Les étranges noces de Rouletabille *(1 volume)*

Les aventures extraordinaires de Rouletabille, reporter, tome 2 : Rouletabille chez Krupp – Le Crime de Rouletabille – Rouletabille chez les bohémiens, suivis de : La Double vie de Théophraste Longuet – Balaoo – Les Fils de Balaoo *(1 volume)*

LES MILLE ET UNE NUITS

Dans la traduction du Dr J.-C. Mardrus *(2 volumes)*

LONDON, Jack

Romans, récits et nouvelles du Grand Nord : L'Appel de la forêt – Le Fils du loup – Croc-Blanc – Construire un feu – Histoires du pays de l'or – Les Enfants du froid – La Fin de Morganson – Souvenirs et aventures du pays de l'or – Radieuse Aurore *(1 volume)*

Romans maritimes et exotiques : Le Loup des mers – Histoires des îles – L'Ile des lépreux – Jerry, chien des îles – Contes des mers du Sud – Fils du soleil – Histoires de la mer – Les Mutinés de l'« Elseneur » *(1 volume)*

Du possible à l'impossible : Michael, chien de cirque – Trois Cœurs – Le Vagabond des étoiles – Le Bureau des assassinats – Le Dieu tombé du ciel – Histoires des siècles futurs – Avant Adam *(1 volume)*

Romans et récits autobiographiques : Martin Eden – Les Pirates de San Francisco – La Croisière du Dazzler – Les Vagabonds du rail – Le Peuple de l'abîme – La Croisière du Snark – Le Mexique puni – Le Cabaret de la dernière chance *(1 volume)*

Aventures des neiges et d'ailleurs : Belliou la Fumée – L'Amour de la vie – En pays lointain – Fille des neiges – L'Aventureuse – Cherry ou Les Yeux de l'Asie – La Petite Dame de la grande maison *(1 volume)*

MALET, Léo

Les enquêtes de Nestor Burma et les nouveaux mystères de Paris, tome 1 : 120, rue de la Gare – Nestor Burma contre C.Q.F.D. – Le Cinquième Procédé – Faux-Frère – Pas de veine avec le pendu – Poste restante – Le Soleil se lève derrière le Louvre – Des kilomètres de linceuls – Fièvre au marais – La Nuit de Saint-Germain-des-Près – Les Rats de Montsouris – M'as-tu vu en cadavre ? *(1 volume)*

Les enquêtes de Nestor Burma et les nouveaux mystères de Paris, tome 2 : Corrida aux Champs Élysées – Pas de bavards à la Muette – Brouillard au pont de Tolbiac – Les eaux troubles de Javel – Boulevard... ossements – Casse-pipe à la Nation – Micmac moche au Boul'Mich – Du Rébecca rue des Rosiers – L'envahissant cadavre de la plaine Monceau *(1 volume)*

Dernières enquêtes de Nestor Burma, tome 3 : L'homme au sang bleu – Nestor Burma et le monstre – Gros plan du macchabée – Hélène en danger – Les paletots sans manches – Nestor Burma en direct – Nestor Burma revient au bercail – Drôle d'épreuve pour Nestor Burma – Un croque-mort nommé Nestor – Nestor Burma dans l'île – Nestor Burma court la poupée *(1 volume)*

Les confrères de Nestor Burma, tome 4 : Johnny Metal – Aux mains des réducteurs de têtes – Miss Chandler est en danger – Le dé de jade – Affaire double – Le gang mystérieux – La mort de Jim Licking – L'ombre du grand mur – L'enveloppe bleue – Erreur de destinataire – Derrière l'usine à gaz – L'auberge de banlieue – Le dernier train d'Austerlitz – La cinquième empreinte – Recherché pour meurtre – Cité interdite – Mort au bowling – Énigme aux Folies-Bergère – Abattoir ensoleillé *(1 volume)*

MAUPASSANT, Guy de *(2 volumes sous coffret)*

Tome 1 : Quid de Guy de Maupassant – Contes divers 1875-1880 – La Maison Tellier – Contes divers 1881 – Mademoiselle Fifi – Contes divers 1882 – Contes de la bécasse – Clair de lune – Contes divers 1883 – Une vie – Miss Harriet – Les Sœurs Rondoli *(1 volume)*

Tome 2 : Yvette – Contes divers 1884 – Contes du jour et de la nuit – Bel-Ami – Contes divers 1885 – Toine – Monsieur Parent – La Petite Roque – Contes divers 1886 – Le Horla – Contes divers 1887 – Le Rosier de madame Husson – La Main gauche – Contes divers 1889 – L'Inutile Beauté *(1 volume)*

PROUST, Marcel *(3 volumes sous coffret)*

A la recherche du temps perdu, tome 1 : Quid de Marcel Proust – Du côté de chez Swann – A l'ombre des jeunes filles en fleurs *(1 volume)*

A la recherche du temps perdu, tome 2 : Le côté de Guermantes – Sodome et Gomorrhe *(1 volume)*

A la recherche du temps perdu, tome 3 : La prisonnière – La fugitive – Le temps retrouvé *(1 volume)*

RENAN, Ernest

Histoire et parole : Œuvres diverses *(1 volume)*

RIDER HAGGARD, Henry

Elle qui doit être obéie : Elle ou la Source du feu – Le Retour d'Elle – La Fille de la sagesse – Les Mines du roi Salomon – Elle et Allan Quatermain *(1 volume)*

ROMAINS, Jules *(4 volumes sous coffret)*

Les hommes de bonne volonté, volume I : 1. Le 6 octobre – 2. Crime de Quinette – 3. Les amours enfantines – 4. Éros de Paris – 5. Les superbes – 6. Les humbles – 7. Recherche d'une église *(1 volume)*

Les hommes de bonne volonté, volume II : 8. Province – 9. Montée des périls – 10. Les pouvoirs – 11. Recours à l'abîme – 12. Les créateurs – 13. Mission à Rome – 14. Le drapeau noir *(1 volume)*

Les hommes de bonne volonté, volume III : 15. Prélude à Verdun – 16. Verdun – 17. Vorge contre Quinette – 18. La douceur de la vie – 19. Cette grande lueur à l'Est – 20. Le monde est ton aventure – 21. Journées dans la montagne *(1 volume)*

Les hommes de bonne volonté, volume IV : 22. Les travaux et les joies – 23. Naissance de la bande – 24. Comparutions – 25. Le tapis magique – 26. Françoise – 27. Le 7 octobre *( 1 volume)*

ROMANS TERRIFIANTS

Horace Walpole : Le Château d'Otrante – Ann Radcliffe : L'Italien ou le Confessionnal des Pénitents Noirs – Matthew Gregory Lewis : Le Moine – Ernst Theodor Amadeus Hoffmann : Les Élixirs du Diable – Charles Robert Maturin : Melmoth ou l'Homme errant *(1 volume)*

ROSNY AÎNÉ, J.-H.

Vamireh – Eyrimah – La guerre du feu – Le félin géant – Helgvor du fleuve bleu – Elem d'Asie – Nomaï – Les Xipéhuz – La grande énigme – Les hommes sangliers *(1 volume)*

SCOTT, Walter

Waverley – Rob-Roy – La Fiancée de Lammermoor *(1 volume)*

SOUVESTRE, Pierre et ALLAIN, Marcel

Fantômas, tome 1 : Le train perdu – Les amours d'un prince – Le bouquet tragique – Le jockey masqué *(1 volume)*

Fantômas, tome 2 : Le cercueil vide – Le faiseur de reines – Le cadavre géant – Le voleur d'or *(1 volume)*

Fantômas, tome 3 : La Série rouge – L'Hôtel du crime – La Cravate de chanvre – La Fin de Fantômas – Dictionnaire des personnages de Fantômas *(1 volume)*

STEVENSON, Robert Louis

L'Ile au trésor – Le Maître de Ballantrae – Enlevé ! – Catriona – Veillées des îles – Un mort encombrant – L'étrange cas du Dr. Jekyll et de Mr. Hyde *(1 volume)*

SUE, Eugène

Le Juif errant *(1 volume)*

ZÉVACO, Michel

Tome 1 : Les Pardaillan – L'Épopée d'amour – La Fausta *(1 volume)*

Tome 2 : La Fausta (suite) – Fausta vaincue – Pardaillan et Fausta – Les Amours du Chico *(1 volume)*
Tome 3 : Le Fils de Pardaillan – La Fin de Pardaillan – La Fin de Fausta *(1 volume)*

## POÉSIE

BAUDELAIRE, Charles
Œuvres complètes *(1 volume)*

UNE ANTHOLOGIE DE LA POÉSIE FRANÇAISE de Jean-François Revel *(1 volume)*

RIMBAUD – CHARLES CROS – TRISTAN CORBIÈRE – LAUTRÉAMONT
Œuvres complètes *(1 volume)*

TOULET, Paul-Jean
Œuvres complètes *(1 volume)*

## VICTOR HUGO : ŒUVRES COMPLÈTES

ROMAN I
Han d'Islande – Bug-Jargal – Le Dernier jour d'un condamné – Notre-Dame de Paris – Claude Gueux *(1 volume)*

ROMAN II
Les Misérables *(1 volume)*

ROMAN III
L'Archipel de la Manche – Les Travailleurs de la mer – L'Homme qui rit – Quatrevingt-treize *(1 volume)*

POÉSIE I
Premières Publications – Odes et Ballades – Les Orientales – Les Feuilles d'automne – Les Chants du crépuscule – Les Voix intérieures – Les Rayons et les Ombres *(1 volume)*

POÉSIE II
Châtiments – Les Contemplations – La Légende des siècles, première série – Les Chansons des rues et des bois – La Voix de Guernesey *(1 volume)*

POÉSIE III
L'Année terrible – La Légende des siècles, nouvelle série – La Légende des siècles, dernière série – L'Art d'être grand-père – Le Pape – La Pitié suprême – Religions et Religion – L'Ane – Les Quatre Vents de l'esprit *(1 volume)*

POÉSIE IV
La Fin de Satan – Dieu – Le Verso de la page – Toute la Lyre – Les Années funestes – Dernière Gerbe *(1 volume)*

THÉÂTRE I
Cromwell – Amy Robsart – Hernani – Marion de Lorme – Le Roi s'amuse – Lucrèce Borgia – Marie Tudor – Angelo, tyran de Padoue – La Esmeralda *(1 volume)*

THÉÂTRE II
Ruy Blas – Les Burgraves – Torquemada – Théâtre en liberté – Les Jumeaux – Mille francs de récompense – L'Intervention *(1 volume)*

POLITIQUE
Paris – Mes Fils – Actes et Paroles I – Actes et Paroles II – Actes et Paroles III – Actes et Paroles IV – Testament littéraire – Préface à l'édition *ne varietur* *(1 volume)*

CRITIQUE
La Préface de Cromwell – Littérature et philosophie mêlées – William Shakespeare – Proses philosophiques des années 60-66 *(1 volume)*

HISTOIRE
Napoléon le Petit – Histoire d'un crime – Choses vues *(1 volume)*

VOYAGES
Le Rhin – Fragment d'un voyage aux Alpes – France et Belgique – Alpes et Pyrénées – Voyages et excursions – Carnets 1870-1871 *(1 volume)*

CHANTIERS-OCÉAN
Fragments, notes, brouillons et documents *(2 volumes à paraître)*

INDEX GÉNÉRAL *(à paraître)*

CORRESPONDANCE
Familiale et écrits intimes : I. 1802-1828 *(1 volume)*

## OUVRAGES DE RÉFÉRENCE

ATLAS *(4 volumes sous étui)*
Histoire ancienne *(1 volume)*
Histoire du Moyen Âge *(1 volume)*
Histoire moderne *(1 volume)*
Histoire des XIX$^{e}$ et XX$^{e}$ siècles *(1 volume)*

DICTIONNAIRE DE LA CIVILISATION INDIENNE de Louis Frédéric *(1 volume)*

DICTIONNAIRE DE L'ARCHÉOLOGIE de Guy Rachet *(1 volume)*

DICTIONNAIRE DES AUTEURS *(4 volumes sous coffret)*

DICTIONNAIRE DES DISQUES ET DES COMPACTS (Guide critique de la musique classique enregistrée) par l'équipe rédactionnelle et technique de la revue *Diapason (1 volume)*

DICTIONNAIRE DES INTERPRÈTES (et de l'interprétation musicale au XX$^{e}$ siècle) de Alain Pâris *(1 volume)*

DICTIONNAIRE DES ŒUVRES *(7 volumes sous coffret)*

DICTIONNAIRE DES PERSONNAGES (de tous les temps et de tous les pays) *(1 volume)*

DICTIONNAIRE DES SYMBOLES de Jean Chevalier et Alain Gheerbrant *(1 volume)*

DICTIONNAIRE DU CINÉMA
Tome 1 : Les réalisateurs de Jean Tulard
Tome 2 : Les scénaristes, les producteurs, les acteurs, les techniciens de Jean Tulard
Tome 3 : Les films de Jacques Lourcelles *(à paraître)*

DICTIONNAIRE DU JAZZ de Philippe Carles, André Clergeat, Jean-Louis Comolli *(1 volume)*

DICTIONNAIRE ENCYCLOPÉDIQUE DE LA MUSIQUE par l'Université d'Oxford sous la direction de Denis Arnold *(2 volumes sous coffret)*

L'IMPRESSIONNISME ET SON ÉPOQUE (Dictionnaire international) de Sophie Monneret *(2 volumes sous coffret)*

MOZART (Sa vie musicale et son œuvre) de T. de Wyzewa et G. de Saint-Foix
Tome 1 : 1756-1777 : L'enfant prodige – le jeune maître
Tome 2 : 1777-1791 : Le grand voyage – l'épanouissement – les dernières années

TOUT L'OPÉRA de Gustave Kobbé *(1 volume)*

UNE HISTOIRE DE LA MUSIQUE de Lucien Rebatet *(1 volume)*

## OUVRAGES PRATIQUES

CUISINE SANS SOUCI de Rose Montigny *(1 volume)*

DICTIONNAIRE DE L'ALIMENTATION de John Yudkin *(1 volume)*

DICTIONNAIRE DES MÉDICAMENTS (Tout ce qu'il faut savoir sur les 4 200 médicaments français) du Dr Jean Thuillier *(1 volume)*

ENCYCLOPÉDIE DES VINS ET DES ALCOOLS de Alexis Lichine *(1 volume)*

GASTRONOMIE des cardiaques, des diabétiques, des « hépatiques » et colopathes, de la femme enceinte et qui allaite, des enfants bien portants, des enfants malades, par Catherine Descargues *(1 volume)*

RÉUSSIR VOTRE CUISINE de Martine Jolly *(1 volume)*

SYMPTÔMES ET MALADIES (Encyclopédie médicale de la famille ; les règles d'or pour vivre plus longtemps et rester toute sa vie en bonne santé) de Sigmund S. Miller, assisté de 20 spécialistes *(1 volume)*

VOTRE ENFANT (Guide à l'usage des parents) par le Dr Lyonel Rossant avec la collaboration du Dr Jacqueline Rossant-Lumbrosco *(1 volume)*

DÉPÔT LÉGAL : AOÛT 1989

N° ÉDITEUR : S 960

*Photocomposition Pierre Gresse s.p.r.l.*
*B-4920 Embourg (Belgique)*

ACHEVÉ D'IMPRIMER POUR
LES ÉDITIONS ROBERT LAFFONT
SUR LES PRESSES DE
HAZELL WATSON & VINEY LTD
AYLESBURY (GRANDE-BRETAGNE)
*Printed in Great Britain*